S0-BCN-021

KOMMENTAR ZUM ALTEN TESTAMENT · BAND VIII 1

KOMMENTAR ZUM ALTEN TESTAMENT

BAND VIII 1

GÜTERSLOHER VERLAGSHAUS GERD MOHN

KOMMENTAR ZUM ALTEN TESTAMENT

Hans Joachim Stoebe

Das erste Buch Samuelis

1973

GÜTERSLOHER VERLAGSHAUS GERD MOHN

ISBN 3-579-04278-5
Schutzumschlag: S. u. H. Lämmle, Stuttgart

Gesamtherstellung: Mohndruck Reinhard Mohn OHG, Gütersloh
Library of Congress Catalogue Card Number: 66-25807
Printed in Germany

Dem Andenken meiner Mutter

Inhaltsverzeichnis

Zeichenerklärung zur Übersetzung

( )	Zusätze zum Verständnis der Übersetzung
[ ]	spätere Zusätze in 𝔐 oder Wahllesarten
[...]	spätere Zusätze in 𝔐, die im Apparat übersetzt werden
kursiv	spätere Zusätze in 𝔐 in poetischen Texten, die in der Übersetzung mindestens eine Zeile umfassen
⟨ ⟩	Konjekturen
...	Text in 𝔐, dessen Übersetzung unsicher oder unmöglich ist (3 Punkte)
....	Textausfall in 𝔐 (mindestens 10 Punkte)

Vorwort

Im Jahre 1926 erschien in dieser Sammlung der Kommentar zu den Samuelbüchern von Wilhelm Caspari. Er sah im Vorwort das Ziel einer Arbeit, die sich vorwiegend erzählerischen Stoffen zu widmen hat, in der Feststellung, »in welchem Grade sich die Erzählungen für eine geschichtswissenschaftliche Verwertung eignen«. Das Ergebnis »führt in der Regel zu irgendwelcher Unterscheidung zwischen Darstellung und Tatsache«. Damit ist zwar schon das weite Feld überlieferungskritischer Betrachtungsweise für die Arbeit an den Büchern Samuelis in den Blick gekommen, doch ist die damit gestellte Aufgabe viel umfassender, als es noch Caspari zu erkennen vermochte. Die Entstehung des Königtums stellt einen tiefen Einschnitt von entscheidender Bedeutung für den Verlauf der israelitischen Geschichte dar, wenn auch über der Bescheidenheit des Beginns seine Tragweite im Anfang vielleicht noch gar nicht bewußt war. Aber die Entwicklung führt dann in überraschend schnellem Gefälle, durch schwere Katastrophen hindurch, zu einer festen Institution. Die, die als Zeitgenossen unmittelbar, als Nachfahren mittelbar in dieses Geschehen hineingenommen sind, müssen sich mit ihm auseinandersetzen, müssen versuchen, es glaubend zu begreifen und zu verarbeiten. Das zeigt sich in der Art, wie sich zustimmend, fragend, zweifelnd, um Verstehen ringend Überlieferungen bilden. So spannungsreich sie sich darstellen mögen, sind sie doch Zeugnis dieses Gefälles, und in ihnen erschließt sich die geschichtliche Bewegtheit.

Die Aufgaben, die damit der Anlage einer Auslegung gestellt werden, sind nicht ganz einfach. Mehr noch, als es sonst allgemein der Fall ist, muß hier das einzelne mit dem Ganzen zusammen gesehen werden. Ein Kommentar ist nun aber nicht nur ein Hilfsmittel für die, die ein biblisches Buch von Anfang bis Ende durcharbeiten, sondern hat auch an die zu denken, die sich nur mit abgegrenzten Komplexen beschäftigen können oder lediglich auf einzelne Fragen Antwort suchen, obwohl eben eine solche getrennte Betrachtung im Grunde gar nicht möglich ist. Ich suche dieser Schwierigkeit dadurch gerecht zu werden, daß ich nicht nur in der Einleitung (IV. Die Entstehung des ersten Samuelbuches) und am Schluß (Das Königtum Sauls) eine Darstellung der großen Zusammenhänge gebe, sondern eine solche auch den einzelnen Abschnitten voranstelle. Um die dabei gegebene Gefahr einer Wiederholung so weit wie möglich zu vermeiden, war ich bemüht, diese Problemkreise jeweils von einer anderen Seite her zu beleuchten. In der Regel ist dabei auch die Auseinandersetzung mit den Arbeitsergebnissen der älteren Vertreter einer vertikalen Quellenscheidung aufgenommen; nicht nur um einer gewissen Kontinuität willen – auch die ist wichtig –, sondern vor allem deswegen, weil die Beobachtungen, die einmal zu der Annahme solcher Quellenstränge führten, bedeutsam sind und bedacht werden müssen, selbst wenn man heute andere Folgerungen aus ihnen zieht. Dieselben Gedanken haben mich bei der Anlage des Kritischen Apparates bestimmt. Wenn auch da, wo es sich nicht um offensichtlich verderbte Texte handelt, textkritische Hinweise einen nicht geringen Raum einnehmen, so mag das bei der eher konservativen Textbehandlung dieses Kommentars überraschen. Aber Varianten ebenso wie neue Emendationen sind vielfach Ausdruck eines bestimmten Vorverständnisses des Zusammenhanges. Darum kann die Auseinandersetzung mit ihnen gerade da, wo sie nicht übernommen werden, oft hilfreich sein, die eigentliche Absicht des überlieferten Textes zu erfassen.

Da für alles dies, ebenso wie für die zum Verständnis nötigen Realien der Kritische Apparat zur Verfügung steht, brauchte, wie ich hoffe, die Straffheit der Auslegung nicht darunter zu leiden. In der Literaturübersicht sind Veröffentlichungen, die sich auf einzelne textliche Fragen beschränken, im allgemeinen dann nicht aufgeführt, wenn sie an ihrer Stelle in den Anmerkungen Erwähnung finden.

Da sich die Drucklegung des schon Anfang 1967 abgeschlossenen Manuskriptes verzögerte, ist zunächst nur die Literatur bis zu diesem Zeitpunkt berücksichtigt worden. Neuere Arbeiten sind aber im Literaturverzeichnis angegeben. Soweit es nötig schien und möglich war, habe ich mich bemüht, sie durch Hinweise in den Anmerkungen auszuwerten. Unglattheiten, die sich daraus ergaben und die nicht gänzlich beseitigt werden konnten, bitte ich zu entschuldigen.

Für Hilfe beim Lesen der Korrekturen bin ich Herrn stud. phil. Mathias Stauffacher zu aufrichtigem Dank verpflichtet, ebenso Herrn Assistent Mathias Suter für die Anfertigung des Registers.

Basel, den 1. Juli 1972 *Hans Joachim Stoebe*

Abkürzungsverzeichnis

Von den Veröffentlichungen der Akademien usw. ist, wenn nichts anderes angegeben ist, jeweils die philosophisch-historische oder eine entsprechende Klasse zitiert.
Zitieren von Veröffentlichungen, die im *Literaturverzeichnis* aufgeführt sind:
Es wird nur der Name des Verfassers angegeben

1. bei im ersten Abschnitt des Literaturverzeichnisses aufgeführten *Kommentaren* (weitere im Literaturverzeichnis aufgeführte Veröffentlichungen des gleichen Verfassers werden mit gekürztem Titel oder durch Angabe des Fundortes [Zeitschrift, Festschrift usw.] zitiert),
2. bei nur *einer* Veröffentlichung,
3. bei nur *einer selbständigen* Veröffentlichung (weitere im Literaturverzeichnis aufgeführte Veröffentlichungen des gleichen Verfassers – in Zeitschriften usw. – werden durch Angabe des Fundortes zitiert).

AAB	Abhandlungen der Deutschen (bis 1944: Preußischen) Akademie der Wissenschaften zu Berlin
AAG	Abhandlungen der Akademie der Wissenschaften in Göttingen (bis Folge III,26, 1940: AGG)
AAH	Abhandlungen der Heidelberger Akademie der Wissenschaften
AAL	Abhandlungen der Sächsischen Akademie der Wissenschaften in Leipzig (bis 30, 1920: AGL)
AAM	Abhandlungen der Bayerischen Akademie der Wissenschaften. München
AAMz	Abhandlungen (der geistes- und sozialwissenschaftlichen Klasse) der Akademie der Wissenschaften und der Literatur. Mainz
AASOR	The Annual of the American Schools of Oriental Research. New Haven
AB	The Anchor Bible
AcOr(L)	Acta Orientalia. Leiden
AELKZ	Allgemeine evangelisch-lutherische Kirchenzeitung
AevTh	Abhandlungen zur evangelischen Theologie. Bonn
ÄF	Ägyptologische Forschungen. Glückstadt, Hamburg
AfO	Archiv für Orientforschung. Graz
AGG	Abhandlungen der Gesellschaft der Wissenschaften zu Göttingen (ab Folge III,27, 1942: AAG)
AGL	Abhandlungen der Sächsischen Gesellschaft der Wissenschaften. Leipzig (ab 31, 1921: AAL)
AHW	Wolfram v. Soden: Akkadisches Handwörterbuch. Wiesbaden 1965 ff.
AIPh	Annuaire de l'Institut de Philologie et d'Histoire Orientales et Slaves. Brüssel
Aistleitner	Joseph Aistleitner: Wörterbuch der ugaritischen Sprache, hg. von Otto Eißfeldt. Berlin 1963
AJA	American Journal of Archaeology. Baltimore
AJSL	American Journal of Semitic Languages and Literatures. Chicago
AJTh	American Journal of Theology. Chicago
AKM	Abhandlungen für die Kunde des Morgenlandes. Wiesbaden
Alt	Alt, Albrecht: Kleine Schriften zur Geschichte des Volkes Israel. I. II. München 1953; III. 1959
AnBibl	Analecta Biblica. Rom
ANEP	The Ancient Near East in Pictures relating to the Old Testament. Hg. von J. B. Pritchard. Princeton 1954
ANET	Ancient Near Eastern Texts relating to the Old Testament. Hg. von J. B. Pritchard. Princeton 1950; ANET²: 2. Aufl. 1955
AnLov	Analecta Lovaniensia Biblica et Orientalia. Leuven-Louvain
AnOr	Analecta Orientalia. Rom
Ant	Flavius Josephus: Antiquitates
Anthropos	Anthropos. Internationale Zeitschrift für Völker- und Sprachenkunde. Freiburg/Schweiz

AO	Der Alte Orient. Leipzig
AOAT	Alter Orient und Altes Testament
AOB	Altorientalische Bilder zum Alten Testament. Hg. von Hugo Greßmann. 2. Aufl. Berlin, Leipzig 1927
AOF	Altorientalische Forschungen. Leipzig
AOS	American Oriental Series. New Haven
AOT	Altorientalische Texte zum Alten Testament. Hg. von Hugo Greßmann. 2. Aufl. Berlin, Leipzig 1926
ARM	Archives Royales de Mari. Transcriptions et Traductions, publiées sous la direction de Parrot et Dossin. Paris
ArOr	Archiv Orientální. Prag
ARPs	Archiv für Religionspsychologie. Berlin
ARW	Archiv für Religionswissenschaft. Leipzig, Berlin
ASAE	Annales du Service des Antiquités de l'Egypte. Kairo
ASTI	Annual of Swedish Theological Institute in Jerusalem. Leiden
ATA	Alttestamentliche Abhandlungen. Münster
ATAO	Jeremias, Alfred: Das Alte Testament im Lichte des Alten Orients. 4. Aufl. Leipzig 1930
ATD	Das Alte Testament Deutsch. Hg. von V. Herntrich und A. Weiser. Göttingen
AThANT	Abhandlungen zur Theologie des Alten und Neuen Testaments. Zürich
AThR	Anglican Theological Review. Evanston
AuC	Antike und Christentum. Münster
AuS	Dalman, Gustaf: Arbeit und Sitte in Palästina. I. Gütersloh 1928; II. 1932; III. 1933; IV. 1935; V. 1937; VI. 1939; VII. 1942
AVK	Archiv für Völkerkunde. Wien, Stuttgart
AWAT	Archiv für wissenschaftliche Erforschung des Alten Testaments. Hg. von E. O. Adalbert Merx. I. II. Halle/S. 1869–1872
BA	The Biblical Archaeologist. New Haven
BAL	Berichte über die Verhandlungen der Sächsischen Akademie der Wissenschaften zu Leipzig (bis 71,1, 1919: BGL)
BAO	Beihefte zum Alten Orient. Leipzig
BASOR	The Bulletin of the American Schools of Oriental Research. New Haven, Baltimore
BaudE	Baudissin, Wolf Wilhelm Graf: Einleitung in die Bücher des Alten Testamentes. Leipzig 1901
BaudK	Baudissin, Wolf Wilhelm Graf: Kyrios als Gottesname im Judentum und seine Stelle in der Religionsgeschichte. I–IV. Gießen 1929
BauerWB	Bauer, Walter: Griechisch-Deutsches Wörterbuch zu den Schriften des Neuen Testaments und der übrigen urchristlichen Literatur. 4. Aufl. Berlin 1952; BauerWB^5: 5. Aufl. 1958
BBB	Bonner Biblische Beiträge
BC	Biblischer Commentar über das Alte Testament. Hg. von C. F. Keil und F. Delitzsch. Leipzig
BdC	La Bible du Centenaire. Paris
Bell Jud	Flavius Josephus: Bellum Judaicum
BeO	Bibbia e Oriente. Milano
BEvTh	Beiträge zur Evangelischen Theologie. München
BFChTh	Beiträge zur Förderung christlicher Theologie. Gütersloh
BGL	Berichte über die Verhandlungen der Sächsischen Gesellschaft der Wissenschaften zu Leipzig (ab 71,2, 1919: BAL)
BH^3	Biblia Hebraica. Hg. von Rudolf Kittel. 3. Aufl. Stuttgart 1929 (BH^2: 1909)
BHEAT	Bulletin d'Histoire et d'Exégèse de l'Ancien Testament. Leuven-Louvain
BhEvTh	Beihefte zur Evangelischen Theologie. München
BHH	Biblisch-Historisches Handwörterbuch, hg. von L. Rost und B. Reicke. Göttingen 1962–1966

Bibl	Biblica. Rom
BIES	The Bulletin of the Israel Exploration Society. Jerusalem
BIFAO	Bulletin de l'Institut Français d'Archéologie Orientale
Bill	(Hermann L. Strack-) Paul Billerbeck: Kommentar zum Neuen Testament aus Talmud und Midrasch. I. München 1922; II. 1924; III. 1926; IV. 1928; V. 1955 (I–IV 2. unveränderte Aufl. 1956)
BiOr	Bibliotheca Orientalis. Leiden
BJPES	Bulletin of the Jewish Palestine Exploration Society. Jerusalem
BJRL	The Bulletin of the John Rylands Library. Manchester
BK	Biblischer Kommentar. Altes Testament. Hg. von M. Noth. Neukirchen 1955ff.
BL	Bibel-Lexikon. Hg. von H. Haag. Einsiedeln, Zürich, Köln 1951–1956: BL²: Neubear. 1968
BLe	Hans Bauer – Pontus Leander: Historische Grammatik der hebräischen Sprache des Alten Testamentes. Halle/S. 1922
BLeA	Hans Bauer – Pontus Leander: Grammatik des Biblisch-Aramäischen. 1927
BOT	De Boeken van het Oude Testament. Hg. von Adrianus van den Born. Roermond, Maaseik
BP	La Bible de la Pléiade. I. L'Ancien Testament. Paris
BRL	Galling, Kurt: Biblisches Reallexikon. Tübingen 1937 (HAT 1/1)
BroS	Brockelmann, Carl: Hebräische Syntax. Neukirchen 1956
BS	Bibliotheca Sacra. Dallas (Texas)
BSO(A)S	Bulletin of the School of Oriental (Vol. 10ff.: and African) Studies. University of London
BStF	Biblische Studien. Freiburg i. Br.
BStN	Biblische Studien. Neukirchen
BWA(N)T	Beiträge zur Wissenschaft vom Alten (und Neuen) Testament. Stuttgart
BZ	Biblische Zeitschrift
BZAW	Beihefte zur Zeitschrift für die alttestamentliche Wissenschaft. Berlin
BZNW	Beihefte zur Zeitschrift für die neutestamentliche Wissenschaft und die Kunde der älteren Kirche. Berlin
CAH	The Cambridge Ancient History. Cambridge
CAH²	Cambridge Ancient History. Revised Edition of Vol. I and II. Cambridge 1962ff.
CambB	Cambridge-Bible for Schools and Colleges. Cambridge
CAT	Commentaire de l'Ancien Testament
CBL	Calwer Bibellexikon. 4. Aufl. Stuttgart 1924
CBQ	The Catholic Biblical Quarterly. Washington
CentB	The Century Bible. London
Chant	Chantepie de la Saussaye, P. D.: Lehrbuch der Religionsgeschichte. 4. Aufl. Hg. von A. Bertholet und E. Lehmann. Tübingen 1925
CharlesAP	The Apocrypha and Pseudepigrapha of the Old Testament in English. Hg. von Robert Henry Charles. 1913
ChQR	The Church Quarterly Review. London
Chr. d'Eg.	Chronique d'Egypte. Brüssel
ChuW	Christentum und Wissenschaft. Dresden
CIG	Corpus Inscriptionum Graecarum
CIJ	Frey, J. B.: Corpus Inscriptionum Judaicarum. I. 1936; II. 1948
CIL	Corpus Inscriptionum Latinarum
CIS	Corpus Inscriptionum Semiticarum
COT	Commentaar op het Oude Testament. Hg. von Gerhard Charles Aalders. Kampen
CRAI	Comptes Rendus de l'Académie des Inscriptions et Belles Lettres. Paris
CSEL	Corpus Scriptorum Ecclesiasticorum Latinorum. 1866ff.
CSS	Cursus Scripturae Sacrae. Paris
CTA	A. Herdner: Corpus des tablettes en cunéiformes alphabétiques découvertes à Ras Shamra-Ugarit

DalmanWB	Dalman, Gustaf: Aramäisch-neuhebräisches Handwörterbuch. 2. Aufl. Frankfurt/M. 1922
DB	A Dictionary of the Bible. Ed. by J. Hastings with assistance of J. A. Selbei. 1898–1904 (= 8.–13. Aufl. 1942–1951)
DelF	Delitzsch, Friedrich: Die Lese- und Schreibfehler im Alten Testament. Berlin 1920
DGT	Det Gamle Testamente. Oslo
DLZ	Deutsche Literaturzeitung
DSS	Burrows, Millar: The Dead Sea Scrolls (with translations by the author). 1955
DTh	Deutsche Theologie. Monatsschrift für die deutsche evangelische Kirche
DThC	Dictionnaire de Théologie Catholique. Paris 1903ff.
DTT	Dansk Teologisk Tidsskrift. Kopenhagen
EB	Encyclopaedia Biblica. Hg. von T. K. Cheyne und J. Black. 1899–1903
EC	Enciclopedia Cattolica. I–XII. Città del Vaticano 1949–1954
Echter-B	Die Heilige Schrift in deutscher Übersetzung. Würzburg (Echter-Verlag)
EH	Exegetisches Handbuch zum Alten Testament. Münster
EißfE	Eißfeldt, Otto: Einleitung in das Alte Testament. 1. Aufl. Tübingen 1934; EißfE²: 2. Aufl. 1956; EißfE³: 3. Aufl. 1964
EJud	Encyclopaedia Judaica. Das Judentum in Geschichte und Gegenwart. I–X. Berlin 1928–1934 (nicht vollständig)
EKL	Evangelisches Kirchenlexikon. I. Göttingen 1956; II. 1958; II. 1959
Éliade	Éliade, Mircea: Die Religionen und das Heilige. Elemente der Religionsgeschichte. Salzburg 1954 (Übers. von: Traité d'histoire des religions. 1949)
ERE	Encyclopedia of Religion and Ethics. Hg. von J. Hastings. Edinburgh 1908–1926 (Nachdr. 1951)
ErJb	Eranos-Jahrbuch. Zürich
ErmL	Erman, Adolf: Die Literatur der Ägypter. Leipzig 1923
EstBib	Estudios Biblicos. Madrid
ET	The Expository Times. Edinburgh, Aberdeen
EtBi	Études Bibliques. Paris
EThL	Ephemerides Theologicae Lovanienses. Leuven-Louvain
EThR	Études Théologiques et Religieuses. Montpellier
EvFr	Evangelische Freiheit
EvTh	Evangelische Theologie
Exp	The Expositor. London
FF	Forschungen und Fortschritte
FHR	Fontes historiae religionum. Hg. von Carl Clemen. Bonn
Field	Field, Frederick: Origenis Hexaplorum quae supersunt; sive veterum interpretum Graecorum in totum VT fragmenta. I. II. Oxford 1875
FohrerE	Ernst Sellin: Einleitung in das Alte Testament. 10. Aufl., völlig neu bearbeitet von Georg Fohrer, Heidelberg 1965
FRLANT	Forschungen zur Religion und Literatur des Alten und Neuen Testaments. Göttingen
GB	Wilhelm Gesenius – Frants Buhl: Hebräisches und Aramäisches Handwörterbuch. 17. Aufl. 1915
GBe	Gesenius, Wilhelm: Hebräische Grammatik. 1813; 29. Aufl. von Gotthelf Bergsträßer. I. Leipzig 1918; II. 1929 (Neudruck in einem Band 1962)
GCS	Die griechischen christlichen Schriftsteller der ersten drei Jahrhunderte. 1897ff.
GGA	Göttingische Gelehrte Anzeigen
GK	Gesenius, Wilhelm: Hebräische Grammatik. 1813; 28. Aufl. von Emil Kautzsch. Leipzig 1909
GThT	Gereformeerd Theologisch Tijdschrift. Kampen

HAL	W. Baumgartner: Hebräisches und aramäisches Lexikon zum Alten Testament
HAOG	Jeremias, Alfred: Handbuch der altorientalischen Geisteskultur. 2.Aufl. Berlin, Leipzig 1929
HAT	Handbuch zum Alten Testament. Hg. von Otto Eißfeldt, Tübingen
HAW	Handbuch der Altertumswissenschaft. Begr. von I. von Müller, neu hg. von W. Otto. München 1929ff.
HBK	Herders Bibelkommentar. Hg. von E. Kalt und W. Lauck. Freiburg i. Br.
HK	Handkommentar zum Alten Testament. Hg. von W. Nowack. Göttingen
HO	Handbuch der Orientalistik. Hg. von B. Spuler. Berlin 1948ff.
HölKA	Hölscher, Gustav: Kanonisch und Apokryph. Leipzig 1905
HS	Horae Soederblomianae. Uppsala, Lund
HSAT	Die Heilige Schrift des Alten Testaments (Kautzsch). 3. Aufl. I. Tübingen 1909; II. 1910; 4. Aufl. I. 1922; II. 1923
HSchAT	Die Heilige Schrift des Alten Testaments. Hg. von F. Feldmann und H. Herkenne. Bonn
HThK	Herders Theologischer Kommentar. Hg. von A. Wikenhauser. Freiburg i. Br.
HThR	The Harvard Theological Review. Cambridge (Mass.)
HUCA	Hebrew Union College Annual. Cincinnati
ICC	The International Critical Commentary of the Holy Scriptures of the Old and New Testament. Edinburgh
IEJ	Israel Exploration Journal. Jerusalem
IG	Inscriptiones Graecae. Berlin
IKZ	Internationale Kirchliche Zeitschrift. Bern
Int	Interpretation. Richmond (Virginia)
IntB	The Interpreter's Bible. Hg. von N. B. Harmon. New York, Nashville
IThQ	Irish Theological Quarterly. Maynooth
IZBG	Internationale Zeitschriftenschau für Bibelwissenschaft und Grenzgebiete
JA	Journal Asiatique. Paris
JAA	Jaarboek der koninklijke nederlands(ch)e Akademie van Wetenschappen. Amsterdam
JAMA	The Journal of the American Medical Association. Chicago
JAOS	The Journal of the American Oriental Society. New Haven
JB	Theologischer Jahresbericht
JBL	Journal of Biblical Literature. Philadelphia
JBL, MS	Journal of Biblical Literature, Monograph Series. Philadelphia
JBR	The Journal of Bible and Religion. Boston
JCS	Journal of Cuneiform Studies. New Haven
JDTh	Jahrbücher für deutsche Theologie
JEA	The Journal of Egyptian Archaeology. London
JEOL	Jaarbericht van het Vooraziatisch-Egyptisch Genootschap Ex Oriente Lux. Leiden
JerB	La Sainte Bible. Trad. en français sous la direction de l'École Biblique de Jérusalem. 2. Aufl. Paris 1956
JewEnc	The Jewish Encyclopedia. New York 1901–1906
JJGL	Jahrbuch zur jüdischen Geschichte und Literatur
JJS	The Journal of Jewish Studies. London
JMEOS	Journal of the Manchester Egyptian and Oriental Society
JNES	Journal of Near Eastern Studies. Chicago
JPOS	Journal of the Palestine Oriental Society. Jerusalem
JpTh	Jahrbücher für protestantische Theologie
JQR	The Jewish Quarterly Review. Philadelphia
JR	Journal of Religion. Chicago
JRAS	Journal of the Royal Asiatic Society of Great Britain and Ireland. London
JSOR	Journal of the Society of Oriental Research. Toronto

JSS	Journal of Semitic Studies. Manchester
JThS	The Journal of Theological Studies. Oxford
JThSB	Jahrbuch der Theologischen Schule Bethel (ab 1948: WuD)
Judaica	Judaica. Beiträge zum Verständnis des jüdischen Schicksals in Vergangenheit und Gegenwart. Zürich
JüdLex	Jüdisches Lexikon. Berlin 1927–1930
KaiserE	Otto Kaiser: Einleitung in das Alte Testament. Gütersloh 1969
KAI	Kanaanäische und aramäische Inschriften. Hg. von H. Donner und W. Röllig. I. Wiesbaden 1962; II. u. III. 1964
KAT	Kommentar zum Alten Testament. Hg. von Ernst Sellin. Leipzig (bis 1939). – Neu hg. von Wilhelm Rudolph, Karl Elliger und Franz Hesse. Gütersloh 1962ff.
KAT^3	Schrader, Eberhard: Die Keilinschriften und das Alte Testament. 3. Aufl. Gießen 1903
KautzschAP	Die Apokryphen und Pseudepigraphen des Alten Testaments (in deutscher Übersetzung). Hg. von Emil Kautzsch. Tübingen 1900 (Neudruck 1921)
KB	Keilinschriftliche Bibliothek. Berlin
KBL	Ludwig Köhler – Walter Baumgartner: Lexicon in Veteris Testamenti libros. Leiden 1953 (KBL^3: 3. Aufl. 1967ff.)
KeH	Kurzgefaßtes exegetisches Handbuch zum Alten Testament. Leipzig
KHC	Kurzer Hand-Commentar zum Alten Testament. Hg. von Karl Marti, Tübingen
KittelGVI	Kittel, Rudolf: Geschichte des Volkes Israel. I. 5.–6. Aufl. Stuttgart 1923; II. 6. Aufl. 1925; III/1. 2. Aufl. 1927; III/2. 2. Aufl. 1929
Klio	Klio. Beiträge zur Alten Geschichte
Kl. Schr.	Kleine Schriften
Kö	König, Eduard: Historisch-kritisches Lehrgebäude der hebräischen Sprache. I. Leipzig 1881; II. 1895; III. 1897 (Wird keine Bandzahl genannt, bezieht sich die Angabe auf den III. Band.)
KöE	König, Eduard: Historisch-kritische Einleitung in das Alte Testament. Leipzig 1893
KöW	König, Eduard: Hebräisches und aramäisches Wörterbuch zum Alten Testament. Leipzig 1910; 6.–7. Aufl. 1936
KwK	Kurzgefaßter wissenschaftlicher Kommentar zu den Schriften des Alten Testaments. Wien
KV	Korte verklaring der Heilige Schrift. Kampen
LB	Theologisch-homiletisches Bibelwerk. Hg. von Johann Peter Lange. Bielefeld, Leipzig (J. P. Langes Bibelwerk). Teil ... des Alten Testamentes
LidzAST	Lidzbarski, Mark: Altsemitische Texte. I. Gießen 1907
LidzEph	Lidzbarski, Mark: Ephemeris für semitische Epigraphik. I. Gießen 1901; II. 1908; III. 1915
LidzNE	Lidzbarski, Mark: Handbuch der nordsemitischen Epigraphik nebst ausgewählten Inschriften. Weimar 1898
LThK	Lexikon für Theologie und Kirche. Bd. 1–10. Freiburg i. Br. 1930–1938; LThK^2: 2. Aufl. 1957ff.
LUÅ	Lunds Universitets Årsskrift. Lund
Luthertum	Luthertum = NF der NKZ 45–53. 1934–1942
LvO	Deißmann, Adolf: Licht vom Osten. 4. Aufl. Tübingen 1923
MAA	Medede(e)lingen der koninklijke nederlands(ch)e Akademie van Wetenschappen. Amsterdam
MAOG	Mitteilungen der Altorientalischen Gesellschaft. Leipzig
MB	Miscellanea Biblica. Rom
MDOG	Mitteilungen der Deutschen Orient-Gesellschaft zu Berlin. Berlin
MeyerG	Meyer, Eduard: Geschichte des Altertums

MeyerGr	(Georg Beer –) Rudolf Meyer: Hebräische Grammatik. I. Berlin 1952; II. 1955
MeyerT	Meyer, Rudolf: Hebräisches Textbuch. Berlin 1960
MGWJ	Monatsschrift für Geschichte und Wissenschaft des Judentums. Breslau
MIO	Mitteilungen des Instituts für Orientforschung
MNDPV	Mitteilungen und Nachrichten des Deutschen Palästinavereins
Montserrat-B	La Biblia. Versio dels Textos originals i comentari pels monjos de Montserrat. Montserrat
MOuTWP	Meeting of the Ou Testamentiese Werkgemeensap in Suid-Africa. Pretoria
MPG	Migne, J. P.: Patrologiae cursus completus. Series Graeca
MPL	Migne, J. P.: Patrologiae cursus completus. Series Latina
MThS	Münchener Theologische Studien
MThZ	Münchener Theologische Zeitschrift
MUB	Mélanges de (la Faculté Orientale de) l'Université Saint-Joseph. Beirut
Muséon	Le Muséon. Revue d'Études Orientales. Louvain
MV(Ä)G	Mitteilungen der Vorderasiatisch(-Ägyptisch)en Gesellschaft. Leipzig
NAG	Nachrichten von der (ab 1945: der) Akademie der Wissenschaften in Göttingen (bis 1940: NGG)
NB	Neue Bearbeitung
NC	La Nouvelle Clio. Brüssel
NedThT	Nederlands Theologisch Tijdschrift. Wageningen
NF	Neue Folge
NGG	Nachrichten von der Gesellschaft der Wissenschaften zu Göttingen (ab 1941: NAG)
NJDTh	Neue Jahrbücher für deutsche Theologie
NKZ	Neue Kirchliche Zeitschrift
NothGI	Noth, Martin: Geschichte Israels. 4. Aufl. 1959 (= 2. Aufl. 1954; 3. Aufl. 1956)
NothGS	Noth, Martin: Gesammelte Studien zum Alten Testament. München 1957 (ThB 6)
NothPers	Noth, Martin: Die israelitischen Personennamen im Rahmen der gemein-semitischen Namengebung. 1929 (BWA(N)T III/10)
NothWAT	Noth, Martin: Die Welt des Alten Testamentes. 2. Aufl. 1953; WAT³: 3. Aufl. 1957
NR	Neue Reihe
NRTh	Nouvelle Revue Théologique. Paris
NTD	Das Neue Testament Deutsch. Hg. von Paul Althaus und Johannes Behm. Göttingen
NThS	Nieuwe Theologische Studien. Groningen, Den Haag
NThT	Nieuw Theologisch Tijdschrift. Haarlem
NTT	Norsk Teologisk Tidsskrift. Oslo
NZSTh	Neue Zeitschrift für systematische Theologie
OIC	The Oriental Institute Communications. Chicago
OIP	The Oriental Institute Publications. Chicago
OLZ	Orientalistische Literaturzeitung
Or	Orientalia. Commentarii periodici Pontificii Instituti Biblici. Rom
OrAn	Oriens Antiquus
OrChr	Oriens Christianus
OuTWP	Die Ou Testamentiese Werkgemeenskap in Suid-Africa. Pretoria
OTS	Oudtestamentische Studiën. Leiden
OrNe	Orientalia Neerlandica. Leiden
PAAJR	Proceedings of the American Academy for Jewish Research. Philadelphia
PEFA	Palestine Exploration Fund. Annual. London
PEFQSt	Palestine Exploration Fund. Quarterly Statement. London
PEQ	Palestine Exploration Quarterly. London

Perles	Perles, Felix: Analekten zur Textkritik des Alten Testaments. I. München 1895; II. (= Neue Folge) Leipzig 1922
PJ	Palästinajahrbuch
PrJ	Preußische Jahrbücher
PRU	Palais royal d'Ugarit
PSBA	Proceedings of the Society of Biblical Archaeology. Bloomsbury
PW	A. Pauly – G. Wissowa: Real-Encyclopädie der classischen Altertumswissenschaft. NB. Stuttgart 1894ff.
QDAP	The Quarterly of the Department of Antiquities in Palestine. London
RA	Revue d'Assyriologie et d'Archéologie Orientale. Paris
RAC	Reallexikon für Antike und Christentum. Hg. von Theodor Klauser. 1941ff.
RadGS	von Rad, Gerhard: Gesammelte Studien zum Alten Testament. München 1958 (ThB 8)
Rahlfs	Septuaginta. Hg. von Alfred Rahlfs. Stuttgart 1935
RB	Revue Biblique. Paris
RBén	Revue Bénédictine. Abbaye de Maredsous
RE	Realencyklopädie für protestantische Theologie und Kirche. 3. Aufl. Leipzig 1896–1913
RechSR	Recherches de Science Religieuse. Paris
REJ	Revue des Études Juives. Paris
RES	Revue des Études Sémitiques. Paris
RevSR	Revue des Sciences Religieuses. Straßburg
RGG	Die Religion in Geschichte und Gegenwart. 1. Aufl. Tübingen 1909–1913; 2. Aufl. 1927–1932; 3. Aufl. 1957ff.
RGL	Religionsgeschichtliches Lesebuch. Hg. von Alfred Bertholet. 2. Aufl. Tübingen 1926ff.
RHA	Revue Hittite et Asiatique. Paris
RHE	Revue d'Histoire Ecclésiastique. Louvain
RHPhR	Revue d'Histoire et de Philosophie Religieuses. Straßburg, Paris
RHR	Revue de l'Histoire des Religions. Paris
RicRel	Ricerche Religiose. Rom
RLA	Reallexikon der Assyriologie. Hg. von Erich Ebeling und Bruno Meißner. I. Berlin, Leipzig 1932; II. 1938
RLV	Reallexikon der Vorgeschichte. Hg. von Max Ebert. Berlin 1924–1932
RoB	Religion och Bibel. Nathan Söderblomsällskapets Årsbok
RQum	Revue de Qumrân. Paris
RR	Review of Religion. New York
RSO	Rivista degli Studi Orientali. Rom
RSPhTh	Revue des Sciences Philosophiques et Théologiques. Vrin
RThPh	Revue de Théologie et de Philosophie. Lausanne
RVV	Religionsgeschichtliche Versuche und Vorarbeiten. Gießen
SAB	Sitzungsberichte der Deutschen (bis 1944: Preußischen) Akademie der Wissenschaften zu Berlin
SAH	Sitzungsberichte der Heidelberger Akademie der Wissenschaften
SAL	Sitzungsberichte der Sächsischen Akademie der Wissenschaften zu Leipzig
SAM	Sitzungsberichte der Bayerischen Akademie der Wissenschaften. München
SAT	Die Schriften des Alten Testaments in Auswahl übersetzt und erklärt von Hermann Gunkel u.a. Göttingen
SAW	Sitzungsberichte der (ab 225,1, 1947: Österreichischen) Akademie der Wissenschaften in Wien
SBB	The Soncino Books of the Bible. Hg. von A. Cohen. Bornemouth
SBOT	The Sacred Books of the Old Testament. Hg. von Paul Haupt. Leipzig, Baltimore

Schol	Scholastik. Vierteljahresschrift für Theologie und Philosophie. Eupen
Schürer	Schürer, Emil: Geschichte des jüdischen Volkes im Zeitalter Jesu Christi. I. 3. bis 4. Aufl. Leipzig 1901; II. 4. Aufl. 1907; III. 4. Aufl. 1909
SEÅ	Svensk Exegetisk Årsbok. Lund
Sefarad	Revista de la Escuela de Estudios hebraicos de Instituto Arias Montano. Madrid
Sém	Sémitica
SGK	Schriften der Königsberger Gelehrten Gesellschaft
SgV	Sammlung gemeinverständlicher Vorträge und Schriften aus dem Gebiet der Theologie und Religionsgeschichte. Heidelberg
Sievers	Sievers, Eduard: Metrische Studien. I. Leipzig 1901; II. 1904/05; III. 1907; IV. 1919
SJTh	The Scottish Journal of Theology. Edinburgh
SMSR	Studi e Materiali di Storia delle Religioni. Bologna
Soden Gr	Wolfram v. Soden: Grundriß der akkadischen Grammatik. Rom 1952 (AnOr 33)
Sperber	Sperber, Alexander: The Bible in Aramaic. I. u. II. Leiden 1959; III. 1962
StANT	Studien zum Alten und Neuen Testament. München
SteuE	Steuernagel, Carl: Lehrbuch der Einleitung in das Alte Testament. Mit einem Anhang über die Apokryphen und Pseudepigraphen. Leipzig 1912
SThU	Schweizerische Theologische Umschau. Bern
SThZ	Schweizerische Theologische Zeitschrift. Basel
StOr	Studia Orientalia. Helsinki
StrackE	Strack, Hermann L.: Einleitung in Talmud und Midraš. 5. Aufl. Leipzig 1921
StrThS	Straßburger Theologische Studien
StTh	Studia Theologica. Cura ordinum theologorum Scandinavicorum edita. Lund
Sumer	Sumer. Bagdad
SvTK	Svensk Teologisk Kvartalskrift. Lund
Syria	Syria. Revue d'Art Oriental et d'Archéologie. Paris
SZ	Kurzgefaßter Kommentar zu den heiligen Schriften Alten und Neuen Testamentes. Hg. von Hermann L. Strack und Otto Zöckler. München (A = Altes Testament)

Tarbiz	Tarbiz. Jerusalem
TeU	Tekst en Uitleg. Den Haag, Groningen
ThB	Theologische Bücherei. München
ThBl	Theologische Blätter
Theology	Theology. A monthly review. London
ThGl	Theologie und Glaube
ThJb	Theologische Jahrbücher. Tübingen 1842–1857
ThLBl	Theologisches Literaturblatt
ThLZ	Theologische Literaturzeitung
ThQ	Theologische Quartalschrift
ThR	Theologische Rundschau
ThRv	Theologische Revue
ThSt	Theological Studies. Baltimore
ThSt(U)	Theologische Studien. Utrecht
ThStKr	Theologische Studien und Kritiken
ThT	Theologisch Tijdschrift. Leiden
ThW	Theologisches Wörterbuch zum Neuen Testament. Begr. von Gerhard Kittel, hg. von Gerhard Friedrich. Stuttgart 1933ff.
ThZ	Theologische Zeitschrift. Basel
TorchBC	Torch Bible Commentaries. London
TThS	Trierer Theologische Studien
TThZ	Trierer Theologische Zeitschrift
TTK	Tidsskrift for Teologi og Kirke. Oslo
TuA Beuron	Texte und Arbeiten. Hg. durch die Erzabtei Beuron

UgLit	Gordon, Cyrus H.: Ugaritic Literature. A Comprehensive Translation of the Poetic and Prose Texts. Rom 1949
UF	Ugarit-Forschungen
UgMan	Gordon, Cyrus H.: Ugaritic Manual. Rom 1955
UJE	The Universal Jewish Encyclopedia. Hg. von I. Landman. 1948
UUÅ	Uppsala Universitets Årsskrift. Uppsala
VAA	Verhandelingen der koninklijke (ab NR 40, 1938: nederlands[ch]e) Akademie van Wetenschappen. Amsterdam
VAB	Vorderasiatische Bibliothek
VD	Verbum Domini. Commentarii de re biblica. Rom
VivreetPenser	Vivre et Penser 1. 2. 3. (= Bd. 50–52 von: Revue Biblique). Paris
VT	Vetus Testamentum. Leiden
VTS	Supplements to Vetus Testamentum. Leiden
WA	Luther, Martin. Werke. Kritische Gesamtausgabe (»Weimarer Ausgabe«). 1883ff.
WADB	Luther, Martin. Werke. Kritische Gesamtausgabe. Die Deutsche Bibel. 1906ff.
WATR	Luther, Martin. Werke. Kritische Gesamtausgabe. Tischreden. 1912ff.
WC	The Westminster Commentaries. London
WMANT	Wissenschaftliche Monographien zum Alten und Neuen Testament. Neukirchen
WO	Die Welt des Orients. Wissenschaftl. Beiträge z. Kunde d. Morgenlandes. Göttingen
WuD	Wort und Dienst. Jahrbuch der Theologischen Schule Bethel (bis 1947: JThSB)
WVDOG	Wissenschaftliche Veröffentlichungen der Deutschen Orientgesellschaft
WZ	Wissenschaftliche Zeitschrift (folgt jeweils der Name der Stadt einer mitteldeutschen Universität)
WZKM	Wiener Zeitschrift für die Kunde des Morgenlandes
ZA	Zeitschrift für Assyriologie und verwandte Gebiete
ZÄS	Zeitschrift für Ägyptische Sprache und Altertumskunde
ZAW	Zeitschrift für die alttestamentliche Wissenschaft
ZDMG	Zeitschrift der Deutschen Morgenländischen Gesellschaft
ZDPV	Zeitschrift des Deutschen Palästinavereins
ZE	Zeitschrift für Ethnologie
ZKTh	Zeitschrift für katholische Theologie. Innsbruck
ZLThK	Zeitschrift für lutherische Theologie und Kirche
ZMR	Zeitschrift für Missionskunde und Religionswissenschaft
ZNW	Zeitschrift für die neutestamentl. Wissenschaft u. die Kunde der älteren Kirche
ZRGG	Zeitschrift für Religions- und Geistesgeschichte
ZS	Zeitschrift für Semitistik und verwandte Gebiete
ZSTh	Zeitschrift für systematische Theologie
ZThK	Zeitschrift für Theologie und Kirche
ZW	Zeitwende
ZWL	Zeitschrift für kirchliche Wissenschaft und kirchliches Leben
ZWTh	Zeitschrift für wissenschaftliche Theologie
ZZ	Zwischen den Zeiten. München

Einleitung

I. Das Buch und sein Name

Im masoretischen Text ist die Scheidung in ein erstes und ein zweites Buch Samuel verhältnismäßig jung. Sie findet sich zuerst in einer Handschrift von 1448[1], gewinnt dann Bedeutung mit der durch Felix von Prato[2] besorgten sogenannten ersten Rabbinerbibel, die Daniel Bomberg 1517 in Venedig druckte; von hier geht sie in die Bombergiana von 1525 und in alle anderen Ausgaben über. Felix, getaufter Jude und Ordenspriester, folgt dabei wohl dem Vorbild von 𝔊 (𝔙). Für diese stehen die Bücher als erstes und zweites Buch der Königsherrschaften (*Βασιλειῶν*, Regnorum) neben dem dritten und vierten, unseren Königsbüchern im eigentlichen Sinne. Daß dann in 𝔙 die Bezeichnung Regum gebräuchlich wird, geht auf die Anregungen zurück, die Hieronymus in der »praefatio in libros Samuel et Malachim[3]« aufgrund inhaltlicher Überlegungen für eine richtigere Titulatur gibt.

Die Synagoge selbst begriff nach dem bei Euseb[4] wiedergegebenen Zeugnis des Origenes[5] beide Teile unter dem Namen Samuels, *Σαμουὴλ ὁ θεόκλητος*, als Einheit[6], wie ja auch die schriftgelehrte Notiz חצי הספ zu 1 Sam 28,24 und die Stellung der masoretischen Schlußbemerkungen für beide Bücher am Ende von 2 Sam beweisen.

Wenn diese Teilung naturgemäß auch etwas Willkürliches hat – sie reißt z. B. die beiden Berichte vom Tode Sauls auseinander –, so ist sie doch nicht ungeschickt, denn mit der endgültigen Katastrophe Sauls wird der Weg für den Aufstieg Davids frei. Ebenso ändert sich der Charakter der Überlieferungen, die im 2. Buch das Material der Darstellung bilden, und damit zugleich der Tenor des Ganzen. Das ist schon früh empfunden worden und kommt, freilich noch unzureichend begründet und formuliert, bereits in den Ansätzen zu einer kritischen Erörterung der Einleitungsfragen da zum Ausdruck, wo das zweite Buch Samuel als Größe eigener Art für sich genommen, ja zum Ausgangspunkt der Untersuchung gemacht wird[7].

Nun ist die Gestalt Samuels allerdings nur mit der Entstehung des Königtums und seinen wechselvollen Anfängen verbunden. Zum letztenmal greift er 19,18ff. maßgebend in den Gang der Ereignisse ein[8], und 25,1 wird in einer eingeschobenen Notiz fast beiläufig von seinem Tod berichtet, dieser dann 28,1ff. vorausgesetzt.

1. SteuE § 8,2d.
2. Vgl. Kahle, Paul: Felix Pratensis, a Prato felix, der Herausgeber der ersten Rabbinerbibel. Venedig 1516/17. WO 1947, S. 32ff.
3. MPL 28, S. 593ff.
4. Hist. Eccles. VI 25,3, in: MPG 20, S. 581.
5. Comm. in Ps 1, in: MPG 12, S. 1084.
6. Weiteres s. bei Schulz: Das zweite Buch Samuel, S. 312; vgl. auch RE 17, S. 448.
7. Vgl. etwa Joh. Gottfried Eichhorn: Einleitung in das Alte Testament. Zweyter Theil. 2. Aufl. 1790, § 468.
8. Wobei zu beachten ist, daß dieses Kapitel ein Überlieferungsstück eigener Art darstellt.

Die Benennung des ganzen Komplexes nach Samuel wird zumeist damit erklärt, daß er als Initiator von entscheidender Bedeutung für das Königtum überhaupt gewesen ist. Dieser in der mittelalterlich-jüdischen Theologie zu belegende Gedanke findet sich auch bei dem letzten jüdischen Exegeten von größerer Bedeutung[9], Isaak Abrabanel (1437–1509)[10], und hat gerade über ihn in verschiedener Richtung weitergewirkt, etwa in der Erklärung, daß die Geschichte sowohl Sauls wie Davids die Erfüllung der von Samuel gegebenen Vorhersagen gewesen sei[11], bis dahin, daß die Wahl der Überschrift aus dem Inhalt des ersten Kapitels abgeleitet wird[12].

Nun ist das wohl auch zu einem Teil richtig. Wenn Sir 46,13 ff. die Begebnisse, die den Gegenstand der Samuelisbücher ausmachen, in einem Resumee wiedergegeben werden sollen, so wird für die Zeit Sauls dessen Name von vornherein übergangen und nur von den Taten Samuels berichtet. Der Epoche Davids wird dann, wenn auch nicht mit gleichem Nachdruck, die Gestalt Nathans als seines Nachfolgers vorangestellt. Dabei geht es zunächst noch um die Taten. Auf der anderen Seite gibt der Chronist 1 Chr 29,29 als seine Quelle für die Geschichte Davids die דִּבְרֵי שְׁמוּאֵל הָרֹאֶה, die דִּבְרֵי נָתָן הַנָּבִיא und die דִּבְרֵי גָּד הַחֹזֶה an[13], was nicht auf die Benutzung eines gegenüber den Samuel- und Königsbüchern selbständigen bzw. ihnen vorgegebenen Quellenwerkes gedeutet werden darf, obwohl in der Geschichte der wissenschaftlichen Erforschung diese Auffassung immer wieder entschlossene Verfechter gefunden hat[14]. Vielmehr muß es als thematische Zusammenfassung des Inhalts der Samuel- und Königsbücher verstanden werden[15].

Das alles liegt – übrigens bereits in der Art, wie auf Quellen verwiesen wird – auf der Linie, die schon der Deuteronomist verfolgt, wenn er bei der Darstellung der Königszeit aus der ihm zur Verfügung stehenden Überlieferung vornehmlich das als relevant heranzieht, was als Hintergrund bzw. als Bestätigung für das Auftreten von Prophetengestalten zu dienen vermag. Dabei wird übersehen bzw. durchaus in Kauf genommen, daß bisweilen eklatante Spannungen im Tenor der so vereinigten Berichte bestehen[16]. Es ist übrigens für den literarischen Charakter der Bücher Samuel bezeichnend, daß das dort nicht, oder doch nur in sehr beschränktem Umfang der Fall ist.

Bekanntlich hat diese Linie schließlich zur Formulierung eines Inspirations-

9. G. Dalman, in: RE 1, S. 102.

10. Commentarius lucentulius et curiosus in prophetas priores. (Zuerst) Pesaro 1520.

11. So z. B. Grotius: Annotationes.

12. So z. B. Carl Heinrich Graf: De librorum Samuelis et Regum compositione, scriptoribus, fide historica. 1842, S. 3.

13. Wobei zu beachten ist, daß diese Titulatur im einzelnen nicht genau der entspricht, unter der die Propheten in den Samuelbüchern auftreten.

14. So z. B. noch Wilhelm Martin Leberecht de Wette: Beiträge zur Einleitung in das Alte Testament. I. 1806, S. 49. Vgl. weiterhin u. S. 34f.

15. Noth: Studien, S. 138; vgl. auch Wilhelm Rudolph: Chronikbücher. 1955 (HAT I/21), S. 193f; Xf.

16. Vgl. etwa 1 Reg 20,26–34 mit 20,35–43; 1 Reg 22,34–37 mit 22,5–23.38.

17. Contra Apionem I 39f.

dogmas geführt. Es findet sich bei Josephus[17], wenn er die Dignität der seit Moses bis Artaxerxes verfaßten, d. h. also der kanonischen Schriften damit begründet, daß sie von Propheten geschrieben seien, während er den späteren diese Würde nicht zuerkennen will *διὰ τὸ μὴ γενέσθαι τὴν τῶν προφητῶν ἀκριβῆ διαδοχήν*. Der Abschluß dieser Entwicklung liegt da vor, wo in dem systematisierenden Bestreben, die kanonischen Bücher diesem Ansatz entsprechend aufzuteilen, die Bücher Ruth, Richter, Samuel von Samuel, die Königsbücher neben den eigentlichen Sprüchen des Propheten und den Threni von Jeremia hergeleitet werden[18]. Dabei ist die Feststellung nicht uninteressant, daß im Mittelalter in christlicher Tradition der Name Jeremias auch als der des Verfassers der Bücher Samuels auftaucht[19]; unter veränderter Fragestellung und kritischem Verständnis hat er noch bis in die Mitte des 19. Jahrhunderts Bedeutung[20].
Die Benennung der Bücher nach Samuel ist also sehr alt; sie scheint zu verschiedenen Zeiten verschieden begründet worden zu sein. Die im Mittelalter wieder aufkommende Ableitung aus der geschichtlichen Bedeutung Samuels dürfte dabei der ursprünglichen Absicht sehr nahe stehen.

II. Der Text der Samuelbücher

Wie bei jedem Buch, das lange Zeit abschriftlich weiterüberliefert worden ist, das außerdem durch seinen Gegenstand der inneren Beteiligung und der mitgehenden Stellungnahme der verschiedenen Zeiten gewiß sein konnte, ist auch der Text der Bücher Samuel mannigfachen Wandlungen und auch Entstellungen ausgesetzt gewesen. Dabei kann es sich einerseits um vorsätzliche Änderungen, Umakzentuierungen, verbindende Klammern und dergleichen handeln; sie sind zunächst ein Kennzeichen dafür, wie ein Text arbeitet. Ein solches Arbeiten geschieht bereits vor der Kodifizierung im Zusammenwachsen bzw. Einschmelzen verschiedener Überlieferungen mit ursprünglich begrenzter eigener Aussageabsicht zu einer Einheit; es setzt sich später in der Nachgeschichte[1] des Textes fort. Es können auf der anderen Seite aber auch unbeabsichtigte mechanische Versehen, Mißverständnisse des Textes, Verschreibungen im weitesten Umfang sein. Beides muß grundsätzlich auseinandergehalten werden. Die dahinterstehenden Fragen werden für die Bücher Samuel unzulässig eingeebnet, wenn z. B. Caspari[2] unter der Rubrik »Zustand des Wortlautes und seine Herstellung« beides

18. Baraitha bab. Baba Bathra 14b–15a; vgl. dazu EißfE³, S. 763.
19. Z. B. auf der Synode von Frankfurt 794; vgl. dazu u. S. 33, Anm. 12.
20. Carl Heinrich Graf: De librorum Samuelis et Regum compositione, scriptoribus, fide historica. 1842, S. 61. »Tempus, quo opus conscriptum sit, quaeritur demonstraturque Jeremiam additamentorum retractationisque esse auctorem.«

1. Hans Wilhelm Hertzberg: Die Nachgeschichte der alttestamentlichen Texte innerhalb des Alten Testaments. In: Beiträge zur Traditionsgeschichte und Theologie des Alten Testamentes. Göttingen 1962, S. 69–80.
2. S. 20f.

ineinander abhandelt, wie auch sein methodischer Gesichtspunkt, daß die kürzere Textform immer die ursprüngliche und bessere sei, nicht ausreicht.

Das erste gehört in das Gebiet der Überlieferungsgeschichte bzw. der Überlieferungs- und auch der Literarkritik; es wird sich mit dem anderen, den wirklichen oder vermeintlichen Textverderbnissen, oft insofern berühren, als bei dem Aneinanderwachsen verschiedener Überlieferungen Nahtstellen entstehen, aus der Weiterentwicklung der Texte sich Spannungen ergeben, die ihrerseits Unsicherheiten bzw. schwere Verständlichkeit des Textes zur Folge haben und tatsächlich zur Ursache für Verschreibungen werden können. Das bedeutet umgekehrt, daß gerade solche Anstöße Hinweise auf die besondere Art der Entstehung dieser Texte geben können. Dabei muß man sich klar machen, daß diese Schwierigkeiten einer Zeit nicht so bewußt geworden sein mögen, die stärker mit den Texten und in ihren Begebenheiten lebte, als wir es tun, die immer nur einen mittelbaren Zugang zu ihnen haben werden. Es könnte also auch so liegen, daß die glättende Konjektur tiefer liegende und für das Verständnis aufschlußreiche Zusammenhänge verwischt. Im übrigen kann nur von Fall zu Fall entschieden werden, ob es sich so verhält, und die Klärung ist Aufgabe der Exegese[3]. Anders liegt es bei den eindeutigen Textversehen und Fehlern. Den Gedanken daran gänzlich auszuschließen und den überlieferten Text als unbedingt verbindlich anzusehen und auszulegen, hieße wohl, ein Idealbild von menschlicher Vollkommenheit zu haben.

Die Bemühung um den Text des Alten Testaments, in den Ansätzen ja schon in der Hexapla des Origenes und innerhalb des Alten Testaments selbst in der Masora vorhanden, ist für das Abendland eng mit dem Humanismus verbunden, der die Voraussetzungen ebenso des geistigen wie des religiösen Lebens des sechzehnten Jahrhunderts schafft. Das neu erwachte Interesse an der Antike, am Studium ihrer literarischen Hinterlassenschaft, die Liebe zu den Erscheinungsformen menschlichen Lebens und das Verständnis für seine Eigenwertigkeit, all das gibt auf dem Gebiet der Bibelwissenschaft den Anstoß zu einer auf den Urtext und seine Übersetzungen gerichteten Tätigkeit; sie findet ihren Niederschlag in den verschiedenen Polyglottenausgaben[4] des sechzehnten und siebzehnten Jahrhunderts. Diese nehmen ihren Anfang mit der Complutensischen Polyglotte (1514–1517)[5]; ihr Initiator, Kardinal Ximenez[6], ist auch der Gründer der Universität Alcalà (Complutum), deren Hauptwerk ihre Entstehung ist. Den Geist dieser Hochschule kennzeichnet die Tatsache, daß unter den zweiundvierzig bei ihrer Gründung gestifteten Professuren allein vier für die hebräische und grie-

3. Vgl. z. B. zu 1 Sam 9,24 הנשאר; 17,39 ויאל דוד; 30,9 הנותרים עמדו.

4. Antwerpener Polyglotte 1569–1572; Pariser Polyglotte 1629–1645; Londoner Polyglotte 1653–57. Zur Entstehung und dem Werte der einzelnen Ausgaben vgl. E. Nestle, in: RE 15, S. 530ff.; auch A. Bertholet, in: RGG V, Sp. 447f.

5. Dazu besonders Franz Delitzsch: Studien zur Entstehungsgeschichte der Polyglottenbibel des Kardinals Ximenez. Leipzig 1871; Fortgesetzte Studien 1886. Zu ihrer Bedeutung und dem Werte des von ihr zugrunde gelegten hebräischen Textes vgl. auch Paul Kahle: The Cairo Geniza. 2. Aufl. 1959, S. 124ff.

6. Dazu Herzog, in: RE 21, S. 577ff.

chische Sprache bestimmt waren[7]. Auf diesen Grundlagen werden in der Folgezeit die Anfänge wissenschaftlicher Methodik gemacht, die die Voraussetzung für weiteres textkritisches Forschen geworden sind. Unter den darauf zielenden Arbeiten ragen heraus die Critica Sacra[8] des Ludwig Cappellus (1585–1658)[9] und die an sie anschließende und auf ihr aufbauende Ars Critica (1697; erste Ausgabe in Deutschland Leipzig 1713) des Johann Clericus (1657–1736)[10]. Manche noch heute gemachte Konjektur läßt sich bis auf Cappellus zurückverfolgen, freilich ohne daß mit dieser Feststellung über die Notwendigkeit, ja überhaupt über die Möglichkeit einer solchen schon etwas gesagt ist (vgl. zu 1 Sam 8,16). Man muß sich wohl den geistesgeschichtlichen Hintergrund dieser Arbeiten mitvergegenwärtigen, um sie und vor allem ihr Weiterwirken recht zu beurteilen. Man kennt die mittelalterliche Technik des Abschreibens durch vielfach unzureichend geschulte Kräfte, die zahlreichen Möglichkeiten der Textentstellung, die sich daraus ergeben, und schließlich die Erfindung des Buchdrucks, die diese Schwierigkeiten überwinden soll und überwindet. Abgesehen von den bereits oben angestellten Überlegungen hat aber für das Alte Testament die Annahme einfacher Schreibfehler eine Grenze daran, daß die Abschreiber alttestamentlicher Texte das, was sie weitergaben, sehr bewußt verstanden[11].

Die Betrachtungen blieben bisher noch mehr im Allgemeinen. Die Probleme stellen sich allerdings für die Samuelbücher in einer besonderen Weise dar. Der Text verursacht der Auslegung – darin dem der Prophetenbücher Hosea und Ezechiel verwandt – größere Schwierigkeiten als die meisten anderen und gibt zu sehr vielen Fragen Anlaß. Dazu kommt, daß die 𝔊 hier teilweise erheblich, nicht nur im Wortlaut, sondern auch im Umfang, von 𝔐 abweicht[12]. Eine geläufige Erklärung dafür ist, daß diese schlechte Überlieferung ihren Grund darin habe, daß durch Not oder unglücklichen Zufall bei der Kanonisierung eine ziemlich verwilderte Rezension zugrunde gelegt werden mußte[13]. Das ist natürlich eine Möglichkeit, die schwer zu widerlegen, aber noch schwerer zu beweisen ist. Die Fragen werden damit eigentlich nicht beantwortet, sondern nur auf eine andere Ebene verlagert. Denn dann müßte zuerst bedacht werden, wie es vorstellbar und ob es denkbar ist, daß die verantwortlichen Leute von Jamnia eine so geringe Kenntnis des Inhalts hatten[14], daß sie sich ohne Bedenken mit einer schlechten Handschrift zufrieden geben konnten[15].

7. Es ist bezeichnend, daß für Ximenez ausschließlich kirchliche Gründe maßgeblich waren; er wollte die Geistlichkeit tiefer in die Schrift einführen, um sie angesichts des Aufblühens der Wissenschaften ringsum nicht unvorbereitet und in Unwissenheit zu lassen. Zu gleicher Zeit eifert er gegen die Verbreitung der Schrift unter dem Volk.

8. Commentarii et notae criticae in Vetus Testamentum. Amsterdam 1689.

9. E. Bertheau, in: RE 3, S. 718.

10. Vor allem Pars III: De emendatione locorum corruptorum; de libris suppositiciis usw.

11. Damit berühre ich mich in gewisser Weise mit Gedanken Nybergs, vgl. u. S. 29f.

12. Einen kürzeren Text bietet 𝔊 z. B. zu 1 Sam 17; 18; einen längeren z. B. 1 Sam 10,1.21; 13,15; 14,41; 29,10.

13. So zuletzt wieder besonders nachdrücklich Budde S. XXI.

14. Was Thenius stillschweigend voraussetzt: Es ist an sich sehr wahrscheinlich, daß die

Im Zusammenhang mit der »Neuorientierung in der Auffassung des hebräischen Textes und seiner Geschichte, die sich um die Wende vom 18. zum 19. Jahrhundert durchsetzt[16]«, wird von der Mitte des 19. Jahrhunderts an in der wissenschaftlichen Arbeit an den Samuelbüchern auf diesen ganzen Fragenkomplex besonderes Gewicht gelegt. In dem Vorwort zur ersten Auflage seiner Auslegung von 1842 stellt Thenius es als eines seiner Hauptziele heraus, den Text nach den vorhandenen Hilfsmitteln zu berichtigen[17], und kommt zu dem Ergebnis, daß dafür die Hilfe der alten Versionen wirklich unschätzbar sei, denn zu verzweifelten Stellen habe fast immer wenigstens eine derselben die richtige Lesart erhalten[18]. Im § 6 der Einleitung[19] faßt er das Ergebnis seiner Untersuchungen dahin zusammen, daß die 𝔊, wie sie in der vatikanischen Handschrift vorliegt, nach einem im wesentlichen ungleich besseren und namentlich vollständigeren hebräischen Manuskript gearbeitet ist, als es dasjenige war, das dem masoretischen Text zugrunde liegt[20]. Der Gedanke, wenigstens eine Version habe die richtige Lesart bewahrt, ist natürlich ganz ungeschützt und fordert zu subjektivem Eklektizismus heraus. Die textkritische Untersuchung Wellhausens von 1871 führt hier an einer entscheidenden Stelle weiter damit, daß er die Kritik auch auf den Text von 𝔊 ausdehnt[21] und in eingehend gründlichen Überlegungen bei Abweichungen die Frage stellt, was davon auf Rechnung des Übersetzers kommt und was auf eine abweichende Vorlage führt. Wenn er auch der 𝔊 als textkritischem Hilfsmittel weiterhin entscheidende Bedeutung zuerkennt, so bleibt das Urteil darüber, wo wirklich ein korrumpierter Text zur Korrektur nötigt, bedachtsam und zurückhaltend, zurückhaltender, als es Driver in seinen Notes oder auch Peters sind.

Im Hintergrund der Arbeit stand zunächst ja wohl die Absicht, unter Aufnahme gesicherter außermasoretischer Lesarten einen hebräischen Text zu emendieren und von der Masora abzugehen[22]. Jedenfalls wenden sich die Bedenken, die Löhr in der von ihm besorgten dritten Auflage des Theniusschen Kommentars anmeldet[23], nur dagegen. Er betont sehr stark und durchaus mit Recht die Gefahr subjektiver Urteile[24], wennschon das von ihm postulierte Ziel jeder Textkritik, eine philologisch korrekte Ausgabe des masoretischen Textes zu schaffen, auch

Bücher Samuels als zu den weniger gelesenen Schriften gehörend mit geringerer Sorgfalt recensiert und abgeschrieben worden sind als z. B. Schriften wie Hiob, Psalmen usw. (Vorwort S. VIII).

15. Damit ist bereits das Problem von mündlicher und schriftlicher Überlieferung angerührt; vgl. u. S. 29.

16. Kraus: Historisch-kritische Erforschung, S. 149; 2. Aufl. S. 160.

17. S. VIII. 18. S. IX. 19. S. XXIX.

20. Er berührt sich darin in eigenartiger Weise mit Gedanken des Johannes Morinus (1591 bis 1659) mit seiner Verwerfung des entstellten masoretischen Textes und seinem Programm einer zuverlässigen Bibelfassung auf Grund von 𝔊 und 𝔅; vgl. dazu Kraus: Historisch-kritische Erforschung, S. 42f; 2. Aufl. S. 46f.

21. Darin hat er einen Vorgänger in Paul de Lagarde, auf dessen Anmerkungen zur griechischen Übersetzung der Proverbien (1863) er sich ausdrücklich bezieht (Mittheilungen I 1884, S. 19).

22. Ein Vorhaben, dessen Berechtigung Budde in der Einleitung seines Kommentars ausdrücklich verteidigt (S. XXIIff.).

23. Vorbemerkungen, S. XC.

24. Löhr bezieht sich dabei ausdrücklich auf die Besprechung von Wellhausens Text durch Theodor Nöldeke (ZWTh 1873, S. 117ff.).

reichlich subjektiv anmutet. Direkte Textänderungen sind dann auch nur, dazu in sehr bescheidenem Maße, in den Bänden der von Paul Haupt herausgegebenen Reihe »The Sacred Books of the Old Testament[25]« vorgenommen worden. Die auf diesen Vorarbeiten aufbauende Biblia Hebraica, edidit Rudolf Kittel, beschränkt sich in ihren verschiedenen Auflagen und Ausgaben bekanntlich auf die Anmerkungen des bzw. der Apparate. Dagegen bleiben die angestellten Überlegungen und erarbeiteten Maximen eine Grundlage der Textbehandlung in allen darauffolgenden Kommentarwerken, auch bei Löhr, bis hin zu de Vaux und Hertzberg. Wie berechtigt die Warnungen Wellhausens und die Besorgnisse Löhrs waren, zeigen die willkürlichen Textänderungen Klostermanns, ebenso die wahllose Verwendung abweichender Lesarten durch Caspari. In diesem Zusammenhang müßten wohl auch die textkritischen Untersuchungen von Wutz genannt werden. Ebenfalls vielfach willkürlich, wenn auch von einem anderen Ausgangspunkt, nämlich einer bestimmten Auffassung vom metrischen Charakter der Texte her, sind die Schallanalysen von Sievers[26] und die Arbeiten von Bruno. 1935 erschienen die Studien zum Hoseabuch von H. S. Nyberg mit dem Untertitel »Zugleich ein Beitrag zur Klärung des Problems der alttestamentlichen Textkritik.« In ihnen werden die bis dahin angewendeten Regeln der Textkritik einer entschlossenen Neubesinnung unterzogen und dafür Gesichtspunkte angemeldet, die nicht genügend beachtet waren, z. B. das Wesen lebendiger Umformung von Texten auf dem Wege mündlicher Überlieferung[27] oder auch die sprachliche Verschiedenheit einzelner Textformen, die man in Ansatz bringen muß. Die Absicht ist, vor allzu unbedenklichen Textänderungen zu warnen und das Zutrauen zur Zuverlässigkeit von 𝔐 zu stärken. Diese zunächst am Hoseabuch durchgeführten Überlegungen sind von grundsätzlicher Bedeutung. Die Forderung: »Man ist verpflichtet, die Technik einer Übersetzung systematisch zu studieren, um feststellen zu können, wie eine Übersetzung gemeint ist, und was für einen Sinn der Übersetzer in die Stelle hineingelesen hat« und »Entweder benutze man die Übersetzungen systematisch, oder man benutze sie gar nicht«[28] hat, zunächst für das erste Buch Samuel, de Boer in verschiedenen Arbeiten verwirklicht, wobei seine Untersuchungen sich in gleicher Weise auf 𝔊 𝔗 𝔖 erstrecken. Seine Absicht charakterisieren die Worte: »The plan of this study is therefore mainly a historical one. The actual criticism of the text can only be embarked on, when the history of the text has proved its value. To this end the versiones antiquae must first be submitted to examination, than the intrinsic value of 𝔐 ascertained. On the grounds of the results made by this study, a few annotations to the text will be included with the last chapter[29].«

Das textkritische Problem hat mit den Funden von Qumran neue Aspekte für

25. Die Samuelbücher sind darin durch Budde besorgt (1894).

26. Sievers, Eduard: Metrische Studien. III. 1907.

27. Meine o. S. 25 ausgesprochenen Überlegungen berühren sich damit in gewisser Weise, unterscheiden sich aber insofern davon, als ich Entscheidendes dieses Vorganges schon für einen sehr frühen Zeitpunkt der Textgeschichte annehme.

28. S. 10; im Grunde ist das eine Forderung, die bereits Wellhausen erhoben hatte.

29. Research. 1938, S. 9.

die Beurteilung der 𝔊 zu den Büchern Samuel gewonnen. Überlegungen, die früher auf der Basis allgemeiner Grundsatzentscheidungen angestellt werden mußten, Antworten, die nicht mehr als Postulate waren, haben eine zuverlässige Fundierung erhalten. Auf der einen Seite haben nun die Handschriften von Qumran mit Sicherheit ergeben, daß der Typus der Textüberlieferung, den unser masoretischer Text darstellt, nicht erst der Niederschlag schriftgelehrter Bemühung des ersten nachchristlichen Jahrhunderts und somit nicht das Ergebnis einer mehr oder weniger willkürlichen Auswahl aus einer bis zu diesem Zeitpunkt noch weithin fließenden, jedenfalls keineswegs fixierten Tradition gewesen ist[30], einer Auswahl, die dann eine verbindliche Textvorlage geschaffen und damit alle anderen Linien beseitigt hätte[31]. Die Ausformung dieser Textüberlieferung reicht im Gegenteil erheblich weiter in die Vergangenheit zurück. Die Kanonisierung des ersten nachchristlichen Jahrhunderts schuf also nicht ein Novum, sondern war Abschluß einer längeren Entwicklung und bestätigte nur eine Gültigkeit, die sich durch eigenes Schwergewicht ergeben hatte. Innerhalb der Handschriften sind die Bücher Samuel mit den Fragmenten dreier Manuskripte vertreten[32], sie stellen eine Form des Textes dar, die der von 𝔊 wesentlich näher steht als der von 𝔐, wenn sie sich auch keineswegs mit ihr deckt, sondern daneben Lesarten zeigt, die gegenüber 𝔐 wie 𝔊 selbständig sind und wohl inhaltlich bessere Überlieferung bieten[33]. Hinter den zahlreichen Pentateuchtexten von Höhle IV stehen mindestens drei scharf abzugrenzende Texttypen; die Mehrzahl kommt der durch 𝔐 repräsentierten Tradition sehr nahe, doch fehlen auch nicht Zeugen für die Tradition, die 𝔊 zugrunde liegt[34]. Die Annahme erscheint nicht unberechtigt, daß es eher zufällige Gründe hat, wenn entsprechende Textformen für die geschichtlichen Bücher sich in Qumran nicht nachweisen lassen. Zunächst wird damit das als sicher herausgestellt, daß 𝔊 zu den Samuelbüchern – wie zu den נביאים ראשונים überhaupt – auf eine hebräische Vorlage zurückgeht, die eben im 3./2. vorchristlichen Jahrhundert auch in Ägypten zu Haus war, und daß sie diese auch zumeist sehr sorgfältig übersetzt. Das schließt natürlich noch nicht aus, daß Abweichungen von 𝔊 gegen 𝔐 gelegentlich auch auf das Konto des Übersetzers gehen können, schränkt diese Möglichkeit aber doch sehr ein. Der von 𝔊 und von Qumran gebotene Texttypus muß auch nicht notwendig der bessere sein[35]. Man kann zunächst daraus nur den Schluß ziehen, daß zu einem bestimmten Zeitpunkt verschiedene Rezensionen eines Textes nebeneinander vorhanden waren, und daß sie mindestens zwei Haupttypen darstellten. Es ist aber nicht möglich,

30. Vgl. dazu für vieles Cross: Library, S. 168ff.

31. Diese im Ansatz auf de Lagarde (vgl. Anm. 21) zurückgehende Anschauung bildet die Voraussetzung für die Vermutung, daß für die endgültige Festlegung des Textes der Bücher Samuel just eine sehr schlechte Vorlage zur Verfügung stand (vgl. o. S. 27).

32. Vgl. dazu Cross: BASOR 132. 1953, S. 15ff.; JBL 1955, S. 146ff.; HThR 1964, S. 281ff.; auch Maass: ThLZ 1956, Sp. 337ff.

33. Vgl. z. B. zu 1 Sam 1,24.

34. Vgl. Cross: Library, S. 181ff.; dort auch weitere Literaturangaben.

35. So auch Cross: Library, S. 181, obwohl er dann Anm. 28 freilich selbst diese Folgerung zieht.

eine Entwicklungslinie zu zeichnen, nach der die Form, die unserm masoretischen Text am nächsten kommt, auch die späteste und u. U. auch die ungenaueste sein müßte[36]. Unter diesen Rezensionen stellt die eine einen volleren, mehr volkstümlichen Typus[37], die andere einen kürzeren dar. Dabei bedeutet längerer Text nicht unbedingt zugleich ursprünglicherer Text. Es kann nur von Fall zu Fall und aus inhaltlichen Erwägungen entschieden werden, ob die knappere Textform von 𝔐 aus einer umfangreicheren aufgrund eines mechanischen Versehens durch Homoioteleuton entstanden ist, oder ob umgekehrt die vollere Form als sekundäre, erklärende Auffüllung gedeutet werden kann. Ein Kriterium dafür wäre wohl die Überlegung, ob die ausführlichere Textform die Spannungen der kürzeren, die ja dann durch den Textausfall gekommen wären, tatsächlich beseitigt. Im andern Fall läge es näher, an den nicht völlig gelungenen Versuch einer Erleichterung zu denken[38]. Über solche konkreten Einzelklärungen hinaus läßt sich aber auch allgemein vermuten, daß die Tatsache, daß diese Textform bis 68 n. Chr. in Qumran bekannt gewesen ist, in gewisser Weise ein Argument dagegen darstellt, daß kurze Zeit danach und nicht sehr weit entfernt davon eine so viel schlechtere Handschrift zur Grundlage des Textes gemacht werden mußte.

An sich war der Begriff der Rezension schon der älteren Diskussion textkritischer Probleme nicht fremd[39]; doch kann er jetzt sehr viel präziser gefaßt werden. Beweist das gleichzeitige Nebeneinander verschiedener Fassungen, daß ihr Verhältnis nicht im Sinne einer zeitlichen Abfolge und Entwicklung angesehen werden kann, so bekommt die einzelne Fassung jetzt vermehrtes Gewicht für die Exegese. Sie kennzeichnet nämlich eine Art, den Text zu verstehen, wie sie zu einer bestimmten Zeit und unter gewissen Voraussetzungen vorhanden war. Damit kann das Verständnis einer anderen Fassung u. U. verglichen und an ihr gemessen werden; in besonders günstig gelagerten Fällen lassen sich von daher also Hilfen für die Exegese erwarten. Das heißt weiter: es darf nicht nur, sondern es muß sogar jede Rezension zunächst für sich genommen und so weit wie möglich aus sich verstanden werden[40]. Das wird paradigmatisch 1 Sam 17.18 am Verhältnis des hier sehr viel kürzeren und strafferen Textes von 𝔊 zu dem vollständigeren von 𝔐 deutlich. Gerade hier zeigt sich aber auch, daß Querverbindungen zwischen diesen Rezensionen und Einflüsse bestanden, die hinter die schriftlich fixierte Form zurückreichen[41]. Die Grenze zwischen mündlicher

36. Vgl. dazu Moshe Greenberg: The stabilization of the text of the Hebrew Bible. Reviewed in the light of the Biblical Materials from the Judean Desert. JAOS 1956, S. 164, wobei allerdings zu beachten ist, daß bei diesem Urteil sprachliche Gesichtspunkte im Vordergrund stehen.

37. Vgl. zu dieser Sache Mansoor: VTS 9. 1963, S. 309f. Vgl. auch Harry M. Orlinski (Notes on the present state of the textual critizism of the Judean Biblical Cave Scrolls. In: A Stubborn Faith. Festschrift für William Andrew Irwin. Dallas 1956, S. 117–131), der den Gedanken, daß der masoretische Text den Vorzug vor den in Qumran zutage gekommenen Textformen verdiene, nachdrücklich, wenn auch einseitig, vertritt.

38. Vgl. z. B. zu 1 Sam 10,21.

39. Z. B. Wellhausen: Text, S. 5 oder Löhr, S. LXXff.

40. Das berührt sich wieder mit der von Löhr aufgestellten Forderung.

41. Vgl. zu 1 Sam 17–18; Stoebe: VT 1956, S. 397ff.

und schriftlicher Überlieferung ist wohl auch zu verhältnismäßig später Zeit noch nicht so scharf gezogen gewesen, wie man vielfach annimmt, und auch die schriftlich fixierte Form war noch lange Grundlage lebendigen Erzählens[42]. Auch von daher wäre zu überdenken, ob der ausführlichere Text auf jeden Fall dem ursprünglichen näher stehen muß. Daß dieser Typus seine besondere Geltung auf dem Boden Ägyptens gehabt zu haben scheint, könnte – das ist natürlich nicht mehr als eine sehr vorläufige und allgemeine Erwägung, aber darüber wird man hier ja wohl nicht hinauskommen – auch im Zusammenhang damit stehen, daß die ungebrochene Tradition mündlicher Wiedergabe da natürlich viel stärker verlorengegangen war. Abgesehen von den oben angedeuteten Spannungen, die sich aus den besonderen Eigenarten von Überlieferungsbildungen erklären ließen[43], muß es auch auffallen, daß Kürzungen, aber ebenso Unklarheiten häufig da auftreten, wo in bewegter Rede und Gegenrede eine Situation verlebendigt und einprägsam dargestellt werden soll; es könnte dann wohl mit einem Anakoluth als dem Stilmittel der Charakterisierungskunst gerechnet werden[44]. Es liegt auf der Hand, daß solche Feinheiten in einer Übersetzung verloren gehen müssen, aber auch schon vorher in vereinfachenden Rezensionen verloren gehen können. Natürlich setzt eine solche Annahme ein nicht geringes Maß an psychologischer Gestaltungskraft voraus! Wenn es auch kein entscheidendes Argument ist, wäre doch mit vollem Recht auf die sicherlich sehr alte Thamargeschichte zu verweisen[45] und noch mehr auf die Schilderung der Schlange in der Sündenfallgeschichte. Jedenfalls wird in der Auslegung die Annahme eines Anakoluths als Hilfe für das Textverständnis vielfach sehr ernsthaft erwogen und auch an den Versionen geprüft. Darüber hinaus und grundsätzlich werden in den Anmerkungen zur Übersetzung die Abweichungen der Versionen in großem Umfang vermerkt.

III. Die Geschichte der Forschung

Die kritisch-wissenschaftliche Arbeit an den Samuelbüchern setzt bei der Frage nach der Verfasserschaft, d. h. aber der Zuverlässigkeit der Angaben ein, die 1 Chr 29,29 dazu gemacht werden. Schon *Abrabanel*[1], der immer wieder in den Diskussionen des 17. Jahrhunderts zitiert wird, hatte ihre uneingeschränkte Gültigkeit damit in Zweifel gezogen, daß er auf Beobachtungen hinwies, die diesen zeitlichen Rahmen sprengten, und weiter hatte der gelehrte Jesuit *Jacques*

42. Das hat Nyberg (o. S. 29) durchaus mit Recht betont.

43. Vgl. o. S. 25.

44. Für die Annahme eines Anakoluths vgl. etwa zu 20,8.42; 23,22; 24,20; 29,10; Beispiele für eine Breviloquenz könnten z. B. 20,12.28 sein. Charakterisierung verlegenen Sprechens, die später nicht mehr verstanden wurde, könnte 29,6 sein.

45. 2 Sam 13,15ff.; die Zugehörigkeit zur Thronfolgeüberlieferung spricht für frühe Entstehung auch gerade dieses besonderen Zuges.

1. Kommentar zu den Prophetae Priores, zuerst Pesaro 1520; vgl. sonst G. Dalman, in: RE 1, S. 101ff.

Bonfrère (1573–1643)[2] in seinem Kommentar zu den Königsbüchern (1643) Samuelische Authentizität nur für die ersten vierundzwanzig Kapitel angenommen, die späteren Teile aber auf verschiedene Propheten und Priester zurückgeführt, von denen jeder das niedergeschrieben habe, was zu seiner Zeit geschehen war[3]. In diesen Linien gehen die Überlegungen weiter, beschränken sich dabei zunächst auf unsystematische und beiläufige Anmerkungen. So begnügt sich *Spinoza* mit der Feststellung, daß der Inhalt der Bücher so weit über das Leben Samuels hinausreiche, daß sie erst Jahrhunderte nach seinem Tode geschrieben sein könnten[4]. Es führt auch nicht wesentlich darüber hinaus, wenn *Richard Simon*[5] in seinem für die Fundierung einer historischen kritischen Einleitungswissenschaft[6] so bedeutenden Werk »Histoire Critique du Vieux Testament« von 1678[7] auf Grund von besonderen Spracheigentümlichkeiten die Meinung vertritt, daß die letzte Sammlung von Nichtzeitgenossen und erst sehr spät erfolgt sein müsse; wichtig ist freilich dabei, daß er die Frage nach der Person völlig offen läßt und sich nicht für Esra entscheidet[8].

Infolge der besonderen Schicksale[9], die dieses Buch gehabt hat, bleibt ihm am Anfang noch eine breitere Wirkung versagt. In seinem »Enchiridion Biblicum« (1681) zeigt sich der Schweizer Theologe *Johann Heinrich Heidegger* (1633–1698)[10] kritischen Fragen gegenüber grundsätzlich aufgeschlossen. Er referiert das Argument und räumt ihm Gewicht ein (merito)[11], daß auch 1 Sam 1–24 nicht von Samuel stammen könnten, weil in diesen Kapiteln sein Lob reichlicher verkündigt werde, als es den Frommen der Vergangenheit entspricht, rechnet auch mit einer abschließenden Redaktionsarbeit entweder Jeremias oder Esras. Aber im ganzen geht er doch auf den Standpunkt von 1 Chr 29,29 zurück. Abfassung der vier Königsbücher durch Jeremia nimmt übrigens auch *Hugo Grotius* in seinen »Annotationes in Vetus Testamentum« (1644)[12] an und glaubt, das durch Stilbeobachtungen stützen zu können; Jeremia habe dabei die Denkbücher der 1 Chr 29,29 genannten Propheten benützt. Bei den »Hebraeorum eruditissimi«, auf die er sich dafür beruft, ist wohl in erster Linie an Abrabanel zu denken.

Einen besonders nachdrücklichen Verteidiger findet der alte konservative

2. Kraus: Historisch-kritische Erforschung, S. 40f.; 2. Aufl. S. 44f.

3. Zitiert nach Richard Simon: Histoire Critique du Vieux Testament. Amsterdam 1685, S. 54.

4. Tractatus Theologico Politicus. Hamburg 1670, Kap. VIII, S. 111.

5. Vgl. E. Nestle, in: RE 18, S. 361ff.

6. Vgl. Kraus: Historisch-kritische Erforschung, S. 59, 2. Aufl. S. 65ff.

7. Benutzt ist die in Anm. 3 genannte Ausgabe.

8. Livre I, Chap. VIII, S. 54ff.

9. Die 1678 schon fast ausgedruckte Auflage mußte eingestampft werden; nach einem der wenigen erhaltenen Exemplare erschien 1680 in Amsterdam eine ungenaue Ausgabe, während die Ausgabe von 1685 wieder auf Simon selbst zurückgeht. Zur Sache vgl. E. Nestle, in: RE 18, S. 361ff.

10. Dazu A. Schweizer, in: RE 7, S. 537ff.

11. Cap. X, S. 124.

12. Dazu H. C. Rogge, in: RE 7, S. 200ff. Grotius beruft sich in diesem Zusammenhang auf die Frankfurter Synode (vgl. o. S. 25) wie nach ihm noch Carpzov.

Standpunkt in der »Introductio ad libros Canonicos Bibliorum Veteris Testamenti« des *Johann Gottlob Carpzov* (1679–1767), die 1721 in erster Auflage erschien und deren Beliebtheit daraus erhellt, daß sie bis 1757 vier Auflagen erlebte. Dort werden zwar mit großer Sorgfalt und tiefer Gelehrsamkeit alle verschiedenen Standpunkte und Antworten dargelegt, aber als dem göttlichen Ursprung und der göttlichen Majestät der Schrift widersprechend abgelehnt. Das gilt ebenso von dem kritischen Standpunkt ganz allgemein (»Divinae Scripturarum origini et majestati derogare censemus eos, qui e diariis vel commentariis dictorum prophetarum humano studio collectum multo tempore post hunc librum tradunt«)[13] wie im besonderen von den verschiedenen Theorien über den Verfasser. Damit versteht es sich von selbst, daß Carpzov die Angabe 1 Chr 29,29 als unbedingt zuverlässig ansieht (»divini ex 1 Chr XXIX 29 testimoni autoritas«). Die Begebnisse sind nach und nach zu dem Zeitpunkt ihres Geschehens von Samuel, Nathan und Gad aufgezeichnet, später aber von einem prophetischen Mann, jedoch unter hilfreichem Beistand der ϑεοπνευσίᾳ[14] gesammelt worden.

Die von Simon und anderen ausgegangenen Anstöße werden von *Johann Gottfried Eichhorn* (1752–1827)[15] aufgenommen und konsequent weitergeführt. Seine in drei Teilen erschienene »Einleitung in das Alte Testament« (1780–1783)[16] stellt in ihrer Zielsetzung wohl das Gegenstück zur Carpzovschen Introductio dar. Während aber Carpzov die Verteidigung der kirchlich-konventionellen Anschauungen sich zur Aufgabe macht, weist Eichhorn der Einleitung eine selbständige und literargeschichtliche Aufgabe zu. Das zeigt sich schon darin, daß er den alten Ausgangspunkt von 1 Chr 29,29 aufgibt, dann weiter in der methodischen Darstellung des Stoffes. Um der chronistischen Parallelen zum zweiten Samuelbuch willen setzt er bei diesem ein und erklärt das Verhältnis dieser beiden Fassungen in ihren Abweichungen voneinander so, daß in beiden ein altes »kurzes Leben« Davids zugrunde liege, das durch eingeschobene Erzählungen in verschiedener Weise erweitert und bereichert wurde. Das schließt nicht aus, daß ein Teil dieser Abweichungen schon in der vorgegebenen biographischen Quelle vorhanden war, von der anzunehmen ist, daß sie in einander nicht völlig gleichen Abschriften vorgelegen hat und auch benutzt wurde[17]. Aus 1 Chr 29,29 kann nicht geschlossen werden, daß Samuel, Nathan und Gad Biographen Davids gewesen sind – für Annalen, die von drei Zeitgenossen fortgesetzt wurden, wären die Bücher ohnedies nicht ausführlich genug, ganz abgesehen davon, daß sie dann auch annalenmäßiger geschrieben sein müßten; der Sinn könnte aber der sein, daß in dem Buch, das Reden von Samuel, Nathan und Gad enthielt, auch Nachrichten von Davids Leben zu finden waren[18]. Dieses »kurze Leben Davids«,

13. Introductio. 4. Aufl. 1757, Cap. XII, S. 214f.

14. Entsprechend der Anschauung Carpzovs, daß auch da, wo etwas aus Quellen übernommen ist, es doch durch eine neue Inspiration bekannt geworden ist; vgl. dazu G. Müller, in: RE 3, S. 730.

15. Dazu E. Bertheau, in: RE 5, S. 234ff.

16. In zweiter vermehrter und verbesserter Aufl. Reutlingen 1790 (nach dieser Ausgabe werden die Seiten angegeben).

17. Zweyter Theil (§ 468ff.), S. 450ff.; vor allem S. 465f.

18. S. 470ff.

dem auch eine knappe Lebensbeschreibung Salomos angehängt gewesen sein mag, ist nicht über Salomos Tod hinaufzurücken; die Quelle aber, die es benutzte, könnte schon unter der Regierung Davids angelegt worden sein. Dagegen ist die Zeit, wann diese durch Zusätze vermehrte Vita erschienen ist, nicht mehr zu bestimmen. Im Grunde scheint hier schon, bei aller Vorläufigkeit und Begrenztheit der Erkenntnis, das vorweg geahnt, was später die Überlieferung von der Thronnachfolge[19] genannt worden ist.

Eichhorn erkennt richtig, daß die Entstehung des ersten Samuelbuches[20] sich anders darstellt. »Die Erzählungen desselben in ihrer jetzigen Gestalt erlauben es nicht, sie von einem der Begebenheit gleichzeitigen Referenten abzuleiten.« Wenn er zur Begründung auf die Anmerkungen aus dem Gesichtskreis einer späteren Zeit verweist, bleibt er damit in den Bahnen seiner Vorgänger (die berühmte Diskussion um 1 Sam 9,9) und kann das wirkliche Wesen dieses Unterschiedes noch nicht in den Griff bekommen. Das zeigt sich auch darin, daß er für dieses Buch, das in seiner jetzigen Gestalt erst in den jüngeren Zeiten der hebräischen Monarchie erschienen ist, Quellen annimmt, »welche schon in den ersten hebräischen Regierungen angelegt worden sind[21]«. Sie sind freilich nicht gänzlich aufgenommen, aber da, wo es geschah, vollständig wiedergegeben worden. Dazu kommen Interpolationen, was von der klassischen Stelle 1 Sam 17 her entfaltet wird[22]; diese eingeschalteten Zusätze sind – ein neuer fruchtbarer Gedanke – aller Wahrscheinlichkeit nach nicht aus geschriebenen Aufsätzen, sondern aus mündlicher Überlieferung geflossen. So sind die Bücher durch die Beiträge verschiedener Zeitalter entstanden, auch durch die Hände verschiedener Überarbeiter gegangen und unter verschiedenen Gestalten und Ausgaben im Umlauf gewesen, bis sie ihre jetzige Form erhalten haben[23]. Trotz ihrer Entstehungsverschiedenheit hatten das erste und das zweite Buch doch einen Ordner als Verfasser. In ihrem heutigen Umfang, ihrer heutigen Stellung und Abteilung sind sie aber erst mit den beiden Büchern der Könige erschienen.

Wenn Eichhorn in der Entfaltung der Entstehungsgeschichte der Bücher Samuel bei der Chronik ansetzt, so zeigt er, daß ihm der Quellenwert der Chronik fest steht. Damit folgt er, wenn auch unter anderm Ansatz und wohl unbewußt, noch der alten gelehrten Tradition[24]. Zugleich charakterisiert sich damit der eher formalistische Ansatzpunkt seines Denkens. Das entscheidende Problem, das mit der inhaltlichen Besonderheit der Samuelbücher hier gestellt ist, wird wohl zum erstenmal von *Wilhelm Martin Leberecht de Wette* gesehen[25]. Der Gegenstand der entscheidenden Untersuchung, die hier genannt werden muß, ist zwar die Chro-

19. Vgl. u. S. 48.
20. Zweyter Theil (§ 475/76), S. 481ff.
21. (§475) S. 481.
22. (§ 477) S. 484ff.
23. (§ 478) S. 496.
24. Dies, obwohl er gerade davon absieht, 1 Chr 29,29 zum Ausgangspunkt zu machen; vgl. dazu o. S. 32f.
25. Vgl. Rudolf Smend: Wilhelm Martin Leberecht de Wettes Arbeit am Alten und Neuen Testament. Basel 1958, S. 41.

nik[26] und ihre Stellung in der Geschichte Israels; aber damit wird auch die Erforschung der Samuelbücher an einem wesentlichen Punkte gefördert. In der Auseinandersetzung mit Eichhorn wird dessen Grundthese von einem »kurzen Leben Davids« als einer Quelle, die ebenso die Samuelbücher wie die Chronik benutzt haben, als unhaltbar widerlegt[27]; dasselbe gilt auch für das Verhältnis des zweiten Chronikbuches zu den Königsbüchern. Von den schlagenden Gründen, die er aufführt[28], verdient um der späteren Diskussion willen[29] hervorgehoben zu werden, daß nach de Wette diese Annahme ein reines Postulat, in Wirklichkeit aber keine geschichtliche Spur dafür vorhanden ist, daß eine solche Quelle je existiert hat. Die Bücher Samuel und auch der Könige, die de Wette miteinander als Ganzes betrachtet, sind die ursprünglicheren und bilden die Grundlage der Chronik[30]. Über diese klaren Abgrenzungen hinaus bleiben die Ausführungen zum Charakter der Samuelbücher mehr im Allgemeinen. »Die Erzählung trägt ein ächt geschichtliches Gepräge, und ist, wo nicht (zum Theil wenigstens) aus gleichzeitigen Denkschriften, doch aus einer sehr lebendigen und treuen (nur hie und da getrübten und verwirrten) mündlichen Überlieferung geschöpft, die sich freilich zum Theil noch auf Denkmäler, Sprüchwörter und bedeutende Namen stützt. Sie ist so reich an lebendigen Charakterzügen und Schilderungen, daß sie in dieser Hinsicht mit den besten Geschichtsschreibungen wetteifert, und zuweilen biographisch wird; auch ist der natürliche Zusammenhang der Begebenheiten sehr genügend, wenn auch nicht klar genug herausgehoben[31].« Die Zusammensetzung aus verschiedenen Bestandteilen wird an Dubletten und inhaltlichen Differenzen nachgewiesen, ohne daß diese Bestandteile selbst näher abgegrenzt werden. Ebensowenig wird eine genauere zeitliche Ansetzung versucht, nur soviel festgestellt, daß das Buch sich nicht durch eine spätere Sprache auszeichnet und seine Abfassung vor die Zeit gesetzt werden muß, wo der levitisch deuteronomische Geist herrschend wurde, von welchem darin keine Spur vorkommt[32].

In diesem Zusammenhang könnte an die etwa zehn Jahre zuvor erschienene Auslegung *Christian Gottlieb Henslers* erinnert werden[33], der Züge findet, wie man sie niemals bei bloß mündlicher Überlieferung und nur in solchen Nachrichten antrifft, die gleich bei dem Ereignis oder doch wenigstens kurz danach aufgezeichnet wurden[34], sonst aber die Gleichheit der Verfasser der Bücher Samuels und der

26. Kritischer Versuch über die Glaubwürdigkeit der Bücher der Chronik mit Hinsicht auf die Geschichte der Mosaischen Bücher und Gesetzgebung. Beiträge zur Einleitung in das Alte Testament. Bd. 1. Halle 1806.

27. A. a. O., S. 14f.

28. A. a. O., S. 15f.

29. Vgl. u. S. 37f.

30. A. a. O., S. 42ff.; S. 39ff.

31. Lehrbuch der historisch-kritischen Einleitung in die Bibel Alten und Neuen Testaments. 3. Aufl. Berlin 1829, S. 264.

32. A. a. O., S. 267.

33. Erläuterungen des ersten Buches Samuels und der Salomonischen Denksprüche. Hamburg 1795.

34. A. a. O., S. 9.

Bücher der Könige als eine mehr willkürliche als auf sicheren Gründen beruhende Annahme (S. 4) ablehnt.

Gleichzeitig mit der Veröffentlichung de Wettes zur Glaubwürdigkeit der Chronik, also so, daß er von ihr keine Notiz mehr nehmen konnte, erscheint die Einleitung[35] von *Johann Christian Wilhelm Augusti*[36]. Wenn sie auch sonst nichts wesentlich Neues zum Thema sagt, enthält sie doch einen bedeutsamen Gedanken, der freilich mehr aphoristisch vorgetragen wird, nämlich den, daß die Samuelbücher nicht ein einfach referierendes Geschichtswerk darstellen, sondern daß ihr Verfasser von Anfang bis zum Ende ein Ziel vor Augen gehabt habe[37]. Damit verträgt sich für ihn durchaus die Annahme, daß der Verfasser fremde Arbeiten zusammengefaßt und verarbeitet hat. An dieser Stelle scheint eine Spannung zu liegen, die noch nicht genügend aufgelöst ist. In den nachfolgenden Veröffentlichungen ist diese These zwar zitiert, hat aber starken Widerspruch gefunden, z. B. bei Bertholdt[38] und Haevernick[39]. Aber daß hier eine im Ansatz richtige Erkenntnis vorliegt[40], wird dadurch nicht aufgehoben, daß die Ausführung noch unbefriedigend ist und in Äußerlichkeiten steckenbleibt. Augusti sieht nämlich die Tendenz der Schrift darin, daß der Verfasser die Verwandlung der Republik in eine Monarchie historisch und faktisch nach ihren Nachteilen und Vorteilen gegen und für die Theokratie und die sinaitische Gesetzgebung darstellen und in der Geschichte Davids und Sauls einen Regentenspiegel liefern wollte, wobei Saul der König, wie er nicht sein sollte, David aber der Idealkönig ist. Damit ist dann natürlich auch ein zeitliches Präjudiz für die Ansetzung des Buches gegeben. Nichts nötigt dazu, den Ursprung des Werkes erst in nachbabylonischer Periode anzunehmen, denn die Gleichheit des Verfassers der Samuelbücher und der Bücher der Könige ist eine bloße Annahme ohne sichere Gründe. Gerade, wenn man sich nun vergegenwärtigt, wie die Überlegungen über den zeitlichen Ansatz mit der Bestimmung dieser Tendenz hier Hand in Hand gehen, wird man allgemein urteilen müssen, daß zur Zeit Augustis diese These noch damit belastet und in ihrer Wirkungsmöglichkeit eingeschränkt sein mußte, daß sie zu sehr auf die Endredaktion und ihre Zielsetzung abstellte. Damit berühren sich zwar Problemstellungen der jüngsten Forschung[41]; indessen ist es gerade für die Anfänge der Überlieferungsbildung und ihr Verständnis von Bedeutung, zu erkennen, daß man nicht einfach erzählen, sondern auf Fragen antworten will, die letztlich Lebensfragen, als solche aber Glaubensfragen sind[42]. Das kurze Leben Davids[43], sofern es nicht

35. Grundriß einer historisch-kritischen Einleitung in das Alte Testament. 1806; 2. Aufl. 1827.
36. Hagenbach, in: RE 2, S. 253f.
37. A. a. O., S. 162. 2. Aufl. 189f.
38. Vgl. u. S. 38 und Anm. 46.
39. Vgl. u. S. 39 und Anm. 62.
40. Vgl. dazu etwa Alt II, S. 38, Anm. 4; S. 40, Anm. 1 und die sorgfältige Fortführung dieser Gedanken bei Mildenberger: Überlieferung.
41. Zur Sache vgl. Carlson und dazu die Besprechung Stoebe: ThZ 1966, S. 47f.
42. Vgl. dazu die Auslegung z. B. u. S. 201 und S. 251; vor allem, was die innere Rechtfertigung des Überganges zu einer monarchischen Regierungsform anlangt.

einfach Auszüge aus Annalen darstellt, die natürlich auch vorhanden sind[44], hat in dieser Form wahrscheinlich nicht bestanden[45].

Es ist also verständlich, wenn *Leonhard Bertholdt*[46] im dritten Teil seiner »Historischkritischen Einleitung in sämtliche kanonische und apokryphische Schriften des Alten und Neuen Testaments[47]« ... (1813) Augusti zwar zitiert, aber nachdrücklich ablehnt. »Auf keinen Fall kann man die Absicht haben wollen, das Werk als ein Continuum, d.h. als eine Schrift zu betrachten, welche fortlaufend und zusammenhängend nach einem gemachten Plan geschrieben worden wäre[48].« Auffallend ist aber, daß er de Wette in den Literaturangaben zu den Samuelisbüchern nicht nennt[49], obwohl er sonst ziemlich umfangreich die Schriften seiner Zeitgenossen zitiert[50]. Daß das mehr als Zufall ist, bzw. wie scharf profiliert hier die Linien sind, erhellt aus der Vehemenz, mit der er sich für Eichhorn entscheidet[51]. In dem, was er zum Aufbau der Bücher ausführt, ist aber doch manches Neue, das über Eichhorn hinausgeht. Er präzisiert den etwas vagen Begriff der verarbeiteten Quellen dahin, daß er vier Urschriften unterscheidet, die sich als in den Samuelbüchern verarbeitetes Gut herausstellen. In der Bestimmung der vierten, der eigentlichen Regierungsgeschichte Davids, die von 1 Sam 31–2 Sam 22 reicht[52], ist er zwar noch ganz von Eichhorn abhängig[53], doch ist auch hier die straffere Zusammenfassung gegenüber zeitgenössischen Versuchen[54] nicht ohne Bedeutung. Er unterscheidet eine Lebensbeschreibung Samuels, die von Kap. 1–7 reicht, wobei der besondere literarische Charakter von 1 Sam 7 schon durchaus erkannt, wenn auch noch unzureichend damit erklärt wird[55], daß Kap. 7 mit solch allgemeinen Bemerkungen endigt, welche vermuten lassen, der Erzähler habe hier schließen und nichts weiter mehr von Samuel berichten wollen; dann eine Geschichte Sauls von der Erwählung bis zur Verwerfung Kap. 8–16 und eine Geschichte der Heldentaten und Streifzüge Davids vor seinem Regierungsantritt 17–30. Abgesehen von der Tatsache, daß die Verfasser dieser vier Urschriften in poetischen Stücken, Reden und Personenverzeichnissen älteres Material verarbeitet haben, das z.T. in schriftlicher Form vorgelegen haben mag (so 1 Sam 12![56]), sind sie

43. In gewisser Weise scheint sich damit die »Grundschrift« zu berühren, die Nübel jetzt annimmt; vgl. u. S. 50.

44. Wie etwa 2 Sam 5,4; Kap. 8.

45. Vgl. u. S. 57.

46. Zur Person Gosche, in: RE 2, S. 648.

47. III. Erlangen 1813.

48. A. a. O., S. 893.

49. Zu den Chronikbüchern wird er natürlich genannt.

50. Auf Augusti bin ich erst durch Bertholdt aufmerksam geworden.

51. Z. B. S. 902. 906.

52. S. 902ff.

53. Er übernimmt das Urteil Eichhorns über die gemeinsame Grundlage von Samuel- und Chronikbüchern.

54. Besonders charakteristisch dafür die »Probe eines kritischen Versuches über das zweite Buch Samuels« von R. (in: Paulus's Memorabilien St. 8, S. 61ff.), die Bertholdt, a. a. O., S. 911 zitiert.

55. A. a. O., S. 894.

56. A. a. O., S. 917.

doch erheblich von den Zeiträumen, die sie darstellen, getrennt, und es kann in den beiden Büchern Samuels nichts von gleichzeitiger Aufzeichnung angetroffen werden[57]. Diese vier Urschriften wurden miteinander zu einem Ganzen verbunden, und damit ist ein historisches Werk entstanden. Dabei scheint der Redaktor wenig mehr getan zu haben, als daß er sie zusammenstellte. Diese Zusammenfassung und Herausgabe ist aber nicht, wie Eichhorn wollte[58], im Babylonischen Exil, sondern schon in der späteren Königszeit anzusetzen, wobei man aus sprachlichen Gründen nicht über das Ende der Regierungszeit Manasses hinausgehen darf[59].

Es ist von daher gut begreiflich, wenn in der Diskussion und Polemik *H. A. Christian Hävernicks*[60] Eichhorn und Bertholdt eng zusammenrücken[61]. Entsprechend seiner eigenen konservativen Haltung[62] lenkt dieser selber ganz in die traditionellen Anschauungen zurück. Wie das Richterbuch, so steht auch der Verfasser der Samuelbücher auf dem Standpunkt historischer Betrachtung, auch ihm ist es »um eine ächt theokratische Darstellung der nach Eli beginnenden Epoche zu tun[63]«. Widersprüche und Spannungen, an deren Feststellung einmal die wissenschaftliche Forschung ansetzte, werden wegharmonisiert[64]. Für die Beurteilung der Quellenfragen gewinnt für ihn wieder 1 Chr 29,29 Wichtigkeit[65].

Einen wirklichen Fortschritt bedeutet nun aber das Werk[66] eines Außenseiters, des Oberlehrers am Pädagogium in Züllichau *Carl Peter Wilhelm Gramberg* (1797–1830)[67], dessen Hoffnung auf Lehrtätigkeit an einer Universität[68] sein früher Tod zunichte machte. Er findet einen Unterschied zwischen zwei Relationen, die zwar das nämliche, aber auf etwas verschiedene Weise berichten, und die sich durch einen bedeutenden Teil des ersten Buches bis in das zweite hinein nebeneinander fortziehen. Sie laufen als Vertikale durch die Komplexe hindurch, die sich horizontal feststellen lassen und die Gramberg mit dem Namen derer bezeichnet, die der Erzähler als Hauptperson betrachtet hat[69]. Weil literarkritische

57. A. a. O., S. 913.

58. Bertholdt zitiert (S. 923ff.) weitere zustimmende Stimmen, von denen am interessantesten der detaillierte Ansatz zwischen dem 19. Jahr nach der Zerstörung Jerusalems und dem Tode des Königs Jojachin ist (so Johann Jahn: Einleitung in die göttlichen Schriften des Alten Bundes. Wien 1793, S. 232ff.).

59. A. a. O., S. 924.

60. Handbuch der historisch-kritischen Einleitung in das Alte Testament. II/1 Erlangen 1839.

61. A. a. O., S. 131.

62. Vgl. die Charakterisierung durch Volck, in: RE 7, S. 330; es ist nicht zufällig, jedenfalls nicht von den lokalen Voraussetzungen (Königsberg-Dorpat) her zu verstehen, daß die zweite Auflage dieser Einleitung von C. F. Keil besorgt worden ist (1854/56).

63. A. a. O., S. 119.

64. Z. B. 1 Sam 23,19–24,23 mit Kap. 26; 21,10ff. mit 27,2ff.; a. a. O., S. 138.

65. A. a. O., S. 121.

66. Kritische Geschichte der Religionsideen des Alten Testaments. Zweyter Theil. Theokratie und Prophetismus. Berlin 1830.

67. Allgemeine Deutsche Biographie IX, S. 577f.

68. Kritische Geschichte, S. VIII.

69. A. a. O., S. 71ff.

Tatbestände nun gleichsam nur ein Nebenprodukt für den Verfasser darstellen, begnügt er sich damit, diese beiden Quellenstränge mit Ra und Rb zu siglieren, ohne die Bestimmung ihres Verhältnisses zueinander zu versuchen.[69a]

Ungleich größer war die Wirkung, die das Werk von *Karl Heinrich Graf* (1815–1869)[70] hatte. Um der zeitlichen Reihenfolge willen muß hier zuerst seine Anfangsarbeit, die Straßburger Licentiatendissertation von 1842[71], genannt werden, die mit ihren Ergebnissen ja in gewissem Maße Grundlagen und Voraussetzungen für die entscheidende Schrift von 1866 schafft[72]. Das ist um so eher möglich, als sich schon 1842 charakteristische Fragestellungen und Formulierungen z. B. in der Überschrift zu § 4 (explicatur, qualis in iis apparet religionis rerumque sacrarum status)[73], aber auch in der starken Betonung redaktionsgeschichtlicher Probleme (s. u.) abzeichnen. Das heißt zugleich, daß sich Graf, im Unterschied zu Gramberg, schon 1842 um eine zeitliche Verhältnisbestimmung bemüht. Er stellt in den Samuelbüchern eine – bis in die Königsbücher hinüberreichende – im wesentlichen zuverlässige historische Quelle fest, die zwar in der Sprache späterer Zeit schildert, aber doch aus volkstümlichen Traditionen geflossen ist, und die, wenngleich sie diese nicht vollständig benutzt, doch ein leidlich genaues Bild der geschichtlichen Ereignisse ermöglicht[74]. Diese Quelle beginnt mit 1 Sam 13,16 und läuft durch das zweite Buch weiter (über die Fortsetzung in den Königsbüchern ist hier nicht zu referieren)[75]. Daneben läßt sich eine andere Linie verfolgen, die mit 1 Sam 1–12 geschlossen beginnt und sich dann in Einzelstücken weiter fortsetzt (z. B. 13,1–15; 15;16; 19,18–24; 28,5–25; 2 Sam 6; 7 usw.)[76]. Die gegenwärtige Gestalt des Buches läßt sich nun nicht so erklären, daß ein Schriftsteller zur Abrundung seiner Darstellung eine zweite Quelle mitverarbeitete, die andere Stoffe enthielt und anders akzentuierte, und daß er dann um der Vollständigkeit willen Spannungen und Widersprüche in Kauf genommen hätte. Dieser zweite Strang ist nicht in klarer Gestaltung geformt und steht nicht nur mit der ersten, sondern auch mit sich selbst vielfach in Widerspruch; er ist nicht recht greifbar, überhöht und zeigt deutlich, daß er aus subjektiven Meinungen und Einsichten entstanden ist. Damit erweist es sich, daß die Bücher Samuel nicht aus einem Geist entstanden, sondern allmählich mit theokratischen Meinungen und Vorstellungen gebildet und geformt sind[77].

69a. A. a. O., S. 80, Anm. 1.

70. Beer, in: RE 23, S. 588; vgl. dazu auch Kraus: Historisch-kritische Erforschung, S. 222ff; 2. Aufl. S. 242ff.

71. De librorum Samuelis et Regum compositione, scriptoribus, fide historica.

72. Die geschichtlichen Bücher des Alten Testaments. Leipzig 1866, S. 1–113.

73. Oder: de compositione, S. 38: »diversus est totus quasi sonus narrationis, diversae sunt sententiae, diversa proponuntur tempora opinionibus longe posterioribus consentanea atque cum rebus et ad remp. et ad cultum Dei pertinentibus altera libri parte narratis prorsus pugnantia«. Oder auch: »opus est accurate considerare, qualis his in partibus religionis rerumque divinarum status appareat« (a. a. O., S. 20).

74. A. a. O., S. 19.

75. A. a. O., S. 52–59.

76. A. a. O., S. 22–51.

77. A. a. O., S. 38.

Die Absicht des Gesamtwerkes, wie es sich heute darstellt, ist durch theokratisches Denken bestimmt. Es soll ebenso die Wurzeln aufweisen, die ein gegenwärtiges Unglück in der Vergangenheit hat, wie es dazu helfen will, daß dies in der Zukunft vermieden werden kann[78]. Der Name Deuteronomist wird nicht genannt. Vielmehr wird in einem letzten Abschnitt (§ 9) in einem merkwürdigen Rückfall in alte Fragestellungen der Nachweis versucht, daß Jeremia der Urheber von Zusätzen und Kürzungen, also für die Letztgestalt verantwortlich sei. Dennoch werden bereits hier im Ansatz spätere Erkenntnisse[79] vom Wesen des deuteronomistischen Geschichtswerkes vorweggenommen, wenngleich diese, anders als Graf es ansah, für die Samuelbücher selbst nur in sehr beschränktem Maße – wenn überhaupt – Gültigkeit haben. Zur vollen Auswirkung kommen diese Gedanken dann 1866 dadurch, daß sie in den großen Zusammenhang der Pentateuchforschung einbezogen werden. Dort stehen Graf aber über seine eigene Arbeit hinaus andere vorbereitende Werke zur Verfügung.

Zwar wendet sich *Otto Thenius* in seinem Kommentar scharf gegen Gramberg, dessen »Hyperkritik die ächte Kritik fast in Mißkredit gebracht habe«[80] und dem er – nicht ohne Recht – vorwirft, daß er Abschnitte von ganz verschiedenem Charakter willkürlich zusammengeworfen habe, aber er führt selber doch erheblich über die konventionellen Anschauungen hinaus. Nicht nur, und nicht einmal zuerst damit, daß er zu den vier »Urschriften«[81] eine fünfte einführt, sondern mehr noch darin, wie er in deren Abgrenzungen ihrer Überlieferungseigenart gerecht zu werden sucht und dabei nun doch zu etwas wie einer vertikalen Quellenscheidung kommt. Während er in der Beurteilung von 1 Sam 1–7, der Samuelquelle (1), im üblichen Rahmen bleibt, unterscheidet er in der Saulüberlieferung zwei Stränge, eine Geschichte Sauls (2), nach der Überlieferung aus einer volkstümlichen Schrift eingefügt[82], die die Kap. 8;10,17–27;11;12;15;16 im Zusammenhang klar vorträgt, die aber noch weiter in Bruchstücken[83] in die Davidüberlieferung eingebettet ist. Mit ihr ist eine kurzgefaßte Geschichte Sauls (3) nach alten schriftlichen Überlieferungen zusammengearbeitet[84]. Diese wiederum ist von einem nicht viel jüngeren Verfasser um eine Geschichte Davids (4) erweitert worden[85], an die sich eine Darstellung der zweiten Hälfte des Lebens Davids (5) anschließt[86], die sich fast zum Range einer Biographie erhebt. Dazu kommen vom Sammler eingefügte Einzelstücke, vor allem 2 Sam 21–24.

Hinsichtlich der Abfassung und historischen Glaubwürdigkeit[87] unterscheidet

78. A. a. O., S. 59f.

79. Vgl. u. S. 49.

80. Einleitung, S. XVI; derselbe Vorwurf in der 2. Aufl. 1864, S. 10; sie unterscheidet sich in diesen Fragen überhaupt nur sehr unwesentlich von der ersten.

81. Vgl. dazu o. S. 38.

82. S. XVIII; 2. Aufl. S. XII.

83. 18,6–14; 26; 28,3–25; 31.

84. 9; 10,1–16; 13–14.

85. 14,52; 17; 18 (teilweise); 19–20; 21 (teilweise); 22; 23 (teilweise); 24–25; 27; 28,1.2; 29–30; 2 Sam 1–4; 5 (teilweise); 7–8.

86. 2 Sam 11,2–27; 12,1–25; 13–20.

87. § 3; in der 2. Aufl. § 4 (§ 3 enthält dort eine kurze Ausführung über den Zweck).

Thenius, nicht völlig in Deckung mit dem ersten Einteilungsprinzip, A: Abschnitte, die bald nach den Vorgängen und z. T. noch durch Zeitgenossen aufgezeichnet sind, wobei sich wieder älteste Stücke[88] von solchen abheben lassen, die schon etwas später nach den Begebnissen fixiert sind[89], und B: Abschnitte, die erst später und größtenteils nach mündlicher Überlieferung verfaßt zu sein scheinen, wobei wiederum diese Überlieferung noch ziemlich treu sein und schriftliche Nachrichten benutzen kann[90], oder aber schon minder treue und stark veränderte Überlieferung darstellt[91]. Wichtig ist in § 5 (Die Verfasser der einzelnen Abschnitte und der Sammler), daß bei allem vorsichtigen Verzicht auf ein endgültiges Urteil der Sammler doch sehr viel näher an die Zeit Davids herangerückt wird, als es im allgemeinen vorher der Fall war.

Wesentlich positiver steht den Anregungen Grambergs der Basler *Johann Jacob Stähelin*[92] in seiner Arbeit an den geschichtlichen Büchern[93] gegenüber, wenn er auch in der Durchführung von ihm abweicht[94]. Gewiß hatten schon früher die literarkritischen Bemühungen um die Bücher Samuel und ihre Entstehungsfragen die Hypothesen der Genesisforschung zum Hintergrund gehabt, Stähelin zieht nun zum erstenmal diese Linie konsequent durch. Das erscheint als seine wissenschaftsgeschichtliche Bedeutung, wennschon er durch die Schwerfälligkeit seiner Darstellung und vor allem dadurch, daß die neuere Urkundenhypothese in der von Graf und Wellhausen erarbeiteten Form den Voraussetzungen seiner Schlüsse den Boden entzogen hatte, fast in Vergessenheit geraten ist. Stähelin hatte schon 1830 in die Diskussion über die Genesis eingegriffen[95]; er gehört damit zu den Wegbereitern der Ergänzungshypothese, als deren eigentlicher Vater Heinrich August Georg Ewald mit seiner Anzeige von Stähelins Kritischen Untersuchungen (ThStKr 1831, S. 595–606) gilt[96]. In seinem Aufsatz »Beiträge zu den kritischen Untersuchungen über den Pentateuch, die Bücher Josua und Richter« (ThStKr 1835) vollzieht Stähelin den Übergang zur Ergänzungshypothese vollständig.

In seiner abschließenden Veröffentlichung von 1843, in der er die Untersuchung auch auf die Samuelbücher ausdehnt, kommt er für diese zur Feststellung von zwei Quellen. Zu der, die er als die ältere ansieht, gehören Kap. 3; 7,2–8,22; 10,

88. 1 Sam 2,1–10; 2 Sam 1,19–27; 3,33–34; 7,18–29; 22; 23,1–7; 21,15–22; 23,8–39; 5,1–10; 11–20. (1. Aufl.).

89. 1 Sam 9; 10; 13; 14; 20; 25; und die Berichte von Davids Kriegen und Siegen 2 Sam 8; 10; 11,1; 12,26–31. (1. Aufl.).

90. 1 Sam 1–7; 14,52; 17; 18,1–5.15.16.20–30; 19; 21,1–9; 22; 23,1–14.19–27; 24; 27; 28,1+2; 29; 30; 2 Sam 1–4; 9.

91. 1 Sam 8; 10,17–27; 11; 12; 15; 16; 18,6–14.17–19; 21,10–15; 23,15–18; 26; 28,3–25; 31; 2 Sam 5,11–25; 6. (1. Aufl.).

92. 1797–1875, in Basel; vgl. E. Stähelin, in: RE 18, S. 732–735.

93. Kritische Untersuchungen über den Pentateuch, die Bücher Josua, Richter, Samuelis und der Könige. III. Berlin 1843, S. 103ff. Vgl. dazu auch die »Spezielle Einleitung in die kanonischen Bücher des Alten Testaments. Elberfeld 1862, S. 103ff.

94. A. a. O., S. 117.

95. Kritische Untersuchungen über die Genesis. Basel 1830; zuerst besprochen von Umbreit: ThStKr 1831, S. 411–414.

96. Vgl. EißfE, S. 215.

17–12,25; vielleicht 14,47–52; 15; ein Anteil an 17; 18,1–8, vielleicht auch 12–19; 20; 26; 27; 29; und 30[97]. Diese Quelle setzt er in direkte Beziehung zu der Jehovaquelle, die er im Pentateuch findet[98]. Die Entstehung dieser jehovistischen Quelle setzt Stähelin in der Zeit Sauls an; da sie in besonderer Weise die mittleren Stämme berücksichtigt, müßte der Verfasser auch in der Mitte des Landes gelebt haben und könnte, wo nicht der Prophet Samuel[99] selbst, so doch einer seiner Schüler oder Zeitgenossen gewesen sein[100]. Die jüngere Quelle liegt zunächst einmal geschlossen im ganzen zweiten BuchSamuel vor; von hier aus wird sie aufgrund inhaltlicher und stilistischer Kriterien in das erste Buch zurückverfolgt[101]. Ihr Verfasser gehörte dem Reiche Juda an und schrieb in der Zeit des Hiskia. Überraschenderweise sieht Stähelin in der Betonung der Philisterkämpfe Anklänge an die Philistereinfälle zur Zeit des Ahas (1 Chr 18,18)[102]. Die Art, wie die beiden Relationen zusammengestellt sind, ist dieselbe wie im Pentateuch; ein späterer, der über Samuel, Saul und David schreiben wollte, benutzte dazu das Material, das ihm eine alte Quelle darbot; sie diente ihm gleichsam als Grundlage, in die er seine neuen Stoffe, die er ebenfalls berücksichtigt sehen wollte, einschob[103]. Wirkt dabei auch vieles, selbst über das hinaus, was forschungsgeschichtlich bedingt ist, gesucht[104], so weist er andererseits doch schon auf Beobachtungen hin, die auch in der neuesten Diskussion wieder eine Rolle spielen[105].

Was bei Stähelin noch mehr im Ansatz bleibt, legt *Karl Heinrich Graf*, auf den Arbeiten seiner Vorgänger aufbauend[106] und Eigenes weiter ausführend[107], in einer Konzeption von eindrücklicher Geschlossenheit vor[108]. Er konstatiert ein

97. Kritische Untersuchungen, S. 112ff.

98. A. a. O., S. 118: »Man wird zwar diese Ansicht, weil sie neu ist, zu kühn finden, und sie wird gewiß vielen Widerspruch erfahren, aber man wird gewiß immer mehr der Ansicht werden, daß die bis dahin betrachteten Schriften einen Cyclus von Erzählungen bilden, der sich durch Sprache und sonstige Manier der Darstellungs- und Anschauungsweise ... wesentlich unterscheidet.« Und weiter: »Auch kann ich durchaus nicht glauben, daß je weder unsere Quelle noch die Bücher Josua und der Richter unabhängig vom Pentateuche vorhanden gewesen ...«

99. A. a. O., S. 122 »Bemerkenswerth bleibt wenigstens, daß in den von mir ausgeschiednen und der Jehovaquelle zugewiesenen Abschnitten des ersten Buches Samuels der Tod dieses Profeten nirgends erzählt wird«.

100. A. a. O., S. 121f.

101. A. a. O., S. 129ff.

102. A. a. O., S. 140.

103. A. a. O., S. 135.

104. Z. B. heißt es a. a. O., S. 139 im Blick auf das von ihm angenommene Alter dieser Quelle: »Gelangen wir nun auch so in Zeiten, in denen die alte Blüthe des Reiches längst vorüber war, so darf es uns auch nicht befremden, daß wir bei den Haupthelden unserer Quelle nicht mehr die alte Kraft finden, die sie in der älteren Quelle beweisen; ganz im Widerspruch mit 1 Sam XI und XV bezeigt sich Saul feige im Kampfe gegen die Filister, 1 Sam XIII.XIV., auch David zeigt sich 1 Sam XXIV,6 so ängstlich und beträgt sich so furchtsam bei seinem Aufenthalte in Gath, 1 Sam XXI, 11–15., wie ganz anders 1 Sam XXVII! und selbst Samuel kann 1 Sam XVI,2 nicht von Kleinglauben freigesprochen werden.«

105. Vgl. z. B. das, was Stähelin über נָגִיד sagt (S. 131f.). mit den Überlegungen Mildenbergers (S. 9ff.), der darin ein Kennwort seines nebiistischen Bearbeiters sieht.

106. Er nennt neben Stähelin besonders häufig Ewald.

107. Vgl. dazu o. S. 40.

108. S. o. S. 40, Anm. 72.

vordeuteronomisches Geschichtswerk, das nicht nur die Genesis bis Numeri überlieferten geschichtlichen Nachrichten, sondern auch die historischen Texte von Jos bis 1 Reg 10 umfaßt[109]. Seine Grundlage ist ein elohistisches Geschichtswerk (= P)[110], das in der Mitte des achten Jahrhunderts bzw. zur Regierungszeit des Ahas[111] durch den Jehovisten (JE) aus mündlichen und schriftlichen Quellen ergänzt wurde. Dieses alte Werk ist dann etwa anderthalb Jahrhunderte später vom Deuteronomiker überarbeitet und fortgesetzt worden[112]. Wichtig ist dabei die Feststellung, daß sich in den Büchern Samuels, abgesehen von kleineren Einschüben, keine Spur einer solchen Überarbeitung durch den Deuteronomiker findet[113]. Darum spielt auch die Frage, ob dieser Deuteronomiker mit dem Propheten Jeremia identisch sein könne[114] (in der, für den heutigen Leser völlig überraschend, eben alte Ansätze und Fragestellungen nachklingen[115]), für die Samuelbücher selbst keine Rolle.

Der weitere Verlauf der wissenschaftlichen Forschung ist zunächst durch den Namen *Julius Wellhausen*[116] bestimmt. Ihm gelingt es, die Gedanken seiner Vorgänger, vor allem Grafs (und damit auch die seines Lehrers Reuß), kraftvoll und neu zu durchdenken, in einprägsamer Systematik darzustellen und ihnen die gültige Form zu geben. Die Bezeichnung »Graf-Wellhausensche Schule« verbindet sich in erster Linie ja mit der entscheidenden Umformung der neueren Urkundenhypothese im Pentateuch, nämlich der Festsetzung ihrer Quellenstränge in der Reihenfolge JEDP[117]. Das ist bekannt, zudem für unsere Frage nur von mittelbarer Bedeutung. Wie aber bei Stähelin und noch deutlicher bei Graf eine Untersuchung der Entstehungsverhältnisse des Pentateuch nicht mehr an den geschichtlichen Büchern vorbeigehen konnte, so stehen diese auch bei Wellhausen im Blickpunkt seiner weitgespannten Untersuchung. Der literarische Komplex der Samuelbücher kommt bei ihm zweimal zur Darstellung. Einmal in den Prolegomena[118] (Teil B. Geschichte der Tradition, Kap. 7), und dann in sehr ausführlicher Analyse in der »Composition«[119]. Die Ergebnisse seiner Untersuchungen und Überlegungen finden ihren Niederschlag auch in der von ihm besorgten vierten Auflage der »Einleitung in das Alte Testament« (1878) von Friedrich Bleek

109. Vgl. hierzu auch die zusammenfassende Darstellung in: RE 23, S. 590.

110. Zu späteren Korrekturen, die Graf selbst vorgenommen hat, vgl. RE 23, S. 591.

111. Die geschichtlichen Bücher des Alten Testaments. I. Leipzig 1866, S. 111 f.

112. Das Werk des Jehovisten hat dann abermals, anderthalb Jahrhunderte später, durch die Eintragung der von Esra gesammelten und geordneten Gesetze in dasselbe seine heutige Gestalt bekommen.

113. A. a. O., S. 101; vgl. dazu Noth: Studien, S. 61ff.

114. A. a. O., S. 110, Anm. 1.

115. Vgl. dazu o. S. 25.

116. Vgl. die Würdigung bei Kraus: Historisch-kritische Erforschung, S. 240ff; 2. Aufl. S. 260ff.

117. Vgl. EißfE, S. 218.

118. Ursprünglicher Titel »Geschichte Israels« (1878); dann: Prolegomena zur Geschichte Israels. 6. Aufl. 1905.

119. Die Composition des Hexateuchs und der historischen Bücher des AT. Berlin 1899, S. 238ff.

(1793–1859)[120]. Wie seine Vorgänger rechnet er mit dem Bestehen von Quellen, die nicht unbestimmt viele selbständige Erzählungen, sondern wenige größere und zusammenhängende Schriften gewesen sind[121]. Im Unterschied zu Graf und auch zu Stähelin verzichtet er darauf, die direkte Fortsetzung einer Pentateuchquelle zu statuieren. Das hängt einmal mit der besonderen Zielsetzung seiner Arbeit zusammen, ist andererseits sicher auch ein Zeichen exegetischer Vorsicht und Gewissenhaftigkeit. Seine Ausführungen sind in den beiden Hauptwerken, entsprechend ihrer besonderen Absicht, im Tenor etwas verschieden. In den Prolegomena geht es darum, welche Einwirkungen der Kultur- bzw. Religionsepochen der Geschichte Israels, wie sie sich durch die Siglen JEDP repräsentieren lassen, in der vorliegenden Gestalt der Samuelbücher (bzw. der geschichtlichen Bücher überhaupt) festzustellen sind. Dabei wird nachgewiesen, daß in den alten historischen Büchern die Bearbeitung vom Deuteronomisten ausgeht und nicht, wie in der Chronik, vom Priesterkodex, daß dieser vielmehr völlig unbekannt bleibt[122]. Wo es darum geht, diese Bearbeitung darzustellen und den Wandel in Anschauungen und Urteilen zu kennzeichnen, der mit ihr gegeben ist, ist der spannungsreiche Bericht von der Entstehung des Königtums 1 Sam (7) 8–10; (11) 12 von ausschlaggebender Wichtigkeit. Wellhausen stellt wohl als erster den Unterschied in voller Klarheit heraus, der zwischen 7; 8; 10,17–27; (11); 12 auf der einen Seite und 9; 10,1–16; (11)[123] auf der anderen besteht, und findet dort die jüngere Rezension, die die deuteronomistische Beurteilung der Vorgänge widerspiegelt. Während nämlich für das vorexilische Israel das Königtum der Höhepunkt der Geschichte und die größte Segnung Jahwes ist, kann es für die nachdeuteronomische judäische Geschichtsschreibung einen Fortschritt über das mosaische Ideal hinaus nicht geben; je weiter man sich davon entfernt, um so größer wird der Rückschritt. Die Errichtung des Königtums ist nur eine tiefere Stufe des Abfalls[124]. Auch die Darstellung der Anfänge Davids läßt Wucherungen an dem ursprünglichen Kern einer in sich geschlossenen einfachen Erzählung erkennen, die, obwohl von derselben Wurzel ausgehend, doch keineswegs gleichstufig oder gleichartig sind[125]. Von einer systematisch durchgeführten, moralisch-chronologischen Bearbeitung des Ganzen bis hin zu den Versuchen einer festen Eingliederung in einen Geschichtsrahmen ist ebenfalls wenig zu spüren[126].

Im einzelnen lassen sich drei Teile voneinander unterscheiden: a) 1 Sam 1–14; b) 1 Sam 14,52 – 2 Sam 8,8; c) 2 Sam 9,1 – 1 Reg 2 (wobei 2 Sam 21–24 als Appendix natürlich auszuklammern sind). Von diesen Stücken bildet c eine literarische Einheit, ebenso b, obschon hier der ursprüngliche Zusammenhang durch spätere

120. Vgl. dazu RE 3, S. 254ff.
121. Einleitung, S. 206; Composition, S. 238.
122. Einleitung, S. 230; Composition, S. 264.
123. Mit dieser Feststellung wird natürlich noch nicht dem mit ihr verbundenen Urteil über eine königtumfeindliche und -freundliche Quelle zugestimmt.
124. Prolegomena, S. 251.
125. Prolegomena, S. 262.
126. Composition, S. 264.

Einsätze und Ergänzungen häufig unterbrochen wird; a vereinigt drei Berichte, die nicht aus ein und derselben Konzeption geflossen sind, aber doch historisch zueinander passen, nämlich 1–3. 4,1–7,2. 9,1–10,16; 11; 15; 13,2–14,51. Wellhausen postuliert also für die Samuelbücher keine durchlaufenden Quellenstränge, sondern bleibt in der Linie der älteren Urkundenhypothese, die sich mit einer Ergänzungshypothese verbindet.

Nach einer so konsequenten und eingehenden Analyse der in der Geschichte von der Entstehung des Königtums vereinigten Überlieferungen, die die besonderen Züge von 7;8;10,17–27; 12 klar herausstellte, lag es nahe, den so profilierten Komplex nach vorn und rückwärts weiter zu verfolgen, also über Wellhausen hinaus duichlaufende Quellen anzunehmen. Und von da war es kein weiter Schritt – im Ansatz hatten Stähelin und Graf ihn ja bereits getan –, die so postulierten Stränge mit den Pentateuchquellen J und E zu identifizieren. Das geschieht wohl zuerst bei *Carl Heinrich Cornill*[127] und gewinnt bei Budde die Form, in der es von Bedeutung für die nachfolgende Forschung wurde.

In der Untersuchung zu den Richter- und Samuelbüchern von 1890 unterscheidet *Karl Budde* nach den in der Krönungsgeschichte Sauls genannten Orten eine Gilgal- und eine Mizpaquelle, von denen er G mit J, M mit E gleichsetzt[128] (ohne diese Konsequenz findet sich eine ähnliche Unterscheidung später bei Schulz, Caspari, Hertzberg). Natürlich kann der Stoff nicht in seiner Gesamtheit so verteilt werden; es bleibt genügend Raum dafür, redaktionelle Eingriffe verschiedenster Art und eine deuteronomistische Überarbeitung anzunehmen.

Buddes Gedanken werden, wenn auch mit gelegentlichen Abweichungen, von *É. Paul Dhorme* vertreten und haben zuletzt bei *Gustav Hölscher*[129] noch einmal eine detaillierte Darstellung gefunden. In Übereinstimmung mit seiner Beurteilung der Quellenverhältnisse im Pentateuch[130] unterteilt *Rudolf Smend*[131] auch für die Bücher Samuel den Jahwisten in zwei Stränge, nimmt *Otto Eißfeldt*[132] drei Schichten an, ohne daß hier im einzelnen darauf eingegangen zu werden brauchte, da im Kommentar die Fragen in ziemlicher Ausführlichkeit behandelt werden, die im Zusammenhang damit stehen. Aber auch da, wo eine neutralere Form für die Siglierung der Quellen gesucht wird[133], bleibt die Analogie zu den Pentateuchquellen bestehen (vgl. z. B. Kittel: K, KJ, K^E).

127. ZWL 1885; Königsberger Studien 1887; auch: Noch einmal Sauls Königswahl und Verwerfung. ZAW 1890, S. 96ff. Interessant und für die weitere Forschung bedeutsam ist es, daß die Diskussion hier gerade bei den für elohistisch gehaltenen Stücken einsetzt.

128. Bücher, S. 180ff. 209f.

129. Vor allem: Geschichtsschreibung in Israel. Lund 1952, wobei die Untersuchung bis in die Königsbücher fortgesetzt wird; vgl. dazu schon Immanuel Benzinger: Jahvist und Elohist in den Königsbüchern. 1921 (BWAT II/2).

130. Rudolf Smend: Die Erzählung des Hexateuch auf ihre Quellen untersucht. Berlin 1912.

131. ZAW 1921, S. 181ff.; in ähnlicher Richtung schon Lods: Études de Théologie et de l'Histoire. Paris 1901, S. 257ff.

132. Die Komposition der Samuelisbücher. Leipzig 1931.

133. Vgl. für die ältere Literatur die Nebeneinanderstellung bei Nowack, S. XXXff. (wobei es angemerkt werden kann, daß Nowack selbst wie Wellhausen die Kap. 7;8;10,17–27 nicht E, sondern Dt zuschreibt.). Sonst SteuE: S^a S^b; Pfeiffer: Introduction: Early and Later Source; Smith: Sm Sl.

Einen anderen Weg schlägt *Harold Marcus Wiener* 1929 ein. Auch er rechnet mit durchlaufenden Strängen, die er Jdc 2,11 beginnen sieht; in ihrer Bestimmung geht er – wenn auch in modifizierter Form – von 1 Chr 29,29 aus und postuliert von da zwei Quellen N(athan) und G(ad), die zusammengearbeitet sind. Dabei ist Gad freilich eine Chiffre, die nicht vom historischen Propheten Gad verstanden werden darf[134]. Diese zweite Quelle G ist zwar nicht durch grundsätzliche Ablehnung des Königtums, wohl aber des Königs Saul bestimmt.

Nun muß man natürlich zugeben, daß wortstatistische Überlegungen[135] keine Beweiskraft für die Annahme von Quellen, schon gar nicht für ihre Verbindung mit den Pentateuchquellen haben können. Auch sonst ist die Annahme einer fortlaufenden Zusammenarbeit von verschiedenen, so stark divergierenden Strängen mit einem hohen Maß innerer Unwahrscheinlichkeit belastet, das man sich wohl nicht immer genügend verdeutlicht hat. Auf der anderen Seite kann aber nicht in Abrede gestellt werden, daß die zusammengefaßten Berichte von der ersten Zeit des Königtums Berührungspunkte mit dem theologischen Aufriß mindestens des Jahwisten haben. Sie sind aber nicht derart, daß man daraus auf durchlaufende Quellen schließen kann, sondern erklären sich viel eher aus der zeitgeschichtlichen Situation und den Fragen, die sich daraus ergeben[136].

Durch die von Gunkel inaugurierte überlieferungs- und formgeschichtliche Problemstellung ändert sich auch hier die Richtung der Forschung. Die Annahme von durchlaufenden Quellen wird aufgegeben; an ihre Stelle treten die kleineren Einheiten etwa einer Saul-, einer Davidgeschichte usw. Das berührt sich etwa mit den »Urschriften« älterer Arbeiten[137], nur handelt es sich nicht um »Quellen« in literarischem Sinne, sondern um Überlieferungskomplexe, die ihrerseits wieder eine lange Geschichte haben und aus kleinen und kleinsten Einheiten zusammengewachsen sind[138]; ihr Tenor ist durch den Lebensbereich bestimmt, aus dem sie stammen, so daß man von dem einen auf das andere schließen kann[139]. Der erste Exponent der neuen Richtung ist die Auslegung von *Hugo Greßmann*[140]. Nach ihm erhebt dann *Wilhelm Caspari* in seinem Kommentar gegenüber der üblichen Quellenscheidung die nachdrückliche Forderung, bis über die Quellenschriften hinauszukommen[141], wobei gerade im Blick auf die Pentateuchquellen sehr aufschlußreiche und wichtige Gesichtspunkte vorgetragen werden[142]. Die Tafeln,

134. Wiener: Composition, S. 8: »It must therefore be understood, that by the symbol G is meant a work in which the prophet Gad is meant as a historical character like Saul or David and that it suggests no view as to its authorship.«

135. Etwa Klaehn.

136. Vgl. dazu u. S. 297f.; diese Beobachtungen drängen sich freilich in 2 Sam stärker auf.

137. Vgl. etwa zu Bertholdt o. S. 38; zu Thenius S. 41, um einiges zu nennen.

138. Vgl. dazu Hylander: Komplex; auch Preß: ZAW 1938.

139. Z. B. Stoebe: VT 1956; ders. in: Rost-Festschrift. 1967 (BZAW 105).

140. SAT II/1.1910; 2. Aufl. 1921.

141. KAT VII, S. 10.

142. A. a. O., S. 7: »Die letzterreichbaren Einheiten der Sam sind soviel älter als J E pent selbst, daß sie es einem gewissenhaften Aufbewahrungsverfahren verdanken, wenn sie noch bis zu ihrer Einverleibung in die Sam vorhanden waren. An dieser Aufbewahrung darf man Leute beteiligt denken, die nicht nur für die besonderen Stoffe der Sam ein Augenmerk besaßen, sondern

die er vorlegt und die die Zusammensetzung der Bücher Samuels darstellen sollen, erheben deshalb auch nicht mehr den Anspruch darauf, eine absolute Chronologie, wohl aber eine stilgeschichtliche Zeitfolge zu geben.

Von besonderer Wichtigkeit für die Durchdenkung dieser Fragen wurde dann die Untersuchung der Thronfolgeüberlieferung durch *Leonhard Rost*[143], die ziemlich gleichzeitig mit Casparis Kommentar erschien. Wenn ihr eigentlicher Gegenstand auch ein Komplex des zweiten Samuelbuches ist, hat sie doch darüber grundsätzliche Bedeutung, nicht nur durch die Postulierung einer einmal gesondert bestehenden Ladeerzählung[144], deren Vorhandensein übrigens in diesem Kommentar in Frage gestellt wird[145]. Tatsächlich bewegen sich dann auch alle Auslegungen der Folgezeit, soweit sie sich mit diesen Fragen auseinandersetzen, in dieser Richtung[146]. Als hauptsächliche literarische Einheiten, die ursprünglich selbständig waren und eine eigene Entstehungsgeschichte hatten, werden etwa genannt: 1. die Ladeerzählung (1 Sam 4–6; 2 Sam 6); 2. die Geschichte von Sauls Aufstieg (1 Sam 9–10,16;11;13—14); 3. die Geschichte von Davids Aufstieg (1 Sam 16,14–2 Sam 5 (8), und schließlich 4. die Geschichte von der Thronfolge Davids[147].

Eine besonders eingehende und beachtenswerte Gliederung bietet *Th. Ch. Vriezen*[148], indem er für die Kap. 1–7 zwei Zyklen von Berichten herausstellt:

a) die Geschichte Elis und der Lade (2,12–17.22–25.27–34; 4,1b–7.1.)

b) Berichte von Samuel (1; 2,11.18–21.26; 3.).

In dem ganzen Komplex 1–16 lassen sich also vier Traditionsreihen unterscheiden:

α) die ursprüngliche Saul-Jonathan-David-Salomo-Geschichte,

β) die Samuel-Saul-Geschichten, die eine kritische Haltung gegenüber dem Königtum einnehmen (7; 8; 10,27–17; 11,12–14; 15.),

γ) die priesterliche Legende von der Lade und der Geschichte Elis (a),

δ) die ihrer Entstehung nach am spätesten anzusetzenden Geschichten von Samuel (b)[149].

Mit der Feststellung dieser Komplexe versucht Vriezen, auch eine relative Chronologie zu geben, auf deren Ergebnisse im nächsten Abschnitt Bezug genommen werden soll.

Damit sind zwei Fragen gestellt bzw. neu gestellt. Zunächst die, wie lange

von allgemeinerem Gesichtspunkt aus die Zeugen einer hohen Vergangenheit lebendig erhalten wollten. Die ersten Versuche, aus Königs-Erz. Reihen zu bilden, lassen sich leichter vorstellen, wenn sie sich bereits nach einem Vorbilde zusammenhängenden, erzählenden Vortrags richten konnten, wie z. B. die Josef-Novelle, die Erzählung über die Plagen und Mose, mithin nach Vorbildern, die zur Bildung von E und J pent verwendet sind und bis außerhalb der pent Quellenschriften stilbildend gewirkt haben können.«

143. BWANT III/6. 1926.

144. A. a. O., S. 4ff.

145. S. u. S. 142ff.

146. So z. B. Hertzberg, van den Born.

147. Weiser: Einleitung, S. 146; ähnlich auch Ernst Sellin: Einleitung in das Alte Testament. 9. Aufl. Bearb. v. L. Rost. Heidelberg 1959.

148. Orientalia Neerlandica 1948, S. 189.

149. Nach dem französischen Resümee; der niederländische Text weicht etwas ab.

diese so beobachteten Komplexe nebeneinander bestanden haben und wie der Vorgang ihrer redaktionellen Zusammenfassung zu denken ist. Von seiner Beurteilung des deuteronomistischen Geschichtswerkes und seiner Entstehung her nimmt *Martin Noth* an, daß erst der Deuteronomist sie – und zwar im wesentlichen unverändert[150] – in seine Darstellung des Geschichtsablaufes eingefügt hat[151], wobei Noth freilich, Wellhausen folgend, die Kap. 7; 8; 10,17–27; 12 zur Gänze Dtr. zuschreibt[152], der damit einen genügend starken Akzent gesetzt hätte, um alles andere unverändert übernehmen zu können. Wenn Noth auch betont, daß der Hauptkomplex der hier verarbeiteten Saul-David-Überlieferung schon längst vor Dtr. aus den verschiedensten Elementen zusammengeflossen sei, bleibt darüber die Frage offen, wie lange, ja ob überhaupt die vorausgesetzten Komplexe als selbständige Größen nebeneinander bestanden haben werden. Auf der anderen Seite muß als auffallend angemerkt werden, daß der Deuteronomist seinen Absichten und Anschauungen hier so viel weniger als in den Richter- und Königsbüchern nachhaltigen Ausdruck verliehen haben sollte[153]. Darum ist der Vorschlag, den *Johannes Schildenberger*[154] zur Lösung macht, doch anders, obwohl er mit diesem Aufriß vieles gemeinsam hat. Auch er rechnet mit einem exilischen Verfasser – terminus a quo ist 561 –; auch für ihn sind die Samuelbücher Teil eines nach einem einheitlichen Plan angelegten Ganzen. Besonders sind die Unterschiede zwischen den Samuel- und den Königsbüchern nicht derart, daß sie den Aufbau durch den gleichen Verfasser ausschließen. Aber die Sam-Bücher stellen auch in sich eine streng durchkomponierte Ordnung dar. Um sie nachzuweisen, geht Schildenberger von den zusammenfassenden Schlußbemerkungen[155] aus. Die durch diese Zäsuren markierten Teile kennzeichnen Epochen der Geschichte, nämlich 1 Sam 1–7 Ende der Richterperiode mit ihrem letzten Vertreter Samuel; 1 Sam 8ff. Beginn des Königtums; 1 Sam 16,1 – 2 Sam 1,17 David und Saul; 2 Sam 2,1–5,3 David König von Juda; 2 Sam 5,4–9,13 David auf der Höhe seiner Macht; 2 Sam 10,1–21,14 die Gefährdung des Königtums. Das Ziel dieser Darstellung ist nicht theoretisch historisch, sondern theologisch; sie will das Walten Gottes in der Geschichte aufweisen. Auch dieser Verfasser stellte die Quellen, die er benutzt, im Wortlaut fast unverändert mehr oder weniger unvermittelt nebeneinander. Die Widersprüche, die so entstehen, kümmerten ihn wenig, wenn sich diese Schilderungen nur dem Skopus seines Buches einfügten und seiner eigentlichen Absicht in irgendeiner Weise dienen konnten. So schließen sich z. B. die Beweggründe, die für die Einführung des Königtums angegeben werden, keineswegs aus, sondern unterstreichen immer ein einzelnes, der jeweiligen Lage angepaßtes Motiv.

Gegen diese Aufstellung gilt die Frage, die oben gestellt worden ist, nun wohl in

150. Darauf, daß sich, abgesehen von kleinen Einschüben, keine Spur einer Bearbeitung durch den Deuteronomiker findet, hatte schon Graf hingewiesen (vgl. o. S. 41).

151. Studien, S. 61ff.

152. Studien, S. 60.

153. Vgl. FohrerE, S. 236.

154. Studia Anselmiana 1951, S. 130ff.

155. 1 Sam 7, 15–17; 14,47–52; 2 Sam 8,15–18; 20,23–26.

besonderem Maße, zumal einzelne Überlieferungen bereits in sich einen Wachstumsprozeß erkennen lassen[156], der so sehr unter einer übergreifenden historischen Zielsetzung steht, daß die Zusammenfassung von Einzelberichten und Einzelkomplexen[157] zu einer gezielten Geschichtsdarstellung als wesentlich älter anzusehen ist und der literarische Entstehungsprozeß sich verwickelter darstellt[158].

Die Feststellung einer alten, ursprünglichen Form der frühen Geschichtsschreibung, in diesem Fall von Davids Aufstieg, ist das Thema der Dissertation *Hans Ulrich Nübels*. Freilich lehnt er den Gedanken eines »Wachstumsprozesses« anscheinend grundsätzlich ab[159] und führt in der Form, wie er seinen Versuch durchführt, einen durchlaufenden Textzusammenhang zu eruieren, zu alten literarkritischen Methoden zurück[160], ja geht in der Aufsplitterung des Textes in einzelne Halbverse und in willkürlichen Textumstellungen darüber hinaus, wobei oft der Boden des Möglichen, ja nur Wahrscheinlichen verlassen scheint. Dementsprechend kommt er, wenn auch in modifizierter Form, zu ähnlichen Resultaten. Bei der Darstellung dieses Komplexes, den er von 1 Sam 16 bis 2 Sam 12 rechnet, nimmt er eine Grundschrift an, die niedergeschrieben wurde, ehe der »Schwung, in dem David sein Großreich aufrichtete, zu verebben begann«[161]. Sie ist eine ziemlich unreflektierte Schilderung der Ereignisse, die ohne ausgesprochen theologische Einzelwertung oder geschichtliche Tendenz referiert, im ganzen aber unter dem Skopus steht, daß die Geschichte Jahwes Hilfe bezeugt und auch für die Zukunft erwarten läßt[162]. Diese Grundschrift ist durch eine fortlaufend festzustellende Bearbeitung erweitert worden, die ein neues Königsideal aufrichtet. Der König ist wohl von Jahwe eingesetzt und unantastbar, steht aber gerade darum in dauernder Bewährung[163]. Diese Bearbeitung, zu der anscheinend auch die vorlaufende Geschichte gerechnet wird[164], denkt großisraelitisch, ist also im Norden entstanden. Der terminus a quo ihrer Abfassung ist durch die Einwirkung der Gestalt und Tat Elias auf die Darstellung bestimmt. Ungeachtet der beherrschenden Rolle, die die Propheten in dieser Geschichte des Königtums spielen – zu beachten ist, welche Bedeutung das prophetische Gotteswort hier hat, durch das der König zur Verantwortung gerufen wird – ist der Urheber ein Priester[165]. Trotz ihrer Besonderheiten ist aber diese Bearbeitung in ihrer Zielsetzung von der Grundschrift nicht prinzipiell verschieden[166].

156. Vgl. u. S. 200 zu Kap. 9.
157. Das richtet sich mehr gegen Schildenberger als gegen Noth, mit dessen Konzeption sich diese Annahme ja durchaus vertrüge.
158. Vgl. etwa FohrerE, S. 237.
159. Nübel: Davids Aufstieg, S. 12.
160. A. a. O., S. 13.
161. A. a. O., S. 124.
162. A. a. O., S. 142.
163. Aber wann hätte er das schließlich nicht getan?
164. A. a. O., S. 127.
165. A. a. O., S. 46. 121.
166. A. a. O., S. 149: »Diese spätere Geschichtsschreibung, die der Verheißung die Warnung hinzufügt, will dasselbe geheime Wunder im Menschen vollbringen wie die frühe; der Mensch soll vor Gott gebeugt und wieder aufgerichtet werden, um die Sprache Gottes zu verstehen, die jetzt auf zweierlei Weise zu ihm kommt – im Ereignis und im Prophetenmund.«

Mit Recht hat *Friedrich Mildenberger* in seiner Tübinger Dissertation über die vordeuteronomistische Saul-David-Überlieferung an Nübels Konzeption beanstandet, daß sie Grundschrift und Bearbeitung in allen Einzelstücken der Bearbeitung wiederfinden will[167]. Tatsächlich kommt Nübel ja damit einer Zweiquellentheorie wieder sehr nahe. Mildenberger nimmt seinen Ausgangspunkt bei 2 Sam 7 und sucht die von Rost hier festgestellte Überarbeitungsschicht[168] nach rückwärts zu verfolgen, um daraus die Gestaltung von 1 Sam 9 bis 2 Sam 7 zu erheben; dabei ist die Bezeichnung נָגִיד ein wichtiges Schlüsselwort[169]. Von hier aus kristallisiert sich ihm zunächst eine nebiistische Bearbeitung heraus. N ist ein Flüchtling, der sich nach 722 in den Schutz des Davidischen Königtums begab und, indem er dort für seine heimatlos gewordene Ideologie einen neuen Platz suchte, die nordisraelitische Auffassung vom Königtum mit der Jerusalemer Hoftheologie verschmolz. Dabei kann er an den Vorstellungskreis der Davidverheißung anknüpfen; das Königtum der Davididen ist nicht Selbstzweck, sondern Mittel für die Hilfe, die Jahwe seinem Volke angedeihen läßt[170]. Diese nebiistische Bearbeitung umfaßt 1 Sam 9,1–10,16; 11; 13,4b.5.7b–15a; 15; 16,1–14a; 18,10–16; 25(?); 28,3–25; 2 Sam 3,18; 5,1.2.12; 6,16.20–23; 7,8–17[171]. Die eigentliche Geschichtsschreibung von Saul und David beginnt mit 1 Sam 13,2 und reicht bis 2 Sam 7[172]. Sie ist in deutliche Sinnabschnitte gegliedert und soll den Übergang des israelitischen Königtums an David legitimieren. Sie wurde bereits ganz früh mit einer aus Einzelstücken[173] komponierten Sammlung von Davidannalen und der Thronfolgeerzählung zu einer Einheit kombiniert[174]. Schon dieser Kern hatte seinerseits verschiedene Erweiterungen erfahren. So lassen sich z. B. eine durch das Motiv der Orakelbefragung charakterisierte, im wesentlichen priesterlich bestimmte Reihe von Darstellungen[175] und ein Kranz von Sagen[176] abheben.

Wenn auch diese Arbeit nicht das letzte Wort gesagt haben wird, so ist sie doch sorgfältig, frei von jedem Schematismus und enthält gute Beobachtungen, ist zugleich besonnen in ihren Schlußfolgerungen.

Als letzter hat sich *Moses H. Segal* zu diesen Fragen geäußert[177]. Er unterscheidet einzelne ineinandergeschobene und miteinander kombinierte Darstellungen.

167. Mildenberger: Überlieferung, S. X.

168. Nämlich V. 8–11a.12.14.15.17 (Überlieferung, S. 61).

169. A. a. O., S. 9ff.; 2 Sam 5,2 verweist auf 1 Sam 13,7ff.; dies führt zurück auf 10,8.

170. A. a. O., S. 56: »Es brauchte eine lange Entwicklung, bis es in der Spätzeit des nordisraelitischen Königtums dazu kam, dieses Königtum in seiner heilschaffenden Bedeutung für das Gottesvolk zu begreifen und mit den alten Verheißungen des Jahweglaubens zu verbinden.«

171. A. a. O., S. 29.

172. Sie wird in fortlaufendem Wortlaut ausführlich dargeboten.

173. Die durch die gleichbleibende Einleitungsformel וַיְהִי אַחֲרֵי־כֵן 2 Sam 8,1; 10,1; 13,1; 15,1 deutlich markiert werden.

174. A. a. O., S. 183f.

175. A. a. O., S. 191ff.; dazu sind zu rechnen 1 Sam 14,3.18f.23b–30.36–45; 21,2–10; 22,5.9–23; 23,1–13; 30,1–26a; 2 Sam 2,1; 5,17–25.

176. A. a. O., S. 200f.; dazu gehören 16,1–13; 18,17–27; 19,11–17 (1 Sam 22,14; 25,44; 2 Sam 3,14).

177. JQR 1964/65, S. 318ff. u. JQR 1965/66, S. 32ff.

Die erste Geschichte von David, die von Josaphat, dem Sohne Achiluds (2 Sam 8,16) verfaßt ist, liegt in 1 Sam 16 – 1 Reg 2 vor. Eine zweite umfaßt 1 Sam 16 und Teile von 19; 21; 23 und 2 Sam 2; 3 und 5–8. Selbständig vorhanden war eine Geschichte der Lade 1 Sam 1–3; 4–7 und eine Geschichte von Saul 9,1 f.,11; 13; 14; 28; 31.

IV. Die Entstehung des ersten Samuelbuches

Im vorigen Abschnitt wurde gezeigt, daß die Frage nach Aufbau, Eigenart und Entstehungszeit der Samuelbücher gestellt worden ist, seitdem es eine wissenschaftlich kritische Bemühung im eigentlichen Sinne auf diesem Gebiet gab. Daß die Antworten, die hier versucht wurden, in vieler Hinsicht verschieden waren, hatte seinen Grund in der jeweiligen forschungsgeschichtlichen Situation; gemeinsam ist ihnen jedoch schon die Erkenntnis, daß sie die endgültige Fassung des Buches in seiner letzten Form deutlich von den in ihr verarbeiteten Materialien und Bestandteilen unterscheiden und sie auch zeitlich gegeneinander absetzen. Es liegt in der Natur der Sache, daß das eigentliche Interesse sich dann stärker auf den Zeitpunkt der letzten Fassung richtete, wobei es im Prinzip nicht viel ausmachte, ob dieser näher an die Epoche Davids herangerückt[1], in das Ende der Königszeit verlegt[2] oder noch später angesetzt wurde[3]. Das hat solange nur untergeordnete Bedeutung, wie diese Redaktorenarbeit als bloßes Sammeln von Materialien aufgefaßt wird, die, wenn auch in sich und dem Maße ihrer Zuverlässigkeit verschieden, ihrer Absicht nach doch als der Versuch objektiver Geschichtsschreibung anzusehen sind. Die Frage mußte natürlich anders gestellt werden, und das Verhältnis zwischen quellenhaftem Gut und abschließender Redaktion bekam eigenes Gewicht, wo man anfing, auf die Tendenz der einzelnen Darstellung zu achten – womit ja schon Augusti den Anfang gemacht hatte[4] – und diese wiederum als Baustein in ein übergreifendes Geschichtsbild mit seiner Zielsetzung einordnete, wie es im Ansatz schon bei Graf[5] da ist, von Cornill, Budde, Hölscher[6] fortgesetzt und in klassischer Form schließlich von Noth mit neuen Gesichtspunkten ausgeführt wird[7].

Von diesen Voraussetzungen her sind die beiden Hauptformen zu verstehen, in denen die vorliegende Gestalt des Werkes erklärt wird. Bei aller Verschiedenheit haben sie manche Berührungspunkte miteinander und überschneiden sich vielfach. Seitdem die Forschung sich von dem Systemzwang befreit hat, der sich ergab, wenn man den Ausgangspunkt der Überlegungen bei 1 Chr 29,29 nahm[8], wurden einmal vertikale Schnitte gelegt und das Buch als Ganzes auf das Zu-

1. Etwa Thenius; vgl. o. S. 42.
2. Bertholdt; vgl o S. 39.
3. So schon Simon oder Eichhorn; vgl. o. S. 33. 35.
4. Vgl. o. S. 37.
5. Vgl. o. S. 40. 43 f.
6. Vgl. o. S. 46.
7. Vgl. o. S. 49.
8. Vgl. o. S. 34.

sammenwachsen bzw. Zusammenarbeiten verschiedener selbständiger Einheiten zurückgeführt, die ihrerseits nach ihren Hauptpersonen oder ihrem Thema abgegrenzt werden. In erster Linie sind das etwa die Komplexe 1 Sam 1–6(7); 8–15(16,1–13); 16–30(31 bzw. 2 Sam 1)[9]; dazu kommt dann im zweiten Buch vor allem die sogenannte Thronfolgegeschichte (Kap. 9–20)[10]. Es sind noch andere und subtilere Unterteilungen möglich und vorgetragen worden[11], die Überlieferungen können auch bis auf die kleinsten Einheiten zurückgeführt werden; am Grundsätzlichen ändert sich aber damit nichts. Von daher begreift es sich, wenn Nübel die Geschichte von Davids Aufstieg, die er von 1 Sam 16 bis 2 Sam 5 rechnet, zum Gegenstand einer gesonderten Darstellung macht[12].

An dieser vertikalen Aufgliederung ist nun mindestens so viel richtig, daß wir, unbeschadet der Tatsache, daß beide Bücher eine Einheit bilden und ihre Trennung erst sekundär und künstlich ist[13], befugt sind, die Fragen, die sich aus dem Aufbau des sogenannten ersten Buches ergeben, für sich zu entfalten. Wenn in gewisser Weise die Kritik schon früher[14] und auch jetzt wieder[15] von der Thronfolgegeschichte als Ausgangspunkt und Vorbild der Gesamtanlage ausgegangen ist, so mag man diesem Urteil ein formales Recht zugestehen, doch ist damit wohl noch nichts über das Inhaltliche entschieden. Die so abgegrenzten Komplexe können nicht oder jedenfalls nur ganz kurze Zeit für sich bestanden haben, setzen vielmehr einander voraus. Das läßt sich sicher vom Verhältnis des dritten (Kap. 16–31) zum zweiten (Kap. 8–15) sagen; weniger klar ist der Zusammenhang zwischen diesem und dem ersten (Kap. 1–6[7]), was sich aus der Besonderheit der Entstehungsverhältnisse dieses Abschnittes erklären wird. Dieses Urteil gilt nicht nur von der zeitlichen Abfolge der geschilderten Ereignisse, da wäre es ja nur eine Selbstverständlichkeit, sondern gerade davon, wie diese Ereignisse bewertet und akzentuiert, als Glieder eines zielstrebigen Ablaufes gesehen werden und dieser als Gottes Führung erkannt ist[16]. In dieser Tatsache liegt das Wahrheitsmoment der Schulanschauungen, die mit der Vereinigung von horizontal verlaufenden Quellensträngen rechnen[17], auch wenn sich das in dieser Form nicht durchführen läßt, denn dafür sind die so postulierten Stränge nicht einheitlich genug und in ihren Einzelheiten zu spannungsreich. Auf der anderen Seite ist diese Linie zu stark und unablösbar mit dem Ansatz der Darstellung verbunden, als daß sie das Ergebnis sekundärer An- und Ausgleichungen sein könnte, durch die ursprünglich mehr oder weniger neutrale Heldengeschichten[18] umakzentuiert wurden.

9. So etwa Bertholdt oder Thenius; vgl. S. 38. 41.
10. Rost (o. S. 48).
11. Vriezen (o. S. 48); Segal (o. S. 52f.).
12. Obwohl dazu angemerkt werden kann, daß ein Vorteil der Arbeit Mildenbergers demgegenüber auch darin liegt, daß er den Rahmen weiter spannt.
13. Dazu o. S. 23.
14. S. zu Eichhorn o. S. 35.
15. Vgl. etwa v. Rad, in: Gesammelte Studien, S. 148ff.; Mildenberger: Überlieferung, S. 163.
16. Vgl. dazu schon die Überlegungen bei Schildenberger (o. S. 49).
17. Das beginnt schon bei Gramberg (o. S. 39).
18. Zum Problem dieser Heldenüberlieferung vgl. u. S. 432.

Bei dieser Feststellung ist keineswegs der Unsicherheitsfaktor übersehen, der darin liegt, daß der Prozeß der Überlieferungsbildung und -ausgestaltung weitergeht und selbst mit der Kodifizierung eines Stückes noch nicht zum endgültigen Abschluß zu kommen braucht[19]. Zuletzt hat ja wieder Mildenberger mit Sorgfalt und Scharfsinn eine Analyse durchgeführt. Man wird aber über den Umfang solcher Erweiterungen und Zusätze, über die Zuverlässigkeit der Kriterien, nach denen sie festgestellt werden, ebenso verschieden urteilen können wie über die relative oder objektive Chronologie, die sich daraus ergibt;[20] einfach schon deswegen, weil wir nicht genügend Sicherheit über das Alter, die Vorgeschichte und Entwicklung von Begriffen und Einrichtungen haben[21], die literarisch fixiert erst relativ spät begegnen. Auf der anderen Seite wird man aber sagen dürfen, daß solche Überlieferungsbildung nicht völlig frei geschieht und einen überkommenen Stoff nach eigener Konzeption gänzlich neu gestaltet – sicher liegt es hier anders als beispielsweise in der Genesis[22] –, sondern zuletzt doch an Gedanken und Absichten gebunden bleibt, die in der vorgegebenen Überlieferung bereits angelegt sind und die sie weiter entfaltet und unterstreicht[23]. Auch das Argumentieren mit den »Vaticinia ex eventu«[24] als festen zeitlichen Kriterien[25] bleibt ungewiß, denn Vorhersagen, die sich uns erst verhältnismäßig spät zu realisieren scheinen, können doch sehr wohl wirkliche Verheißungen, Hoffnungen und Erwartungen einer frühen Zeit, allenfalls in leichter Überarbeitung und Vertiefung, wiedergeben. Möglicherweise gilt das auch von den Anspielungen im ersten Buch auf die Erfolge Davids[26] oder den Bestand seines Hauses[27]. Angesichts dieser offenen Fragen erscheint es dem Gegenstand angemessener, diese Probleme gewiß nicht beiseite zu lassen – sie werden an den Stellen diskutiert, die sie unmittelbar aufgeben –, hier aber danach zu fragen, welches die tragenden Gedanken dieser Darstellung von der Geschichte sind, wie diese entstanden sein können und in welchem Verhältnis die ursprüngliche Einzelüberlieferung dazu steht, soweit eine solche feststellbar ist[28].

Man darf hier wohl davon ausgehen, daß zwar die Spuren deuteronomistischer Tätigkeit in den Samuelbüchern nicht völlig fehlen, aufs Ganze gesehen aber

19. S. dazu zuletzt wieder Mowinckel: ASTI 1963, S. 22 und vgl. u. zu 1 Sam 17.

20. So wäre zu fragen, ob die Tatsache, daß 1 Sam 9,1–10,16 aus verschiedenen Elementen zusammengeflossene Anschauungen wiedergibt (eine Meinung, die ich durchaus teile), zugleich bedeutet, daß diese Geschichte der Spätzeit des israelitischen Königtums zugewiesen werden muß (so Mildenberger: Überlieferung, S. 51).

21. Beachte z. B. die Rolle, die der Begriff נָגִיד bei Mildenberger spielt (o. S. 51).

22. Wozu allerdings auch auf die gewichtigen Einwände von Paul Volz–Wilhelm Rudolph: Der Elohist als Erzähler, ein Irrweg der Pentateuchkritik? 1933 (BZAW 63) hingewiesen werden muß.

23. Es liegt in der Natur der Sache, wenn Nübel für Grundschrift und Bearbeiter denselben Skopus feststellen muß.

24. Zum grundsätzlichen Aspekt dieser Frage vgl. auch Eva Osswald: Zum Problem der vaticinia ex eventu. ZAW 1963, S. 27–44.

25. Vgl. z. B. Hölscher: Geschichtsschreibung, S. 98.

26. 20,15; 23,17; 25,30; 26,25.

27. 20,42.

28. Vgl. dazu u. S. 84ff.

gering sind[29]. Das ist ziemlich allgemein zugestanden. Wenn auch Art und Umfang dieses deuteronomistischen Eingriffes verschieden beurteilt werden können[30], so ist der Unterschied zur literarischen Anlage und Natur der Endgestalt von Richter- und Königsbüchern offenkundig. Das dürfte nun nicht zufällig sein, sondern einen tieferen Grund darin haben, daß von Anfang an die besondere Bedeutung der Epoche empfunden wurde, in der das Königtum entstand, Saul und David regierten, und daß man sich sehr bald um eine glaubende Bewältigung dieser Ereignisse bemühte. Denn daß mit dem Königtum Sauls, in erster Linie aber dem Davids ein wohl beglückendes, sicher aber auch zutiefst beunruhigendes Novum entstanden war, lassen die Texte noch ausreichend klar erkennen. Diese Bemühung scheint so früh eine feste Form gefunden zu haben, daß in späterer Zeit ein individuelles Umgehen und Gestalten aufgrund von noch ungebundenen Überlieferungen nicht mehr möglich, aber auch nicht nötig war[31]. Das ist mit aller Vorsicht gesagt und gilt von der Geschichtsauffassung, die dahinter steht, und den Grundlinien, die sich an ihr feststellen lassen; es gibt genügend Raum für einen literarischen Wachstumsprozeß, wie auch die Frage des zeitlichen Ansatzes noch offenbleibt.

Es ist eine unbestrittene[32] Tatsache, daß Israel ein Geschichtsbewußtsein und demgemäß eine Geschichtsschreibung entwickelt hat, wie sie sich im alten Orient nicht findet[33], im Griechentum erst wesentlich später und unter anderen Voraussetzungen entsteht[34]. Es ist wohl eine im letzten rational nicht mehr ableitbare, vielmehr in einem Offenbarungsgeschehen wurzelnde Tatsache, daß Israel in allen Ereignissen ein ihm zugewandtes zielstrebiges Handeln Gottes erkannte[35]; andere Völker sind bei annähernd gleichen ethnologischen Voraussetzungen und ähnlichen Schicksalen nicht dazu gekommen. Entsprechend der Wichtigkeit dieser Frage hat von Rad dem Werden des israelitischen Geschichtsdenkens eine eigene Darstellung gewidmet. Er hat wohl recht, wenn er feststellt, daß es die Äußerung eines Glaubens war, der sich wahrscheinlich im Anfang seiner totalen Andersartigkeit und seiner Kraft noch gar nicht bewußt war, wenn Israel sich primär nicht mehr von dem periodischen Naturgeschehen getragen wußte, sondern von ganz bestimmten geschichtlichen Ereignissen[36]. Das bedeutet nicht nur die Abkehr von einer aktualisierenden Vergegenwärtigung von Einzelereignissen in zyklischen Kulten, sondern stärker noch ihre Überwindung, zugleich ihre Zusammenordnung zu einer Abfolge von Geschehnissen[37].

Ein solches Geschichtsdenken konnte nun aber nicht gleichsam induktiv durch

29. Was schon Graf richtig erkannt hat (o. S. 44); vgl. auch Wellhausen (o. S. 45).
30. Entweder nur Redaktor oder Redaktor und zugleich Autor (Noth: Studien, S. 11).
31. Zur Sache vgl. Noth: Studien, S. 61f.
32. Zuletzt wieder Mowinckel: ASTI 1963, S. 8.
33. Vgl. dazu schon Eduard Meyer: Geschichte des Altertums. I/1. 3. Aufl. 1910, S. 227.
34. Dazu Eduard Schwartz: Geschichtsschreibung und Geschichte bei den Hellenen. In: Gesammelte Schriften I. Berlin 1938, S. 67ff.
35. Von Rad, in: Gesammelte Studien, S. 151f.
36. Von Rad: Theologie II, S. 117.
37. A. a. O., S. 119.

eine Addition von Einzelfakten gewonnen werden, sondern setzt ein auslösendes Ereignis (Ereignis kann dabei durchaus auch als Geschichtsepoche verstanden werden) voraus, eine Gegenwart, die zugleich ein vorläufiges Eschaton ist und die als fester Punkt auf einer Strecke begriffen wird, zu dem man die Etappen einer Vergangenheit in Beziehung setzen und von dem aus man sie als einen Weg erkennen kann[38]. Das bewirkt, daß dann Geschichtsschreibung fast mit einemmal da ist[39]. Nun ist es nicht zu bestreiten, daß die frühe Königszeit, in erster Linie die Zeit Davids, sehr wohl in der Lage war, eine solche Rolle zu spielen. Man kann diese ihre Bedeutung unter verschiedenen Aspekten sehen. Einmal muß auf den kulturellen Fortschritt hingewiesen werden, die Erweiterung des Blickfeldes, die der Eintritt in den Kreis der umwohnenden Völker und die Berührung mit ihrem Geistesleben mit sich bringt[40]. Damit hängt die andere Überlegung zusammen, daß nur ein Staat, der selbst Geschichte macht, Geschichte schreiben kann, und daß das kleine Reich Sauls ebensowenig machtpolitisch wie geistig die Voraussetzungen dafür bot[41]. »Das politische und kulturelle Leben der Amphiktyonie bedurfte keiner Literatur[42].« Allerdings sind diese Überlegungen noch mehr formal, als daß sie im Inhaltlichen gründen. Sie dürfen deswegen auch nicht überlastet werden, wie es Mowinckel wohl tut, wenn er den Beginn israelitischer Historiographie mit der Übersetzung und Übernahme fremder Weisheitsliteratur zusammenbringt und an die Gestalt Salomos knüpft[43]. Erst unter ihm setzte eine Prachtentfaltung in orientalischem Sinne ein, konnte man anfangen, mit der Umwelt zu konkurrieren[44]. Die dadurch inaugurierte Geschichtsschreibung wäre aber annalenhaft und bliebe an der individuellen glänzenden Person orientiert, ohne für die Synthese der Geschehnisse Verständnis zu haben[45]. In gewisser Weise ließen sich dazu Analogien auf dem Gebiete griechischer Historiographie feststellen[46]. Im Umkreis solcher annalenhaften, am Äußerlichen interessierten, jedoch nicht eigentlich geschichtlich denkenden Berichte wird wohl die erste schriftliche Quelle, der סֵפֶר דִּבְרֵי שְׁלֹמֹה 1 Reg 11,41 zu suchen sein, ein vermutlich noch volkstümlicher Bericht, der nicht mit den Annalen der Könige von Israel und Juda auf einer Ebene zu sehen ist; Mowinckel weist auf ihn hin und möchte hier den Anfang israelitischer Geschichtsschreibung finden[47]. Gewiß

38. Vgl. dazu Hans Joachim Stoebe: Überlegungen zur Theologie des Alten Testaments. In: Hertzberg-Festschrift. Göttingen 1965, S. 210ff.

39. Von Rad, in: Gesammelte Studien, S. 149f.

40. Vgl. dazu etwa von Rad, in: Gesammelte Studien, S. 187f.; Theologie I, S. 57ff.; Hölscher: Geschichtsschreibung, S. 127; Mowinckel: ASTI 1963, S. 7.

41. Von Rad, in: Gesammelte Studien, S. 176; Hölscher: Geschichtsschreibung, S. 132; vgl. dazu auch Mowinckel: ASTI 1963, S. 6.

42. Mowinckel: ASTI 1963, S. 6.

43. A. a. O., S. 7.

44. A. a. O., S. 12ff.

45. A. a. O., S. 9.

46. Vgl. Eduard Schwartz: Geschichtsschreibung und Geschichte bei den Hellenen. In: Gesammelte Schriften I. Berlin 1938, S. 68, wo er von einer Historiographie spricht, die ein Produkt der Rhetorik, die nur an ihrer Gegenwart interessiert ist und für deren Stilkunst jedes Objekt recht ist.

47. ASTI 1963, S. 12.

läßt sich nicht nachweisen, daß ein solches Werk für David bestand, aber das ist nicht verwunderlich, jedenfalls kein Beweis für die These Mowinckels; eher dafür, daß die Regierungszeit Davids anders und tiefer beurteilt wurde.

Wirklich entscheidend für die Ausbildung eines Geschichtsdenkens wird es aber wohl sein, daß gerade jetzt in der Zeit Davids alte Landverheißungen sich ganz realisierten, ebenso was den äußeren Umfang[48] wie die Sicherung des Besitzes anlangt, und daß damit Geschichten der Vergangenheit Ziel und Sinn bekommen. Man kann das nun einmal so ansehen, daß die Erfolge Davids auf diese Weise eine innere Legitimation erhielten, daß in ihnen die Zusagen vollendet waren, die die Väter erhalten hatten – so ist die Auffassung von Rads[49]. Dafür spricht, daß sich in einzelnen Überlieferungen von der Jugendzeit Davids tatsächlich Züge finden, die erkennen lassen, wie man sich das Leben Davids unter dem Vorzeichen der Schicksale eines Joseph oder eines Jakob vergegenwärtigte[50]. Aber das Verhältnis wird sich nicht so einlinig bestimmen lassen; es besteht hier sicher eine Wechselwirkung.

In jüngster Vergangenheit – ja eigentlich in der Gegenwart –, in einer zeitlichen Abgrenzung, die keiner Kumulierung von Einzelfakten bedurfte, um als Strecke übersehbar zu werden, zudem in größerer räumlicher Dimension als je zuvor, konnte man in dieser Epoche das ebenso zielstrebige wie geheimnisvolle Wirken Gottes erleben. Man erfuhr es als Volk, in dem Auf und Ab der Ereignisse, in dem Gang von Höhe zu Tiefe und wieder zu Höhe, von notvoller Gefährdung zu äußerster Erfüllung. Zugleich erlebte man es auf einem neuen und gewiß nicht gefahrlosen Weg, der mit dem Königtum beschritten war. Auch ihn, auf dem so viel Menschliches war, als Führung Gottes zu erkennen, war eine unausweichliche Aufgabe dieser Zeit.

Das also formt Geschichts-Denken und Darstellung, soweit sie den Namen verdienen. Als erstes Zeugnis dieses neuen Geistes gilt weithin die Erzählung von der Thronnachfolge Davids[51]. Sie muß in großer räumlicher wie zeitlicher Nähe zu den Ereignissen am Hofe stehen, die sie darstellt, also sehr früh sein. Über Abgrenzung und Einheitlichkeit dieses Komplexes kann ausführlich erst im zweiten Teil gehandelt werden, es genügen hier einige allgemeine Überlegungen. Rost[52] hat das übergreifende Thema dieses ganzen Berichtes in der Frage gesehen מי ישב על כסא דוד (1 Reg 1,20.27), und von Rad[53] ist ihm darin gefolgt. Von vornherein muß aber schon zweifelhaft sein, ob der Zusammenhang zwischen 2 Sam 20 und 1 Reg 1 u. 2, mit dem Rost seine These begründet, tatsächlich besteht[54]. Ebenso läßt der Tenor von 2 Sam 9–20 diese Fragestellung als zu eng und ein-

48. Vgl. dazu Alt II, S. 66ff.

49. Gerhard von Rad: Das formgeschichtliche Problem des Hexateuch. In: Gesammelte Studien zum Alten Testament. 1958 (ThB 8), S. 9ff.

50. Vgl. u. zu 17,12–31; 18; 19,9ff.

51. Vgl. dazu das schon S. 35 zu Eichhorn Gesagte; sonst vor allem Rost (Überlieferung, S. 136f.), der die absolute Selbständigkeit des Stückes betont und jede Beziehung zu einer vorhergehenden Saul-Davidgeschichte ablehnt.

52. Überlieferung, S. 86.

53. In: Gesammelte Studien, S. 177f.

54. Vgl. dazu auch Mowinckel: ASTI 1963, S. 11.

seitig erscheinen. Bezieht man 2 Sam 7 in den Zusammenhang ein, erübrigt sie sich ohnedies, denn von da aus schließt die Nennung Davids den Gedanken an die von ihm kommende Dynastie ein[55]. Gerade um das Schicksal Davids als des anerkannten Königs kreist aber die ganze Erzählung. Sie will aufzeigen, wie das innere Recht und die Legitimation Davids, damit des Königtums überhaupt, ebensowenig durch das in Frage gestellt, geschweige denn aufgehoben wird, was von ihm und seiner engsten Familie getan wurde, wie durch das, was er an Anfeindungen aus den Kreisen seiner Untertanen erfuhr. Da diese Zeichen eines tiefen und wohl auch vielfach nicht unberechtigten Mißvergnügens mit dem Königtum gewesen sind, könnte ein solcher Nachweis von unmittelbarem Interesse schon für die Zeit Davids, mindestens aber für die ganz frühe Königszeit gewesen sein. Bezeichnenderweise wird dieser Nachweis nicht so geführt, daß auf die nicht zu bezweifelnden Erfolge Davids hingewiesen wird, die alles andere zudecken und unwirklich machen[56]. David bleibt offensichtlich deswegen das Werkzeug, weil Gott ihn hält, erhält und führt, und das heißt zugleich, ihn immer wieder bestätigt. Eine so streng theozentrische Linie scheint natürlich mit ihrer in glaubendem Verstehen wurzelnden Teleologie auf eine jüngere, theologisch bewußte Entstehungszeit zu führen. Indessen kann ebensowenig am Alter wie an der Absicht dieser Darstellung gezweifelt werden[57]. Daraus folgt aber mit innerer Notwendigkeit, daß diese Thronfolgegeschichte allenfalls vom Thema her ein gewisses Maß formaler Selbständigkeit besaß – wenn sie es überhaupt hatte[58] –, daß sie jedoch inhaltlich Teil eines zusammenhängenden Berichtes war und eine Beschreibung der Anfänge Davids voraussetzte. Man konnte die Frage nach dem Wirken Gottes in diesem Geschehen um den König nur stellen, konnte seine Weiterlegitimierung[59] durch göttliche Führung nur erkennen, wenn auch die Anfänge so beglaubigt waren, daß damit jeder Verdacht an Usurpation ausgeschlossen wurde und Zweifel an der Rechtmäßigkeit dieses Königtums auch nicht von dem Wege her entstehen konnten, auf dem David dazu gekommen war[60]. Damit stehen wir zunächst bei dem Komplex Kap. 16–31. Daß er sich in der äußeren Form der Darstellung, im verarbeiteten Überlieferungsmaterial von 2 Sam 9–20 unterscheidet, erklärt sich daraus, daß die Notwendigkeit, sich über die vor der Gegenwart liegende Vergangenheit klar zu werden und sie darzustellen, erst zur Zeit des Königtums Davids empfunden wurde und daß für die Gegenwart historisch geprägtere Überlieferungen zur Verfügung standen; das gilt übrigens schon für Kap. 2–4[61]. Indessen ist zu bezweifeln, daß der Tenor in der Beurteilung der Vorgänge hier wesentlich anders ist als dort[62].

55. Vgl. dazu auch Mildenberger: Überlieferung, 75, der hier zu ähnlichen Schlüssen kommt.
56. Dieses Unwirklichwerden des Menschlichen ist ein Teil der Ideologie vom sakralen Königtum.
57. Vgl. dazu etwa Rost: Überlieferung, S. 128ff.; von Rad, in: Gesammelte Studien, S. 179ff.
58. Wie es Rost (Überlieferung, S. 135f.) nachdrücklich betont.
59. Darin mag dann auch der dynastische Erbgang enthalten sein.
60. Denn sonst hätte es sich um höfische Propaganda gehandelt, und die arbeitet anders.
61. Es ist im Prinzip richtig, wenn Hölscher (Anfänge, S. 79) feststellt, daß erst mit dem Königtum Davids die Überlieferung im strengeren Sinne historisch wird.
62. Vgl. dazu etwa von Rad: Theologie I, S. 61f. Wenn auf das eigentümlich säkulare Denken

Bei den Kap. 16–31 aufgenommenen und verarbeiteten Überlieferungen handelt es sich nicht nur, und nicht einmal zuerst, um Heldensagen, die auf die Umgebung Davids – so daß sie Stolz und Bewunderung der Kampfgenossen widerspiegeln – oder auf die Kreise des Hofes zurückzuführen wären[63]. Auch solche sind vorhanden; eigentliche Heldensagen begegnen in ursprünglichster Form im Anhang des zweiten Samuelbuches; in höfischer Umgebung könnten 1 Sam 27; 29; 30 (vgl. dort) ausgeformt sein. Überlieferungen bilden sich aber auch in den Kreisen der Zeitgenossen, die von den Folgen betroffen werden, die die Ereignisse auslösen, und die dazu innerlich Stellung nehmen müssen[64]. Auch sie entstehen fast gleichzeitig mit den Begebenheiten[65]. Darum ist die sekundäre Übertragung des Goliathsieges auf David kein sicheres Indiz für späte Traditionsbildung. Daß in der Darstellung Berichte von sehr verschiedenem Tenor, z. T. dasselbe Geschehnis doppelt wiedergebend, zusammengeflossen sind, kann einen Hinweis auf den literarischen Entstehungsprozeß des Ganzen geben, da es durch Quellenscheidung überhaupt nicht, durch die Annahme ungeschickter späterer Erweiterungen nur sehr unbefriedigend erklärt werden kann[66].

Kap. 16 u. 17. Abgesehen von 16,1–13, einem neuen, wennschon ebenfalls nicht zu jungen Überlieferungsstück[67], bilden die beiden Kapitel eine zusammenhängende Einheit[68]. Sie sind dem folgenden Bericht thematisch vorangestellt. Man kann das inhaltlich so verstehen, daß David schon zu Sauls Zeiten der heimliche König ist[69]; aber diese Formulierung ist zu literarisch gesehen und trifft nicht den Kern der Sache. Das Nebeneinander von Saul und David ist nicht schriftstellerischer Kunstgriff[70], der die Spannung steigern soll, sondern entspricht im Rahmen den historischen Tatsachen, gibt im Inhalt fragendes Nacherleben dieser geschichtlichen Entwicklung wieder. David löst den Geistträger ab, obwohl er nicht eigentlich Charismatiker ist[71], und mit dem Sieg fällt ein erstes Licht auf seine kommende Retteraufgabe. Aus dieser Sachlage, die der geheime Leitfaden des ganzen Geschehens ist, erwächst Sauls Haß auf David, dessen Auswirkungen, so bedrohlich sie erscheinen, doch David bestätigen müssen, was den Erzählenden von ihrem Standort aus schon offenbar war[72].

Kap. 18–20 zeigen, wie die Spannung entsteht, immer mehr zunimmt, bis zu-

dieser Geschichtsschreibung im Vergleich zur Wundergläubigkeit der Heldensage hingewiesen wird (in: Gesammelte Studien, S. 186), so wäre zum ersten Buch auf Kap. 26;27 und 29 zu verweisen.

63. Hölscher: Anfänge, S. 79; Koch: Formgeschichte, S. 161.

64. Vgl. dazu Stoebe, in: Rost-Festschrift. BZAW 103, S. 210.

65. So richtig auch Mowinckel: ASTI 1963, S. 16; er verweist auf die jüngste norwegische Geschichte (Anm. 34); noch instruktivere Beispiele könnte die deutsche Geschichte bieten.

66. Vgl. dazu auch Mowinckel: ASTI 1963, S. 14.

67. Vgl. dazu u. S. 302.

68. Zum Charakter von 17,12–31 vgl. zur Stelle selbst.

69. Hölscher: Anfänge, S. 97.

70. Vgl. dazu etwa Hölscher: Anfänge, S. 76, wo er von dem novellenhaften Charakter spricht, der die Geschichte Sauls beherrscht ... Saul, anfangs von göttlichem Geist erfüllt, wird, sobald David auftritt, von Jahwe verlassen.

71. Vgl. dazu auch Kap. 14 u. S. 305.

72. Beachte dazu das zu 1 Sam 18, 12ff. Ausgeführte (u. S. 350).

letzt der Bruch unausweichlich wird. Sie wollen deutlich machen, daß dieser Verlauf schicksalhaft und von Gott selbst beabsichtigt war, jedenfalls seinen Plan nicht außer Kraft setzen konnte[73]. David ist so gänzlich unschuldig an alledem, was sich ereignet, daß das Volk, die Königskinder und schließlich selbst der geistliche Führer sich vor ihn stellen und alle Machenschaften ihn sogar in seinem Laufe fördern müssen.

Diese Absicht wird auch durch eine charakteristische Anordnung der Episoden erreicht, die sich weiter im Folgenden feststellen läßt. Kap. 18 gibt in der Zusammenstellung einzelner Anekdoten in verschiedenen Richtungen gleichsam das Thema an; es bleibt mit der Schilderung der erfolglosen, nur das Gegenteil der Absicht erreichenden Maßnahmen noch auf der Stelle stehen. Wo dann der Bruch unvermeidlich wird, die Geschichte in Bewegung kommt, wird eine bezeichnende Form von Rahmenerzählung angewendet. Offenbar aus verschiedener Tradition stammend bzw. den Hintergrund einer volleren Überlieferung aufweisend[74], wird zweimal die Intervention Jonathans für David erzählt, so daß das Ende zum Anfang zurücklenkt, zugleich aber eine Klimax entsteht, mit der die Darstellung aus dem Kreis in das Folgende hinübertritt[74a]. Die Episoden, die, in diesen Rahmen eingefügt, von ihm gleichsam zusammengehalten werden – Davids Rettung durch Michal und durch Samuel in Rama[75] –, stehen zwar unter dem gleichen Gesichtspunkt und unterstreichen die Grundlinie, stammen aber aus ganz verschiedenen Lebens- und Interessenbereichen, sind jedenfalls kaum höfischer Herkunft.

Kap. 21–27 sind entsprechend aufgebaut; in der Nobepisode (21,1–10), vor allem der Aushändigung des geweihten Brotes an David, wird thematisch eine Beurteilung des Kommenden vorangestellt[76], die den Sinn offenbart, der hinter diesem Geschehen noch verborgen ist; auch mit ihm führt Gott seinen Plan weiter[77]. Dieser Abschnitt ist also ein organisches Aufbauelement der Darstellung, darum nicht Teil von späteren, priesterlich akzentuierten Zusätzen[78]. Daraus, daß hier von לֶחֶם הַפָּנִים geredet wird, kann das nicht gefolgert werden[79]. Natürlich wird damit nicht in Abrede gestellt, daß dieses Stück manche nachträgliche Ausgestaltung erfahren haben mag[80]. Anschließend daran wird, scheinbar unmotiviert und verfrüht, von einem dann doch aufgegebenen Versuch Davids erzählt, zu den Philistern überzutreten (21,11–16). Da er noch keine Folgen hat, ist die Erzählung nur kurz[81], hat aber dennoch eine wichtige Funktion, indem sie mit 27,1–6 (bzw.

73. Hier liegt wohl eine wichtige theologische Gemeinsamkeit mit der Thronfolgegeschichte.
74. Siehe dazu zu dem שִׁלַּשְׁתָּ 20,19.
74a. Vgl. dazu Stoebe: VTS XVII. 1969, S. 218f.
75. Ob dabei 1 Sam 19,18–24 eine wesentlich jüngere Überlieferungsbildung darstellt, ist nicht mit Sicherheit auszumachen; mindestens enthält das Stück viele altertümliche Elemente.
76. Stoebe, in: Baumgärtel-Festschrift, S. 175ff.
77. Es wird schließlich damit auch das, was Kap. 17 schon antönte, fortgesetzt.
78. So Mildenberger: Überlieferung, S. 191ff.
79. Vgl. zu 21,7.
80. Vgl. zu 21,8ff.
81. Wie auch das erste Eintreten Jonathans für David.

14)[82] einen Rahmen bildet. Wieder lenkt dieser kreisförmig vom Ende zum Anfang zurück und unterstreicht damit zugleich, daß dieser Schritt nicht menschliche Willkürhandlung, sondern eine tiefere Notwendigkeit war. Die Spekulationen über die Entstehung von 21,11–16[83] erweisen sich somit als überflüssig; klar ist, daß der Abschnitt nicht jünger sein kann als die Komposition. In diesen Rahmen sind verschiedene selbständige Überlieferungsstücke eingefügt. Sie können, wollen aber auch nicht als Fortschritt und historischer Ablauf verstanden werden, sondern kreisen um ganz bestimmte Gedankenkomplexe[84], Gefährdung und Bewahrung. Kennzeichnend ist, daß David ausdrücklich daran gehindert wird, aus dieser Zone der Angst auszubrechen[85]. Dabei läßt sich, gewiß nicht zufällig, innerhalb des ganzen Komplexes noch eine Unterteilung vornehmen. Kap. 22 und 23 sind vornehmlich durch den Gesichtspunkt Bedrohung und Rettung bestimmt. Fast unorganisch wird der Bericht 22,6ff. eingefügt, der die Ausmordung der Priesterschaft in Nob schildert[86]; aber auch er unterstreicht den radikalen Vernichtungswillen Sauls und damit den Ernst der Lage Davids. Kap. 24–26 betonen neben der Bewahrung stärker die Bewährung. Wiederum stellen Kap. 24 und 26 im Grunde die gleiche Situation dar, Kap. 24 retardierend, Kap. 26 so, daß es die Geschichte weiter treibt, weniger seinem Inhalt als dem Gefälle nach, in dem es steht. Der Rahmen, der so geschaffen ist, wird durch die Nabalepisode ausgefüllt.

Dieses Prinzip findet sich schließlich in den Kap. 28–31 wieder und macht ihren Aufbau verständlich. Niederlage und Tod Sauls sind nicht das Ergebnis einer unglücklich verlaufenden Schlacht, deren Ausgang beim Beginn noch ganz offen war, sondern sind bereits in Endor entschieden. Darüber hinaus weisen beide Kapitel in ihrem Gefühl für Dramatik und ihrer Darstellungskraft Gemeinsamkeiten auf. Mit diesem Ende wiederholt sich, freilich mit anderem Vorzeichen, was am Anfang geschah. Der damals rettete (17), ist jetzt bei den Philistern (29); natürlich nicht im Kampf gegen sein Volk (29), sondern auch hier im Streit gegen dessen Feinde (30).

Am Aufriß dieses Abschnittes, der hier für sich betrachtet worden ist, ist zweierlei zu beachten: auf der einen Seite die Zielstrebigkeit eines unaufhaltsamen Schicksals, zum anderen die Darstellungsart, die in einer eigentümlichen Spannung dazu steht. Unter bestimmten Gesichtspunkten werden einzelne Überlieferungen miteinander vereinigt, ohne daß unter ihnen ein Zusammenhang in eigentlichem Sinne besteht. Es wird sich sogar kaum[87] sagen lassen, daß ein Redaktor sich die Freiheit nahm, ursprüngliche Einheiten seinem Plan zuliebe zu trennen und die Teile dann umzustellen[88]. Darin, wie die einzelnen Sinnabschnitte kreisförmig

82. Es werden hier die möglichen wie die tatsächlichen Folgen dieses Schrittes ventiliert; sicher nicht unnötig.

83. Siehe u. S. 401.

84. Beachte das, was u. S. 428 zu 23,24 und der Häufung der Begriffe dort gesagt ist.

85. 22,5; 23,10f.

86. Er dürfte aus einer 1 Sam 21 parallelen, aber selbständigen Überlieferung geschöpft sein.

87. Allenfalls könnte man das für Kap. 28 u. 31 in Erwägung ziehen.

88. So z. B. Hertzberg.

angelegt sind, kann man nun wohl ein Element mündlicher Überlieferung, die Technik der alten Geschichtenerzähler erkennen[89]. Ohne schon an einer Synthese interessiert zu sein[90], erzählen sie, vielleicht einer Aufforderung folgend, Begebenheiten um Davids Flucht und Gefahr und Rettung[91], wobei An- und Ausgleichungen, auch Verkürzungen vollerer Überlieferung von vornherein gegeben sind. Es ist weiter zu fragen, ob hierin über die Beobachtung formaler Kunstmittel hinaus nicht etwas von den Anfängen israelitischer Geschichtsschreibung zutage tritt[91a]. Denn »kreisförmig« schließt hier ein Moment des Zyklischen in sich ein. Natürlich nicht im Sinne eines sich ständig wiederholenden naturhaften Geschehens, aber doch so, daß immer wieder eine Gegenwart in ihrem Entstehen erklärt und ihrem Bestehen gerechtfertigt werden soll. Mit dieser Zielsetzung und auch damit, daß diese Gegenwart nicht weit zurücklag, von vornherein als einschneidend erkannt und bewußt miterlebt werden konnte, ist es gegeben, daß ein Kreis einen neuen in Bewegung setzt und so in eine Strecke übergeht. Ein sicheres zeitliches Kriterium ist damit allerdings nicht gewonnen, denn es besteht schon ein gewisser Abstand zu der Zeit und den Menschen, bei denen diese Formen sich ausgebildet haben. Das wird bereits daran deutlich, daß die aufgenommenen Traditionen ihrem Tenor nach nicht einheitlich sind; neben ortsgebundenen Überlieferungen[92] und solchen, die an die Kampfgenossen Davids und den Hof denken lassen, stehen andere, die mehr volkstümlich prophetisch gefärbt sind. Das hat weniger zeitliche Bedeutung[93], als daß es die sammelnde Hand eines Anonymus oder einer Schule[94] erkennen läßt; der wird es auch zuzuschreiben sein, daß mit Kap. 17 und 21,1–10 jeweils das Thema des Folgenden angeschlagen wird.

Im Blick auf den Inhalt bedarf es keines näheren Beweises dafür, daß ebenso die Einzelüberlieferungen dieses Komplexes wie die Darstellung als Ganzes sicherstellen sollen, daß David, der faktisch König war, es auch rechtens nach dem Willen Gottes und unter seiner Führung war. Diese Absicht enthält verschiedene Aspekte. Zuerst mußte gezeigt werden, daß David weder aus seinem gespannten Verhältnis zu Saul, noch aus den dunklen Strecken seines Lebens außerhalb der Ordnung, noch seinem zeitweiligen Lehnsverhältnis zu den Philistern eine Schuld erwachsen, daß er vielmehr seinem Gott gehorsam und gegen seinen König loyal geblieben war. Daß es sich dabei nicht um akademische Fragen handelte, daß sie im Gegenteil des brennenden Interesses eines ganzen Volkes gewiß sein konnten, wird ebenso durch die konkreten Anfeindungen[95] wie dadurch unterstrichen, daß die darauf abzielenden Traditionen z. T. stark volkstümliches Gepräge

89. Vgl. dazu, was Hölscher: Geschichtsschreibung, S. 126 im Blick auf den Jahwisten sagt; dazu Stoebe: VTS XVII. 1969.

90. Mowinckel: ASTI 1963, S. 9.

91. Vgl. dazu das, was o. S. 32 über den Anakoluth als Mittel lebendiger Vergegenwärtigung vermutet ist.

91a. Stoebe: VTS XVII. 1969, S. 216f.

92. Eine Möglichkeit, auf die Hertzberg besonders häufig hinweist.

93. Vgl. dazu das o. S. 59 zur Traditionsbildung Gesagte.

94. Vgl. dazu u. S. 324ff. zu Kap. 17.

95. 2 Sam 16,5ff.; 20, 1ff.

tragen[96]. Aber das ist noch ziemlich vordergründig; in die Tiefe des Problems führt hier die Beobachtung, daß von der vorköniglichen Zeit Davids fast ausnahmslos[97] in Verbindung mit Saul und auf dem Hintergrund von dessen Aktionen gesprochen wird. Das ist nicht zufällig; Mowinckel[98] hat das richtig erkannt, freilich nicht die richtigen Folgerungen daraus gezogen. Es ist kein Zeichen für ein relativ spätes literarisches Interesse an dieser Etappe im Leben Davids, ist auch nicht das schriftstellerische Kunstmittel der Kontrastwirkung[99]. Es handelt sich um den gläubigen Nachweis, daß dieses Königtum eine Fortsetzung des alten charismatischen Führertums war[100], daß »auch ein König, wie David es war, Charismatiker sein konnte«[101]. Das Neue, was so »einbewältigt« werden muß, bricht nicht erst am Problem der Thronnachfolge auf[102], sondern ist von Anfang an damit gegeben, daß in Davids Königtum neben Anziehendem auch bestürzend Fremdartiges Platz hatte. Deshalb bemüht sich theologisches Denken und gläubiges Verstehen um den Nachweis, daß David, obwohl er so ganz anders war, doch in der Weise alter Helden zu handeln vermochte[103] und Saul darin nahe stand, daß er in gleichem Maße stieg, wie jener sank. Die spätere Klammer 16,1–13 läßt ihn sogar schon als Knaben mit der Salbung den Geist empfangen, obwohl zu der Zeit Saul selbst noch König war[104]. Der Hintergrund dieser Aussagen wird verkannt, wenn man aus ihnen folgert, daß das Königscharisma Sauls schon im Ansatz von dem der großen Richter unterschieden war[105]. Es trifft auf der anderen Seite aber auch nicht die Sache, wenn Mowinckel einwendet[106], daß es im Alten Testament nie eine Theorie von den verschiedenen Formen des Führertums gegeben habe, daß es wie im Orient so auch in Israel immer und von vornherein wie das Königtum charismatisch gewesen sei. Ganz abgesehen davon, wie weit diese Sakralideologie für das Alte Testament Gültigkeit gehabt hat, es geht hier nicht um eine Theorie, sondern konkret um den Glauben, daß David ein rechter Fortsetzer des Alten und auch der Anfänge Sauls war.

Was das für die Beurteilung der geschichtlichen Stellung Sauls und seines Werkes bedeutet, kann erst zum Abschluß dieses Bandes besprochen werden[107]. Hier ist zunächst das eine festzustellen, daß die Jugendgeschichten Davids die Saulüberlieferung voraussetzen. Damit ist nicht der äußere Rahmen einer zeit-

96. Man denke z. B. an 1 Sam 18 oder 24.
97. Offenbar liegt es so, daß die Darstellung um so mehr Züge höfischer Propaganda aufnimmt (27,11–16; 29), je mehr sie sich davon entfernt.
98. ASTI 1963, S. 13; vgl. dazu o. S. 56f.
99. Hölscher: Geschichtschreibung, S. 92f.
100. Das hat schon Alt gesehen und mit Recht nachdrücklich betont (KS II, S. 118.).
101. Vgl. u. (S. 306) zu 16,1–13.
102. So z. B. von Rad, in: Gesammelte Studien, S. 176f.; vgl. dazu auch das zu 2 Sam 2,8ff. Ausgeführte.
103. Vgl. dazu auch Jonathans Heldentat bei Michmas.
104. Hier ist ein Bezug auf V. 14 klar; der Geist, der auf David kommt, verläßt automatisch Saul (Beyerlin: ZAW 1961, S. 194).
105. Vgl. dazu u. S. 180.
106. ASTI 1963, S. 12.
107. Vgl. u. S. 533ff.

lichen Abfolge gemeint. Das käme, wenn auch mit mancher Modifikation, auf die alte Annahme von verschiedenen Viten und Biographien hinaus[108], von denen natürlich keine den Helden der andern übergehen konnte, die aber doch nebeneinander herliefen[109]. Vielmehr sind auch die Saultraditionen, wie sie in Kap. 8–15 begegnen, zum großen Teil nicht mehr um ihrer selbst willen konzipiert, sondern stehen unter dem Vorzeichen der Zeit Davids. Da die Frage des Aufbaus in diesem Teil nicht so leicht einsichtig zu machen ist und manches sogar strittig bleiben muß, ist es zweckmäßig, hier von den Einzelstücken dieses Komplexes auszugehen. Abgesehen von der chronistischen Notiz 13,1, die dem ursprünglichen Zusammenhang fremd war, wenngleich sie nicht unsachgemäß sein mag, stellen Kap. 13 und 14 eine Zusammenfassung von Heldentaten Sauls und Jonathans dar. Sie bilden ein Resümee von »Einzelereignissen, Taten und Aktionen gegen die Philister, Siegen von begrenztem Umfang in einem zunächst noch kalten Krieg, die miteinander einen Erfolg bedeuten, durch den es Saul gelingt, seinen Einflußbereich nach Norden auszudehnen und die Voraussetzung für ein Königtum auf breiterer Basis zu schaffen«[110]. Geschichtlich gesehen stehen sie vermutlich insofern an falscher Stelle, als ihr Schauplatz der benjaminitische Raum ist und mit ihnen erst die Voraussetzungen für das Königtum geschaffen werden. Aber gerade hinter dieser Anordnung steht eine Absicht. Nachdem erzählt war, wie das Königtum entstand, soll erklärt werden, warum das, was so ruhmvoll begann, doch nicht zum wirklichen Siege führte, zweifelsfreie Erfolge doch keine Entscheidung brachten, sondern ein anderer kommen mußte[111]. Die Texte mühen sich in ihrer Art, das zu verstehen. Auch hier ist keine einheitliche Erzählung, sondern, oberflächlich ausgeglichen, eine Häufung von Einzelüberlieferungen, die durch die Antwort auf eine Frage zusammengehalten werden, darin der Anlage von 16,14–31,13 verwandt. Ein Schlüsselwort in dem Zusammenhang ist der Ausdruck שָׁלָל[112]. Daraus, daß es auch in Kap. 15 eine Rolle spielt[113], ist zu schließen, daß auch dieses Kapitel unbeschadet prophetischer Überarbeitung in seinem Grundbestand zu alter Überlieferung gehört. Diese Berichte stehen Saul nicht ohne Sympathie gegenüber, wissen aber, daß er gescheitert ist und ein anderer weiterführen und vollenden mußte, was er anfing. Das ist durchaus eine Linie, die sich Kap. 16–31 fortsetzt.

Außer Frage steht, daß im Bericht von der Entstehung des Königtums 8–12 nachträgliche Einwirkungen besonders stark waren und daß er darum schwer zu analysieren ist. Die Scheidung zwischen königsfreundlicher und -feindlicher Quelle[114] ist wohl allgemein aufgegeben; gegen sie spricht schon der Tenor von

108. Vgl. etwa Eichhorn o. S. 34; Bertholdt o. S. 38.

109. Vgl. dazu die Widerlegung dieses Standpunktes bei Budde, S. XV, die zwar von anderen Voraussetzungen ausgeht, im Ganzen aber zutreffend ist.

110. Stoebe: ThZ 1965, S. 280.

111. Vgl. vor allem die Auslegung zu 13,7ff.

112. 14,30.32; 15,19.21; aber auch 30,16.19.20.22.26.

113. Vgl. dazu (vor allem zum Vorkommen Kap. 30) Stoebe, in: Baumgartner-Festschrift, S. 340ff.

114. Vgl. dazu u. S. 176.

10,17–27, dazu die Überlegung Noths[115], daß bei einheitlichem Erzählungsfaden kein Grund bestand, den Vorgang in zwei Szenen auseinanderzureißen. Von seiner Beurteilung des deuteronomistischen Werkes her[116] sieht er den Einschnitt zwischen Richter- und Königszeit bei Kap. 12. Dtr. habe zum Abschluß der Richterzeit den Anfang der Saul-David-Tradition[117] genutzt[118], die Saulgeschichte mit dem Rest der alten Saultradition[119] dargestellt. 10,17–27 habe er aus anderer Tradition aufgenommen und durch die frei, d. h. ohne Überlieferungsgrundlage komponierten Kap. 8 u. 12 ergänzt, dabei offenbar auf die alte Vorlage 9,1–10,16 Rücksicht nehmend[120]. Aber auch gegen diese Konzeption bestehen Bedenken[121]. Auf jeden Fall läßt der Zusammenhang eine in sich geschlossene Komposition vermuten, die vor Dtr. liegt. Gewiß ist es unsicher und darum meist nicht zulässig, mit Überlieferungsformen zu operieren, die hinter dem uns vorliegenden Text stehen sollen und nur aus ihm postuliert sind. Doch gilt diese Vorsicht nicht gegenüber anklingenden Motiven. Von da her gesehen wäre 13,3 die natürliche Fortsetzung von 10,6 bzw. 10. Daß die Erzählung anders weitergeht, läßt auf besondere Absicht schließen. An ihre Stelle ist Kap. 11 getreten. Damit stehen drei Texte nebeneinander, die zwar nicht gleichförmig sind und jeder für sich genommen werden müssen, denen aber der Gedanke gemeinsam ist, daß der Führer durch Gottesentscheid bestimmt wird, und weiterhin, daß sie den so Ausgewiesenen als König sehen. Das ist 10,17–27 eindeutig, Kap. 11 in einem ziemlich organisch wirkenden Anhang zum Text enthalten. Und auch 9,1–10, 16 ist ja keine Richtergeschichte im eigentlichen Sinn, daß man sie leicht dem Korpus dieser Erzählungen zuordnen könnte[122]. Sie hat zwei Skopoi, die literarisch nicht mehr zu scheiden, in ihren Motiven aber noch zu erkennen sind[123]. Einmal zielt sie auf die Geistbegabung des Charismatikers, das ist der Kern; doch die Nebenumstände und die Salbung zeigen zugleich, daß hier das Königtum im Blickpunkt steht[124]. Es wird nicht mehr mit Sicherheit geklärt werden können, wie weit sich hier schon Formen des späteren Jerusalemer Königtums abschatten[125]. Diese Stücke werden jetzt durch Kap. 8 u. 12 umschlossen. Läßt man einmal die starken Deuteronomismen aus dem Spiel, bestehen für beide Kapitel zwei wesentliche

115. Studien, S. 57.
116. Vgl. o. S. 49.
117. 9,1–10,16; 11; dazu die damit verbundene Geschichte von der Lade.
118. Studien, S. 54.
119. 13,2–16,13; auch die Anfänge vom Aufstieg Davids. Studien, S. 62.
120. Studien S. 57.
121. Vgl. auch o. S. 49.
122. Vgl. auch die These Mowinckels zu diesem Problem, daß die Richtergeschichten entstanden seien, um eine Lücke zwischen dem Ende des jahwistischen Werkes und der Saul-David-Geschichte zu füllen (a. a. O., S. 17). Mit dieser Auffassung scheint mir gut der Unterschied im literatischen Charakter beider Werke charakterisiert.
123. Vgl. Stoebe: VT 1957, S. 362ff.
124. Vgl. dazu u. S. 306 zu 16,1–13 das, was über die andere Akzentuierung beider Größen gesagt wird.
125. Die Behauptung Mildenbergers (Überlieferung, S. 51), erst eine Spätzeit des israelitischen Königtums ermöglichte die Vorstellung einer Salbung Sauls durch Samuel, überlastet freilich eine im Ansatz richtige Beobachtung.

Gemeinsamkeiten, die sie von den andern unterscheiden. Ihr Raum ist Mizpa; als ihr Hintergrund läßt sich die Verhandlung mit einem größeren Volkskreis erschließen. Bei meinem Nachdenken über diesen Tatbestand hat sich mir je länger je mehr die Folgerung aufgedrängt[126], daß beide Ortsnamen die Erinnerung an verschiedene Phasen der Königslaufbahn Sauls festhalten[127]. Das, was zu Mizpa geschah, die Unterstellung eines größeren israelitischen Kreises unter den benjaminitischen Führer, hatte die weiterreichende Bedeutung und konnte darum den Rahmen bilden, während die Zwischenstücke das Wesen des Königtums charakterisieren. Der Aufbau ist dem der Kapitel 16–31 nicht völlig gleich, zeigt aber in der Zusammenstellung dreier unter dem gleichen Thema stehenden Episoden eine gewisse Verwandtschaft. Mit der Sanktionierung der Anfänge des Königtums wird auch der Nachfolger und die Fortsetzung legitimiert. Daß das jetzt verwischt ist und nicht mehr deutlich in Erscheinung tritt, hat seinen Grund in den verschiedenen deuteronomistischen Umformungen. Daß diese gerade an den Rahmenerzählungen ansetzten, ist nicht verwunderlich, denn bei den Mizpaüberlieferungen, die diesen Rahmen bildeten, handelt es sich ja um Beschlüsse, die durch menschliches Wollen und Fragen inauguriert waren. Wie weit diese Überarbeitungen einen Ansatzpunkt in theologischen und allgemeinen Überlegungen gehabt haben, die damals beim Antritt eines neuen Weges möglicherweise angestellt wurden, läßt sich freilich nicht mehr entscheiden; ebensowenig das andere, wie weit die Wurzeln deuteronomisch geformten Sprechens in die Vergangenheit zurückreichen. Daß dabei eine bewußte Umakzentuierung eingetreten ist, ist indes nicht zu bezweifeln. Denn streng genommen wird damit auch der Weg Davids unmöglich.

Mit einiger Sicherheit läßt sich also wohl sagen, daß die beiden Komplexe 16–31 u. 8–15 durch die gleichen Interessen bestimmt sind und ihre Entstehung, von einzelnen, diskutierten Erweiterungen abgesehen, in fast denselben Zeitraum fällt, mindestens nicht zu weit voneinander abgesetzt werden darf. Wann die Stücke so zu einer Einheit zusammengefaßt wurden, läßt sich genau nicht sagen; man kann es nur annähernd vom Zwecke her zu bestimmen suchen. Die Fragen, die hier im Hintergrund stehen, treten bereits in der späteren Regierungszeit Davids auf. Formulierungen wie »wir haben keinen Teil an David, kein Erbe am Sohne Isais« (2 Sam 20,1), oder »Jahwe hat alles Blut des Hauses Sauls über dich gebracht« (2 Sam 16,8) lassen ja deutlich genug die Widerstände erkennen, denen sich David im Verlauf seiner Regierung gegenübersah und die sich wohl ebenso gegen ihn persönlich wie die Prägung seiner Herrschaft richteten. Nachdem in der dritten Generation der Bruch endgültig geworden war, fiel vermutlich der äußere Anlaß zur Ausformung und Sammlung von Saul- bzw. von Saul-David-Überlieferungen in der uns vorliegenden Gestalt fort. Andererseits muß die Darstellung wenigstens in ihrem Kern schon früh so weit gefestigt gewesen sein, daß die Berichte von der Entstehung des Königtums einen unverrückbaren Platz in der geschichtlichen Überlieferung fanden[128].

126. In ähnlicher Richtung gehen jetzt die Überlegungen von Wallis: WZ Halle 1963, S. 239ff.
127. Vgl. dazu u. S. 178.

Den dritten Komplex bilden Kap. 1–6. Sie sind ein Vorbau zum Hauptthema[129], der so, wie er jetzt vorliegt, die Absicht hat, Samuel bekannt zu machen und irgendwie in die Rolle einzuführen, die er bei der Entstehung des Königtums spielen wird. Angesichts einer solchen geschichtlichen Aufgabe ist es verständlich, daß man Genaueres über ihn wissen, vor allem die künftige Bedeutung in seiner Jugendzeit vorgezeichnet finden wollte[130]. Das braucht nicht erst das Interesse einer sehr viel späteren Zeit gewesen zu sein, denn es ist zu beachten, wie sich auch dieser Abschnitt in das Gefälle des Gesamtdarstellung einfügt[131]. Aber es ist eben doch nicht mehr das Interesse der ersten Zeit, das unmittelbarer auf den Kern der Ereignisse bezogen war[132]. Da sie nun da ist, kann man wohl sagen, daß die Samuelgeschichte »the most natural beginning« für die Schilderung der frühen Königszeit gewesen sei[133], aber damit ist noch nichts darüber entschieden, wann sie es wurde. Jedenfalls sind die Kapitel 1–6 nicht so unbedingt an der Gestalt Samuels orientiert, daß man von einer Samuelüberlieferung im eigentlichen Sinne sprechen kann; das schließt natürlich nicht aus, daß für Einzelheiten, etwa des Stammbaumes, noch besondere (deswegen auch richtige?) Erinnerungen zur Verfügung standen[134]. In Wirklichkeit sind hier zwei Kreise aneinandergefügt, ohne daß sie richtig verzahnt zu einer organischen Einheit geworden wären; jedenfalls kann man die Samuelstücke herauslösen, ohne daß damit in den Eli-Silostücken eine sinnstörende Lücke entstünde[135]. Schon das wird man als Kennzeichen für die relativ späte Entstehung des Abschnittes in seiner Ganzheit zu nehmen haben; es macht es von vornherein unwahrscheinlich, daß man hierin den Niederschlag historisch zuverlässiger Erinnerungen daran sehen darf, daß Samuel ursprünglich mit dem Heiligtum in Silo verbunden war und in der Linie des Richteramtes stand[136].

Mit dieser späteren Entstehungszeit, die von der des Hauptkorpus abgesetzt ist, dürfte es zusammenhängen, daß sich hier von den erzählerischen Formelementen der Darstellung nichts findet, die sich im dritten Teil deutlich[137], im zweiten im Nebeneinander der drei Berichte von der Kür Sauls (9–10,16; 10,17–27; 11)[138] schwächer, aber doch noch erkennbar abzeichnen. Wie unten nachzuweisen versucht ist, fehlt diesem Komplex der Skopus; richtiger, er bekommt zwei Skopoi, die sich nicht gut miteinander vereinen. Denn sollte gezeigt werden, daß mit dem Unglückstag von Eben-ha-Eser, dem Verlust der Lade und der Katastrophe der

128. Damit, daß in Jerobeam ein Ephraimit die Herrschaft im Norden antritt, hätte die Gestalt Sauls wohl überhaupt kein Interesse mehr gehabt.

129. Vgl. u. S. 84.

130. Vgl. dazu auch zu 16,1–13.

131. S. u. S. 84f.

132. In dieser Hinsicht ist das Interesse, das sich hinter 16,1–13 verrät, viel unmittelbarer.

133. Mowinckel: ASTI 1963, S. 14.

134. S. u. S. 93.

135. S. u. S. 88.

136. Vgl. dazu u. S. 85. 173; außerdem in dieser Richtung auch Noth: VT 1963, S. 390–400.

137. S. u. S. 354. 401f.

138. Vgl. vor allem S. 214.

Eliden die geistliche Vollmacht an Samuel überging, müßte man wohl erwarten, daß das ausdrücklicher gesagt worden wäre. Die Frage nach der Entstehung dieses Stückes als eines Ganzen, der seiner beiden Teile und nach ihrer Vereinigung mit dem Korpus der Saul-David-Überlieferung ist schwer zu entscheiden. Von der Überzeugung ausgehend, daß die Silo-Eliden-Geschichten ein in sich zusammenhängendes, ursprünglich selbständiges Traditionsgut bilden, wird in der Auslegung[139] die Möglichkeit ventiliert, daß die Darstellung dessen, was in Silo mit Eli, seinen Söhnen und der Lade geschah, einmal die Einleitung für das Buch gebildet haben könnte. Das hat zwar ein nicht geringes Maß an Wahrscheinlichkeit, kann aber natürlich nicht sicher bewiesen werden und bleibt darum eine Hypothese. Jedenfalls sind diese Kapitel auch sonst, namentlich in der Schilderung der Schicksale und Krafttaten der Lade nach ihrer Wegführung, bis in die Zeit des Exils erweitert und umgestaltet worden[140].

Einen terminus ad quem für die Entstehung der Letztgestalt des Buches bildet die Einschaltung von Kap. 7. Der Zusammenhang der einführenden Kapitel mit dem Ganzen kann also zur Zeit der Deuteronomisten noch nicht so fest gewesen sein, daß nicht eine verbindende Klammer in der Art von Kap. 7 möglich gewesen wäre. Sie ist zur Gänze deuteronomistische Komposition. Sie knüpft zwar an das Vorhergehende in der Art an, daß sie Namen und Motive aufnimmt; sie setzt aber die damit angedeuteten Linien nicht fort, sondern führt ganz neue Gedanken ein, die im Rahmen ihres theologischen Ansatzes liegen. Der Richter Samuel ist in nichts vorbereitet[141]. Diese Art des Vorgehens läßt auf der anderen Seite vermuten, daß der Zusammenhang doch schon bestand und in gewisser Weise verpflichtenden Charakter trug.

Durch diese Klammer kommt nun tatsächlich ein königstumfeindlicher Zug in das Ganze. Unter ihrem Einfluß sind die angrenzenden Kapitel, vor allem Kap. 8 und dann das mit ihm den Rahmen bildende Kap. 12 umgestaltet worden. Daß das in dieser Weise geschehen konnte, setzt voraus, daß die Fixierung des Kerns des ersten Samuelisbuches schon eine ganze Zeit vorher abgeschlossen gewesen sein muß und daß seine Gestalt so weit fest war, daß auch die Überarbeitungen nicht die eigentliche und ursprüngliche Absicht der Darstellung verwischen konnten.

V. Literaturverzeichnis

1. Kommentare

Born, Adrianus van den: Samuel. 1956 (BOT IV/1) – *Bressan, Gino:* Samuele. Turin 1954 (Bibbia di Garofalo) – *Brockington, L. H.:* I and II Samuel. In: Peake's Commentary on the Bible. Edinburgh 1962, S. 318–337 – *Budde, Karl:* Die Bücher Sa-

139. S. u. S. 87f.
140. S. u. S. 143.
141. S. u. S. 85. 173; auch sonst wird er in den alten Samuelüberlieferungen immer in irgendeiner prophetischen Funktion dargestellt.

muel. 1902 (KHC VIII) – *Caird, George B.:* The first and second Book of Samuel. In: IntB II. 1953, S. 855–1176 – *Calmet, Augustus:* La Sainte Bible en Latin et en Français avec un commentaire littéral et critique. Tom. III. Paris 1707ff. – *Caspari, Wilhelm:* Die Samuelbücher. 1926 (KAT VII) – *Clericus, Johann:* Veteris Testamenti libri historici ex translatione Joannis Clerici cum ejusdem commentario philologico. Amsterdam 1708, S. 175–360 – *Dhorme, Paul:* Les livres de Samuel. 1910 (EB) – *Drusius, Joh.:* Annotationes in ... libros Samuelis. Arnh. 1618 – *Erdmann, Christian Friedrich David:* Die Bücher Samuelis. Theologisch-homiletisch bearbeitet. 1873 (LB VI) – *Goldman, Solomon:* The books of Samuel. 1951 (SBB) – *Goslinga, C. J.:* De boeken van Samuël. I. 1948; II. 1956 (KV) – *Goslinga, C. J.:* Het eerste Boek Samuel. 1968 (COT) – *Greßmann, Hugo:* Die älteste Geschichtsschreibung und Prophetie Israels. 1910 (SAT II/1); 2. Aufl. 1921 – *De Groot, Johann:* I. II. Samuël. 1934/35 (TeU) – *Grotius, Hugo:* Annotationes ad Vetus Testamentum. Paris 1644 – *Hensler, Ch. G.:* Erläuterungen des ersten Buches Samuels und der salomonischen Denksprüche. Hamburg 1796 – *Hertzberg, Hans Wilhelm:* Die Samuelbücher. 1956 (ATD 10); 2. Aufl. 1960 – *Huffman, Paul E.:* First and Second Samuel. In: Old Testament Commentary. Ed. by H. C. Alleman and E. E. Flack. Philadelphia 1948, S. 337–412 – *De Hummelauer, Franciscus:* Commentarius in Libros Samuelis seu I. et II. Regum. 1886 (CSS, VT I/5) – *Keil, Carl Friedrich:* Die Bücher Samuel. 1864 (BC II/2); 2. Aufl. 1875 – *Kennedy, A. R. S.:* Samuel. 1904 (CentB) – *Kirkpatrick, Alexander Francis:* The first and second Book of Samuel. 1930 (CambB) – *Kittel, Rudolf:* Das erste Buch Samuel. In: HSAT I. 4. Aufl. 1922, S. 407–451 – *Klostermann, August:* Die Bücher Samuelis und der Könige. 1887 (SZA III) – *Leimbach, K. A.:* Die Bücher Samuel. 1936 (HSchAT III/1) – *Löhr, Max:* Die Bücher Samuels. 1898 (KeH IV) – *Menius, Justus:* Enarratio in Sam. libr. priorem. Wittenberg 1532 – *Michaelis, Johann David:* Deutsche Übersetzung des Alten Testamentes mit Anmerkungen für Ungelehrte. V/2. 1777 – *Nowack, Wilhelm:* Richter, Ruth und Bücher Samuelis. 1902 (HK I/4) – *Oesterley, William Oscar Emil:* The first book of Samuel. Cambridge 1913 – *Rehm, Martin:* Die Bücher Samuel. 1949 (Echter-B) – *Reuß, Eduard:* Das Alte Testament, übersetzt, eingeleitet und erläutert. I. Braunschweig 1892 – *Schlögl, Nivard:* Die Bücher Samuel oder erstes und zweites Buch der Könige. Wien 1904 (KwK I/3,1) – *Schmidt, Sebastian:* In librum priorem et posteriorem Samuelis commentarius. Straßburg 1687 – *Schulz, Alfons:* Die Bücher Samuel. I. 1919 (EH 8/1) – *Smith, Henry Preserved:* A Critical and Exegetical Commentary on the Books of Samuel. 1899 (ICC); 4. Aufl. 1951 – *Segal, Moses Hirsch: siprê šemû'el* (hebr.). Jerusalem 1956 – *Strigel, Victorinus:* Libri Samuelis, Regum et Paralipomenon ad ebraicam veritatem ... explicati. Leipzig 1568 – *Thenius, Otto:* Die Bücher Samuels. 1842 (KeH IV); 2. Aufl. 1864 (3. Aufl. 1898, s. Max Löhr) – *Ubach, Bonaventura:* I i II de Samuel. 1952 (Montserrat-B) – *Vaux, Roland de:* Les livres de Samuel. 1953 (JerB); 2. Aufl. 1961.

2. *Text und Versionen*

Aptowitzer, Victor: Das Schriftwort in der rabbinischen Literatur. II. Wien 1909 – *Baars, W.:* A forgotten fragment of the Greec text of the books of Samuel. OTS 14. 1965, S. 201–205 – *Beling, W. A.:* The Hebrew variants of the First Book of Samuel compared with the Old Greec recensions. Diss. Princeton 1948 – *Boer, Pieter Arie Hendrik de:* Research into the Text of I Samuel I–XVI. A contribution to the study of the books of Samuel. Amsterdam 1938; I Samuel XVII. Notes on the Text and the Ancient Versions. OTS 1. 1942, S. 79–103; Research into the Text of I Samuel XVIII–XXXI. OTS 6. 1959, S. 1–100; A description of the Sinai Syriac M 35. VT 1959, S. 408–412; A Syro-Hexaplar Text of the Song of Hannah. 1 Sam II 1–10. In: Hebrew and Semitic Studies presented to G. R. Driver. Ed. by D. Winton Thomas and W. D. McHardy. Oxford 1963, S. 8–15; Confirmatum est cor meum. Remarks on the Old Latin Text of the Song of Hannah 1 Sam II 1–10. OTS 13. 1963, S. 173–192; Once again the Old Latin Text of Hannah's Song. OTS 14. 1965, S. 206–213 – *Boström, O. H.:* Alternative Readings in the Hebrew of the Books of Samuel. Rock Islands 1918 – *Bruno, Arvid:* Das hebräische Epos. Eine rhythmische und textkritische Untersuchung der Bücher Samuelis und Könige. Upsala 1935; Die Bücher Samuel. Eine rhythmische Untersuchung. Stockholm 1955; Alttestamentliche Texträtsel und strophische Analyse. Paralipomena zu den Büchern Genesis-Exodus, Josua, Richter, Samuel, Könige. Stockholm 1965 – *Cappellus, Luodovicus:* Commentarii et notae criticae in Vetus Testamentum. Amsterdam 1689 (Hg. von Jacobus Cappellus). – *Gazelles, Henri:* A Description of the Sinai Syriac Ms 35. VT 1959, S. 408–415 – *Cross, Frank Moore jr.:* A new Qumran Biblical Fragment related to the original Hebrew underlying the Septuagint. BASOR 132. 1953, S. 15–26; The oldest manuscripts from Qumran. JBL 1955, S. 147–172; The ancient Library of Qumran and modern Biblical Studies. In: The Haskell Lectures New York. 1958; 2. Aufl. New York 1961, S. 40–43; The history of the Biblical Text in the light of the Discoveries in the Judaean Desert. HThR 1964, S. 281–299 – *Dieu, Léon:* Le texte copte sahidique des Livres de Samuel. Muséon 1946, S. 445–452 – *Driver, Samuel Rolles:* Notes on the Hebrew Text and the Topography of the Books of Samuel. Oxford 1890; 2. Aufl. 1913 – *Ehrlich, Arnold B.:* Randglossen zur Hebräischen Bibel. III. Leipzig 1910 – *Eißfeldt, Otto:* Text-, Stil- und Literarkritik in den Samuelisbüchern. OLZ 1927, Sp. 657–664; Noch einmal Text-, Stil- und Literarkritik in den Samuelisbüchern. OLZ 1928, Sp. 801–812 – *Eybers, I. H.:* Notes on the text of Samuel found in Qumran Cave 4. In: Studies in the Book of Samuel. 1960 (MOuTWP 3), S. 1–17 – *Feinberg, Lawrence:* A Papyrus Text of I Kingdoms (I Samuel). HThR 62. 1969, S. 349–356 – *Fischer, Bonifatius:* Lukian Lesarten in der Vetus Latina der vier Königsbücher. Studia Anselmiana (Rom) 1951, S. 169–177 – *Gehmann, Henry Snyder:* Exegetical methods employed by the Greek translator of I Samuel. JAOS 1950, S. 292–296 – *Geiger, Abraham:* Urschrift und Übersetzung der Bibel. 2. Aufl. Frankfurt/M. 1928 – *Gerlemann, Gillis:* Synoptic Studies in the Old Testament. 1948 (LUÅ 44/5) – *Goslinga, C. J.:* De parallelle teksten in de boeken Samuël en Kronieken. GThT 1961, S. 108–116 – *Grimme, Hubert:* Pasekstudien.

Neues aus der Werkstätte der altjüdischen Philologie. BZ 1904, 28–49 – *Johnson, B.:* Die armenische Bibelübersetzung als hexaplarischer Zeuge im 1. Samuelbuch. Lund 1968 (Coniectanea Biblica 2) – *Johnson, Bo.:* Die hexaplarische Rezension des 1. Samuelbuches der Septuaginta. Lund 1963 (Studia Theologica Lundensia 22) – *Joüon, Paul:* Notes de critique textuelle. MUB 4. 1910, S. 19–32; MUB 5/2. 1912, S. 447–488; Notes de Lexicographie Hébraïque. MUB 5/1. 1911, S. 405–415; MUB 5/2. 1912, S. 416–446; Notes philologiques sur le Texte Hébreu de I Samuel (6,4–5; 12, 8–9; 12,23.24; 13,17; 13,28). Bibl 1928, S. 163–166; Notes de lexicographie Hébraïque. Bibl 1936, S. 229–233 – *Kellermann, Benzion:* Der Midrasch zum I. Buche Samuelis und seine Spuren bei Kirchenvätern und in der orientalischen Sage. Diss. Gießen 1896 – *Kelly, Balmer H.:* The Septuagint Translators of I. Samuel and II. Samuel 1:1–11:1. Diss. Princeton 1948 – *Maaß, Fritz:* Zu den Qumran-Varianten der Bücher Samuel. ThLZ 1956, Sp. 337–340 – *Mansoor, Menahem:* The Massoretic Text in the Light of Qumran. VTS 9. 1963, S. 305–321 – *Nestle, Eberhard:* Marginalien und Materialien. Tübingen 1893 – *Payne, J. Barton:* The Sahidic Coptic Text of Samuel. JBL 1953, S. 51–62 – *Peters, Curt:* Zur Herkunft der Pešitta des ersten Samuel-Buches. Bibl 1941, S. 25–34 – *Peters, Norbert:* Beiträge zur Text- und Literarkritik sowie zur Erklärung der Bücher Samuel. Freiburg 1899; Davids Jugend. Eine textkritische Studie zu 1. Sam. Kap. 16–19. Abhandlung zum Vorlesungsverzeichnis der Bischöfl. philosoph.-theol. Lehranstalt zu Paderborn Wintersemester 1899/1900 – *Philonenko, Marc*: Une paraphrase du cantique d'Anne. RHPhR 1962, S. 157–168 – *Ravenna, A.:* Osservazioni sul testo di Samuele. Rivista Biblica Italiana (Brescia) 1956, S. 143f. – *Rehm, Martin:* Textkritische Untersuchungen zu den Parallelstellen der Samuel-Königsbücher und der Chronik. 1937 (ATA XIII/3) – *Schmid, J.:* Septuagintageschichtliche Studien zum ersten Samuelisbuch. Diss. Breslau 1941 – *Schwartz, E.:* Die Syrische Übersetzung des ersten Buches Samuelis. Diss. Gießen 1897 – *Sperber, Alexander:* Der Codex Vaticanus (B). Studi e Testi 121 (Rom) 1946, S. 1–18 – *Stenzel, Meinrad:* Das erste Samuelbuch in den lateinisch erhaltenen Origeneshomilien z. AT. ZAW 1945/8, S. 30–43 – *Stoebe, Hans Joachim:* Die Goliathperikope 1 Sam. XVII 1 – XVIII 5 und die Textform der Septuaginta. VT 1956, S. 397–413 – *Stummer, Friedrich:* Die Vulgata zum Canticum Annae (I. Sam 2,1–10). MThZ 1950, S. 10–19 – *Tiktin, Harlson:* Kritische Untersuchungen zu den Büchern Samuelis. 1922 (FRLANT, NF 16) – *Truvols, A. Fernández:* I Sam. 1–15. Crítica Textual. Estudios de Crítica Textual y Literaria. II. Rom 1917 – *Vannutelli, Primus:* Libri Synoptici Veteris Testamenti seu librorum Regum et Chronicorum loci paralleli. Scripta Pontificii Instituti Biblici. I. Rom 1931; II. 1934 – *Voogd, H.:* A critical and comparative study of the Old Latin Version of the first Book of Samuel. Diss. Princeton 1946–1947 (ungedruckt) – *Weber, Robert:* Les interpolations du livre de Samuel dans les MSS de la Vulgate. Studi e Testi 121 (Rom), 1946, S. 19–39 – *Wellhausen, Julius:* Der Text der Bücher Samuelis. Göttingen 1871 – *Wutz, Franz Xaver:* Exegese und Textkritik. BZ 1935, S. 129–146; Die Transcriptionen von der Septuaginta bis zu Hieronymus. 1933 (BWAT 34); Systematische Wege von der Septuaginta zum Hebräischen Urtext. Eichstätter Studien I, 1. Stuttgart 1937.

3. Literarkritik und Überlieferungsgeschichte

Bentzen, Aage: Introduction to the Old Testament. 2. Aufl. Kopenhagen 1952; 4. Aufl. London 1958 – *Bright, John:* I and II Samuel. Int 1951, S. 450–461 – *Budde, Karl:* Die Bücher Richter und Samuel. Ihre Quellen und ihr Aufbau. Gießen 1890 – *Caspari, Wilhelm:* Das Vorkommen der Gottesnamen Jahwe und Elohim in den Samuelisbüchern und seine Beziehung zur Geschichte des Textes. NKZ 1910, S. 378–418; Über Verse, Kapitel und letzte Redaktion in den Samuelbüchern. ZAW 1913, S. 47–72. 116–137 – *Cornill, Carl Heinrich:* Einleitung in die kanonischen Bücher des Alten Testaments. 7. Aufl. Tübingen 1913; Ein elohistischer Bericht über die Entstehung des israelitischen Königtums in I. Samuelis 1–15 aufgezeigt. ZWL 1885, S. 113–141; Zur Quellenkritik der Bücher Samuelis. Königsberger Studien 1887, S. 28–59 – *Dinur, B.:* The biblical historiography of the period of the kingdom. In: *malkujjôt jiś'ra'el wîhûdâ bîmê bêt ri'šôn.* Ed. by A. Malamat. Jerusalem 1961, S. 9–23 – *Dinur, B. Z.:* Liber Sam. structura, intentio, fontes ejus (hb). Môlad 23 199s, 1965, S. 79–85 – *Dus, Jan:* Die Geburtslegende Samuels I. Sam. 1. (Eine traditionsgeschichtliche Untersuchung zu I. Sam. 1–3). RSO XLIII 1969, S. 163–194 – *Eißfeldt, Otto:* Die Komposition der Samuelisbücher. Leipzig 1931; Die Geschichtswerke im Alten Testament. ThLZ 1947, Sp. 71–76 – *Grønbaek, Jakob H.:* Die Geschichte vom Aufstieg Davids (1. Sam. 15 – 2. Sam. 5). Tradition und Komposition. Acta Theologica Danica Vol. X. Copenhagen 1971 – *Hölscher, Gustav:* Die Anfänge der hebräischen Geschichtsschreibung. 1942 (AAH 1941/42, Nr. 3); Geschichtsschreibung in Israel. Untersuchungen zum Jahwisten und Elohisten. Lund 1952 (Skrifter utgivna av Kungl. Humanistiska Vetenskapssamfundet) – *Hylander, Ivar:* Der Literarische Samuel-Saul-Komplex (1.Sam. 1–15). Traditionsgeschichtlich untersucht. Diss. Uppsala 1932 – *Klaehn, Theodor:* Die sprachliche Verwandtschaft der Quelle K der Samuelisbücher mit der Quelle J des Heptateuch. Ein Beitrag zur Lösung der Frage nach der Identität beider Quellen. Diss. Rostock 1914 – *Kittel, Rudolf:* Die pentateuchischen Urkunden in den Büchern Richter und Samuel. ThStKr 1892, S. 44–71 – *Koch, Klaus:* Was ist Formgeschichte? Neukirchen 1964; 2. Aufl. 1967 – *Kraus, Hans-Joachim:* Geschichte der historisch-kritischen Erforschung des Alten Testamentes. Neukirchen 1956; 2. Aufl. 1969 – *Kuhl, Curt:* Die »Wiederaufnahme«, ein literarkritisches Prinzip? ZAW 1952, S. 1–11 – *Langlamet, F.:* Les réecits de l'institution de la royauté (I Sam. VII–XII). RB 1970, S. 161–200 – *Lods, Adolphe:* Les sources des recits du premier livre de Samuel sur l'institution de la royauté israélite. Etudes de Théologie et de l'Histoire (Paris) 1901, S. 257–284 – *Macholz, G. C.:* Untersuchungen zur Geschichte der Samuelüberlieferungen. Diss. Heidelberg 1966 – *Mildenberger, Friedrich:* Die vordeuteronomistische Saul-Davidüberlieferung. Diss. Tübingen 1962 – *Mowinckel, Sigmund:* Israelite Historiography. ASTI 1963, S. 4–26 – *Noth, Martin:* Überlieferungsgeschichtliche Studien. 1943 (SGK 18/2); 2. Aufl. Tübingen 1957 – *Nübel, Hans Ulrich:* Davids Aufstieg in der Frühe israelitischer Geschichtsschreibung. Diss. Bonn 1959 – *Pfeiffer, Robert:* Introduction to the Old Testament. New York und London 1941; Midrash in the Books of Samuel. Quantulacumque. In: Studies presented to Kirsopp Lake. Ed. by R. P. Casey, S. Lake, A. K. Lake. London 1937, S. 303–316 – *Plöger, Otto:* Die Prophetengeschichten der Samuel- und Königsbücher. Diss. Greifswald 1937 – *Rad, Gerhard von:* Der Anfang der Geschichtsschreibung im alten Israel. Archiv für Kulturgeschichte 1944, S. 1–42. Abgedr. in: Gesammelte Studien zum Alten Testament. München 1958 (ThB 8), S. 148–188 – *Ritterspach, A.D.:* The Samuel Traditions. An Analysis of the Anti-Monarchical Source in I. Samuel 1–15. Diss. San Francisco 1967 (Dissertation Abstracts 29. 1968/69, 321–8) – *Robert, André – Feuillet, André:* Einleitung in die Heilige Schrift. I. Wien, Freiburg und Basel 1963 – *Rost, Leonhard:* Die Überlieferung von der Thronnachfolge Davids. 1926 (BWANT III/6) – *Schäfers, Josef:* 1 Sam 1–15 literarkritisch untersucht. BZ 1907, S. 1–21. 126–145. 235–257. 359–380 – *Schildenberger, Johannes:* Zur Einleitung in die Samuelisbücher. Studia Anselmiana (Rom) 1951, S. 130–168; Literarische Arten der Geschichtsschreibung im Alten Testament. Zürich 1964 (Biblische Beiträge NF 5) – *Schüpphaus, J.:* Richter und Prophetengeschichten als Glieder der Geschichtsdarstellung der Richter- und Königszeit. Diss. Bonn 1967 – *Schulz, Alfons:* Erzählungskunst in den Samuelbüchern. Münster 1923 (Biblische Zeitfragen XI/6–7) – *Seeligmann, Isaac Leo:* Hebräische Erzählung und Biblische Geschichtsschreibung. ThZ 1962, S. 305–325 – *Segal, Moses Hirsch:* Studies in the Books of Samuel. JQR 1915/16, S. 267–302. 555–587; JQR 1917/18, S. 75–100; The Composition of the Books of Samuel. JQR 1964/65, S. 318–339; JQR 1965/66, S. 32–50 – *Segal, M. Zvi:* The Composition of the Books of Samuel. In: The Pentateuch ... and other Biblical Studies. Jerusalem 1967, S. 173–220 – *Sellin, Ernst:* Einleitung in das Alte Testament. 9. Aufl. Bearb. von Leonhard Rost. Heidelberg 1959; 10. Aufl. (Fohrer) 1965 – *Smend, Rudolf:* J E in den geschichtlichen Büchern des AT. ZAW 1921, S. 181–217 – *Stoebe, Hans Joachim:* Grenzen der Literarkritik im Alten Testament. ThZ 1962, S. 385–400 – *Tsevat, Matitiahu:* The Biblical Narrative of the Foundation of Kingship in Israel (1. Sam. 8,4–12,25) (hb.). Tarbiz 1966, S. 99–109 – *Virgulin, O. Stefano:* 1–2 Samuele. T. Ballarini (ed.), Introduzione alla Bibbia II/1. Turin 1969, S. 399–429. – *Vriezen, Theodorus Christiaan:* De Compositie van de Samuël-Boeken. Or Ne 1948, S. 167–189 – *Wallis, Gerhard:* Geschichte und Überlieferung. Gedanken über alttestamentliche Darstellungen der Frühgeschichte Israels und der Anfänge seines Königtums. Berlin 1968 – *Ward, R. L.:* The Story of Davids Rise. A Traditio-Historical Study of I Samuel XVI 14–II Samuel V. Diss. Vanderbilt 1967 (Dissertation Abstracts 27. 1966/67, 4336–A.). – *Weiser, Artur:* Die Legitimation des Königs David. Zur Eigenart und Entstehung der sog. Geschichte von Davids Aufstieg. VT 1966, S. 325–354 – *Weiser, Artur:* Einleitung in das Alte Testament. 5. Aufl. Göttingen 1963 – *Wellhausen, Julius:* Die Composition des Hexateuchs und der Historischen Bücher des Alten Testaments. 3. Aufl. Berlin 1899 – *Wiener, Harold Marcus:* The Composition of Judges II:11 to I Kings II:46. Leipzig 1929.

4. *Archäologie, Geographie, Soziologie*

Abel, Felix Marie: Géographie de la Palestine. I. Paris 1933; II. 1938 – *Benzinger, Immanuel:* Hebräische Archäologie. 3. Aufl. Leipzig 1927 – *Beyer, Gustav:* Beiträge zur Territorialgeschichte von Südwestpalästina im Altertum. ZDPV 1931, S. 113–170 – *Boecker, Hans Jochen:* Redeformen des Rechtslebens im Alten Testament. 1964; 2. Aufl. 1970 (WMANT 14) – *Bonnet, Hans:* Die Waffen der Völker des Alten Orients. Leipzig 1926 – *Borée, Wilhelm:* Die alten Ortsnamen Palästinas. Leipzig 1930; 2. Aufl. 1968 – *Buhl, Frants:* Geographie des alten Palästina. Freiburg und Leipzig 1896 – *Hönig, Hans Wolfram:* Die Bekleidung des Hebräers. Eine biblisch-archäologische Untersuchung. Diss. Zürich 1957 – *Jirku, Anton:* Altorientalischer Kommentar zum Alten Testament. Leipzig und Erlangen 1923 – *Lande, Irene:* Formelhafte Wendungen der Umgangssprache im Alten Testament. Leiden 1949 – *Noth, Martin:* Beiträge zur Geschichte des Ostjordanlandes. III. ZDPV 1951, S. 1–50; Jabes-Gilead, ein Beitrag zur Methode alttestamentlicher Topographie. ZDPV 1953, S. 28–41 – *Ottosson, M.:* Gilead, Tradition and History. Lund 1969 (Conjectan. Bibl. 3) – *Pedersen, Johannes P.:* Israel, its Life and Culture. I/II. Kopenhagen 1926. Neudruck 1946; III/IV. 1940. Neudruck 1947 – *Plautz, W.:* Die Form der Eheschließung im Alten Testament. ZAW 1964, S. 298–318 – *van der Ploeg, Jean:* Les chefs du peuple d'Israël et leurs titres. RB 1950, S. 40–61; Les »Nobles« Israélites. OTS 9. 1951, S. 49–64 – *Schwarzenbach, Armin:* Die geographische Terminologie im Hebräischen des Alten Testaments. Leiden 1954 – *Scott, R. B. Y.:* Weights and measures of the Bible. BA 1959, S. 22–40 – *Simons, Joh.:* The Geographical and Topographical Texts of the Old Testament. Leiden 1959 – *de Vaux, Roland:* Les institutions de l'Ancien Testament. I. Paris 1958; II. 1960; Das Alte Testament und seine Lebensordnungen. I. Freiburg, Basel und Wien 1960; II. 1962.

5. *Geschichte und sakrales Königtum*

Astour, M. C.: The Armana Age forerunners of Biblical Antiroyalism. In: Studies in Jewish Language, Literature and Society. For Max Weinreich on His seventieth Birthday. Paris 1964, S. 6–17 – *Auerbach, Elias:* Wüste und gelobtes Land. I. 2. Aufl. Berlin 1938 – *Bardtke, Hans:* Samuel und Saul, Gedanken zur Entstehung des Königtums in Israel. BiOr 1968, S. 289–302 – *Barr, James:* Tradition and Expectation in Ancient Israel. SJTh 1957. S. 24–34 – *Bentzen, Aage:* De sakrale kongedømme. Bemaerkninger in en løbende discussion om de gammeltestamentlige salmer. Kopenhagen 1945 – *Bernhardt, Karl-Heinz:* Das Problem der altorientalischen Königsideologie im Alten Testament. VTS 8. 1961; Zur Königsideologie in Israel. WZ Rostock 1968, S. 421–426 – *Boecker, Hans Jochen:* Die Beurteilung der Anfänge des Königtums in den deuteronomistischen Abschnitten des ersten Samuelisbuches. Neukirchen 1969 (WMANT 31) – *Bright, John:* A history of Israel. Philadelphia 1959; Geschichte Israels. Düsseldorf 1966 – *Caspari, Wilhelm:* Tronbesteigungen und Tronfolge der israelitischen Könige. Leiden 1917 (Altorientalische Texte und Untersuchungen I/3) – *Cundall, A. E.:*

Judges – An Apology for the Monarchy. ET 81 1969/70, S. 178–181 – *Eißfeldt, Otto:* The Hebrew Kingdom. 1965 (CAH², fasc. 32) – *Engnell, Ivan:* Studies in Divin Kingship in the Ancient Near East. Uppsala 1943; 2. Aufl. Oxford 1967 – *Ewald, Heinrich:* Geschichte des Volkes Israel bis Christus. III. 2. Aufl. Göttingen 1853 – *Fohrer, Georg:* Der Vertrag zwischen König und Volk in Israel. ZAW 1959, S. 1–22 – *Fraine, Jean de:* L'aspect religieux de la royauté israélite. 1954 (AnBibl 3); Teocrazia e monarchia in Israele. BeO 1959, S. 4–11 – *Goodenough, E. R.:* Kingship in early Israel. JBL 1929, S. 169–205 – *Hempel, Johannes:* Geschichten und Geschichte im Alten Testament bis zur persischen Zeit. Gütersloh 1964 – *Herrmann, Siegfried:* Das Werden Israels. ThLZ 1962, Sp. 561–574 – *Jacob, Edmond:* Histoire et historiens dans l'Ancien Testament. RHPhR 1955, S. 26–35 – *Jirku, Anton:* Geschichte des Volkes Israel. Leipzig 1931 – *Johnson, Aubrey Rodway:* Sacral Kingship in Ancient Israel. Cardiff 1955 – *Knierim, Rolf:* Die Messianologie des ersten Buches Samuel. EvTh 1970, S. 113–133 – *Koolhaas, A. A.:* Theocratie en monarchie in Israel. Enige opmerkingen over de verhouding van de theocratie in het israelitische koningschap in het OT. Diss. Utrecht 1957 – *Lods, Adolphe:* Israël des origines au milieu du VIIIe siècle. Paris 1949 – *Marquardt, J.:* Fundamente israelitischer und jüdischer Geschichte. Göttingen 1896 – *Maly, E.:* Affectus antimonarchicus in Israel prae-exilico. Diss. Rom, Pont. Inst. Bibl. 1959 – *McKenzie, Donald A.:* The Judge of Israel. VT 1967, S. 118–121 – *Mowinckel, Sigmund:* Zur Geschichte Israels. ThLZ 1955, Sp. 201–206 – *Neaman, P.:* Die Königserhebung Sauls (hb). BetMiqra' 12 (1966/67), Heft 2 (30), S. 94–110 – *Nielsen, Eduard:* Shechem, a traditio-historical investigation. 2. Aufl. Kopenhagen 1959 – *North, Christopher Robert:* The Religious Aspects of Hebrew Kingship. ZAW 1932, S. 8–38; The Old Testament estimate of the monarchy. AJSL 1931/32, S. 1–19 – *Noth, Martin:* Das System der zwölf Stämme Israels. 1930 (BWANT IV/1); Geschichte Israels. 5. Aufl. 1963; Gott, König, Volk im Alten Testament. In: NothGS, S. 188–229; Amt und Berufung im Alten Testament. In: NothGS, S. 309–333 – *Rosenthal, Erwin I. J.:* Some aspects of the Hebrew Monarchy. JJS 1958, S. 1–18 – *Schedl, Claus:* Geschichte des Alten Testaments. III. Innsbruck 1959 – *Schunck, Klaus-Dietrich:* Benjamin. Untersuchungen zur Entstehung und Geschichte eines israelitischen Stammes. 1963 (BZAW 86) – *Seeligmann, Isac Leo:* Menschliches Heldentum und göttliche Hilfe. Die doppelte Kausalität im alttestamentlichen Geschichtsdenken. ThZ 1963, S. 385–411 – *Sellin, Ernst:* Geschichte des israelitisch-jüdischen Volkes. I. 2. Aufl. Leipzig 1935 – *Smend, Rudolf:* Jahwekrieg und Stämmebund. 1963 (FRLANT 84) – *Soggin, J. Alberto:* Zur Entwicklung des alttestamentlichen Königtums. ThZ 1959, S. 401–418; Das Königtum in Israel. Ursprünge, Spannungen, Entwicklung. 1967 (BZAW 104) – *Stade, Bernhard:* Geschichte des Volkes Israel. I. und II. 2. Aufl. Berlin 1889 – *Täubler, Eugen:* Biblische Studien. Die Epoche der Richter. Tübingen 1958 – *Thornton, T. C. G.:* Charismatic Kingship in Israel and Judah. JThS 1963, S. 1–11; Studies in Samuel. I: Davidic Propaganda in the Books of Samuel (»Antimonarchical Passages«). ChQR 1967, S. 413–423; Solomonic Apologetic in Samuel and Kings. ChQR 1968, S. 159–166 – *Tsevat, Matitiahu:* Marriage and monarchical legitimacy in Ugarit and Israel. JSS 1958, S. 237–243 – *Wallis, Gerhard:*

Die Anfänge des Königtums in Israel. WZ Halle 1963, S. 239–247 – *Widengren, Geo:* Sakrales Königtum im Alten Testament und im Judentum. Stuttgart 1955 – *Wellhausen, Julius:* Prolegomena zur Geschichte Israels. 6. Aufl. Berlin 1905; Israelitische und jüdische Geschichte. 6. Aufl. Berlin 1907 – *Winckler, Hugo:* Geschichte Israels in Einzeldarstellungen. I. Leipzig 1895; II. 1900 – *Wolf, C. Umhau:* Traces of primitive Democracy in Ancient Israel. JNES 1947, S. 98–108.

6. Theologische Grundfragen

Albright, William Foxwell: Die Religion Israels im Lichte der archäologischen Ausgrabungen. München und Basel 1956 – *Baltzer, Klaus:* Das Bundesformular. 1960 (WMANT 4) – *Brekelmans, C. H. W.:* De Ḥerem in het Oude Testament. Diss. Nymwegen 1959 – *Caquot, André:* Sur une désignation vétéro-testamentaire de »l'insensé«. RHR 1959, S. 1–16 – *Donald, T.:* The semantic field of »Folly« in Proverbs, Job, Psalms and Ecclesiastes. VT 1963, S. 285–292 – *Eichrodt, Walther:* Theologie des Alten Testaments. Stuttgart u. Göttingen. I. 8. Aufl. 1968; II/III. 4. Aufl. 1961 – *Glueck, Nelson:* Das Wort ḥesed im alttestamentlichen Sprachgebrauch als menschliche und göttliche gemeinschaftsgemäße Verhaltensweise. 1927; 2. Aufl. 1961 (BZAW 47) – *Holladay, William L.:* The Root ŠÛBH in the Old Testament. Leiden 1958 – *Keller, Carl Adolf:* Das Wort OTH als ›Offenbarungszeichen Gottes‹. Diss. Basel 1946 – *Klopfenstein, Martin Alfred:* Die Lüge nach dem Alten Testament. Diss. Bern 1964 – *Knierim, Rolf:* Die Hauptbegriffe für Sünde im Alten Testament. Gütersloh 1965 – *Kraus, Hans-Joachim:* Gottesdienst in Israel. 1954 (BEvTh 19); 2. Aufl. München 1962 – *Kutsch, Ernst:* Salbung als Rechtsakt im Alten Testament und im Alten Orient. 1963 (BZAW 87) – *Lys, Daniel:* L'onction dans la Bible. ÉThR 1954, Nr. 3, S. 3–54; »Rûach«. Le Souffle dans l'Ancien Testament. Paris 1962 (Etudes d'Histoire et de Philosophie Religieuses. Fac. de Théol. Prot. de Strasbourg 56) – *Gonzales Nunez, Angel:* Prophetas, sacerdotes y reyes en el antiguo Israel. Madrid 1962 – *Rad, Gerhard von:* Der Heilige Krieg im alten Israel. Zürich 1951; 2. Aufl. Göttingen 1952 (AThANT 20); Theologie des Alten Testaments. I. München 1957. II. 1960 – *Rendtorff, Rolf:* Studien zur Geschichte des Opfers im Alten Israel. Neukirchen 1967 (WMANT 24). – *Schottroff, Willy:* »Gedenken« im Alten Orient und im Alten Testament. 1964 (WMANT 15) – *Schwally, Friedrich:* Semitische Kriegsaltertümer. I. Leipzig 1901 – *Stoebe, Hans Joachim:* Die Bedeutung des Wortes Häsäd im Alten Testament. VT 1952, S. 244–254 – *de Vaux, Roland:* Studies in Old Testament Sacrifice. Cardiff 1964; frz.: Les Sacrifices de l'Ancien Testament. Paris 1964 – *Vriezen, Th. C.:* Theologie des Alten Testaments in Grundzügen. Wageningen und Neukirchen o. J. (1956) – *Wehmeier, Gerhard:* Der Segen im Alten Testament. Diss. Basel 1969.

7. Einzeluntersuchungen

Albright, William Foxwell: Samuel and the beginnings of the prophetical movement. Cincinnati 1961 (Goldenson Lecture for 1961); Samuel and the Beginnings of the Prophetic Movement: Interpreting the Prophetic Tradition. HUBP/Ktav, Cincinnati 1969, S. 149–176 – *Amsler, Samuel:* David, Roi et Messie. Neuchâtel 1964 (Cahiers theologiques 49) – *Ap-Thomas, Dafyd Rhys:* Sauls »Uncle«. VT 1961, S. 241–245 – *Baentsch, Bruno:* David und sein Zeitalter. Leipzig 1907 (Wissenschaft und Bildung Nr. 16) – *Bat-Hallewy, D.:* כי נחמתי BetMiqra' 12 (1966/67), Heft 2 (30), S. 137 – *Beer, Georg:* Saul, David, Salomo. Tübingen 1906 – *Beilner, W.:* Die Totenbeschwörungen im 1. Buch Samuel (1. Sam. 28,3–25). Diss. Wien 1954 (Maschinenschrift) – *Ben-Gurion, David:* Was lag zwischen Saul und David vor? (hebr.) *môlad* (Tel Aviv) 1962, S. 657–660 – *Bentzen, Aage:* The cultic use of the story of the Ark in Samuel. JBL 1948, S. 37–53 – *Bewer, Julius August:* The original reading of I Sam 6,19a. JBL 1938, S. 89–91 – *Beyerlin, Walter:* Das Königscharisma bei Saul. ZAW 1961, S. 186–201 – *Bič, Miloš:* Saul sucht die Eselinnen. VT 1957, S. 92–97; La folie de David. RHPhR 1957, S. 156–162 – *Biram, A.:* Der Aufstieg Sauls zum Königtum und der Zusammenbruch des Königtums (hebr.). In: Sepher D. Ben Gurion. Jerusalem 1964 – *Blenkinsopp, J.:* Jonathans Sacrilege. 1 Sam 14, 1–46. CBQ 1964, S. 423–449 – *Blondheim, S. H.:* The first recorded epidemic of pneumonic plague (1 Sam 6). Bulletin of the History of Medicine (Baltimore) 1955, S. 337–345 – *Boddeke, H.:* De tooveres of Endor. Nederlandse Katholieke Stemmen (Zwolle) 1933, S. 10–19 – *Böklen, E.:* Die Salbung Davids zum König (1 Sam. 16). ZAW 1929, S. 326–329 – *van den Born, Adrianus:* Haggib'ah et Gib'on. OTS 10. 1954, S. 201–214 – *Bourke, Joseph:* Samuel and the Ark: A study in contrasts. Dominican Studies (Oxford) 1954, S. 73–103 – *Brentjes, B.:* Zur »Beulen«-Epidemie bei den Philistern in 1 Sam 5–6. Das Altertum 1969, S. 67–74 – *Bressan, Gino:* Il cantico di Anna. Bibl 1951, S. 503–521; Bibl 1952, S. 67–89 – *Bright, John:* The Age of King David. A study in the Institutional history of Israel. Union Seminary Review (Richmond) 1942, S. 87–109 – *Bruno, Arvid:* Gibeon. Leipzig 1923. – *Buber, Martin:* Das Volksbegehren. In: Lohmeyer-Gedenkschrift. Stuttgart 1951, S. 53–66; Samuel und die Lade. In: Das Kommende II. Essays L. Baeck. London 1954, S. 20–25; Die Erzählung von Sauls Königswahl. VT 1956, S. 113–173 – *Buccelati, Giorgio:* Da Saul a David. Le origini della monarchia israelitica alla luce della storiografia contemporanea. BeO 1959, S. 99–128; La ›carriera‹ di David e quella di Idrimi, re di Alalac. BeO 1962, S. 95–99; 1 Sam 13,1. BeO 1963, S. 29 – *Carlson, R. A.:* David, the chosen king. A traditio-historical approach to the Second Book of Samuel. Diss. Uppsala 1964 – *Caspari, Wilhelm:* Die Frau in den Samuelbüchern. ThStKr 1915, S. 1–28; Die kleineren Personenlisten in Samuelis. ZAW 1915, S. 142–174; Eine Dodekapolis in 1 Sam 30,27–30. OLZ 1916, Sp. 173–178. 200–204 – *Chamiel, Ch.:* I Samuel 8 (hebr.). BetMiqra' 12 (1966/67), Heft 2 (30), S. 67–82 – *Conrad, D.:* Samuel und die Mari-»Propheten«. Bemerkungen zu 1 Sam 15:27. ZDMG Suppl. I Wiesbaden 1969, S. 273–280 – *Cook, Stanley Artur:* Notes on Old Testament History. I. JQR 1905, S. 782–799; Notes on Old Testament History. VIII. JQR 1907, S. 363–382; Critical notes on Old Testament History. The traditions of Saul and David. London 1907 – *Cornill, Carl Heinrich:* 1 Sam 15,22. ZAW 1915, S. 62 – *Deane, William J.:* Samuel and Saul: Their lives and times. London o. J. – *Delcor, Matthias:* Jahweh et Dagon, ou le Jahwisme face à la religion des Philistins d'après I Sam.V. VT 1964, S. 136–154 – *Devir, Y.:* Nabal, der Karmeliter (hebr.). *Lešonenū* (Jerusalem) 1956, S. 97–104 – *Dhorme, Edouard Paul:* La cantique d'Anna. RB 1907, S. 386 – *Donner, Herbert:* Zum »Streitlustigen« in Sinuhe B 110. ZÄS 1956, S. 61 f. – *Dornseiff, Franz:* Archilochos von Paros und Saul von Gibea. ThLZ 1955, Sp. 499 – *Driver, Godfrey Rolles:* Some Hebrew words. JThS 1928, S. 390–396; The plague of the Philistines (1 Sam V 6–VI 16). Journal of the Royal Asiatic Society of Great Britain and Ireland (London) 1950, S. 50–52; On the Hebrew *peṣîrā* 1 Sam XIII 21. AFO 1945/51, S. 68; A lost colloquialism in the OT (I Sam XXV 6). JThS 1957, S. 272–273 – *Driver, Godfrey Rolles:* Old Problems Re-examined. ZAW 1968, S. 174–177 – *Dus, Jan:* Der Brauch der Ladewanderung im alten Israel. ThZ 1961, S. 1–16; Noch zum Brauch der ›Ladewanderung‹. VT 1963, S. 126–132; Die Erzählung über den Verlust der Lade 1 Sam. IV. VT 1963, S. 333–337; Der Beitrag des benjaminitischen Heidentums zur Religion Israels (Zur ältesten Geschichte der heiligen Lade). Communio Viatorum 1963, S. 61–80; Die Länge der Gefangenschaft der Lade im Philisterland. NedThT 1963/64, S. 440–452; Die altisraelitische amphiktyonische Poesie. ZAW 1963, S. 45–54; Die ›Sufeten Israels‹. ArOr 1963, S. 444–469; Die Thron- und Bundeslade. ThZ 1964, S. 241–251; Die Geburtslegende Samuels, I. Sam. I (Eine traditionsgeschichtliche Untersuchung zu I. Sam. 1–3) RSO XLIII, 1968, S. 163–194 – *Dussaud, René:* Kebir ha-ᶜizzim (1 Sam 19,13.16). Syria 1927, S. 367 – *Edelkoort, Albertus Hendrik:* De Profeet Samueel. Baarn 1955 (Commentaar op de Heilige Schrift) – *Eißfeldt, Otto:* Israelitisch-philistäische Grenzverschiebungen von David bis auf die Assyrerzeit. ZDPV 1943, S. 115–128; Zwei verkannte militärtechnische Termini im Alten Testament. VT 1955, S. 232–238; Silo und Jerusalem. VTS IV. 1957, S. 138–147; Der Beutel der Lebendigen. 1960 (BAL 105/6); Der Text von 1 Sam 3,21 im Lichte der literarischen Analyse von c. 1–7. AfO 1930, S. 17–19 – *Elitzur, Y.:* Die Lade Gottes im Lande der Philister (hebr.). Bar Ilan (Ramat Gan) 1964, S. 70–76 – *Eppstein, Victor:* Was Saul also among the Prophets? ZAW 1969, S. 287–304 – *Feigin, Samuel:* Shemesh, the son of Jahweh. JQR 1937/38, S. 225–242 – *Feiler, Wolfgang:* Hurritisches Namensgut in den Büchern Richter, Samuel und Könige. Diss. Wien 1943 – *Fensham, F. Charles:* A few aspects of Legal Practices in Sam in comparison with Legal Material from the Ancient Near East. In: Studies on the Books of Samuel. 1960 (MOuTWP 3), S. 18–27 – *Fernández, Andrés:* La patria del profeta Samuel. Bibl 1931, S. 119–123 – *Feuillet, R.:* Les villes de Juda au temps d'Ozias. VT 1961, S. 270–291 – *Finkelstein, Emunah:* An ignored haplography in Samuel. JSS 1959, S. 356–357 – *Flowers, H. J.:* 1 Sam I, 1. ET 70. 1955, S. 273 – *Fogelmann, M.:* Sein Leben sei eingebunden in das Bündlein der Lebendigen (hebr.). *Sînaj* (Jerusalem) 1961, S. 176–180 – *de Fraine, Jean:* Le roi Agag devant la mort (1 Sam. 15,32b). Estudios ecclesiasticos (Madrid) 1960, S. 537–545 – *Galling, Kurt:* Goliath und seine Rüstung. VTS 15. 1966, S. 150–169 – *Garbini, Giovanni:* Osservazioni linguistiche a I Sam cap. 1–3. BeO 1963, S. 47–52 – *Garnoth, M.:* על סיפור הארון בס״י שמואל BetMiqra' 14 (1969), Heft 4, S. 85–90 – *Gehmann, Henry Snyder:* A note on I. Sam 21,13 (14). JBL 1948, S. 241–243 – *George, Augustin:* Fautes contre Yahweh dans les livres de Samuel. RB 1946, S. 161–184 – *Glueck, J. J.:* Merab or

Michal. ZAW 1965, S. 72–81 – *Gordon, Cyrus H.:* [Elementa Epica in historiographia Israel ante David]. JAOS 1952, S. 180ff. – *Goslinga, C. J.:* Het geheim der verwachting van David's koningschap. GThT 1957, S. 6–21 – *Gottlieb, Hans:* Traditionen om David som hyrde. DTT 1966, S. 11–21; Die Tradition von David als Hirten. VT 1967, S. 190–200 – *Grønbaek, Jakob H.:* David og Goliat. DTT 1965, S. 65–79 – *De Groot, Johannes:* Zwei Fragen aus der Geschichte des alten Jerusalem. 1936 (BZAW 66), S. 191–197 – *Guillaume, Alfred:* Me'od in I Sam XX 19. PEQ 1954, S. 83–86 – *Haran, Menaḥem:* Shiloh and Jerusalem. JBL 1962, S. 14–24; The removal of the ark of the Covenant (hebr.). BIES 1961, S. 211–223 – *Hauer, Chr. E.:* Does 1 Sam 9,1–11,15 reflect the Extension of Saul's Dominions? JBL 1967, S. 306–310; The shape of Saulide strategy. CBQ 1969, S. 153–167 – *Hoffner, H. A.:* A Hittite Analogue to the David and Goliath Contest of Champions? CBQ 1968, S. 220–225; Second Millenium Antecedents to the Hebrew 'ôḇ. JBL 1967, S. 385–401 – *Hertzberg, Hans Wilhelm:* Mizpa. ZAW 1929, S. 161–196; Die Kleinen Richter. In: Beiträge zur Traditionsgeschichte und Theologie des Alten Testamentes. Göttingen 1962, S. 118–125 – *Irwin, William Andrew:* Samuel and the rise of the monarchy. AJSL 1941, S. 113–134 – *Jirku, Anton:* David, der »Häuptling«. FuF 1953, S. 28 – *McKane, William:* A Note on Esther IX and I Sam XV. JThS 1961, S. 260–261 – *Kapelrud, Arvid S.:* König David und die Söhne des Saul. ZAW 1955, S. 198–205; King David and the sons of Saul. In: Studies in the History of Religions. Num. S. IV. Leiden 1959, S. 294–301 – *Keely, Charles:* An approach to the books of Samuel. CBQ 1948, S. 254–270 – *McKenzie, John:* The four Samuels. Biblical Research (Chicago) 1962, S. 3–18 – *Kerib, A.: Malkût leša'ā ûmalkût ledôrôt* (Saul und David). *Mo'znajim* (Tel Aviv) 1965, S. 222–230 – *Kessler, M.*: Narrative technique in 1 Sm 16,1–13. CBQ 1970, S. 543–554 – *Krimm, Herbert:* Der Lobgesang der Hanna, eine Betrachtung über 1 Sam 2, 1–10. In: Festschrift für Alfred Dedo Müller.Berlin 1961, S. 285–288 – *Kroon, J.:* De tovenares van Endor. Studien. Katholiek cultureel tijdschrift (Amsterdam) 1940, S. 217–234 – *Lanczkowski, Günter:* Die Geschichte vom Riesen Goliath und der Kampf Sinuhes mit dem Starken von Retenu. Mitteilungen des Dtsch. Archäologischen Institutes Abt. Kairo 1958, S. 214 bis 218 – *Lindblom, Johannes:* Ett omstritt ställe i den grekiska bibeln. In: Studier Broer Olsson. Lund 1959, S. 1–24; Lot-casting in the Old Testament. VT 1962, S. 164–178; Lottdragning och lottkastning i gammaltestamentliger texter. In: Septentrionalia et Orientalia Bernardo Karlgren dedicata. Stockholm 1959, S. 262 bis 269 – *Lombardi, G.:* Alcune questioni di topografia in 1 Sam 13,1–14,15. Studii Biblici Franciscani Liber Annuus (Jerusalem) 1959, S. 251–282 – *Luck, G. C.:* The first meeting of Saul and Samuel (1 Sam 9). BS 1967, S. 254–261 – *Maag, Victor:* Jahwäs Heerscharen. SThU 1950, S. 27–52 – *Maier, Johann:* Das altisraelitische Ladeheiligtum. 1965 (BZAW 93); Vom Kultus zur Gnosis. Studien zur Vor- und Frühgeschichte der »jüdischen Gnosis«. Bundeslade, Gottesthron und Märkābāh. Salzburg 1964 (Kairos. Religionswissenschaftliche Studien 1) – *Malamat, Abraham:* Military rationing in Papyrus Anastasi I and the Bible. In: Mélanges Bibliques rédigés en l'honneur de André Robert. Paris 1957, S. 114–121 – *Mariani, B.:* Samuele, profeta, santo. Bibl. Sanct. Lateran 1968, S. 615–620

– *Marmorstein, Artur:* I Sam 25, 29. ZAW 1925, S. 119–124 – *Mazar, Benjamin:* The military élite of king David. VT 1963, S. 310–320 – *Mendelsohn, Isaac:* Samuels denunciation of kingship in the light of the Accadian documents from Ugarit. BASOR 143. 1956. S. 17–22 – *Möhlenbrink, Kurt:* Sauls Ammoniterfeldzug und Samuels Beitrag zum Königtum des Saul. ZAW 1940, S. 57–70 – *Morgenstern, Julian:* David and Jonathan. JBL 1959, S. 322–325 – *Mowinckel, Sigmund:* Psalmenstudien I–VI. Oslo 1921–1924 – *Muilenburg, James:* Mizpa of Benjamin. StTh 1954, S. 25–43 – *Naor, Menahem:* Frühes und Spätes im Buch Samuel (hebr.). In: Sepher D. Ben Gurion. Jerusalem 1964; Aroma, Harama and Ramataim Zofim (hebr.). Bet Miqra' (Jerusalem) 1957, S. 53 ff.; On the way to Ephrat. BIES 1958, S. 49–54; ואון ותרפים הפצר (1 Sam 15,23). BetMiqra' 12 (1966/67), Heft 3 (31), S. 56–64 – *Naor, M. and Kallai, Z.:* A fountain, which is in Jezreel. I Sam 29,1. BIES 1961, S. 251–256 – *Newman, Murray:* The prophetic call of Samuel. In: Israel Prophetic Heritage. Essays in honor of James Muilenburg. Ed. by Bernhard W. Anderson and Walter Harrelson. New York 1962, S. 86–97 – *Niebuhr, Carl:* Zur Glossierung im AT. OLZ 1915, Sp. 65–70 – *Noort, E.:* Eine weitere Kurzbemerkung zu 1 Samuel XIV 41. VT 1971, S. 112–116 – *North, Robert:* The trilemma of Davids rise. Vortrag 5. IAC Genf 1965; The trauma of King Saul. Bible Today 1967, S. 2048–2060 – *Noth, Martin:* Samuel und Silo. VT 1963, S. 390–400 – *Oberholzer, J. P.:* The *'ibrim* in 1. Samuel. In Studies on the Books of Samuel. 1960 (MOuTWP 3), S. 54 – *Pákozdy, Ladislas Martin von:* Elḥânân – der frühere Name Davids? ZAW 1956, S. 257–259 – *Palache J. L.:* De beteekenis van de muis in I Sam. 6. In: Sinai en Paran. Leiden 1959, S. 99f. – *Peiser, F. E.:* Zu I Sam. 20,30. OLZ 1921, Sp. 57 – *Pfeiffer, R. H. and Pollard, W. G.:* The Hebrew Iliad. The history of the rise of Israel under Saul and David. New York 1957 – *Preß, Richard:* Sauls Königswahl. ThBl 1933, S. 243–248; Der Prophet Samuel. Eine traditionsgeschichtliche Untersuchung. ZAW 1938, S. 177–225 – *von Rad, Gerhard:* Das Reich Israel und die Philister. PJ 1933, S. 30–42 – *Raffaeli, Samuel:* I Sam 13,21. JBL 1921, S. 184–185. – *Razîn, M. - Bendôr, S.:* Die Ursprünge der Königsherrschaft in Israel. Eine Einführung in die Samuelbücher (hebr.). Tel Aviv 1959 – *Reinach, Salomon:* Le souper chez la sorcière. RHR 1923, S. 45–50 – *Richter, Wolfgang:* Die nāgîd-Formel; ein Beitrag zur Erhellung des nāgîd-Problems. BZ 1965, S. 71–84; Zu den ›Richtern Israels‹. ZAW 1965, S. 41–72; Die sogenannten vorprophetischen Berufungsberichte. Göttingen 1970 (FRLANT 101) – *Rinaldi, Giovanni M.:* Golia e David (1. Sam. 17,1–18,8). BeO 1966, S. 11–29; L'ascesa di Gerusalemme. BeO 1959, S. 129–132 – *Robertson, Edward:* Samuel and Saul. BJRL 1944, S. 175–206 – *Rosen, George:* Is Saul also among the Prophets? Gesnerus 1966, S. 132–146 – *Ross, J. P.:* Jahwe Ṣᵉḇā'ôṯ in Samuel and Psalms. VT 1967, S. 76–92 – *Rowley, Harold Henry:* A note on the Septuagint text of 1 Sam XV 22a. VT 1951, S. 67–68 – *Sacchi, P.:* IQS III, 15 sgg. e I Sam II 3. RSO 44, 1969, S. 1–5 – *Schelhaas, J.:* De ondergang van Israels verworpen koning en de handhaving van het koningschap. GThT 1958, S. 143–152. 161–170 – *Schmidt, Ludwig:* Menschlicher Erfolg und Jahwes Initiative. Studien zu Tradition, Interpretation und Historie in Überlieferungen von Gideon, Saul und David. 1970 (WMANT 38) – *Schunk, Klaus-Dietrich:* Die Richter Israels und ihr Amt.

VTS 15. 1966, S. 252–262 – *Seebaß, Horst:* Traditionsgeschichte von 1. Sam. 8; 10,17ff. und 12. ZAW 1965, S. 286–296; Zum Text von 1 Sam XIV 23b–25a und II 29.31–33. VT 1966, S. 74–82; 1. Sam 15 als Schlüssel für das Verständnis der sogenannten königtumsfreundlichen Reihe: 1 Sam 9,1–10,16; 11,1–15 und 13,2–14,52. ZAW 1966, S. 148–179; Die Vorgeschichte der Königserhebung Sauls. ZAW 1967, S. 155–171 – *Seeber, Waltraud:* Der Weg der Tradition von der Lade Jahwes im Alten Testament. Diss. Kiel 1956 – *Segal, M. H.:* I Sam X 7–8. Tarbiz 1950/51, S. 124 – *Sellers, O. R.:* David the slinger. In: From the pyramids to Paul, Studies in Theology, Archaeology and related subjects. Festschrift für G. L. Robinson. 1934, S. 242–250 – *van Selms, Adrianus:* The armed forces of Israel under Saul and David. In: Studies on the Books of Samuel. 1960 (MOuTWP 3), S. 55–66 – *Smith, Morton:* The so called »Biography of David« in the books of Samuel and Kings. HThR 1951, S. 167–169 – *Soggin, J. Alberto:* Charisma und Institution im Königtum Sauls. ZAW 1963, S. 54–65 – *Stamm, Johann Jakob:* Der Name des Königs David. VTS 7. 1959, S. 165–183 – *Stellini, A.:* Samuel propheta (I Sam 3,20) et judex (1 Sam 7,16) in Israel. Diss. Antonianum Rom 1956 – *Steuernagel, Carl:* Die Weissagungen über die Eliden (1. Sam. 2,27–36). In: Kittel-Festschrift. 1913 (BWAT 13), S. 204–221 – *Stoebe, Hans Joachim:* Anmerkungen zu 1 Sam. VIII 16 und XVI 20. VT 1954, S. 177–184; Die Goliathperikope 1 Sam XVII 1 – XVIII 5 und die Textform der Septuaginta. VT 1957, S. 397–413; Noch einmal die Eselinnen des Kiš. VT 1957, S. 362–370; David und Mikal. Überlegungen zur Jugendgeschichte Davids. In: Eißfeldt-Festschrift. 1958 (BZAW 77), S. 224–243; Erwägungen zu Psalm 110 auf dem Hintergrund von 1. Sam 21. In: Baumgärtel-Festschrift. Erlangen 1959, S. 175–191; Zur Topographie und Überlieferung der Schlacht von Mikmas. 1 Sam 13 und 14. ThZ 1965, S. 269–280; Gedanken zur Heldensage in den Samuelisbüchern. In: Rost-Festschrift. 1967 (BZAW 105), S. 208–218; Raub und Beute. In: Baumgartner-Festschrift. 1967 (VTS 16), S. 340–354; Geprägte Form und geschichtlich individuelle Erfahrung im Alten Testament. VTS XVII 1969, S. 212–219 – *Sturdy, John:* The original meaning of »is Saul also among the Prophets?« (1 Samuel X 11,12; XIX 24). VT 1970, S. 206–213 – *Talmon, Shemaryahu:* 1 Sam. XV 32b – a case of conflates readings. VT 1961, S. 456 – *Thomas, David Winton:* A note on $W^{e}noda^{c}$ lakhem in I Sam VI 3. JThS 1960, S. 52 – *Thornhill, Raymond:* A note on אל־נכון 1 Sam XXVI 4. VT 1964, S. 462–466 – *Timm, H.:* Die Ladeerzählung (1. Sam. 4–6; 2. Sam. 6) und das Kerygma des deuteronomistischen Geschichtswerks. EvTh 1966, S. 509–526 – *Toeg, A.:* A textual note on 1 Samuel XIV 41. VT 1969, S. 493–498 – *Trencsényi-Waldapfel, I.:* Die Hexe von Endor und die griechisch-römische Welt. Acta Orientalia Academiae Scientiarum Hungaricae (Budapest) 1961, S. 201–222 – *Tsevat, Matitiahu:* Interpretation of I Sam. 2:27–36. The narrative of KARETH. HUCA 1961, S. 191–216; Interpretation of I Sam. 10:2. Saul at Rachel's Tomb. HUCA 1962, S. 107–118; Yahwe Ṣ^{e}ḇa'oṯ. HUCA 1965, S. 49–58; The death of the sons of Eli. JBR 1964, S. 355–358; Assyriologische Bemerkungen zum 1. Samuelisbuch (hebr.). In: Sepher H. M. Segal. Jerusalem 1964, S. 77–86 – *Tur-Sinai, N. H.:* The Ark of God at Beit Shemesh (1 Sam. VJ) and Pereṣ 'Uzza (2 Sam. VI; 1 Chron. XIII). VT 1951, S. 275–286; Passages of 1 Samuel (hebr.).

Lešonenū (Jerusalem) 1957, S. 1–6; On hidden Emendations by the scribes in the language of the Books of Samuel (hebr.). *lesônenû lacam* (Jerusalem) 1962, S. 1–2 – *Vattioni, F.:* La necromanzia nell' Antico Testamento. 1 Sam 28, 3–25. Augustianianum (Rom) 1963, S. 461–481 – *de Vaux, Roland:* Les combats singuliers dans l'Ancien Testament. Bibl 1959, S. 495–508 – *Verhoef, P. A.:* De genealogie van Dawid. Nederduitse Gereformeerde Teologiese Tydskrif (Kaapstad) 1964, S. 114–117 – *Wallis, Gerhard:* Die Anfänge des Königtums in Israel. WZ Halle-Wittenberg 1963, S. 239–247 – *Weingreen, J.:* A Rabbinic Type Gloss in the LXX Version of 1 Sam I 18. VT 1964, S. 225–228; Saul and the Ḫabirū. Fourth World Congress of Jewish Studies. Vol. I. Jerusalem 1967, S. 63–66 – *Weiser, Artur:* I Samuel 15. ZAW 1936, S. 1–28; Samuels »Philister-Sieg«. Die Überlieferung in 1. Samuel 7. ZThK 1959, S. 253–272; Samuel und die Vorgeschichte des israelitischen Königtums (1. Samuel 8). ZThK 1960, S. 141–161; Samuel. Seine geschichtliche Aufgabe und religiöse Bedeutung. 1962 (FRLANT 81) – *Wiener, Harold Marcus:* The Ramah of Samuel. JPOS 1927, S. 109–111; The text of 1 Sam. XIV 14. JPOS 1927, S. 142–144; The text of 1. Sam. XIV 15a. JPOS 1928, S. 125; The text of 1. Sam. X 27. JPOS 1928, S. 125 – *Wiesmann, Hermann:* Die Einführung des Königtums in Israel (1. Sam 8–12). ZKTh 1910, S. 118–153; Davids Jugendzeit. ZKTh 1914, S. 391–410 – *Wildberger, Hans:* Samuel und die Entstehung des israelitischen Königtums. ThZ 1957, S. 442–469 – *Willesen, Folker:* The Philistine Corps of the Scimitar from Gath. JSS 1958, S. 327–335 – *Yadin, Yigael:* Goliath's javelin and the »Menor 'Oregim«. PEQ 1955, S. 58–69 – *van Zyl, A. H.:* Israel and the indigenous population of Canaan according to the books of Samuel. OuTWP 1960, S. 67–80.

8. Allgemeinverständliche Übersetzungen und praktische Auslegungen

Artom, Elihu S.: ס' שְׁמוּאֵל מְפֹרָשׁ. Sifrē ham-Miqra 8 (Tel Aviv) 1967 – *Asmussen, Hans:* Das erste Samuelisbuch. München 1938 – *Buber, Martin:* Das Buch Schmuel. Verdeutscht gemeinsam mit Franz Rosenzweig. Berlin o. J. (Die Schrift VIII) – *Blackwood, Andrew W.:* Preaching from Samuel. New York 1946 – *Calvin, Johannes:* Homiliae in primum librum Samuelis. Corpus Reformatorum, 57/58. Braunschweig 1885/86 (Calvini opera 29/30) – *Gehrke, R. O.:* 1 and 2 Samuel. St. Louis 1968 (Concordia Commentary) – *Gutbrod, Karl:* Das Buch vom König. Stuttgart 1956 (Die Botschaft des Alten Testamentes 11) – *Josuttis, M.:* Predigten zur Geschichte Davids. Alttestamentliche Predigten 9. Neukirchen 1968 – *Ketter, Peter:* Die Samuelbücher. 1940 (HBK III/1) – *Kröker, Jakob:* Israel, ein Wunder der Geschichte. Das Königtum und die Theokratie in Israel. 2. Aufl. Gießen 1959 (Das lebendige Wort 3) – *Little, Ganse:* Exposition II Samuel. In: IntB II. 1953, S. 1041–1176. – *Lüthi, Walter:* Das erste Buch Samuel. Ausgelegt für die Gemeinde. Basel 1964 – *Lys, Daniel:* Du texte au sermon 7:1 Sam 12,12. Qui est notre Président? EThR 1970, S. 3–23 – *McKane, William:* I & II Samuel. The Way to the Throne. London 1967 (Torch Paperback) – *Saxe, G.:* Studies in I and II Samuel. Chicago 1968 (Bible Self-Study Series) – *Schneider, O.:* Das erste Buch Samuel. Gott schaut ins Herz. Das zweite Buch Samuel. Vom Bau des

Hauses Davids. Paderborn 1954 – *Schroeder, John G.:* Exposition I Samuel. In: IntB. II. 1953, S. 855–1040 – *Turro, J. C.:* 1–2 Samuel. 1968, S. 163–178 (Jerome Bible Com. 1) – *Vischer, Wilhelm:* Die Bücher Samuels und der Könige. In: Das Christuszeugnis des Alten Testaments. II. Zürich 1942, S. 145–279.

Übersetzung und Erklärung

I. Silo, die Eliden und Samuel

Die Berichte über die Entstehung des Königtums Sauls wie Davids, der ja die zentrale Gestalt der Samuelisbücher ist[1], schreiben Samuel eine entscheidende Bedeutung dabei zu[2], obwohl die historischen Voraussetzungen, unter denen beide zur Macht kamen, durchaus andersartig waren[3]. An der Geschichtlichkeit dieser Gestalt und ihres Werkes ist nicht zu zweifeln, auch wenn die Formen, in denen man sich ihr Wirken dachte, jeweils verschieden waren und die Ausmalung nach den Vorstellungen und Erwartungen besonderer Kreise und verschiedener Zeiten erfolgte[4]. Die Bedeutung, die Samuel im Bewußtsein des Volkes hatte, wird an den Nennungen seines Namens außerhalb der Samuelisbücher deutlich (Jer 15,1; Ps 99,6; Sir 46,16). Es ist daher begreiflich, daß man danach fragte, wie die Rolle des Mannes sich in seiner Jugend andeutete. Ein Niederschlag solcher Besinnung ist die Jugendgeschichte, die in Kap. 1 und 3 rein, in Kap. 2 vermischt mit Angaben über das kultische Leben in Silo verliegt. Diese Jugendgeschichte verdankt ihre Entstehung bzw. ihre Aufnahme in die Samuelisbücher nicht oder nicht in erster Linie dem volkstümlichen Interesse an der Gestalt des Helden, wenngleich dieses Moment nicht gänzlich fehlt; sie hat vielmehr die ausdrückliche theologische Zielsetzung, die Kontinuität aufzuweisen, mit der Jahwe in der Verleihung seiner Heilsgüter handelt. In dieser Absicht bildet die Jugendgeschichte einen Vorbau zur eigentlichen Königsgeschichte, ähnlich wie die Urgeschichte einen Vorbau zur Genesis darstellt[5]. Nun besteht ein solcher Vorbau bereits in der Darstellung der Ereignisse, die zum Tod der Söhne Elis, zum Verlust der Lade und zur Ablösung Silos als Hauptort israelitischer Frömmigkeit geführt haben (Kap. 4). Diese Geschichte für sich bedeutet schon eine Erklärung dafür, daß Jahwe mit dem Königtum ein Neues heraufführen mußte, und folgt auch darin einem Aufbauprinzip, das sich wenigstens beim Übergang der Krone von Saul auf David erkennen läßt[6], vielleicht sogar bis dahin, daß jeweils ein Vertreter des Alten der Katastrophe entgeht. Die Ablösung Silos ist endgültig[7]; das wird auch daran deutlich, daß Kap. 4 nicht darauf hinausläuft, daß Samuel die Nachfolge der verworfenen Eliden antritt, was nach Kap. 1–3 wohl zu erwarten gewesen wäre und was in Kap. 7 auch tatsächlich anklingt. Damit ist nun einmal die Frage

1. Vgl. oben S. 59.
2. Eine Ausnahme macht 1 Sam 11; vgl. dazu unten S. 226f.
3. Vgl. dazu Alt II, S. 119ff; anders, aber schwerlich zutreffend Buccelati: BeO 1959, S. 113ff.
4. McKenzie: Biblical Research 1962, S. 3–18.
5. Gerhard v. Rad: Das formgeschichtliche Problem des Hexateuch. 1938 (BWANT IV/26), S. 58ff. (Ges. Stud. S. 71ff.).
6. Vgl. dazu auch Bright: Int 1951, S. 452.
7. Weswegen die Auffassung von Gn 49,10 als politischem Orakel darauf, daß David in Silo die Herrschaft über die Stämme des Nordens einnehmen soll (Lindblom: The political background of the Shilo oracle. VTS 1. 1953, S. 78ff.), wenig Wahrscheinlichkeit hat.

nach dem Verhältnis von Samuel- und Silogeschichte und weiterhin nach dem Verhältnis dieser Samuelgeschichte zu dem Ganzen gestellt.

Eine quellenhafte Fortsetzung dieser Einleitung im Folgenden kann nicht festgestellt werden. Das gilt unabhängig davon, ob man Kap. 1–3 aus dem Zusammenkommen zweier durchlaufender Erzählungsfäden erklärt[8], die jeder für sich weiter verfolgt werden können, oder sie als im wesentlichen einheitlich, sich aber in einem Teil der folgenden Erzählung fortsetzend ansieht, wobei es unerheblich ist, ob man den so vorausgesetzten Erzählungsstrang mit einer aus dem Pentateuch geläufigen Siglierung kennzeichnet[9] oder eine andere wählt[10]. Verliert eine solche Auffassung von einem quellenhaften Zusammenhang schon in dem Maße an Wahrscheinlichkeit, wie die Annahme zweier deutlich zu trennenden königtumsfreundlichen und -feindlichen Quellen fraglich wird[11], so spricht wirklich entscheidend gegen sie, daß diese Jugendgeschichte auf die verschiedenen Äußerungen und Funktionen hin angelegt ist, mit denen das Wirken Samuels im Verlauf der weiteren Erzählung charakterisiert wird, daß diese Schilderung aber konventionell und blaß bleibt und bezeichnende Unterschiede bestehen. Der Priesterknabe in Silo mit dem Ephod ist eben nicht der Samuel, der ein Opfer vollzieht (9,13; 16,3) oder der salbt (10,1; 16,3), obwohl sein Recht dazu hier sicherlich nachgewiesen werden soll; und der vor dem ganzen Volk durch das Eintreffen seiner Worte beglaubigte Prophet (3,19) ist eben nicht der unbekannte Gottesmann (9,6) oder das Haupt einer Prophetengenossenschaft (19,18ff.)[12]. An und für sich bestünde kein entscheidendes Bedenken dagegen, daß der geschichtliche Samuel diese zwei Ämter vereinigt hätte. Aber das ist gar nicht das eigentliche Problem. Viel eher ließe sich das Ineinander von Propheten- und Richteramt begreifen, wozu auf Jdc 4,4, die Richterin und Prophetin Debora, verwiesen werden könnte[13]. Aber gerade die Vorbereitung auf ein Richteramt, das für die Erzählung in ihrer uns überlieferten Endgestalt so große Bedeutung hat[14], fehlt – abgesehen von 4,18, wo aber sicherlich eine deuteronomistische Harmonisierung vorliegt[15].

8. Eißfeldt: Komposition, S. 14f: II. Eli und seine Söhne 1,3b; 2,12–17.22–25.27–36; 3,2b; III. Eli und Samuel 1,1–3a.4–28; 2,1–10.11.18a.18b–21.26; 3,1.2a.3–11.12–14.15–21. Im wesentlichen folgend Bentzen: Introduction, S. 93. Vgl. auch die Aufteilung in die Stränge G und N bei Wiener: Composition, S. 23.

9. Quelle E z. B. Dhorme; Budde, S. 4; Cornill: Einleitung, S. 106; Hölscher: Geschichtsschreibung, S. 142.

10. Sellin: Einleitung, S. 85f. K und K^1; ähnlich Kittel, S. 408. K^1 K^2 (K^E). Steuernagel E, S. 328ff. weist diese Kapitel seinem S^b zu (mit Ausnahme 2,1–10.12–17.22–25 = S^a). Pfeiffer: Introduction, S. 338f. spricht einfach von einer later source.

11. S. u. S. 176f. Vgl. dazu etwa G. von Rad: Erwägungen zu den Königspsalmen. ZAW 1940/41, S. 217; auch Robertson: BJRL 1944, S. 177.

12. So mit Recht Budde, S. 1 wenigstens für den Unterschied in der Auffassung Samuels als prophetischer Gestalt, doch reicht die Beobachtung in Wirklichkeit noch weiter; vgl. zur Sache auch Preß: ZAW 1938, S. 178ff. Auch Cody, Aelred: The History of Old Testament Priesthood (AnBibl 35, 1969, S. 80) betont das prophetische Element in der Samuelüberlieferung.

13. Hertzberg: ThLZ 1954, Sp. 288.

14. Worauf auch Noth: Studien, S.60, Anm. 3 mit Recht hinweist.

15. Zur Sache Wolfgang Richter: Die Bearbeitungen des Retterbuches in der deuteronomischen

Auf der anderen Seite ist die Jugendgeschichte Kap. 1–3 aber auch nicht in dem Sinne einheitlich, daß hier ein Stück aus einem alten Samuelbericht aufgenommen wäre, der eine in sich geschlossene Prophetenüberlieferung darstellte[16], die allenfalls unter dem Gesichtspunkt »Unzulänglichkeit der Eliden« einen Zuwachs erfahren hätte[17]. Es ist zwar zuzugeben, daß diese Geschichte ihren Zielpunkt in 3,19–21 hat[18], aber gerade das wirkt sehr allgemein und blaß. Viel charakteristischer ist die Drohansage gegen Eli und sein Haus (3,13), sie ist aber durch das Gerichtswort des unbekannten Gottesmannes (2,27ff.) bereits vorweggenommen, auf das übrigens ausdrücklich der überlieferte Text zu 3,13 hinweist. Wenn man also von einer nebiistischen Tradition reden will[19], so gilt das viel eher von diesem Spruch; es ist jedenfalls recht unwahrscheinlich, daß Samuel mit diesem unbekannten Gottesmann identisch ist[20]. Dieses Gerichtswort 2,27ff. ist zwar durch nachträgliche Überarbeitung bzw. Aktualisierung erweitert (vgl. z. St.), kann aber nicht als Ganzes nachträglicher Zusatz zur Samuelgeschichte sein[21], weil es als Zusatz eine unvorstellbare Entwertung dieser Geschichte wäre. Es muß also so liegen, daß die Samuelgestalt einer schon vorhandenen Überlieferung eingefügt wurde, die zunächst in 2,27ff. vorliegt, zu der in Kap. 2 aber auch V. 12–17 und 22–25 gehört haben[22], weil ohne diese das Drohwort keinen Haftpunkt hätte. Diese Überlieferung hätte ihrerseits schon gezeigt, wie das Heiligtum in Silo durch die Sünde der dort amtierenden Priestersöhne die schützende und bewahrende Bedeutung eines Heiligtums verlieren mußte. Dabei kann man durchaus die Frage stellen, ob das von vornherein die Aussageabsicht der unter diesem

Epoche. 1964 (BBB 21), S. 117. Wenn Kraus: Gottesdienst 1954, S. 65 1 Sam 3 dahin versteht, daß Samuel zur Vorbereitung auf das Richteramt, für das er schon als Kind ausersehen war, an das zentrale Heiligtum gesandt wurde, so scheint damit die Stelle überinterpretiert; in der gleichen Richtung gehen jetzt auch die Überlegungen von Noth: VT 1963, S. 390–400. Vgl. auch A. Cohen: The Role of the Shionite Priesthood in the United Monarchy of the Ancient Israel. HUCA 1965, S. 59–98, der von der Aktivität des Siloniten Samuel spricht, wobei nach seiner Anschauung die konservative Priesterschaft von Silo eine der mächtigsten Institutionen im Alten Israel war.

16. So Noth: Studien, S. 60.

17. So daß man mit dieser Samuelgeschichte einen in Kap. 7 weiterlaufenden Bericht beginnen könnte (so Budde).

18. Noth: Studien, S. 60.

19. Noth: Studien, S. 60; vgl. auch Alfred Jepsen: Nabi. München 1934, S. 113. Richtiger weist Preß: ZAW 1938, S. 216 auf die stärker priesterliche Tendenz dieser Überarbeitung hin.

20. So Preß: ZAW 1938, S. 189, was die unmögliche geschichtliche Konstruktion stützen soll, daß Samuel als erwachsener Mann nach Silo gekommen sei und dabei der Kultstätte den Untergang verkündet habe.

21. Wellhausen: Composition, S. 237; Löhr, Nowack, Dhorme u. v. a., z. T. unter der ausdrücklichen Voraussetzung, daß das Stück als Ganzes deuteronomistisch sei (zurückhaltend darin schon Budde: Quellen, S. 200). Klassisch formuliert Greßmann das Argument: Wenn einer, so war nur Samuel berufen, den Willen Jahwes zu offenbaren, darum muß 2,27–36 ein jüngerer Zusatz sein!

22. Ähnlich auch Smith; vgl. weiter Caspari und Vriezen: Compositie, S. 189. Jetzt auch Garbini: BeO 1963, S. 47ff., der auf Grund sprachlicher Überlegungen, die allerdings verschiedenes Gewicht haben, 2,12–17 u. 22–25 eine Sonderstellung gegenüber dem Zusammenhang zuweist.

Gesichtspunkt vereinigten Überlieferungsstücke war (vgl. dazu u. S. 111). Diese Strafandrohung verlangt aber notwendig eine Fortsetzung, und diese findet sich, wie zumeist und mit gutem Recht angenommen wird, in Kap. 4[23], und zwar nicht nur in dem Sinne, daß Kap. 1–3 Kap. 4 voraussetzen[24], sondern auch umgekehrt[25], denn die Katastrophe von Kap. 4 mußte als Strafhandeln Jahwes verstanden werden. Darüber hinaus ist Kap. 4 mit den zu Kap. 2 herausgestellten Stücken das Interesse an den Söhnen Elis und eine gewisse Vertrautheit mit den Verhältnissen in Silo gemeinsam. Nun wird zwar darauf hingewiesen, daß von Kap. 4 ab sich das Interesse auf das Schicksal der Lade konzentriert, während vorher von ihr nur einmal, und zwar ausgesprochen im Zusammenhang der eigentlichen Samuelgeschichte, die Rede war (3,3). Es ist deswegen üblich, in Kap. 4 einen neuen Einsatz zu sehen[26], zumeist in der Form, daß hier eine Quelle beginnt, deren Inhalt die Geschichte der Lade ist, und die sich in Kap. 4–6 und weiter in 2 Sam 6 findet[27]. Zur Stützung dieser These hat Rost in eingehenden wortstatistischen Untersuchungen herausgestellt, daß Wortwahl und Sprachgebrauch in diesen Kapiteln anders sind als in den Sam.-Büchern sonst[28]. Das Gewicht dieses Arguments wird aber dadurch eingeschränkt, daß der Sprachgebrauch immer durch den dargestellten Gegenstand mitbestimmt wird. Das gleiche gilt von der Beobachtung der wechselnden Gottesnamen (Kap. 1–3 vornehmlich יהוה, Kap. 4ff. אלהים), auf die schon Wellhausen hingewiesen hat, der allerdings das Gewicht dieses Arguments selber schon einschränkte[29]; tatsächlich sind die Gottesnamen nicht so verteilt, daß man daraus zwingende Schlüsse ziehen könnte. Auch die Tatsache, daß nur in Kap. 4–6 von der Lade, sonst allgemein von den Söhnen Elis die Rede ist, läßt sich ungezwungen damit erklären, daß die von uns vorausgesetzte Siloüberlieferung infolge ihrer Verbindung mit der Gestalt Samuels nur unvollständig vorliegt, andererseits die Lade so sehr integrierender Bestandteil von ihr war, daß sie nicht jedesmal ausdrücklich genannt zu werden brauchte. Jedenfalls erklärt die Annahme einer besonderen Ladequelle nicht die erheblichen Spannungen und Verschiedenheiten in der Auffassung von der Lade und ihrer Wirksamkeit, auf die wir bei der Auslegung von Kap. 4–6 stoßen werden (vgl. u. S. 141f.).

Die Entstehung dieses ganzen Komplexes wird so zu verstehen sein, daß seine Grundlage eine Erzählung von den Ereignissen zu Silo und dem Verlust der Lade war; in ihrer uns erkennbaren oder wenigstens erschließbaren Form hat diese bereits das theologische Ziel, zu zeigen, daß ein Neues kommen mußte[30]. Diese Silo-

23. Ausnahme: die Vertreter der Ladequelle.
24. Wellhausen, Budde u. a.
25. Beachte die sehr richtigen Überlegungen Eißfeldts: Einleitung, S. 362.
26. Pfeiffer: Introduction, S. 342, auch Iliad, S, 37ff. läßt damit seine frühere Quelle überhaupt ihren Anfang nehmen.
27. Rost: Überlieferung, S. 4–47; ihm im Prinzip folgend v. RadGS, S. 148ff.; Noth: Studien, S. 62; Weiser: Einleitung, S. 146.
28. A. a. O., S. 15–22.
29. Composition, S. 239.
30. Aber eben das Königtum und nicht Samuel.

überlieferung hat in ihrem von der Lade handelnden Teil schon sehr früh Zuwachs und Erweiterungen erfahren, die an sich in der Linie dessen lagen, was man von der Lade erhoffte, die aber das Erkennen eines Gedankenfortschrittes erschweren. Diese zunächst einfache Linie hat durch die Einfügung der Samuelgeschichten einen zweiten Skopus bekommen, einfach wegen der geschichtlichen Rolle, die Samuel als Mittler zwischen der alten Zeit und dem Königtum gespielt hat. Dabei handelt es sich nicht um eine alte Prophetenlegende im strengen Sinne, sondern um eine im wesentlichen freie Komposition, die zwar über alte Überlieferungen verfügen mag, diese aber sehr frei gestaltet, wobei sich durchaus eine Auflösung fest geprägter Überlieferungsmotive erkennen läßt. Ihre Zeit läßt sich nur relativ bestimmen; sie ist jünger als die Zusammenfassung der einzelnen Überlieferungskomplexe zu einer Darstellung der ersten Königszeit, älter aber als die deuteronomistische Überarbeitung. Innerhalb dieses Zeitraumes wird man sie eher später anzusetzen haben[31].

1,1–4,1a Eli und Samuel

1,1–20 Hannas Gelübde. Samuels Geburt

1 Da war[a] (einmal) ein Mann[b] aus Ramathajim[c], ⟨ein Zuphit⟩[d] vom Gebirge Ephraim; sein Name war Elkana[e], (er war der) Sohn des Jeroham[f], des Sohnes des Elihu[g], des Sohnes des Thohu[h], des Sohnes des Zuph[i], ein Ephratit[k]. 2 Der hatte zwei Frauen; die eine[a] hieß Hanna[b], die andere Peninna[c]. Es verhielt sich aber so[d], daß Pennina Kinder hatte, Hanna indes hatte keine Kinder. 3 Jener Mann pflegte[a] alljährlich[b] aus seiner Heimatstadt[c] hinaufzuziehen, um Jahwe Zebaoth[d] in Silo[e] Anbetung und Opfer darzubringen[f] – dort versahen die beiden Söhne Elis Hophni und Pinhas[g] den Priesterdienst Jahwes. 4 Eines Tages[a] brachte Elkana (wieder einmal) das Opfer dar – dabei gab[b] er seiner Frau Peninna und allen ihren Söhnen und Töchtern[c] (die ihnen zukommenden) Anteile[d]. 5 Der Hanna aber gab er einen …[a] Teil, denn Hanna hatte er lieb, obwohl Jahwe ihren Mutterschoß verschlossen hatte. 6 Doch ihre Nebenbuhlerin[a] kränkte sie dann über die Maßen[b], darum daß sie sich gedrückt zeigte[c], [weil Jahwe ihren Mutterschoß verschlossen hatte][d]. 7 So tat er[a] Jahr um Jahr, sooft sie zum Hause Jahwes hinaufzog[b], [so kränkte sie sie][c] dann weinte sie und vermochte nichts zu essen. 8 Aber Elkana, ihr Mann, sagte zu ihr: »Hanna, warum weinst du und willst nicht essen, und warum ist dir das Herz so bedrückt? Bedeute ich dir nicht mehr als zehn Söhne?« 9 Da erhob sich Hanna, nachdem sie gegessen hatte in Silo[a] [und nachdem sie getrunken hatte][bc]. Der Priester Eli saß auf seinem Sessel am Pfosten des

31. Zu dem Komplex jetzt Schunck: Benjamin, S. 102ff.

Jahwetempels. 10 In ihrem Seelenschmerz betete sie zu[a] Jahwe und weinte bitterlich; 11 sie legte ein Gelübde ab und sprach: »Jahwe Zebaoth, wahrhaftig[a], wenn du das Elend deiner Magd[b] ansiehst, an mich denkst, deine Magd nicht vergißt und deiner Magd einen männlichen Nachkommen schenkst, so will ich ihn für sein ganzes Leben Jahwe[c] überlassen[d]; kein Schermesser soll über sein Haupt kommen[e].« 12 So betete sie lange[a] vor Jahwe, dabei beobachtete Eli ihren Mund. 13 Und Hanna betete leise für sich[a], nur ihre Lippen bewegten sich, doch ihre Stimme war nicht zu vernehmen, so daß Eli sie für betrunken hielt. 14 Darum wies Eli[a] sie zurecht: »Wie lange willst du dich hier betrunken zeigen[b]? Laß erst deinen Wein(rausch) von dir weichen.« 15 Hanna gab zur Antwort und sprach: »Ach nein, mein Herr, ich bin ja nur eine verzweifelte[a] Frau; Wein oder Rauschtrank habe ich nicht getrunken, sondern ich habe mein Herz vor Jahwe ausgeschüttet[b]. 16 Mach deine Magd doch nicht zu einer nichtsnutzigen Dirne[a], nur aus der Überfülle meines traurigen Grübelns[b] und meines Harms habe ich bis jetzt geredet[c].« 17 Eli (verabschiedete sie) mit der Antwort: »Geh in Frieden, und der Gott Israels[a] wird deine Bitte[b] erfüllen, die du an ihn gerichtet hast.« 18 Darauf sagte sie: »Mögest du dich deiner Magd freundlich erinnern[a].« Dann ging die Frau ihres Weges[b], aß wieder[c] und ihr Angesicht sah nicht mehr niedergeschlagen aus[d]. 19 Am Morgen waren sie früh dran, sie verrichteten ihr ehrfurchtsvolles Gebet, dann kehrten sie wieder heim nach Rama. Als (nun) Elkana sein Weib Hanna erkannte, da dachte Jahwe an sie. 20 Und um die Jahreswende[a] wurde Hanna schwanger[b] und gebar einen Sohn; sie gab ihm den Namen Samuel[c], denn (sie sagte) von Jahwe habe ich ihn erbeten[d].

1 a) Beliebte Einleitungsformel; vgl. Jos 1,1; Jdc 1,1; 13,2; 1 Sam 9,1 und Kö § 365g. b) Zu אֶחָד als Kennzeichen der Nichtdetermination vgl. GK § 125b; BroS § 20a. Die oft damit verbundene Vorstellung »unbedeutend« liegt nicht vor; vgl. Flowers: ET 1955, S. 273. c) So nur hier; zur Form vgl. Borée: Ortsnamen, S. 55; Simons: Texts, § 646f. Klostermann, Budde, Dhorme, Smith u. a. schlagen deswegen nach 1 Chr 27,27 הָרָמָתִים vor. Da 𝔊 regelmäßig *Αρμαθαίμ* hat, ist mit Wellhausen eher Modernisierung des Namens anzunehmen, um eine Verwechslung mit Rama in Benjamin zu vermeiden (vgl. Jos 18,25; Jdc 4,5; 19,13). Die Lage ist umstritten, wahrscheinlich *rentīs*, 14 km nordöstlich von Lydda (Abel: Géographie II, S. 427–429; Simons, a. a. O. Vgl. indessen das zurückhaltende Urteil bei A. Alt: PJ 1928, S. 70). Sonst wird vorgeschlagen *bēt rīma*, nordöstlich von *rentīs* (Wiener: JPOS 1927, S. 109–111; auch de Groot) oder, am wenigsten überzeugend, *rāmallah* (W. F. Albright: Ramah of Samuel. AASOR 1922/23, S. 112–123). Siehe jetzt auch Naor: *bêt miqraʿ* 1957, S. 53ff. d) 𝔗 מְתַּלְמִידֵי נְבִיאַיָּא; tilge aber ם als Dittographie und lies צוּף oder צוּפִי (𝔊 *Σιφα*) und vgl. 1 Chr 6,11.20. (Anders A. Jirku: Weitere Fälle von afformativem -MA im Hebräischen. VT 1957, S. 392); Gebiet in Ephraim, vgl. 1 Sam 9,5. e) NothPers, S. 20,172. f) 𝔊[B] *'Ιερεμεηλ* . g) 1 Chr 6,12 אֱלִיאָב, 6,19 אֱלִיאֵל. h) 1 Chr 6,11 נַחַת, 6,19 תּוֹחַ. i) 𝔊[B] *ἐν Νασιβ Εφραίμ* (vgl. 𝔊 zu 10,5; 13,3.4), ist weder als Erinnerung an den ursprünglich lokalen Charakter (Budde) noch als Beweis für Entstehung des בֶּן aus מִן zu nehmen (Marquart: Fundamente, S. 12), sondern zeigt die Unsicherheit der 𝔊 gegenüber dem überladenen Stammbaum. k) Wellhausen, Budde, Smith: אֶפְרַיִם ebenso unnötig wie "הָאֶפְר

oder "אִישׁ אֶפְר (Löhr, Nowack) oder gar die Tilgung (Caspari). Nebenform zu אֶפְרַיִם (vgl. Gn 35,16–19, dazu 1 Sam 10,2; Jer 31,15) und von 1 Sam 17,12; Ru 4,11; Mi 5,1 zu unterscheiden (anders F. Willesen: The אפרתי of the Shibboleth Incident. VT 1958, S. 97).

2 a) Zur fehlenden Determination vgl. GK § 134l; BroS § 21cε; ungerechtfertigt ist die Lesung אִשְׁתּוֹ und die Streichung der beiden שֵׁם bei Caspari; unnötig die Ergänzung eines Artikels. b) Zur Namensendung NothPers, S. 187. c) Die »Koralle« NothPers, S. 223; anders KBL »Frau mit reichem Haar«. Vgl. jetzt aber auch E. Lipiński: Peninna, Iti'el et l'Athlète. VT 1967, S. 71, der beide Namen nach dem Zusammenhang erklärt (die »Liebliche« und die »Fruchtbare«, was aber mindestens für חַנָּה junges Hebräisch voraussetzt). d) Leitet in Fortführung von V. 1 wohl einen selbständigen Nominalsatz ein; damit entfallen die Bedenken gegen das אֵין (Caspari); für die Auffassung als Prädikat zu יְלָדִים vgl. GK § 145oα.

3 a) Perf. cons. in iterativer Bedeutung (GK § 112dd, vgl. auch BroS § 41a). b) Ausdruck für eine jährlich wiederkehrende kultische Pflicht (V. 7 שָׁנָה בְשָׁנָה); vgl. 2,19; Ex 13,10; Jdc 11,40; 21,19 und dazu das זֶבַח הַיָּמִים 1 Sam 1,21; 2,19. c) Beachte hier die unbestimmte Ortsangabe. d) Erstmaliges Vorkommen der Formel! 𝔊 κύριος θεὸς σαβαωθ, vgl. aber 𝔊 zu 2 Sam 5,10, wo 𝔊 gegen 𝔐 θεός fortläßt. Die kürzere Formel ist jedenfalls die ursprüngliche (vgl. B. N. Wambacq: L'épithète divine Jahvè Sebaôt. Brügge 1947. Anders Maag: SThU 1950, S. 27–52). S. jetzt auch Liverani, M.: La preistoria dell'epiteto »Yahweh ṣebā'ōt«. Annali dell'Istituto Orientale di Napoli 17 N.S. (1967), S. 331–334. e) Vgl. zu Silo Jdc 21,19; Jer 7,12.14 (Jdc 18,31), schwerlich auch Gn 49,10 (J. Lindblom: The Political Background of the Shiloh Oracle. VTS I. 1953, S. 78–87). Zum Namen Borée: Ortsnamen, S. 67. Identisch mit *ḫirbet sēlūn*, 22 km südlich von Sichem, östlich der Nablusroad (anders, aber ohne ausreichende Begründung, T. Richardson: The Site of Shiloh. PEFQST 1927, S. 85–88, *beit sila* nordöstl. von *kubebe*). Der Kultplatz hat vermutlich außerhalb der Stadt, 500 m südlich des Stadthügels, gelegen; die Stadt scheint in der Mitte des 11. Jh. zerstört worden zu sein. Dänische Ausgrabungen 1926, 1929 durch H. Kjaer, 1935. Literatur siehe BRL, Sp. 491; RGG VI. 3. Aufl. 1962, Sp. 35 und jetzt M. L. Buhl -S.H. Nielsen: Shiloh. The Danish excavations at Tall Sailūn, Palestine in 1926, 1929, 1932 and 1963 (Copenhagen 1969); dort S. 61f. die Korrektur der früheren Ansetzungen über den Zeitpunkt der Zerstörung (vgl. dazu auch van Rossum: NedThT 1969/70). f) Vgl. Ex 32,8 (Num 25, 2; 2 Reg 17,36; seltene Verbindung, deuteronomisch ist das Nebeneinander von עבד und השתחוה. g) Die Namen sind ägyptischen Ursprungs (NothPers, S. 63). Der Name *Pînehās* kommt auch für einen Sohn Eleasars und Enkel Aarons (Num 25,7; Ex 6,25; Jos 24,33 u.a.) vor; vgl. Th. James Meek: Moses and the Levites. AJSL 1939, S. 118. Beachte vor allem Jdc 20,28; vielleicht handelt es sich hier um das gleiche Überlieferungselement. 𝔊 sucht durch Ηλει καὶ οἱ δύο υἱοὶ αὐτοῦ der Schwierigkeit der unmotivierten Einführung zu entgehen.

4 a) Zum Artikel GK § 126s; jedenfalls kein kultisch festgelegter Tag (so z. B. Julius Morgenstern: The Mythological Background of Ps 82. HUCA 1939, S. 44: der Neujahrstag). b) Wieder Perf. cons., Einsatz einer bis V. 7a reichenden Parenthese. c) 𝔊B τοῖς υἱοῖς αὐτῆς, vgl. aber Dt 12,18. d) S. 9,23; sonst nur nachexilisch.

5 a) Unklar; 𝔗 בְּחִיר (Hertzberg: »Teil des Angesichtes«, »ein besonders großes und ehrendes Stück«), 𝔙 »tristis« (Budde: מַר אַפַּיִם, Schlögl: אָגֵם) ist auch nur aus dem Zusammenhang erschlossen. 𝔊 πλὴν ὅτι, wonach vielfach אֶפֶס כִּי vorgeschlagen wird (Wellhausen, Ehrlich, S. R. Driver, Dhorme u. v. a.; vgl. auch dazu Joüon: MUB 5/2. 1912, S. 466: Trennung von אֶפֶס und כִּי: was Anna betrifft). Aber auch das ist nicht das, was der Zusammenhang fordert; vielleicht sind Klostermann, Keil mit »eine Portion für zwei Personen« doch im Recht, vgl. J. A. Montgomery: Hebraica. JAOS 1938, S. 134. Erwägenswert erscheint auch die Konjektur ופימה bzw. ופאימה »und zwar ein Fettstück« (Bruno: Epos, S. 45). Eine interessante sachliche Parallele (die Portion eines Verheirateten ohne Sohn zwei Anteile) E. Ebeling: Ein amoritischer Schöpfungsmythus? ZAW 1925, S. 137.

6 a) Vgl. Sir 37,11. b) GK § 117p; BroS § 93d. c) Zur Form GK § 20h, 22s. Zur Bedeutung vgl. arab. *raǧima* »bedrückt sein«, so auch KBL, vgl. dazu J. Reider: Etymological Studies in Biblical Hebrew. VT 1952, S. 120. An sich wäre auch kausatives Verständnis möglich (Reider, a. a. O.; Hertzberg). Damit erübrigen sich die zahllosen Konjekturen (רַחְמָהּ Klostermann, Dhorme; חֶרְפָּתָהּ Smith, הַרְטֵמָה Wutz: Systematische Wege, S. 751 (= weil

sie verschlossenen Leibes war) u. a. d) V. 6b = V. 5bβ, wohl Zusatz, der den literarischen Charakter von V. 6a charakterisiert.

7 a) 𝔖 fem., bezieht die Aussage also explicit auf Pennina; Änderungsvorschläge (תַּעֲשֶׂה S. R. Driver, יֵעָשֶׂה Kittel und die meisten bis zu Hertzberg) verdunkeln den Überlieferungscharakter des Stückes (vgl. Budde). b) 𝔙 Plural, Glättung um des Texteinschubes V. 6 willen, nicht ursprünglich; Änderung danach (z. B. S. R. Driver, Nowack, Greßmann, de Vaux) ist unbegründet; vokalisiere allenfalls עֲלוֹתהּ (Budde, Smith, Dhorme); Subjekt zu עֲלֹתָהּ ist natürlich Hanna. c) Spätere Erweiterung, die den Gedanken von V. 6 ausspinnt.

9 a) Verbindende Klammer, die unterstreicht, daß das geschilderte Ereignis sich in Silo vollzog, von 𝔊𝔗𝔖𝔙 bestätigt und kein Grund zur Änderung (בְּשֵׁלָה »das Gekochte« nach 2,15; vgl. Ex 16,23; Dt 16,7; Wellhausen, Smith, Dhorme, Caspari, Hertzberg – warum hätte hier etwas über die Art des Opferfleisches gesagt werden sollen? Oder בַּלִּשְׁכָּה, nach 𝔊 zu 1,18; so Klostermann, Budde, Kittel, Greßmann, de Vaux). Das überlieferte אכלה muß אָכְלָהּ punktiert werden. 𝔊 *φαγεῖν αὐτοὺς* Angleichung an V. 7. b) Inf. abs. nach Präposition nur hier und unmöglich (GK § 113e), fehlt 𝔊, außerdem Widerspruch zu V. 15. Späterer Zusatz, vielleicht nach Stellen wie Gn 24,54; 26,30; Ex 24,11 u. a. c) 𝔊 + *καὶ κατέστη ἐνώπιον κυρίου*, was zwar von den meisten Auslegern in der Form וַתִּתְיַצֵּב לִפְנֵי יהוה als ursprünglicher Text von 𝔐 angesehen wird, aber wohl eher selbständige Überlieferung ist (Erhellung des prägnanteren Textes von 𝔐? De Boer: Research, S. 57).

10 a) Austausch zwischen אל und על ist auch gerade für Sam charakteristisch, vgl. S. R. Driver.

11 a) GK § 113o. b) Zu אמה im Munde der Schutz und Hilfe suchenden Frau A. Jepsen: Amah und Schiphchah. VT 1958, S. 295. c) Übergang von der 2. zur 3. Pers. unterstreicht die Feierlichkeit des Gelübdes. d) Vgl. dazu Num 3,9; 8,16; 18,6 נְתוּנִים von den Leviten. 𝔊 + *καὶ οἶνον καὶ μέθυσμα οὐ πίεται* vollständigere Darstellung der Nasiräatsbestimmungen, vgl. Num 6,3 (jedenfalls keine freie Erfindung der 𝔊). e) Nasiräatsvorschrift Jdc 13,5; 16,17; Num 6,5 (תַּעַר); vgl. wohl auch Jdc 5,2.

12 a) Vgl. GK § 112ss, eine Verschreibung des geläufigen וַיְהִי ist schwer einsichtig zu machen.

13 a) Was als ungewöhnlich empfunden wird.

14 a) 𝔊 *τὸ παιδάριον Ἠλεί* betont den Abstand. b) GK § 47o.

15 a) 𝔊 *ἡ σκληρὰ ἡμέρα*, wonach vielfach seit Thenius, Wellhausen, auch Caspari, Hertzberg קְשַׁת יוֹם vorgeschlagen wird (Wutz: Systematische Wege, S. 37 קְשַׁת רֵוַח), da קְשַׁת רוּחַ als »widerspenstig« verstanden werden müßte, (was angesichts des einmaligen Vorkommens dieser Verbindung nicht zwingend ist). Einleuchtend de Boer: Research, S. 81 »the executive power is greatly hindered«. Vgl. auch O. Loretz: Weitere ugaritisch-hebräische Parallelen. BZ 1959, S. 293f. (»eine starkmütige, tüchtige Frau«), was freilich ebensowenig überzeugt, wie Peters: Beiträge, S. 228: Abbreviatur für קְשַׁת רֶחֶם. b) Vokalisiere besser וָאֶשְׁפֹּךְ vgl. GK § 163a.

16 a) Wohl nur die vollere Form für לְ, vielleicht auch mundartliche Eigentümlichkeit, die dann mehr als einen einfachen Vergleich zu beabsichtigen scheint (𝔖 קדמיך). Andere tilgen לִפְנֵי und lesen כְּבַת (Haplogr zu אֲמָתְךָ, so Smith, S. R. Driver, Tiktin). Vgl. auch P. Joüon: Notes de Lexicographie Hébraïque. Bibl 1926, S. 290f. b) Vgl. H. J. Franken: The mystical Communion with Jhwh in the Book of Psalms. Leiden 1954, S. 19; auch Müller, Hans-Peter: Die Hebräische Wurzel שׂיח. VT 1969, S. 365. c) 𝔊 *ἐκτέτακα* (aus רְבַדְתִּי? Wutz: Systematische Wege, S. 9): wahrscheinlich vergröbernde Übersetzung, keine Notwendigkeit zur Änderung (Klostermann עָבַרְתִּי; Budde, Smith, Caspari הֶאֱרַכְתִּי; 𝔗 אוֹרֵכִית).

17 a) Im Zusammenhang auffallende Gottesbezeichnung. b) GK § 23f.

18 a) Nicht Ausdruck des Dankes (so Ehrlich, dagegen mit Recht Lande: Wendungen, S. 97), sondern ein Sichempfehlen zum Abschied (vgl. H. J. Stoebe: VT 1952, S. 245). b) 𝔊 + *καὶ εἰσῆλθεν εἰς τὸ κατάλυμα αὐτῆς*, wonach Klostermann, Budde, Dhorme 𝔐 ändern. 𝔊 folgt hier einer volleren Überlieferung (nicht besseren!), als sie 𝔐 vorliegt. c) 𝔊 + *μετὰ τοῦ ἀνδρὸς αὐτῆς καὶ ἔπιεν* vgl. Anm. b; jedenfalls ist es nicht möglich, dieses Stück allein in 𝔐 aufzunehmen (so Hertzberg). Die Nichtaufnahme bedingt andererseits nicht die Streichung von וַתֹּאכַל (Wellhausen, Nowack, Smith, Schulz, Caspari nach 𝔖), das hier allgemeine Bedeutung hat (vgl. jetzt auch Weingreen: VT 1964, S. 227. d) Nach 𝔊 *οὐ συνέπεσεν* (Gn 4,6) vielfach נָפְלוּ (Budde, Driver, Dhorme, Caspari u. a.), doch läßt sich nach Hi 9,27

auch הָיִין rechtfertigen (Wellhausen, Nowack, Schulz, de Vaux). Vgl. dazu G. R. Driver: Hebrew roots and words. WO 1950, S. 414 (dort weitere Angaben).

20 a) Lies besser Sg.; wird von den meisten als Ablauf der Zeit der Schwangerschaft verstanden, 𝔊 τῷ καιρῷ τῶν ἡμερῶν, dann ist Umstellung (mit 𝔊, gegen 𝔗𝔖𝔙) vor וַתֵּלֶד unerläßlich (vgl. Hertzberg). Da das aber Schwierigkeiten macht, liegt die Auffassung »um die Jahreswende, zu Beginn des neuen Jahres« näher (Wellhausen, S. R. Driver, Schulz, Caspari; Sigmund Mowinckel: Zum israelitischen Neujahr und zur Deutung der Thronbesteigungspsalmen. Oslo 1952, S. 15), was nicht eine Umstellung vor V. 21 nötig machte. Vielleicht sollte man vorher וַיֵּדַע vokalisieren? b) Bisweilen als Einschub bzw. gewohnte Erweiterung getilgt (Nowack, Smith, Kittel, auch Wellhausen), doch erscheint וַתַּהַר unentbehrlich. c) Üblicherweise als »der Gott ... ist El« aufgefaßt (KBL), vgl. aber auch NothPers, S. 123 und jetzt L. Kopf: Arabische Etymologien und Parallelen. VT 1958, S. 209 (= »Gott ist erhaben«). Volksetymologie scheint an שָׁמַע gedacht zu haben (was nicht auf ein ursprüngliches שְׁמוּעַ אֵל schließen läßt, so F. Praetorius: Über einige Arten hebräischer Eigennamen. ZDMG 1903, S. 777; dagegen mit Recht S. R. Driver). d) GK § 64f.

1,1–20 *Hannas Gelübde. Samuels Geburt.* Die an den Anfang gestellte Genealogie unterstreicht einmal, daß es sich hier um Ereignisse handelt, die fest in Raum und Zeit stehen, zum andern markiert sie einen deutlichen Neueinsatz, wie er auch Jdc 13,2; 1 Sam 9,1 vorliegt. Daran gemessen erweist dieser Stammbaum sich als überfüllt; textkritische Maßnahmen kommen nicht über willkürliche Vermutungen hinaus und sind deswegen unnötig, weil die Angaben 1,1 sich mühelos auf zwei von einander zu scheidende Einleitungsformulierungen auseinanderziehen lassen[1]. Einmal ist es die auch aus 9,1 bekannte Abfolge: ein Mann, allgemeine Herkunftsbezeichnung, Name, Genealogie, Sippenzugehörigkeit[2] (wobei zu beachten ist, daß auch die Zahl der aufgeführten Vorfahren die gleiche ist). Die andere aus 1,1 zu gewinnende Abfolge – ein Mann, Wohnort, Sippe, Name, daran anschließend eine besondere Eigenart, die den folgenden Bericht einleitet – liegt Jdc 13,2 vor und leitet eine Verkündigung, Verheißung an eine Unfruchtbare ein[3]; sie verzichtet, was in der Natur der Sache liegt, auf nähere genealogische Angaben[4], betont aber den Wohnort, der Jdc 13 Ort der Verkündigung ist[5]. Daß dieser Typus auch 1 Sam 1,1 begegnet, berechtigt natürlich nicht dazu, eine Parallelität zwischen Samuel und Simson anzunehmen, so daß man beide Gestalten auf zwei Quellenstränge verteilen könnte[6], oder eine ursprüngliche Gestalt der Geburtsgeschichte Samuels mit Entlehnungen aus Jdc 13 zu konstruieren[7]; ja es läßt sich nicht einmal sagen, daß Simson als nationaler

1. Vgl. Stoebe: VT 1956, S. 400; eine ähnliche Unterscheidung, wenn auch mit anderer Abgrenzung und nicht eigentlich am Wortlaut ausgerichtet Hylander: Komplex, S. 12. Auch Hylander beobachtet, daß keine der beiden Typen die Darstellung vollständig beherrscht.

2. Weswegen 9,1 מִבִּן־יָמִין nicht beseitigt werden darf, s. dort.

3. Paul Humbert: Der biblische Verkündigungsstil. AfO 1935, S. 77–80; auch E. Burrows: The Gospel of the infancy and other Biblical essays. 1941.

4. Vgl. Lc 1,5ff. das Fehlen eines Stammbaums für Johannes den Täufer.

5. Beachte auch die Motivierung des Altars.

6. Z. B. Budde: Quellen, S. 132; 202 unter Aufteilung der beiden Gestalten auf J (Simson) und E (Samuel).

7. Hylander: Komplex, S. 31ff.

Streiter im Schatten Sauls gestanden habe[8]. Diese Feststellungen berühren natürlich nicht die Fragen der Stellung im jetzigen literarischen Zusammenhang[9]. Die andere, auch 9,1 begegnende Form genealogischer Einleitung hat die Betrauung mit einem besonderen Auftrag zum Inhalt. Dieser doppelten Form der Einleitung entspricht die doppelte Zielsetzung in der Durchführung, insofern es sich um eine Geburts- und eine Beauftragungsgeschichte handelt[10]. Dabei handelt es sich nicht um verschiedene Quellen, denn dann fehlte mindestens der einen die organische Fortsetzung[11], sondern um frei verwendbare Darstellungsmotive; die Sache wird in den Sam-Büchern häufiger begegnen[12]. Das ist ein Zeichen dafür, wie die äußeren Formen der Darstellung auch da noch konstant blieben, wo die Inhalte bereits über die ursprüngliche Absicht hinaus sublimiert und Gegenstand freier Komposition waren. Es ist ein Zeichen für den literarisch sekundären Charakter dieses Stückes, daß die Sublimierung sehr weit vorgeschritten ist. Beide Typen der Einführung leiten die Herkunft des Elkana auf einen Zuph zurück, der seinen Namen einer Landschaft in Ephraim gegeben oder ihn von dort empfangen hat (vgl. Anm. d zu V. 1). Die Lage ist unbekannt; eine Beziehung des Namens zum mons scopus bei Jerusalem[13] ist von vornherein unwahrscheinlich. Daß Zuph hier überhaupt erst in Angleichung zu 9,5 eingefügt wurde[14], wäre eine angesichts der literarischen Entstehung nicht unmögliche Annahme. Näher liegt es aber, daß über die Herkunft Samuels tatsächlich Überlieferungen vorhanden waren, wie die Namensabweichungen in der Wiedergabe 1 Chr 6,11.12 trotz gemeinsamen Bestandes zeigen. Dabei hat 1 Sam 1 insofern Selbständigkeit bewahrt, als 1 Chr 6 Samuel verständlicherweise zum Leviten macht[15]. Auch die Angabe des Herkunftsortes mit הָרָמָתַיִם führt auf eine Sonderüberlieferung[16]. Die vom üblichen רָמָה abweichende Form (vgl. Anm. c zu V. 1) ist nicht durch die spätere Ergänzung einer ursprünglichen Lücke zu erklären, bei der eine modernere Form des Namens Anwendung fand[17]. Dagegen spricht wohl, ebenso wie gegen die vorgebrachten Änderungsvorschläge (vgl. Anm. c zu V. 1), daß die Angabe des Heimatortes integrierender Bestandteil der Einführung ist. Jedenfalls soll damit die ephraimitische Herkunft Samuels unterstrichen, sein Heimatort von dem benjaminitischen Rama unterschieden werden, an das sonst bei der Nennung dieses Namens in der Saulgeschichte gedacht ist[18]. Die Namensform הָרָמָתָה 1,19; 2,11 könnte bereits Angleichung daran sein[19]. Daß von der Voraussetzung

8. Wellhausen: Composition, S. 227.

9. Vgl. dazu Noth: Studien, S. 61.

10. Hylander spricht von einem Geburts- und Silomotiv; aber in der überlieferten Form sind eben beide Silomotive.

11. Insofern besteht die Annahme literarischer Einheitlichkeit zu Recht.

12. Vgl. zu 17,12ff.

13. Marquart: Fundamente, S. 12.

14. Schunck: Benjamin, S. 103.

15. Vgl. dazu Kurt Möhlenbrink: Die levitischen Überlieferungen des Alten Testaments. ZAW 1934, S. 200f.

16. Hertzberg.

17. Wellhausen, Tiktin.

18. Vor allem 19,18ff., dazu Schunck: Benjamin, S. 104.

19. Schunck sieht darin sogar eine bewußte Auffüllung durch seinen R^{II}, was freilich nicht die abweichende Form erklärt.

her, daß auch hier das benjaminitische Rama gemeint sei[20], eine Spannung besteht, zeigt die gewundene Annahme, daß Elkana von Ephraim nach Benjamin zugewandert sei[21]. Ebensowenig darf Samuel von vornherein zum Benjaminiten gemacht werden[22]. Die Lage dieses הָרָמָתָה ist umstritten (vgl. Anm. c zu V. 1). Wie weit der in der Nähe von *rentis* noch in jüngster Vergangenheit begegnende Sippenname *riǧāl ṣūfah*[23] hierfür Bedeutung haben kann, ist mindestens fraglich. Auch wenn damit die Klärung des hinter der Überlieferung stehenden historischen Sachverhaltes weiter erschwert wird, muß gefolgert werden, daß unabhängig von der Darstellung der frühen Königszeit in den Samuelisbüchern zur Herkunft und Abstammung Samuels eigene Überlieferungen zur Verfügung standen, an die ein frei schaffendes Erzählen anknüpfen konnte. Über die Entstehung und historische Zuverlässigkeit dieser Überlieferungen läßt sich nichts sagen. Zu der Annahme, daß einige der genannten Vorfahren in eine Genealogie Elis gehören[24], besteht ebensowenig Grund wie zu vertikalen Aufgliederungen[25]. Mit der Nennung der unfruchtbaren Hanna ist das Thema der Erzählung angegeben.

3 Elkana zieht alljährlich nach Silo. Die unbestimmte Angabe עִירוֹ ist kein Argument gegen die Ursprünglichkeit von הָרָמָתַיִם V. 1; wo das entscheidende Geschehen nach Silo verlegt wird, spielt der Heimatort keine Rolle mehr. Silo (vgl. Anm. e) ist der geistig-religiöse Mittelpunkt und Standort der Lade (vgl. Exkurs S. 165). Welche Gründe für die Verlegung dieses religiösen Heilssymbols am Ende der Richterzeit nach Silo maßgeblich gewesen sind[26], entzieht sich unserer Kenntnis; doch ist die Bedeutung Silos unbestritten[27]. Wie gut man noch in späterer Zeit von seiner Bedeutung wußte, zeigt die aus priesterlicher Überarbeitung stammende Angabe[28], daß dort der אֹהֶל מוֹעֵד gestanden habe (Jos 18,1; 19,51; vgl. zu 1 Sam 2,22). Der archäologische Befund bestätigt die Besiedlung in frühisraelitischer Zeit, läßt aber eine Besiedlungslücke in der Spät-Bronzezeit erkennen (vgl. die in Anm. e genannte Literatur)[29]. Das spricht nicht dafür, daß in Silo ein altes kanaanäisches Heiligtum übernommen wurde[30]. Ebensowenig kann der Name Eli[31] dafür in Anspruch genommen werden, daß in Silo

20. Besonders nachdrücklich Budde; vgl. auch Bright: History, S. 165.

21. Z. B. Klostermann, Budde; Wutz: Wege, S. 751 bringt צוֹפִים sogar mit arab. *ḍayfun* zusammen und denkt an Flüchtlinge.

22. Nielsen: Shechem, S. 317.

23. Simons: Texts, § 646–647.

24. Cook: IQR 1906, S. 534.

25. Marquart: Fundamente, S. 12f.

26. Noth: System, S. 95.

27. Eißfeldt: VTS 4. 1957, S. 138–147.

28. Martin Noth: Das Buch Josua. 2. Aufl. 1953 (HAT I/7) z. St. Anders Menaḥem Haran: The nature of the »'Ohel Mo'edh« in the Pentateuchal sources. JSS 1960, S. 63f., der auch in 1 Sam 1–3 den priesterlichen אֹהֶל־מוֹעֵד findet; ähnlich auch Kraus: Gottesdienst. 1962, S. 166. Zur Sache noch Gerhard von Rad: Zelt und Lade. NKZ 1931, S. 476–498 (Ges. Stud., S. 109–129).

29. Dazu auch Schunck: Benjamin, S. 19.

30. So z. B. Nielsen: Shechem, S. 317; vgl. dazu die genau entgegengesetzten Folgerungen bei Albrecht Alt: Der Gott der Väter. 1929 (BWANT III/12), S. 64. (K.S., S. 59).

31. NothPers, S. 146.

eine Gottheit des Eltypus verehrt wurde[32], auch wenn der Name in den Priestergenealogien der Chronik fehlt. Eine schriftliche Bezeugung, daß Elis Stammbaum über Ithamar auf Aaron zurückgeht, ist zwar ziemlich jung[33], doch ist an ihrer Zuverlässigkeit nicht zu zweifeln, da bereits 2 Sam 8,17 den Versuch macht, den Zadok durch die Einordnung in die Nachkommen Elis als Aaroniden zu legitimieren. Diesen Harmonisierungen könnte die Nennung Elis in der Chronik zum Opfer gefallen sein. Weniger ist daran zu denken, daß eine ältere Zeit wegen des Pinhas auch Eli auf Mose zurückgeführt hat, weswegen diese anstößige Notiz dann verschwinden mußte[34]. Der Name dieses Sohnes kommt noch in anderem Zusammenhang vor (vgl. Anm. g). Die Annahme, daß die Überlieferung über ihn in früher Zeit noch fließend war[35], liegt näher als dezidierte historische Folgerungen für die Gründung des Heiligtums in Silo (um 1175 durch Pinhas I.)[36]. Daß die Söhne vor dem Vater genannt werden, ist kein Widerspruch zu V. 9; es hat auch keine quellen-[37] oder textkritischen Voraussetzungen[38], sondern erklärt sich eben daraus, daß die Gestalt Samuels einer Siloüberlieferung unter dem Gesichtspunkt der Unwürdigkeit der Eliden zugefügt wurde. Ebensowenig kann es befremden, daß die Lade nicht genannt wird (zu den Folgerungen daraus vgl. S. 87). Ein Bezug auf die Lade könnte übrigens doch gerade in dem Namen יְהוָה צְבָאוֹת liegen, der mit an Sicherheit grenzender Wahrscheinlichkeit auf dem Boden von Silo und in enger Bindung an die Lade entstanden ist[39]. Das צְבָאוֹת ist ursprünglich von der sakral-kriegerischen Funktion der Lade zu verstehen[40] und hat erst später eine Ausweitung ins allgemein Kosmische erfahren[41]. Eine Verkennung dieser Zusammenhänge war es, wenn man in dem בְּשִׁילֹה einen Hinweis auf eine in Silo verehrte Sonderform Jahwes sehen wollte[42].

Damit sind aber die historisch greifbaren Züge erschöpft. Die Regelmäßigkeit der Wallfahrt ist allgemeine Nachwirkung der Gesetzesvorschrift Ex 34,18–24; 23,15–17; Dt 16,16[43]; daß es sich dabei um die Forderung dreimaliger Wallfahrt handelt, steht außerhalb des Gesichtskreises. Daß solche Wallfahrten zur Zeit des

32. Nielsen: Shechem, S. 316.
33. Ant V/361. VIII/11.
34. Hugo Greßmann: Mose und seine Zeit. 1913, S. 275. Vgl. dazu auch Eduard Meyer: Die Israeliten und ihre Nachbarstämme. 1906, S. 92–93.
35. So etwa Hertzberg, van den Born.
36. Auerbach: Wüste I, S. 96.
37. Vgl. u. S. 110; dazu Preß: ZAW 1938, S. 178.
38. Vgl. 𝔊 zu 3 (Anm. g); danach Smith, Budde; andere (z. B. Löhr, Dhorme, de Vaux) wollen es überhaupt als nachträgliche Angleichung an 2,12ff. tilgen.
39. Otto Eißfeldt: Jahwe Zebaoth. Miscellana Academia Berolinensia II, 2. 1950, S. 139 (K.S. III, S. 113); auch Maag (vgl. Anm. d zu V. 3); zuletzt Ross: VT 1967, S. 79. Anders Kurt Galling: Der Ehrenname Elisas und die Entrückung Elias. ZThK 1956, S. 145.
40. Was nicht bedeutet, daß צבאות die Heerscharen Israels sind, vgl. dazu Eichrodt: Theologie I, S. 120, auch Tsevat: HUCA 1965, S. 50f. Der Form und syntaktischen Verbindung nach ist die Annahme der Übertragung eines kanaanäischen Gottesprädikates auf Jahwe am nächstliegenden (Eißfeldt; vgl. auch die Angaben in Anm. d zu V. 3).
41. So etwa Köhler: Theologie 1947, S. 33; auch Vriezen: Theologie, S. 124.
42. Alfred Bertholet: Götterspaltung und Göttervereinigung. 1933 (SgV 164), S. 4.
43. So richtig schon Budde.

Herbstfestes stattfanden, ist durchaus möglich – ein Herbstfest, wenn auch ohne Wallfahrt, kennt ja auch Jdc 21,21 –, aber alle weiteren Folgerungen auf die kultische Feier eines Neujahrsfestes (vgl. Anm. a zu V. 4) oder die Umstellung des kultischen Lebens Israels in Silo[44] können sich hierauf nicht berufen[45].

4–8 Das Motiv der durch Kinderreichtum glücklicheren Nebenbuhlerin ist im AT geläufig (Sarah – Hagar; Rahel – Lea), hat hier aber im Gegensatz zu den genannten Stellen für die Fortführung der Geschichte keine weitere Bedeutung und erweist sich damit als stärker gefühlsmäßig betonte Erweiterung (vgl. auch zu 17,12ff.). Das wird auch daran deutlich, daß der Zusammenhang hier unglatt wird (die ungeschickte Wiederholung von 5b in 6; vgl. Anm. d), weiterhin daran, daß das einmalige Ereignis, eingeleitet durch וַיְהִי הַיּוֹם, durch die langatmige Einfügung oft geübter Bräuche an Prägnanz verliert. Selbst bei V. 8 ist nicht eindeutig zu entscheiden, zu welchem der beiden Erzählungskreise er gehört. Eine Spannung liegt vielleicht auch zwischen V. 7 u. V 9, denn nach V. 7b läge es näher, wenn Hanna, ohne zu essen, aufstünde[46]. Zu beachten ist hier noch die Teilnahme der Frauen an der Opfermahlzeit, was vermutlich ein Zeichen jüngerer Entstehung dieses Stückes ist (vgl. זְכוּרְךָ Ex 23,17; 34,18; Dt 16,16), freilich nicht unbedingt sein muß, da sie andererseits Dt 12,12; 14,26; 15,20; 16,11 zwar nicht ausdrücklich genannt, anscheinend aber vorausgesetzt wird. Inhaltlich freilich ist gerade dieses Stück ein eindrucksvolles Zeugnis für die Stellung der Frau in Israel und ein schönes Beispiel von Gattenliebe und Zartheit. Mit aller Vorsicht läßt sich wohl sagen, daß sich im Gedanklichen eine Verwandtschaft mit Prv 31,10–31 feststellen läßt.

9–11 Die nachdrückliche Betonung des Ortes (vgl. Anm. a zu V. 9) ist sicher ursprünglich und läßt ein Wissen darum erkennen, daß Verkündigungserzählungen nicht an ein Heiligtum, sondern eher an den Wohnort der Eltern gehören. Die Erwähnung eines Tempels in Silo dürfte zur eigentlichen Siloüberlieferung gehören und damit verbürgt sein (vgl. Jer 7,11; auch 𝔊 zu 1 Sam 4,13). Das Gelübde, das Hanna hier ausspricht, ist ein Nasiräatsgelübde[47]. Seinem Wesen nach bedeutet das Nasiräat eine von Jahwe ausgehende Beschlagnahme (und Ausrüstung) zu vorbehaltloser Hingabe an ihn und seine Zwecke und hat seinen Wurzelgrund vermutlich im Institut des sakralen Krieges[48]. Die mit dem Verbot des Scherens, dem an sich wichtigsten Teil der Vorschriften, ursprünglich verbundenen Mana-Vorstellungen[49] scheinen in Israel zunächst auch in Zusammenhang mit dem Krieg gesehen worden zu sein (Jdc 5,2). In der von diesem Grund losgelösten und abgeschwächten Form hat das Nasiräat dann den Charakter einer zeichenhaften Opposition gegen den Kanaanismus[50]. Noch Amos (2,12) kennt es

44. Etwa Kraus: Gottesdienst 1954, S. 35; Gottesdienst 1962, S. 204f.
45. Vgl. zur Frage Ernst Kutsch: Das Herbstfest in Israel. Theol. Diss. Mainz 1955.
46. Vgl. 𝔊 z. St. (9a).
47. Zum ganzen Komplex H. Salmanowitsch: Das Nasiräat nach Bibel und Talmud. 1931.
48. Eichrodt: Theologie I, S. 200; Pedersen: Israel III/IV, S. 264ff.
49. Joseph Henninger: Zur Frage des Haaropfers bei den Semiten. Die Wiener Schule der Volkskunde 1956, S. 348–368.
50. von Rad: Theologie I, S. 71.

als von Gott gegebenes Charisma neben dem Prophetentum, wobei als hervorstechendstes Merkmal die Enthaltung vom Wein steht, vermutlich deswegen, weil hier Übertretungen besonders leicht möglich waren. Im übrigen sind die Formen des Nasiräats wohl fließend gewesen[51]. Jedenfalls ist an ein kriegerisches Nasiräat hier nicht mehr zu denken. Mit der Entfremdung vom ursprünglichen Boden ändern sich notwendig auch die Formen einer Einrichtung. Num 6,1 ff. hat das von Jahwe verliehene Charisma den Charakter eines Gelübdes angenommen, das der Mensch auf eine von ihm selbst befristete Zeit ablegen kann, wovon auch Frauen nicht ausgeschlossen sind. Eine ähnliche Anpassung an das levitische Ritual haben wir auch hier. Es liegt weder etwas Auffallendes darin, daß Hanna das Gelübde ausspricht, noch in dem וּנְתַתִּיו[52], so daß kein Grund zur Annahme nachträglicher Erweiterung des Textes durch eines der beiden Gelübde besteht[53]. Wir stoßen hier wieder darauf, daß wir eine sehr spät ausgeformte, ja auch spät entstandene Geschichte vor uns haben, für die das Nasiräat bekannte Form ohne lebendigen Inhalt war. Damit hängt es wohl auch zusammen, daß die Rezensionen sehr weit auseinandergehen (vgl. Anm. d zu V. 11 u. Anm. d zu V. 22).

12–13 Auch wenn wortloses Beten ungewöhnlich war, überrascht die Antwort Elis; sie ist ebensowenig ein Beweis für kultische Verwilderung in Silo[54] wie für novellistische Freude am Detail[55], sondern weist im Ansatz auf den dieser Darstellung fehlenden Zug der Alkoholabstinenz (als Forderung an die Mutter auch Jdc 13,4).

17 Zum Erzählungsstil hätte es gehört, daß ein Verkündigungsengel die Verheißung der Nachkommenschaft gegeben hätte; das kann Eli, auf den (und damit auf Silo) hin hier alte Motive angewendet sind, aber nicht tun[56]. So beschränkt sich sein Wort auf eine allgemeine Verheißung, die den Charakter eines Segenswunsches hat, um so mehr, als Eli über den Inhalt des Gebetes ja nichts weiß. Auch diese Erweichung eines Motivs kennzeichnet die Entstehungszeit. Es war eine falsche Konsequenz aus einer an sich richtigen Beobachtung, wenn man das Gebet der Hanna als Verlangen nach einem Orakel deutete[57].

20 Es ist üblich geworden, in der Erklärung des Namens שְׁמוּאֵל durch שׁאל einen Hinweis darauf zu sehen, daß hier eine ursprüngliche Saulüberlieferung auf Samuel umgebogen wurde[58]. Dieses Urteil ist sicherlich zu formalistisch. Eine

51. Nach 1 Sam 21 (s. d.) könnte unter bestimmten Voraussetzungen auch geschlechtliche Abstinenz dazu gehört haben.

52. Vgl. zuletzt Menahem Haran: The Gibeonites, the nethinim and the sons of Salomon's servants. VT 1961, S. 159–169.

53. Vgl. etwa Wellhausen, Budde, Smith; aber ebenso unbegründet ist die Abschwächung des Nasiräats zu einer bloßen Priestersitte (Löhr, Nowack).

54. von Rad: Theologie I, S. 47; vgl. auch die Schilderung eines Herbstfestes bei Sigmund Mowinckel: Psalmenstudien II. 1921, S. 97.

55. Hylander: Komplex, S. 16.

56. Eine andere Beurteilung dieses Zusammenhanges Hylander: Komplex, S. 14.

57. Morris Jastrow: The name of Samuel and the stem sha'al. JBL 1900, S. 85

58. So nach Lods: Origines, S. 411 (vgl. aber schon Jastrow: JBL 1900, S. 83), vor allem Hylander: Komplex, S. 12 und Johannes Hempel: Die althebräische Literatur. 1930, S. 91 (Motivübertragung), was dann weithin unbegründet starke Zustimmung gefunden hat; zuletzt L. Seeligmann: Voraussetzungen der Midraschexegese. VTS 1. 1953, S. 155.

solche Geschichte könnte nicht losgelöst vom sonstigen Korpus der Saulüberlieferung bestanden haben; in diesem findet sich aber nichts, was eine solche Annahme rechtfertigen könnte. Außerdem gibt es andere Beispiele für Ableitungen, die etymologisch nicht aufgehen[59]. Es ist also auch nicht nötig, ein so postuliertes שָׁאוּל auf die Stellung Samuels als eines an den Tempel geliehenen Knaben zu deuten[60]. Die Spannung erklärt sich ohne Not aus der nachträglichen Entstehung der Geschichte und der zentralen Bedeutung von שאל in diesem Zusammenhang, die den Gedanken an eine Erhörung (vgl. Anm. d zu V. 20) durchaus nahelegt. Allenfalls mag man in Erwägung ziehen, ob hier eine Kritik am Königtum Sauls ausgesprochen ist, was zur Zeit der mutmaßlichen Entstehung dieser Geschichte durchaus denkbar wäre.

59. Johannes Fichtner: Die Ätiologie in der Namengebung der geschichtlichen Bücher des Alten Testaments. VT 1956, S. 384.
60. Torczyner (vgl. Anm. c zu V. 27).

1,21–28 *Die Einlösung des Gelübdes*

21 Als der Mann Elkana (nun wieder) mit seiner ganzen Familie hinaufzog, um Jahwe das Jahresopfer[c] und dazu sein Gelübdeopfer[a] darzubringen[b], 22 ist Hanna nicht mit hinaufgezogen, sondern sie sagte zu ihrem Mann: »(ich will warten), bis der Knabe entwöhnt ist, dann will ich ihn bringen[a], daß er vor Jahwe erscheine[b] und für immer dort[c] bleibe[d].« 23 Elkana, ihr Mann, stimmte ihr zu: »(Ja) mache es so, wie du es für richtig hältst; wenn nur Jahwe seine Verheißung[a] aufrechterhält.« So blieb die Frau daheim und stillte ihren Sohn, bis sie ihn entwöhnt hatte. 24 Als es dann soweit war, daß sie ihn entwöhnt hatte, nahm sie ihn mit sich hinauf, ⟨dazu auch einen dreijährigen Stier⟩[a], ein Epha[b] Feinmehl und einen Schlauch Wein und brachte ihn[c] zum Hause Jahwes nach Silo; und der Knabe ⟨ward ein Geweihter⟩[d]. 25 Als sie den Stier geschlachtet hatten, führten sie[a] den Knaben zu Eli. 26 Und (Hanna) sagte: »Erlaube, mein Herr, so wahr du lebst, mein Herr, ich bin (doch) die Frau, die (einmal) an dieser Stelle bei dir gestanden ist[a], um zu Jahwe zu beten. 27 Um diesen Knaben hier hatte ich gebetet, und Jahwe hat mir die Bitte[a] erfüllt, die ich an ihn gerichtet habe. 28 Auch ich will ihn nun Jahwe darleihen[a]; alle Tage, solange er lebt[b], soll er Jahwe dargeliehen sein[c].« Und er betete dort ehrfurchtsvoll zu Jahwe[d].

21 a) Vgl. dazu Lev 7,16; 22,18.21; 23,28; Num 15,3 u. a. b) 𝔊 + *ἐν Σηλωμ* außerdem Zusatz am Satzende *καὶ πάσας τὰς δεκάτας τῆς γῆς αὐτοῦ*, was ebensowenig ursprünglich 𝔐 wie freie Erfindung von 𝔊 sein wird. c) Dazu Haran, Menahem: ZEḆAḤ HAYYAMÎM. VT 1969, S. 11–22.

22 a) 𝔊 *ἕως τοῦ ἀναβῆναι τὸ παιδάριον*. b) Vgl. dazu Dt 16,16; 31,11; Jes 1,12; Ex 23,17 (אֶל). Es handelt sich um die Umformung eines liturgischen Ausdrucks, der einmal vom Sehen Gottes redete (Ex 23,15; Jes 1,12). c) 4 QSam (Cross: BASOR 132. 1953, S. 26)

+ לפני [יהוה]. d) 4 QSam: יהי נזיר עד עולם כל ימי …, was weder in 𝔐 noch 𝔊 Entsprechung hat, aber in der Linie des Gedankens liegt (vgl. 𝔊 zu V. 11).

23 a) 𝔊 *τὸ ἐξελθὸν ἐκ τοῦ στόματός σου*, durch 4 QSam bestätigt (vgl. auch 𝔖). Von den Auslegern zumeist als דְּבָרֵךְ übernommen, weil von einer Verheißung Gottes, deren Erfüllung noch ausstünde, nichts gesagt ist. Doch ist diese Konjektur keine Erleichterung, da הֵקִים דָּבָר die Erfüllung einer Verheißung bedeutet und Hanna keine Verheißung gegeben hat, andererseits für die Erfüllung eines Versprechens selber verantwortlich ist. 𝔐 ist Hinweis auf das Konstruktive dieser Geburtslegende (vgl. die Auslegung) und wird mit Recht von Rehm, Caspari, Hertzberg u. a. beibehalten.

24 a) 𝔊 *τριετίζοντι* (auch 𝔖 gegen 𝔗𝔙) = מְשֻׁלָּשׁ wie 4 QSam, בקר משלש […], vgl. Gn 15,9. Da 𝔐 aus Verschreibung gut zu erklären ist, dürfte das das Ursprüngliche sein. Vgl. aber auch E. A. Speiser: The Nuzi Tablets solve a puzzle in the books of Samuel. BASOR 72. 1938, S. 15–17. Ein dreijähriger Ochse ist wegen des wirtschaftlichen Wertes ein sehr gutes Opfer. 𝔊 wie 4 QSam setzen weiterhin ein לֶחֶם voraus. Vgl. auch Loewenstam, Samuel E.: Zur Traditionsgeschichte des Bundes zwischen den Stücken. VT XVIII 1968, S. 505f. b) 39,3l. c) 𝔊 *καὶ εἰσῆλθεν*, die Änderung in תָּבוֹא (Dhorme, Caspari, de Vaux) ist indessen unnötig. d) 𝔊 hat hier eine große Erweiterung *καὶ τὸ παιδάριον μετ' αὐτῶν. καὶ προσήγαγον ἐνώπιον κυρίου, καὶ ἔσφαξεν ὁ πατὴρ αὐτοῦ τὴν θυσίαν, ἣν ἐποίει ἐξ ἡμερῶν εἰς ἡμέρας τῷ κυρίῳ, καὶ προσήγαγεν τὸ παιδάριον*, was Cross: BASOR 132. 1953, S. 19 durch 4 QSam bestätigt findet und als ursprünglichen Text übernimmt (so schon früher Peters: Beiträge, S. 118), woraus 𝔐 durch homoeotel entstanden sei (erklärt homoeotel Sinnlosigkeiten?). Mit Recht warnt A. Guillaume: Langue et Traditions Arabes …. Orientalia et Biblica Lovaniensia I. 1957, S. 111–121 vor der Emendierung des hebräischen Textes in Übereinstimmung mit 𝔊; deswegen bleibt auch die Konjektur וְהַנַּעַר עִמָּה(ם) (Wellhausen, Nowack, Dhorme, S. R. Driver, Budde u.a.) bedenklich. Schulz, Hertzberg verweisen auf Jdc 8,20, der Knabe war noch klein; aber da ist der Zusammenhang ein anderer. Da es auffällt, daß die Erzählung, die so deutlich auf das Nasiräat abzielt, diesen Gedanken nicht klarer zum Ausdruck bringt, ist vielleicht נָזִיר zu lesen, vgl. Sir 46,13 und Anm. d zu V. 22. Guillaume: a. a. O., S. 115f. erklärt »l'enfant était un enfant superbe«. Erwägenswert, wennschon auch nicht völlig überzeugend, versteht es jetzt Tsevat, in: Sepher Segal, S. 77 als »der Knabe trat seinen Dienst als Diener an«.

25 a) 𝔊 *ἔσφαξεν … καὶ προσήγαγεν Αννα ἡ μήτηρ τοῦ παιδαρίου*; es liegt eine andere Vorstellung von der Situation vor. Eine Erklärung dieser Spannungen durch mißverstandene archaische Verbalform siehe bei Cross: a. a. O., S. 19f.

26 a) Zur Beziehung des Ausdrucks zur Gebetshaltung siehe D. R. Ap-Thomas: Notes on some terms relating to Prayer. VT 1956, S. 227.

27 a) GK § 95h.

28 a) Grundbedeutung »jemanden (erfolgreich) bitten lassen«, daraus »darleihen«. b) Lies mit 𝔊𝔗𝔖 חַי und ergänze davor הוּא. c) Vgl. 2 Reg 6,5; die Bedeutung des Part. ist demnach vom Hiphil abzuleiten (NothPers, S. 136). Caspari denkt an Fachausdruck anläßlich eines Gelübdes; vgl. hierzu auch H. Torczyner: Biblische Kleinprobleme I. MGWJ 1930, S. 254 bis 257, wonach שָׁאוּל die Stellung eines dem Tempel überlassenen Knaben (mit geringschätzigem Sinn) bedeutet. d) 𝔖𝔙 Pl., in 𝔊 ausgelassen; vgl. zu 2,11.

1,21–28 *Die Einlösung des Gelübdes.* Die Darstellung bleibt zunächst (in der Schilderung der Fürsorge der Mutter für das Kind, des Mannes für seine Frau) in der Linie des gemüthaften Details, ohne daß sich darin ihr Inhalt erschöpft. Die Entwöhnung erfolgte erst nach Jahresfrist (2 Macc 2,27 gibt drei Jahre an); das Fehlen jeglichen Hinweises auf ein Fest am Tage der Entwöhnung (vgl. Gn 21,8) zeigt am besten, wie wenig Nachdruck darauf liegt. Andererseits bestehen einige Spannungen. Das Gelübdeopfer des Mannes V. 21 liegt zwar im Tenor der Erzählung, ist aber im Wortlaut nicht vorbereitet; außerdem ist es Hanna, die die Darbringung des Sohnes gelobt hat. Nun wird nicht daran zu denken sein, daß ein Mann ein Gelübde seiner Frau gleichsam ratifizieren mußte (Num 30,14), ein eigenes Gelübde also die solennste Form einer Billigung war[1], denn dabei handelt es sich um relativ geringe Gegenstände. Eher wird an eine Stileigentümlichkeit zu denken sein, denn auch Manoah versucht, dem Boten Jahwes seine Erkenntlichkeit zu bezeigen (Jdc 13,11f.). Ebensowenig ist eine V. 23 vorausgesetzte Verheißung Jahwes (vgl. Anm. a zu V. 23) vorher erwähnt. An sich gehört es zum Schema der Verheißung an eine Unfruchtbare, daß die künftige Aufgabe des kommenden Kindes mit genannt wird; der Jahwebote muß demzufolge hier implicit vorausgesetzt werden, wenn er auch infolge der Umbiegung des ganzen Motivs (vgl. zu V. 17) jetzt notwendigerweise fehlt. Im übrigen zeigt die abweichende Rezension (vgl. Anm. d zu V. 22), in wie verschiedener Weise die Phantasie der Tradenten sich um diesen Text bemühte[2]. Der Schluß des Kapitels kreist wieder sehr stark um die verschiedenen Deutungsmöglichkeiten von שׁאל und verrät damit priesterliches Denken[3]. Die Lebenslänglichkeit der Übergabe wird noch einmal nachdrücklich betont; man hat den Eindruck, daß bei dieser Einarbeitung der Rahmen einer Siloüberlieferung fast ganz vergessen ist.

1. So vor allem Hertzberg.
2. Das ist auch der Grund für die zum Text vorgeschlagene Ersetzung des נַעַר durch נָזִיר.
3. Vgl. dazu de Vaux: Lebensordnungen II, S. 192.

2,1–10 *Hannas Lobgesang*

1 Damals betete Hanna und sprach:
Es frohlockt[a] mein Herz in Jahwe, erhöht ist mein
Horn[b] ⟨in meinem Gott⟩[c];
Im Jubel über meine Feinde ist mein Mund geöffnet[d],
denn[e] ich freue mich deiner göttlichen Hilfe[f].
2 Keiner ist heilig wie Jahwe [denn keiner ist außer dir][a].
Keiner ein Fels[b] gleich unserem Gott.
3 Macht nicht die Worte so viel[a] hoch daher, hoch daher[b],
nur Vermessenes[c] geht[d] ja aus eurem Munde.
Denn ein Gott unendlicher Weisheit[e] ist Jahwe,
und schändliche Taten[f] bestehen[g] nicht[h].
4 Der Helden Bogen (liegen) zerbrochen[a],
aber Strauchelnde haben mit Kraft sich gegürtet.
5 Satte gehen nach Arbeit[a] ums Brot,
aber Hungerleider können feiern für immer[b].
Die unfruchtbar war, gebiert sieben,
doch die Kinderreiche welket dahin[c].
6 Jahwe macht tot und lebendig,
führt in Todesreich und leitet herauf.

7 Jahwe macht arm[a] und macht reich,
  erniedrigt, doch erhöht er auch wieder.
8 Er richtet aus Staub den Niedrigen auf,
  erhöht[a] aus der Asche den Armen[b],
Platz (ihm) zu geben bei Herren[c],
  einen Ehrenthron läßt er sie erben.
Denn sein sind die Säulen[d] der Welt,
  auf ihnen hat er den Erdkreis gegründet[e].
9 Die Schritte seines Frommen[a] bewahrt er wohl,
  aber Frevler verstummen im Dunkel.
[denn nicht eigene Kraft macht zum Sieger den Mann][b].
10 Die mit Jahwe[a] rechten[b], gehen zugrunde,
  läßt der Erhabene[c] donnern im Himmel[d].
Jahwe richtet die Enden der Erde,
  seinen König beschenkt[e] er mit Kraft
und erhebt[f] das Horn seines Gesalbten.

1 a) 𝔊 *ἐστερεώθη* (= עצם). b) Geläufiges Sinnbild der Kraft und Macht; vgl. Ps 75,5.6; 89,18.25; 92,11; 112,9 u. a. c) Lies nach 𝔊 בֵּאלֹהַי, eine Streichung oder Änderung in כי (Bruno, S. 48) ist unbegründet. 4 QSam bestätigt 𝔐 gegen 𝔊. d) Vgl. Ps 35,21; 81,11; Jes 57,4. e) Fehlt 𝔊, ist aber nicht als Dittogr (Dhorme) zu tilgen. f) Zum Wechsel der Person vgl. Hermann Gunkel – Joachim Begrich: Einleitung in die Psalmen. Göttingen 1933 (HK), S. 47.

2 a) Zeigt eine über den Kontext hinausgehende Gottesanschauung (vgl. Jes 43,10f.; 45,5), wäre außerdem der einzige dreistichige Vers, was die Annahme späterer Erweiterung bestärkt. Bressan: Bibl 1951, S. 507f. 𝔊 nachgestellt *οὐκ ἔστιν ἅγιος πλὴν σοῦ*, was nicht Paraphrase (de Boer: Research, S. 58), sondern eher selbständige Textform ist; vgl. Cross: BASOR 132. 1953, S. 20. b) 𝔊 *δίκαιος* Änderung aus theologischen Gründen, vgl. 𝔊 zu Dt 32,4.15; Ps 18,32.47; 28,1; 31,3 u. a. Vgl. grundsätzlich zur Frage G. Bertram: Vom Wesen der Septuagintafrömmigkeit. WO 1956, S. 274–284; außerdem Gehman: JAOS 1950, S. 292–296.

3 a) GK § 120g; BroS § 133b. Die Annahme einer Doppellesart (Smith, Caspari) ist unbegründet. b) 𝔊[B] *ὑψηλά* (vgl. die Rekonstruktion von 4 QSam), deswegen von vielen als Dittogr angesehen; vgl. aber Dt 2,27; 16,20; Qoh 7,24, dazu Eduard König: Stilistik, Rhetorik, Poetik. Leipzig 1900, S. 155, auch P. Saydon: Assonance in Hebrew as a mean of expressing emphasis. Bibl 1955, S. 36–50 (war das erste als גָּבֹהַּ zu lesen?). Die Erklärung als direkte Rede (Richtungsakkusativ, Wellhausen) verbietet sich durch תְּדַבְּרוּ (Budde). c) Vgl. Ps 31,19; 75,6; 94,4; nach ugar. *ʿtq* »gehen, vergehen« scheint der Gedanke der objektiven Vergänglichkeit mit eingeschlossen. d) So auch Caspari. (Schulz ähnlich: »die Frechheit schwinde«). Die meisten ziehen das אַל auch hierzu, GK § 152z. e) Dichterischer Plural zur Intensivierung des Begriffes GK § 124e. f) Hier abwertend wie Ez 20,43; 21,29 u. ö. g) 𝔊 *καὶ θεὸς ἑτοιμάζων ἐπιτηδεύματα αὐτοῦ*; doch ist die Annahme אֵל תֹּכֵן (so Wellhausen, Budde, Smith u. v. a.) kaum berechtigt; näher läge »von ihm (s. Anm. h) werden die Taten geprüft« (S. R. Driver, Hertzberg, Rehm, de Vaux; auch S. Grill: Die Partikel lo lô lù lâ. BZ 1957, S. 278). תָּכַן als Nebenform zu כון (Jakob Barth: Wurzeluntersuchungen zum hebr. und aram. Lexikon. Leipzig 1902, S. 52f.) hat auch die Bedeutung »richtig, in Ordnung sein« im Sinne von »Bestand haben« (vgl. Ez 18,25.29; 33,17, dazu Ehrlich); danach entweder »seine (Gottes) Taten (vgl. Anm. h) sind in Ordnung« (Dhorme, de Groot; Bressan: Bibl 1951, S. 508), oder besser »die bösen Taten haben keinen Bestand« (de Boer: Research, S. 82,

ähnlich Ehrlich). h) Qere 𝔙 לוֹ, in der Auslegung zumeist übernommen, aber wohl doch aus dem Mißverständnis von נִתְכְּנוּ entstanden.

4 a) GK § 146a; BroS § 124a; Textänderungen unnötig. Zum Verbum vgl. Joüon: MUB 5/2. 1912, S. 425ff.

5 a) 𝔊 πλήρεις ἄρτων ἠλαττώθησαν würde auf יִשָּׁבְרוּ (Caspari) oder auf נִשְׁכָּנוּ (Wutz: Systematische Wege, S. 754), weniger auf die Wz. חסר (Smith) führen, ist aber durch die Beziehung von בַּלֶּחֶם auf שְׂבֵעִים bedingt; 𝔐 scheint durch den Parallelismus gestützt. b) 𝔊 ἀσθενοῦντες παρῆκαν γῆν (danach Smith ירשו ארץ: παρῆκαν aus παρῴκησαν) ist ebenso Paraphrase wie 𝔗 (»vergessen die Armut«) oder 𝔖 (»haben Überfluß«) und hilft nicht zum Verständnis des schwierigen Textes. D. W. Thomas: Some Observations on the Hebrew Root חדל. VTS 4. 1957, S. 14 denkt an arab. *ḫadula* »became plump, fleshy in the limbs« (so auch Ph. J. Calderone: ḤDL-II in Poetic Texts. CBQ 1961, S. 451–454), was aber trotz 𝔙 »saturati sunt« nicht ganz dem Parallelismus entspricht. Wahrscheinlich ist Athnach zu versetzen; dann kann 𝔐 beibehalten (Schulz) oder (Hertzberg) in חָדֵלוּ לַעַד aufgelöst werden (zur Form vgl. BLe § 23c). Andere lesen עֲבֹד, was ebenfalls gut in den Gedanken passen würde (z. B. Budde, Dhorme, de Vaux u. a.), oder עוֹד (Peters: Beiträge, S. 192f.; Caspari). Wellhausen dagegen zieht עַד in der Bedeutung »ja sogar« zum Folgenden. Alle anderen Vorschläge entfernen sich zu weit vom Text (z.B. Wutz: BZ 1935/36, S. 129 נַחְדְּלוּ עַד »werden reich an Anteil«). c) GK § 55d.

7 a) Vgl. Gn 45,11; Jdc 14,15, Nebenform zu ראש.

8 a) GK § 116x. b) Vgl. Ps 113,7. c) 𝔊^AB μετὰ δυναστῶν λαῶν wie Ps 113,8b und vielleicht daher genommen; vgl. dagegen Ps 113,8a; Sir 11,1. Änderung (Smith, Budde; Bressan: Bibl 1951, S. 509) ist jedenfalls unnötig. d) Vgl. 14,5 (wo es nicht mit Budde u. a. als Dittogr getilgt werden darf). Wz צוק = יָצַק »das Gegossene, die Säule« (Dhorme עַמּוּדֵי); jedenfalls ist nicht von der Sorge Jahwes für die Armen die Rede. e) Fehlt 𝔊 𝔏, ist aber deswegen nicht als entbehrlich zu tilgen (Wellhausen, Nowack, Smith, Dhorme), denn die Betonung der Allmacht Gottes liegt in der Absicht der Darstellung.

9 a) Qere חֲסִידָיו. 𝔊 (𝔏) διδοὺς εὐχὴν τῷ εὐχομένῳ καὶ εὐλόγησεν ἔτη δικαίου folgt einer Rezension, die noch stärker die Situation berücksichtigt. b) Entweder ist ein Stichos verlorengegangen (Kittel), oder – und das ist wahrscheinlicher – es liegt eine Auffüllung vor (Smith, Budde, de Vaux). Gegen die direkte Verbindung mit V. 10 (Nowack, Dhorme, Schulz) spricht, daß V. 10 die Fortsetzung von V. 9a ist, die Gedanken von V. 9b wohl auch schon in V. 3 enthalten sind.

10 a) Casus pendens GK § 142f.; 143b. Das in 𝔊 diesen Gedanken abschließende κύριος ἅγιος liegt in der Linie ihrer Erweiterung nach Jer 9,23 (I. L. Seeligmann: Alteration and Adaption. VT 1961, S. 207ff.). b) Qere 𝔖𝔗𝔙 richtig Pl. Die Beibehaltung des Sg. unter Änderung des יְחַתּוּ in יָחֵת (nach 𝔊 ἀσθενῆ ποιήσει ἀντίδικον αὐτοῦ Wellhausen, Nowack, Smith) schwächt nur ab (vgl. S. R. Driver, Budde zur Sache). c) 𝔊 ἀνέβη scheint עָלָה vorausgesetzt zu haben, während 𝔗𝔖𝔙 es in der Form עָלָיו (dazu BLe, S. 641i') auf מְרִיבוֹ beziehen (so etwa Wellhausen, S. R. Driver, de Groot, Smith); wahrscheinlicher ist, daß es sich um den Gottesnamen handelt, entweder als Verschreibung aus עֶלְיוֹן (Perles I, S. 29; Budde, Dhorme, de Vaux, Hertzberg u. v. a.) oder als selbständiger Gottesname (wie 2 Sam 23,1); so nach H. S. Nyberg: Studien zum Religionskampf im Alten Testament. ARW 1938, S. 368f.; auch G. R. Driver: Hebrew ʿal (high one) as a Divine title. ET 1938/39, S. 92 jetzt von den meisten (auch Bressan: Bibl 1951, S. 511) angenommen. d) יַרְעֵם ist durch die Vers. gestützt und braucht nicht nach Ps 2,9 in יְרֹעֵם (Budde, Hertzberg u. a.) oder יָרִים (Caspari) geändert zu werden; vgl. 1 Sam 7,10; vielleicht auch 12,18. Es ist nicht notwendig ein Hinweis auf eschatologisches Verständnis (Bressan: Bibl 1951, S. 520), sondern wäre auch als Nachwirkung der Ideen des Heiligen Krieges zu verstehen (zur Sache G. von Rad: The Origin of the Concept of the Day of Jahwe. JSS 1959, S. 97–108). e) Vielfach als liturgischer Zusatz angesehen (ausführliche Begründung Joüon: MUB 5/2. 1912, S. 467). Doch wird man mit größerem Recht in diesem Vers den entscheidenden Abschluß des Gedichtes zu sehen haben (Budde; Hylander: Komplex, S. 20); 𝔊 mit βασιλεῦσιν hat es nicht eschatologisch verstanden. f) Lies יָרֵם.

2,1–10 *Hannas Lobgesang.* Der Psalm der Hanna, dessen liturgische Nachwirkung noch im Lobgesang der Maria (Lc 1,46ff.) im Neuen Testament begegnet[1], besteht in ziemlich regelmäßigem Aufbau aus 17 Versen, die durch je zwei dreihebige Stichen gebildet werden. Unglattheiten (2aβ. 9b) dürften auf Auffüllungen der ursprünglichen Form zurückzuführen sein. Daß V. 10 aus drei Stichen besteht, erklärt sich aus dem Gewicht des Abschlusses, der mit וְיָרֵם קֶרֶן auf רָמָה קַרְנִי V. 1 zurückleitet, wobei auf dem מְשִׁיחוֹ ein besonderer Nachdruck liegt (vgl. die Auslegung). Weniger klar ist es, ob eine strophische Aufgliederung vorgenommen werden kann. Die ältere, auf Bickell[2] zurückgehende Aufteilung in acht vierzeilige Strophen[3] befriedigt, abgesehen vom Schematischen der Einteilung, auch deswegen nicht, weil sie die letzten beiden Halbverse von V. 10 unterdrückt. Von dem an sich richtigen Gedanken ausgehend, daß die Stropheneinteilung sich nach dem gedanklichen Aufbau richten müsse, fand Dhorme[4] sechs Strophen (1+2; 3; 4+5; 6+7; 8+9; 10), wobei jeweils auf die Angabe eines Themas in zwei Versen die Entfaltung in drei Versen folgt. Das ist zweifellos besser, aber auch noch zu künstlich, muß zudem mit starken Erweiterungen in V. 8 rechnen. Von der gleichen Voraussetzung her gewinnt Bressan[5] vier Strophen (1+2 Grund und Thema des Psalms; 3–5 Gottes Weisheit; 6–8 Gottes Allmacht; 9+10 universale Herrschaft des Messias)[6]. Man muß aber wohl fragen, ob man da noch von Strophen im eigentlichen Sinne reden kann. Richtiger ist es, auf strophische Gliederung zu verzichten.

1 Der Psalm beginnt mit einer Aussage der Freude, die zwar als indikativische Umschreibung einer für den Hymnus charakteristischen Aufforderung verstanden werden kann[7], die hier aber wohl doch die Form sprengt und ein individuelles Moment einführt. Die mit כִּי V. b β eingeführte Begründung gehört zwar formal ebenfalls zum Hymnenstil[8], unterscheidet sich aber von ihm inhaltlich darin, daß der Grund in einer persönlichen Erfahrung des Beters liegt; sie enthält zudem keinen über V. a β hinausgehenden Gedanken.

2 Dem Hymnus entspricht es, daß Jahwe die Hauptperson ist, von der in der dritten Person geredet wird; gegen die Ursprünglichkeit der Worte כִּי אֵין בִּלְתֶּךָ spricht weniger der Übergang von der 3. zur 2. Person (vgl. dazu Ps 89,6–9), wohl aber der ausgesprochene Monotheismus des Gedankens.

3–5 Die Paränese V. 3 sprengt die hymnische Form; die Mahnung zur Demut findet sich auch Ps 75,6, dort allerdings in anderer und wohl auch ursprünglicherer Verbindung. Dem גְּבֹהָה entspricht dort לַמָּרוֹם, wodurch גְּבֹהָה entsprechend der

1. H. Schneider: Die biblischen Oden im Christlichen Altertum. Bibl 1949, S. 34; vgl. auch M. Philonenko: RHPhR 1962, S. 164.
2. Carmina Veteris Testamenti metrice. 1882, S. 197.
3. 1. 2,3a. 3b,4. 5. 6,7. 8a. 8b,9a .9b,10a; so auch Klostermann, Löhr.
4. Le Cantique d'Anne. RB 1907, S. 386–397.
5. Bibl 1952, S. 71f.
6. Einteilung in vier Stanzen schon bei Smith; zu weiteren älteren Versuchen vgl. Dhorme; Bressan: a. a. O.
7. Gunkel-Begrich: Einleitung in die Psalmen, S. 39.
8. Gunkel-Begrich: a. a. O., S. 42.

Bedeutung von עָתָק (vgl. Anm. c zu V. 3) weniger als »hochmütig«, eher als »hochfahrend (von ungegründeten Plänen)« zu verstehen ist. Was den Menschen גְּבֹהָה ist, ist für Gott עָתָק. Die Weisheit Jahwes, auf die die Paränese hinzielt, erweist sich in seinem geschichtlichen Gericht über die Pläne der Menschen (V. 3b)[8a]; zur Exemplifizierung könnte auf 1 Sam 16,7 verwiesen werden. Der darin umschlossene Gedanke, daß Gott erhöht und erniedrigt, der auch für den Hymnus charakteristisch ist, wird in antithetischen Parallelismen entfaltet; in V. 4 u. 5 sind sie zunächst auf die beiden Stichen verteilt. V. 4 führt den Nachweis auf militärischem Gebiet. Zum Zerbrechen des Bogens wären Ps 37,15; 46,12; 76,4 (in weiterem Sinne auch 44,7) zu vergleichen. Durch die Kontrastierung mit den נִכְשָׁלִים, die sich sonst in den Ps nicht findet[9], scheint jedes endzeitliche Verständnis ausgeschlossen. V. 5 wendet den Blick auf die Änderung sozialer Verhältnisse im weitesten Umfang; zur Unfruchtbaren wäre außer auf Jer 15,9 auf Ps 113,9 zu verweisen, obwohl der ganze Tenor dieses Hymnus ein anderer ist (vgl. o.). Man hat hier jedenfalls den Eindruck, daß ein konkretes Handeln Gottes gemeint ist, wenn die Aussagen selbst sich auch jeder konkreten Beziehung widersetzen.

6–7 Die beiden Verse unterscheiden sich vom Vorhergehenden schon darin, daß jeder Stichos bereits eine Antithese enthält; allein das bedeutet eine größere Allgemeinheit der Aussage und Annäherung an den Hymnus; sie wird durch den Inhalt noch unterstrichen. Die Errettung vom Tode ist ein stehendes Motiv des Klageliedes (Ps 18,6; 30,4; 49,16; 86,13; 116,3)[10]. Das klingt wenigstens noch soweit nach, daß hier nicht von einer Totenauferweckung die Rede sein kann[11]. Wichtiger als das ist es aber, die Entschlossenheit der theologischen Aussage zu erkennen, die alles Geschehen allein und ausschließlich in Jahwes Allmacht begründet sieht. Das ist nichts Einzigartiges in den Psalmen (vgl. z. B. Ps 22,16; 88,7), in dieser Klarheit aber doch eindrücklich.

7–8 Das Gleiche findet sich in V. 7f.; דַּל und אֶבְיוֹן haben hier allgemeine soziale Bedeutung[12], die אֶבְיוֹן sowieso zumeist hat[13]. Dazu paßt auch die Situationsschilderung (zu אַשְׁפֹּת vgl. Thr 4,5, auch Hi 2,8; 30,19). Gegenüber der hymnischen Allgemeingültigkeit bisher, die schon die Grenzen des Weisheitsdenkens streift, knüpft 8a β nur an den letzten Vers an. Die Fortführung eines Gedankens durch einen Inf. mit לְ ist, zumal in der jüngeren Hymnendichtung, nichts Ungewöhnliches[14] (vgl. etwa Ps 33,18; 102,21; 111,6; 113,8), ist aber überall durch den Kontext organischer vorbereitet als hier; auch Ps 113 enthält bei sonst fast gleichem Wortlaut (vgl. Anm. a u. c zu V. 8) in V. 6 einen Ausdruck des Sehens. Es scheint sich hier um eine bewußte Erweiterung durch die Ein-

8a. So auch Sacchi: RSO 1969, S. 1–5.

9. Zum Gürten mit Kraft zum Krieg vgl. Ps 18,40 (2 Sam 22,40).

10. Christoph Barth: Die Errettung vom Tode in den individuellen Klage- und Dankliedern des Alten Testaments. 1947, S. 124ff.

11. Es ist darum verfehlt, hier einen Hinweis auf späte Entstehung des Psalmes zu sehen (z. B. Budde).

12. Johannes van der Ploeg: Les Pauvres d'Israel et leur Piété. OTS 7. 1950, S. 252.

13. Arnulf Kuschke: Arm und Reich im Alten Testament. ZAW 1939, S. 53.

14. Gunkel-Begrich: Einleitung in die Psalmen, S. 53.

führung des konkreten Gedankens eines sozialen Aufstieges zu handeln, wobei נְדִיבִים, unbeschadet der Herkunft des Begriffes, Leute in einflußreichen Führerstellungen kennzeichnet[15]. כִּסֵּא כָבוֹד hat etwas Schwebendes; die Bedeutung »Ehrensitz« ist auch Jes 22,23 bekannt, sonst begegnet diese Verbindung für Jerusalem als Thronsitz Jahwes (Jer 14,21; 17,12). Hier liegt es nahe, an den Thron Davids zu denken, wobei man nicht auf einen besonderen sakralen Charakter der Aussage schließen darf[16]. Übrigens weist das Pl.-suffix יַנְחִלֵם wieder auf ein allgemeineres Verständnis zurück[17]. V. 8b ist in seiner kosmischen Weite nach V. a β und dessen besonderer Absicht befremdend, gehört aber durchaus zum Hymnenstil[18] und enthält eine notwendige Begründung für die zuvor gemachten Aussagen (Ps 24,1; 74,12; 89,12; 95,5 u. a.).

9–10 Die Verse enthalten einen neuen Einsatz. Da V. 9 mit V. 10 zusammengehört und V. 10 auf den König hinzielt, ist dem Ketib חֲסִידוֹ doch wohl der Vorzug zu geben[19]. חָסִיד ist der Form nach ein passives Adjektiv und bedeutet weniger eine Eigenschaft als eine Zugehörigkeit zum חֶסֶד Gottes[20]. V. 10 gehört als Ganzes in den Bereich der Königspsalmen (zu אַפְסֵי אָרֶץ vgl. Ps 2,8; 72,8); er macht einen altertümlichen Eindruck, nicht allein durch den Gottesnamen (Anm. c zu V. 10), der schon von 𝔐 nicht mehr richtig verstanden wurde, sondern vielleicht auch durch das Nebeneinander von קֶרֶן und מְשִׁיחוֹ[21]. Die Anknüpfung des Königsbezuges durch וְיִתֶּן verbietet es auch, an einen bloßen Gebetswunsch zu denken[22]. Damit bekommt die Aussage etwas Fließendes. Wenn man sich aber vergegenwärtigt, welche Rolle die Salbung im Gesamtaufriß der Samuelisbücher spielt, so wird deutlich, daß hier nicht an den messianischen König der Endzeit[23], auch nicht an eine Repräsentanz der Gemeinde[24], sondern an einen Davididen oder David selbst zu denken ist.

Der Gattung nach wird dieser Psalm zumeist den Hymnen zugerechnet[25]. Es ist diese Auffassung, die die Ausscheidung der letzten beiden Stichen von V. 10 als eines liturgischen Zusatzes bedingt (vgl. Anm. e zu V. 10). Doch zeigte die Auslegung, daß diese Form trotz klar erkennbarer Motive nur locker durchgeführt ist, daß sich vor allem die allgemeinen und konkreten Aussagen (das be-

15. Van der Ploeg: RB 1950, S. 56; vgl. auch Pedersen: Israel III/IV, S. 671.

16. Vgl. etwa Widengren: Sakrales Königtum, S. 45.

17. An eine Dynastie zu denken, ist zu gewagt.

18. Gunkel-Begrich: Einleitung in die Psalmen, S. 77.

19. Vgl. dazu 2 Sam 22, 26 (Ps 18,26), wo die Aussage anscheinend auch auf David exemplifiziert ist.

20. Lazar Gulkowitsch: Die Entwicklung des Begriffes hasid im Alten Testament. 1935, S. 19; auch Stoebe: VT 1952, S. 254.

21. Vgl. etwa Text 76: II 21–23 (UgMan), dazu Kutsch: Salbung, S. 8.

22. Z. B. Driver, Budde, Schulz, auch Gunkel-Begrich: Einleitung in die Psalmen, S. 141.

23. So vor allem die katholische Auslegung: Schlögl, Dhorme, van den Born, mit besonderem Nachdruck Bressan; aber auch Wilhelm Staerk: Lyrik. 2. Aufl. 1920 (SAT III/1), S. 70.

24. Löhr, Nowack.

25. Gunkel-Begrich: Einleitung in die Psalmen, S. 32. Claus Westermann: Das Loben Gottes in den Psalmen. 1954, S. 88: berichtender Lobpreis.

schreibende und berichtende Lob Westermanns) durchdringen[26]. Auf der anderen Seite verbietet diese Beobachtung aber auch, das Lied als Ganzes den Königspsalmen zuzurechnen[27] oder ihm eine Funktion in der Liturgie des Thronbesteigungsfestes Jahwes anzuweisen[28]. Man wird daraus folgern müssen, daß es sich hierbei um eine sekundäre Komposition unter Verwendung verschiedener älterer Motive handelt. Das muß bei der Beurteilung der Absicht des Liedes und seiner Stellung im literarischen Zusammenhang berücksichtigt werden. Gegen die konservativen Bemühungen, die Authentizität des Psalms festzuhalten[29], wenigstens in der Form, daß Hanna geläufiges liturgisches Gut rezitiert habe[30], spricht nicht einmal zuerst die Erwägung, die letztlich auf Geschmacksurteilen beruht, daß einer Frau aus dem Volk ein solches Gedicht nicht zuzutrauen sei[31]. Entscheidend ist allein die Einsicht in die nachträgliche Entstehung dieser speziellen Samuelüberlieferung. Damit ist die eigentliche Frage die, ob dieser Psalm zusammen mit der Ausformung der Geschichte in ihrer heutigen Gestalt entstand oder erst nachträglich durch Redaktorenhand eingefügt wurde[32], wofür u. U. sogar die Stichwortassoziation zu V. 5 maßgeblich gewesen sein könnte[33]. Für eine solche Auffassung kann wohl nicht die Abweichung der 𝔊 zu 2,1[34] als Zeichen dessen geltend gemacht werden, daß der Psalm an beiden Stellen von verschiedener Hand eingefügt wurde[35]. Darin ist Bressan zuzustimmen. Wenn andererseits darauf hingewiesen wird, daß sich in dem Psalm nichts findet, was einen direkten Bezug zur Situation der Hanna hat[36], so ist das wohl richtig, allerdings viel zu eng geurteilt. Die Gestalt der Hanna findet ebensowenig wie die Samuels Interesse um ihrer selbst, sondern um der Bedeutung willen, die Samuel für die Entstehung des Königtums gehabt hat; Königtum ist in diesem Zusammenhang zuletzt Königtum Davids, und daß da Bezüge vorliegen bis hin zur Nennung des Königs im letzten Vers, ist nicht abzustreiten. Mit diesem Psalm, der der Mutter Samuels bei der »Darbringung im Tempel« in den Mund gelegt wird, ist die ganze darauf abfolgende Geschichte als Ausfluß und Manifestierung der Weisheit Gottes (V. 2 u. 3) herausgestellt, und das ist eine theologisch absolut richtige Beurteilung des Handelns des geschichtsmächtigen Gottes. In diese Richtung weist auch das Verständnis von 𝔗, der in breiter Paraphrase die Aussagen

26. Es ist bezeichnend, daß Gunkel-Begrich: Einleitung in die Psalmen, S. 5 vom Danklied der Hanna sprechen.

27. Danklied eines Königs, Mowinckel: Psalmenstudien I, S. 125; VI, S. 29. Harris Birkeland: Die Feinde des Individuums in der israelitischen Psalmenliteratur. Oslo 1933, S. 34ff.

28. Hans Schmidt: Die Thronfahrt Jahwes. 1927 (SgV 122), S. 40; vgl. auch Bentzen: Det sakrale kongedømme, S. 101.

29. Z. B. Schlögl, zuletzt mit besonderem Nachdruck Bressan.

30. Z. B. Hummelauer, Leimbach, Ketter.

31. Bressan verweist in diesem Zusammenhang nicht ohne Recht auf George Adam Smith: The early poetry of Israel in its Physical and Social origins. London 1912, S. 54.

32. So die meisten; Hertzberg gibt dem die glückliche Formulierung, es sei ähnlich zu beurteilen, als wenn einer Schriftlesung ein geeigneter Gesangbuchvers beigefügt würde.

33. Z. B. Löhr, Budde, van den Born, in gewisser Weise auch Hertzberg.

34. Fehlt ותתפלל הנה.

35. Budde.

36. Nowack, Dhorme u. v. a.

des Psalmes an der Geschichte Israels exemplifiziert. Wie die Jugendgeschichte Samuels, so setzt auch dieser Psalm den Inhalt der Samuelisbücher im wesentlichen voraus. Es scheint somit kein entscheidendes Argument dagegen zu bestehen, daß dieser Psalm im Zusammenhang mit der Ausformung der Vorgeschichte entstanden zu denken ist[37]. Sollte diese Folgerung zu weit zu gehen scheinen, so wäre jedenfalls daran festzuhalten, daß dieses Lied unter dem Gesichtspunkt der Gesamtgeschichte interpoliert wurde[38]. Eine andere Frage ist, ob die Erweiterungen von 𝔊 zu V. 10 so verstanden werden können, daß hier ein Lied für den Gebrauch in der Synagoge hineinverwoben ist[39].

37. Vgl. dazu die Erwägungen von N. H. Tur-Sinai: The literary character of the book of Psalms. OTS 8. 1950, S. 263ff., obwohl dort zu unserer Stelle nichts gesagt ist.
38. Vgl. zur Sache etwa Hertzberg.
39. de Boer: Research, S. 58.

2,11–26 *Das schändliche Treiben der Eliden*

11 Elkana ging heim nach Rama zu seinem Hause[a]; der Knabe[b] verblieb[c] dagegen im Dienste Jahwes unter den Augen des Priesters Eli[d]. 12 Nun waren die Söhne Elis üble Burschen[a], die nichts von Jahwe wissen wollten[b]. 13 Die gebräuchliche Weise der Priester[a], die sie beim Volke[b] anwandten, (war so): sooft jemand sein Opfer darbrachte[c], pflegte der Gehilfe[d] des Priesters zu kommen, wenn das Fleisch kochte; in der Hand hatte er die dreizinkige Gabel[e]. 14 Die stach er in [a]in Kessel oder Topf, in Napf oder Schüssel[a]; alles was die Gabel heraufbrachte, nahm der Priester damit[b]. So verfuhren sie mit ganz Israel, das dorthin kam[c], in Silo[d]. 15 Auch schon ehe man überhaupt das Fett[a] im Rauchopfer darbrachte[b], kam der Gehilfe des Priesters und sagte zu dem Mann, der (gerade) opferte: »Gib Fleisch her zum Braten[c] für den Priester; er[d] nimmt kein gekochtes Fleisch von dir, nur rohes.« 16 Sagte dann etwa[a] der Mann zu ihm[b]: »Zuerst muß man doch das Fett opfern[c], dann nimm dir[d], was dein Herz begehrt«, erwiderte er (nur): »Nein[e], jetzt gleich gib es her, sonst nehme[f] ich es mit Gewalt.« 17 So wurde die Sünde der jungen Männer[a] sehr groß, Jahwe ins Gesicht hinein[b]; hatten die Männer[c] doch die Opfergabe[d] Jahwes verächtlich behandelt. 18 Indessen versah Samuel seinen Dienst bei Jahwe, ein Jüngling, mit dem priesterlichen Ephod[a] gegürtet. 19 Seine Mutter aber machte ihm immer wieder einen kleinen Überrock[a] und brachte ihn ihm Jahr um Jahr mit, wenn sie mit ihrem Manne hinaufzog, um das jährliche Opfer darzubringen. 20 Und Eli segnete Elkana und sein Weib und sprach: »Jahwe setze[a] dir Nachkommenschaft von diesem (deinem Weibe) anstelle der (erhörten) Bitte[b], die Jahwe wieder eingefordert hat[c].« Dann zogen sie wieder heim an ihren Ort[d]. 21 ⟨Und Jahwe suchte

Hanna heim⟩[a]; sie wurde schwanger[b] und gebar drei Söhne und zwei Töchter; der Knabe Samuel aber wuchs heran in engster Nähe mit Jahwe. 22 Eli aber war sehr altersschwach[a] und mußte alles mit anhören[b] [und daß sie mit den Frauen schliefen, die den Dienst am Eingang zum Offenbarungszelt[c] versahen[d]][e]. 23 Und er stellte ihnen vor: »Warum macht ihr solche Sachen, die ich hören muß?[a] (ich muß hören) von jedermann[b], daß eure Taten böse sind [...][c a]. 24 Nicht weiter so, meine Söhne, denn die Kunde ist nicht gut, von der ich höre, daß das Volk Jahwes sie über euch verbreitet[a]. 25 Wenn ein Mensch am andern fehlt, ⟨so ist Gott sein Sachwalter⟩[a], wenn aber ein Mensch an Jahwe sündigt, wer darf dann als sein Fürsprecher auftreten?« Doch hörten sie nicht auf die Mahnung ihres Vaters, denn Jahwe war entschlossen[b], sie zu vernichten. 26 Der junge Samuel indes wurde immer größer und liebenswerter[a], ebenso bei Jahwe wie bei den Menschen[b].

11 a) 𝔊^A Pl. 𝔊^B läßt אֶלְקָנָה und עַל־בֵּיתוֹ aus, bezieht die Aussage also auf Hanna. Vielfach danach, aber nicht zwingend in וַתֵּלֶךְ (S. R. Driver, Budde, Dhorme, de Vaux) oder וַיֵּלְכוּ (Smith, Hertzberg) geändert. Vgl. Anm. d zu 1,28. b) Beachte den verschiedenen Gebrauch von נַעַר. c) Part. mit חָיָה zum Ausdruck einer dauernden Handlung GK § 116r. d) 𝔗 בְּחַיֵּי עֵלִי Ausgleich.

12 a) Vgl. Jdc 19,22; 20,13; 1 Sam 10,27; 25,17 u. ö. b) Vgl. Hos 4,1ff.; 6,9. 𝔙 zieht das וּמִשְׁפַּט V. 13 als zweites Objekt zu יָדְעוּ; ihr folgen die meisten Ausleger, Caspari; Bruno: Epos, S. 48 streichen überhaupt יְהוָה ו, was den Text unzulässig einebnet; vgl. die Auslegung.

13 a) Mit 𝔊𝔗 als selbständiger Zusatzsatz zu fassen (Tiktin). Gegen den Einwand, daß man זֶה erwarten müßte (Budde u. a.), verweist Tiktin auf Est 5,8; vgl. auch H. W. Hertzberg: Die Entwicklung des Begriffes משפט im Alten Testament. ZAW 1922, S. 266. b) Lies mit 𝔊𝔗𝔖 כֹּהֲנִים מֵאֵת (Haplogr). c) Part. am Anfang des Satzes als casus pendens zum Ausdruck einer Bedingung GK § 116w; BroS § 123g; zur Fortführung durch Perf. cons. als Ausdruck der Regelmäßigkeit GK § 112oo. d) נַעַר hier offenbar in anderer Bedeutung. e) Sonst מִזְלָג; der Vorschlag Wellhausens, וּמִזְלַג שְׁלֹשָׁה שִׁנַּיִם zu lesen (so auch Budde, Dhorme u. a.), scheitert daran, daß שֵׁן fem. ist. Das maskuline שֵׁן 1 Sam 14,5 beweist nichts. Zur appositionellen Stellung siehe GK § 131c (134l); BroS § 62f., vgl. auch Kö § 306q.r. Möglicherweise ist sie Hinweis auf nachträgliche Ergänzung (Ehrlich). Zur Sache vgl. BRL, Sp. 169; »eine sechszinkige Gabel« [Caspari] ist schwerlich beabsichtigt.

14 a) כִּיּוֹר bezeichnet auch das Wasserbecken im Tempel (Johannes de Groot: Die Altäre des Salomonischen Tempelhofes. Stuttgart 1924 (BWAT II/6), S. 24). Im einzelnen vgl. Benzinger: Archäologie, S. 70; BRL, Sp. 316. b) 𝔊𝔗𝔖𝔙 לוֹ und meist danach geändert, doch ist das instrumentale Verständnis als die lectio difficilior beizubehalten. c) 𝔊 + *θῦσαι κυρίῳ* (Ehrlich זֹבְחִים statt בָּאִים). d) Vgl. 1,9.

15 a) Vgl. die Opfervorschriften Lev 3; 4; 7 u. Num 18,17 u. a. b) Zur Endung GK § 47m; das Hiphil findet sich vornehmlich in jüngeren Texten (P und Chr), deswegen wird zumeist Piel vokalisiert. c) Zum Braten des Opferfleisches vgl. Ex 12,8f.; dagegen Dt 16,7. d) 𝔊 *λάβω ἐκ τοῦ λέβητος* ändert gegen 𝔐 den Tenor.

16 a) Wellhausen, Budde, Smith u. a. schlagen וְאֹ" vor, 4 QSam hat ואמר. Auch 𝔐 wäre als Zeichen lebendiger Erzählung verständlich: der Erzähler vergegenwärtigte sich eine Einzelsituation (GK § 112ll; vgl. Jdc 12,5f.; Jer 6,17). b) Fehlt 𝔊; 4 QSam על נער הכהן. c) Vgl. Gn 25,31; 1 Reg 22,5; 𝔊 *ὡς καθήκει* = 𝔙 »juxta morem« ist ebenso verdeutlichende Paraphrase wie 𝔗 אוֹרַךְ »warte«. 4 QSam bietet mit יקטר הכהן den Ausgleich zu späteren Vorstellungen. d) 𝔊 *ἐκ πάντων ὧν* wie 4 QSam, aber deutlich schlechterer Text. e) 𝔊𝔙 Qere לֹא (𝔗 = Ketib), von 4 QSam bestätigt; mit Recht von allen Auslegern so aufgefaßt. Zum

folgenden כִּי vgl. GK § 163a. f) GK § 106m; in diesem Fall Ausdruck starker Drohung. 4 QSam schließt hieran das V. 14 Berichtete (Textverderbnis?).

17 a) Muß wohl anders als V. 13 die Eliden bedeuten und ist auf dem Hintergrund von V. 18 gewählt; V. b אֲנָשִׁים wäre eindeutiger (vgl. Anm. c). b) 𝔊 ἐνώπιον κυρίου, von Cross: BASOR 132. 1953, S. 26 auch für 4 QSam erschlossen, 𝔐 aber wohl stärker; vgl. V. 11. c) Fehlt 𝔊 4 QSam und ist wohl durch Mißverständniss von נְעָרִים in den Text gekommen (vgl. Anm. a); von Wellhausen, Budde, Smith u. v. a. mit Recht gestrichen. 𝔖𝔙 ziehen es dagegen als Objekt zu נִאֲצוּ (danach Klostermann); das kausative Verständnis von נאץ ist aber wohl auch nur Verlegenheitsauskunft. Jedenfalls müssen die אֲנָשִׁים wie die נְעָרִים die Eliden sein. Ausdrücklich für die Beibehaltung S. R. Driver, Ehrlich, Hertzberg. d) מִנְחָה sonst bei P das unblutige Opfer; Nowack, Caspari erwägen Streichung, auch Geiger: Urschrift, S. 267 (Einschub, um das anstößige »Jahwe verachten« zu vermeiden). Der Text wird aber schon durch 4 QSam bestätigt. Hier das Opfer allgemein; anders N. H. Snaith: Sacrifices in the Old Testament. VT 1957, S. 316.

18 a) Samuel wird hier als Priester vorausgesetzt, was nicht ganz zum Gesamttenor paßt. Zu אפוד בד vgl. 1 Sam 22,18; 2 Sam 6,14; 1 Chr 15,27.

19 Langes, über dem Hemd כֻּתֹּנֶת getragenes ärmelloses Gewand von besserem Stoff und feinerer Machart (Benziger: Archäologie, S. 79; AuS V, S. 229f.). An und für sich ist es Bestandteil der Tracht der Vornehmen, doch liegt darauf nicht der Nachdruck (gegen Budde), sondern hier ist ebenfalls an die priesterliche Kleidung gedacht. Vgl. Ex 28,31; 39,22; zum Nebeneinander 1 Chr 15,27 vgl. H. W. Hönig: Die Bekleidung des Hebräers. Zürich 1957 (Diss.), S. 65.

20 a) 𝔊 ἀποτείσαι, wonach יְשַׁלֵּם (Wellhausen, S. R. Driver, Budde; so auch 4 QSam) bzw. יָשֵׁב (Klostermann) gelesen wird, doch vgl. für 𝔐 Gn 4,25. b) Hier wohl der konkrete Gegenstand der Bitte der Hanna, also Samuel. c) 𝔊𝔖𝔙 = הַשְּׁאֵלָתְּ (𝔗 = 𝔐), wonach entweder הַשְּׁאִילָה (Dhorme, Smith, Budde, de Vaux, anscheinend auch von 4 QSam geboten) oder, falls שׁאל Qal schon die Bedeutung »leihen« hat, שָׁאֲלָה (Schulz) vorgeschlagen wird. Wellhausen שָׁאַל (zu אֲשֶׁר bei Part. vgl. Dt 1,4; 1 Reg 5,13). Tilge aber besser das ל vor Jahwe als Dittogr (schon Klostermann, ähnlich Hertzberg); der vorliegende Text ist anscheinend Mischlesart. d) 𝔊 ἀπῆλθεν ὁ ἄνθρωπος, so auch 4 QSam; 𝔗𝔖 setzen dagegen Pluralsuffix zum Nomen (danach לִמְקוֹמָם Budde, S. R. Driver, de Vaux). Vielleicht liegt auch hier Mischlesart vor, denn 𝔐 würde bedeuten, daß die Frau dem Mann an seinen Wohnort folgt, was selbstverständlich wäre. Abzulehnen הָלְכוּ אִישׁ לִמְקוֹמוֹ (Dhorme).

21 a) כִּי unmöglich, weil kein kausaler Zusammenhang besteht, wohl nur Verschreibung aus וַיִּפְקֹד (DelF § 127a, übrigens auch 4 QSam). b) Fehlt 𝔊B, dafür ἔτι zu ἔτεκεν (4 QSam ותלד עוד), 𝔊A hat beides.

22 a) 4 QSam + [....] בן תשעים שנה vgl. 4,15. b) GK § 112k; Perf. cons. nach Part. in frequentativer Bedeutung. c) Zur Sache vgl. Ex 38,8; es paßt nicht in den Zusammenhang, weil für Silo ein Tempelgebäude erwähnt wird, kein אֹהֶל מוֹעֵד (anders M. Haran: The nature of the »'ohel mo῾edh« in Pentateuch sources. JSS 1960, S. 64). d) 𝔗𝔖 »die beteten«; vgl. 𝔊 zu Ex 38,8. e) Fehlt 𝔊 4 QSam und wird mit Recht von der Mehrzahl der Ausleger als spätere Erweiterung getilgt, zumal den Eliden diese Versündigung nicht zum Vorwurf gemacht wird.

23 a) אֶת־דִּבְרֵיכֶם רָעִים fehlt 𝔊 und wird von vielen (S. R. Driver, Smith, Budde, Dhorme, Greßmann, de Vaux) als Glosse getilgt. Dabei ist übersehen, daß die ersten Worte eine nähere Ausführung verlangen. Unbefriedigend ist es auch, אֲשֶׁר als »so daß« oder »soweit« zu verstehen (Ehrlich; Bruno: Epos, S. 49) oder zu tilgen. Einleuchtender ist es, אֲשֶׁר אָנֹכִי שֹׁמֵעַ zum Vorhergehenden zu ziehen und דִּבְרֵיכֶם רָעִים als selbständigen Satz mit ungewöhnlicher Stellung des Prädikatsnomens aufzufassen. Das אֶת erklärt sich entweder als Mißverständnis eines Abschreibers, der es als Objekt zum Vorhergehenden zog (dann wäre es zu tilgen, Caspari liest שָׁמַעְתִּי) oder als beabsichtigte Breviloquenz. b) 𝔊𝔖 + יהוה, theologische Erweiterung (anscheinend auch für 4 QSam anzunehmen) kein Zeichen eines ursprünglichen אֱלֹהִים (Wellhausen). c) אלה wohl als Dittogr zum folgenden אַל zu tilgen (Budde; Kö § 334y; S. R. Driver). Hertzberg nimmt es mit דִּבְרֵיכֶם רָעִים zusammen, das er ans Ende stellen will.

24 a) Die Unsicherheit der Vers macht die Schwierigkeit des Textes deutlich. 𝔊 τοῦ μὴ δουλεύειν

(= מֵעֲבִר, so Tiktin; Dhorme הָעָם מֵעַם יהוה) 𝔙 »ut transgredi faciatis populum Dei« (ähnlich 𝔖), dann wäre aber אַתֶּם unerläßlich. Der überlieferte Text kann nur verstanden werden »das Gerücht, das ich das Volk verbreiten höre« (constructio ad sensum; vgl. Ex 36,6), so 𝔗, Wellhausen, Budde, Smith, Hertzberg. Vielleicht liegt aber noch ein weiterreichendes Verderbnis des Textes vor (de Vaux); beachte das zweimalige Vorkommen von אֲשֶׁר אָנֹכִי שֹׁמֵעַ. Caspari will מעברים als Dittogr tilgen.

25 a) 𝔊 *προσεύξονται ὑπὲρ αὐτοῦ πρὸς τὸν κύριον*, woraus Wellhausen, Budde, S. R. Driver u. a. auf ursprüngliches פִּלְלוֹ schließen, freilich ohne der 𝔊 im Verständnis zu folgen. Richtiger wohl פִּלֵּל לוֹ (Smith, Schulz). Zum Verbum und seiner Bedeutungsentwicklung vgl. Sheldon H. Blank: Jeremiah and the meaning of prayer. HUCA 1948, S. 337; D. R. Ap-Thomas: Notes on some terms relating to prayer. VT 1956, S. 235f.; 𝔗 gibt אֱלֹהִים durch דִּינָה wieder, so auch Luther, vgl. Ehrlich. Dagegen Cyrus H. Gordon: אלהים in its reputed meaning of rulers, judges. JBL 1935, S. 143. b) Vgl. zu 1 Sam 16,14ff.; 2 Sam 24,1f.; auch 1 Reg 22,20; s. zur Stelle Franz Hesse: Das Verstockungsproblem im Alten Testament. 1955 (BZAW 74), S. 40ff.

26 a) GK § 113u. b) Vgl. 1 Sam 18,16.

2,11–26 *Das schändliche Treiben der Eliden.* V. 11 ist die verbindende Klammer zur eigentlichen und ursprünglichen Siloüberlieferung. Daß sie es ist, die hier die Erzählungsgrundlage bildet, auch wenn sie jetzt abrupt einsetzt (vgl. zum Grund o. S. 88)[1], wird daran deutlich, daß Elkana im Gegensatz zu der bisherigen Darstellung in den Vordergrund tritt. Das ist kein zu korrigierender Textfehler (vgl. Anm. a zu V. 11), sondern erklärt sich im Blick auf die folgende Schilderung von Opferbräuchen, bei denen der pater familias notwendig die Hauptperson ist. Ebenso wird Samuel im Gegensatz zu dem bisherigen Verlauf[2] durch die Bezeichnung als נַעַר an die Söhne Elis schon altersmäßig herangerückt, ist also auch in der Lage, das Priesteramt wahrzunehmen[3]. Aber dennoch dient er hier nur als Kontrastfigur, von der her auf die Verworfenheit der Eliden ein um so helleres Licht fällt.

12–14 Es geht also um die glaubende Bewältigung der Tatsache, daß Jahwe dem Heiligtum von Silo, der Lade, seine helfende Kraft versagte. Der Grund wird in einer kultischen Versündigung in Silo gefunden. Wenn als die eigentlich Schuldigen auch die Söhne hingestellt werden, was in der Natur der Sache liegt, handelt es sich doch nicht um eine isolierte Elidengeschichte, die zur Abtrennung von Kap. 4 vom Korpus dieser Darstellung berechtigt, wie bisweilen einseitig behauptet wird. Das Gericht an den Eliden zieht das Unglück des Volkes ebenso nach sich, wie es später die Verwerfung Sauls tun wird. Elis Schuld ist lediglich, daß er gegenüber seinen Söhnen zu schwach ist, was ihn bei dem engen Band zwischen Vater und Söhnen freilich nicht entschuldigt. Es erscheint als Mißverständnis dieser Zusammenhänge, wenn Preß[4] in den ein-

1. Es wäre durchaus denkbar, daß diese Siloüberlieferung in ihrer eigentlichen Form einmal von der Entstehung des Heiligtums und der Installierung Elis zu berichten wußte; in ähnlicher Weise Smith, auch Cook: JQR 1906, S. 348.

2. Aus dieser Überlegung erklärt sich die Harmonisierung bei 𝔗 (Anm. d zu V. 11).

3. Ex 28,35.43; 29,30; Nu 1,50; 3,6; Dt 10,8; 17,12 u. v. a. Das את פני עלי, das nach Budde vorläufige Unselbständigkeit bedeuten soll, beseitigt diese Spannung nicht.

4. ZAW 1938, S. 178f.

zelnen Stücken eine grundsätzlich verschiedene Beurteilung der Gestalt Elis findet und zur Grundlage überlieferungsmäßiger Scheidungen macht, wenn er weiterhin aus dem נַעַר הַכֹּהֵן in V. 12 u. 15 folgert, daß die Söhne Elis gemeint seien, dieser also verantwortlich gemacht werde[5]. Dieses Stück verrät sein Alter zunächst dadurch, daß es Bräuche voraussetzt, die aus der priesterlichen Opfergesetzgebung so nicht bekannt sind. Zuerst und allgemein sind die viel größeren Freiheiten und Rechte der Opfernden festzustellen[6]; die Tätigkeit der Priester beschränkt sich beim Opferwesen auf eine Art Aufsichtsrecht. Nicht ohne Belang mag es sein, daß in diesem Zusammenhang nur die זְבָחִים[7] genannt werden, woraus man schließen könnte, daß das mehr dem kanaanäischen Kulturbereich zugehörende Brandopfer[8] wenigstens in Silo nicht im Vordergrund gestanden habe[9]. Die Einführung durch וּמִשְׁפַּט הַכֹּהֲנִים (מֵ)אֶת־הָעָם[10] stellt nun überraschenderweise den in Silo geübten Brauch als Gerechtsame des Klerus hin[11]. Der Versuch, die ersten Worte noch als Objekt zu V. 12 zu ziehen und in V. 13f. den sündigen Übergriff zu sehen (Anm. b), hat gegen sich, daß dann ידע zwei verschiedene Bedeutungen hätte; außerdem gehört die Formulierung כָּל־אִישׁ זֹבֵחַ noch zur juridischen Terminologie[12]. Und schließlich scheidet das Zufällige des so angewandten Verfahrens eigentlich jede Willkür aus, sofern es sich nicht um zusätzliche Ansprüche handelt; aber davon ist eben nichts gesagt. Offenbar ist dieser in der Überlieferung vorliegende Zug später nicht mehr verstanden worden, so daß diese vom jetzt Üblichen abweichende Form schon als Versündigung aufgefaßt werden konnte, wie die Überleitung durch גַּם zu V. 15 zeigt[13].

15–17 Dementsprechend ist auch hier der eigentliche Gedanke geändert. Beide Abschnitte gehören unter dem Stichwort בָּשֵׁל zusammen und standen einmal im Verhältnis Brauch und Mißbrauch zueinander. Wie weit das hier vorausgesetzte Opferritual von dem aus der priesterlichen Gesetzgebung bekannten tatsächlich abweicht (vgl. die Anm. zu V. 16), ist deswegen nicht zu entscheiden, weil das Interesse der Darstellung hier ausschließlich bei der Opfermahlzeit liegt. In besonderem Maße scheint die Folgerung unbegründet, daß das Opferfleisch in alter Zeit in gekochtem Zustand der Altarflamme übergeben wurde[14] oder daß man das Mahl hielt, ehe das Fett für Jahwe verbrannt war[15], schließlich auch, daß

5. Vgl. 11(b); 13(d); 17(a).

6. Vgl. dazu etwa de Vaux: Lebensordnungen II, S. 189.

7. Norman H. Snaith: Sacrifices in the Old Testament. VT 1957, S. 308ff.

8. Dazu etwa Leonhard Rost: Erwägungen zum israelitischen Brandopfer. In: Eißfeldt-Festschrift. 1958 (BZAW 77), S. 178ff.

9. Victor Maag: Jahwäs Heerscharen. In: Köhler-Festschrift. SThU 1950, S. 32.

10. Zum Text vgl. Anm. b zu V. 13.

11. So richtig de Vaux: Lebensordnungen II, S. 217, auch van den Born. Vgl. dagegen aber auch René Dussaud: Les origines Cananéennes du sacrifice Israélite. 1921, S. 279; jetzt auch R. J. Thompson: Penitence and Sacrifice in Early Israel outside the Levitical Law. Leiden 1963, S. 98ff.

12. Vgl. dazu Stanley Gevirtz: West-Semitic curses and the problem of the origins of Hebrew Law. VT 1961, S. 154.

13. Vgl. dazu etwa Budde.

14. Wellhausen: Prolegomena, S. 66.

15. Luigi Moraldi: Espiazione sacrificale e riti espiatori. AnBibl 5. 1956, S. 131.

es vom Opfernden selbst dargebracht wurde[16]. Im übrigen stellt V. 16a bereits die Interpretation einer älteren Aussage dar und paßt deswegen auch nicht ganz mit 16b zusammen[17]. Nach dem levitischen Gesetz, das die hier unbestimmt gelassenen Teile des priesterlichen Deputats näher erläutert (vgl. Anm. a zu V. 15; besonders Lev 7,31f.), werden die priesterlichen Gefälle dem Priester zugleich mit dem übergeben, was Jahwe darzubringen ist; sie waren also roh. Interessant ist in diesem Zusammenhang weiterhin der Unterschied zwischen priesterlicher und deuteronomischer Bestimmung über die Behandlung des Fleisches beim Passahmahl (vgl. Anm. c zu V. 15). An sich ließe sich die Forderung des Bratens als Abwehr alter Bräuche aus nomadischer Zeit[18] gut verstehen; dennoch steht das Deuteronomium hier wohl dem, was zu Anfang der israelitischen Kultgemeinde geübt wurde, näher, denn die hier vorliegende Überlieferung wirkt so original, daß sie nicht auf das Deuteronomium zugeschnitten sein kann. Es ist nun nicht ganz ausreichend, wenn man das hier Gesagte so bestimmt, daß das Vergehen der Söhne Elis nicht darin bestand, daß sie ihren Teil nahmen, sondern daß sie ihn im Gegensatz zur Gewohnheit vom rohen Fleisch forderten, selbst ehe noch das Fett auf dem Altar dargebracht war[19]. Man wird genauer sagen können, daß die Versündigung zunächst einmal auf sozialethischem Gebiet gesehen wurde. Durch die Forderung des rohen Fleisches durchschneidet eine hybride Priesterschaft hochmütig das Band der Gemeinschaft mit den Opfernden, die durch das Essen aus dem gleichen Gefäß, wie es V. 12–14 als מִשְׁפָּט vorgeschrieben ist, symbolisiert wird[20]. Es handelt sich also um die Vorstellungen, die später im Deuteronomium im zentralen Gedanken des אָח ihren Nachhall und Niederschlag finden[21]. Schon in dieser ältesten Form der Darstellung ist damit die Katastrophe der Eliden und zugleich Silos vorbereitet. Da es sich aber um einen Eingriff in die Rechte des Volksgenossen handelt, wäre es zugleich möglich, an den abschließenden Satz des Richterbuches: »Damals gab es keinen König in Israel, ein jeder tat, was ihm gut dünkte[22]« zu denken und hierin bereits eine Überleitung zum Königtum zu sehen[23]. Das ist dann im Fortgang der Überlieferung so aufgefaßt worden, daß die Eliden dadurch reif zum Gericht wurden, daß sie Jahwe nicht die Ehre gaben, sondern ihren Teil vor seinem Teil verlangten. Man redet dabei besser von einer Weiterführung, nicht einer Umdeutung des Gedankens, denn das Verhalten der Eliden bedeutet in jedem Fall, daß sie ein ihnen von Gott eingeräumtes

16. Vgl. dazu 4 QSam (Anm. c zu V. 16).

17. Vielleicht ist auch die plene-Schreibung an dieser Stelle nicht ganz zufällig und die Änderung in der Pi^cel-Form (vgl. Anm. b zu V. 15) nicht so zwingend. Zur Sache vgl. noch Max Löhr: Das Rauchopfer im Alten Testament. 1927 (SGK IV, 4), S. 169; auch Menahem Haran: The uses of incense in the ancient Israelite ritual. VT 1960, S. 113.

18. Vgl. etwa Wellhausen: Reste, S. 116ff.

19. De Vaux: Lebensordnungen II, S. 217f.

20. Das könnte noch im Hintergrund von 9,23 stehen, wenn Samuel, der das Opfer gesegnet hat, auch an dem Mahl teilnimmt, (vgl. z. St.). So jedenfalls Budde, der die Zusammenhänge recht klar gesehen hat, auch wenn er keine weiteren Folgerungen daraus zog.

21. Gerhard von Rad: Das Gottesvolk im Deuteronomium. 1929 (BWANT IV/11), passim.

22. Jdc 21,25.

23. Vgl. zu 8,3; 12,5. Der neue König erscheint zunächst durchaus als Rechtsgarant.

Recht zu Ansprüchen ausweiten wollen. Die lapidare Feststellung zum Schluß, daß die Sünde der Männer (vgl. Anm. a u. c zu V. 17) sehr groß wurde, ist durchaus sachgemäß.

18–21 So kunstvoll nun auch die Gestalt des untadeligen Priesterjünglings Samuel dem dunklen Bild der Eliden gegenübergestellt ist, wirkt das Ganze nach den detaillierten Angaben von V. 11–17 blaß. Mit der Nennung des מְעִיל קָטֹן V. 19[24] tritt das gemüthafte Moment wieder stark in den Vordergrund. Anscheinend ist hier an ein schnell wachsendes Kind gedacht, nicht an die Ausrüstung eines Jünglings aus gutem Hause (Budde); mit all solchen Überlegungen verschiebt sich der Sinn. Damit bekommt das נַעַר V. 18 eine Bestimmung, die über den eigentlichen Wortsinn hinausgeht (vgl. auch V. 13.15.17), doch könnte gerade die Einfügung des הָאֲנָשִׁים V. 17 (vgl. Anm. c) darauf zurückzuführen sein. Diese Altersbestimmung steht freilich in einer gewissen Spannung zur Angabe über Samuels Priesterdienst[25], denn das Tragen des אֵפוֹד בָּד bedeutet schwerlich die Zugehörigkeit zur Priesterfamilie an sich, sondern die Fähigkeit zu priesterlichem Amtieren[26]. Andererseits wird damit Samuels Qualifizierung zum geistlichen Amt besonders wunderhaft herausgearbeitet[27]. Die Freude Elis an dem hoffnungsvollen Knaben findet ihren Ausdruck auch in seinem Interesse an den Eltern und seinem Segen über sie. Dabei ist dieser Zug rein novellistisch; das Bild des Familienglücks hat ebenso wie die letzten Worte des Verses seine Bedeutung als Gegensatz zu dem Unglück Elis mit seinen Söhnen[28]; die Geburt weiterer Kinder ist für den Fortgang ohne Bedeutung, zumal kein Name genannt wird, sie also kein genealogisches Gewicht haben.

22–26 Die folgenden Verse knüpfen unmittelbar an V. 12–17, und zwar als Ganzem, nicht nur an V. 17[29], an und sind literarisch genauso zu beurteilen. Der Hinweis auf das Alter Elis dient nicht dazu, ihn zu entlasten (Preß, Hertzberg u. a.), sondern soll, ähnlich wie das allerdings aus anderem Überlieferungszusammenhang stammende 8,3 anzeigen, wie eine Epoche nach dem Willen Gottes mit ihrem letzten hervorragenden Vertreter ein Ende findet. Eine genaue Altersangabe wird verständlicherweise erst im Augenblick des Todes 4,8 gegeben. In der folgenden Mahnung an die Eliden begegnet viermal, d. h. in zentraler Bedeutung, die Wz. שמע. Das mag einmal die Hinfälligkeit Elis charakterisieren, der auf das Hörensagen angewiesen ist, weist aber darüber hinaus. Es wäre an die Vorschrift

24. Die entscheidende Pointe geht verloren, wenn man, wie etwa Klostermann, in כתנת ändert oder sonst exegetisch abschwächt.

25. Eine Altersangabe, wenn auch aus später Zeit: in der Damaskusschrift (CD XIV, 6–12) wird das Mindestalter der aufsichtsführenden Priester mit 30 Jahren angegeben.

26. Anm. a zu V. 18; weiterhin Hermann Thiersch: Ependytes und Ephod. 1936, S. 117; zur Literatur sonst BHH I, Sp. 420.

27. Ähnliches läßt sich auch an den Erweiterungen zur Jugendgeschichte Davids feststellen (vgl. dazu u. S. 328 zu Kap. 17).

28. Auch das spricht dafür, daß die Samuelgeschichte auf eine Siloüberlieferung als Ursprüngliches aufgepfropft wurde.

29. So Preß: ZAW 1938, S. 179f. auf Grund seiner Annahme verschiedener Beurteilung der Strafwürdigkeit Elis (vgl. dazu o. S. 110f.).

Ex 23,1 oder auch Lev 5,1 zu erinnern, wonach das Hören von einem strafbaren Tatbestand bereits zur Anklage verpflichtet, soweit es sich um Dinge handelt, die das Verhältnis des ganzen Volkes zu Gott tangieren[30]. Zu einer Entscheidung darüber, ob Eli selber der Träger richterlicher potestas ist[31], ihm dann hier also eine Pflichtversäumnis vorgeworfen würde, ist der Text wohl zu abgeschliffen, wahrscheinlich ist es mir allerdings nicht. Daß hier aber Rechtsverhältnisse und das heißt sakralrechtliche Gegebenheiten im Hintergrund standen, scheint mir unübersehbar; auch die Benennung des עַם יְהוָה ist in diesem Zusammenhang nicht zufällig, ebensowenig das modifiziert gebrauchte Verbum פלל, das an sich spannungsreich ist (vgl. Anm. a zu V. 25), hier aber weniger den Gedanken des richterlichen Entscheidens[32] zum Inhalt[33] hat, sondern den eines vermittelnden Eintretens[34]. Der Unterschied zwischen Piel und Hithpael müßte wohl darin gesehen werden, daß Gott ein solcher »Fürsprech« von Anbeginn ist, der Mensch es für sich in Anspruch nehmen muß. Das sich bildende Zivilrecht, das bei Vergehen unter Menschen der schrankenlosen Willkür des Berechtigten steuert und eine begrenzte Strafe festsetzt, wird als Eintreten Gottes für den Schuldigen aufgefaßt[35]. Diese Anschauung findet sich noch in modernen arabischen Rechtsgewohnheiten, wenn bei der Festsetzung der Ablösung einer Blutrache die zuerst geforderte exorbitante Summe dadurch auf ein erträgliches Maß zurückgeschnitten wird, daß Nachlaß zu Ehren Allahs, des Propheten, usw. gewährt wird[36]. Ist Gott aber selber der Betroffene, so ist eine Milderung der Strafe durch fürbittendes Einstehen nicht möglich. In diesen Worten ist also unüberhörbar die Katastrophe der Eliden vorhergesagt, zugleich in folgerichtiger Strenge V. 25b vorbereitet. Der Satz von der Verstockung der Eliden ist nicht als unbeholfene Form antiken Redens zu beurteilen, sondern drückt die theologische Überzeugung aus, daß Gott der Herr und Lenker der Geschehnisse ist, die zum Königtum hinüberleiten (vgl. Anm. b). Er ist als solcher Ausdruck prophetischen Denkens[37].

22b Der Vers paßt, abgesehen von seiner schlechten Bezeugung in den Versionen, schon gedanklich nicht in diesen Zusammenhang hinein (vgl. Anm. c–e). Auch wenn es natürlich nicht ausschlaggebend ist, daß die Versionen die Versündigung auf geschlechtlichem, nicht auf kultischem Gebiet gesehen haben, so scheint es doch bedenklich, von hier aus auf eine Verwilderung gottesdienstlichen Lebens in Silo (so von Rad: Theologie I, S. 47) oder die Übernahme von Hieros

30. Vgl. dazu Hans Joachim Stoebe: Das achte Gebot. WuD 1952, S. 122.

31. Hertzberg: ThLZ 1954, Sp. 288.

32. N. Johanson: Parakletoi 1940, S. 42; vgl. dazu etwa Budde, Dhorme.

33. Die Aussage würde dadurch völlig ihrer logischen Spitze beraubt.

34. P. A. H. de Boer: De voorbede in het Oude Testament. OTS III. 1943, S. 69. In dieser Richtung z. B. Smith, Hertzberg.

35. In dieser Richtung dürfte die Aussonderung von Asylstädten in Fällen unvorsätzlichen Totschlages liegen.

36. Dr. med. Banura, Bethlehem, lt. mdl. Mitteilung. Ähnliches bei Leo Haefeli: Die Beduinen von Beerseba. 1938, S. 51.

37. Anders sieht Tsevat: JBR 1964, S. 355ff. in der Verstockung eine Ausdrucksform für eine Geschichtsrationalität.

gamos-Vorstellungen[38] zu schließen, wenn die Sache sonst, auch die Übernahme kanaanäischer Bräuche, in den geschichtlichen Büchern nicht unbezeugt ist[39]. Es handelt sich eher um einen Zusatz aus dem theologischen Denken späterer Zeit, für die Sünde in zunehmendem Maße geschlechtlich bestimmt ist[40]. Analoge Erscheinungen aus dem arabischen[41] oder assyrischen[42] Raum scheinen hierfür ohne Bedeutung. Die Aussage ist von Ex 38,8 her gewonnen. Die hier vorausgesetzten Dienste der Frauen sind den Diensten, die die Leviten zu leisten hatten (Num 4,23; 8,24), im Ausdruck angeglichen, diese wiederum weisen auf den Kriegsdienst zurück, den jeder wehrfähige Israelit für die Sache Jahwes zu leisten hatte (Num 31,7.42). Der Gedanke liegt in derselben Richtung wie die Ausdehnung des Nasiräats auf die Frauen (Num 6) und erweist schon damit seine sekundäre Herkunft.

38. Widengren: Sakrales Königtum, S. 77. 112.
39. Vgl. etwa 1 Rg 14,24; 15,12; 2 Rg 22,47; 23,7. Vgl. dazu auch Peter Asmussen: Bemerkungen zur sakralen Prostitution im Alten Testament. StTh XI 1957, S. 187.
40. Ähnlich Rost: Eißfeldtfestschrift, S. 178.
41. Vgl. etwa Lammens: L'Arabie occidentale avant l'hégire. 1928, S. 111ff.
42. v. Scheil: Textes élamites-sémitiques II, Taf. 18 Nr. 3 und S. 167.

2,27–36 *Der Drohspruch des unbekannten Gottesmannes*

27 Dann kam ein Gottesmann[a] zu Eli und sprach zu ihm: »So spricht Jahwe: ⟨ich habe mich dem Hause deines Vaters[b] offenbart⟩[c], als sie noch in Ägypten ein Eigentum[d] für das Haus des Pharao waren. 28 Und ich erwählte[a] es aus allen Stämmen Israels mir zum Priester[b], an meinen Altar zu treten[c], das Räucheropfer darzubringen[d] und den Ephod vor mir[e] zu tragen. Auch habe ich dem Haus deines Vaters alle Feueropfer[f] der Israeliten übereignet[g]. 29 Warum mißachtet ihr[a] meine Opfer und Gaben[b], die ich geboten habe[c] ...[d], daß du deine Söhne höher achtetest als mich, euch zu mästen[e] vom Besten[f] jeglicher Gabe Israels [...][g]. 30 Darum ist der Spruch Jahwes, des Gottes Israels: Ja, freilich habe ich zugesagt, dein Haus und das Haus deines Vaters sollten wandeln vor mir in Ewigkeit; aber nun, ist der Spruch Jahwes, will ich davon nicht mehr wissen, denn allein die mich ehren, ehre ich auch, aber die meiner nicht achten, sind selber für nichts geachtet. 31 Siehe, Tage kommen, da will ich deinen Arm[a] und den Arm deines Vaterhauses abhauen, [b]daß es keinen altehrwürdigen Mann mehr in deinem Hause geben wird[b]. 32 Du wirst blicken [...][a] auf alles, was er an Israel Gutes tun wird[b], aber in deinem Hause wird es niemals mehr einen altehrwürdigen Mann[c] geben. 33 Zwar einer wird sein, den[a] ich dir nicht wegreiße von meinem Altar, wenn[b] (ich) deine[c] Augen vergehen und deine[c] Seele verschmachten[d] lasse, aber der Hauptteil deines Hauses wird im (besten) Mannesalter sterben[e]. 34 Und das soll dir das Zeichen sein, was über deine beiden Söhne Hophni und Pinhas kommen wird: am gleichen Tage werden

sie beide sterben. 35 Ich aber will mir einen Priester bestellen, der beständig bleibt[a]; nach meinem Herz und Sinn wird er sein Amt versehen, ihm will ich ein unverrückbares Haus bauen[b], und er wird vor meinem Gesalbten[c] einhergehen allezeit. 36 Wer[a] dann von deinem Haus noch überblieb, wird kommen und ihm um einen Silbergroschen und ein Laib Brot huldigen und wird bitten, nimm mich doch in eine deiner Priesterschaften, daß ich (wenigstens) ein Stück Brot zu essen habe.«

27 a) Vgl. den Bezug auf diese Stelle 1 Reg 2,27. Zu אִישׁ אֱלֹהִים vgl. Jdc 13,6.8; 1 Reg 13,1f.; 17,18.24; 1 Sam 9,10. b) Meint wohl den Stamm Levi, nicht die Aaroniden in eigentlichem Sinne. c) Zu ה als Ausdruck einer erregten Frage (𝔙, Wellhausen, S. R. Driver, Nowack, Schulz) vgl. Jer 31.20; Hi 41,1. Da aber die Frage sonst nicht zum Stil solcher Ankündigung gehört, ist mit 𝔗𝔖 Dittogr anzunehmen (Budde, Smith, Dhorme und die meisten; Klostermann הֵן); vgl. auch GK § 113q. d) 𝔊 + *δούλων*, ähnlich 𝔗; natürlich kann עֲבָדִים nach מִצְרַיִם ausgefallen sein (S. R. Driver), doch ist 𝔊𝔗 eher Paraphrase, da לְ bereits ausreichend den Besitz andeutet (Wellhausen)! Auf keinen Fall darf מִצְרַיִם gestrichen werden (Caspari), da sich dann der Sinn verschiebt.

28 a) Inf. abs. GK § 113z; BroS § 46c; freilich wäre וּבָחוֹר בָּחַרְתִּי befriedigender (Smith), aber kein Grund zur Änderung. Zum Gedanken der priesterlichen Erwählung vgl. W. Staerk: Zum alttestamentlichen Erwählungsglauben. ZAW 1937, S. 5; K. Koch: Zur Geschichte der Erwählungsvorstellung in Israel. ZAW 1955, S. 223. b) 𝔊 *ἱερατεύειν*; die Voranstellung des לִי spricht aber für כֹּהֵן, und eine Umstellung (Budde, S. R. Driver) ist unerlaubt. c) Trotz der Möglichkeit kontrahierter Formen hier nicht Hiphil (𝔗 Smith), sondern Qal (𝔊𝔖𝔙). d) קְטֹרֶת als besonderes Weihrauchopfer erst seit Ezechiel, hier noch die Gesamtheit der Feueropfer; vgl. Jes 1,13; auch 1 Reg 12,33; 13,1, ohne קְטֹרֶת (wie V. 15.16, s. dort), aber im Gedanken sehr ähnlich. Darf man vielleicht für קְטֹרֶת spätere Ergänzung annehmen? Zur Sache vgl. o. S. 111, Anm. 15. e) Fehlt 𝔊𝔖, von de Vaux u. a. gestrichen; zu נְשֹׂא vgl. 14,3 (auch 23,6; 30,7); es verbietet, dabei an den אֵפוֹד בַּד (2,18 חָגוּר) zu denken. Schon 𝔗 gleicht beides durch eine breite Paraphrasierung aus, vielleicht erklärt sich לְפָנַי aus derselben Absicht. f) Vgl. Dt 18,1; in Dt nur hier, dagegen bei P häufig. g) 𝔊 + *εἰς βρῶσιν*, ungeschickte Verdeutlichung.

29 a) Vgl. Dt 32,15 in so ähnlichem Zusammenhang, daß es auch hier gesichert scheint (von 𝔗𝔖 bestätigt). 𝔊[B] *ἐπέβλεψας* 𝔊[A] – *ψατε* erklärt sich aus dem Verständnis von מָעוֹן (s. dort) und darf schwerlich zu Textrekonstruktionen benutzt werden (mit Rücksicht auf וַתְּכַבֵּד entweder תַּבִּיטוּ oder הַבַּטְתָּ (Budde, Smith, Dhorme, de Vaux u. v. a.). Die Schwierigkeit wird sich mit daraus erklären, daß verschiedene Rezensionen hier ineinandergeschoben sind. b) Gesamtheit der Opfer wie Am 5,25; beachte den etwas abweichenden Gebrauch V. b. c) Fehlt 𝔊, dort mit מָעוֹן zusammengenommen, deswegen entweder gestrichen (Smith; Steuernagel, in: Kittel-Festschrift, S. 209) oder geändert (Ehrlich צַר עַיִן, phantastisch Caspari צְפַנְתָּ); doch paßt es dazu zu reibungslos in den Zusammenhang. d) מָעוֹן Wohnung, in dichterischer Sprache für Tempel gebraucht; wenn ursprünglich (𝔗), dann als (בְּ)לִמְעוֹנִי zu lesen (S. R. Driver, Hertzberg). Nach 𝔊 *ἀναιδεῖ ὀφθαλμῷ*, von vielen (Klostermann, Budde, Smith, Dhorme, de Vaux u. a.) מְעוֹיֵן geändert, doch ist dieser Gebrauch sonst nicht zu belegen; man wird richtiger auf die Wiederherstellung des schwierigen Textes verzichten (Wellhausen, S. R. Driver). Seebaß: VT 1966, S. 77 מֵעָוֹן »um der Sünde willen« wäre eine Erleichterung, paßt aber nicht recht zur vorhergehenden Schilderung der Opfer. 𝔖 *madbᵉraʿ*. e) 𝔊 *ἐνευλογεῖσθαι* (ברך? 𝔖 בחר?). Refl. Suffix am Inf. auffallend, nicht besser Budde הַבְרִאֲכֶם. Klostermann, Ehrlich u. a. schlagen nach 𝔗 (לְאוֹכָלוּתְהוֹן, ברא als ברה aufgefaßt?) das Suffix der 3. Pl. vor, vgl. aber Anm. a zu V. 29; wohl auch durch das Ineinander verschiedener Rezensionen bedingt. f) Vgl. Dt 18,4; 26, 2; es besteht keine genaue Entsprechung zur Versündigung der Eliden. g) 𝔊 *ἔμπροσθέν μου*, danach manche לְפָנַי (Budde, Dhorme), oder sie streichen ל

als Dittogr; inhaltlich gehört es mit צִוִּיתִי zusammen und ist wohl an falscher Stelle (aus anderer Rezension?) in den Zusammenhang gekommen. Erwägenswert ist auch die Annahme einer Randkorrektur für das entstellte מעון (Hertzberg).

31 a) 𝔊𝔖 זֶרַע, 𝔗 vielleicht beides (זְרוֹעַ ist Ausdruck der Macht). Zu גדע paßt aber nur זְרוֹעַ, deswegen ist jede Änderung (Smith, Schulz, Caspari) falsch. b) Fehlt 𝔊B 𝔏 zusammen mit V. 32a.

32 a) Von 𝔗𝔖 und besonders 𝔙 in allgemeiner Paraphrase nach V. 35f. gedeutet, was näher liegt als ein Bezug auf eine hier nicht berichtete Zerstörung Silos (so Hertzberg); obwohl grammatisch ungewöhnlich, ließe es sich als prädikative Bestimmung zum Subjekt (eng an Raum) verstehen. Die Änderung (nach 𝔊 zu 29) in צַר עַיִן (Ehrlich, Schulz, de Groot, de Vaux u. v. a.) oder עַד מְעוֹיַן (Budde, Dhorme) verkennt ebenso wie die Annahme einer Dublette zu V. 29 (Hertzberg) das Eigengewicht dieser Stelle. Seebaß: VT 1966, S. 77ff. ändert sehr weitgehend in והבטה צר מֵעָון אֲשֶׁר חֲטָאתֶם אֶל קָדְשִׁי. b) Nach dem überlieferten Text könnte כֹּל אֲשֶׁר persönlich gefaßt werden (Ehrlich?). Beabsichtigt ist aber zweifellos unpersönliches Verständnis; Subjekt zu יֵיטִיב ist Jahwe; allenfalls ändere mit 𝔗 in אֵיטִיב (Smith, Budde, Dhorme). c) Wenn man mit Bruno: Epos, S. 50; Hylander: Komplex, S. 59 זָקֵן einseitig auf »angesehene, repäsentative Leute« deutet, ist die Änderung in בְּבֵיתִי naheliegend, aber nicht zwingend.

33 a) H. M. Wiener: The Text of I Sam II 33. JPOS 1928, S. 63 verändert durch Einschub eines אֲשֶׁר den Sinn. b) GK § 114o. c) 𝔊 3. m. Sg. danach ändern Wellhausen, Smith, Dhorme, Caspari, de Vaux; Wiener, a. a. O.; damit geht der Inhalt der Strafandrohung verloren. d) Zur Form GK § 53q; BLe § 25a. e) 𝔊 *ἐν ῥομφαίᾳ ἀνδρῶν*, wonach viele (z. B. Wellhausen, Budde, Smith, Dhorme, de Vaux u. a.) חֶרֶב ergänzen. 𝔐 ist aber gerade im Gegensatz zu זָקֵן gut verständlich (𝔗 עולמין, ähnlich 𝔙) und darum beizubehalten; vgl. S. R. Driver; Tsevat: HUCA 1961, S. 192.

35 a) Vgl. Num 12,7; 1 Sam 3,20. b) 1 Sam 25,28; 2 Sam 7,16; 1 Reg 11,38; auf der anderen Seite Num 12,7; Dt 7,9. c) Vgl. 12,3; 16,6; hier ist bereits die Dynastie vorausgesetzt.

36 a) כֹּל fehlt 𝔊, sie versteht es im Anschluß an das Vorhergehende als Einmaligkeit.

2,27–36 *Der Drohspruch des unbekannten Gottesmannes.* Dieses Drohwort[1] gilt als nachträglicher Einschub (vgl. o. S. 86 und Anm. 21), soweit man die Samuelgeschichte als Kompositionsgrundlage annimmt und so diese Verse an 3,11–15 mißt. Wir sahen indessen, daß dagegen schon grundsätzliche Erwägungen sprechen (vgl. o. S. 86 u. Anm. 22). Positiv geurteilt steht dieses Drohwort in einem, wenn auch vielleicht nicht literarisch ursprünglichen, so doch gedanklich guten Anschluß nicht nur an V. 21–25[2], sondern darüber hinaus auch an V. 13–17[3], mit denen es das charakteristische מִנְחָה gemeinsam hat; dagegen bleibt die Gleichförmigkeit des Rhythmus (Bruno: Epos, S. 50) ein sehr unsicheres Argument. Nachdem begründet ist, daß es für die Versündigung der Eliden kein schützendes Eintreten Gottes mehr geben kann, wird das unausweichliche Gericht angesagt. Daß es durch einen namenlosen אִישׁ אֱלֹהִים geschieht, ist angesichts von 9,6f. nicht notwendig ein Indiz für deuteronomistische Herkunft des Ganzen[4]. Eine genaue Erklärung ist freilich dadurch erschwert, wenn nicht unmöglich gemacht,

1. Eine m. E. nicht gelungene Analyse der Verse 2,27b$\beta\gamma$–30 hat zuletzt Dus: ZAW 1963, S. 49f. versucht und dabei den Nachweis führen wollen, daß die Forderung der Einheit der Kultstätte während der »silonischen Richterzeit« schon in Geltung gewesen sein muß.

2. Diese Einschränkung macht Preß: ZAW 1938, S. 179; vgl. u. S. 113 u. Anm. 29.

3. So auch Eißfeldt: Composition, S. 56; anders übrigens trotz seines Ansatzes Caspari.

4. Z. B. Budde.

daß dieses Wort verschiedene Umdeutungen bzw. Neuakzentuierungen erfahren hat. Das ist in der steten Aktualität von Sprüchen ausreichend begründet, die sich gegen Priesterfamilien richteten und deren Eintreffen man im zeitgenössischen Priestertum ständig vor sich sah. Diese Applikationen zeichnen sich auch in den Härten des überlieferten Textes ab, der bisweilen nur Vermutungen erlaubt (z. B. V. 32). Soweit das Urteil über die spätere Einfügung sich auf die Beobachtung des deuteronomistischen Charakters des Ganzen stützt, der durch die Annahme bloßer Überarbeitung nicht ausreichend zu begründen sei[5], spricht schon dagegen, daß man dann eine straffere Ausrichtung des ganzen Spruches erwarten müßte; wie Steuernagel[6] in sorgfältiger Untersuchung herausgestellt hat, gilt das eben nicht für den ganzen Spruch; mit größerem Recht findet Dhorme übrigens priesterliche Anklänge.

Auf Verhältnisse, die auf die deuteronomische Reform zurückgehen, trifft man mit Sicherheit in V. 36, der die Kenntnis von 2 Rg 23,9 in der bezeichnenden Abschwächung der Bestimmungen von Dt 18,6–8 voraussetzt. Ob wirklich das Jahr 586 als terminus ad quem dafür angenommen werden darf, weil danach solche Regelungen jeden realen Wert verloren hätten[7], kann fraglich bleiben. Ohne Einschränkung wäre diese Feststellung für V. 35 berechtigt, dessen נֶאֱמָן noch nicht an Unterbrechung oder Aufhebung denken läßt[8]. Wie allgemein und mit Recht angenommen wird, steht im Blickpunkt dieses Verses die Ersetzung des Abjathar durch Zadok (1 Rg 2,26)[9], doch ist dafür die Bestimmung des terminus a quo – er ist die Zeit Salomos – wichtiger. Die beiden Verse 35.36 sind als Nachtrag dadurch ausgewiesen, daß V. 34 als Abschluß des vorhergehenden Zusammenhanges verstanden werden muß. Aber auch dieser Abschnitt ist bereits unter dem Gesichtspunkt des Nachtrages verändert. Der gemeinsame Tod der beiden Eliden gilt nur noch als Zeichen für etwas, was sehr viel blasser ist. Angesichts der einschneidenden Bedeutung, die gerade diese Katastrophe gehabt hat (Kap. 4), muß es fraglich sein, ob das die ursprüngliche Absicht gewesen sein kann. Außerdem findet Eli bei diesem Ereignis selber den Tod; zeichenhaften Charakter kann es also nur für die Überlebenden haben, aber gerade an die richtet sich das Wort nicht. Die Spannung, die hier auftritt, findet sich schon in den vorhergehenden Versen. Die Ansage einer einmaligen Katastrophe (V. 31a.33) verbindet sich mit dem Gedanken eines fortdauernden Gerichtes: es wird nie ein זָקֵן in deinem Hause sein (mindestens V. 32b); dazu muß V. 32a gezogen werden, der nur als Ausblick auf eine lange Epoche des Wohlstandes verstanden werden kann, an dem die Eliden keinen Anteil haben werden. Schon damit scheiden die Verhältnisse, die durch die Ausmordung der Priesterschaft von Nob (1 Sam 22) geschaffen sind, als Skopus des Stückes[10] aus. Außerdem, darauf verweist Tsevat[11]

5. So expressis verbis Nowack.
6. In: Kittel-Festschrift, S. 209.
7. Tsevat: HUCA 1961, S. 193.
8. Anm. c; vgl. Steuernagel: a. a. O., S. 205.
9. Die ältere Auslegung, z. B. Thenius, bezog es direkt auf Samuel; weiteres s. bei Keil, der seinerseits hier einen Hinweis auf das wahre Priestertum Christi findet.
10. Budde und die meisten; vgl. Steuernagel, in: Kittel-Festschrift, S. 211; Hylander: Komplex, S. 52ff.
11. A. a. O., S. 195.

mit Recht, starb mindestens Abjathar als alter Mann. Von diesen Überlegungen her kann freilich זָקֵן an dieser Stelle nur soziologisch verstanden werden. Das Land wird glücklich und reich sein (die goldene Zeit Salomos), aber unter den Nachkommen Elis wird keiner sein, der mit dem Ehrenprädikat זָקֵן Anteil daran haben wird. Ist diese Vermutung richtig, dann wird sich die Wahl des in diesem Zusammenhang überraschenden Wortes wohl so erklären, daß es aus einer Vorlage, die umgestaltet oder erweitert wurde, genommen ist, in der es einmal Alter oder frühen Tod bedeutete. Zu diesem ursprünglichen Verständnis gehört V. 31b[12]. Zu ähnlichen Ergebnissen kommt Tsevat von einer Untersuchung des Verbums כרת aus. In Anlehnung an sonstiges Vorkommen des Stammes, z. T. auch im späten Hebräisch, sieht er darin die Ankündigung eines vorzeitigen Todes als Strafe bei Sakralverbrechen. Zu beachten ist dabei wohl auch, daß Tsevat ebenfalls (vgl. o. S. 113f. zu V. 22–25) sakralrechtliche Vorstellungen als Hintergrund annimmt. Seiner Folgerung, daß V. 32–33 nicht in dem Sinne vaticinia ex eventu sind wie V. 35 und 36, stimme ich unter dem Vorbehalt zu, daß ich einmal V. 32 davon ausnehme, weiterhin die ursprüngliche Absicht der V. 31 und 33 in der Ansage des Gerichtes sehe, das das Haus Elis mit dem Tod der Söhne (זְרַע בֵּית אָבִיךָ) und mit seinem eigenen Tode (זַרְעֲךָ) trifft. Die Härte dieses Loses wird ja etwas durch die Geburt des Ikabod (4,19f.) gemildert, der die priesterliche Linie fortsetzt, auch wo keine Männer mehr vorhanden sind. Mag das historisch nicht ganz zutreffend sein (vgl. zu 14,3), erklärt sich die Verkürzung in dem Prophetenwort aus dem Besonderen der Situation. Daß Eli die Geburt dieses Nachkommen nicht mehr erlebte, ist kein entscheidendes Argument dagegen[13]. Die Klarheit dieser Zusammenhänge ist dadurch verdunkelt, daß man von vornherein dabei auch an das Blutbad von Nob denken konnte[14] und auch gedacht hat[15]. Es ist aber nicht zufällig, daß dann doch weitere Textänderungen notwendig werden[16].

Mag man nun auch Einzelheiten anders beurteilen, so bleibt doch die Schlußfolgerung unausweichlich, daß der Spruch wohl einen schweren Schlag für das Haus Elis ankündigt, nicht aber eine völlige Ausrottung. Das steht im Einklang mit dem tatsächlichen Charakter dieser Katastrophe. Umdeutungen werden zwar unter dem Eindruck der völligen Entmachtung dieser Priesterdynastie zur Zeit Salomos vorgenommen, also wahrscheinlich schon sehr früh. Alle Umdeutungen haben aber den ursprünglichen Spruch nicht in der Art geändert, daß sie eine Linie übermalten oder unterdrückten, die den Samuel als den rechten Nachfolger den verworfenen Eliden gegenübergestellt hätte[17]. Diese Annahme, die zudem

12. Den Steuernagel vorschnell zu der Ankündigung immerwährenden Gerichts in V. 32 rechnet.

13. Im Prinzip rechnet auch Hylander (Komplex, S. 51) mit einem Spruch, der die Katastrophe von Kap. 4 vorbereitet; nur findet er ihn in 3,11–14 (vgl. dort), wobei er allerdings zu Textrekonstruktionen genötigt ist, die dort besonders unangebracht sind.

14. Gut spricht Hertzberg von einem weiterwirkenden Fluch.

15. Zu 𝔊 s. Anm. c zu V. 33. 16. Anm. e zu V. 33.

17. So z. B. Budde, der זרע בית אביך auf den ganzen Stamm Levi bezieht und so deutet, daß hier die Übertragung des Priestertums auf einen Nichtleviten, also Samuel, angedroht werde, vgl. schon Richter und Samuel, S. 200; Wellhausen: Composition, S. 239; Dhorme, S. 51 u. a. Im Prinzip auch Noth, Studien, S. 61.

keinerlei Anhalt in den geschichtlichen Verhältnissen hat, beruht auf nicht tragfähigen Voraussetzungen, nämlich einer falschen Beurteilung der literarischen Komposition des ganzen Zusammenhanges[18].

Die noch bestehenden Fragen sind von untergeordneter Bedeutung. Das Stück beginnt mit einem Rückblick auf die Einsetzung und Legitimation des Hauses Elis zum Priesteramt. Es liegt durchaus im Bereich des Möglichen, daß die in Silo gepflegte Überlieferung auch hierüber etwas zu sagen gehabt hätte. Hier aber ist die Nennung, auch abgesehen von dieser Möglichkeit, um des Gesamtaufrisses willen nötig. Gott kann einen Auftrag und damit eine Wirkung widerrufen, wenn das Werkzeug die Voraussetzung des Gehorsams und der Ehrfurcht (V. 30) nicht mehr erfüllt. In dieser Allgemeinheit bot der ganze Komplex natürlich den Ansatz für mancherlei Ausgestaltungen und Deutungen. Aber diese Erweiterungen, und gerade die, die unter kultpolitischen Gesichtspunkten erfolgten (V. 35. 36), lassen sich recht klar als Zusätze erkennen, die ebensowenig in der ursprünglichen Linie lagen wie die Ersetzung der Eliden durch Samuel[19]. Eine zeitliche Fixierung des Hauptteils des Spruches ist damit natürlich unmöglich und muß sich auf die Bestimmung der verschiedenen termini ad quem und a quo beschränken. Der Sprachgebrauch ist eher priesterlich als deuteronomisch; das ist von den verschiedensten Seiten festgestellt. Das liegt aber schon in der Art des Gegenstandes, ist jedenfalls kein Argument für nachexilische Entstehung des Ganzen[20]. Diese ist sogar sehr unwahrscheinlich, denn wenigstens für V. 29 läßt sich eine relative Feststellung dahin treffen, daß er gedanklich in einer Linie mit der abschließenden Beurteilung des Verhaltens der Eliden V. 17 liegt.

18. Vgl. dazu Steuernagel, in: Kittel-Festschrift, S. 211, trotz wesentlich anderer Folgerungen, die ich nicht teile.

19. Ganz ohne Grund ist es darum, wenn der ganze Abschnitt als Niederschlag deuteronomischer Kultpolemik angesehen wird (Aage Bentzen: Zur Geschichte der Ṣadoḳiden. ZAW 1933, S. 176).

20. Hylander: Komplex, S. 62.

3,1–4,1a *Die Berufung Samuels zum Propheten*

1 Der junge Samuel versah (also) den Dienst Jahwes vor Eli; in jenen Tagen war die Rede Jahwes ein seltenes Kleinod[a], prophetische Schauung wurde nicht verliehen[b]. 2 An einem bedeutsamen[a] Tage geschah es nun – Eli ruhte auf seinem Lager, seine Augen hatten angefangen nachzulassen[b], er konnte nicht mehr sehen. 3 Die Lampe Gottes[a] war noch nicht verloschen[b], und Samuel schlummerte (auch) im Tempel Jahwes[c], da wo die Lade Gottes stand[d]. 4 Da rief Jahwe den Samuel an[a], und er antwortete: »Ja, hier«, 5 [a]und lief schnell hin zu Eli und sagte: »Hier bin ich[a], du hast mich ja gerufen«; er aber erwiderte drauf: »Ich habe dich nicht gerufen; leg dich nur wieder hin.« So ging er wieder schlafen. 6 Da rief Jahwe noch einmal: »Samuel.« Darauf stand Samuel wieder auf[a] und ging hin zu

Eli und sagte: »Ja, ich bin hier, du hast mich doch gerufen.« Er versicherte (abermals): »Ich habe dich (wirklich) nicht gerufen, schlaf wieder, mein Junge.« 7 Aber Samuel wußte noch nicht[a], daß es Jahwe war, denn[b] die Anrede Jahwes[c] war ihm noch nicht zuteil geworden. 8 Drauf rief Jahwe den Samuel noch ein drittes Mal, Samuel stand auf, ging hin zu Eli und sagte wieder: »Ich bin hier, du hast mich ja gerufen.« Da (endlich) verstand Eli, daß Jahwe selber es war, der den Knaben rief. 9 Drum sagte Eli zu Samuel: »Geh wieder schlafen, aber wenn er dich (jetzt) ruft, dann antworte: Sprich, Jahwe, dein Knecht hört.« Samuel ging hin und legte sich wieder an seinem Platze nieder. 10 Da kam Jahwe, trat herzu[a] und rief wie zuvor[b]: »Samuel, Samuel[c].« Drauf antwortete Samuel: »Rede, dein Knecht hört.« 11 Und Jahwe sprach zu Samuel: »Siehe, ich habe vor, eine Tat[a] in Israel zu tun, daß jedem, der davon hört[b], seine beiden Ohren[c] gellen sollen[d]. 12 An jenem Tage will ich von Anfang bis zu Ende[a] an Eli alles eintreffen lassen, was ich seinem Hause angedroht habe, 13 und will es ihm klarmachen[a], daß ich sein Haus richten will in Ewigkeit um der Schuld[b] willen, daß er wußte, wie seine Söhne ⟨Gott⟩[c] nichts achteten, und es ihnen doch nicht gewehrt hat[d]. 14 Darum[a] habe ich dem Hause Elis zugeschworen: Die Schuld des Hauses Elis soll in alle Ewigkeit nicht durch Opfer, nicht durch Gabe gesühnt werden können[b].« 15 Drauf legte sich Samuel wieder bis zum Morgen[a], dann öffnete er die Türe am Hause Jahwes; aber Samuel fürchtete sich, das Gesicht Eli mitzuteilen. 16 Da rief Eli den Samuel und sagte: »Samuel, mein Sohn«; er erwiderte: »Ich bin ja hier«. 17 Er fragte: »Was ist's mit dem Wort, das er zu dir geredet hat? Verhehle mir nichts; Gott soll dir dies und das und immer mehr antun, wenn du mir ein Wort von der ganzen Ankündigung[a] verhehlst, die er dir[b] gemacht hat.« 18 Da sagte ihm Samuel alle Worte wieder und verhehlte ihm nichts. Er aber sagte (nur): »Es ist ja Jahwe, was er für richtig hält, möge er tun.« 19 Aber Samuel wuchs heran, und Jahwe war mit ihm und ließ keines von seinen Worten unerfüllt verfallen[a]. 20 So erkannte ganz Israel [a]von Dan bis Beerseba[a], daß Samuel als Prophet für Jahwe bestätigt war[b]. 21 Und Jahwe erschien weiterhin[a] in Silo[b], denn Jahwe hatte sich dem Samuel in Silo[c] [d]durch das Wort Jahwes[d] offenbart[e]. 4,1a Und das Wort Samuels erging an ganz Israel[a].

1 a) Vgl. Am 8,12. b) 𝔊 *διαστέλλουσα*, wonach Dittogr angenommen und in פֵּרֶץ (Wellhausen, Caspari) oder פָּרוּץ (Ehrlich) geändert wird. Für 𝔐 Budde, S. R. Driver, Dhorme u. a. Die meist angenommene Bedeutung »verbreitet« paßt trotz Hos 4,10; 2 Chr 31,5 nicht eigentlich zur Grundbedeutung des Verbs. Zu »verliehen« vgl. G. R. Driver: Additions and corrections. JThS 1931, S. 365; auch A. Vaccari: Le radici תרץ e פרץ nell' Ebraico Biblico. Bibl 1938, S. 308–315.

2 a) S. GK § 126s und vgl. 1,4. b) Zur Bildung GK § 84b. c; es ist Verbaladjektiv (GK § 120b;

BroS § 103a, vgl. auch P. Wernberg Møller: Observations on the Hebrew participle. ZAW 1959, S. 64). Gegen Vokalisation als Inf. (Budde, Smith, Caspari) spricht das fehlende ל; Dt 2,25.31 liegt anders.

3 a) Vgl. Ex 27,20f.; 30,7f.; Lev 24,2; dazu K. Galling: Die Beleuchtungsgeräte im israelitisch-jüdischen Kulturgebiet. ZDPV 1923, S. 39. b) Die Lampe ist also nicht ewig, was kein Widerspruch zu Ex 27, 20 zu sein braucht. 𝔊 πρὶν ἐπισκευασθῆναι in Angleichung an Ex 27,20. Es ist eine Zeitangabe, nämlich der späteste, dem Morgen sich nähernde Teil der Nacht. c) Fehlt 𝔊, von Budde, Caspari u. a. deswegen, zu Unrecht, gestrichen, vgl. 1,9. Die überraschende Akzentsetzung bei 𝔐 erklärt Löhr aus dem Bedenken, Samuel im Allerheiligsten schlafen zu lassen, obwohl dieser Zug einmal Ex 33,11 nachgebildet sein wird. d) Eine Streichung (Bruno: Epos, S. 52 aus metrischen Gründen) verkennt den literarischen Charakter des Kapitels.

4 a) 𝔊 Σαμουηλ Σαμουηλ (ohne אֶל, nach Klostermann Rest des Namens), danach von Wellhausen, Budde und den meisten geändert. Wenn überhaupt Abhängigkeit von einer gemeinsamen Textform vorliegt, ist 𝔊 eher als Dittogr als 𝔐 als Haplogr zu erklären.

5 a) Fehlt 𝔊A durch homoeotel.

6 a) Fehlt 𝔊, dafür doppelter Vocativ, vgl. V. 7; eine Streichung ist also unbegründet (Klostermann: Verschreibung einer Randvariante).

7 a) Zum Perf. bei טֶרֶם vgl. Gn 24,15. Vielfach mit Rücksicht auf יִגָּלֶה in יֵדַע geändert (GK § 107c; Wellhausen, S. R. Driver, Budde und die meisten); das bedeutete aber, daß Samuel überhaupt noch nichts von Jahwe gewußt hätte, was schwerlich gesagt sein soll. Er hatte nur Jahwe noch nicht als den zu ihm Redenden erkannt. Der Tempuswechsel ist also beabsichtigt. b) GK § 158a. c) דָּבָר mit גלה zwar ungewöhnlich (Ehrlich), aber im Gegensatz zu יָדַע אֶת־יהוה gut zu verstehen. Caspari redet von targumartigem Gebrauch.

10 a) Vgl. Ex 34,5. b) Vgl. 20,25; Num 24,10; Jdc 16,20; 20,30. Die Bestimmung bezieht sich nur auf das Verbum, nicht auf das Objekt (Ehrlich). Könnte 𝔊 (Anm. a zu V. 6) aus einem Mißverständnis dieses Ausdrucks entstanden sein? c) Nach כְּפַעַם בְּפַעַם überflüssig und ohne Not zu tilgen (nach 𝔊B Budde, Caspari u. a.); andererseits hat dieser letzte Anruf die entscheidende Bedeutung.

11 a) 𝔊 τὰ ῥήματά μου ποιῶ; Rückbeziehung auf 2,27–36 durch אֲשֶׁר ausgeschlossen (fehlt 𝔊B; 𝔊A ὥστε). b) Zur Konstruktion GK § 116w. c) Zum Doppelausdruck des Zahlwortes Kö § 257d. d) GK § 67p; zur Sache 2 Reg 21,12; Jer 19,3.

12 a) GK § 113h.

13 a) Klostermann u. v. a. וְהִגַּדְתָּ, was ohne Anhalt in den Vers ist. Zu הִגִּיד »ahnen lassen« vgl. Gn 27, 42; 31,20. b) 𝔊 ἐν ἀδικίαις υἱῶν αὐτοῦ (Smith), andere Rezension, von der בַּעֲוֹן ein Rest sein könnte (vgl. Wellhausen, S. R. Driver), als solcher wäre der Text zu rechtfertigen, obwohl der St. cstr. schwierig (wenn auch nicht unmöglich, vgl. GK § 130c) ist. Sonst ist es entweder zu tilgen (Wellhausen, S. R. Driver, Budde, Dhorme) oder in יַעַן zu ändern (Caspari, Hertzberg). c) 𝔐 müßte reflexiv verstanden werden, »weil seine Söhne sich den Fluch zuzogen«, was schwerlich beabsichtigt ist. Lies mit 𝔊 אֱלֹהִים (לָהֶם) Tiq soph, vgl. Geiger: Urschrift, S. 271). Zu מְקַלְלִים s. Ex 22,27; Lev 24,15. Die Annahme eines Puals מְקֻלָּלִים (𝔖, Caspari mit Tilgung des להם als Dittogr) ist unnötig. d) Nebenform zu כאה (Joüon: Racines. MUB 5/2. 1912, S. 432f.). Damit erübrigen sich alle Konjekturen (Klostermann הוֹכִיחַ; Ehrlich הִכָּה; Perles: I, S. 52f. מָחָה).

14 a) Von 𝔊 als לֹא כֵן zum vorhergehenden Vers gezogen. b) Hithpael nur hier; vgl. dazu Johannes Herrmann: Die Idee der Sühne im AT. Leipzig 1905, S. 53; L. Moraldi: Espiazione Sacrificale e riti espiatori. AnBibl 1956, S. 192ff.

15 a) 𝔊 + וַיַּשְׁכֵּם בַּבֹּקֶר im Rahmen der üblichen Erweiterungen bei 𝔊; kein homoeotel in 𝔐 (Wellhausen, Budde, Driver).

17 a) 𝔊𝔙 Pl., verkennen den Doppelsinn v9n דָּבָר. b) 𝔊 + ἐν τοῖς ὠσίν σου nach אֵלֶיךָ unmöglich; wohl keine willkürliche Doppelübersetzung, sondern Ausgleich verschiedener Rezensionen.

19 a) Deuteronomistischer Ausdruck; Jos 21,45; 23,14; 1 Reg 8,56; 2 Reg 10,10 im Qal, so 𝔊𝔗𝔙 auch hier, womit sich das Subjekt gegenüber 𝔐 verschiebt.

20 a) Ausdruck für das Gebiet Israels in seiner weitesten nördlichen wie südlichen Ausdehnung

wie Jdc 20,1; 2 Sam 3,10; 17,11; 24,2.15; 1 Reg 5,5. Hier rein konventionell und Zeichen eines jüngeren Textes. b) Vgl. Num 12,7; נֶאֱמָן schließt das Moment zeitlicher Dauer mit ein.

21 a) Nimmt das נֶאֱמָן V. 20 auf, darum ist eine Glättung durch Umstellung (3,19.21; 4,1a; 3,20: Löhr, Nowack, Dhorme) ungerechtfertigt. b) V. b fehlt 𝔖 ganz. c) Fehlt 𝔊, doch liegt es in der Linie der Darstellung zu unterstreichen, daß das Samuelgeschehen an Silo gebunden war; vgl. auch 1,9. d) Erläuternder Zusatz, fehlt 𝔊, ist deswegen nicht notwendig zu tilgen (Smith, Dhorme u. a.). Hertzberg zieht es als כִּדְבַר יהוה an das Ende von V. 4a (ähnliche Überlegungen bei Budde), verschiebt damit freilich den Tenor der Aussage; gekünstelt Caspari בדבירו. Noch anders Klostermann, der הֵרָאֹה von der Wallfahrt nach Silo »um des Wortes Jahwes willen« versteht. Eißfeldt: AfO 1930, S. 17–19 ändert in »nicht mehr wurde Jahwe in Silo besucht«. e) 𝔊𝔏Lg + *καὶ ἐπιστεύθη Σαμουηλ προφήτης γενέσθαι τῷ κυρίῳ εἰς πάντα Ισραὴλ ἀπ' ἄκρων τῆς γῆς καὶ ἕως ἄκρων. καὶ Ηλι πρεσβύτης σφόδρα, καὶ οἱ υἱοὶ αὐτοῦ πορευόμενοι ἐπορεύοντο καί πονηρὰ ἡ ὅδος αὐτῶν ἐνώπιον κυρίου.* Eine Kap. 3 unterstreichende Paraphrase, die sicher auf ein hebräisches Original zurückgeht, da sie Inf. abs. (הָלוֹךְ וְהָרֵעַ) erkennen läßt (vgl. S. R. Driver, Ehrlich), deswegen aber nicht zur Rekonstruktion unseres Textes benutzt werden sollte; mindestens nicht so, daß nur ein Teil davon übernommen und hinter 4,1a eingeordnet wird (Budde, Dhorme, de Vaux, Hertzberg u. a.).

1a a) Fehlt 𝔊; redaktionelle Klammer, die den Umfang der Wirksamkeit Samuels, nicht ihre Legitimierung bedeutet und bereits durch die Unterstreichung V. 21 (Anm. c) korrigiert wird. 𝔖 macht V. 21 und 4,1a zu einer Einheit und vereinfacht damit.

3,1–4,1a *Die Berufung Samuels zum Propheten.* Mit dem stereotypen שְׁמוּאֵל מְשָׁרֵת אֶת־יְהוָה (2,11.18; vgl. auch 2,26) wird Samuel wieder in den Ablauf der Silogeschichte hineingestellt. Ebenso ist V. 1b als Einleitungsformel anzusehen, die das Thema des folgenden Berichtes angibt, der sich damit als eine Komposition ausweist, die durch eine theologische Aussageabsicht bestimmt ist. Die Unanschaulichkeiten der Darstellung, die sich in diesem Kapitel finden, haben darin ihren Grund[1].

2–3 Das וַיְהִי בַּיּוֹם הַהוּא wird in V. 4 aufgenommen und fortgesetzt; V. 2aβ–3 bilden einen parenthetischen Zustandssatz, der mit der Schilderung von Nebenumständen, denen dann keine eigentliche Bedeutung mehr zukommt, einen Rahmen schafft. Die stilistische Gemeinsamkeit, die darin mit Kap. 1 besteht[2], ist nicht zufällig und kennzeichnet den literarischen Charakter des ganzen Berichtes[3]. Dabei sind Unausgeglichenheiten nicht vermieden. Die Angabe über die körperliche Schwäche Elis ist 4,15 organischer im Zusammenhang verankert als hier[4]. Auslegungen, die eine unmittelbarere Beziehung zum Kontext herzustellen suchen[5], verraten ein richtiges Gefühl für diese Spannung, auch wenn sie unmöglich sind. בִּמְקוֹמוֹ ist ein allgemeiner Ausdruck, der nicht die Abweichung von einer Regel bedeutet und deshalb die Annahme, Eli habe in einem besonderen Hause geschlafen[6], nicht stützen kann. Dem Kontext nach ist das nicht einmal

1. Stoebe: ThZ 1962, S. 394ff.
2. 9,1ff., an das hierzu auch oft erinnert wird, liegt aber anders; vgl. dort.
3. Das spricht jedenfalls gegen die Aufteilung der Samuelkapitel in zwei verschiedene Überlieferungen (Schunck: Benjamin, S. 102).
4. Soll הַחֵלּוֹ einen zeitlichen Abstand zu dort markieren?
5. Z. B. daß Eli vor Schlaftrunkenheit nicht mehr sehen konnte (Klostermann) oder daß er nicht mehr die Lampe versorgen konnte (Caspari).
6. So z. B. Dhorme, Schulz.

wahrscheinlich. Wenn darauf ein Nachdruck läge, hätte es klarer gesagt werden müssen. Sucht man den Grund für die Angabe in einer Erklärung dessen, daß Samuel an Stelle Elis im Heiligtum Dienst tat[7], ist dabei der formelhafte Charakter dieses Satzes übersehen. Die Erscheinung Jahwes ist auch nicht so sinnenfällig[8], daß dieser Zug der Darstellung darauf hinzielen könnte. Es handelt sich also um eine Samuelgeschichte, bei der die Elibeziehung sich durch die Verbindung mit der Siloüberlieferung ergab. Ihr sekundärer Charakter wird V. 3 noch deutlicher, wo die Angaben über die Leuchter in der Stiftshütte vorausgesetzt zu sein scheinen, wie überhaupt die Stellung Samuels ihre Analogien in der Stellung Josuas im Heiligtum hat[9]. 2 Sam 21,7, worauf zum Verständnis von נֵר אֱלֹהִים hingewiesen wird, liegt anders, so daß eine symbolisierende Deutung der Art: damals bestand Silo und sein Kultus noch[10], oder: solange Samuel noch seinen Dienst im Tempel tat[11], sich nicht darauf stützen kann und den Text überlastet. Anders verhält es sich mit der Nennung der Lade, mit der nicht nur eine äußerliche, sondern vor allem eine inhaltliche Verbindung zu Kap. 4 hergestellt wird; freilich nicht in dem dezidierten Sinne einer institutionellen Beziehung zwischen Lade und Bundschluß, womit das sonst von levitischen Priestern verwaltete Amt eines Bundesmittlers auf Samuel übergegangen wäre[12]. Abgesehen von manchem Hypothetischen an dieser Auffassung spricht hiergegen wohl auch, daß dafür die Lade zu beiläufig genannt wird. Mir scheint die Nennung hier unter dem Schatten des Verlustes Kap. 4 zu stehen. Wo die Lade nicht mehr Garant der gnädigen Gegenwart Gottes ist, lenkt Jahwe durch andere Mittel und einen neuen Mann die Geschichte weiter nach seinem Plan[13].

4–10 Es handelt sich hier nicht um die Vorbereitung eines Inkubationsorakels[14], denn Samuel hält sich in der Wahrnehmung dienstlicher Pflichten im Tempel auf; ein Orakelempfang ist das völlig Unerwartete. Ebensowenig ist es die Meinung des Erzählers, daß es sich um ein Erlebnis im Traume handelt[15]. Dagegen spricht äußerlich schon, daß der jeweilige Anruf Samuel aus dem Schlafe weckt, stärker aber noch das innere Moment, daß es sich um eine besondere Auszeichnung Samuels handelt, die in der Linie von Num 11,7 (vgl. das נֶאֱמָן לְנָבִיא לַיהוָה V. 20) gesehen werden muß[16]. In dieser Hinsicht unterscheidet sich der Bericht etwa von Gn 28 oder 1 Reg 8, gehört also nicht zur Gattung alter Heiligtumslegenden. Der idyllische Zug der Darstellung, den etwa Schunk (vgl. o. Anm. 3)

7. Etwa Nowack, Budde, Smith.
8. Ehrlich: Randglossen, S. 178.
9. Ex 33,11; bei der komplizierten literarischen Zusammensetzung gerade dieses Kapitels können daraus natürlich keine weiteren Folgerungen gezogen werden.
10. So Hermann Wiesmann: Bemerkungen zum 1. Buche Samuelis. ZkTh 1909, S. 132; Schulz; aber auch Paul Volz: Das Neujahrsfest Jahwes. 1923 (SgV 67), S. 27.
11. Caspari.
12. Newman, in: Muilenburg-Festschrift, S. 86ff. Vgl. auch o. S. 85, Anm. 15.
13. Was Konsequenzen für die Annahme der Samuelüberlieferung als eines betont königsfeindlichen Überlieferungsstranges hat, vgl. dazu u. S. 178f.
14. So Budde, Caspari u. a.
15. Ernst Ludwig Ehrlich: Der Traum im Alten Testament. 1953 (BZAW 73), S. 45f.
16. Vgl. dazu besonders Hertzberg.

im Gegensatz zu Kap. 1 vermißt, muß wohl angesichts des Gegenstandes zurücktreten, dennoch fehlt er auch hier nicht völlig. Die dreimalige Anrufung, die zuerst einmal V. 1b exemplifiziert und das Außerordentliche des Geschehens vorbereitet, steht auch mit unter dem Gesichtspunkt, daß der Jüngling, der so großer Dinge gewürdigt wird, in knabenhafter Ehrerbietung glaubt, Eli habe ihn gerufen[17]. Der namentliche Anruf könnte übrigens zum Stil prophetischer Berufung gehören[18]. Wie das הִתְיַצֵּב Jahwes vorzustellen ist, bleibt in der Schwebe; daß er an Samuel herangetreten sei[19], hätte deutlicher gesagt werden sollen. Für ein Reden von der Lade aus gäbe es Analogien Ex 25,22; Num 7,89. Wahrscheinlich ist die Zurückhaltung beabsichtigt und allgemein an ein Reden im Tempel gedacht[20].

11–14 In einer gewissen Spannung zu dem priesterlichen Interesse steht nun das prophetische Drohwort. Gegenüber dem Spruch in Kap. 2 zeigt V. 11 in der Weite der Perspektive, zugleich in der Reflexion auf die Wirkung bei denen, die davon hören, einen späteren Standpunkt. Die Frage, ob hier nicht die Nennung des prophezeiten Ereignisses selbst erwartet werden müßte[21], ist im Prinzip richtig gestellt, berechtigt aber nicht zu der Folgerung, daß hier ein ursprünglich vollerer Text gekürzt[22] bzw. durch V. 12 ersetzt worden sei. Die Stilisierung setzt eben voraus, daß eine Stellungnahme Jahwes gegen die Eliden schon erfolgt ist; V. 12 nimmt darauf ausdrücklich Bezug; er darf deswegen keineswegs als nachträgliche Erweiterung oder Harmonisierung eliminiert werden[23]. Die Überlegung, Samuel habe davon nichts wissen können[24], verkennt die literarischen Hintergründe. Ebensowenig leuchtet es ein, daß hier eine Variante zu Kap. 2 vorliege, die dasselbe Ereignis zum Gegenstand habe[25]. Das Interesse ist hier so ausschließlich auf Samuel konzentriert, daß das, was wir als Spannung empfinden, wahrscheinlich gar nicht in den Blick kommt. Der durch Samuel verkündete Spruch stellt nun etwas Endgültiges, Abschließendes dar, wie auch der Entscheid, daß es keine Sühnung mehr geben kann, über das, was Kap. 2 gesagt ist, hinausgeht. V. 14 werden זֶבַח und מִנְחָה wie 2,29 nebeneinander genannt (vgl. aber 2,17) und wird ihnen sühnende Kraft zugeschrieben; das entspricht zwar nicht der priesterlichen Opferthora, könnte aber im Wesen des Opfers überhaupt liegen[26]. Noch näher liegt die Annahme, daß die Wortwahl von 2,29 her bestimmt ist: Woran sie sich versündigten, das bringt ihnen keine Rettung.

17. Die älteren Ausleger (Thenius, Keil, dort Näheres) erklären es aus der Schwäche Elis, daß Samuel sofort an ihn denkt.

18. von Rad: Theologie II, S. 72.

19. Schulz.

20. Ex 29,42; 30,36; 33,9 u. ö.

21. Z. B. Budde.

22. Vgl. dazu den gewagten Rekonstruktionsversuch bei Hylander: Komplex, S. 69.

23. Wellhausen, Nowack, auch de Vaux.

24. Budde, Schulz u. a.

25. Nämlich ein Auftreten des erwachsenen Gerichtspropheten Samuel in Silo (Preß: ZAW 1938, S. 192; vgl. auch o. S. 86).

26. Vgl. dazu zuletzt R. J. Thompson: Penitence and Sacrifice in early Israel outside the Levitical Law. Leiden 1963, S. 51.

18 Mit diesem Vers erreicht die Darstellung in der stillschweigenden Ergebung Elis in den Willen Gottes einen dramatischen Höhepunkt und einen Abschluß, der mit dem הַטּוֹב בְּעֵינָיו יַעֲשֶׂה zu Kap. 4 überleitet, zugleich wohl eine Perspektive über das Gerichtshandeln hinaus eröffnet.

19–4,1a wirken in eigentümlicher Weise retardierend mit der Erwähnung einer längeren Zeit prophetischer Wirksamkeit Samuels, die aber doch nur blaß und konventionell bleibt. דְּבָרָיו sind die Worte Jahwes, nicht Samuels (vgl. den davon abweichenden Gebrauch 4,1a). Es kann sich dabei nicht nur um Drohworte handeln, deren Bestätigung ja erst Kap. 4 berichtet wird. Daß ganz Israel daran die Legitimierung Samuels zum Propheten erkannte, wird rückschauend von seiner Beteiligung am Werden des Königtums her formuliert sein, steht jetzt aber in Widerspruch zu Kap. 9. V. 21 ist zunächst eine dem ganzen Zusammenhang nach unerwartete Hervorhebung und Bestätigung Silos; er zeigt aber in der Stilisierung Unglattheiten (zum abweichenden Text der Versionen Anm. b u. c). Dabei soll offenbar V. b die Aussage von V. a einschränken, einmal durch die Ersetzung von ראה Niphal durch das weniger gefährdete גלה, dann durch die Betonung der Wortoffenbarung. Es handelt sich also nicht um eine einfache Tautologie, sondern jedes Wort hat sein Gewicht und soll zu weitreichende Folgerungen für Silo ausschließen, denn die Ablösung Silos ist endgültig (Jer 7,12). Verfehlt ist es darum auch, V. 21a gegen den klaren Wortlaut dahin zu interpretieren, daß das ganze Israel wieder in Silo erschienen sei, nachdem es durch Samuel wieder Anziehung bekommen hatte[27]. Damit erweist sich nun aber wohl das ganze Stück von V. 19 ab als nachträgliche Erweiterung und Unterstreichung[28], auch wenn diese Verse in der jetzigen Textgestalt den Zielpunkt des Ganzen darstellen (vgl. o. S. 86). Außer dem schon Angeführten sprechen dafür auch die jüngeren Ausdrücke הִפִּיל; מִדָּן וְעַד־בְּאֵר שָׁבַע, dann aber auch, daß Samuel, wie sonst nicht, hier נָבִיא genannt wird[29] (vgl. auch zu 9,9).

Diese Erweiterung erklärt sich aus dem gleichen Gefühl eines Unbefriedigtseins, aus dem Budde nach V. 18 eine Einsetzung Samuels ins Priesteramt vermißte, andere eine ausgefallene Notiz über die Rückkehr Samuels nach Rama postulierten[30]. Sie zeigt zugleich, daß man den Skopus der Samuelerzählung nicht in der Legitimation seines Priestertums gesehen hat und daß es ein einseitiges Verständnis ist, wenn man diese Linie zu stark auszieht; der Bericht ist viel komplexer (beachte auch das Nasiräermotiv Kap. 1). Darum sind die profilierenden Worte V. 19f. auch nicht als Eintrag eines dem Ganzen fremden (so z. B. Smith), sondern eines darin durchaus angelegten Gedankens anzusehen. Daß die Darstellung so in der Schwebe bleibt, so vielfältig ist, erklärt sich aus der späten Bildung dieser Überlieferung in Ergänzung einer schon bestehenden Silotradition. Sie erhellt gerade daraus, daß die einzelnen Linien wohl angelegt, aber nicht konsequent und selbständig durchgeführt sind; sie erhellt auch aus den

27. Smith, ähnlich Klostermann.
28. Greßmann, Smith.
29. Alfred Jepsen: Nabi. München 1934, S. 102. Zur Sache auch Stellini: Samuel.
30. Eißfeldt: Komposition, S. 5; dort Näheres.

mancherlei idyllischen Zügen der Darstellung. Indessen darf die in den verschiedensten Zusammenhängen auftretende Charakterisierung als Idylle nicht dazu verleiten, die theologische Zielstrebigkeit des Berichtes zu übersehen (vgl. dazu o. S. 88).

4,1b–7,1 Berichte von der Lade Jahwes

Die Gliederung berücksichtigt, daß in 4,1b–7,1 ausschließlich die Lade im Mittelpunkt der Darstellung steht, Samuel selber nicht mehr genannt wird. Damit ist noch keine Entscheidung über die literarische Abgrenzung in dem Sinne getroffen, daß mit 4,1 ein neuer Erzählungseinsatz beginnt[1]. Zunächst muß Kap. 4 im wesentlichen als Einheit angesehen werden; V. 12ff. setzt einen Bericht über den Verlust der Lade voraus, der in V. 1–11 geboten wird. Es liegt nicht so, daß in dem zweiten Teil das Interesse sich einseitig auf das Schicksal der Eliden konzentriert. Unterschiede, z. B. in der Wortwahl, erklären sich aus Überarbeitungen. 4,12 verlangt seinerseits nach einer zuvor ergangenen Gerichtsandrohung, denn nur so ist die Besorgnis Elis begründet[2]. Daraus folgt, daß Kap. 4 ein Stück der Siloüberlieferung ist, die die Grundlage der Kap. 1–3 bildet[3]. In Kap. 5–6 knüpft daran eine Darstellung der Schicksale der Lade im Philisterland bis zu ihrer Entlassung an. Eine Frage ist, in welchem Verhältnis diese Kapitel zu 2 Sam 6 stehen. Während einerseits eine literarische Einheit der Kap. 5–6 betont, eine Zusammengehörigkeit mit 2 Sam 6 aber auf Grund von Namensverschiedenheiten[4] abgelehnt wird[5], postuliert man auf der anderen Seite unter der Voraussetzung durchlaufender Quellen eine größere Nähe beider Berichte zueinander[6] oder weist diese Kapitel als Gesamtheit der einen dieser durchlaufenden Quellen[7] bzw. einem in sich geschlossenen Überlieferungszusammenhang[8] zu. Dieser letztere Gedanke ist dann dahin spezifiziert worden, daß die Geschichte von der Lade als Darstellungselement in die Überlieferung von der Thronnachfolge Davids eingestellt worden sei[9] und als Legende die Prärogative des Jerusalemer Heiligtums zu sichern hatte[10]. Diese Konzeption findet zur Zeit viel Zustimmung[11]. Schwerlich trifft das je-

1. So zuletzt Joseph Bourke: Samuel and the ark. A study in contrasts. Dominican studies 1954, S. 73–103 mit der Annahme einer hier einsetzenden judäischen Quelle.

2. Preß: ZAW 1938, S. 181.

3. Mit Recht setzen also Dhorme; Preß: a. a. O. Kap. 4 in enge Verbindung zum Vorhergehenden.

4. קִרְיַת יְעָרִים 6,21; בַּעֲלַת יְהוּדָה 2 Sam 6,2 (Konjektur nach 1 Chr 13,6); אֶלְעָזָר 7,1; עֻזָּא וְאַחְיוֹ 2 Sam 6,3.

5. Bleek-Wellhausen: Einleitung, S. 222; im wesentlichen ihm folgend Löhr, Nowack; ähnlich Smith. Vgl. auch Vriezen: OrNe 1948, S. 188.

6. Budde; Hölscher: Geschichtsschreibung: 1 Sam 4–6 E; 2 Sam 6 J. Eißfeldt: Komposition, S. 56ff.: durchlaufende Aufteilung von 4–6 auf I und II; 2 Sam 6 Zuteilung zu II, von dem Postulat einer Eliden- und einer elidenfreien Überlieferung ausgehend.

7. Steuernagel: Einleitung, S^A; Pfeiffer: Introduction, early source.

8. Greßmann. 9. Rost: Überlieferung.

10. So schon Greßmann. Dieses Urteil setzt nicht notwendig eine auch 2 Sam 6 umfassende Quelle voraus; vgl. etwa Caspari, S. 59; Lods: Israel, S. 406; Bright: History, S. 163 u. a.

11. Z. B. Noth: Studien, S. 63; Bentzen: Introduction II, S. 92.

doch für Kap. 4 zu, das unter ganz anderen Gesichtspunkten steht[12], so daß gefragt werden muß, ob dieser Bericht Gegenstand einer Kultlegende werden konnte[13]. Auch sonst bestehen im Blick auf 2 Sam 6 zu große stilistische Unterschiede[14], als daß sie mit der Annahme eines liturgischen Schemas (4,1–11: Bericht der Not; 5,1–7,1; 2 Sam 6,1–11: Siegesbericht; 2 Sam 6,12–19: Bericht des Lobpreises)[15] erklärt werden könnten. Dazu kommt noch die ernsthaft zu erwägende Möglichkeit, daß 1 Sam 6 und 2 Sam 6 parallele Überlieferungen enthalten[16]. Daß von diesen Überlieferungen 2 Sam 6 die ältere sei[17], ist natürlich nicht zu erweisen und schließlich auch unwesentlich. Auf jeden Fall geht es aber nicht an, eine Teilung der Stoffe in Kap. 4–5 einerseits, Kap. 6 u. 2 Sam 6 andererseits[18] vorzunehmen. Es ergibt sich also zunächst im Blick auf 1 Sam 6 und 2 Sam 6, daß beide aus einem losen Zyklus von Lade-Überlieferungen ohne einen festen quellenhaften Zusammenhang stammen[19]. Doch wird man dieses Urteil auch auf 1 Sam 4–5 ausdehnen müssen. Einmal kann Kap. 5 nicht für sich einen Anfang bilden[20], andererseits ist mit 4,22 schon ein Abschluß erreicht. Kap. 5 u. 6, die inhaltlich auch nicht völlig einheitlich sind, verstehen sich am besten als Erweiterungen aus einem reichlich vorhandenen Material von Einzelüberlieferungen.

12. So schon Preß: ZAW 1938, S. 182.
13. Davon wird nicht berührt, daß David mit der Überführung der Lade nach Jerusalem tatsächlich alten Erwartungen entgegenkam.
14. Richtig z. B. Caspari, S. 460, aber auch andere.
15. Seeber: Lade, S. 23 f.; zur Sache vgl. auch die Hinweise bei Bernhardt: Königsideologie, S. 188.
16. Tur-Sinai: VT 1951, S. 275 ff.
17. Hylander: Komplex, S. 276; ähnlich W. H. Kosters: De verhalen over de ark in Samuel. ThT 1893, S. 361 ff. in der Form, daß 4,1–7,1 überhaupt erst von 2 Sam 6 aus gebildet worden sind.
18. So Kittel. 19. Feuillet-Robert: Einleitung I, S. 418.
20. Preß: ZAW 1938, S. 182. Richtig ist wohl, daß 1 Sam 4 älter ist als 2 Sam 6.

4,1b–11 *Der Verlust der Lade*

1 b[a] Und Israel rückte aus gegen die Philister[b] zum Kampf; sie bezogen ein Lager bei Eben-Ezer[c], während die Philister sich in Aphek[d] gelagert hatten. 2 Da stellten sich die Philister gegen Israel zur Schlacht auf, und der Kampf ging hin und her[a]; dabei erlitt Israel von den Philistern eine Niederlage; (diese) erschlugen[b] vom Heer auf dem Feld[c] bei viertausend Mann. 3 Als das Volk wieder ins Lager kam, fragten die Ältesten Israels: »Warum hat Jahwe uns wohl heute vor den Philistern geschlagen? Wir wollen doch zu uns[a] aus Silo die Lade des Bundes Jahwes[b] holen, daß er (sie)[c] in unserer Mitte ein ⟨und aus gehe⟩[d] und uns aus der Faust unserer Feinde errette.« 4 Da sandte das Volk nach Silo, und man holte von dort die Lade des Bundes Jahwe Zebaoths[a] des Kerubenthroners[b], und dort[c] waren die beiden Söhne Elis zur Begleitung der Lade des Gottesbundes[d], Hophni und Pinhas.

5 Als nun die Lade des Bundes Jahwes ins Lager kam, da brach ganz Israel in ungeheuren Jubel aus[a], daß die Erde erdröhnte[b]. 6 Auch die Philister hörten den Lärm des Jubels und fragten sich: »Was hat das große Geschrei im Lager der Hebräer[a] zu bedeuten?« Als sie erkannten, daß die Lade Jahwes ins Feld(lager) gekommen war, 7 fürchteten sich die Philister, denn sie sagten: »Gott[a] ist in das Lager gekommen«, [b]und sie sagten (weiter)[b]: »Weh uns[c], denn so etwas ist früher nicht dagewesen[d]. 8 (Ja), weh uns, wer wird uns aus der Hand dieses mächtigen[a] Gottes retten können? Das ist doch der Gott[b], der Ägypten mit allerlei Plage in der Wüste[c] geschlagen hat. 9 Faßt euch und zeigt euch als Männer, Philister, damit ihr nicht den Hebräern fronen müßt, wie sie euch gefront haben! Seid mannhaft und kämpft!« 10 Da kämpften die Philister und Israel wurde geschlagen und floh, ein jeder zu seinem Zelt. Es kam zu einer schweren Niederlage; von Israel fielen dreißigtausend wehrhafte Männer[b]. 11 Auch wurde die Lade Gottes[a] erobert, und die beiden Söhne Elis, Hophni und Pinhas, fanden den Tod.

1b a) In 𝔊 geht voraus: *καὶ ἐγενήθη ἐν ταῖς ἡμέραις ἐκείναις καὶ συναθροίζονται ἀλλόφυλοι εἰς πόλεμον ἐπὶ Ισραηλ*, was von Wellhausen bis Hertzberg ziemlich allgemein zur Grundlage einer Textänderung gemacht wird, allerdings eine Angleichung der Situation an Kap. 7 bedeutet (die Israeliten handeln eindeutig in Notwehr), die nicht ohne weiteres als ursprünglich vorausgesetzt werden darf (vgl. auch Caspari). b) 𝔊 entsprechend ihrer Erweiterung *εἰς ἀπάντησιν αὐτοῖς*, was um der Folgerichtigkeit willen die Selbständigkeit der 𝔐-Rezension beweist. Zu פְּלִשְׁתִּים vgl. 4,7 und GK § 125e; Kö § 295f. c) הָעֵזֶר Apposition (GK § 127h; Kö § 303 cg vgl. auch de Boer: Research, S. 83). 5,1; 7,12 אֶבֶן הָעֵזֶר, danach meist geändert (vgl. etwa Hertzberg), was zu schnell Identität mit 7,12 postuliert; mindestens spricht die Form gegen sekundäre Einfügung (so Simons: Texts, § 657–8). Lage ungewiß, vielleicht *meğdel jābā* (A. Alt: PJ 1925, S. 53; auch Simons, a. a. O.; anders G. Dalman: PJ 1914, S. 31). d) Vgl. Jos 12,18; 1 Sam 29,1; Bell Jud II, 513; mit Antipatris identisch und auf dem tell von *rās el-ʿain* an den Quellen des *nahr el-ʿauğā* gesucht (A. Alt: PJ 1925, S. 52; PJ 1932, S. 19f.; ebenso W. F. Albright: The site of Aphek in Sharon. JPOS 1923, S. 50), danach die meisten (vgl. de Vaux, Hertzberg). Anders, aber unwahrscheinlich, sucht es S. Tolkowski (Aphek, a study in Biblical topography. JPOS 1922, S. 145–148) in dem Dorf *fukûʿa* in den westlichen Abhängen des Taborgebirges (ausdrücklich dagegen W. F. Albright: One Aphek or four. JPOS 1922, S. 184–189). Vgl. auch die zusammenfassende Darstellung von R. North: Ap(h)eq(a) and ʿAzeqa. Bibl 1960, S. 41–63. Dazu auch noch A. Alt: Ägyptische Tempel in Palästina und die Landnahme der Philister. ZDPV 1945, S. 15.

2 a) Meist in der Passiv-Bedeutung des Verbums als »sich ausbreiten« aufgefaßt, obwohl die angeführten Belege Jdc 15,9; 1 Sam 30,16; 2 Sam 5,18.22 wegen des persönlichen Subjekts auch nicht völlig überzeugen. 𝔊 *ἔκλινεν*, wonach auf וַתֵּטָּה geschlossen wird (Klostermann), was auch nicht überzeugt. Andere, z. B. Budde, Smith, Dhorme, de Vaux, ändern in וַתִּקֶשׁ, was zwar inhaltlich befriedigt, aber in den Vers keinen Anhalt hat. Dagegen führt S. R. Driver: Notes and Studies. JThS 1933, S. 379 die Form auf die Wz. יטשׁ arab. *wāṭāsā* »zusammenstoßen, zusammenprallen« zurück, was inhaltlich wenig einleuchtet. Könnte es sich aber nicht um ein aramaisierendes Impf. Qal von טושׁ handeln (Hi 9,26 vom futtersuchenden Vogel; arab. *ṭāša* »unbeständig sein«)? Der Kampf geht verlustreich hin und her, aber zu einer eigentlichen Entscheidung kommt es noch nicht. b) 𝔊𝔖𝔙 וַיַּכּוּ, was wohl eine Glättung ist, aber auch 𝔐 gibt guten Sinn (vgl. Budde). c) Es wird gesagt, daß die Isra-

eliten zwar schwere Verluste erlitten, aber die מַעֲרָכָה zusammenbleibt und keine panische Flucht einsetzt (Löhr, Nowack). Aus dem an sich überfüllten Ausdruck braucht nicht auf zwei Quellen geschlossen zu werden (Budde, Dhorme, Smith?), ebensowenig ist eins der beiden Worte (בַּשָּׂדֶה Rost: Überlieferung S. 11; מַעֲרָכָה Caspari) zu tilgen.

3 a) Fehlt 𝔊B. b) 𝔊B τὴν κιβωτὸν τοῦ θεοῦ ἡμῶν (was schwerlich Verlesung des אֱלֹהֵינוּ sein wird [so Dhorme]). 𝔊 dürfte hier einer dem ursprünglichen Text näherstehenden Rezension folgen (darum von Wellhausen, S. R. Driver, Budde und den meisten geändert); beachte überhaupt die Unsicherheit in Prädikation der Lade (𝔖 = 𝔐 + צְבָאוֹת 𝔊A + δυναμέων); davon könnte gerade צְבָאוֹת altem Bestande angehören (vgl. Anm. c zu 1,3; auch S. 95, Anm. 39). c) Grammatisch ist es ebensogut möglich, das Verb auf die Lade zu beziehen, doch die Beziehung auf Gott scheint mir sachlich wahrscheinlicher. d) 𝔊 ἐξελθέτω = וְיֵצֵא (Budde, Schulz), was ältere Überlieferung (vgl. Jdc 4,14; 2 Sam 5,24) und vielleicht Hinweis auf die vollere Formel יָצָא וָבוֹא (1 Sam 18,16) sein könnte. 𝔊 weiter ἐκ μέσου ἡμῶν.

4 a) 𝔊B hat wiederum nicht בְּרִית und צְבָאוֹת übersetzt; vgl. Anm. b zu V. 3. b) Andererseits besteht gerade nach 𝔊 keine Nötigung, das יֹשֵׁב הַכְּרֻבִים (Nowack, Budde, Smith) zu unterdrücken. c) Fehlt 𝔊𝔏 – gegen die allgemeine Annahme, daß das שָׁם entweder geändert (Bruno: Bücher, S. 283 מִשָּׁם; Klostermann, Tiktin גַּם; Caspari וַיִּשְׂאוּ) oder als aus מִשָּׁם dittographiert getilgt werden müsse (so die meisten), vgl. den Hinweis bei de Boer: Research, S. 51, daß 𝔊 שָׁם auch sonst häufig fortläßt. Es ist jedenfalls leichter anzunehmen, daß 𝔊 einen schwierigen Text glättet, als daß 𝔐 einen verständlichen Text ändert; 𝔐, in überlieferter Form, legt stärkeren Nachdruck auf die Bindung der Lade an Silo. d) Wiederum 𝔊B μετὰ τῆς κιβωτοῦ, 𝔊A = 𝔐, 𝔗𝔖 = בְּרִית יהוה. Hier Artikel bei אֱלֹהִים wie V. 12–22 regelmäßig.

5 a) Dazu Paul Humbert: La Terou'a, Analyse d'un rite Biblique. Neuchâtel 1946, S. 29ff; offenbar gehörte dieser Zug einmal unmittelbar zum Heiligen Krieg und ist hier bereits spiritualisiert (vgl. Jos 6,5; 1 Sam 17,20 und außerdem von Rad: Krieg. 1952, S. 11). b) Zur Form GK § 72h; Ehrlich, S. R. Driver, Caspari וַתֶּהֱם (Wz. המה).

6 a) Vgl. einerseits 1 Sam 14,11; 29,3; andererseits 1 Sam 13,3.7.19; 14,21; ferner den Exkurs Hebräer S. 247ff.

7 a) 𝔊 οὗτοι οἱ θεοὶ ἥκασιν, wohl nur erklärende Erweiterung (Wellhausen; ähnlich de Boer: Research, S. 58); es kann ebensowenig Grundlage für eine Textänderung אֱלֹהֵיהֶם – 𝔊 aus אלה(ם)הם – (so z. B. Budde, Smith, S. R. Driver, Dhorme, Hertzberg) sein wie das πρὸς αὐτοὺς von 𝔊 zwingend für ursprüngliches אֲלֵיהֶם spricht (dieselben, auch Wellhausen, Ehrlich, Tiktin). 𝔊 korrigiert den Tenor der Aussage von 𝔐 (so schon richtig Löhr). Das Wort will natürlich als von den Philistern gesprochen verstanden werden, nicht von den Israeliten (so Klostermann; ähnlich Smith, Schulz). Für eine Ausscheidung von V. 7a als Glosse (Greßmann) besteht auch kein Grund (vgl. Rost: Überlieferung, S. 11). b) Fehlt 𝔊, Verwischung einer hebräischen Sprachform (Begründung und Folge der Furcht: Rost, a.a.O.). c) 𝔊 ἐξελοῦ ἡμᾶς κύριε σήμερον, von Klostermann, Schulz unter der Voraussetzung übernommen, daß 7a Wort der Israeliten ist; in Wirklichkeit eine Fortführung der Gedanken von V. 7 im Blick auf das Folgende. Auffallend ist, daß diese Fortführung eher in der Linie der von 𝔐 gebotenen Textform liegt. Vgl. dazu Kap. 17. d) Budde will nach dem σήμερον der 𝔊 כִּי הַיּוֹם לֹא הָיְתָה gewinnen.

8 a) 𝔊 τῶν στερεῶν, eine Änderung (הָאַבִּירִים, Klostermann, Smith) ist unbegründet. b) Zur Konstruktion vgl. GK § 136d; die Tilgung eines der Worte (von 𝔗 beide vorausgesetzt) als Dittogr ist ebenso unnötig wie die Annahme הֲלֹא (Ehrlich; Bruno: Epos, S. 53).
c) Durch alle Vers gestützt, dennoch seit Wellhausen von der Mehrzahl der Ausleger aus inhaltlichen Überlegungen in דֶּבֶר geändert, wobei aber nicht einzusehen ist, warum die Plage der Pest besonders hervorgehoben werden sollte (so auch Tiktin; Bruno: Epos, S. 53; Bruno: Bücher, S. 283 בְּדָם וָדֶבֶר). Gegen die Annahme einer alten, zu tilgenden Randglosse (Löhr, Budde, Schulz, de Vaux) spricht wiederum, daß diesem Zug im Zusammenhang entscheidendes Gewicht zukommt. Die Befreiung aus Ägypten und der Zug durch die Wüste fallen für den Verfasser zusammen (ähnlich de Boer: Reserach, S. 83). Sehr seltsam vermutet M. D. Goldman, daß damit die Philister als Ignoranten gekennzeichnet werden sollen (Humour in the Hebrew Bible. Australian Biblical Review [Melbourne] 1952, S. 3). Übrigens

erleichtern 𝔊𝔖 durch die Einfügung eines »und«; 𝔗 versteht es von den Wundern an Israel während der Wüstenwanderung.

10 a) Zum Sg. GK § 145o. b) Zu dieser Bedeutung vgl. Ehrlich zu Ex 12,37; Jdc 20,2; ähnlich Klostermann. Dagegen findet Caspari hierin schon die differenzierten Waffengattungen der späteren Königszeit. 𝔊 ταγμάτων scheint דֶּגֶל zu lesen.

11 a) Hier אֲרוֹן אֱלֹהִים wie V. 12–22, aber ohne Artikel: entsprechend der Gottesanschauung einer späteren Zeit.

4,1b–11 *Der Verlust der Lade.* Obwohl die Einheit des ganzen Kapitels durch die Gemeinsamkeit der Stilmittel (Auflösung der Darstellung in bewegte Wechselrede) unterstrichen wird, besteht ein Unterschied in der Benennung der Lade. Der Wechsel des Gottesnamens ist dabei nicht so ausschlaggebend; die Ergänzung des יהוה צבאות durch יֹשֵׁב הַכְּרוּבִים findet sich 2 Sam 6,2 und der Parallele 1 Chr 13,6 (vgl. dazu Exkurs S. 158). Wichtiger ist die durchgängige Bezeichnung אֲרוֹן בְּרִית יְהוָה, von der in diesem Abschnitt nur abgegangen ist V. 6, wo die Philister reden, denn ihnen darf dieses Arcanum nicht vertraut sein, und V. 11, wo von dem Verlust erzählt wird, auch da verständlich. Von V. 12 an fehlt es dann gänzlich. Es dürfte hier eine Einfügung deuteronomistischer Bearbeitung vorliegen, die vermutlich von hier die Anregung zu der freien Komposition Kap. 7 gewonnen hat (vgl. dort)[1]. Daraus begreift sich auch, daß die in die Hand der Philister gefallene Lade nicht mehr אֲרוֹן בְּרִית genannt werden kann. Die Annahme, daß die Geduld des Bearbeiters sich erschöpft habe[2], wäre eine zu vordergründige Erklärung. Diese Bearbeitung dürfte weiterhin in der Ausformung von V. 7 zu erkennen sein, wenn diese auch sehr pauschal ist. Der darin enthaltene Gedanke läge jedenfalls in der Linie des Deuteronomiums[3]. Schließlich wird auch die von 𝔐 abweichende Textgestalt von 𝔊 zu V. 1b (vgl. Anm. a) als Rezension zu erklären sein, die sich noch stärker an Kap. 7 angleicht. 𝔐 hat wohl das Ursprüngliche mit dem Angriff Israels auf die Philister, die hier als bekannt vorausgesetzt werden. Das nötigt freilich nicht dazu, diese Episode in einen literarischen Zusammenhang mit Jdc 13–16 zu bringen[4].

Die Nennung von אֲפֵק weist in die Küstenebene. Wenn man sich auch nicht recht vorstellen kann, zu welcher Zeit seiner vorstaatlichen Existenz Israel zu einem so weit reichenden Vorstoß in der Lage gewesen sein soll, dürfte an der Historizität des Berichteten als eines Versuches, philistäischen Druck zu mildern (vgl. V. 9), nicht zu zweifeln sein[5]. Die Schlacht führt zu schweren Verlusten, aber noch nicht zu einer entscheidenden Niederlage; jedenfalls können die Israeliten sich geordnet zurückziehen. Dieser von den Israeliten unternommene Befreiungskampf trägt den Charakter eines Heiligen Krieges, er bekommt ihn nicht erst dadurch, daß die Lade geholt wird und dadurch die Philister mit Furcht erfüllt

1. Dort greift Jahwe ohne Vermittlung durch die Lade ein.
2. Z. B. Budde z. St.
3. Vgl. etwa Dt 4,7; Jos 4,24; 1 Reg 8,60; auch Dt 2,25; 28,10.
4. Z. B. Budde: an die Simsongeschichte Jdc 13–16 kann nun 1 Sam 4–6 unmittelbar angeschlossen werden. Vgl. auch de Vaux, S. 37; Pfeiffer: Introduction, S. 342.
5. Lods: Israel, S. 407. Vgl. dazu Mayes, A. D. H.: The historical Context of the Battle against Sisera. VT 1969, S. 355f.

werden (V. 7)[6]. Es ist im Gegenteil auffallend, daß man sich erst jetzt auf sie besinnt. Auch wenn in entsprechenden Berichten aus dem Richterbuch nichts über das Mitgehen der Lade in das Kriegslager berichtet wird (vgl. dann aber 2 Sam 11, 11), so liegt es doch nahe, sie mit dem Beistand Jahwes im Heiligen Krieg zusammenzubringen[7]. Die Annahme scheint begründet, daß darin schon die Stilisierung eines ursprünglich einfacheren Berichtes vorliegt, die im Zusammenhang mit der Reflexion der Philister V. 8 gesehen werden muß (vgl. den stilisierten Gebrauch von תְּרוּעָה V. 5 und Anm. a z. St.). Dann schwingt aber in diesem Zug bereits ein Vorwurf mit, daß die Israeliten zu sehr auf eigene Kraft vertraut und sich erst in der Not ihres Gottes erinnert haben[8]. Wenn der Verlust der Lade zunächst auch Gericht an den Eliden ist, so symbolisiert deren Versündigung doch eine Schuld des ganzen Volkes[9]. Daß die Eliden V. 4 mit שָׁם eingeführt werden, ist weder textkritisch zu ändern (Anm. c), noch als Beweis für einen selbständigen Einsatz dieses Kapitels zu verstehen. Es könnte durch den Einschub der Samuelerzählung Kap. 3 bedingt, also einfach redaktionell sein, ist aber eher ein beabsichtigter Rückverweis auf die Strafandrohung Kap. 2, der die Verworfenheit der Eliden ins Blickfeld bringen soll. An sich fällt auf, daß die Einstellung zu den Eliden in diesem Abschnitt verhältnismäßig wohlwollend ist[10]; ihr Tod ist ein Heldentod. Das ist nicht ausreichend mit der Gestaltung dieses Berichtes zur Zeit Davids zu erklären[11]. Ähnliches läßt sich auch an der Darstellung des unglücklichen Ausgangs Sauls beobachten. Darin zeigt sich eine Spannung zwischen einem einfachen Bericht über ein Geschehen und der theologischen Begründung, die ihm gegeben wird, gegeben werden muß[12]; sie ist für die Ausbildung dieser Überlieferung bezeichnend (vgl. dazu o. S. 64).

Hervorgehoben werden muß noch der *Positivismus* der Darstellung. Die Philister rufen nicht ihre Götter an, sondern verlassen sich auf ihre Tüchtigkeit. Das ist deswegen nötig, weil sonst die Gefahr bestanden hätte, daß einer den Verlust der Lade als Unterliegen Jahwes vor den Göttern der Philister verstand. Es ist also von dieser Stelle her nur mit Einschränkung zu sagen, daß die Kämpfe Israels mit den Philistern durchgehend als Kämpfe der Götter beider Parteien aufgefaßt wurden[13].

6. So etwa Caspari.
7. von Rad: Krieg, S. 28; anders z. B. de Groot, Rehm u. a.
8. Das läge in der Linie des deuteronomistischen Schemas.
9. So richtig Bentzen: JBL 1948, S. 48.
10. Preß: ZAW 1938, S. 182 verweist auf die Spannung zu 1 Sam 6, wo die Lade jeden Unwürdigen vernichtet. In dieser Richtung jetzt auch Dus: VT 1963, S. 334.
11. So Hertzberg.
12. Mit der Folgerung, daß eine betont proelidische Erzählung, deren Autor in Nob zu suchen sei, durch einen Parteigänger Zadoks in eine antielidische Überlieferung geändert wurde (Dus: VT 1963, S. 353f), sind im Ansatz richtige Beobachtungen überlastet. Sicher steht auch V. 13a organisch im jetzigen Zusammenhang.
13. Vgl. etwa Otto Eißfeldt: Das Lied Moses. Deuteronomium 32,1–43. 1958 (BAL 104), S. 23.

4,12–22 *Elis Trauer und Tod*

12 (Nur) ein Benjaminit[a] entkam aus der Front und gelangte noch am selben Tage mit zerrissenen Kleidern, Erde auf dem Haupt, nach Silo. 13 Als er ankam, saß Eli gerade in gespannter Erwartung[a] auf einem Stuhl ⟨an der Straße⟩[b], denn er war in Unruhe über die Lade Gottes[c]. Als der Mann nun ankam, um in der Stadt zu berichten, da schrie die ganze Stadt auf. 14 Da aber Eli das laute Geschrei hörte, fragte er: »Was bedeutet dieser laute Lärm?« Da kam der Mann schnell herbei[a] und berichtete auch Eli. 15 Nun war Eli achtundneunzig Jahr alt[a], seine Augen waren starr[b], daher vermochte er nicht mehr zu sehen[c]. 16 Der Mann sagte zu Eli: »Ich bin der, der von der Front gekommen ist[a], ja, und auch ich[b] bin heute nur aus der Front geflohen.« Da fragte er: »Wie ist das denn zugegangen, mein Sohn?« 17 Der Unheilsbote[a] antwortete und sagte: »Israel[b] ist vor den Philistern[c] geflohen, auch hat das Volk eine schwere Niederlage erlitten, und auch deine beiden Söhne sind gefallen[d], [e]Hophni und Pinhas[e], und die Lade Gottes ging verloren«. 18 Als er nun auch die Lade Gottes erwähnte[a], fiel er von seinem Sitz hintenüber [b]zuseiten des Tores[b], brach sich dabei das Genick und starb, denn er war alt und schwerfällig. Vierzig Jahre[c] hatte er Israel gerichtet. 19 Nun war seine Schwiegertochter, das Weib des Pinhas, kurz vor der Niederkunft[a]. Als sie (in diesem Zustand) die Kunde vernahm, daß die Lade Gottes genommen und daß ihr Schwiegervater und ihr Mann nicht mehr am Leben seien[b], brach sie zusammen und gebar, denn ihre Wehen[c] waren über sie gekommen. 20 In ihrer Sterbestunde[a] sprachen die Frauen, die um sie standen, ihr tröstlich zu: »Fürchte dich nicht, du hast einen Sohn geboren.« Aber sie antwortete nicht, sie beachtete es überhaupt nicht, 21 sondern nannte[a] den Knaben Ikabod[b], in dem Gedanken, fort und dahin sei die Ehre aus Israel wegen des Verlustes der Lade Gottes [c]und wegen ihres Schwiegervaters und ihres Mannes[c]. 22 Sie sprach (es auch aus)[a]: »Fort und dahin ist die Ehre aus Israel, denn die Lade Gottes ging verloren.«

12 a) 𝔐 bedeutete alle Benjaminiten oder der Bestimmte Benjaminit; 𝔊 *ἀνὴρ Ιεμειναῖος*, 𝔖𝔗𝔙 setzen מן voraus, wonach wohl mit Recht von dem meisten Auslegern in בִּנְמִּינִי oder מִן־בִּנְיָמִן gelesen wird. Zur Möglichkeit, die überlieferte Form indeterminiert aufzufassen, vgl. GK § 127e; dennoch bleibt die Form seltsam; könnte es vielleicht nachträglicher Eintrag sein, der bereits auf Kap. 8ff. hinweist? De Groot weiß von einer späteren Tradition, wonach der Bote Saul gewesen wäre. Ehrlich בְּנוּמוֹ.

13 a) Da nach V. 15 Eli blind ist, muß מְצַפֶּה selbständig sein und allgemeine Bedeutung haben (Schulz; Rost: Überlieferung, S. 11). Die Vokalisierung מִצְפָּה (Wellhausen, Dhorme; Bruno: Epos, S. 53; de Groot) würde die grammatische Form erleichtern, paßt aber inhaltlich nicht, da ein von Mizpa kommender Bote bei der Lage des Heiligtums in Silo vermutlich an Eli hätte vorbeimüssen. Beachte den (sachlich nicht berechtigten) Versuch einer Quellenscheidung bei Budde, mit dem er einen Strang gewinnen will, nach dem der Bote direkt zu

Eli kommt. Möglich und dem überlieferten Textbild ziemlich nahekommend wäre auch der Vorschlag bei de Boer: Research, S. 83; Bruno: Bücher, S. 283 כְּדֶרֶךְ מְצַפֶּה »in der Haltung eines Wartenden«, vermag aber auch nicht ganz zu überzeugen. b) Lies zunächst mit Qere und allen Neueren יַד statt des unverständlichen יַךְ (GK § 118d) womit sich weitere Änderungen erübrigen, dann aber besser הַדֶּרֶךְ. 𝔊 παρὰ τὴν πύλην σκοπεύων τὴν ὁδόν (ähnlich 𝔗 על כבש אורח תרעא, Auflösung des unverständlichen יַךְ?), wonach Wellhausen, Budde, S. R. Driver und die meisten, auch Hertzberg in (לְ)יַד שַׁעַר מְצַפֶּה הַדֶּרֶךְ ändern (Ehrlich dagegen ersetzt lediglich דֶּרֶךְ durch שַׁעַר). Das ist freilich nicht zwingend, denn der Lesart der 𝔊 entspricht eine Erweiterung in V. 15, die das Nebeneinander verschiedener Textformen erkennen läßt. Folgerichtig verzichtet van den Born überhaupt auf eine Wiedergabe. c) Hier zum ersten Mal אֲרוֹן הָאֱלֹהִים. Mit Recht weist Preß: ZAW 1938, S. 181 darauf hin, daß V. 13 eine Einleitung erfordert, die die Besorgnis Elis begründet.

14 a) Kö § 369q.

15 a) 𝔊 ἐνενήκοντα, 𝔖 »achtundsiebenzig«. b) Qere[Or] קָמוּ danach vielfach verbessert (vgl. andererseits 15 MSS עֵינוּ), beides unnötig; vgl. BLe § 42 o'; GK § 44m. Zur Syntax auch GK § 145k; BroS § 50a. c) 𝔊 + καὶ εἶπεν Ηλι τοῖς ἀνδράσιν τοῖς περιεστηκόσιν αὐτῷ τίς ἡ φωνὴ τοῦ ἤχους τούτου; 16 καὶ ὁ ἀνὴρ σπεύσας προσῆλθεν ... nicht einfach Dublette zu V. 14, sondern eine vermutlich schon auf hebräische Vorlage zurückgehende Erweiterung, die die Situation V. 15 ausmalen soll. Es darf daraus ebensowenig auf das ursprüngliche Fehlen von V. 15 in 𝔊 (Wellhausen) wie in 𝔐 (Smith, Nowack, Greßmann) geschlossen werden (vgl. dazu vor allem Budde, auch Rost: Überlieferung, S. 12).

16 a) GK § 126k. 𝔊 ἐκ τῆς παρεμβολῆς, nur hier für מַעֲרָכָה, deswegen meist in מַחֲנֶה geändert (Budde, Smith, Dhorme u. a.); beachte aber מַעֲרָכָה V. 2 und V. 12. 𝔊 stilistische Glättung. b) Die Doppelung des Personalpronomens weder Zeichen für verschiedene Quellen (Budde) noch für spätere Variante (Rost: Überlieferung, S. 12). Emphatisch gebraucht unterstreicht es das נַסְתִּי (GK § 135a).

17 a) Für den Bringer einer Unheilsbotschaft nur hier (2. Sam 18,19ff. unbestimmt). 𝔊 (deswegen?) παιδάριον. b) 𝔊 ἀνὴρ Ισραηλ wie auch V. 2.10; 12,1; 13,2; geläufige Kombination. c) 𝔊 ἐκ προσώπου (𝔗𝔖 מן קדם) danach מפני (Smith, Dhorme, Caspari); ל könnte Angleichung an das Vorhergehende sein; vielleicht ist es aber auch nur lexikalische Eigentümlichkeit. d) Beachte den kunstvollen Aufbau, die durch גַּם bewirkte Steigerung, bis zum Höhepunkt, dem Verlust der Lade (anderer Aufbau V. 11); dort hätte ein גַּם nur abschwächend gewirkt. e) Fehlt 𝔊, darum von vielen (z. B. Budde, Dhorme, de Vaux) getilgt; doch hätte dann diese Tilgung gleichmäßig durchgeführt werden müssen.

18 a) Vgl. J. Begrich: Sōfēr und Mazkīr. ZAW 1940/1, S. 12, Anm. 4. Jetzt auch Schottroff: Gedenken, S. 260. b) 𝔊 ἐχόμενος (für לְיַד 1 Sam 19,3; Ps 140,6; עַל יַד Num 2,17; 1 Chr 25,2.6; vgl. dazu auch 𝔗 על כבש אורח תרעא) verbietet, an ein Hindurchfallen durch (בְּעַד) das Tor zu denken (Löhr; Klostermann gar in der Form בְּעַד יְדֵי הַשַּׁעַר!). Es handelt sich entweder um eine Verbesserung, neben der das Falsche stehengeblieben ist (Wellhausen), oder wahrscheinlicher um eine Alternativlesart (Hertzberg). Lies entweder בְּיַד oder עַד יַד (Wellhausen, S. R. Driver, Budde und die meisten); Grimme: BZ 1904, S. 30 streicht יַד überhaupt. Vgl. dazu auch P. Joüon (Divers emplois métaphoriques du mot »Yād« en hébreu. Bibl 1933, S. 452–459): יַד »Vorsprung der Toranlage vor die Mauer«. Dann müßte hier allerdings an die Stadtmauer gedacht sein. c) 𝔊 εἴκοσιν ἔτη Überlieferungsunsicherheit, Zeichen nachdeuteronomistischer Entstehung, vgl. Noth: Studien, S. 22f.

19 a) Zur Form vgl. GK § 69m; BLe § 15h. Andere denken an einen einfachen Schreibfehler. b) Zur Wechselbeziehung verkürzter und vollständiger Sätze vgl. GK § 114r; Kö § 413c. Die Änderung in וַיָּמָת (S. R. Driver, Smith) oder die Vokalisierung וּמֵת (Budde, de Groot; Bruno: Epos, S. 54) wäre eine Erleichterung, ist aber unnötig (vgl. P. Wernberg-Møller: Observations on the Hebrew Participle. ZAW 1959, S. 66). c) Zum Ausdruck des Unerwarteten verweist S. R. Driver auf Dan 10,16; anders Joüon: MUB 1910, S. 37

20 a) 𝔊 ἐν τῷ καιρῷ αὐτῆς ἀποθνήσκει, wohl Mißverständnis, das nicht auf ursprüngliches כְּעֵתָּה מֵתָה führt (Klostermann, Smith, Schulz, während Caspari מוּתָה überhaupt tilgt). Buddes Vorschlag לְדְתָּה ist zu formal und verkennt den Zielpunkt der Aussage. Vgl. GK § 111b.

21 a) Die Übersetzung »man nannte« (Smith, da die Frau nicht mehr bei Bewußtsein war) wider-

spricht dem Wesen solcher Namensgebung (vgl. Gn 29,32; 35,18). Es ist deswegen auch nicht einzusehen, daß hierin ein altes Samuelorakel vorliegen soll (Hylander: Komplex, S. 66f). b) 𝔊B *οὐαὶ βαρχαβώϑ* (𝔊A *χαβωϑ*; *βαρ*=עבר?) ein Zusatz, der sich aus dem Mißverständnis אוי statt אִי mit Notwendigkeit ergibt (vgl. Wellhausen). אִי als Negationszeichen im nachbiblischen Hebräisch häufig, Hi 22,30 unsicher. Für das Phönizische vgl. Johannes Friedrich: Phönizisch-punische Grammatik. Rom 1951 (An Bibl 32), § 318. Ein Verständnis des Wortes als Fragepartikel G. R. Driver: Mistranslations in the Old Testament. WO 1947, S. 31. Der Name ist verwandt den Namen אִיתָמָר, אִיזֶבֶל, die Etymologie ist unklar (NothPers, S. 236). c) Von Ehrlich, Greßmann, Schulz u. a. als nicht zum Geiste der Erzählung passend ausgeschieden, schwerlich mit Recht. Dhorme tilgt den ganzen v. b.

22 a) Bruno: Epos, S. 54 וַתֹּאמַרְנָה denkt an die Wiederholung der Worte der Sterbenden durch die umstehenden Frauen, ähnlich Schulz וַיֹּאמְרוּ (𝔊B *εἶπαν*), um der Doppelung der Ausdrucks zu entgehen. Aber auch der überlieferte Text verlangt nicht, V. 22 als Zusatz zu tilgen (Wellhausen, Budde, Smith, Greßmann; auch Rost: Überlieferung, S. 12; Thenius, Löhr, Nowack in der Form, daß eine Randglosse den Gedanken ausschließen sollte, die Sterbende habe das גָּלָה כָבוֹד von den frevelhaften Söhnen Elis verstanden. Aus derselben Erwägung werden von anderen diese Worte in 21b [vgl. Anm. c z. St.] getilgt). Die Doppelüberlieferung beweist nur, wie stark volkstümliche Überlieferung an solchen Sprüchen interessiert war (vgl. J. de Groot: The story of the bloody husband. OTS 2. 1943, S. 14); in ähnliche Richtung weist die Vermutung Hertzbergs, daß bei der Rezitation am Heiligtum (?) dieser Satz besonders unterstrichen werden sollte. Ähnlich schon Martin Dibelius: Die Lade Jahves. Göttingen 1906, S. 18.

4,12–22 *Elis Trauer und Tod.* Auch hier steht die Lade im Mittelpunkt der Erzählung. Alle anderen Schicksalsschläge sind ihrem Verlust nachgeordnet (V. 17.19.21; zur Stilisierung von V. 17 vgl. Anm. d). Daß die Darstellung der Wirkung der Botschaft in Silo gegenüber dem eigentlichen Kriegsbericht einen verhältnismäßig breiten Raum einnimmt[1], wird mit der Tatsache zusammenhängen, daß eine besonders reiche Überlieferung für Silo zur Verfügung stand. Nun wird allerdings nichts von der Zerstörung Silos berichtet, die aus Jer 7,12.14 und Ps 78,60 zu erschließen und durch den archäologischen Befund erst für die Zeit um 722 bestätigt ist (vgl. Anm. e zu 1,3). Daraus darf nicht der Schluß gezogen werden, daß es sich hier nicht um eine Silo-, sondern ausschließlich um eine Ladeüberlieferung handelt[2]; man darf nur sagen, daß diese Siloüberlieferung eben mit dem Verlust der Lade ihr Ende gefunden hatte. Das Schicksal der Zerstörung, das Silo sicher mit anderen Städten teilte und das nicht einmal die unmittelbare Folge der hier geschilderten Ereignisse gewesen sein muß, bedeutete nichts Wesentliches mehr. Selbst wenn die Siloüberlieferung etwas Derartiges enthalten haben sollte, hätte es in diesem Rahmen verschwinden müssen. Der scheinbar schleppende und nicht leicht verständliche Aufbau, daß der Mann erst der Stadt berichtet, Eli das Geschrei hört und man darauf den Boten zu ihm führt, ist nicht nur, wie meist angenommen, kunstvolle Steigerung[3], sondern könnte Kenntnis der Topographie von Silo erkennen lassen[4]. Eli sitzt bei dem südlich der Stadt anzunehmenden Heiligtum, der Bote kommt zur Stadt von Westen, also

1. Vgl. Preß: ZAW 1938, S. 181f.
2. Hertzberg.
3. Vgl. Rost: Überlieferung, S. 27.
4. Stoebe: ZDPV 1964, S. 18.

durch das heutige *wādi seilūn* (vgl. dazu die Lagebestimmung von Silo Jdc 21,19). Ebenso ist die präzise Angabe des Alters Elis unerfindbar; sie begründet zwar ungezwungen seinen tödlichen Unfall[5], aber nur dafür hätte eine allgemeinere Aussage genügt. Die Erwähnung seiner Blindheit wird ebenfalls Überlieferungsgut sein, da sie nicht durch den Zusammenhang gefordert wird. Gegenüber diesen detaillierten Ausführungen sind die vierzig Jahre, die Eli das Richteramt innegehabt haben soll (V. 18), konventionell und entsprechen dem aus Jdc 3,11; 5,31; 8,28 bekannten deuteronomistischen Geschichtsschema[6]; damit wird Eli den großen Rettergestalten und charismatischen Führern zugeordnet. Daß er tatsächlich ein Amt in der Art der »kleinen Richter« ausgeübt habe[7], ist wohl möglich, von hier aus aber nicht zu erweisen. Der Zug, daß der Bote ein Benjaminit war (V. 12), gehört freilich nicht mit innerer Notwendigkeit zu einer Siloüberlieferung, denn es geht nicht an, daraus eine besonders enge Verbindung Benjamins mit Silo und dem Heiligtum der Lade zu konstruieren[8]. Eher könnte er eine Erinnerung daran sein, daß auch an dieser Rebellion Benjamin führend beteiligt war. Vielleicht ist er aber auch wirklich ein Hinweis darauf, daß jetzt die Leitung der Geschicke Israels in die Hand eines Benjaminiten übergehen soll (vgl. Anm. a zu V. 12). Leider kommt man hier nicht über vage Vermutungen hinaus, so daß sich weitere Schlußfolgerungen verbieten.

Die Schwere der Katastrophe wird noch durch den Tod der Schwiegertochter Elis nachdrücklich unterstrichen. Aus dieser Absicht begreift sich die zunächst überraschende Voranstellung des כְּעֵת מוּתָהּ. An sich sind diese Worte sinnvoll und unanstößig und bedürfen keiner Änderung[9]. Selbst die Kunde von der Geburt eines Sohnes – man denkt unwillkürlich an 2,33 –, sonst ein Trost für die Mutter und als tröstlicher Zuspruch auch von den Frauen beabsichtigt, dringt nicht mehr durch den Schmerz. Diese Absicht wird verkannt, wenn man motivgeschichtliche Maßstäbe anlegt und aus der besonderen prophetischen Kraft der Sterbenden heraus hier eine Weissagung auf Zukünftiges erwartet[10]. Daß die Namensetymologie nicht zutreffend ist, spielt keine Rolle. Daß die Form אִי als Negation im Hebräischen verhältnismäßig jung ist (vgl. Anm. b zu V. 21), könnte dafür Bedeutung haben, den ungefähren Zeitpunkt dieser letzten Ausformung zu bestimmen. גלה ist jedenfalls ein sehr starker Ausdruck, der den Gedanken an ein »ins Exil gehen« mit einschließt[11]. Die Wiederholung des גָּלָה כָבוֹד מִיִּשְׂרָאֵל markiert

5. Womit die Folgerungen Nielsens (VTS VII. 1960, S. 65) hinfällig werden, daß das Hintenüberfallen Elis eine Parallele zum Hinfallen des Dagonbildes bedeute und daß dahinter Probleme des Synkretismus und Dytheismus und des endlichen Sieges der Herrschaft Jahwes stünden. Zur Voraussetzung eines kanaanäischen Heiligtums in Silo vgl. o. S. 94, Anm. 30.

6. Vgl. Noth: Studien, S. 22f.

7. Hertzberg: ThLZ 1954, Sp. 288.

8. Nielsen: Shechem, S. 317. Jetzt auch Hans Jürgen Zobel: Stammesspruch und Geschichte. 1965 (BZAW 95), S. 119.

9. Vgl. Anm. a zu V. 22. Es ist auch unnötig, מות superlativisch von den Geburtswehen zu verstehen. D. Winton Thomas: Unusual ways of expressing the superlative. VT 1953, S. 220 nach dem Vorgang von Torczyner: ZDMG 1912, S. 395f.

10. Hylander: Komplex, S. 66 mit einer Umstellung von V. 21 nach Kap. 3.

11. Vgl. zum Vers Long, Burke O.: The Problem of Etiological Narrative in the Old Testament. 1968 (BZAW 108), S. 40f.

einen unübersehbaren Geschichtseinschnitt, der durch die Annahme einer Spannung zwischen V. 21 (Trauer um den Verlust der Lade und der Angehörigen) und V. 22 (nur Trauer um den Verlust der Lade; vgl. Anm. a zu V. 22) unzulässig verflacht wird. Lade, Silo und Eliden gehören wohl so zusammen, daß nur in der Steigerung dieses Miteinander das Eigentliche gesagt werden kann. An der Historizität der Grundlage des Berichtes, an Niederlage und Verlust der Lade, ist nicht zu zweifeln. Es ist ein Zeichen für die Lebendigkeit des Jahweglaubens, die nicht mehr aus einer menschlichen Prädisponiertheit erklärt werden kann, sondern als Gottes Eingreifen in die Geschichte geglaubt werden muß, daß Israel im gegebenen Augenblick sich von der Bindung an die sinnbildliche Repräsentanz, die menschliche Vergewisserung der gnädigen Gegenwart Gottes, zu lösen vermochte und an diesen Schickungen nicht zerbrach; daß es in der Lage war, diese nicht aus der Schwäche und Unzulänglichkeit seines Gottes, sondern aus dem Ungenügen und der Sünde seiner Diener zu erklären. Dabei ist in dem Tastenden der Darstellung, das in Kap. 2 festzustellen war (o. S. 110f.), wohl noch ein Ringen um das Verstehen nachzufühlen (Ähnliches begegnet in der Geschichte Sauls). Dieses Verstehen bleibt nicht in einer Sündenresignation stecken, dahinter leuchtet das Thema der Gottesgeschichte auf, daß Gott auch mit dem sündigen Menschen mitgeht und trotz Sünde und Strafe den Weg nach seinem Plane lenkt. Hier öffnet sich der Blick, wo eine alte geheiligte Institution zu Ende gegangen ist, zu einer neuen Form der Führung, dem alten Weg, aber mit neuen Mitteln, dem Königtum. Der Bogen spannt sich zum Exil 586.

5,1–12 *Die Lade bei den Philistern*

1 Die Philister hatten (also) die Lade erbeutet[a] und brachten sie nun von Eben-Ezer nach Asdod[b]. 2 Und die Philister[a] nahmen[b] die Lade Gottes und brachten sie in den Tempel Dagons[c] [d]und stellten sie neben Dagon auf[d]. 3 Als sich die Asdoditer[a] am anderen Morgen früh aufmachten[b], (fanden sie) den Dagon auf sein Gesicht[c] zur Erde gefallen vor der Lade Jahwes; da nahmen sie den Dagon[d] und stellten ihn zurück an seinen Platz[e]. 4 Als sie sich am nächsten Morgen in der Frühe aufmachten, da lag doch der Dagon wieder auf seinem Gesicht[a] auf der Erde vor der Lade Jahwes, der Kopf Dagons und seine beiden Fäuste[b] lagen abgeschlagen auf …[c], nur der Dagon(rumpf)[d] war von ihm[e] übriggeblieben. 5 Darum pflegen übrigens die Dagonpriester und alle, die sonst zum Tempel Dagons kommen, nicht auf …[a] Dagons zu treten bis auf den heutigen Tag[b c]. 6 Aber die Hand Jahwes legte sich schwer auf die Asdoditer, und er verstörte[a] sie und schlug[b] sie[c] mit Beulen[d], [e]Asdod und das dazugehörige Gebiet[e f]. 7 Als nun die Leute von Asdod wahrnahmen, daß es so kam[a], sagten sie[b]: »Die Lade des Gottes Israels darf nicht bei uns bleiben, denn zu schwer lastet seine Hand auf uns, dazu auf Dagon, unserem Gott[c].« 8 Und sie sandten hin und ließen alle Fürsten[a] der Philister bei sich zusammenkommen und fragten: »Was

sollen wir denn mit der Lade des Gottes Israels[b] machen?« Die[c] gaben den Rat: »Nach Gath[d] soll die Lade des Gottes Israels umziehen[e].« So ließen sie die Lade des Gottes Israels umziehen[f]. 9 Als sie sie aber hatten umziehen lassen[a], legte sich die Hand Gottes auf die Stadt (und richtete) eine schreckliche Verwirrung (an)[b], und er schlug die Stadtbewohner, klein und groß, (damit), daß an ihnen Beulen aufbrachen[c d]. 10 Darum schickten sie die Lade Gottes weiter nach Ekron[a]; als aber die Lade Gottes in Ekron anlangte, schrieen die Leute von Ekron auf: »(Jetzt) haben sie die Lade des Gottes Israels zu mir[b] umziehen lassen[c], um mich[b] und mein Volk[d] umzubringen.« 11 Und sie sandten und holten alle Fürsten der Philister (abermals) zusammen und sagten: »Gebt die Lade des Gottes Israels frei, daß sie an ihren Platz zurückkehre und nicht mich und mein Volk umbringe.« Denn tödliches Entsetzen[a] hatte die Stadt befallen; sehr schwer lastete dort die Hand Gottes[b]. 12 Die Männer[a], die nicht gestorben waren, waren mit Beulen geschlagen, und die Hilfeschreie der Stadt stiegen gen Himmel.

1 a) Bei geringfügiger Sinnabweichung auffallende Gleichförmigkeit mit V. 2. לָקְחוּ nimmt נִלְקַח 4,22 auf, kann aber doch nicht den Abschluß der Kriegsgeschichte bilden (Budde): dann sollte man Impf. cons. erwarten; es ist eher redaktionelle Naht, die zwei ursprünglich selbständige Stücke verbindet und die Voraussetzung für das Kap. 5 Berichtete schafft (Preß: ZAW 1938, S. 182). Dhorme sieht darin die Einleitung zu V. 6. b) Zu אֶבֶן הָעֵזֶר vgl. 4,1. אַשְׁדּוֹד zum philistäischen Staatenbund gehörig; vgl. Jos 15,46, auch 11,22 (dazu A. Alt: Die asiatischen Gefahrenzonen in den Ächtungstexten der 11. Dynastie. ZÄS 1927, S. 42). Jetzt *īsdūd* (s. BR, Sp. 36ff.). Über die Ausgrabungen seit 1962 unterrichtet M. Dothan: Ashdod. Preleminary Report on the Excavations in Seasons 1962/63. IEJ 1964, S. 79–95. Wichtigstes Ergebnis: Gründung im 16. Jh. v. Chr. Zum kanaanäischen Charakter des Namens F. M. Cross Jr. und D. N. Freedman: The name of Ashdod. BASOR 175. 1964, S. 48–50.

2 a) Wiederholung des Subjekts hier weniger hebräischer Erzählungsstil (Wellhausen) als Zeichen für den eigentlichen Erzählungseinsatz. b) Kann im Zusammenhang nicht mehr die Besitzergreifung bedeuten (Budde; Rost: Überlieferung, S. 12), ist aber vermutlich auch Hinweis auf den ursprünglichen Einsatz (vgl. Anm. a). Eine Streichung (Greßmann) ist ebenso unbegründet wie die Änderung Casparis in וַיִּקְווּ »machten halt« (trotz grundsätzlich richtiger Erwägungen). c) Von den Philistern (vgl. auch Jdc 16,23) übernommene, in Vorderasien weit verbreitete Gottheit (Zweistromland, Ugarit; für das vorisraelitische Palästina vgl. die Ortsnamen Jos 15,41; 19,27). Die früher übliche Ableitung von דָּג (noch PW) ist aufzugeben (Hartmut Schmökel: Der Gott Dagan, Ursprung, Verbreitung und Wesen seines Kultes. Heidelberg 1928 (Diss.); anders jetzt wieder J. Fontenrose: Dagon and El. Oriens 1957, S. 277–279, wegen seiner Verehrung bei maritimer kanaanäischer Bevölkerung nachträglich mit דָּג zusammengebracht). Die Bedeutung des Namens ist ungeklärt, ein Zusammenhang mit דָּגָן nicht gesichert (W. v. Soden: RGG II. 3. Aufl. 1958, Sp. 18f.; vgl. auch F. J. Montalbano: Canaanite Dagon: Origin Nature. CBQ 1951, S. 381–398; M. J. Dahood: Ancient Semitic deities in Syria and Palestine. Studi Semitici I. 1958, S. 78f). Zu 1 Sam 5 im besonderen jetzt auch Delcor: VT 1964, S. 136ff. d) Zur Eroberung fremder Göttersymbole 2 Sam 5,21 (abweichend 1 Chr 14,12), zur Aufstellung im eigenen Tempel Mešainschrift Z. 12/13.

3 a) Ohne Artikel wie פְּלִשְׁתִּים nur hier, aber kein inhaltlicher Unterschied zu V. 6. b) 𝔊 + *καὶ εἰσῆλθον εἰς οἶκον Δαγών* folgt einer ausführlicheren, aber darum nicht besseren Rezension und wird zu Unrecht ziemlich allgemein (von Wellhausen bis de Vaux, Hertzberg) zur Grundlage einer Textänderung gemacht. c) Entweder vor ihm (r), d.h. der Lade, dann

muß לִפְנֵי אֲרוֹן יהוה als Explikativ aufgefaßt (Budde: aus anderer Quelle stammend) bzw. gestrichen werden (Hylander: Komplex, S. 70f.). Näher liegt es aber doch, mit 𝔊𝔗𝔖 ל = עַל zu verstehen (S. R. Driver, Hertzberg und die meisten). Verschreibung könnte durch das נֹפֵל zuvor bedingt sein (auch V. 4; anders Löhr, Schulz). Möglich wäre auch לְאַפָּיו (Wellhausen); Caspari streicht es als Dittogr zu נֹפֵל; Klostermann liest וּפָנָיו. d) 𝔊 *καὶ ἤγειραν* danach von den meisten, auch de Vaux, Hertzberg in וַיָּקִימוּ geändert (𝔖 denkt an die Wz. כון), doch ohne Grund, denn 𝔊 hierzu liegt in der Linie der Erweiterung zu 3b. e) 𝔊 + *καὶ ἐβαρύνθη χεὶρ κυρίου ἐπὶ τοὺς Ἀζωτίους καὶ ἐβασάνισεν αὐτοὺς καὶ ἐπάταξεν αὐτοὺς εἰς τὰς ἕδρας αὐτῶν* (𝔊 zu V. 6 *καὶ ἐξέζεσεν αὐτοῖς εἰς τὰς ναῦς*), *τὴν Ἄζωτον καὶ τὰ ὅρια αὐτῆς*. Nicht eine aus V. 6 geflossene und an die falsche Stelle gerückte Übersetzung (Wellhausen), sondern eine Rezension, die die beiden in Kap. 5 enthaltenen Überlieferungseinheiten von vornherein in stärkerer Verklammerung gekannt hat.

4 a) Vgl. Anm. c zu V. 3, beachte aber auch die Unanschaulichkeit, die sich hier daraus ergibt; sie kennzeichnet die Motivzerdehnung. b) So Buber-Rosenzweig, doch verbindet sich damit kaum die Erinnerung an ein tatsächliches Gottesbild; konventioneller Ausdruck. c) 𝔊 zerdehnt durch die Scheidung zwischen *τὰ ἴχνη χειρῶν* und *οἱ καρποὶ τῶν χειρῶν*, wobei nicht zu entscheiden ist, ob ursprüngliche Textvorlage oder Doppelwiedergabe vorliegt (*καρποί* = כַּפּוֹת?). Es zeigt jedenfalls die Unsicherheit in der Wiedergabe von הַמִּפְתָּן (V. 5 *ἐπὶ τὰ ἐμπρόσθια ἀμαφεθ*, Transkription, und *ἐπὶ τὸ πρόθυρον*, V. 6 *βαθμός*, zu Zeph 1,9 *τὰ πρόπυλα*). Hier nehmen 𝔊𝔗 die Bedeutung »Schwelle« an (𝔖 ausdrücklich Türschwelle), doch ist die Bedeutung »Podium, Postament« wahrscheinlicher (vgl. Th. H. Robinson / F. Horst: Die zwölf kleinen Propheten. 3. Aufl. 1964 (HAT I/14), zu Zeph 1,9; Gillis Gerleman: Zephania textkritisch und literarisch untersucht. Lund 1942 (Diss.) z. St. und Delcor: VT 1964, S. 150). Zur Sache vgl. das Postament im Tempel von Sichem (s. dazu den Bericht von E. Sellin: ZDPV 1926, S. 304–320) und BRL, Sp. 521. Die Bedeutung »Postament« wird auch von de Groot und KBL angenommen. Vgl. dazu ferner ATAO, S. 734. אֶל = עַל »auf« oder »bei« mit der Nebenbedeutung der Richtung. d) 𝔊 *πλὴν ἡ ῥάχις* aus רַק gezogene Doppelübersetzung (so richtig Wellhausen, Caspari, anders Löhr), woraus aber schwerlich zusammen mit 𝔙 »truncus« 𝔖 = corpus (𝔗 גּוּפֵהּ) auf ursprüngliches גַּו bzw. גֵּוֹ zu schließen ist (Budde, S. R. Driver, de Vaux, Hertzberg und die meisten). Die Paraphrase der Vers liegt so nahe, daß sie nicht zur Ermittlung des ursprünglichen Textes dienen kann. דָּגוֹן bezeichnet hier, was im Gegensatz zum Kopf vom Gotte übriggeblieben ist (so einleuchtend Ehrlich), wobei die gehäufte Nennung des Namens nicht zufällig sein wird. Von vornherein unmöglich דָּגוֹ »sein Fischleib« (Wellhausen, Dhorme); ebenfalls unwahrscheinlich גֶּזַע (Schulz nach 𝔊A *γάζεε* zu V. 5). e) Andere Auffassung »neben ihr«, d. i. der Lade (Ehrlich, Greßmann), was aber weniger dem Zusammenhang entspricht. Schulz, Caspari tilgen es willkürlich.

5 a) Hier scheint die Bedeutung »Schwelle« näher zu liegen, beachte allerdings מִפְתַּן דָּגוֹן (von Schulz durch die Einfügung eines בֵּית willkürlich verdunkelt). Es ist möglich, daß das Wort an beiden Stellen verschiedenes bedeutet, was den Vers noch nicht als späteren Zusatz ausweist (so Bruno: Epos, S. 54 aus Gründen des Strophenbaus). b) Ein Tempel Dagons in Asdod noch 1 Macc 10,83 erwähnt. c) 𝔊 + *ὅτι ὑπερβαίνοντες ὑπερβαίνουσιν* (יְדַלְּגוּ דַלּוֹג Budde, Dhorme), sehr später Zusatz, der deutlich machen soll, wie man trotzdem in den Tempel hineinkonnte, keinesfalls eine ursprüngliche Tradition. Jedenfalls ist hier das Verständnis »Schwelle« eindeutig.

6 a) *Ἀ ἐφαγεδαίνισεν* ergibt sich aus dem Zusammenhang und ist trotz *Ἀ* zu 7,10; Dt 7,23; Ps 18,15 kein ausreichender Grund zur Änderung in וַיְהֻמֵּם (gegen S. R. Driver, Ehrlich, Greßmann, de Vaux). 𝔐 paßt gut und wird durch das Mißverständnis von 𝔊 *καὶ ἐπήγαγεν αὐτοῖς* (𝔐 als יְשִׂימֵם verstanden; vgl. die Wiedergabe von 𝔊 in Ex 15,26) bestätigt, ist aber unvollständig, weil man die Angabe des Strafmittels erwartet (richtig Budde). b) 𝔊 weiter *καὶ ἐξέζεσεν αὐτοῖς εἰς τὰς ναῦς*, keine Doppelübersetzung von וַיַּשִּׁמֵּם (Klostermann: aus *ἐξέστησεν* gemodelt, vgl. *Θ* für וַיְהֻמֵּם 7,10). 𝔊 *ναῦς* ist aus 𝔐 nicht ableitbar (vgl. die schwierigen Erwägungen bei Wellhausen; auch Klostermanns Ableitung aus *ἀνιάτους νόσους* ist nicht zwingend), sondern muß als Rest einer besonderen, nicht mehr greifbaren Überlieferung angesehen werden (vgl. V. Aptowitzer: Rabbinische Parallelen und Aufschlüsse zu Septuaginta und Vulgata. ZAW 1909, S. 242f.). 𝔙 »in secretiori parte natium« scheint 𝔊

vorauszusetzen, aber mit 𝔐 auszugleichen. c) 𝔊 *καὶ μέσον τῆς χώρας αὐτῆς ἀνεφύησαν μύες*. Die 𝔐 entsprechende Übersetzung findet sich in 𝔊 am Ende von V. 3 (vgl. dort Anm. e). Der hiesige Text von 𝔊 ist keine selbständige Ausgestaltung bzw. Auffüllung der 𝔊, nachdem die Übersetzung von V. 6 an das Ende von V. 3 geraten ist (Wellhausen, Klostermann, Budde u. a.), sondern vollere Textüberlieferung (mit gutem Grund von Hertzberg übernommen), die in der anders akzentuierenden 𝔐-Rezension verlorengegangen ist. d) Ketib עֳפָלִים; Qere טְחֹרִים wie Dt 28,17. Während עֳפָלִים die allgemeinere Bedeutung »Beule« hat (vgl. allerdings auch arab. *ʿafalun* »pinguedo inter duos pedes posteriores«) und an Pestbeulen, jedenfalls eine schwere Erkrankung, denken läßt (O. Neustatter: The »Emerods« in the Book of Samuel. JAMA 114 1940, S. 1106; Where did the Identification of the Philistine Plague [1 Samuel 5 and 6] as Bubonic Plague originate? Bulletin of the History of Medicine 1942 (Baltimore), S. 36ff.; G. R. Driver: Journal of the Royal Asiatic Society of Great Britain and Ireland 1950 [London], S. 50ff.; Blondheim: Bulletin of the History of Medicine 1955 [Baltimore], S. 337–345), bedeuten טְחֹרִים von vornherein Hämorrhoiden (KBL), und auch 𝔗𝔖𝔊 *εἰς ἕδρας* verstehen es so. Die Erklärung von Qere als Ersetzung einer als anstößig empfundenen Redensart (Budde, Smith u. a.) vermag nicht recht einzuleuchten. e) Erklärung zu אוֹתָם, weder explikative Glosse (S. R. Driver, Smith, Greßmann) noch Kriterium für Zugehörigkeit zu verschiedenen Quellen (Budde), da bereits in 𝔊 zu V. 3 enthalten. Es paßt gut zu dem in וַיְשִׁמֵּם enthaltenen Gedanken (vgl. 6a) und ist Hinweis auf die Entwicklung der Überlieferung bis zur gegenwärtigen Textgestalt. f) 𝔊 abschließend *καὶ ἐγένετο σύγχυσις θανάτου μεγάλη ἐν τῇ πόλει* wie 𝔐 ((𝔊) zu V. 11.

7 a) Nach Ehrlich unhebräisch (Bruno: Epos, S. 55 כָּכָה), aber durch 𝔊𝔗𝔖 gestützt. b) Perf. statt Impf. cons. häufiger in Sam-Büchern und vielleicht Dialekteigentümlichkeit (Hertzberg). Da Stileigentümlichkeit, besteht jedenfalls kein Grund zur Änderung (S. R. Driver, Budde u. a.). Frequentative Bedeutung (GK § 112rr; Nowack) ist unwahrscheinlich. c) Auffallende Nachstellung legt den Gedanken an spätere Hinzufügung nahe.

8 a) Kennzeichnet die Fürsten (bzw. die Obrigkeit) der philistäischen Stadtstaaten. Die einzige bekannte philistäische Vokabel hethitischer Herkunft (M. Riemschneider: Die Herkunft der Philister. Acta Antiqua 1956, S. 17–29), verwandt mit *τύραννος* (vgl. H. Th. Bossert: Zur Atlantisfrage. OLZ 1927, S. 652; F. Bork: Philistäische Namen und Vokabeln. AfO 1940, S. 228); anders S. Feigin: Etymological Notes. AJSL 1926, S. 53–56. b) Beachte hier und im Folgenden wie zuvor in V. 7 אֲרוֹן אֱלֹהֵי יִשְׂרָאֵל. c) 𝔊𝔅 *οἱ Γεθθαῖοι*, dazu 𝔊 (nicht 𝔅) *πρὸς ἡμᾶς*, danach Hertzberg (Annahme einer Haplogr), Schulz (אֵלַי). Aus inhaltlichen Gründen bleibt aber die Abteilung von 𝔐 vorzuziehen. So ausdrücklich Wellhausen, Budde. Ehrlich will es überhaupt tilgen. d) Lokalisierung noch unsicher; meist in *ʿarāq el-menšiye*, 25 km westsüdwestlich von Askalon angesetzt (W. F. Albright: The Fall Trip of the School in Jerusalem: From Jerusalem to Gaza and back. BASOR 17. 1925, S. 4–9; Beyer: ZDPV 1931, S. 143; B. Mazar: Gath and Githaim. IEJ 1954, S. 228); andere *tell eṣ-ṣāfiye* (K. Elliger: Die Heimat des Propheten Micha. ZDPV 1934, S. 148ff.), *tell el-ǧudeide* (O. Proksch: Gat. ZDPV 1943, S. 185); vgl. Abel: Géographie II, S. 326; Simons: Texts, § 1633. Zuletzt suchte G. E. Wright (Fresh evidence for the Philistine story. BA 1966, S. 82 f) Gath im *tell eš-šerīʿa*. e) Zum Worte vgl. unser »rundgehen«, 𝔅 »circumducere« (Smith); an sich kultischer Ausdruck (de Boer: Research, S. 83), doch bleibt dann der auch von 𝔊 (*πρὸς ἡμᾶς*) vorausgesetzte Richtungsakkusativ auffallend (1 Sam 7,16 liegt anders); so ist hier für יסב allgemeinere Bedeutung anzunehmen (gegen Bentzen: JBL 1948, S. 44ff). f) 𝔊 + *εἰς Γεθθα* vgl. Anm. c.

9 a) Zur Konstruktion GK § 164d; BroS § 145bη. b) Die zwar überfüllte gegenwärtige Textgestalt wird schon von allen Vers vorausgesetzt; deswegen ist ebensowenig יַד יהוה (Klostermann, Nowack) wie מְהוּמָה גְדוֹלָה מְאֹד als Glosse zu tilgen (Smith, Schulz). Das Ganze ist auch nicht aus dem Vorliegen verschiedener Quellen zu erklären (Budde). Eher ist eine Breviloquenz anzunehmen und in Gedanken eine Form von המם zu ergänzen (Tiktin, vgl. auch Caspari). Die Änderung von בָּעִיר in מְעָרֵר (Grimme: BZ 1904, S. 31) scheitert an der Unentbehrlichkeit von בָּעִיר für den Zusammenhang. Zur Sache vgl. Dt 7,23; zur Konstruktion Kö § 338u. c) Hap leg, vgl. arab. *šatara;* anders, aber nicht zwingend E. Nestle: Miszellen. ZAW 1909, S. 232: Hithpael von שׂרה (nach S – da aber unsichere Doppelübersetzung – und

'Α περιελύθησαν). In der Wortwahl ist wohl nur eine Abwechslung im Ausdruck, nicht eine Erschwerung der Strafe zu sehen (de Boer: Research; Σ εἰς τὰ κρυπτὰ αὐτῶν, vielleicht Verwechslung mit Wz. (ס)שׂתר). d) 𝔊B + καὶ ἐποίησαν οἱ Γεθθαῖοι ἕδρας, spielt mit der Doppelbedeutung von ἕδρα (anders 𝔊Lag ἕδρας χρυσᾶς, nach 6,5 verstanden). 𝔙 »sedes pelliceas« unterstreicht wohl noch das Komische der Situation.

10 a) 𝔊 'Ασκαλῶνα, nicht Zeichen einer Interesselosigkeit (de Boer: Research, S. 50), vielmehr Hinweis darauf, daß in dieser Überlieferung die Ortsangabe nur eine untergeordnete Bedeutung hat. Ekron wahrscheinlich das heutige *ʿāqir* 8 km südwestlich von *er-ramla* (Beyer: ZDPV 1931, S. 143f.; Eißfeldt: ZDPV 1943, S. 119; Simons: Texts, § 318. Anders). *qaṭra*, in mehr südlicher Lage W. F. Albright: Contributions to the Historical Geographie of Palestine. I. The Sites of Ekron, Gath and Libnah. AASOR 1921/22, S. 5f. Vgl. auch Abel: Géographie II, S. 319. b) Vers Pl.; doch s. BroS § 17 und vgl. V. 11. c) 𝔊 τί ἀπεστρέψατε, von Smith bevorzugt. d) BroS § 50b. Zu dem nach dem Suffix auffallenden וְאֶת־עַמִּי verweist S. R. Driver auf Dt 1,16; 15,16; Jos 10,30.32.33.37.39 u. ö.

11 a) S. Svi Rin: The מות of Grandeur. VT 1959, S. 325. Vgl. aber auch Thomas, D. Winton: Some further remarks on unusual ways of expressing the superlative in Hebrew. VT XVIII 1968, S. 123. Fehlt 𝔊𝔙. b) 𝔊 zieht כָּבְדָה unter Auslassung von יַד אֱלֹהִים zum Vorhergehenden und fügt weiter ὡς εἰσῆλθεν κιβωτὸς θεοῦ Ισραὴλ ἐκεῖ hinzu, was gegenüber 𝔐 nicht den Vorzug verdient (richtig Wellhausen, Nowack u. a. gegen Klostermann); es handelt sich um verschiedene Ausgestaltung einer ursprünglich nur bis הָעִיר reichenden Überlieferung (Smith; vgl. Rost: Überlieferung, S. 13).

12 a) 𝔊 καὶ οἱ ζῶντες erklärende Wiedergabe von אֲנָשִׁים (de Boer: Research, S. 55), nicht אֶנְשִׁים (Klostermann). Anscheinend wird hier noch eine härtere, über die Beulenplage hinausreichende Strafe angenommen.

5,1–12 *Die Lade bei den Philistern.* Hat wirklich, wie oben herausgestellt, die Darstellung mit 4,22 einen Abschluß, zugleich eine Überleitung zum Königtum erreicht, so ist das Interesse an der Lade damit natürlich nicht erloschen. Die Tatsache, daß David sie in staatsmännischer Klugheit in seine neue Residenz überführte (2 Sam 6; s. dort), reichte aus, Überlieferungen neu zu bilden, schon bestehende am Leben zu erhalten. Dabei ist eine übergroße Skepsis gegen diese Berichte wohl nicht einmal begründet, derart, daß der geschichtliche Kern lediglich im Verlust der Lade bestand, und David eine neue herstellen ließ[1]. Es wäre doch zu fragen, ob in diesem Augenblick eine solche Unterschiebung bei den ohnedies kritischen Teilen der Bevölkerung nicht auf scharfe Ablehnung gestoßen wäre und das Gegenteil von dem erreicht hätte, was beabsichtigt war. Andererseits läßt aber gerade diese Perikope erkennen, daß dieses Lade-Symbol in der Zwischenzeit kein wesentliches Interesse gefunden hatte, was aber erst 1 Chr 13,3 Saul und seiner Zeit zum Vorwurf gemacht wird. Auch Ps 132 beginnt mit dem Suchen und Finden der Lade, setzt wenigstens die Angaben von 1 Sam 5–6,18 nicht voraus[2]. Einzelne von den Überlieferungen, die sich so bildeten oder erhielten, haben sich hier ankristallisiert. Der Grund dafür liegt weniger darin, eine Legitimation für das Jerusalemer Heiligtum zu geben (vgl. o. S. 127). Wäre das die Absicht, dann stünden diese Stücke in der Komposition an denkbar ungeeigneter Stelle, denn jetzt wird etwa dreißig Kapitel lang davon erzählt, daß

1. Mowinckel: Psalmenstudien II, S. 113.
2. Anders Bentzen: JBL 1948, S. 44ff. Zur Sache vergleiche auch Dus: NedThT 1963/64, S. 440–452.

Jahwe auch ohne die Lade seinem Volke Führung und Beistand nicht verweigerte[3]. Hier werden viel eher die unsicheren Fragen, vermutlich einer späteren Zeit[4], beantwortet, die Gewißheit verlangte, daß die Lade trotz allem ihre Kraft nicht verloren hatte. Streng genommen ist damit wohl die Linie verlassen, die Kap. 1–4 durchgeführt ist, und wird die Lade jetzt zu einem magisch wirkenden Gegenstand, wenngleich gerade das hier nicht beabsichtigt ist; hier soll wohl tatsächlich gesagt werden, daß Jahwe »mit der Lade verbunden bleibt, auch wenn er nicht an sie gebunden ist«[5], aber das ist schon eine spätere Abstraktion.

Die einzelnen Stücke sind zwar jetzt in einen Erzählungszusammenhang gebracht, verraten aber nach Herkunft und gedanklichen Voraussetzungen so weit Selbständigkeit, daß ich von einer Quelle im eigentlichen Sinne (vgl. o. S. 127) nicht reden möchte.

Wann dieser Zuwachs entstanden ist bzw. die einzelnen Überlieferungen sich gebildet haben, ist unmöglich zu entscheiden. Tragen sie in mancher Hinsicht das Kennzeichen jüngeren Denkens, ließe sich das natürlich als spätere Ausformung älterer Berichte erklären. Allerdings muß gerade hier auf die Unsicherheit der Textgestalt bzw. auf die starken Abweichungen von 𝔊 hingewiesen werden (vgl. die Anmerkungen), was, im allgemeinen wenigstens, Zeichen einer späteren und darum nicht völlig gefestigten Traditionsbildung ist.

1–5 Die Unglattheiten der Einleitung (V. 1f.), auch das korrektere אֶבֶן הָעֵזֶר sind Hinweise darauf, daß ein ursprünglicher Textzusammenhang mit dem Vorhergehenden nicht bestand. Vom Schluß her stellt sich das Ganze als eine ätiologische Sage dar, doch läßt sich aus dem עַד הַיּוֹם הַזֶּה kein terminus ad quem gewinnen. Die Sache selbst ist aus den verschiedensten Zeiten und Kulturen bekannt[6]. Auffallend und ebenfalls für spätere Entstehung sprechend ist die verschiedene Bedeutung von מִפְתָּן. Der Rahmen einer ätiologischen Sage wird nun aber durch das doppelte Umfallen des Dagonbildes (V. 3 u. 4) gesprengt, wie Hylander richtig erkannt hat[7]; auch ist seine Argumentation gegen den Ausweg einer Quellenscheidung[8] an dieser Stelle zwingend, nämlich daß keine zwei Erzähler dieselbe Sache mit so geringem Wechsel der Ausdrücke gebracht hätten. Man kann allerdings auch nicht wie er von einer späteren Erweiterung sprechen[9]. Der Grund scheint mir in der literarischen Absicht zu liegen, die Bedeutung des Vorganges zu unterstreichen. Um dieses Zweckes willen wird nicht mehr gesehen, daß damit die Profiliertheit der Lade verloren geht; ist sie durch Jahwe Herr

3. Die tragische Schuld Sauls und der Grund seines Niederganges wird jedenfalls in den Kap. 13–16 jeweils in ganz anderer Richtung gesucht.

4. Das ist m. E. das Wahrheitsmoment an der Überlegung von Kosters, vgl. o. S. 128, Anm. 17.

5. So Hertzberg.

6. Näheres bei Greßmann, S. 19.

7. Komplex, S. 70.

8 Besonders in der von Stade: Geschichte I, S. 203 vertretenen schematischen Aufteilung V. 3 J, V. 4 E; dagegen übrigens schon Budde.

9. So will z. B. auch Greßmann V. 3b u. 4a als spätere Erweiterung tilgen; mit Recht betont dagegen Rost: Überlieferung, S. 31, daß diese Zerdehnung des Motivs durchaus schon auf den eigentlichen Erzähler zurückgehen kann.

und Sieger, dann kann sie sich nicht zuerst mit einem wohlwollenden Schubs zufriedengeben. Auch hier läßt sich die spätere Komposition erkennen, die vom eigentlichen Gedankengehalt dessen, was sie berichtet, schon weit entfernt ist und bei der die Aussageabsicht die Bildhaftigkeit überwiegt[10]. Auffallend ist schließlich auch die Verlagerung auf das religiöse Gebiet. Die Philister sind hier nicht Feinde, sondern religiöse Gegner[11]. Dabei muß aber auch beachtet werden, mit welch einseitiger Überlegenheit, mit welch schadenfreudigem Humor das jämmerliche Ergehen des Dagon dargestellt ist (vgl. o. S. 142)[12]. Er hat wohl nichts mehr mit einem befreienden Lachen nach einem blutig ernsten Kultdrama zu tun[13]; den Hintergrund eines Chaoskampfes darf man nicht annehmen[14], denn von einem Kampf ist keine Rede, auch nicht in abgeblaßtester Form. Näher liegt es, an Gottesvorstellungen der exilisch-nachexilischen Zeit zu denken und zu dem zerschlagenen Gottesbild an Stellen wie Jes 40,19f. oder 44,6–20 zu erinnern.

6–12 wirken zunächst wie eine organische Fortsetzung; nachdem die Lade ihre Überlegenheit an Dagon bewiesen hat, sucht sie sein Gebiet heim. Indessen hat diese Geschichte, wenigstens in der Form, in der sie jetzt vorliegt, eigene Zielpunkte und ist vermutlich einmal selbständig gewesen. Dafür spricht die Verklammerung V. 7 (vgl. Anm. c), auch wohl die Tatsache, daß 𝔊 eine Rezension erkennen läßt, die in dieser Hinsicht noch weiter ging (vgl. Anm. e zu V. 3). Die Asdoditer sind sich über den Grund des Unheils, das sie betroffen hat, im klaren. Woher ihnen diese Erkenntnis kommt, braucht als selbstverständlich nicht gesagt zu werden. Es überlastet den Text, wenn man zwischen den Zeilen eine Befragung ihrer Priester lesen will[15]. Andererseits darf der Grund dafür auch nicht in der zuvor beschriebenen Niederlage des Dagon gesucht werden, denn dann wäre das Verhalten der Asdoditer vollends unverständlich. Wenn nun (V. 8) die Fürsten der Philister zusammengerufen werden – etwas überraschend, man erwartete eher, daß hier Priester oder andere Kultpersonen Rat erteilen könnten –, so verlegt sich damit das Schwergewicht der Darstellung auf sie und ihr Verhalten[16]. Sie sind es, die eine ausweichende Entscheidung treffen und die Rückkehr der Lade zunächst verhindern. Damit drängt sich ein Vergleich mit dem Verhalten Pharaos auf[17] und wird gleichzeitig deutlich, daß die Analogie der Ägyptenereignisse für die Ausformung hier Bedeutung gehabt hat[18]. Da es der Rat ist, das gefährliche Beutestück weiterzuschicken, muß das Motiv der wandernden Lade

10. Stoebe: ThZ 1962, S. 385ff.

11. So Hertzberg.

12. So die meisten, vgl. etwa Bentzen: Introduction II, S. 94.

13. Flemming F. Hvidberg: Weeping and laughter in the Old Testament. 1962, S. 150.

14. So Bentzen: JBL 1948, S. 44f: davididische Ausgabe eines älteren Mythus.

15. Caspari.

16. Ehrlich mit seiner Behauptung, סַרְנֵי bedeuteten hier nicht die Fürsten, sondern die Bewohner der kleinen Fürstentümer, hat das richtig empfunden, aber nicht anerkennen wollen.

17. Ex 7,22; 8,15 u. ö.

18. Vgl. zu 6,3; zur Sache auch Seeber: Lade, S. 35ff. Jetzt auch David Daube: The Exodus Pattern in the Bible. 1963.

unter diesem Gesichtspunkt gesehen werden[19]. Es dient der Steigerung, wohl auch dazu, die Verstockung der Philisterfürsten zu kennzeichnen. Zwar fehlt, anders als Ex 4,21, ein ausdrücklicher Hinweis darauf, aber das ist wohl kein zwingender Grund dagegen, diese Vorstellung auch hier anzunehmen. Daraus erklärt sich die ziemlich beiläufige Behandlung der Ortsnamen (vgl. Anm. e zu V. 6; vgl. Anm. d zu V. 9) und die Abweichung der 𝔊 V. 10 (vgl. Anm. a). Von anderen Überlegungen ausgehend und auch mit anderer Zielsetzung kommt übrigens Ehrlich hinsichtlich des Itinerars im wesentlichen zum gleichen Ergebnis. Damit muß freilich die Folgerung, daß hier eine Ladeprozession und die Festlegende für ihren Umzug und Einzug in den Tempel von Jerusalem vorliege[20], äußerst fraglich werden. Eine eigenartige Spannung besteht auch hinsichtlich der Form und des Charakters der Plage. 𝔊 nennt zu V. 6 (vgl. auch Anm. e zu V. 3) außer dem unverständlichen τὰς ναῦς[21] auch eine Mäuseplage. Es ist zwar weithin angenommen[22], daß hier eine Vorwegnahme der Sühnegaben von 6,4 (s. dort) vorliege; allerdings sind die exegetischen Voraussetzungen für diese Erklärung sehr unsicher. Außerdem klingt in manchen Wendungen von 𝔐 noch an, daß an eine neben der Beulenplage stehende Katastrophe gedacht ist, nämlich in dem וַיְשַׁמֵּם und גְּבוּלֶיהָ V. 6 (vgl. Anm. a u. e). 𝔊 wird also hier eine bessere Rezension vertreten[23]. Man könnte vermuten, daß dieser Zug in 𝔐 deswegen verlorengegangen ist, weil es sich dabei um eine Plage gehandelt habe, die das ganze Land gleichmäßig überzogen hatte; Sicherheit ist hier aber nicht zu erreichen.

Bei den עֳפָלִים muß es sich dem Tenor der Darstellung nach um eine schwere Erkrankung mit seuchenartigen Erscheinungen gehandelt haben (zum medizinischen Charakter vgl. Anm. d zu V. 6),[24] was auch in dem לַהֲמִיתֵנִי V. 10 und מְהוּמַת־מָוֶת V. 11 deutlich zum Ausdruck kommt. Qere hat mit dem טְחֹרִים wohl nicht ein anstößiges Wort ersetzen, sondern über allen Zweifel sicherstellen wollen, daß es sich um Geschwüre am Darmausgang handelte. Das hat aber schon in der Linie von עֳפָלִים gelegen[25], und die Versionen haben es so aufgefaßt, z. T. noch vergröbert (s. Anm. d zu V. 9)[26]. Damit wird über die ursprüngliche Absicht hinaus der Nachdruck auf das Komische, peinlich Lächerliche dessen gelegt, was die »unbeschnittenen Philister« erleiden müssen[27]; auch dies wohl Zeichen einer langen und isolierten Ausformung dieses Textstückes.

19. Ähnlich auch Hylander: Komplex, S. 72.

20. Bentzen: JBL 1948, S. 50f. Der gleiche Einwand gilt auch gegen die von Dus: ThZ 1961, S. 1ff. vorgetragene Annahme einer regelmäßigen Wanderung der Lade.

21. Daß hier eine aus einer Verschreibung von μύες entstandene Lesung vorliege, ist sehr unwahrscheinlich.

22. Smith: wo immer die Mäuse erscheinen, sind sie redaktioneller Ausgleich. Vgl. Anm. c zu V. 6.

23. Es war ein richtiges Gefühl, daß Peters: Beiträge, S. 122 sich für 𝔊 entschied.

24. Jetzt auch Brentjes: Das Altertum. 1969, S. 64–74.

25. Zur medizinischen Seite der Frage vgl. jetzt auch Greta Hort: The plagues of Egypt. ZAW 1957, S. 101f. Zur Sache vgl. auch Palache.

26. Ob man das וַיַּךְ צָרָיו אָחוֹר Ps. 78,66 zum Verständnis heranziehen darf, wie es bisweilen geschieht, erscheint fraglich.

27. So die meisten; vgl. zur Sache besonders Bentzen: JBL 1948, S. 46.

6,1–7,1 *Die Rücksendung der Lade*

1 Also war die Lade Jahwes im Gebiet[a] der Philister sieben[b] Monate lang[c]. 2 Da (endlich) beriefen die Philister ihre Priester und Wahrsager[a] mit der Frage: »Wie sollen wir es mit der Lade Jahwes machen? Gebt uns doch Auskunft, unter welchen Bedingungen[b] wir sie an ihren Ort entlassen können?« 3 Sie antworteten: »Wenn ihr[a] die Lade des Gottes Israels loslassen wollt, dann dürft ihr sie nicht mit leeren Händen loslassen, sondern müßt ihm[b] ein Sühnegeschenk[c] entrichten, dann werdet ihr Heilung finden[d], und es wird euch bewußt werden[e], warum[f] seine Hand nicht von euch abläßt.« 4 Sie fragten weiter: »Wie muß die Sühnegabe beschaffen sein, die wir ihm entrichten sollen?« Sie gaben zur Antwort: »Nach der Zahl[a] der Philisterfürsten fünf goldene Beulen[b] und fünf goldene Mäuse[c], denn die gleiche Plage hat sie alle getroffen [auch eure Fürsten][d]. 5 [a]Fertigt also Nachbildungen eurer Beulen und Nachbildungen der Mäuse[a] an, die euer Land verwüsten[b], und erweist dem Gotte Israels Ehre; vielleicht nimmt er dann wieder den Druck seiner Hand von euch und eurem Land und euren Göttern. 6 Warum wollt ihr denn euer Herz verhärten[a], wie Ägypten und Pharao[b] ihr Herz verhärteten? Nicht wahr, als er ihnen dann mitspielte[c], mußten sie sie doch loslassen, und sie konnten frei von dannen gehen. 7 So [a]baut nun einen[b] neuen Wagen und nehmt[a] zwei säugende Kühe, auf die noch kein Joch[c] gekommen ist[d]; dann spannt die Kühe vor den Wagen, aber ihre[e] Kälber führt[f] von ihnen weg nach Haus zurück. 8 Dann nehmt die Lade Jahwes und stellt sie auf den Wagen und legt die goldenen Weihgaben[a], die ihr ihm als Sühnegabe entrichtet habt, in ein Behältnis[b] ihr zur Seite[c]; dann laßt sie los, und sie kann gehen (wohin sie will). 9 Dann werdet ihr es ja sehen, schlägt sie den Weg in ihr Gebiet ein, also nach Beth-Schemesch[a] hinauf, dann hat er diese große Not über uns gebracht; tut sie es nicht, nun, dann werden wir wenigstens wissen, daß nicht seine Hand uns getroffen hat, dann ist es ein böser Zufall für uns gewesen.« 10 Die Männer verfuhren darnach; sie nahmen zwei säugende Kühe und spannten sie[a] an den Wagen, ihre[a] Kälber aber sperrten[b] sie daheim ein. 11 Die Lade Jahwes stellten sie auf den Wagen, dazu das Behältnis mit den goldenen Mäusen und den Nachbildungen der Beulen[a]. 12 Und nun zogen die Kühe geradewegs[a] die Straße nach Beth-Schemesch, den kürzesten Weg nahmen sie[b] und brüllten ohne Aufhören[c], ohne nach rechts und nach links abzubiegen. Die Philisterfürsten aber blieben hinter ihnen bis an die Gemarkung von Beth-Schemesch. 13 Die Bevölkerung von Beth-Schemesch war gerade in der Talebene[a] bei der Weizenernte[b]. Als sie ihre Blicke erhoben und die Lade sahen, freuten sie sich bei ihrem Anblick[c]. 14 Als der Wagen bis an die Flur[a] des Josua von Beth-Schemesch gelangt

war, blieb er dort stehen. Dort lag ein großer Stein[b], und sie zerhackten das Holz des Wagens und die Kühe[c] opferten sie als Brandopfer für Jahwe. [15[a] Die Leviten hoben[b] die Lade Jahwes und das Behältnis herab, das dabei war, worin ⟨die goldenen Weihgaben⟩[c] lagen und stellten sie auf den großen Stein[d]; die Leute von Beth-Schemesch opferten an jenem Tage Brandopfer und schlachteten Schlachtopfer für Jahwe.] 16 Die fünf Philisterfürsten schauten zu und kehrten dann noch am selben Tag nach Ekron zurück. [17 Und dies sind die goldenen Beulen[a], die die Philister als Sühnegabe Jahwe entrichteten: je eine für Asdod, für Gaza, für Askalon, für Gath und für Ekron. 18 Dagegen die goldenen Mäuse entsprechend der Zahl aller Philisterstädte[a], die den fünf Fürsten gehörten, von der befestigten Stadt bis zum offenen Dorf][b]; [⟨noch liegt der große Stein⟩[c], auf den sie die Lade Jahwes abstellten, in der Flur des Josua aus Beth-Schemesch [e]bis auf den heutigen Tag[e]][d].

19 Und er schlug drein[a] unter die Bürger von Beth-Schemesch, denn sie hatten die Lade Jahwes angesehen[b]; darum erschlug er im Volk[c] siebenzig Mann [fünfzigtausend Mann][d]; da trug das Volk Leid darüber, daß Jahwe dem Volk eine so schwere Wunde[e] geschlagen hatte. 20 Und die Männer von Beth-Schemesch sagten: »Wer vermag vor Jahwe, diesem heiligen Gott[a], zu bestehen? Und zu wem kann sie von uns weg nur hinaufgehen?« 21 Darauf sandten sie Boten an die Bewohner von Kirjath-Jearim[a] mit der Nachricht: »Die Philister haben die Lade Jahwes wiedergebracht; nun kommt herab und holt sie zu euch hinauf.« 7,1 Da kamen die Männer von Kirjath-Jearim und holten die Lade Jahwes hinauf und brachten sie zum Hause des Abinadab[a] auf dem Hügel[b] und seinen Sohn Eleasar[a] weihten[c] sie dazu, daß er sie in Obhut nähme.

1 a) 𝔗 erleichternd בְּקִרְוֵי; שָׂדֶה bedeutet hier überall »Mark«, »Volksgebiet«, nicht »das flache Land« im Gegensatz zur Stadt. b) Ant VI 1,20 weiß nur von vier Monaten. c) 𝔊 + *καὶ ἐξέζεσεν ἡ γῆ αὐτῶν μύας* vgl. zu 5,6.

2 a) 𝔊 + *καὶ τοὺς ἐπαοιδοὺς αὐτῶν*. b) Bzw. »womit« (Löhr, Nowack). Zur Form GK § 102k.

3 a) 𝔊𝔗𝔖 setzen אַתֶּם voraus, zu dem das את leicht ergänzt werden kann (Wellhausen, S. R. Driver, Budde u. v. a.). Sonst ist אם als Dittogr zu tilgen (Caspari). Als Stileigentümlichkeit erklärt es Seeber: Lade, S. 21 (Angleichung an den unpersönlichen דעת-Stil). b) 𝔊 *αὐτῇ* bezieht לו auf die Lade, so auch die meisten; doch liegt der Bezug auf den Gott Israels näher (so schon Thenius; vgl. Hertzberg, Schulz, de Vaux). c) Vgl. einerseits Num 5,7.8, andererseits Lev 5,6–25; 6,10; 7; 14,21–28. Klostermann verweist auf die Gemeinsamkeiten der Formulierung mit dem Stil des levitischen Gesetzes; hier ist allerdings der Sinn weiter gefaßt (𝔊 *βάσανος*). d) Änderungen aus inhaltlichen Überlegungen (Klostermann תֵּרָפְאוּ, Smith תֵּרָאוּ) sind nicht zureichend begründet. e) 𝔊 *ἐξιλασθήσεται ὑμῖν* (nach Ehrlich = וְנִסְלַח?), 𝔗 יִתְרְוַח sind selbständige Paraphrase (𝔖𝔙 = 𝔐), die keine Textänderung rechtfertigt (Caspari נוֹשַׁע, Ehrlich יָנוּחַ, Schulz יְכַפֵּר Dt 21,8); ebenso unnötig ist die Annahme verschiedener Quellen (Budde, Greßmann) oder späterer Überarbeitung (Rost: Überlieferung, S. 10). f) 𝔊𝔗 fassen es zwangsläufig nach ihrer vorhergehenden Übersetzung als selbständige

Frage (Budde ebenso zwangsläufig אִם לֹא oder הֲלֹא); ähnlich jetzt Thomas: JThS 1960, S. 52: then shall rest be granted to you (ידע nach arab. *wdʿ*), doch bekäme das Ganze damit ein sehr »biederes Gepräge« (Wellhausen). Caspari, Ehrlich verstehen es als Versicherung. Die tatsächlich vorhandene Diskrepanz ist aber beizubehalten, sie kennzeichnet den Stil theologischer Darstellung; das Ergebnis ist nicht der vermutete oder erhoffte Erfolg einer Maßnahme, sondern steht den Orakelpriestern von vornherein fest.

4 a) GK § 118h. b) Manche (Wellhausen, Nowack, Schulz, auch Rost: Überlieferung, S. 13) sehen darin einen späteren Zusatz, weil das Verständnis dessen, was Mäuse hier bedeutet, verlorengegangen sein soll, doch vgl. die Auslegung. c) Fehlt 𝔊^B, darf aber deswegen nicht als aus V. 5 eingedrungener Zusatz getilgt (Greßmann, Ehrlich) oder im Wortlaut danach geändert werden (de Vaux). d) 𝔊𝔗𝔖𝔙 לְכֻלְּכֶם, so (bzw. לָכֶם) Budde, Nowack, Smith, de Vaux, Hertzberg u. a.; indessen ist 𝔐 als zusammenfassende Erklärung zu מִסְפַּר סַרְנֵי פְּלִשְׁתִּים gut verständlich; וּלְסַרְנֵיכֶם ist weniger ungeschickte Ergänzung (Wellhausen, Tiktin) als Ausgleich mit einer in 𝔊 (*καὶ τοῖς ἄρχουσιν ὑμῶν καὶ τῷ λαῷ*) vollständig erhaltenen Rezension.

5 a) 𝔊 *καὶ μῦς χρυσοῦς ὁμοίωμα τῶν μυῶν ὑμῶν*. Auf diese Lesart gründet die Erklärung, es handele sich (unter Streichung des ו vor צַלְמֵי) bei den עכברים um Symbole für die עפלים (Wellhausen, Budde, S. R. Driver, Greßmann, Caspari; Pfeiffer, in: Quantulacumque, S. 315 u. v. a.), doch gibt es im AT keine Belege für diesen anderorts sich häufig findenden Sprachgebrauch (so schon Smith). b) Die methaphorische Erklärung »Bilder von wirklichen Mäusen, wie sie das Land verwüsten« (Nowack, Greßmann, Caspari) reicht nicht aus. Erkennt man die Auffassung von Wellhausen (Anm. a) als richtig an, bleibt nur, הַמַּשְׁחִיתִם als falsch verstehende Glosse zu tilgen (so auch Joüon: Bibl 1928, S. 163f). Es liegt jedoch ungleich näher, hier an die Überlieferung zweier unabhängiger Plagen zu denken (de Groot, Hertzberg, de Vaux, von den Born).

6 a) Typischer Ausdruck in der Erzählung der ägyptischen Plagen (vgl. Ex 7,14; 8,11.28; 9,7.34 10,1). b) Für die Annahme einer Glosse (Caspari; Bruno: Bücher, S. 283) ist das Wort durch die Parallele der סְרָנִים zu fest im Zusammenhang verankert. c) Vgl. Ex 10,2; auffallend ist hier das Fehlen des Subjekts Jahwe, das als selbstverständlich vorausgesetzt wird, von 𝔖 aber nicht so verstanden wird.

7 a) Breviloquenz, in der לקח zwei Objekte hat, von denen das erste, das Material des Wagenbaus, ungenannt bleibt; vielleicht ist Kennzeichnung der Eile beabsichtigt (Tiktin). Jedenfalls ist eine Umstellung beider Worte (Bruno: Epos, S. 56) ebenso unbegründet wie die Annahme der Zusammenarbeit verschiedener Quellen (Budde). b) Vgl. Kö § 91d; hier vielleicht durch das folgende שְׁתֵּי mitbedingt (Budde). c) 𝔊 *πρωτοτοκούσας ἄνευ τῶν τέκνων* auch sinngemäße Ableitung des על von עוּל, woraus nicht auf korrumpierte Textvorlage (Fehlen eines עלה) geschlossen werden kann (Wellhausen). d) Vgl. Num 19,2; Dt 21,3; für die Annahme einer von dort stammenden Erweiterung (Tiktin) ist der Zug zu gut im Zusammenhang begründet. e) Zum Suffix GK § 135o, Zeichen der Volkssprache? f) GK § 106n; BLe § 56u'.

8 a) Anklang an Ex 12,35. b) unbekanntes Wort; 𝔊 hat neben *ἐν θέματι* (wohl aus dem vorhergehenden שים genommen [anders Smith]; nach 𝔊 zu Lev 24,6.7 »in einer Reihe«) noch die Umschrift *βερσεχθάν*, worin Schulz ursprüngliches בַּחֲרִיט erkennen will (aber V. 11 und V. 15 *ἐργάβ*, 𝔊^A überall *ἀργόζ*); die Determination ließe zunächst an einen Teil des Wagens denken (»Wagenkasten«, vgl. E. Sapir: Hebrew 'argāz a Philistine Word. JAOS 1936, S. 272–281; in ähnlicher Richtung, aber gegen Sapir, auch KBL, S. 83 »Satteltasche«; vgl. auch J. Morgenstern: The Ark, the Ephod, and the »Tent of Meeting«. HUCA 1942/43, S. 251); sie könnte indessen auch generell verstanden werden (GK § 126q–s). Jedenfalls legt der Kontext den Gedanken an ein Behältnis nahe, entweder ein Kästchen (𝔗𝔙. *'Α Σ λαρναξ*, so Budde, Smith, Hertzberg und die meisten) oder ein Beutel (Klostermann, Dhorme, Schulz); willkürlich ist die Annahme einer Verschreibung aus אֲרוֹן (Ehrlich, vor ihm schon andere). c) Nachdrückliche Abwehr des Gedankens, die Gaben könnten in den אֲרוֹן selbst gelegt worden sein.

9 a) Heute *tell rumeile* bei *ʿēn šems;* vgl. dazu E. Grant: Beth Shemesh. AASOR 1927/28, S. 1–7. In der späteren Richterzeit scheint die Stadt, wenn nicht direkt in israelitischen Händen, so

doch unabhängig von der Pentapolis der Philister gewesen zu sein (A. Bea: Archäologische Beiträge zur israelistisch-jüdischen Geschichte. Bibl 1940, S. 429). Zur landwirtschaftlichen Struktur und Bedeutung des Ortes vgl. Feuillet: VT 1961, S. 278 (une ville de pressoirs à huile et à vin). Die Annahme einer Beischrift aus V. 12 (Schulz; Bruno: Bücher, S. 283) oder eines Seitenstückes zu דֶּרֶךְ גְּבוּלוֹ (Budde) verkennt die Eigenständigkeit dieses Überlieferungsgutes. Aus ähnlichen Erwägungen wollen Ehrlich; Hylander: Komplex, S. 78 den ganzen Vers streichen.

10 a) S. V. 7; vgl. GK § 60h; BroS § 124b. b) = כלא, GK § 75qq.

11 a) Fehlt 𝔊B (wonach Schulz; Rost: Überlieferung, S. 14 es streichen), was aber (gegen Wellhausen) nicht bedeutet, daß nach 𝔊 der אַרְגַּז die Mäuse nicht enthalten habe. Das Ketib טְחֹרֵיהֶם, sonst Qere, kennzeichnet das Wort als Teil einer (wohl auch וְאֵת־עַכְבְּרֵי הַזָּהָב umfassenden) nachträglichen Erläuterung zu אַרְגַּז (Wellhausen, Dhorme und die meisten), braucht deswegen aber nicht getilgt zu werden (vgl. S. R. Driver), ebensowenig das ו (Greßmann; vgl. dazu BroS § 130a).

12 a) Zur Form vgl. GK 47k; 71. Sie weist nicht auf späte Sprache (Ehrlich), eher umgekehrt (BLe § 40l). Die Lesung וַיֵּשַׁרְנָה (Klostermann, Smith) ist ebenso unnötig wie die Annahme einer Mischform (Hertzberg). b) Wörtl. »auf der gleichen Straße«. c) Zur Form GK § 75n (𝔊 ἐκοπίων leitet irrtümlich von יגע ab). Zweiter Inf. abs. zum Ausdruck der begleitenden fortdauernden Handlung GK § 113s; Hertzberg weist auf die Lautmalerei in גָּעוֹ.

13 a) Üblicherweise mit dem *wādi eṣ-ṣarār* identifiziert (z. B. S. R. Driver, Budde, Schulz; vgl. auch Simons: Texts, § 652). b) Zum Pl. vgl. GK § 145c; BroS 22d. c) 𝔊 εἰς ἀπάντησιν αὐτῆς; danach von den meisten (auch Hertzberg) in לִקְרָאתוֹ geändert, was möglich, aber wegen V. 19 doch nicht wahrscheinlich ist. Jdc 19,3 liegt wohl anders.

14 a) Aus der Luft gegriffen die Änderung in שֵׁדָה durch A. H. Godbey: Field-spirits in the OT. AJSL 1925, S. 280. b) 𝔊 καὶ ἔστησαν ἐκεῖ παρ' αὐτῇ λίθον μέγαν, nur Korrektur, nicht Zeichen verschiedener Rezensionen (Smith); zur Sache vgl. 14,33. c) Das Gesetz verlangt für Opfer männliche Tiere.

15 a) Die unmotivierte Nennung der Leviten weist den Vers als spätere Erweiterung aus, sei es, daß ein späterer Leser um die Rechte der Leviten besorgt war (Rost: Überlieferung, S. 14) oder daß ihm an dem Nachweis lag, das dargebrachte Opfer habe dem Willen des Herrn entsprochen (Hertzberg). Unerlaubt beseitigt Bruno: Bücher, S. 283 durch Änderung in הוֹלְלִים den Anstoß. b) Der Wagen ist aber schon verbrannt, auch dies ein Zeichen unorganischer Erweiterung und nicht als nachgeholtes Plusquamperfekt zu deuten (Klostermann). 𝔊 glättet durch ἀνήνεγκαν. c) Lies besser כְּלֵי הַזָּהָב. d) Auch die Bedeutung des großen Steines ist anders als im Vorhergehenden; hier ist er nicht Opferaltar, sondern Standort der Lade, auch das wohl im Ausgleich mit späteren Anschauungen; die Opfer, die die Bevölkerung bringt, sind nicht mehr an diesen Stein gebunden.

17 a) Vgl. Anm. a zu 11.

18 a) BroS § 62e; 81d. Offenbar rechnet dieser Vers mit einer Vielzahl von goldenen Mäusen. Willkürlich ist die Änderung in מוּסָר Bußgeld (Klostermann). b) V. 17.18a wird allgemein als spätere Erweiterung angesehen. c) 𝔊𝔗 אֶבֶן (𝔖𝔙 = 𝔐), danach wohl mit Recht von allen Auslegern (auch Keil) geändert, doch ist dann besser הָאֶבֶן zu schreiben (vgl. GK § 126x, inkorrekte Ausdrucksweise? Vielleicht auch Zeichen jüngerer Entstehung, vgl. Karl Albrecht: Neuhebräische Grammatik. München 1913, § 94d). Die Verschreibung braucht kein mechanisches Verstehen zu sein (so DelF § 90a; auch G. R. Driver: Mistranslations in the Old Testament. WO 1947, S. 31), sondern könnte mit Rücksicht auf וַיִּתְאַבְּלוּ V. 19 entstanden sein (de Boer: Research, S. 83); vgl. dazu auch den interessanten, aber doch zu konstruierten Erklärungsversuch bei Tur-Sinai: VT 1951, S. 275f. (Rest eines aus anderer Tradition stammenden וַיָּבֹאוּ (וַיַּגִּיעוּ) עַד אָבֵל; bloße Dialektunterschiede zwischen אבן und אבל in der Aussprache). Dann ist jedenfalls עַד, obwohl von allen Vers vorausgesetzt, nicht möglich; vokalisiere entweder עֹד (Ehrlich, Schulz, Greßmann, de Groot) oder mit Keil, Wellhausen und den meisten andern עֵד. Budde will es überhaupt tilgen. d) Setzt, wenn nicht V. 15 selbst, so doch dessen Vorstellungen voraus, schließt sich jedenfalls nicht reibungslos an V. 16 an (so Budde). Wenn man mit den meisten (auch Bruno: Epos,

S. 56 aus rhythmischen Gründen) V. b zur ursprünglichen Überlieferung rechnet, muß man wohl אֲשֶׁר הִנִּיחוּ עָלֶיהָ אֵת אֲרוֹן יְהוָה als spätere Erweiterung tilgen (Budde, Tiktin); ganz unmöglich Buddes Vermutung einer Entstehung aus הֶעֱלוּ עָלֶיהָ אֵת הָעֹלָה ליהוה, ebenso wie auch Casparis Änderungen zur Stelle. Richtiger ist es aber, V. 18b noch als Zusatz anzusehen (Rehm), der freilich nicht von derselben Hand stammen muß, sondern älter sein kann (Rost: Überlieferung, S. 14). e) Fehlt 𝔊; Nowack will dagegen die letzten vier Worte tilgen; beides ist indessen nicht zu entbehren.

19 a) Das Subjekt fehlt, die Aussage wird später an passenderer Stelle wiederholt. Diese Schwierigkeit beseitigen willkürlich Ehrlich durch die Änderung וַיַּכּוּ אַנְשֵׁי, Caspari durch וַיִּגְוְעוּ; vgl. auch Peters: Beiträge, S. 198. 𝔊 *καὶ οὐκ ἠσμένισαν* (hap leg in 𝔊), was wohl hebräische (anders Ehrlich), aber selbständige Textüberlieferung neben 𝔐 ist, die somit durchaus beizubehalten ist (so auch de Groot; Rehm; de Boer: Research, S. 59; van den Born). Man darf also nicht in וַיַּךְ den Rest des Textes von 𝔊 suchen (וְלֹא חָדוּ בְּנֵי יְכָנְיָה, Budde, Dhorme, de Vaux, Hertzberg, überhaupt die meisten; לֹא הֵרִיעוּ Greßmann; לֹא נִקּוּ Wellhausen). Methodisch noch unmöglicher, weil Rezensionen vermischend, ist es, in *Ιεχονίου* eine Textentstellung anzunehmen (und von da aus auf eine authentische Textform zurückzuschließen (וַיִּחַר בְּעֵינֵי יְהוָה Schulz; "וְלֹא שָׂמַח יְהוָה בְּאַנְשֵׁי Bewer: JBL 1938, S. 90; im Prinzip schon Thenius). Feigin: JQR 1937/38, S. 236 findet sogar die Sonnengottheit שֶׁמֶשׁ בְּנֵי יְהוָה. Das gilt auch von dem in vieler Hinsicht anregenden Versuch von Tur-Sinai: VT 1951, S. 279 וְלֹא נִקּוּ בְּנִכּוֹן יְהוָה (מכה = נכון) בְּאַנְשֵׁי. b) 𝔗 עַל דַּחֲדִיאוּ, 𝔖 *ʿal dadeḥælû*, also Ausdruck der Freude oder der Furcht; vgl. dazu GK § 119k, aber das ist schon erleichternde Interpretation, denn mit רָאָה ist weder die Bedeutung des Abschätzigen noch der Neugierde (Wellhausen) verbunden. Für die 𝔊-Rezension versteht sich das von selbst, ist aber auch für 𝔐 sinnvoll, weil die Lade Repräsentant Jahwes ist, und wer Jahwe sieht, sterben muß (Ex 33,20; Num 4,20; vgl. dazu auch Paul Volz: Das Dämonische in Jahwe. Tübingen 1924, S. 14). Auf keinen Fall ist daran zu denken, daß die Leute von Beth-Schemesch neugierig in die Lade hineingeschaut hätten (so Ehrlich; Morgenstern: HUCA 1942/3, S. 241; Tur-Sinai: VT 1951, S. 285; auch de Groot u. a.). c) 𝔊 *ἐν αὐτοῖς* erklärt sich aus dem *υἱοὶ Ἰεχονίου* und wird von den Befürwortern dieser Lesart vielfach als בָּם übernommen. d) Zur auffallenden Anordnung GK § 134i; 𝔖 »fünftausend und siebenzig« (Erleichterung), Ant VI 1,4 nur »siebenzig«, wohl nicht willkürlich, sondern nach Vorlage. 𝔗 verteilt die Zahlen auf Älteste und Gemeinde. Nach 𝔗𝔖 will Peters: Beiträge, S. 199 וחמשה אַלֻּפִים »fünf Stammeshäupter« lesen; in anderer Weise versucht Tur-Sinai: VT 1951, S. 281 שָׂב עִם אִישׁ חֲמִשִּׁים אֶלֶף אִישׁ »alte Leute und Krieger, tausend Mann« – eine Vereinfachung, die ebensowenig überzeugt wie die Konjektur שִׁבְעִים אִישׁ חֲמִשָּׁה מֵאֶלֶף »siebenzig Mann, fünf je tausend« (Hassenkampf; zitiert nach Feigin: JQR 1937/38, S. 228); sie ist gesucht und erklärt nicht die Zahl, die für eine Stadtbevölkerung auf jeden Fall zu hoch ist (vgl. dazu die talmudische Überlegung Soṭah 35b, daß jeder so viel wert war wie tausend Mann); auch als übersteigernder Zusatz (so die meisten) wäre es sinnlos. Darum liegt die Annahme von Varianten näher (vgl. die Auslegung; so in verschiedener Weise auch Feigin: JQR 1937/38, S. 227). Für die Zahl siebenzig vgl. Jdc 9,2; dazu Ernst Sellin: Wie wurde Sichem eine israelitische Stadt? Leipzig 1922, S. 26. e) Abwegig sind alle Versuche, zwischen dem hier und Kap. 5 Berichteten medizinisch eine Verbindung zu sehen (so zuletzt Blondheim; vgl. Anm. d zu 5,7) und an Ansteckung zu denken.

20 a) 𝔊B *ἐνώπιον τοῦ ἁγίου τούτου*, 𝔗 schiebt אֲרוֹנָה ein (𝔊A 𝔖𝔙 = 𝔐); hier liegt nicht die an sich spätere Gottesprädikation, sondern eine Apposition vor, die die Bedeutung eines Relativsatzes hat (BaudK II, S. 146). Nach יַעֲלֶה bieten 𝔊𝔖 *κιβωτὸς κυρίου*, wohl um eine Identifizierung Jahwes mit der Lade auszuschließen.

21 a) Der Ort gehörte zur Gibeonitischen Tetrapolis (Jos 9,17), lag also gewissermaßen auf neutralem Gebiet (vgl. Alt II, S. 286). Zuerst von Robinson mit *qiryat el ʿinab* identifiziert (so auch de Vaux), aber wohl richtiger in dem nahe dabei gelegenen *deir el azhar* an der Straße Jaffa–Jerusalem zu suchen (Simons: Texts, § 653; vgl. F. T. Cooke: The site of Kirjath Jearim. AASOR 1923/24, S. 105–120). Vgl. zur Sache auch Blenkinsopp, J.: Kiriath Jearim and the Ark. JBL 1969, S. 143–156.

1 a) 𝔊 *Ἀμιναδαβ* vgl. Ex 6,23; dort erscheint ein נָדָב ebenso wie אֶלְעָזָר (2 Sam 6,3 אַחְיוֹ und עֻזָּא) als Sohn Aarons. Es ist möglich, daß die Namenstradition von hier aus beeinflußt ist

(Budde). אֲבִינָדָב sonst noch für den Sohn Sauls 31,2 und Bruder Davids (16,8; 17,13), was sich aus der Häufigkeit des Namens erklären dürfte (vgl. NothPers, S. 193). b) 2 Sam 6,3 אֲשֶׁר, was auch 𝔊𝔗𝔖 vorauszusetzen scheinen und wonach vielfach geändert wird; doch würde das Fehlen hier den Sinn nicht ändern. Zur mutmaßlichen Lage dieser Höhe vgl. G. Dalman: PJ 8. 1913, S. 25. c) 𝔊A ἠνάγκασαν Änderung nach dem Zusammenhang.

6,1–7,1 *Die Rücksendung der Lade*. Der Bericht über die Entlassung der Lade gibt sich im ganzen Umfang als unmittelbare Fortsetzung des Vorangehenden, steht aber in seinen einzelnen Teilen unter so verschiedenen Blickpunkten, daß man den komplizierten Weg noch ahnen, wenn auch nicht mehr nachzeichnen kann, auf dem die Einzelzüge zu einer Einheit wurden.

Die Ausformung von V. 1–6 ist, wie schon 5,6–18, durch die Analogie der Ägyptenereignisse bestimmt, ja diese Linie wird hier noch stärker herausgearbeitet. V. 6 bildet dabei einen konsequenten Abschluß, zugleich eine Überleitung zum Folgenden und darf deswegen weder zum Teil (vgl. Anm. b), noch als Ganzes[1] getilgt werden. Der häufige Einwand, daß von einer Weigerung und Verstockung der Philister an dieser Stelle nicht mehr geredet werden könne, übersieht, daß eben das Verhalten der Fürsten im Blickpunkt steht (vgl. zu 5,8). Es empfiehlt sich weiterhin nicht, einen Schnitt bei V. 12 zu legen und damit V. 1–12 und V. 13–18 verschiedenen Quellen zuzuweisen[2], weil damit die offenbar zusammengehörenden Beth-Schemesch-Stücke auseinandergerissen würden. Für eine enge Zusammengehörigkeit dieses Abschnittes mit 5,6ff. könnte auch auf das אֲרוֹן אֱלֹהֵי יִשְׂרָאֵל im Munde der Philister hingewiesen werden (5,7.8.10.11; 6,3, vgl. auch 6,5)[3]. Es ist möglich, die Zeitangabe V. 1 in diesem Zusammenhang zu sehen; sieben Monate dauert die Plage, sieben Tage wird das Wasser des Nil in Blut verwandelt (Ex 7,25). Natürlich darf man diesen Zug nicht überlasten, weil die Zahl Sieben allgemeinen Charakter hat[4]. Größeres Gewicht hat die Festsetzung von Gaben, die die Entlassung der Lade begleiten sollen[5]. Damit, daß diese Gabe als אָשָׁם bezeichnet wird, ist der ursprünglich wohl apotropäische Sinn dieses Motivs[6] theologisch umgedeutet. Der Nachdruck, der gerade hierauf liegt, könnte ein Grund dafür sein, daß V. 4f. jetzt auch die עַכְבָּרִים erscheinen, die 𝔐 5,3.6 im Gegensatz zu 𝔊 nicht genannt hat. Damit, daß 𝔊 beide Größen stärker voneinander absetzt, außerdem die Zahl der Beulen und

1. Rost: Überlieferung, S. 13; auch Seeber: Lade, S. 22. Rost sieht in dem ganzen Abschnitt V. 5–9 eine nachträgliche Erweiterung. Seine Argumentation, daß die Antwort V. 5 schon in 4b enthalten, daß V. 9 eine Vorwegnahme der Ausführung in V. 10 sei, ist zu formal und übersieht, daß tatsächlich ein Fortschritt besteht. Auch rechnet V. 3 nicht in derselben Weise mit der Möglichkeit eines anderen Ursprungs der Plage wie V. 9. Auch der stilistische Gesichtspunkt, daß die Reden sonst kurz gehalten sind und kaum über einen Satz hinausgehen, erlaubt nicht, V. 5 u. 6 von V. 3 u. 4 zu trennen. Es wäre auch auffallend, daß ein solcher Einschub nach vorwärts und rückwärts gleichzeitig gerichtet ist.

2. Greßmann.

3. Vgl. auch Noth: System, S. 95.

4. Gn 7,4; 21,28; 29,18 u. ö.; vgl. auch RGG VI. 3. Aufl., Sp. 1862.

5. Es ist interessant, daß in der Synagoge von Dura Europos die bildliche Darstellung vom Auszug und der Entlassung der Lade so eng zusammengehören.

6. Vgl. ATAO, S. 519, Anm. 5.

Mäuse voneinander unterscheidet, scheint sie einem besseren Text zu folgen, der im vorliegenden Text von 𝔐 zu V. 4 redaktionell verdunkelt ist. Aber V. 18 setzt ebenfalls eine Vielzahl von Mäusen voraus, was in dieser Form unerfindlich ist, jedenfalls nicht aus der bloßen Freude an der Steigerung erklärt werden kann. Das gleiche gilt für das הַמַּשְׁחִיתִם. Damit wird klar, daß es sich bei dem Nebeneinander von עֳפָלִים und עַכְבָּרִים nicht um einen korrumpierten Text handelt, der aus Unkenntnis der symbolischen Bedeutung von עַכְבָּרִים entstanden ist (vgl. Anm. a). Ebenso unwahrscheinlich ist es aber auch, daß hierin eine Kenntnis von Krankheit und Krankheitsübertragung zu Tage tritt[7]. Auf der anderen Seite ist auf die Herkunft der Philister und im Zusammenhang damit auf den Apollo Smintheus hingewiesen worden[8]. Auch das kann nicht zur Erhellung der Zusammenhänge beitragen. Im Hintergrund steht – das ist zum Verständnis der Zusammenhänge völlig ausreichend – die historische Erscheinung von katastrophalen Mäuseplagen (Feldmäusen, nicht Ratten) in ihrer Furchtbarkeit[9]. Wenn man auch über Einzelheiten keine Sicherheit mehr erreichen kann, besteht doch eine gewisse Wahrscheinlichkeit dafür, daß die Überlieferung von der Beulenplage einmal stärker an die Städte und ihre Fürsten gebunden war[10], darum auch stärkere Ansatzmöglichkeit für weitere Ausgestaltung bot. Mit der theologischen Zielsetzung ist es gegeben, daß die Erzählung an Geschlossenheit und Anschaulichkeit verloren hat. Das erklärt die verspätete Zeitangabe V. 1; so überraschend sie an dieser Stelle auch ist, darf aus ihr doch nicht gefolgert werden, daß etwas ausgefallen ist[11] oder eine neue Quelle einsetzt[12]. Ebenso ist das לָמָּה V. 3 nicht folgerichtig, da es ja schon feststeht, daß die Lade alle Schläge verursacht hat[13]. Und da sie nicht in Silo geraubt, sondern in der Schlacht erobert wurde, ist auch das לִמְקוֹמוֹ V. 2 nicht ganz einsichtig und steht in Spannung zu dem בֵּית־שֶׁמֶשׁ im Folgenden, denn an diese Stadt dürfte dabei nicht gedacht sein, ebensowenig wie an קִרְיַת יְעָרִים. Diese Formulierung stammt bereits aus deuteronomischem Denken und dürfte vom endgültigen Standort der Lade in Jerusalem her gewonnen sein; jedenfalls ist sie nicht als terminus einer ohnehin schon problematischen Ladewanderung (s. u.) anzusehen.

V. 7–18 machen in vieler Hinsicht einen wesentlich anderen Eindruck. Die Erzählung verläuft geschlossen und folgerichtig. Die Entlassung der Lade ist ein Versuch, über die Herkunft der Schläge Gewißheit zu bekommen. Besonders von V. 12 ab gewinnt die Darstellung an Dichte und unmittelbarer Anschaulich-

7. So vor allem Budde; jetzt R. K. Harrison: Disease, Bible and spade. BA 1953, S. 90f.; auch Blondheim (Anm. d zu 5,6). Dagegen jetzt F. S. Bodenheimer: Animal and man in Bible Lands. 1960, S. 201.

8. G. A. Wainwright: Some early Philistine history. VT 1959, S. 77.

9. Vgl. dazu J. Aharoni: Zum Vorkommen der Säugetiere in Palästina. ZDPV 1917, S. 238; auch den Bericht von Peter Bamm: Die unsichtbare Flagge. 1952, S. 176.

10. In ähnlicher Richtung gingen die Überlegungen Klostermanns, daß eine Steigerung von der Pest in der Stadt zum Mäusefraß vorliege.

11. Klostermann.

12. Budde.

13. Zu den von den Versionen versuchten Erleichterungen s. Anm. f.

keit. Daß der Wagen, der verwendet wird, neu sein muß, die Kühe noch kein Joch getragen haben dürfen, ist selbstverständlich und außerdem aus israelitischem Kultdenken gut zu begreifen (vgl. Anm. d zu V. 7). Wo auch die Wurzeln dieser Vorstellung liegen, sie sind sicher nicht darin zu suchen, daß die Kühe gut zu dem als Jungstier vorgestellten Gott der Lade passen[14], daß überhaupt die Lade aus kanaanäischem Kultusbereich stammt. Denn hier liegt aller Nachdruck darauf, daß die Kühe von ihren Kälbern getrennt sind, die Entscheidung also gegen den Instinkt der Tiere fallen muß und damit der Machterweis Jahwes nur um so klarer wird. Das erinnert wohl an die Erschwerung des Karmelwunders (1 Reg 18,34), läßt in diesem besonderen Fall aber auch eine Eigenart volkstümlichen Erzählens erkennen[15]. Damit verbietet es sich, aus einmaligen Ereignissen ein altirsaelitisches Brauchtum zu postulieren, wonach man alle sieben Jahre die Lade auf einen neuen Wagen gestellt und an diesen zwei Kühe gespannt hätte, die noch kein Joch geträgen hatten, um zu sehen, wohin der auf der Lade stehend gedachte Gott den Wagen lenkte, um dort für die nächsten sieben Jahre zu wohnen[16]; ganz abgesehen davon, daß עֲגָלָה ein Transportwagen ist[17]. Mit diesem Hauptmotiv kann das Motiv der Sühnegaben organisch verbunden werden. Eine sprachliche Brüchigkeit liegt allenfalls V. 11 vor, ist aber auch nicht so gewichtig, daß man Folgerungen daraus ziehen könnte. Daß allerdings die Philisterfürsten bis zur Gemarkung von Beth-Schemesch folgen und aus der Ferne zuschauen, bis das Opfer gebracht ist[18], steht doch sehr am Rand und wirkt als harmonisierender Ausgleich. Beth-Schemesch[19] wird Jos 15,10 in der Grenzbeschreibung als zu Juda gehörig genannt, gehört aber nach Jdc 1,35 (wo es vermutlich mit הַר־חֶרֶס identisch ist) zu den von den Israeliten nicht eroberten Gebieten. Das ist bei der Bedeutung der Stadt und ihrer langen Vergangenheit[20] durchaus verständlich; sie konnte wohl erst unter David fest eingegliedert werden[21]. Hier wird, wie auch der Name יְהוֹשֻׁעַ zeigt, eine judäische, mindestens jahwegläubige Bevölkerung vorausgesetzt. Seiner Art nach ist der Bericht als Kultgründungslegende zu verstehen[22]. Ob es tatsächlich ein Opferfest gegeben hat, bei dem diese Erzählung die Festlegende bildete[23], wird man freilich offenlassen müssen. Aber denkbar wäre es, daß diese Legende mit in der Absicht gebildet wurde, das ganze Gebiet fester in Juda einzugliedern. Interessant ist, daß es sich um denselben Raum handelt, in dem auch die Simsonüberlieferung beheimatet ist. Literarische Folgerungen können daraus aber nicht gezogen werden (vgl. o. S. 92).

14. Hugo Greßmann: Die Lade Jahves. 1920, S. 25.
15. Es ist allerdings fraglich, ob daraus geschlossen werden kann, daß diese Überlieferung die jüngere ist (so Greßmann).
16. Dus: VT 1963, S. 126ff., vor allem aber ThZ 1961, S. 1ff.
17. BRL, Sp. 532.
18. Zu den sachlichen Schwierigkeiten vgl. etwa Hertzberg z. St.
19. Vgl. dazu jetzt auch BHH I, Sp. 229.
20. Albrecht Alt: Herren und Herrensitze Palästinas. ZDPV 1941, S. 33f. (KS III, S. 66f.).
21. Albrecht Alt: Die Staatenbildung der Israeliten in Palästina. 1930, S. 60f. (KS II, S. 49f.).
22. Vgl. Hylander: Komplex, S. 87.
23. So Hertzberg.

Jos 21,16 zählt Beth-Schemesch unter die Levitenstädte. Im Zusammenhang damit darf man die Erweiterung V. 15 sehen, die nicht nur aus priesterlicher Skrupelhaftigkeit erfolgte (vgl. Anm. a), sondern vor allem deutlich machen will, was mit der Lade geschah, die ja nicht einfach auf die Erde gestellt werden konnte. In V. 16–18 schließen sich Angaben an, die von verschiedener Hand gemachte Zusätze sein werden; inhaltlich liegen sie nicht ganz in einer Ebene (zu V. 18 vgl. Anm. d und o. S. 151). Wie man sie im einzelnen gegeneinander abgrenzen soll, läßt sich nicht mehr klären.

6,19–7,1 stehen in einer so deutlichen Spannung zum Vorhergehenden, daß sie keine organische Fortsetzung dazu bilden können, sondern eine eigene, unabhängige Überlieferung sein müssen[24]. Wenn nach dem Text von 𝔊 nur eine Familie von dem Schlag getroffen wird, mildert das etwas die Spannung, hebt sie aber nicht auf. Denn für die Folgerung, daß diese Familie im Unterschied zu den andern an dem alten Kult des Sonnengottes festgehalten habe[25], ist auch 𝔊 zu schwach. Wäre das gemeint, wäre auch die Furcht der anderen Bevölkerung nicht recht verständlich. Es handelt sich hier um zwei selbständige Überlieferungen, die den Rahmen verschieden weit spannen, aber im Grunde dasselbe besagen, daß Beth-Schemesch von einem Strafgericht getroffen wurde. An den Zahlen läßt sich erkennen, wie die Überlieferungen zunächst noch fließend sind. Neben der Zahl 50000 ist die Zahl siebzig pedantisch und überflüssig, aber gerade hier werden nun die verschiedenen Darstellungen vereinigt (vgl. dazu o. S. 149). Die Katastrophe liegt also in der Linie dessen, was die philistäischen Städte erduldeten, nur ist eben hier zur Kennzeichnung der Schwere die Zahl der Getöteten eines ganzen Gebietes angegeben. Daraus erklärt es sich, daß die Art der Versündigung nicht näher erläutert, sondern durch einfaches כִּי רָאוּ festgestellt wird. Wenn die Leute von Beth-Schemesch vor diesem Heiligen Gott nicht bestehen können, so weist auch das in das Gebiet ursprünglicher Kriegsfrömmigkeit[26], wonach ein Feind vor Jahwe nicht standhalten kann. Von da aus würde ich gerade hierin eines der ältesten Stücke von dem sehen, was man sich von der Lade zu erzählen wußte, zumal hier eine andere, wesentlich negativere Beurteilung der Leute von Beth-Schemesch im Hintergrund steht, an der man noch etwas von den sehr verschiedenen Beurteilungen ablesen kann, die die Maßnahmen Davids anscheinend erfuhren. Im jetzigen Zusammenhang begründet dieser Zug, daß die Lade weiter nach Kirjath-Jearim gebracht wird, wo sie nicht weniger im Gebiet der philistäischen Einflußsphäre ist (s. Anm. a zu V. 21), das aber in der Überlieferung eine besonders wichtige Rolle gespielt hat. Die Frage nach dem geschichtlichen Hintergrund kann erst im Zusammenhang mit 2 Sam 6 gestellt werden. Es liegen in den Kap. 5 und 6, in einen Erzählungszusammenhang gefügt, eine Reihe von Einzelüberlieferungen vor, die alle in sehr verschiedener Weise und Ausgestaltung das mit Silo und der Lade gegebene Thema der Kriegshilfe Jahwes zum Gegenstand haben. Das steht so im Vordergrund, daß man nicht sagen kann,

24. Vgl. zuletzt Tur-Sinai: VT 1951, S. 275.
25. Z. B. Greßmann, ähnlich Budde.
26. Henning Frederiksson: Jahwe als Krieger. 1945, S. 114.

Jahwe werde hier als Pestgott[27] geschildert, oder der Gott von Silo habe in diesem Sagenkreis die Funktionen dreier Dämonenkategorien[28] übernommen.

Exkurs: Die Lade Jahwes

Literatur in Auswahl

Arnold, William R.: Ephod and Ark. A study in the records and religion of the Ancient Hebrews. 1917 (Harvard Theological Studies 3) – *Budde, Carl:* Die ursprüngliche Bedeutung der Lade Jahwe's. ZAW 1901, S. 193–197; War die Lade Jahwes ein leerer Thron? ThStKr 1906, S. 488–507 – *Davies, G. Henton:* The Ark of the Covenant. ASTI 1966/67, S. 30–47 – *Dibelius, Martin:* Die Lade Jahves. Göttingen 1906 (FRLANT 7) – *Dus, Jan:* Die Analyse zweier Ladeerzählungen des Josuabuches. ZAW 1960, S. 107–134; Der Brauch der Ladewanderung im alten Israel. ThZ 1961, S. 1–16; Noch zum Brauch der ›Ladewanderung‹. VT 1963, S. 126–132; Die Erzählung über den Verlust der Lade 1 Sam. IV. VT 1963, S. 333–337; Der Beitrag des benjaminitischen Heidentums zur Religion Israels (Zur ältesten Geschichte der heiligen Lade). Communio Viatorum 1963, S. 61–80; Die Thron- und Bundeslade. ThZ 1964, S. 241–251 – *Eißfeldt, Otto:* Lade und Stierbild. ZAW 1940/41, S. 190–215; Die Lade Jahwes in Geschichtserzählung, Sage und Lied. Das Altertum 1968, S. 131–145 – *Elitzur, Y.:* Die Lade Gottes im Lande der Philister (hebr.). Bar Ilan (Ramat Gan) 1964, S. 70–76 – *Greßmann, Hugo:* Die Lade Jahves und das Allerheiligste des Salomonischen Tempels. Stuttgart 1920 (BWAT II/1) – *Gunkel, Hermann:* Die Lade Jahves ein Thronsitz. Zeitschrift für Missionskunde und Religionswissenschaft 1906, S. 33–42 – *Haran, Menaḥem:* The Ark and the Cherubim. IEJ 1959, S. 30–38. 89–94; The Nature of the »'Ohel Mo'edh« in Pentateuchal sources. JSS 1960, S. 50–65; The removal of the ark of the Covenant (hebr.). BIES 1961, S. 108–116 – *Hartmann, Richard:* Zelt und Lade. ZAW 1917/18, S. 209–244 – *Irwin, William:* Le sanctuaire central israélite avant l'établissement de la monarchie. RB 1965, S. 161–184 – *Morgenstern, Julian:* The Ark, the Ephod, and the "Tent of Meeting". HUCA 1942/43, S. 153–266; 1944, S. 1–52 – *Klamroth, Erich:* Lade und Tempel. Gütersloh 1932 – *Maier, Johann:* Vom Kultus zur Gnosis. Studien zur Vor- und Frühgeschichte der »jüdischen Gnosis«. Bundeslade, Gottesthron und Märkābāh. Salzburg 1964 (Kairos. Religionswissenschaftliche Studien 1); Das altisraelitische Ladeheiligtum. Berlin 1965 (BZAW 93) – *Meinhold, Johannes:* Die »Lade Jahves«. Tübingen 1900 – *Nielsen, Eduard:* Some Reflections on the History of the Ark. VTS 7. 1960, S. 61–74 – *Rad, Gerhard von:* Zelt und Lade. NKZ 1931, S. 476–498 – *Rost, Leonhard:* Die Wohnstätte des Zeugnisses. In: Baumgärtel-Festschrift. Erlanger Forschungen 10, 1959, S. 158–165 – *Seeber, Waltraud:* Der Weg der Tradition von der Lade Jahwes im AT. Diss. Kiel 1956. Masch.-Schrift – *Sellin, Ernst:* Das Zelt Jahwes. In: Kittel-Festschrift. 1913 (BWAT 13), S. 168–192

27. Greßmann.
28. Victor Maag: Jahwäs Heerscharen. In: Köhler-Festschrift. SThU 1950, S. 45.

– *Timm, H.:* Die Ladeerzählung (1. Sam. 4–6; 2. Sam. 6) und das Kerygma des deuteronomistischen Geschichtswerks. EvTh 1966, 509–526 – *Woudstra, H. M.:* The Ark of the Covenant from Conquest to Kingship. Philadelphia 1965.

Die Auffassungen von Bedeutung und Wesen der Lade sind im Alten Testament nicht einheitlich, wenigstens soweit sie durch die Vorstellungen des Deuteronomiums und der Priesterschrift gekennzeichnet sind. Auf der einen Seite läßt das erkennen, welch starkes Interesse man an diesem sakralen Gegenstand hatte, so daß man bemüht sein mußte, ihn in die eigene theologische Gedankenwelt einzufügen. Auf der anderen Seite läßt es zugleich vermuten, daß dieser trotz aller ehrfürchtigen Würdigung nicht mehr so profiliert war, daß man noch mit einer lebendigen Erinnerung an den ursprünglichen Sinn rechnen darf, auf den sich von den späteren Bezeugungen und Deutungen zurückschließen ließe. Das erscheint zunächst in sich widerspruchsvoll; indessen paßt dazu, daß in den vordeuteronomischen Quellenschriften des Pentateuch die Lade nur an zwei in ihrer Ursprünglichkeit nicht unbestrittenen[1] Stellen explicit genannt wird (Num 10,33ff.; 14,44)[2]. Sie begegnet in der Landnahmegeschichte Jos. 3.4.6 (die Erwähnung 7,6 ist unsicher)[3]. Der Bericht von dem Altarbau auf dem Ebal (Jos 8,30–35; 33 bis אָרוֹן) ist Bestandteil einer deuteronomistischen Überarbeitung, wenn auch die Möglichkeit einer älteren Überlieferungsgrundlage nicht auszuschließen ist[4]. Über Jdc 20,27, wo Bethel als Standort der Lade genannt wird, ist in anderem Zusammenhang zu sprechen. Auch in den Sam-Büchern, die ja gar nicht oder nur unwesentlich deuteronomistisch überarbeitet sind[5], erscheint die Lade nur in zwei größeren Komplexen (1 Sam 3–7,2; 2 Sam 6–7,2), dazu an drei einzelnen Stellen (1 Sam 14,18[6]; 2 Sam 11,11; 15,24–29). Wenn angesichts dieses spärlichen Materials auch sichere Schlüsse nicht möglich sind, scheint die Lade doch in der Darstellung des zweiten Sam-Buches einen festeren Platz zu haben. Daraus läßt sich schließen, daß die Einbringung der Lade nach Jerusalem nicht nur einen Prestigegewinn für die neue Hauptstadt, sondern umgekehrt auch für die Lade selbst bedeutet hat. Diese Überlegungen, die an sich in die Auslegung des zweiten Buches gehören, warnen vor dem Versuch, aus den Vorstellungen, die eine spätere Zeit von der Lade hatte, auf ihre ursprüngliche Bedeutung zurückzuschließen; das heißt freilich nicht, daß sie nicht auch in den Kreis der Betrachtung einbezogen werden müßten.

Bekanntlich bezeichnet אָרוֹן allgemein den Kasten, den Behälter; so den Sarg,

1. S. dazu u. S. 163.
2. כֵּסְיָהּ Ex 17,16, das von älteren Auslegern für die Lade in Anspruch genommen wurde, ist eine leichtverständliche Verschreibung aus נֵס, was schon Clericus erkannt hat; vgl. dazu zuletzt Roland Gradwohl: Zum Verständnis von Ex 17,15f. VT 1962, S. 491.
3. Fehlt 𝔊. H. Holzinger (Das Buch Josua. In: HSAT I. 4. Aufl. 1922, z. St.) und Carl Steuernagel (Das Buch Josua. 2. Aufl. 1923 [HK I/3,2], z. St.) wollen es streichen. Wenigstens wird man mit Noth: Das Buch Josua. 2. Aufl. 1953 (HAT I/7), z. St. urteilen müssen, daß die Lade Jahwes hier keine wesentliche Rolle spielt und nicht zu den Grundelementen der Überlieferung gehört, ihre Nennung hier viel eher aus der Bedeutung folgert, die sie für Kap. 3 und 4 hat.
4. Zur Sache vgl. Noth: a. a. O., S. 51f.
5. Vgl. dazu o. S. 54.
6. Dazu u. S. 264.

in den die Gebeine Josefs in Ägypten gelegt werden[7]. Das findet sich auch außerhalb des Alten Testaments nicht eben selten[8]. Es liegt also in der Linie einer Ausdeutung des Wortsinnes, wenn Dt in der Lade den Aufbewahrungsort der Gebotstafeln sieht[9]. Die Formel אֲרוֹן בְּרִית י״ geht darauf zurück, daß in Dt בְּרִית geradezu das Wort für die Zehn Gebote wird[10], so daß es 2 Chr 6,11 schließlich heißen kann, daß die Lade die בְּרִית enthalte. In dieser Verbindung ist בְּרִית entweder durch den Artikel[11] oder durch יְהוָה[12], selten durch אֱלֹהִים[13] determiniert. Das entspricht dem, was sich an der Determination des allein gebrauchten אֲרוֹן beobachten läßt, mit dem Unterschied freilich, daß hier אֱלֹהִים weitaus häufiger ist. Diese Verbindung אֲרוֹן בְּרִית ist für Dt so charakteristisch – sie wird dann von dem chronistischen Werk aufgenommen[14] –, daß sie sich beispielsweise 1 Sam 4,3.4(bis).5 als nachträgliche und nicht einmal konsequent durchgeführte Erweiterung abheben läßt. Dumermuth[15] führt die Auffassung der Lade als Gesetzesbehälter auf levitische Kreise zurück und stützt diese Auffassung damit, daß sie von den Leviten getragen wird[16]. Die beiden traditionellen Tätigkeiten der Leviten, Gesetzesunterweisung und Tragen der Lade, hätten sich sekundär in der Ladekonzeption vereinigt. Das erscheint zu vordergründig konstruiert, obwohl nicht in Abrede gestellt werden kann, daß eine der Voraussetzungen des Dt in einer ausgedehnten Predigtpraxis liegt, deren Träger die Leviten waren[17]. Vor allem überzeugt es nicht, wenn Dumermuth die Entwicklung der שֵׁם Theologie in Dt so erklärt, daß sie »das Resultat des Ringens mit dem Problem der Gegenwart Jahwes gewesen sei, wie es sich für den nordisraelitischen Kult durch das Fehlen der Lade ergab«. Hinter dieser Auffassung steht sehr deutlich ein Verständnis der Lade als des Thrones Gottes, der unsichtbar auf ihr gegenwärtig ist. Das darf man aber für das Dt, das an alte Vorstellungen anzuknüpfen sucht, nicht unbesehen voraussetzen. Man kann auch nicht behaupten, daß die Lade damit, daß sie Aufbewahrungsort der Tafeln wird, merkwürdig abgeblaßt und verändert erscheint[18]. Mit Sicherheit läßt sich nicht mehr sagen, als daß die Form der Lade

7. Was direkt zu der merkwürdigen Folgerung geführt hat, daß die Lade eben das Behältnis war, in dem die Gebeine Jakobs mitgeführt wurden (z. B. Hartmann: ZAW 1917/18, S. 232).

8. So etwa in phönizischen Inschriften (KA I: 1,1.2; 9 A 2. B 4; 13,2–3.5; 29,1 (hier ist die Rede von einem Elfenbeinkästchen). Vgl. auch Charles F. Jean und Jakob Hoftijzer: Dictionnaire des Inscriptions Sémitiques de l'Ouest. 1965, S. 25.

9. Dt 10,2.5; 1 Reg 8,21; vgl. auch Dt 31,26 (מִצַּד א״).

10. Vgl. zur Sache von Rad: NKZ 1931, S. 479.

11. Im Josuabuch 3,6 (bis); 4,9; 6,6; 8,33; es ist so selten, daß es eine jüngere Ausdrucksweise zu sein scheint (vgl. dazu auch das Nebeneinander von הָאָרוֹן und הַבְּרִית Jos. 3,14).

12. Dt 10,8; 31,9.25.26; Jos 3,3.17; 4,7.18; 6,8; 8,33; 1 Reg 3,15; 6,19; 8,1.6;

13. Jdc 20,27; 1 Sam 4,4; 2 Sam 15,24; 1 Chr 16,6.

14. 1 Chr 15,25.26.28.29; 16,6; 17,1; 22,19; 28.2.18; 2 Chr 5,2.7. Vgl. dazu Gerhard von Rad: Das Geschichtsbild des chronistischen Werkes. 1930 (BWANT IV/3). Auch Maier: Kultus. 1964, S. 89ff.

15. Zur deuteronomischen Kulttheologie. ZAW 1958, S. 74.

16. Dt 10,8; 31,9.25.

17. Zur Sache von Rad: Deuteronomiumstudien. 1947 (FRLANT NF 40), S. 46f.

18. Dumermuth: ZAW 1958, S. 72.

hier eine theologische Ausdeutung erfahren hat, die vom Ansatz des Dt her gut begreiflich ist[19].

Es ist nicht einmal notwendig, darin die Uminterpretation früherer, von einer späteren Zeit als anstößig empfundenen Vorstellungen zu sehen[20]. Gerade auf Grund solcher Überlegungen sind ja die verschiedensten Vermutungen über den ursprünglichen Inhalt angestellt worden, sei es, daß man an Meteorsteine (also Fetische) dachte[21], zwei Stierbilder[22], die heiligen Lose[23] oder ein Dokument, etwa das Vertragsinstrument des Stammesbundes, der Silo als Mittelpunkt hatte, und für das sie eigens angefertigt worden wäre[24]; eventuell sogar an den Kriegsschatz der bei Azeka kämpfenden Gruppen[25]. Auf der anderen Seite haben verschiedene Forscher[26] die deuteronomische Darstellung angenommen, weil sie allein dem ursprünglichen Tatbestand entspreche[27].
Die Priesterschrift setzt das deuteronomische Verständnis von der Lade voraus; sie nimmt es auf und baut es weiter aus. Schon das spricht dagegen, daß es sich bei diesem um eine eher willkürliche levitische Konstruktion gehandelt haben kann. Auch für P ist die Lade der Aufbewahrungsort[28] der Gesetzesmahnung הָעֵדוּת[29], wobei אֲרוֹן הָעֵדֻת[30] dem אֲרוֹן הַבְּרִית, לֻחֹת הָעֵדֻת[31] dem לֻחוֹת הַבְּרִית[32] korrespondiert. Eine Verlagerung der Akzente ist aber insofern eingetreten, als הָעֵדֻת die ganze Lade bezeichnen kann[33]. Dabei ist zu beachten, daß sich das vielfach dann beobachten läßt – text- und literarkritische Fragen können hier als für das Gesamtverständnis unerheblich außerhalb des Ansatzes bleiben –, wenn die Lade als Teil dem אֹהֶל מוֹעֵד[34] bzw. dem מִשְׁכָּן[35] eingeordnet ist, oder aber, wenn

19. Vgl. dazu auch Maier: Ladeheiligtum, S. 75. 20. So Seeber: Lade, S. 6.

21. So z. B. Stade: Geschichte I, S. 457; Biblische Theologie des Alten Testaments I. 1905, S. 117; Rudolf Smend: Lehrbuch der alttestamentlichen Religionsgeschichte. 2. Aufl. 1899, S. 44; Benzinger: Archäologie. 1. Aufl. 1894, S. 369, später anders.

22. Greßmann: Die Lade Jahves, S. 23ff.

23. So z. B. Arnold: Ephod and Ark; vor ihm übrigens schon Heinrich Holzinger: Exodus. 1900 (KHC II), S. 123, der wiederum auf Wilhelm Vatke: Biblische Theologie I. 1835, S. 320 hinweist.

24. Womit eine Herleitung aus der Wüstenzeit israelitischer Stämme a priori ausgeschlossen wäre.

25. Maier: Kultus, S. 60.

26. So z. B. Hans Schmidt: Mose und der Dekalog. In: Gunkel-Festschrift I. 1923, S. 114ff.; Hugo Greßmann: Die Anfänge Israels (SAT II/1), S. 23; Paul Volz: Jeremia. 2. Aufl. 1928 (KAT 10), S. 48; Ernst Sellin: Israelitisch-Jüdische Religionsgeschichte. 1933, S. 31. Woudstra: The Ark, S. 97ff.

27. Zu dem damit automatisch gegebenen Ansatz in der Frühzeit vgl. u. S. 163.

28. Ex 25,16.21; 40,20; 31,7 הָאָרֹן לָעֵדֻת.

29. Maier: Kultus, S. 87 erklärt den Wechsel geschichtlich so, daß die Umdeutung der עֵדוּת vom Garanten des Bestandes der Dynastie zum Zeugnis bzw. Garanten eines bundesgemäßen Königtums die Voraussetzung für den Namen »Lade des Zeugnisses« war; vgl. dazu aber auch Ludwig Köhler: Theologie des Alten Testaments. 1966, S. 198.

30. Ex 25,22; 26,34; 30,6 u. ö.

31. Ex 31,18. 32. Dt 9,9.11.

33. Ex 16,34; 27,21; 30,36; 38,21; Lev 16,13; 24,3; Num 1,50.53; 17,19.25.

34. Ex 27,21; 30,36; Lev 24,3; Num 17,19.

35. Ex 38,21; Num 1,50.53. Ich verweise auf Rost, in: Baumgärtel-Festschrift, S. 158–165.

עֵדוּת neben כַּפֹּרֶת steht[36], über deren Anfertigung Ex 25 und 37 ausführlich berichtet wird und die jetzt die entscheidende Bedeutung[37] als die Stätte der Theophanie[38] gewinnt. Die Ausschmückung mit den Cheruben, die ihre Flügel über der Lade ausbreiten[39], reprojiziert die Verhältnisse am Jerusalemer Heiligtum[40], wo die Cheruben eher eine schützende Funktion gehabt haben, in die Wüstenzeit. Daraus kann aber nicht mit Sicherheit gefolgert werden, daß die Benennung Jahwe Zebaoths als des יֹשֵׁב הַכְּרֻבִים[41] auch erst im Jerusalemer Kultus entstanden sei[42]. Es handelt sich dabei um die Übertragung eines Gottesprädikats aus dem kanaanäischen Bereich auf Jahwe, und die kann auch in vorsalomonischer Zeit, also schon in Silo eingetreten sein. Das heißt freilich nicht, daß man für den Tempel dort einen von Cheruben getragenen Thron postulieren darf, um von ihm die Prädizierung des dort verehrten Gottes als des Cherubenthroners herzuleiten[43]. Eher besteht ein Zusammenhang mit dem Reiten auf dem Cherub, dem Daherfahren auf den Flügeln des Windes[44], wozu weiterhin an das רֹכֵב בָּעֲרָבוֹת Ps 68,5 bzw. an Ps 104,3 erinnert werden könnte[45]. In dem kanaanäischen Prädikat Baals als des *rkb ᶜrpt*[46] liegt eine deutliche Analogie vor[47]. Angesichts des besonderen Charakters der Samuelüberlieferung, wie sie 1 Sam 3 vorliegt[48], scheint es wenig geraten, daraus weitreichende Folgerungen über die dort praktizierten Heiligkeitsvorstellungen und ihre mutmaßliche Herkunft[49] zu ziehen. Das gilt auch von der Beurteilung von 2,22 als einer Beweisstelle dafür, daß es in Silo einen אֹהֶל מוֹעֵד gegeben habe[50] (vgl. auch Jos 18,1; 19,51).

Der אֹהֶל מוֹעֵד begegnet als Heiligtum der Wüstenzeit außerhalb von P viermal Ex 33,7–11; Num 11,24–31; 12,4–10 und Dt 31,14 (vgl. dazu Menaḥem Haran:

36. Lev 16,13.
37. Vgl. dazu auch Haran: IEJ 1959, S. 30–38.
38. Ex 25,22; 30,6; Lev 16,2.
39. Versuch einer bildlichen Darstellung bei Greßmann (Anm. 22); Maier: Kultus, lehnt alle diese Versuche grundsätzlich ab.
40. 1 Reg 6,23ff.
41. 1 Sam 6,4; 2 Sam 6,2; 2 Reg 19,15 und dann in der hymnischen Literatur 2 Reg 19,15 (Jes 37,16); Ps 80,2; 99,1 (1 Chr 13,6).
42. So nachdrücklich Maier: Kultus, S. 62.
43. So Eißfeldt: Jahwe Zebaoth, S. 146 (KS III, S. 119f.). Zu dem dort angeführten archäologischen Material vgl. auch Maier: Kultus, S. 64ff.
44. 2 Sam 22,11; Ps 18,11.
45. Zu Ps 104,3 stellt Kraus: BK XV/2 die richtige Frage, ob die Cherubim nicht Abbild der רוּחַ seien. Es berührt sich in gewisser Weise mit einer freilich unter anderen Voraussetzungen ausgesprochenen Vermutung Torczyners (Die Bundeslade. 2. Aufl. 1930, S. 38), daß die Cherubim die kultisch symbolische Darstellung der Wolke seien. Ähnlich auch Artur Weiser: Die Darstellung der Theophanie in den Psalmen und im Festkult. In: Bertholet-Festschrift. 1950, S. 520.
46. AnOR 25 II: 51 III 11.18, V 122; 67 II 7; 1 Aqht 43–44; ᶜnt II 40.
47. Vgl. zum ganzen Vorstellungskomplex auch Kurt Galling: Der Ehrenname Elisas und die Entrückung Elias. ZThK 1956, vor allem S. 144f.
48. Vgl. dazu o. S. 85f.
49. Vgl. dazu etwa von Rad: NKZ 1931, S. 489 (Ges. St., S. 121f.), über die Züge kanaanäischer Religiosität an der Lade, oder auch Kraus: Gottesdienst 1954, S. 35, Gottesdienst 1962, S. 237.
50. So Haran: IEJ 1959, auch JSS 1960, obwohl mir seine Bedenken gegenüber einem Tempel in Silo (S. 64) gewichtig erscheinen; vgl. aber o. S. 96 zu 1, 9.

JSS 1960, S. 64). Alle diese Stellen werden, wenn auch nicht unbestritten[51], E zugerechnet. Von ihnen ist Ex 33,7 im Zusammenhang unserer Frage besonders bedeutsam. Von der Voraussetzung aus, daß zwischen V. 6 und V. 7 ein Passus ausgefallen sei, der von der Anfertigung der Lade berichtete[52], wird das נָטָה לוֹ V. 7 auf die vermeintlich vorher genannte Lade bezogen[53]. Damit stößt sich freilich die Angabe, daß das Zelt außerhalb des Lagers aufgeschlagen wurde. Zu ihr wird entweder ausdrücklich erklärt, es sei eine Tradition, die keinen Glauben verdiene[54], oder allgemein angemerkt, daß das Zelt ohne Lade bedeutungslos sei[55]. Natürlich ist die Annahme eines Textausfalles und die Verbindung des לוֹ mit einem im jetzigen Kontext überhaupt nicht genannten Beziehungswort willkürlich und bleibt unsicher. Selbst wenn man sie teilt, läge es näher, bei dem נָטָה לוֹ an einen Bericht über die Erstellung des Zeltes zu denken[56]; noch ungezwungener ist es wohl, es auf Mose zu beziehen[57]. Das Nebeneinander von Lade und Zelt begegnet literarisch also erst in später Ausformung. Das läßt darauf schließen, daß es sich um zwei ursprünglich selbständige, voneinander getrennte Heiligtümer gehandelt habe[58], die einmal in verschiedenen Gruppen verehrt[59], aber zu einem relativ frühen Zeitpunkt der israelitischen Geschichte, vielleicht erstmals am Heiligtum in Silo[60], zu der sakralen Einheit zusammengefaßt wurden, als die sie jetzt in der Priesterschrift erscheinen. Diese Auffassung läßt natürlich mancherlei Modifikationen hinsichtlich der Frage zu, aus welchem Kulturbereich die Lade stammt[61].

51. Vgl. zu Ex 33 Martin Noth: Überlieferungsgeschichte des Pentateuch. Stuttgart 1948, S. 33; auch Wilhelm Rudolph: Der Elohist von Exodus bis Josua. 1938 (BZAW 68), S. 55.

52. So schon Knobel: Das Buch Exodus. 1857 (KeH 12), z. St. (2. Aufl. Dillmann 1880); dann Wellhausen: Composition, S. 95; dann wieder besonders nachdrücklich Eißfeldt: Hexateuchsynopse. 1922, S. 54, zuletzt: Die älteste Erzählung vom Sinaibund. ZAW 1961, S. 146; vgl. auch Walter Beyerlin: Herkunft und Geschichte der ältesten Sinaitraditionen. 1961, S. 131.

53. Heinrich Holzinger: Exodus. 1900 (KHC II); Hugo Greßmann: Mose und seine Zeit. 1913, S. 240; Die Anfänge Israels. 1922 (SAT I/2), S. 89; Georg Beer: Exodus. 1939 (HAT I/3) S. 156.

54. Greßmann: Mose und seine Zeit, S. 241.

55. Wellhausen.

56. Haran: JSS 1960, S. 53.

57. Haran: a. a. O., S. 58; vor ihm schon Hermann L. Strack: Die Bücher Exodus, Leviticus und Numeri. 1894 (SZ); Bruno Baentsch: Exodus-Leviticus-Numeri. 1903 (HK I/1,2), S. 276.

58. So schon Eduard Meyer: Die Israeliten und ihre Nachbarstämme. 1906, S. 215; Hartmann: ZAW 1917/18, S. 239f.; Gustav Westphal: Jahwes Wohnstätten nach der Anschauung der alten Hebräer. 1908 (BZAW 15), S. 33; vgl. auch Sellin, in: Kittel-Festschrift, S. 168ff.

59. Was natürlich nicht ausschließt, daß auch für die Lade ein Zelt da war (2 Sam 11,11; vgl. dazu Alt III, S. 240), das aber nur untergeordnete Bedeutung hatte (zur Sache Haran: JSS 1960, S. 51.

60. Kraus: Gottesdienst. 1962, S. 159, und anscheinend auch von Rad: NKZ 1931, S. 492 (Ges. St., S. 124). Hartmann denkt an die Zeit Davids, ähnlich Meyer.

61. Anders anscheinend Haran: JSS 1960, S. 60, der konservativ in Zelt und Lade zwei zwar getrennte, aber nebeneinander bestehende Einrichtungen sieht, die sich von verschiedenen sozialen und geistlichen Sphären (prophetisch und priesterlich) des altisraelitischen Lebens herleiten; ihr wesenhafter Unterschied kommt in ihrer verschiedenen Stellung in Bezug auf das Lager zum Ausdruck. Vgl. dazu auch Eichrodt: Theologie I, S. 61f.

G. von Rad hat bei den Vorstellungen eingesetzt, die sich in P mit dem Zelt der Begegnung verbinden, und versucht, von daher den Charakter der Lade zu bestimmen. Er stellt dazu fest, daß der Gedanke, Jahwe wohne im Zelt, zwar in P zu belegen ist, daneben aber und in einer gewissen Spannung zu ihm der andere steht, daß Jahwe nur zu Zeiten, wann es ihm gefällt, dort erscheint. Im letzteren sieht er die Anschauung, die für den אֹהֶל מוֹעֵד charakteristisch gewesen sei. Den Ansatzpunkt zum ersteren findet er im אָרוֹן bzw. in den Thronbegriffen, die sich mit ihm einmal verbanden. Abgesehen davon, daß die Unterscheidung von Wohn- und Erscheinungsstätte sowieso nicht unbestritten ist[62], wäre gegen diese Argumentation auch geltend zu machen, daß die Wohnvorstellung in der von v. Rad angenommenen Form neben anderem sehr stark in der Bezeichnung מִשְׁכָּן einen Ausdruck findet[63]. Dabei kann an die oben gemachten Beobachtungen angeknüpft und konstatiert werden, daß אֹהֶל מוֹעֵד eine allgemeine und übergreifende Bezeichnung des Heiligtums geworden ist, was auch an der nicht klar abzugrenzenden Verbindung mit מִשְׁכָּן deutlich wird[64]. Darüber tritt אָרוֹן als selbständige Größe stark zurück. Kennzeichnend hierfür ist die Verbindung מִשְׁכַּן הָעֵדוּת[65] (daneben auch אֹהֶל הָעֵדוּת[66]). Hier hat die Lade tatsächlich ihre Eigenbedeutung verloren und ist ganz von der מִשְׁכָּן-Vorstellung absorbiert worden[67]. Freilich bleibt es fraglich, ob man diesen Vorgang geschichtlich so erklären darf, daß Dt bzw. das deuteronomistische Geschichtswerk die Voraussetzungen dafür hätte schaffen müssen, derart, daß die Lade erst dann durch den אֹהֶל מוֹעֵד aufgesaugt werden konnte[68], nachdem sie vom Thron des unsichtbar gegenwärtigen Gottes zum Behälter der Gesetzestafeln degradiert worden war[69]. Viel wahrscheinlicher ist es, daß diese Vorstellungen vom Thron sich unabhängig von der Lade aus der Symbolik des Tempels und der mit ihr verbundenen Theologie entwickelten[70].

Die Frage nach der Lade stellt sich im Zusammenhang der Sam-Bücher nach drei Seiten, nämlich nach ihrer ursprünglichen Bedeutung, ihrer Herkunft und dem Kreis derer, bei denen sie zunächst in Ansehen stand. Diese Fragen hängen untereinander so eng zusammen, daß eine Antwort schon die anderen mit prä-

62. So schon Leonhard Rost: Die Vorstufen von Kirche und Synagoge im Alten Testament. 1938 (BWANT IV/24), S. 37; vgl. auch R. E. Clements: God and Temple. 1965, S. 63 f.

63. Dazu Arnulf Kuschke: Die Lagervorstellung der priesterlichen Erzählung. ZAW 1951, S. 84 ff.

64. Entweder unter Einschluß von אֹהֶל מוֹעֵד Ex 26 passim; (36,14); 39,33.40; Num 3,25; oder als Synonym Num 1,53; 10,11; oder in unausgeglichener Parallele Ex 39,32; 40,2.6.29.34. 35; Num 1,50; 9,15. Die verschiedenen Schichten innerhalb der priesterlichen Überlieferung können hier unberücksichtigt bleiben.

65. Ex 38,21; Num 1,50.53; 10,11.

66. Num 9,15; 17,22.23; 18,2.

67. In diesem Zusammenhang mag an H. G. May: The Ark a Miniature Temple. AJSL 1936, S. 215-234, erinnert werden.

68. Von Rad: NKZ 1931, S. 492, rechnet statt dessen mit der Möglichkeit, daß die Lade als Behälter die ältere Vorstellung war, auf die Dt zurückgreift (Ges. St., S. 124 f.).

69. So Kuschke: ZAW 1951, S. 87.

70. Ich komme von anderem Ansatz her zu ähnlichen Ergebnissen wie Maier: Kultus, S. 101.

judiziert. Das allein bedeutet bereits eine Erschwerung; dazu kommt die Knappheit, zugleich die weite Streuung des Materials. Nach dem bisher Ausgeführten leuchtet es ein, daß man nicht auf die Gedanken rekurrieren darf, die man sich später am Tempel von Jerusalem von den Heiligtümern machte[71]. Wie schon angedeutet, ist Vorsicht auch gegenüber 1 Sam 3 geboten[72].

Die Meinung, daß in Analogie zu Erscheinungen des Vorderen Orients[73] die Lade ein leerer Götterthron gewesen sei, hat anschließend an eine Veröffentlichung aus dem Gebiet der klassischen Archäologie[74] im Anfang dieses Jahrhunderts schnell eine große Zahl angesehener Vertreter gefunden[75], behalten[76], und wird auch noch heute von der Mehrzahl der Forscher geteilt[77]. Z. T. ist sie jetzt dahin modifiziert, daß die Lade als Fußschemel des Gottesthrones[78] bzw. als leerer Kultsockel[79] angesehen wird; andere vereinigen die beiden konkurrierenden Auffassungen Thron und Behälter auf die Weise[80], daß sie auf den Brauch hinweisen, Urkunden und Verträge zu Füßen der Gottheit niederzulegen[81] (das würde aber wohl ein »bei«, nicht »in« der Lade bedeuten?). Gegen diese verschiedenen Thesen spricht aber schon entscheidend das eine, daß für einen Thron die Bezeichnung אֲרוֹן äußerst unpassend ist[82] und auch nicht durch dessen Kastenform erklärt werden kann[83], denn es geht hier um das Wort, nicht die Sache. Das in diesem Zusammenhang vielfach herangezogene Jeremiawort (3,16.17)[84] redet von einem zu Ende gegangenen (V. 16) und einem eschatologischen Heilszustand (V. 17) in einer Weise, die es nicht erlaubt, Lade und Thron in enge Beziehung zueinander zu bringen[85]. Die Frage nach der ursprünglichen Bedeutung der Lade muß sich auf die Antwort

71. Hubert Schrade: Der verborgene Gott. 1949, S. 47ff. nimmt an, daß erst Salomo die Lade zu einem Thron gemacht habe.

72. Zumal das וַיָּבֹא יְהוָה וַיִּתְיַצֵּב V. 10 nicht eigentlich für eine Thronvorstellung spricht (so von Rad: NKZ 1931, S. 491; Ges. St., S. 123), was m. E. mit Recht Budde: NKZ 1906, S. 496, unterstrichen hat.

73. H. Danthine: L'imagerie des trônes vides et des trônes porteurs de symboles dans le Proche Orient Ancien. In: Mélanges Syriens offerts à M. R. Dussaud II. 1939, S. 857–866.

74. Wolfgang Reichel: Über vorhellenische Göttercülte. 1897, S. 23ff.

75. Ich nenne ergänzend zu bereits Erwähntem Meinhold, Johannes: Die »Lade Jahves«. 1900; Martin Dibelius: Die Lade Jahves. 1906 (FRLANT 7); Hermann Gunkel: Die Lade ein Thronsitz. Zeitschrift für Missionskunde und Religionswissenschaft 1906, S. 1ff.

76. Benzinger: Archäologie, S. 312ff.; Kurt Galling: RGG III. 2. Aufl. 1929, Sp. 1449f.; William F. Albright: From the Stone Age to the Christianity. Baltimore 1940, S. 202f. 229f. Deutsch: Bern 1949, S. 266.

77. Z. B. Bright: History, S. 146; deutsch: Düsseldorf 1966, S. 137; Walter Beyerlin: Herkunft und Geschichte der ältesten Sinaitraditionen. Tübingen 1961, S. 125; Dumermuth: Zur deuteronomischen Kulttheologie. ZAW 1958, S. 71f.

78. Karl-Heinz Bernhardt: Gott und Bild. Berlin 1956, S. 145; Haran: IEJ 1959, S. 89. Josef Schreiner: Sion – Jerusalem, Jahwes Königssitz. 1963 (StANT 7), S. 24.

79. Hubert Schrade: Der verborgene Gott. 1949, S. 47ff.; vgl. dazu auch Maier: Kultus, S. 83.

80. So zuletzt Nielsen: VTS 7. 1960, S. 74; Dus: ThZ 1964, S. 242.

81. Jirku: Kommentar, S. 184f.

82. So schon Budde: ZAW 1901 S. 195; jetzt wieder mit besonderem Nachdruck Maier: Ladeheiligtum, S. 45.

83. Anders Eichrodt: Theologie I, S. 60.

84. Neben den meisten schon Genannten auch Noth: Geschichte, S. 88.

85. Vgl. dazu Paul Volz: Jeremia. 2. Aufl. 1928 (KAT 10), S. 48.

beschränken, daß sie ein nicht mehr näher zu bestimmendes bewegliches Symbol der Gegenwart Jahwes bei den Seinen war[86]. Gewiß ist anzuerkennen, daß sich aus dem arabischen Raum keine wirklichen Entsprechungen für diesen Kultgegenstand aufweisen lassen[87] – was bei dem zeitlichen Abstand auch kaum zu erwarten wäre –; dennoch war Morgenstern[88] prinzipiell im Recht, wenn er auf entfernte Parallelen arabischer Wanderheiligtümer (’oṭfe, maḥmal und ḳubbe) hinwies.

Mit der Thronauffassung war, wenigstens z. T.[89], die Herleitung aus dem kanaanäischen Kulturraum gegeben[90]. Soweit für sie die gegenüber אֲרוֹן יהוה weitaus häufigere Formel אֲרוֹן אֱלֹהִים geltend gemacht wurde[91], ist das kein beweiskräftiges Argument, denn mit demselben Recht könnte man erwarten, daß gerade dann ein fremder Gottesname durch den Jahwenamen ersetzt worden wäre, wenn es sich um eine Übernahme aus fremdem Besitz gehandelt hätte, zumal eine wirkliche Entsprechung aus kanaanäischem Bereich bisher wohl nicht bekannt ist. Daß in Silo das Prädikat יֹשֵׁב הַכְּרֻבִים auf Jahwe übertragen wurde, ist begreiflich, denn Machtprädikate kamen ihm selbstverständlich zu; doch beweist das noch nichts für eine ausgesprochene Kanaanisierung des Jahwekults in Silo[92]. Aus diesem Grunde hat auch das אֲשֶׁר־נִקְרָא שֵׁם שֵׁם י״ צ״ יֹשֵׁב הכ״ עָלָיו 2 Sam 6,2[93] keine rechte Beweiskraft für die Inanspruchnahme eines fremden Kultgegenstandes[94]. Von solchen Überlegungen her können also kaum entscheidende Einwände dagegen erhoben werden, daß die Lade aus vorkanaanäischer Wüstenzeit stammt[95]. Freilich muß zugegeben werden, daß eine direkte Verbindung mit der Sinaiüberlieferung und Mose[96] unsicher[97], die frühen Bezeugungen im Pentateuch

86. Otto Procksch: Theologie des Alten Testaments. 1950, S. 97; ähnlich auch Seeber: Lade, S. 38; zuletzt wieder Georg Fohrer: Tradition und Interpretation im Alten Testament. ZAW 1961, S. 8, Anm. 17.

87. Menahem Haran: ᶜOṭfe, Maḥmal u. Ḳubbe. In: D. Neiger Memorial Volume. Jerusalem 1959, S. 215–221.

88. Julius Morgenstern: HUCA 1942/43, S. 153–266.

89. Von grundsätzlich anderen Voraussetzungen kommt z. B. Maier zu derselben Herleitung.

90. Ich nenne Dibelius: Lade; Hartmann: ZAW 1917/18, S. 236f; Greßmann: Die Lade Jahves; Gustav Westphal: Jahwes Wohnstätten nach der Anschauung der alten Hebräer. 1908 (BZAW 15); Gustav Hölscher: Geschichte der israelitischen und jüdischen Religion. 1922; Lods: Israel, S. 317ff.; Ernst Kutsch: RGG IV. 3. Aufl. 1960, Sp. 197–199.

91. So z. B. von Rad: NKZ 1931, S. 489 (Ges. St., S. 121); aber auch viele andere.

92. Von Rad: a. a. O.; Kraus: Gottesdienst. 1962, S. 204; Maier: Kultus, S. 34.

93. Zum textlichen Befund vgl. auch I. L. Seeligmann: Indications of editorial alteration and adaption in the Massoretic Text and the Septuagint. VT 1961, S. 205.

94. Kurt Galling: Die Ausrufung des Namens als Rechtsakt in Israel. ThLZ 1956, Sp. 69.

95. Vgl. Anm. 26; weiter, z. T. verbunden mit der Götterthronhypothese, Klamroth: Lade, S. 28ff.; Albright: From the Stone Age to the Christianity. Baltimore 1940, S. 203; Noth: Geschichte, S. 88; Eichrodt: Theologie I, S. 60f.; Walter Beyerlin: Herkunft und Geschichte der ältesten Sinaitraditionen. Tübingen 1961, S. 168; de Vaux: Lebensordnungen II, S. 119. Vollständige Bibliographie Maier: Ladeheiligtum, S. 39. Liverani, M.: La preistoria dell’epiteto »Yahweh ṣᵉbā’ot« (Annali dell’istituto Orientale di Napoli 17 N.S. 1967, S. 331–334) erklärt das יהוה צבאות als Hinweis auf Armee- oder Lagergötter und denkt an die Götter der Ḫapiru.

96. Hugo Greßmann: Mose und seine Zeit. 1913, S. 235f. nahm noch an, daß Mose die Lade

überhaupt spärlich sind. Bei Num 14,44 wird zudem bestritten, daß die Lade hier ursprünglich genannt war. Aber auch, wenn dort die Wahrscheinlichkeit nachträglicher Erweiterung groß ist[98], bleibt zu bedenken, daß Erweiterungen zumeist nicht rein willkürlich sind; die Angabe kann also durchaus eine Erinnerung daran enthalten, daß die Lade eine Beziehung zur Nomadenzeit hatte. Darum erscheint auch die Skepsis gegenüber Num 10,33–36 nicht gerechtfertigt. Zuletzt hat Maier diesen Passus eingehend untersucht[99]. Er scheidet V. 33b als sekundären Zusatz aus, weil J sonst von der Führung durch den in der Wolken- und Feuersäule voranziehenden Jahwe, E von der durch einen Engel weiß[100]. Damit müssen ihm auch V. 35 und 36 weitere Ergänzungen sein, beziehen sich vor allem die sog. Signalworte nicht auf die Lade, die sie gar nicht nennen. Sie sind keineswegs uralte liturgische Formeln, sondern stammen aus dem Jerusalemer Kultus[101]; von dort habe sie der Interpolator übernommen, mit einer Einleitung versehen und, von der Glosse V. 33b angeregt, mit der Wandersituation in Verbindung gebracht. Das wäre nun freilich ein recht komplizierter literarischer Vorgang. Gerade, daß die Führungsfunktion außerhalb der geläufigen Vorstellungen im Pentateuch liegt, daß diese Verse überhaupt sperrig im Kontext stehen[102], spricht eher dagegen, daß hier frei konstruiert wurde, und läßt an eine alte und auch zuverlässige Überlieferung denken. Die Diskrepanz, die man zwischen der Einleitung V. 33b und den Ladeworten finden will (Führungsheiligtum–Kriegsheiligtum)[103], besteht in Wirklichkeit nicht, da die Wanderungen von Nomaden, die neuen Lebensraum suchten, immer ein bedrohtes Unternehmen waren. Daß die Formulierungen dann in hymnischer Sprache erst relativ spät (Jes 28,21; Ps 68,1)[104] erscheinen und dort Residuum einer allerdings keineswegs gesicherten Ladeprozession gewesen sein können[105], ist allenfalls zu konstatieren, reicht aber nicht aus, ein Hysteron Proteron zu postulieren.

Gewiß bleiben hier, bedingt durch eine lückenhafte Überlieferung, Unklarheiten bestehen. Sie würden aber durch die Annahme, daß nachträglich ein kanaanäisches Symbol übernommen wurde, nicht verringert, vielleicht sogar vermehrt. Es ist

durch den Midianiter Jethro vom Sinai nach Kadesch bringen ließ. Vgl. auch Georg Fohrer: Tradition und Interpretation im Alten Testament. ZAW 1961, S. 8, Anm. 17.

97. Von Rad: NKZ 1931, S. 486 (Ges. St., S. 119). Später ist die Auszugstradition sehr deutlich an die Lade geknüpft gewesen.

98. Vgl. z. B. Hugo Greßmann: Die Anfänge Israels. 1922 (SAT I/2), S. 104; Martin Noth: Überlieferungsgeschichte des Pentateuch. Stuttgart 1948, S. 224, Anm. 558; anders in: Das vierte Buch Mose. Numeri 1966 (ATD 7), S. 98; C. A. Simpson: The early traditions of Israel. 1948, S. 235f. Vgl. auch Maier: Ladeheiligtum, S. 4.

99. a. a. O., S. 5ff.

100. V. 34 ist sowieso mit ziemlicher Sicherheit als ausgleichender Zusatz anzusehen.

101. Siehe S. 8ff.; auch Nielsen: VTS 7. 1960, S. 67.

102. Vgl. dazu Martin Noth: Überlieferungsgeschichte des Pentateuch. Stuttgart 1948, S. 15; auch den Rekonstruktionsversuch bei Horst Seebaß: Zu Num X 33f. VT 1964, S. 111f. (ohne daß diese Auffassungen geteilt werden sollen).

103. Seebaß: a. a. O.

104. Maier: Ladeheiligtum, S. 8f.; Nielsen: VTS 7. 1960, S. 67.

105. Sigmund Mowinckel: Der achtundsechszigste Psalm. 1953, S. 8.

wohl schwer verständlich, wie ein übernommenes Heiligtum in kurzer Zeit eine solche Bedeutung gewonnen haben soll, daß es einen Schlag wie die Niederlage von 1 Sam 4 überdauern konnte.

Die lückenhafte Bezeugung gerade für die älteste Zeit läßt allerdings vermuten, daß die Verehrung der Lade zunächst auf einen kleineren Kreis einzelner Gruppen begrenzt war[106]. Bei der Bestimmung dieser Größe bleibt man allerdings mehr auf allgemeine Erwägungen angewiesen. Ausgehend von der gesicherten Erkenntnis, daß Jos 1–6, wo die Lade nachdrücklich genannt wird, eine Zusammenstellung ätiologischer Sagen aus der benjaminitischen Landnahmeüberlieferung enthalte[107], hat man in der Lade ein spezifisch benjaminitisches Heiligtum sehen wollen[108], was sich durchaus mit der Annahme verbinden läßt, daß Benjamin damit ein kanaanäisches Kultobjekt übernommen habe[109]. Freilich ist auch hier die Nennung auf zwei, streng genommen einen Komplex begrenzt[110]. Denn in dem Bericht von der tatsächlich vollzogenen Eroberung Jerichos (6,14–27) findet sie keine Erwähnung, so daß da, wo sie 6,7–12 vorkommt, es sich um eine Auffüllung von Jos 3 her handeln wird[111]. Kap. 3 und 4 ist die Frage nach der ursprünglichen Stellung der Lade sehr viel schwerer zu beantworten. Die Problematik dieses literarischen Komplexes ist genugsam bekannt, auch, daß der Versuch, sie zu lösen, zur Feststellung zweier[112], dreier[113] oder noch mehrerer Schichten[114], keineswegs aber zu Einhelligkeit geführt hat. Dazu kommt auf der anderen Seite, daß durch die Annahme, das Gilgal sei eine Zeitlang Standort der Lade und damit amphiktyonischer Mittelpunkt gewesen[115], leicht eine Entscheidung über ihre Stellung im Traditionsgefüge präjudiziert wird. Vorsichtig urteilt G. von Rad[116], daß eine am Gilgal haftende Landnahmeüberlieferung spezifisch benjaminitisch gewesen sein dürfte und erst nachträglich ihre Ausweitung auf den

106. Was schon ansatzmäßig in der Erkenntnis umschlossen ist, daß Lade und Zelt einmal selbständig für sich bestanden haben (s. o. Anm. 58); vgl. dazu noch Eißfeldt: ZAW 1940/41, S. 200.

107. Alt I, S. 182f.; Noth: Das Buch Josua. 2. Aufl. 1953 (HAT I/2), S. 11f.

108. Hans-Jürgen Zobel: Stammesspruch und Geschichte. 1965 (BZAW 95), S. 119; Dus: Communio Viatorum 1963, S. 61ff.

109. Nielsen: VTS 7. 1960, S. 63, der annimmt, daß die Lade ein Prozessionsheiligtum gewesen sei, mit dem die Benjaminiten das von ihnen in Anspruch genommene Gebiet umkreist hätten. Zum Prozessionsheiligtum vgl. auch o. S. 144 zu 5,1–12.

110. Zu 7,8; 8,33 vgl. o. S. 155.

111. Martin Noth: Das Buch Josua. 2. Aufl. 1953 (HAT I/7), S. 35. So auch Wilhelm Rudolph: Der »Elohist« von Exodus bis Josua. 1938 (BZAW 68), S. 184. Vgl. weiter Dus: ZAW 1960, S. 117. Anders Kurt Möhlenbrink: Die Landnahmesagen des Buches Josua. ZAW 1938, S. 258f., der indessen die Mauersage grundsätzlich von Jericho trennt und eine unbestimmte Überlieferung der in Silo stehenden Lade annimmt.

112. Möhlenbrink.

113. Ernst Vogt: Die Erzählung vom Jordanübergang Jos 3–4. Bibl 1965, S. 125–148.

114. Dus: ZAW 1960, S. 120ff.

115. Hans-Joachim Kraus: Gilgal. VT 1951, S. 191ff.; zu der Annahme, daß Gilgal sehr früh die Zentralstätte Sichem abgelöst habe (S. 193), vgl. u. Anm. 123. Zu der durch Kraus angeregten Frage der kultischen Begehung s. jetzt auch J. Alberto Soggin: Gilgal, Passah und Landnahme. VTS 15. 1966, S. 263–277.

ganzen Stammesbund erhalten habe. Damit bleibt die Frage nach der benjaminitischen Herkunft des Heiligtums der Lade wieder offen. Da in unserm Fall die literarischen und überlieferungsgeschichtlichen Aspekte des ganzen Komplexes nicht entscheidend sind, weise ich nur darauf hin, daß für Keller[117] die Lade nicht der Schicht der ältesten Traditionselemente[118] anzugehören scheint. Diese Feststellung dürfte in allgemeingeschichtlichen Überlegungen eine Unterstützung finden. Ohne auf die Frage danach einzugehen, ob ein Zusammenhang der biblischen Benjaminiten mit den benê jamina von Mari möglich oder denkbar ist[119], läßt sich doch mit einiger Sicherheit annehmen, daß dieses alttestamentliche Benjamin seine eigene Geschichte gehabt hat und für sich allein, dazu in sehr früher Zeit, in seine Kulturlandwohnsitze eingerückt ist[120], sich jedenfalls nicht erst auf dem Boden Palästinas von Ephraim getrennt hat[121]. Da Benjamin nun meist eine nicht unbedeutende Rolle gespielt hat (Gn 49,27; Dt 33,12; Jdc 5,14), ist es schwer einsichtig zu machen, wie es ein ihm eigentümliches, dazu mit seiner Geschichte eng verbundenes Heiligtum aufgeben konnte, selbst dann, wenn dieses inzwischen amphiktyonische Bedeutung bekommen haben sollte (vgl. aber dazu u.). Denn abgesehen von der soeben besprochenen Nennung Jos 3.4 ist die Lade fest für das ephraimitische Silo[122] und lockerer, d. h. weniger sicher, einmal für Bethel (Jdc 20,27.28) bezeugt. Das weist in den ephraimitischen Raum[123]. Gewiß gibt es manche Versuche, das zu erklären, sei es, daß man den Grund dafür in einer doch recht problematischen[124] Ladewanderung[125], allgemein kulturellen Verbindungen[126] oder in kriegerischen Auseinandersetzungen sieht[127]. Mit diesen letzteren könnte übrigens nur verständlich gemacht werden, warum die Lade von Bethel nach Silo kam, und das ist nicht das eigentliche Problem, wofern man nicht annehmen will, daß Bethel eine benjaminitische Eroberung gewesen sei[128].

116. Das formgeschichtliche Problem des Hexateuchs. 1938 (BWANT IV/26), S. 42 (Ges. St., S. 54).

117. Über einige alttestamentliche Heiligtumslegenden II. ZAW 1956, S. 91.

118. Anscheinend kannte auch die ältere Schicht von Vogt (Bibl 1965. S. 125ff.) die Lade nicht.

119. Ich zitiere als in dieser Richtung gehend James Muilenburg: The birth of Benjamin. JBL 1956, S. 194–201; Michael Astour: Benê-Jamina et Jericho. Semitica 1959, S. 5–20; jetzt auch Sigmund Mowinckel: Tetrateuch-Pentateuch-Hexateuch. 1964 (BZAW 90), S. 37.

120. Noth: Geschichte, S. 72f.; System, S. 37, Anm. 2; Alt I, S. 165, Anm. 1; Schunk: Benjamin, S. 8; Hans-Jürgen Zobel: Stammesspruch und Geschichte. 1965 (BZAW 95), S. 112.

121. Für diese Auffassung ist besonders bezeichnend Otto Eißfeldt: Der geschichtliche Hintergrund der Erzählung von Gibeas Schandtat. In: Beer-Festschrift. 1935, S. 19–40 (K.S. II, S. 64–80).

122. Es ist nur konsequent, wenn Hartmann: ZAW 1917/18, S. 237, Bedenken daran äußert, daß das Silo der Lade in selūn zu suchen sei, und mit einer Lage in Benjamin rechnet.

123. Zu der Annahme, daß ursprünglich Sichem der Standort der Lade gewesen sei, vgl. die Kritik bei F. W. Albright: Die Religion Israels im Lichte der archäologischen Ausgrabungen. 1956, S. 118f.; auch Nielsen: Shechem, S. 301.

124. Woudstra: The Ark, S. 126f. lehnt die Anschauung ausdrücklich ab, daß die Lade sich an einem anderen Orte als Silo befunden habe.

125. Vgl. dazu S. 152, zu 6,7–18.

126. Nielsen: VTS 7. 1960, S. 63; vgl. o. zu 4,12.

127. Eißfeldt: Der geschichtliche Hintergrund der Erzählung von Gibeas Schandtat. In: Beer-Festschrift. 1935, S. 38; Schunck: Benjamin, S. 47; Hans-Jürgen Zobel: Stammesspruch und Geschichte. 1965 (BZAW 95), S. 117ff.

128. Zobel: a. a. O., S. 109; vgl. dazu aber Stoebe: ZDPV 1966, S. 8.

Viel mehr muß überraschen, daß die Lade so weit außerhalb des Blickfeldes der Benjaminiten stand, daß nicht einmal der Versuch unternommen und zweifellose militärische Anfangserfolge nicht dazu ausgenutzt wurden, sie zurückzuholen. Wir dürfen also annehmen, daß die Lade das Wander- und Kriegspalladium[129] einzelner ephraimitischer Gruppen war[130], das in Silo Aufstellung und Kult gefunden hatte. Anscheinend war sie in der Zeit der Ansässigkeit schon im Bewußtsein ihrer Verehrer zurückgetreten, so daß man sie erst holte, als der erste Kampf verloren war[131]. Das schließt nicht aus, daß die Lade sich einer Wertschätzung erfreute, die über den Kreis ihrer ursprünglichen Anhänger hinausging. Es muß aber fraglich bleiben, ob sie damals schon ein Heiligtum von gesamtisraelitischer Bedeutung im Sinne einer Zwölfstämmeamphiktyonie[132] war[133]. Es ist hier nicht der Platz[134], auf die Fragen einzugehen, die sich aus der Amphiktyoniethese ergeben[135]. Zweifellos ist der Bericht über die Schlacht bei אֶבֶן הָעֶזֶר hinsichtlich ihrer gesamtisraelitischen Bedeutung überhöht worden; sie hatte zunächst einen mehr regional begrenzten Charakter[136]. Die Niederlage war allerdings schwer genug, um eine weitreichende und tiefgreifende Resignation zu hinterlassen. Auch hier muß unter der Voraussetzung so allgemeiner Bedeutung auffallen, daß die Lade so wenig genannt wird. Denn daß Jdc 2,1 a.5 b ihre Überführung von Gilgal nach Bethel zum Gegenstand habe[137] oder daß sie Jdc 5,23 gemeint sei[138], kann niemals so evident gemacht werden, daß damit argumentiert werden darf[139]. Schließlich muß die schon einmal gestellte Frage hier wiederholt werden: Wie konnte dann das Interesse an der Lade so gering sein, daß sie in der Zeit Sauls völlig in Vergessenheit geriet?

129. Zur Annahme eines Prozessionsheiligtums vgl. o. S. 144.

130. So z. B. Martin Noth: System, S. 96; Schunck: Benjamin, S. 46f. (der damit die Annahme eines vorübergehenden Standortes in Gilgal verbindet); Rudolf Smend: Jahwekrieg und Stämmebund. 1963 (FRLANT 84), S. 71ff.; vgl. auch Kurt Möhlenbrink: Die Landnahmesagen des Buches Josua. ZAW 1938, S. 246ff.

131. Vgl. o. S. 132.

132. Ich nenne nur Noth: System, S. 95; Jerusalem und die israelitische Tradition. OTS 8. 1950, S. 43; Kraus: Gottesdienst. 1962, S. 151f. Vgl. zur Sache auch Möhlenbrink: ZAW 1938, S. 268.

133. Zurückhaltender redet Schunck: Benjamin, S. 47, vom Heiligtum der Sechs-Stämmeamphiktyonie (in Bethel).

134. S. dazu o. S. 180.

135. Dazu Harry Meyer Orlinski: The tribal system of Israel and related groups in the period of the Judges. Oriens Antiquus 1962, S. 11–20; Siegfried Herrmann: Das Werden Israels. ThLZ 1962, Sp. 561–574; Georg Fohrer: Altes Testament, ›Amphiktyonie‹ und ›Bund‹? ThLZ 1966, Sp. 801–816. 894–904. Vgl. dazu auch Irwin: RB 1965, S. 161–184.

136. Zum Hintergrund und der mutmaßlichen Entstehungszeit des Hauptteils der Überlieferung von der Strafmacht der Lade vgl. o. S. 145.

137. Eißfeldt: ZAW 1940/41, S. 192. 194; Auerbach: Wüste I, S. 98.

138. Eißfeldt: ZAW 1940/41, S. 199.

139. Hans-Jürgen Zobel: Stammesspruch und Geschichte. 1965 (BZAW 95), S. 109ff.

II. Redaktionelles Zwischenstück

7,2–17 Samuels Sieg bei Mizpa und sein Richteramt

2 Von dem Tage an, da die Lade[a] in Kirjath-Jearim stand, verfloß die Zeit, und zwanzig Jahre gingen ins Land[b], und das ganze Haus Israel wehklagte[c] hinter Jahwe her[d]. 3 Da sprach Samuel zum ganzen Hause Israel: »Wenn ihr euch von ganzem Herzen[a] zu Jahwe bekehren[b] wollt, dann entfernt aus eurer Mitte die fremden Götzen[c] (...)[d], richtet euer Herz fest auf Jahwe[e] und verehrt ihn allein[f], dann wird er euch aus der Hand der Philister erretten[g].« 4 Darob entfernten die Kinder Israel die Baale und die Astarten[a] und dienten (nur noch) Jahwe allein. 5 Darauf forderte Samuel: »Versammelt ganz Isarel nach Mizpa[a], daß ich (dort) für euch zu Jahwe bete[b].« 6 Da kamen sie nach Mizpa; sie schöpften Wasser[a] und gossen es vor Jahwe aus[b]; sie fasteten an jenem Tage und bekannten [dort][c]: »Wir haben an Jahwe gesündigt«; also richtete[d] Samuel die Israeliten zu Mizpa. 7 Als die Philister hörten, daß die Israeliten nach Mizpa zusammengekommen waren, zogen die Fürsten der Philister hinauf gegen Israel. Wie nun die Kinder Israel das erfuhren, gerieten sie in Furcht vor den Philistern. 8 Darum baten die Kinder Israel Samuel: »Kehre dich nicht schweigend von uns ab[a] (und höre nicht auf), zu Jahwe, unserm Gott[b], zu schreien, daß er uns aus der Hand der Philister errette.[c]« 9 Darauf nahm Samuel ein Milchlamm[a] und brachte es Jahwe als Ganz-Brandopfer[b] dar; dann schrie Samuel zu Jahwe um Israels willen, und Jahwe erhörte ihn.[c] 10 Während aber Samuel noch das Brandopfer darbrachte, waren die Philister schon zum Kampf gegen Israel herangerückt. Da ließ an jenem Tage Jahwe es mit gewaltigem Krachen über die Philister donnern und verstörte sie so sehr, daß sie vor Israel unterlagen. 11 Nun fielen auch die Männer Israels aus Mizpa aus, verfolgten die Philister und schlugen sie bis unterhalb von Beth-Kar[a]. 12 Danach nahm Samuel einen Stein und stellte ihn zwischen Mizpa und ...[a] auf und benannte ihn Eben-Haeser[b] und sagte dazu: »Bis hierher[c] hat uns Jahwe geholfen.« 13 Die Philister aber wurden gedemütigt[a] und (wagten) fortan nicht mehr, auf das Gebiet Israels vorzudringen. Und die Hand Jahwes war wider die Philister, solange Samuel lebte. 14 Die Städte aber, die die Philister aus dem israelitischen Verband weggenommen hatten, kehrten zu Israel zurück[a] von Ekron bis Gath[b]; dazu ihr Gebiet[c] rettete Israel aus der Hand der Philister; auch ward Friede zwischen Israel und den Amoritern[d]. 15 Samuel aber richtete[a] Israel sein ganzes Leben lang[b] 16 und ging Jahr für Jahr[a] und machte die Runde über Bethel und Gilgal[b] nach Mizpa und richtete Israel [an allen diesen Orten][c]. 17 Sein Rückweg[a] aber führte ihn regelmäßig nach Rama, denn dort stand sein Haus, und dort richtete er[b] Israel[c] und dort baute er einen Altar für Jahwe.

2 a) Auffälliges Fehlen einer näheren Bestimmung wie 2 Sam 11,11. b) Die Jahreszahl ist organischer Bestandteil der verbindenden Zeitangabe, kein späterer Einschub oder Zeichen doppelten Einsatzes (Budde, Dhorme u. v. a., auch Hertzberg). c) Niphal nur hier und durchaus ungewöhnlich, 𝔊AB *ἐπέβλεψεν* (andere *ἐπέστρεψεν*, ähnlich 𝔖) 𝔙 »et requievit (Ableitung von נוח?)«. Gegenüber den verschiedenen daraufhin gemachten Änderungsvorschlägen (z. B. וַיִּפְנוּ Wellhausen, Dhorme, Smith, Greßmann; וַיֵּטוּ Klostermann, Budde; וַיְהִיוּ Ehrlich) bleibt nach dem Zusammenhang trotz der ungewöhnlichen Form ein Ausdruck der Klage am nächstliegenden; das gilt auch gegenüber der Ableitung von einer dem Arab. verwandten Wz. נהה »sich versammeln« (G. R. Driver: Studies in the vocabulary of the OT. JThS 1933, S. 377), P. A. H. de Boer: La racine QWH. OTS 10. 1954, S. 234; נהה »klagen« könnte hier freilich die Vorstellung der Bewegung mit einschließen (Caspari; vgl. auch 𝔗). Gegen die graphisch mögliche Annahme eines וַיִּזְנוּ spricht eindeutig, daß man hier eine positive Aussage erwarten muß (so richtig Hertzberg). d) 𝔊L + *ἐν εἰρήνῃ* ist eine verdeutlichende Auffüllung und kein Hinweis auf ein ursprüngliches בְּשָׁלֹה (so Klostermann, Smith).

3 a) Gekürzte deuteronomistische Formel, vollständig וּבְכָל־נַפְשְׁכֶם Dt 11,13.18; 13,4; Jos 22,5; 23,14. b) Vgl. Holladay: The Root Šûbh, S. 116ff. c) Vgl. Gn 35,2; Jos 24,23; Jdc 10,16. d) 𝔊 *καὶ τὰ ἄλση* (אֲשֵׁרוֹת?); וְהָעַשְׁתָּרוֹת (beachte das Fehlen der not. acc.) wohl nachträgliche Erweiterung, weil das אֱלֹהֵי הַנֵּכָר nicht mehr in seiner umfassenden Bedeutung verstanden wurde (Budde, Dhorme, Smith u. a.). Thenius, Tiktin, BH³ wollen dagegen nach V. 4 בְּעָלִים ergänzen. Unmöglich Ehrlich וְהִטָּהֲרוּ. e) Eine sehr späte Formel, vgl. Hi 11,13; Ps 57,8; 78,8.37; 1 Chr 29,18; 2 Chr 12,14;19,3; 20,33. f) Nicht wörtlich, wohl aber dem Sinne nach deuteronomisch; vgl. Dt 4,35; 6,13; 10,20; 13,4. g) BroS § 176c.

4 a) Stehender Ausdruck für die Götter der Kanaanäer.

5 a) Vgl. Exkurs S. 215. b) Vgl. 12,19; Samuel als Fürbitter Jer 15,1.

6 a) Eine sonst nicht bekannte Bußzeremonie und keine Libation (so z. B. Weiser: ZThK 1959, S. 260, der damit gegen die Annahme deuteronomistischer Herkunft argumentiert). 𝔗 »sie gossen ihre Herzen aus *wie* Wasser« scheint im Prinzip richtig verstanden zu haben. Entweder ein Akt der Buße (vgl. Ps 22,15; Thr 2,19; so Budde, Dhorme, Smith, de Vaux, v. d. Born) oder nachdrückliche symbolische Trennung von der Sünde (vgl. 2 Sam 14,14; so Driver, de Groot, wohl auch Hertzberg). Auf keinen Fall handelt es sich um einen Hinweis auf eine wirtschaftliche Notlage, daß durch das Ausgießen des Wassers die Dürre des Bodens behoben werden soll (Caspari, vgl. auch Ph. Reymond: L'eau, sa vie et sa signification dans l'Ancien Testament. VTS 6. 1958, S. 215–223), ebensowenig um die kultische Einleitung eines Kriegszuges (Schwally: Kriegsaltertümer, S. 55). b) 𝔊 + *ἐπὶ τὴν γῆν*, unnötige Ergänzung. c) Fehlt 𝔊 und wird von 𝔖 als Begründung zum Folgenden gezogen; es ist tatsächlich unnötig und wird mit Recht von vielen (Budde, Dhorme, Schulz, de Vaux u. a.) als spätere Ergänzung getilgt. Greßmann, Tiktin wollen es wenigstens umstellen. Willkürlich die Ergänzung zu אָשַׁמְנוּ (Klostermann: Rest eines alten Beichtgebetes) oder zu שְׁמוּאֵל (Caspari). d) Es ist auf das Spannungsverhältnis zwischen dieser Aussage und der folgend geschilderten Rettungstat zu achten.

8 a) S. GK § 119y und vgl. Jer 38,27; b) 𝔊 *θεόν σου*, vgl. 12,19 (Budde, Smith). c) Vgl. Jdc 3,9.15; 4,3; 6,6.7, auch 1 Sam 9,16; charakteristisch deuteronomistische Formel.

9 a) Anscheinend ein junges Wort (Jes 40,11; 65,25); zur Sache vgl. Ex 29,38; Lev 22,27; 23,12; Num 6,14. b) Es handelt sich um ein in schwieriger Situation für das ganze Volk dargebrachtes Brandopfer, das den Mahlgenuß ausschließt (Lev 6,15.16; Dt 13,17; 33,10); vgl. dazu R. Dussaud: Les origines Canaéennes du Sacrifice Israélite. Paris 1921, S. 117.156; weiterführend unter Berücksichtigung auch des ugar. Materials Th. H. Gaster: The service of the sanctuary. A study in Hebrew survivals. Mélanges Syriens (Paris) 1939, S. 578: zum Nebeneinander von כָּלִיל und עוֹלָה auch die Überlegungen bei L. Rost: Erwägungen zum israelitischen Brandopfer. In: Eißfeldt-Festschrift. 1958 (BZAW 77), S. 180, Anm. 9. Syntaktisch entweder als Nominalapposition (GK § 131b) oder besser als erklärender Zusatz (Driver, Schulz, Greßmann), jedenfalls nicht adverbial aufzufassen (umgekehrt tilgen Nowack, Caspari עוֹלָה als Dittogr.). 𝔊 *σὺν παντὶ τῷ λαῷ* hat falsch verstanden und kann nicht zu Textänderungen benutzt werden. c) Vgl. 8,18; vielleicht ein Leitwort der Erzählung (Buber: VT 1956, S. 128).

11 a) Zum Namen vgl. Schwarzenbach: Terminologie, S. 87f.; Boreé: Ortsnamen, S. 77. Die Verbindung mit »Feld« oder »Lamm« liegt näher als der Gedanke an einen falsch verstandenen Gottesnamen (Caspari) oder eine Verbindung mit den Kariern (de Groot). Unbekannter Ort, schon in den Vers verschieden überliefert (𝔗 בֵּית שָׁרוֹן, 𝔖 *bêt jašan*, 𝔊 *Βαιθχορ*), nach letzterer vielfach als Verschreibung aus בֵּית חרוֹן erklärt (Budde, Dhorme, de Vaux, Caspari u. a.), indessen liegt die Ersetzung eines unbekannten Namens durch einen bekannteren zu nahe, als daß das überzeugen könnte. Gegenüber den Versuchen einer Lokalisierung (vgl. den Hinweis auf *ʿain kārim* südwestlich von Jerusalem in der Nähe von *deir yāsīn*, Schulz nach PEFQSt 1876, S. 146; vgl. auch W. F. Albright: Excavations at Gibeah of Benjamin. AASOR 1922/23, S. 96) scheint es fraglich, ob hier überhaupt eine genaue topographische Vorstellung vorliegt (vgl. Simons: Texts, § 656).

12 a) 𝔐 »Felszahn, Felsenspitze« auffallend ungenaue Beschreibung; nach 𝔊 *τῆς παλαιᾶς*, 𝔖 *bêt jašan* wird allgemein Verschreibung (?) aus יְשָׁנָה angenommen. Gegen die Identifizierung mit *ʿain sīniyā*, nördlich von Bethel (Budde) wird mit Recht die zu große Entfernung von Mizpa geltend gemacht (S. R. Driver, de Groot; anders Simons: Texts, § 657f.); de Vaux denkt an *bēt sênna* im Tal Ajalon, Schulz an *dēr yāsin* 5 km südlich von *nebi samwīl* (W. F. Albright: AASOR 1922/23, S. 96 die Hügelspitze *qaṣṭal* südwestlich vom *nebi samwīl*); beides würde besser in die vorauszusetzende Situation passen. Eine weitere, aber sehr unsichere Möglichkeit (Identifizierung mit אַשְׁנָה Jos 15,33) diskutiert Simons: Texts, §657f. Grundsätzlich besteht derselbe Einwand, der schon in Anm. a zu V. 11 erhoben wurde. b) 𝔊 Transkription und Übersetzung, vgl. 4,1; die Anknüpfung daran ist deutlich, doch kann es sich nicht um dieselbe Örtlichkeit handeln (de Groot, de Vaux, Hertzberg; anders Budde, Schulz). Willkürlich und den literarischen Charakter verdunkelnd fügt Budde אֹתָהּ מַצֵּבָה ein. c) Zeitliches Verständnis (Klostermann) ist möglich, örtliches aber näherliegend. Die Unanschaulichkeit des Berichtes darf nicht durch die Konjektur עֵדָה הִיא כִּי (Wellhausen, Budde, Caspari, Caird u. a.) abgeschwächt werden.

13 a) Vgl. Jdc 3,30; 8,28; 11,33, charakteristisch deuteronomistischer Abschluß der Richtergeschichten. 𝔊 *ἐταπείνωσεν*.

14 a) GK § 72k, BLe § 564; trotz der ungewöhnlichen Form besteht kein Grund zur Textänderung (Smith תושבנה nach 𝔊 *ἀπεδόθησαν*, 𝔙 »redditae sunt«). b) 𝔊B *ἀπο Ἀσκάλωνος* (𝔊A *Ἀκκαρων*) *ἕως Ἀζόβ* (𝔊A *Γεθ*), woraus Wellhausen, Budde nach Zeph 2,4 auf ursprüngliches Gaza schließen. Offenbar ist aber die Namensüberlieferung fließend, es kommt 𝔊 (bzw. seiner Vorlage) nur darauf an, daß es Philisterstädte sind (de Boer: Research, S. 50), doch ist 𝔐 vorzuziehen. c) Ekron und Gath sind mit eingeschlossen (so richtig Smith, de Vaux); das uneigentliche Verständnis (Grenzgebiet gegen ..., so z. B. Schulz, de Groot, Hertzberg) verkennt den Charakter des Abschnittes ebenso wie Caspari (Tilgung von וְעַד גַּת: sie sagten sich wieder von Ekron los). d) Bezeichnung der autochthonen Bevölkerung Palästinas bei E und vor allem D, daher nicht auffallend (unbegründet die Streichung als Glosse, so M. Böhl: Kanaanäer und Hebräer. 1911 [BWAT I/9], S. 55). Nach der Niederwerfung der Philister lebt man mit der von dieser beherrschten Bevölkerung im Frieden (Zur Sache M. Noth: Num. 21 als Glied der »Hexateuch«-Erzählung. ZAW 1940/41, S. 183).

15 a) Stil des Richterbuches, vgl. Jdc 10,2.3; 12,7.9.11.14; 16.31. b) Die Streichung dieser Worte als späterer Zusatz (z. B. Budde), weil unvereinbar mit Kap. 8, verkennt den formelhaften Charakter der Aussage.

16 a) Frequentatives Perf. GK § 112f. b) Vgl. Ernst Sellin: Gilgal. Leipzig 1917, S. 17; auch Simons: Texts, § 660. Üblicherweise wird es zwar im ephraimitischen Gebiet (Hertzberg) und dann entweder im Raum von Sichem (Dt 11,30, jetzt *ḫ ǧulēǧil*, Buhl, S. 102; Nowack) oder zwischen Bethel und Silo (Budde, Dhorme, Caspari u. v. a.) gesucht. Doch widerspräche es dem Gesamttenor, an ein anderes Gilgal als das bei Jericho zu denken (so auch K. Galling: Bethel und Gilgal. ZDPV 1943, S. 150). c) 𝔊 *ἐν πᾶσι τοῖς ἡγιασμένοις τούτοις* Erklärung eines als schwierig empfundenen Textes und kein ursprüngliches מִקְדָּשִׁים (so schon Wellhausen, dessen Hinweis auf arab. *māqām* in der Bedeutung »heiliger Ort« aber ebenfalls irreführend ist. Das schwierige אֵת wird gewöhnlich in Anlehnung an 𝔊 als »mit, bei« verstanden (Dhorme, de Vaux, Hertzberg, überhaupt die meisten) oder in אֶל geändert (Ehrlich, Greßmann). Wahrscheinlicher aber handelt es sich um einen Zusatz, um zwischen

dem Richteramt Samuels über ganz Israel und der Nennung dieser drei Orte auszugleichen (ähnlich Driver, v. d. Born). 𝔖 verbindet beides durch ein »und«. Unbegründet erscheint die Tilgung des אֶת־יִשְׂרָאֵל als Glosse (Klostermann, Smith, Caspari).

17 a) Ausdruck der Regelmäßigkeit, sonst ist תְּשׁוּבָה in Verbindung mit שָׁנָה üblich, was aber nicht die Änderung in וְשָׁבְתוֹ (Ehrlich) rechtfertigt. b) Zur Pausa vgl. GK § 29i; N 1; fiel einem späteren Leser die Richtertätigkeit Samuels zu Rama auf? c) Anders Caspari, der שפט als altes Satzende ansieht und יִשְׂרָאֵל streicht.

7,2–17 SAMUELS SIEG BEI MIZPA. Im Aufbau der Samuel-Saul-Geschichte nimmt Kap. 7 nicht nur dem Inhalt, sondern auch der Herkunft nach eine Sonderstellung ein. Ein literarischer Anschluß an Kap. 1–3 besteht nicht[1], denn die Rolle, die Samuel hier spielt, ist dort durch nichts vorbereitet[2]. Die Annahme, daß ein Verbindungsstück unterdrückt worden sei, das seine Geschichte bis zu diesem Zeitpunkt gezeichnet hätte[3], hat in Kap. 7 selbst keinen Anhalt, denn sie übersieht, daß das Bild Samuels da trotz scheinbar reichlicher Einzelzüge zu konventionell und auch widersprüchlich bleibt, als daß man mit Sicherheit Spuren einer ursprünglichen Tradition feststellen könnte, die über das Allgemeine hinausgehen. Wohl waren die Anmerkungen über seine Richtertätigkeit V. 15–17 einmal ein Ausgangspunkt dafür, die Bedeutung dieser Institution für Israel festzustellen[4]; trotzdem sind sie nicht derartig einsichtig, daß man daraus auf eine Überlieferung zurückschließen könnte, derzufolge nach Verlust des amphiktyonischen Mittelpunktes in Silo der Wirkungsbereich Samuels über die örtlichen Grenzen eines Rechtsprechers hinausgewachsen sei und es seine Aufgabe wurde, das in Frage gestellte Verhältnis zu Jahwe wieder in Ordnung zu bringen[5]. Dagegen spricht wohl schon, daß Kap. 4 (oder 4–6) keine Verbindung zur Gestalt Samuels aufweist. Im einzelnen kann das erst im Zusammenhang nachgewiesen werden, aber vorausnehmend muß doch betont werden, daß V. 7–14 den eigentlichen Mittelpunkt der Darstellung von Kap. 7 bilden und daß jede Erklärung, die dieses Stück als nachträglich an den Rand stellt[6], an der eigentlichen Absicht dieses Kapitels vorübergeht. Ebensowenig ist es aber auch möglich, in Kap. 8 eine direkte inhaltliche Fortsetzung zu finden. Streng genommen schließt schon V. 15 (vgl. dazu Anm. a) Kap. 8 aus, steht vollends im Widerspruch zu Kap. 12. Darüber hinaus ist die Forderung des Volkes nach einem König mit der Situation unvereinbar, die Samuels Sieg geschaffen hat. Diese Bedenken gegen einen quellenhaften Zusammenhang bestehen ebenso im Blick auf die häufig ange-

1. Vgl. dazu o. S. 68; auch Preß: ZAW 1938, S. 192.

2. Eine Ausnahme könnte man in dem Nasiräatsmotiv sehen, aber auch das ist zu einem Gelübdenasiräat abgeschwächt.

3. Z. B. Klostermann, de Groot, Caird.

4. August Klostermann: Der Pentateuch. NF 1907, S. 348ff. Parallele der »Richtertätigkeit« Samuels mit altnordischen Gegebenheiten. Zuletzt hat Richter: ZAW 1965, S. 48 (und unabhängig von ihm auch Schunck: VTS 15. 1966, S. 255) die jetzt isoliert im Zusammenhang stehende Begräbnisnotiz hiermit vereinen und so das volle Richterschema gewinnen wollen.

5. Bright: History, S. 166; de Vaux: Lebensordnungen I, S. 249; Buber: VT 1956, S. 118; vor allem aber Weiser: Samuel, S. 15; vgl. jetzt auch Seebaß: ZAW 1965, S. 292.

6. Weiser, auch Buber in gewisser Weise; im Gegensatz dazu sieht Caspari gerade in diesem Stück eine alte Überlieferung.

nommene jüngere theokratische Quelle mit scharfer Kritik an dem Königtum[7] wie im Blick auf eine ortsgebundene Mizpa-Überlieferung[8]. In sprachlicher Hinsicht bestehen allerdings unüberhörbare Gemeinsamkeiten zwischen Kap. 7; 8; 10,17–27; 12. Wie lange erkannt, erklären sie sich aus einer deuteronomistischen Bearbeitung[9], die auch von denen zugestanden wird, die hier einen einheitlichen Quellenstrang finden[10]. Indessen ist das Werk des Deuteronomisten nicht in allen Kapiteln gleichmäßig zu beurteilen[11]; denn hier ist er, im Unterschied zu Kap. 8ff., nicht der Bearbeiter einer älteren Tradition, sondern ein selbständiger Erzähler[12], der durch das von ihm komponierte Zwischenstück eine eindeutigere Beurteilung und Ablehnung der dargestellten Geschichte gibt, als es an den Stellen möglich ist, wo er den Tenor älterer Überlieferung wohl ändern, aber nicht gänzlich umgestalten kann. Gegen die Annahme einer bloßen Überarbeitung älteren Gutes spricht auch die Überlegung, daß dieses Stück dann in Gegensatz zu anderen tritt, die man sich durch die gleiche Bearbeitung entstanden denken muß[13]. Diese Schwierigkeit läßt sich nicht durch Herauslösung einzelner Verse als Zusätze des Herausgebers[14] beseitigen. Man hat zwar darauf hingewiesen, daß es sonst nicht in der Linie des Deuteronomisten läge, selbständig frei zu gestalten[15]. Aber das ist ein ebensowenig beweisbares wie überhaupt wahrscheinliches Postulat; außerdem ist dieses Zwischenstück nicht besonders geschickt in den Zusammenhang eingepaßt. Ebensowenig kann die Feststellung bestimmter durchlaufender Motive[16] als Argument gegen späte und selbständige Entstehung angeführt werden. Wenn diese Erzählung dazu bestimmt war, einer im wesentlichen schon feststehenden Überlieferung die entscheidenden Akzente zu verleihen, kann es nicht verwundern, daß die einzelnen Motive aus dieser Überlieferung aufgenommen und verarbeitet wurden. Daraus werden sich auch (vielleicht mit geringen Ausnahmen) die verschiedenen konkreten Angaben erklären, so daß es unmöglich erscheint, sie in einen geschichtlichen Rahmen einzuordnen und von daher zu interpretieren; etwa in der Art, daß die Philister die Zusammenkunft in Mizpa als Abfall ansahen und entsprechend darauf reagieren mußten[17], oder daß durch

7. Vgl. dazu und zu den verschiedenen Siglierungen u. S. 176; auch Bernhardt: Königsideologie, S. 152 nimmt Kap. 7 nicht mit Kap. 8 zusammen.

8. Vor allem Caspari. Vgl. dazu zuletzt: Blenkinsopp: CBQ 1964, S. 432ff.

9. So schon Wellhausen: Composition, S. 246. Vgl. jetzt besonders Noth: Studien, S. 57; auch Jepsen: Quellen, S. 95.

10. Etwa Budde, Hölscher.

11. So Noth: a. a. O.

12. Darauf legt besonderen Nachdruck auch Hylander: Komplex, S. 94ff., obwohl die starke Angleichung an die Ladegeschichte, die sich ihm daraus ergibt, verfehlt ist; vgl. aber Press: ZAW 1938, S. 192.

13. Wie ein Vertreter der Überarbeitungsthese (Caird) ausdrücklich anerkennt.

14. Z. B. 3–4; 13–14 (Caird, Buber).

15. Hölscher: Geschichtsschreibung, S. 366; Weiser: Samuel, S. 7.

16. So vor allem Buber: VT 1956, S. 115, der auf die drei Leitworte »Schreien«, »Antworten« und »Aus der Hand der Philister befreien« hinweist, die 9,16ff. wiederkehren.

17. De Groot, Caird.

die überraschende Rettungstat Samuels Ansehen innerhalb des Volkes so wuchs, daß sich nun seine richterliche Tätigkeit ausdehnte[18].

2 Dieser Vers stellt die Verbindung zum Vorhergehenden in doppelter Weise her. Die zum deuteronomistischen Schema gehörenden zwanzig Jahre (vgl. dazu auch Anm. a) setzen einen festen Einsatzpunkt voraus, der mit der Lade gegeben ist. Auffallend ist freilich, daß die Lade im weiteren Verlauf nicht mehr erwähnt wird, obwohl die Kampfgeschichte manche Möglichkeit dafür geboten hätte. Das spricht für eine Entstehung oder wenigstens Einfügung dieses Abschnittes zu einer Zeit, als der Bericht von den Schicksalen und der Rückführung der Lade einigermaßen fest im Zusammenhang verankert war[19], andererseits aber auch dafür, daß sie für das Denken des Verfassers keine Rolle mehr spielte. Das könnte auch die ungewöhnliche Form der Erwähnung (fehlendes Genitivobjekt) erklären. Die Jahre können dem Zusammenhang nach nur als eine Epoche der Bedrückung verstanden werden, mit der der folgende Bericht in das deuteronomistische Schema von Abfall, Bekehrung und Rettung eingeordnet werden soll. Das ist freilich sehr formal und nicht organisch, denn die Rückkehr der Lade bedeutet immerhin eine Niederlage der Philister. Das spricht wohl für das Wesen des ganzen Stückes; handelte es sich um eine wirklich alte Überlieferung, sollte man einen passenderen Rahmen erwarten. Das Verbum נהה (vgl. Anm. c) ist als Ausdruck der Klage sehr stark, auch nicht geläufig; doch gehört das Ganze einer späten Schicht des Deuteronomisten an. Daß das Volk nach dem Verlust der Lade um die fehlende Führung wie um einen Toten klagt[20], scheint mit dem Gesamttenor der Ladegeschichte (vgl. o. S. 166) nicht vereinbar.

3–5 Die Trennung von den fremden Göttern ist konventionell und zum deuteronomistischen Stil gehörig, denn vorher ist gerade dies den Israeliten nie zum Vorwurf gemacht worden. Die Folgerung Weisers[21], gerade das sei nicht ad hoc formuliert, sondern stelle alte Tradition dar, ist nicht recht einsichtig. Daß ganz Israel nach Mizpa versammelt wird, hängt wohl nicht mit einer besonderen religiösen Dignität des Ortes zusammen. Ganz abgesehen davon, wo es zu suchen ist, fehlt jeder Hinweis darauf, daß es einmal amphiktyonischer Mittelpunkt gewesen ist[22] oder wenigstens eine entsprechende Bedeutung gehabt hat. Zwar versammeln sich in der Geschichte des Verbrechens von Gibea die Israeliten vor Jahwe in Mizpa zu gemeinsamem Handeln[23], aber diese Angabe ist in ihrer Reichweite nicht leicht abzuschätzen, denn gleichzeitig wird in diesen Kapiteln Bethel als Standort der Lade genannt, wo Jahwe befragt wird[24]. Man gewinnt den Eindruck – ganz abgesehen von literarkritischen Fragen –, daß Mizpa, weil es näher

18. Buber: VT 1956, S. 118; Hertzberg. Das gilt auch für die Beurteilung des geschichtlichen Hintergrundes des Philistersieges durch Hertzberg, daß der große Gottesmann den Philistern unheimlich war und deswegen scheu respektiert wurde.
19. Dieselbe Überlegung, wenngleich mit anderer Antwort Buber: VT 1956, S. 117.
20. Buber: a. a. O., S. 118.
21. A. a. O., S. 15.
22. Noth: System, S. 102; Studien, S. 56ff.
23. Jdc 20,1.3; 21.1.5.8.
24. Jdc 20,18.26ff.; 21,2.

zu Gibea lag, als Basis für die Unternehmungen gegen diese Stadt geeigneter war. Ob eine Verbindung mit dem Höhenheiligtum von Gibeon (1 Reg 3,4) anzunehmen ist[25], scheint mir nicht sicher. Wenn aber, wie es die Anschauung dieses Kapitels ist, der Tag von Mizpa und die Königswahl der große Abfall war, so wird das gerade damit am eindrücklichsten herausgestellt, daß dort die Rettungstat geschehen war, die eine Königswahl unnötig machte[26]. Mit der Zusage seiner Fürbitte[27] erscheint Samuel hier ganz in prophetischer Linie.

6–9 Die Versammlung hat nicht die Absicht, eine politisch-nationale Handlung vorzubereiten; das Wassergießen ist auch nicht als Wiederbelebungsritus zu verstehen[28], sondern ist allgemeiner Ausdruck der Reue (vgl. Anm. a zu V. 6). Sehr unbestimmt bleibt die Aussage, daß Samuel Israel dort gerichtet habe, obwohl oder gerade weil שפט eins der Schlüsselworte dieses Kapitels ist. Jedenfalls wird es sehr spannungsreich gebraucht. V. 6 kann der Begriff nur von der Tätigkeit der charismatischen Führer her verstanden werden, wie sie aus dem deuteronomistischen Rahmen der Richtergeschichten bekannt ist[29]. An eine juridische Funktion etwa im Sinne der »Kleinen Richter« ist hier nicht zu denken[30]. Das Schema ist aber nicht gewahrt, denn hier steht das Richten vor der Befreiungstat[31]. Mindestens für diese Stelle ist es sehr fraglich, ob hier für Samuel eine alte Richtertradition greifbar wird[32]. Nicht anders liegt es bei V. 15f. Wenn auch V. 15 noch an V. 6 anklingt, so ist שפט doch von V. 16 her als juridische Maßnahme zu verstehen, die den Rahmen einer großen, das ganze Volk umfassenden Tätigkeit sprengt; die müßten wir aber voraussetzen[33], auch wenn wir über Wesen und Aufgabe des altisraelitischen Richteramtes nur auf Vermutungen angewiesen sind. Eine solche Einschränkung läge nun aber in der Linie einer Entwicklung, die sich auch sonst bei der Erweichung alter apodiktischer Rechtsformen feststellen läßt[34], und machte es wahrscheinlich, daß die Zeit des Verfassers selbst keine klaren Vorstellungen vom Wesen dieses Amtes mehr hatte[35]. Gegen die Annahme,

25. Vgl. de Vaux: Lebensordnungen II, S. 105.

26. Die Nennung Mizpas als früherer Gebetsort 1 Macc 3,46 gründet auf dieser Stelle und zeigt ihre Wirksamkeit.

27. Franz Hesse: Die Fürbitte im Alten Testament. Diss. Erlangen 1949, S. 37.

28. Buber: VT 1956, S. 118 unter Verweis auf Blackmann: The significance of incense and libations. ZäS 1912, S. 69ff.

29. So mit Recht Noth: Studien, S. 55, Anm. 3.

30. z. B. Budde, Smith, Caspari, Hertzberg; vgl. auch Buber, in: Lohmeyer-Gedenkschrift, S. 55, zur Sache J. van der Ploeg: Šapat et mišpat. OTS 2. 1943, S. 144ff.

31. Inchoative Deutung (Ehrlich) verbietet der Zusammenhang.

32. z. B. Noth: Studien, S. 57f,; Hertzberg: ThLZ 1954, Sp. 288. Wildberger: ThZ 1957, S. 463ff. Vgl. dagegen jetzt Irwin: RB 1965, S. 161–184; er kommt zu dem entgegengesetzten Schluß, daß es kein eigentliches Zentralheiligtum für die Amphiktyonie gegeben habe, das einigende Band vielmehr die Tätigkeit des Richters war, der an verschiedenen Heiligtümern Recht sprach. Soweit er sich dazu auf 1 Sam 7,15–17 beruft, ist das Konventionelle dieser Darstellung nicht genügend berücksichtigt; zur Sache sonst Stellini: Samuel.

33. Alt I, S. 322ff.

34. Dazu H. J. Stoebe: Das achte Gebot. WuD 1952, S. 112.

35. Was gegen die Annahme eines bis zum Exil bestehenden Amtes spricht (Martin Noth: Das

daß es sich um eine Verlegung der Tätigkeit an die einzelnen Heiligtümer gehandelt habe, die durch die Not der Zeit veranlaßt war[36], spricht m. E. entscheidend, daß die genannten Orte sehr nahe beieinander liegen, auch wenn man bei Gilgal an das benjaminitische Gilgal (vgl. Anm. b zu V. 16) zu denken hat, ja daß sie fast alle zu Benjamin gehören. Wenn sich hierbei auch keine abschließenden Ergebnisse erzielen lassen, so ist es mir doch wahrscheinlich, daß alle die genannten Orte eben auch aus der Geschichte von der Entstehung des Königtums herangezogen sind. Bethel könnte aus 10,3 erschlossen sein[37]; es könnte ebensogut der tatsächlichen Bedeutung Rechnung tragen, die Bethel gehabt hat. Ebensowenig ist das, was V. 7 über das Auftreten der Philister gesagt wird, in einen geschichtlichen Rahmen fest einzuordnen. Die Philister machen die Bedrohung Israels sinnenfällig, das genügt dem Verfasser. Als gedankliche Parallele wäre auf Ex 34,24 zu verweisen; keinen Gegner soll es nach dem Lande Israels gelüsten, wenn es zur Ausübung seiner religiösen Pflichten vor Jahwe erscheint. Ein Unterschied zum Richterbuch besteht einmal darin, daß nicht das Volk, sondern der Fürbitter zu Jahwe ruft. Daneben steht ein priesterliches Handeln Samuels. Der Zusammenhang läßt vermuten, daß es sich dabei nicht um die Eröffnung eines militärischen Unternehmens[38] handelt, sondern daß die Wehrlosigkeit der Israeliten, zugleich ihr Gottvertrauen gekennzeichnet werden sollen. Dieser Zug reicht jedenfalls nicht aus, um den geschichtlichen Samuel als priesterliche Gestalt zu charakterisieren[39]. Dagegen spricht schon, daß dieser Zug selbst hier am Rande steht.

10–14 Wie wenig das Ereignis unter sakralkriegerischen Aspekten gesehen wird, zeigt der folgende Abschnitt. Samuel ruft nicht in der Kraft des Geistes zu einem Kriegszug auf, er ist auch nicht mit göttlicher Unterstützung Führer zum Sieg. Im Grunde sehen die Israeliten tatenlos zu und greifen erst ein, als der Kampf entschieden ist[40]. Daß hier die wunderbare Hilfe in einem Kriege Jahwes gemeint ist, steht außer Zweifel, ebenso aber, daß die Stilisierung einen erheblichen Abstand zu diesem Theologumenon verrät. In dieser Hinsicht verrät die Darstellung Verwandtschaft mit dem Königsgesetz Dt 17,14–20 und vermag vielleicht zu illustrieren, wie man sich das Funktionieren eines solchen Königtums ohne Macht gedacht hat. Das macht es nun freilich sehr unwahrscheinlich, daß es sich hier um die Vorwegnahme späterer Siege handelt, um der beginnenden Königsgeschichte ein theologisches Vorzeichen zu geben[41]. Es verbietet auch, dieses Kapitel aus kultischen Traditionselementen zu erklären[42]. V. 11f. scheinen

Amt des »Richters Israels«. In: Bertholet-Festschrift. 1950. S. 404ff.). Die Schwierigkeit, die in dieser lokalen Ausrichtung der Richterfunktion liegt, betont auch Richter: ZAW 1965, S. 49.

36. Weiser: Samuel, S. 16.

37. Preß: ZAW 1938, S. 195.

38. Anders von Rad: Krieg, S. 7; de Vaux: Lebensordnungen II, S. 70.

39. Alfred Jepsen: Nabi. 1934, S. 109f.; vgl. auch Schunck: Benjamin, S. 105. Anders und m. E. richtiger Buber, in: Baeck-Festschrift. London 1954, S. 22.

40. Vgl. Weiser: Samuel, S. 17; diese Spannung darf nicht wegharmonisiert werden.

41. »Die eigentlichen Siege Israels werden so erfochten« Hertzberg.

42. Weiser: Samuel, S. 19.

zwar eine gute Vertrautheit mit dem Raum zu verraten, sind aber zu unsicher und bleiben zu allgemein, als daß man daraus mit Sicherheit auf einen ursprünglichen Überlieferungskern zurückschließen könnte. Deutlich ist der mit אֶבֶן הָעֶזֶר anklingende Skopus. Dort, wo die schwere Niederlage geschah (4,1), hat Jahwe einen überwältigend großen Sieg geschenkt. Und dahinter wird stehen: Eines Königtums um der Philister willen hätte es gar nicht bedurft. Man mag fragen, ob es damit zusammenhängt, daß die Lade außer V. 2 nicht erwähnt wird. Sachlich lassen sich aber die topographischen Hinweise mit denen von 4,1 nicht zum Decken bringen (vgl. Anm. b zu V. 12). Das zeigt letztlich eine Uninteressiertheit an den Fragen genauer Lokalisation, die auch an der abweichenden Namensüberlieferung von 𝔊 zu V. 14 (s. Anm. b) greifbar wird. Für die theologische Konzeption spielt es ja keine Rolle, daß Ekron und Gath[43] auch in der Königszeit philistäische Städte blieben[44]. Waren sie es, dann war gerade daran zu erkennen, wie sehr das, was das Königtum vermochte, hinter dem zurückblieb, was Jahwe aus freiem Willen seinem Volk geschenkt hatte. Das Auffallende der Aussage darf also nicht textkritisch beseitigt werden. Die Nennung der Amoriter[45] weist in die gleiche Richtung. Die Folge des Sieges war eben שָׁלוֹם in ganzem Umfang. Anscheinend liegt aber auch hier eine archäologische Reminiszenz vor, mit der sich keine klaren Vorstellungen mehr verbinden. Damit, daß daran der mächtige Einfluß der Persönlichkeit Samuels anschaulich wird[46], ist der Text wohl überlastet.

15–17 Zu V. 15 + 16 ist bereits oben im Zusammenhang gehandelt worden. Die Nennung Ramas (V. 17) paßt nicht eigentlich zu dem Vorhergehenden; sie ist aber nötig, weil Rama als der Wohnort Samuels bekannt war. Der Altarbau unterstreicht die Wichtigkeit dieses Ortes. Denkbar[47] wäre es, daß sich noch in sehr später Zeit eine Überlieferung in Rama erhielt, daß ein Altar dort von Samuel selbst errichtet worden sei[48].

Dieses Kapitel enthält, gerade weil es auf das Königtum gar nicht Bezug nimmt, die weitestgehende Ablehnung. Daß darauf in den Stücken von Kap. 8 nicht zurückgegriffen wird, wo eine ausgesprochene Kritik am Königtum sich bemerkbar macht, ist wohl der stärkste Beweis für selbständige und auch spätere Entstehung dieses Kapitels. Man könnte schließlich auch noch auf das nachdrückliche אִם אַתֶּם שָׁבִים אֶל־יְהוָה V. 3 hinweisen, das zum seelsorgerlichen Thema des Deuteronomisten nach der Katastrophe des Exils gehört[49].

43. Zu Gath s. auch B. Mazor: Gath and Gittaim. IEJ 1954, S. 229; seine Gleichsetzung mit dem Ort gleichen Namens im Niederland findet Zustimmung (Simons: Texts, § 659; vgl. auch BHH I, Sp. 515), vermag aber doch nicht zu überzeugen.

44. Vgl. Jdc 1,18; 1 Sam 17,52. Nach Am 1,8; Jer 25,20; Zeph 2,4; Sach 9,5.7 und den Berichten der Assyrerkönige Sargon und Sanherib ist dieses Gebiet selbständig philistäisch. Die Herrschaft Israels (1 Reg 5,1; 2 Reg 18,8) wird vornehmlich in Tributforderungen bestanden haben.

45. Vgl. Dt 20,17; Am 2,9; auf der andern Seite 2 Sam 21,2.

46. So Hertzberg. 47. Hertzberg.

48. Wie ja heute noch in *er-rām* die Tradition der Begräbnisstätte Samuels besteht.

49. Vgl. Hans Walter Wolff: Das Kerygma des deuteronomistischen Geschichtswerkes. ZAW 1961, S. 178.

III. Der Anfang des Königtums Sauls

Innerhalb des von Kap. 8–15 reichenden Komplexes von Überlieferungen bilden die Kap. 8–12 dadurch eine kompositorische Einheit, daß sie im eigentlichen Sinne eine Darstellung von der Entstehung des Königtums geben. Es erscheint daher berechtigt, zunächst von dem Zusammenhang einzelner Unterabschnitte dieses Komplexes mit Kap. 13–15 abzusehen und ihn für sich zu betrachten. Diese Kapitel gelten als Modellfall, zugleich als archimedischer Punkt für eine Quellenscheidung, weil hier zwei Berichte ineinandergeschoben sind, die ebenso von verschiedenen Voraussetzungen ausgehen, wie sie in der Bewertung des Königtums voneinander abweichen. Ihm stehen die Kap. 9,1–10,16; 11; auch 13+14 einigermaßen positiv gegenüber, während Kap. 8[1]; 10,17–27; 12; (15) dazu eine dezidiert ablehnende Haltung einzunehmen scheinen; deren Tenor müßte durch die schlechten Erfahrungen bestimmt sein, die man schon gemacht hat, so daß man daraus auf einen wesentlich jüngeren Zeitpunkt der Entstehung schließen könnte.[2] Von diesem Fixpunkt aus konnten dann zwei Quellen postuliert und ihr Verlauf nach vorwärts und rückwärts weiterverfolgt werden, wobei es wenig Unterschied macht, ob man darin die weiterlaufenden Pentateuchquellen J (9,1–10,16; 11) und E (8; 10, 17–27; 12) fand[3] oder andere Siglierungen wählte[4] (vgl. dazu o. S. 46). Eine Aufteilung aller in diesen Kapiteln vereinigten Berichte auf zwei Quellen erwies sich aber schon damit als unzureichend, daß man Kap. 11 nur sehr gewaltsam dem Zusammenhang von J zuweisen konnte, weil es sich doch als Größe eigener Art davon abhebt. Doch kann auch die Annahme dreier Stränge[5] (ebenfalls in Anlehnung an die Literarkritik im Pentateuch) dem Tatbestand nicht gerecht werden. Gerade die Kap. 8; 10,17–27; 12 stellen sich als sehr komplexe Größe dar und erwecken keineswegs den Eindruck gedanklicher Geschlossenheit; schon gar nicht kann man sagen, daß sie grundsätzlich und kompromißlos der Monarchie feindlich gegenüberstünden[6]. Das gleiche gilt aber auch, wennschon mit geringen Abweichungen, für die anderen Kapitel, die sehr verschiedene Gedanken, z. T. recht spannungsreich, vereinen und damit sehr verschiedene Fragen beantworten. Man geht an entscheidend wichtigen Aussagen dieser Stücke vorüber, wenn man sich darauf konzentriert, sie in das Gefüge eines Quellen-

1. Zur Sonderstellung von Kap. 7 vgl. o. S. 170f.

2. So von Wellhausen: Composition, S. 245f., ausgehend Budde, Kittel, Smith u. v. a. Die Annahme einer wesentlich jüngeren Entstehung bedeutet nicht notwendig auch das Verständnis als königtumsfeindlich (von Rad: Theologie I, S. 324).

3. Budde, Dhorme, Smith; Hölscher: Geschichtsschreibung u. a. Kittel K^E, KJ.

4. SteuE S^a, S^b (wobei für S^b ja Abfassung im Nordreich gegen 700 angenommen wird), Smith, Samuelquelle (7; 8; 10,17–27,12) und Saulquelle.

5. Eißfeldt: Komposition Quelle I, wobei 10,21b–27 mit Kap. 11 zusammengenommen werden, was nichts bessert, worin aber jetzt Bernhardt: Königsideologie, S. 150. folgt. Ebenfalls Annahme dreier Quellen, aber andere Einteilung Rudolf Smend: ZAW 1921, S. 195; vgl. dazu auch Lods: Origines, S. 408.

6. So mit Recht z. B. Preß: ZAW 1938, S. 196 (wenngleich die Argumentation von Kap. 12 aus nicht zwingend ist); Rosenthal: JJS 1958, S. 5 und jetzt vor allem Weiser: Samuel, S. 28. Vgl. dazu auch Schildenberger, in: Miller-Festschrift, S. 150f.

zusammenhanges einzupassen, der doch Konstruktion bleiben muß. Es handelt sich also zuerst darum, auf die Einzelüberlieferung und das, was sie zu Gehör bringen will, zu achten, soweit es möglich ist, ihre Geschichte nachzuzeichnen und die Veränderungen zu sehen, die ein ursprünglicher Skopus dabei erfährt. Dieser Verzicht auf eine Quellenscheidung, der zunächst von Greßmann nachdrücklich formuliert worden und jetzt ziemlich Allgemeingut der Forschung ist[7], bedeutet auf der anderen Seite natürlich nicht die Annahme einer in sich geschlossenen Einzelerzählung[8], für die auch der Aufweis sogenannter Leitworte und Motive (vgl. o. S. 171) keine ausreichende Begründung geben kann. Es muß dabei bleiben, daß hier durch die Zusammenfügung zweier Überlieferungskomplexe eine deutende Darstellung historischer Vorgänge versucht wird. Dabei ist es sehr wohl denkbar, daß einzelne Stücke an anderer Stelle eingefügt wurden, als ihnen dem historischen Hintergrund nach, den sie wiederspiegeln, zukam[9].

Nun bestehen tatsächlich im Tenor zwischen den beiden herausgestellten Komplexen erhebliche Unterschiede; weiterhin ist nicht abzustreiten, daß die dem Königtum mit größerer Reserve gegenüberstehenden Teile der Überlieferung stärker deuteronomistisches Gepräge tragen als die andern. Es ist zwar nicht so stark, daß es geradezu darauf führt, in diesen Kapiteln die freie Komposition des Deuteronomisten unter Verwendung einzelner Überlieferungsstücke zu sehen[10]. Gegen eine so straffe Zusammenfassung sprechen eine Reihe inhaltlicher Bedenken, auf die in der Auslegung hingewiesen werden soll[11]. Aber damit sind die Deuteronomismen nicht bestritten. Am weitesten geht jetzt Bernhardt[12] in ihrer Verneinung mit der These, daß man in der Ablehnung des Königtums einen von vornherein bestehenden integrierenden Bestandteil der Königsüberlieferung zu sehen habe. Bei dieser dezidierten Auffassung ist schwer einzusehen, wie eine gegenüber einer Einrichtung von der Bedeutung des Königtums grundsätzlich negative Haltung überlieferungsbildend werden konnte. Die Berechtigung der These liegt aber in einem gewissen Grade darin, daß hier Verhandlungen über die Gestalt dieses Königtums ihren Niederschlag gefunden haben könnten[13]. Nun sind die inhaltlichen Verschiedenheiten so eindeutig mit den Namen Mizpa und Gilgal verbunden, daß es berechtigt ist, von einer Gilgal- und Mizpatradition zu spre-

7. Vgl. dazu zuletzt Bernhardt: Königsideologie, S. 147.

8. Buber: VT 1956, S. 113ff., der aber auch mit einer reichen Auffüllung aus annalistischem Material rechnen muß.

9. Beachte gegenüber den vielfältigen Versuchen der Rekonstruktion eines leidlich lückenlosen historischen Ablaufes den Verzicht bei Alt II, S. 15.

10. Alt II, S. 14; Noth: Studien, S. 56ff.; zuletzt noch Schunck: Benjamin, S. 82, dort Weiteres.

11. Vgl. dazu Weiser: Samuel, S. 29; Wildberger: ThZ 1957, S. 456f., verweist mit Recht auch auf die Spannungen zwischen Kap. 8 und 12; es ist eine petitio principii, wenn Bernhardt: Königsideologie, S. 152 Kap. 8 und 12 gänzlich verschiedenen Zusammenhängen zuweist.

12. Königsideologie, S. 114. So übrigens schon S. Nyström: Beduinentum und Jahwismus. 1946, S. 80. In diese Richtung scheint auch Koolhaas: Theocratie (Kap. IV) zu gehen.

13. So etwa Weiser: Samuel, S. 31; Bright: History, S. 167; weniger im Sinne von Verhandlungen mit Samuel über das Für und Wider als im Sinne der Abgrenzung von Rechten und Pflichten (Fohrer: ZAW 1959, S. 3).

chen[14]. Gilgal erscheint 10,8; dann 11,14.15. Auch wenn sich dort die Nennung nicht ganz reibungslos in den Zusammenhang einordnet, so ist doch Kap. 11, unbeschadet ursprünglicher Selbständigkeit, diesem Überlieferungskomplex zuzurechnen[15]. Das gleiche gilt von 15,12.21.33[16]. In all diesen Zusammenhängen tritt ein prophetisches Moment deutlich hervor. Mizpa wird innerhalb dieses Abschnittes zwar nur einmal 10,17 genannt[17], ist an dieser Stelle aber in besonderer Weise mit der Königskür Sauls verbunden. Aber daneben steht 11,15 mit der Nennung Gilgals. Diese Doppelheit der Angaben ist befremdlich, um so mehr, als beide Orte zum Stammesgebiet Benjamins gehören; sie kann jedenfalls nicht damit erklärt werden, daß Mizpa dem Verfasser besonders lieb gewesen sei[18].

Diese Verschiedenheit kann meines Erachtens nur so verstanden werden, daß jede dieser Traditionen ein besonderes historisches Ereignis als Hintergrund hat, derart, daß der Mann, der als charismatischer Führer durch besondere Taten für ein begrenzteres Stammesgebiet ausgewiesen war, dort eine Königs- oder wenigstens dem Königtum ähnliche Würde einnahm[19], daraufhin dann eine weiterreichende völkische Beauftragung und Würde erhielt[20]. Dieser Vorgang wäre dem analog zu denken, was sich später in der Davidsgeschichte feststellen und eben klarer durchschauen läßt, weil da bereits eine bewußtere Geschichtsschreibung vorliegt. Die Sache begegnet aber schon Jdc 6–9, auch wenn es sich dabei um einen engeren Rahmen und ein abgelehntes Angebot handelt; darauf im einzelnen einzugehen und die Problematik dieser Geschichten zu entfalten, führt hier aber zu weit[21].

Es ist aber zu betonen, daß trotz verschiedenen Ansatzes beide Berichte die Entstehung des Königtums über Gesamtisrael schildern und nachweisen wollen, und daß dieses Königtum nach Gottes Willen geordnet ist. Bei aller Verschiedenheit sind sie, wenigstens ihrer ursprünglichen Absicht nach, nicht Gegensätze, sondern Parallelen[22], die sich ergänzen. So erklärt sich das Verlangen des Volkes aus der Sache heraus, und damit verringert sich der Abstand zwischen einer charismatischen und einer demokratischen[23] bzw. nomadisch-amphiktyonischen Tradition[24]. Über den Zeitpunkt der Vereinigung beider Überlieferungen zu

14. Caspari.

15. Vgl. dazu Schunck: Benjamin, S. 107.

16. Zu Kap. 13, wo der innere Zusammenhang mit 10,7 durch den Einschub von Kap. 11 verdunkelt ist, vgl. z. St.

17. Zu Kap. 7 vgl. o. S. 171.

18. So Schunck: Benjamin, S. 60.

19. Nachträglich finde ich einen ähnlichen Gedanken bei H. S. Nyberg: Smäertornas man. SEÅ 1942, S. 71. Ähnliche Folgerungen hat jetzt auch Wallis: WZ Halle 1963, S. 239–247, gezogen; im Unterschied zu mir rechnet er mit drei selbständig aufeinander folgenden Ereignissen.

20. Das ist freilich nicht dahin zu verstehen, daß nur die Wahl eines Mannes aus kleinerem Stamme die Aussicht hatte, allgemein gebilligt zu werden (Schunck: Benjamin, S. 127); es handelt sich tatsächlich um den »starken Mann« (Weiser: Samuel).

21. Auf diese Zusammenhänge wird auch verwiesen bei Walter Beyerlin: Geschichtliche und heilsgeschichtliche Traditionsbildung im AT. VT 1963, S. 20f.

22. Vgl. Wildberger: ThZ 1957, S. 459; ähnlich schon Schildenberger, in: Millerfestschrift, S. 151ff.

23. Soggin: ZAW 1963, S. 57.

24. Bernhardt: Königsideologie, S. 152.

einem Erzählungsganzen lassen sich infolge des Fehlens sicherer Indizien und angesichts der fast allgemein und auch von den Vertretern der Quellentheorie zugestandenen deuteronomistischen Überarbeitung des zweiten Überlieferungskreises nur vage Vermutungen äußern. Sie braucht deswegen aber nicht erst auf eine deuteronomistische Redaktion zurückzugehen[25], denn das Interesse am Königtum, vor allem an seiner Rechtfertigung, war eher früher als später vorhanden. Man könnte auch entgegengesetzt argumentieren: da der zweite Überlieferungskreis durch eine deuteronomistische Überarbeitung und durch die Einfügung des frei komponierten Kap. 7 mindestens stark radikalisiert, richtiger wohl in das Gegenteil seiner eigentlichen Absicht verändert worden ist, ist die Aufnahme einer Überlieferung in die Darstellung nicht wahrscheinlich, die dieser ausgeprägten Tendenz so fremd ist. Wohl aber scheint die Annahme berechtigt, daß dieser zweite Überlieferungskreis, der den Zug menschlicher Verhandlung und Planung oder auch Forderung mitenthielt[26] – bei dem, da es sich nicht um das Königtum Davids handelte[27], wohl auch schon vorher Kritik ansetzen konnte[28] –, eher Voraussetzung für eine solche Überarbeitung bot als der erste, der den vom Deuteronomium vertretenen Anschauungen besser entsprach. Damit wird es zusammenhängen, daß an einzelnen Stellen diese deuteronomistischen Zusätze sich noch leidlich deutlich abheben lassen, auch wenn man über ihren Umfang streiten kann und Einzelheiten kontrovers bleiben müssen.

Von hier aus erklärt sich wohl auch die Spannung in der Darstellung der Gestalt und des Wirkens Samuels. Er wird ebenso als Prophet wie als Richter im Sinne der Rechtsprecher geschildert, so daß man jetzt immer mehr in ihm den Inhaber eines Amtes von gesamtisraelitischer Bedeutung sieht[29]. Es ist zweifellos richtig, daß im Bilde Samuels sehr verschiedenartige Züge zusammengekommen sind[30]. Die Frage ist aber doch, ob das so zu verstehen ist, daß Prophetenkreise einfach diesen Richter Samuel für sich in Anspruch genommen haben (Wildberger: ThZ 1957, S. 465), denn gerade die prophetischen Züge an ihm sind sehr stark und wirken durchaus eigenständig. Nichts hindert die Annahme, daß hier zwei Gestalten zusammengezogen sind und daß das Bild des Propheten Samuel das des Richters überlagert hat. Natürlich ist es auch nicht von der Hand zu weisen, daß der geschichtliche Samuel beide Funktionen auf sich vereinigt habe[31]. Jedenfalls sind die prophetischen Züge mit der Schilderung eines charismatischen Ge-

25. Wildberger: ThZ 1957, S. 459.
26. Vgl. Anm. 13.
27. Daß sie auch bei David nicht gänzlich schwieg, zeigt z. B. 2 Sam 24; s. dort.
28. Claude Sauerbrey: The holy man in Israel. JNES 1947, S. 214.
29. Hertzberg: ThLZ 1954, Sp. 288; Wildberger: ThZ 1957, S. 465; Bright: History, S. 166; Martin Noth: Amt und Berufung im Alten Testament. 1957, S. 21; von Rad: Theologie II, S 21; vgl. auch o. S. 173; zuletzt Schunck: VTS 15. 1965, S. 261. Vgl. dazu aber die sehr sorgfältige Untersuchung von Richter: ZAW 1965, S. 49, wonach die systematisierende Einordnung als Richter Israels erst (schon?) in der frühen Königszeit erfolgte.
30. Beachte die ausführliche Darstellung dieser vielgestaltigen Persönlichkeit bei Angel Gonzalès Nunez: Prophetas, sacerdotes y reyes en el antiguo israel. 1962, S. 134ff.
31. Hertzberg: ThLZ 1954, Sp. 290.

schehens eng verbunden. Das führt zum Letzten. Wenn es auch nicht in Abrede gestellt werden soll, daß das israelitische Königtum aus einer Linie allein nicht zureichend erklärt werden kann, so gilt das doch erst für seine späteren Erscheinungsformen. Bei seiner Entstehung tritt jedenfalls das charismatische Geschehen sehr stark in den Vordergrund, und daran muß von den Texten her festgehalten werden[32]. Gegenüber Alt besteht eine kleine Akzentverschiebung m. E. bei diesem Ansatz darin, daß das Novum nicht allein darin liegt, daß die Akklamation des Volkes neben die Designation Gottes tritt und daß der charismatisch begründete akute Einzelfall in einen institutionellen Dauerzustand umgesetzt wird[33], sondern schon darin, daß hier eine Bereitschaftserklärung aller Stämme sich kundtut[34], wie sie vorher anscheinend nicht vorhanden war. Selbstverständlich ist dafür der ständige Philisterdruck von maßgeblicher Bedeutung. Damit bekommt der lockere und anscheinend mehr auf die religiöse Gemeinsamkeit ausgerichtete Zusammenhang der Amphiktyonie[35] eine straffere Gestalt[36], die nun mit Notwendigkeit auf institutionelle Verfestigung hin tendiert. Insofern besteht also, wenigstens dem Ansatz nach, kein so tiefgreifender Unterschied zwischen dem Königtum Sauls und dem Davids[37]; die Entstehung dieses Königtums setzt einen analogen Vorgang in der Geschichte Sauls geradezu voraus; wie andererseits die sicher sehr frühe Legendenbildung über die Jugendzeit Davids darauf hinzielt, das Charismatische seines königlichen Amtes herauszuarbeiten[38].

Standen die im Vorhergehenden genannten Veröffentlichungen stärker unter der Absicht, die Entstehung des israelitischen Königtums gegen die Überbewertung des kanaanäischen Einflusses und einer sakralen Königsideologie in ihrer Selbständigkeit zu sichern, geht jetzt die Diskussion in einer anderen Richtung. Sie bemüht sich nämlich, z. T. von der Beurteilung Samuels als Richter herkommend, um den Nachweis, daß das Königtum bereits in seinem Anfang das Moment des Institutionellen, jedenfalls nichts eigentlich Charismatisches mehr enthalten habe. Die Entwicklung zu Salbung und Institution sei schon im vorhergehenden Richtertum zu suchen[39]. Nun ist es sicherlich richtig, daß die Über-

32. Vgl. etwa NothGS, S. 211ff.; Alt II, S. 19ff., 118ff.; Rosenthal: JJS 1958, S. 5; auch Bernhardt: Königsideologie, S. 159ff. Weitere Angaben ZAW 1963, S. 55.

33. Alt II, S. 23.

34. Ob und wie weit diese Herrschaft auch den Süden einschloß (Schunck: Benjamin, S. 124ff.), kann hier außer Betracht bleiben.

35. Jdc 19–21 handelt es sich um einen religiös-ethischen Tatbestand. Zu 1 Sam 11 s. unten S. 226f.

36. Zur Frage der Stärke dieser amphiktyonischen Bindung vgl. jetzt auch die unter anderem Gesichtspunkt stehenden Überlegungen bei Herrmann: ThLZ 1962, Sp. 566.

37. So richtig Buccellati: BeO 1959, S. 103.

38. Vgl. unten zu 17.

39. So im Ansatz schon Wildberger: ThZ 1957, S. 468; Buccellati: BeO 1959, S. 105ff.; dann Beyerlin: ZAW 1961, S. 201; Soggin: ZAW 1963, S. 56ff. (ThZ 1959, S. 414 spricht er noch zurückhaltender, aber doch richtiger von der Neigung zum Institutionellen). Vgl. dagegen jetzt aber auch C. H. de Geus: De richteren van Israel. NedThT 1965/66, S. 81–100, dessen grundsätzliche Ablehnung eines zentralen Richteramtes der altisraelitischen Amphiktyonie wohl zu weit geht, aber für die Beurteilung der Stellung Samuels ihr Recht hat.

lieferung von der Entstehung des Königtums eine sehr viel komplexere Größe ist, als oft angenommen wird; deswegen sind ihre Angaben aber auch mit großer Vorsicht und Zurückhaltung zu beurteilen. Die Notwendigkeit zu einer Auseinandersetzung mit einer geschichtlichen Erscheinung, die die Voraussetzung für eine Überlieferungsbildung ist, ist ja nicht schon im ersten Augenblick vorhanden, sondern sie entsteht, wo die Folgen dieses Ereignisses greifbar werden. Darum ist immer damit zu rechnen, daß in solchen Überlieferungen auch spätere Erscheinungsformen mit an den Anfang vorverlegt werden. Wenn etwa Kap. 24 und 26 davon berichtet ist, daß David sich aus Scheu vor der Salbung Sauls weigert, Hand an ihn zu legen[40], so beweist das zunächst noch nicht viel. Es ist dabei zu berücksichtigen, daß es sich hier um Teile einer Davidsgeschichte handelt. Mit der Achtung des Amtes seines Feindes und Verfolgers legitimiert und sanktioniert David sein eigenes Amt. Die Ausdrucksform ist also nicht notwendig mit dem Ereignis, an dessen Historizität im übrigen wohl nicht gezweifelt werden kann, identisch.

40. Beyerlin: ZAW 1961, S. 191.

8,1–9 Das Volksbegehren

1 Als Samuel alt geworden war, setzte er[a] seine Söhne zu Richtern über Israel ein. 2 Der Name[a] seines ältesten Sohnes war Joel, der nach ihm kam[b], hieß Abia[c], (sie waren) als Richter in Beerseba[d] (eingesetzt)[e]. 3 Doch wandelten seine Söhne nicht nach seinem Vorbild[a], vielmehr waren sie auf Gewinn[b] aus, nahmen Bestechungsgeschenke[c] an und beugten (das) Recht[d]. 4 Daraufhin versammelten sich alle Ältesten[a] von Israel, gingen zu Samuel nach Rama[b] hin 5 und stellten ihm vor: »Siehe, du selbst bist alt geworden, deine Söhne aber haben sich nicht in deinen Wegen gehalten; darum setze uns[a] nun einen König ein, daß er uns richte, wie es bei allen Völkern (sonst) der Fall ist.« 6 Das schien Samuel ein schlechtes Verlangen, daß sie gesagt hatten, gib uns einen König, daß er unser Richter sei; darum wandte sich Samuel im Gebet an Jahwe. 7 Jahwe aber wies Samuel an: »Geh auf das Verlangen des Volkes in allem ein, was sie dir sagen werden; denn nicht dich haben sie verworfen, sondern mich[a], daß ich nicht mehr König über sie sein soll. 8 So wie alles war, was sie getan haben[a] von dem Tage an, da ich sie aus Ägypten heraufgeführt habe, bis auf den heutigen Tag – mich haben sie verlassen und haben anderen Göttern gedient –, so gehen sie (jetzt) auch mit dir um[b]. 9 Gib ihrem Ansinnen nach, doch[a] sollst du als eindringlicher Zeuge gegen sie auftreten[b] und ihnen bekanntgeben[c], was dem König, der über sie herrschen soll, rechtens zustehen wird[d].«

1 a) Caspari וַיְשִׂימוּ statt וַיָּשֶׂם, weil der Beruf des Richters nicht vererbt werden konnte; trotz grundsätzlich richtiger Überlegung ist der theologische Charakter der Aussage verkannt.

2 a) 𝔊 καὶ ταῦτα τὰ ὀνόματα τῶν υἱῶν αὐτοῦ (danach Klostermann וְזֶה שֵׁם בָּנָיו); vgl. 2 Sam 3,2, dort freilich im Zusammenhang besser begründet, so daß die Annahme einer Einfügung der hier unerheblichen Namen nicht unbegründet erscheint (Budde, Klostermann). b) 𝔊 τοῦ δευτέρου, was schwerlich auf הַשֵּׁנִי weist (gegen Klostermann); das Suffix bezieht sich auf הַבְּכוֹר und bezeichnet den in der Rechtsstellung Nachfolgenden. Vgl. zur Sache Dt 21,16, zum Wort 1 Sam 17,13; 2 Sam 3,3. c) 1 Chr 6,13 korrumpierter Text. d) Ant VI 3,1: einer in Bethel und einer in Beersaba (so z. B. Thenius, Smith, Caird). e) Man erwartet שֹׁפְטִים הֵמָּה; vielleicht nachlässige Einfügung als Kennzeichen einer Texterweiterung?

3 a) Ketib 𝔊 דַּרְכּוֹ ist wohl richtig; Qere gleicht mit V. 5 aus. b) Vgl. Ex 18,21. c) Vgl. Ex 23,8; Dt 16,19. d) Vgl. Ex 23,2.6; Dt 24,17; inhaltlich auch Jdc 17,6.

4 a) 𝔊 ἄνδρες, Harmonisierung zu V. 22. b) Caspari will die Ortsangabe tilgen.

5 a) Nach 𝔊 ἐφ ἡμᾶς lesen Dhorme, Caspari unnötig עָלֵינוּ.

7 a) Wohl absolut und nicht relativ (H. Kruse: Dialektische Negation. VT 1954, S. 389) zu verstehen.

8 a) 𝔊 ἐποίησάν μοι; die Ergänzung eines לִי (Wellhausen, Budde, Dhorme u. a.) ist möglich aber nicht nötig (S. R. Driver; de Boer: Research, S. 59). b) Die tatsächliche Spannung zu V. 7 darf weder durch Harmonisierung (Schulz: V. 7 bedeutet nur »eigentlich« [vgl. auch Anm. a zu V. 7]) noch durch die Annahme eines Einschubs von V. 8 (Budde) literarkritisch beseitigt werden.

9 a) Nur hier. Vgl. BroS § 159a; J. Blau: Adverbia. VT 1959, S. 135. b) Nicht eigentlich »warnen« (Löhr, Budde u. v. a.; vgl. dazu Hylander: Komplex, S. 123), sondern die feierliche Bezeugung für eine abzugebende Erklärung (Buber, in: Lohmeyer-Gedenkschrift, S. 61). Als Terminus der Gerichtssprache kann das Wort auch das Moment der Anklage enthalten (Stoebe: Das achte Gebot. WuD 1952, S. 119f.); etwas davon scheint hier mitzuschwingen, wenn der Gebrauch auch fließend ist. Löhr, Nowack verstehen das Verbum als selbständig und beziehen es auf V. 7f. zurück, indessen ist מִשְׁפָּט als Objekt ebenfalls möglich (Caspari) und sogar wahrscheinlicher. c) Ist mit dem Vorhergehenden zusammenzunehmen und keine Nebenlesart, anders Caspari. d) מִשְׁפַּט הַמֶּלֶךְ ist an sich nicht das angemaßte, despotische Verhalten (z. B. Budde, Tiktin, de Groot, de Vaux), sondern wie 2,13 das, was dem Könige rechtens zusteht (schon Thenius und so auch die meisten).

8,1–9 DAS VOLKSBEGEHREN. Der Abschnitt bewegt sich um den Gedanken, daß das Volk einen König verlangt und sich damit an Samuel wendet. Innerhalb dieses Rahmens werden drei Aussagen gemacht, die in Spannung zueinander stehen. Das Versagen der Söhne (V. 3) könnte streng genommen nur den Wunsch nach einem neuen Richter, nicht nach einem König begründen (V. 4f.)[1]. Entscheidender und allgemein zugestanden ist der Gegensatz zu V. 7–9, denn angesichts der eingerissenen Mißstände ist die Reaktion des Volkes nur zu begründet, auf keinen Fall Versündigung. Zunächst fällt die Ortsangabe Beerseba auf (vgl. Anm. d zu V. 2); sie klappt nach und kann auch sonst der Form nach (vgl. Anm. e) als sekundäre Erweiterung angesehen werden. Aber auch so wird damit wohl nur gekennzeichnet, wie schwer es einzuordnen ist, daß Samuel zu Lebzeiten Substitute eingesetzt haben soll (ganz anders Kap. 12). Soll es dadurch verständlicher werden, daß diesen ihre Aufgabe in einem schwer zugänglichen Außenposten angewiesen wird? Von seinem Verständnis des Kap. 7 herkommend denkt Weiser a. a. O. an die Wiederaufrichtung und Pflege der Jahwetradition im Süden, aber einmal liegt das doch weit außerhalb des Gesichtskreises der sonstigen Überlieferung[2],

1. Weiser: Samuel, S. 30. Einen exakt gegliederten Aufbau in Kap. 8 findet Chamiel, Ch.: I. Sam. 8. BetMiqra' 12 (1966/67), Heft 2, S. 67–82.

2. Das gilt auch gegen Budde, der eine nachträgliche Einbeziehung Judas darin sieht.

und unter dieser Voraussetzung wäre die Entsendung ungeeigneter Leute erst recht unverständlich. Selbst wenn man von der Frage absieht, die Caspari verneint, die aber, bis jetzt wenigstens, nicht mit Sicherheit beantwortet werden kann, ob dieses Amt von dem Vater auf den Sohn, hier sogar auf zwei Söhne, übergehen konnte, enthält diese Notiz auch sonst nichts, was auf ein institutionelles Richteramt gedeutet werden müßte[3], denn hier leiten die Nachfolger das Ende der Institution ein. Die Nennung von Söhnen Jdc 10,4;12,13 kennzeichnet ja nur glückhafte Verhältnisse und Ansehen. Das Ganze kreist um den in diesem Zusammenhang auch sonst oft spannungsreich gebrauchten Begriff שפט; er ist hier eng juristisch genommen, wie die Schilderung der Vergehen erkennen läßt (vgl. Anm. c u. d zu V. 3). Eine solche Nähe des obersten Richteramtes zur konkreten örtlichen Rechtsprechung ist indes von vornherein nicht wahrscheinlich[4]. Andererseits liegt die Parallele zu den beiden Söhnen Elis auf der Hand; daraus erklärt sich anscheinend auch die Zweizahl. Es gibt keine eigenmächtige Prolongierung der Auftäge Gottes; mit dem Altwerden Samuels geht eine Epoche der göttlichen Führung zu Ende und wird der Weg für einen Neuen frei, der in Saul schon unerkannt vorhanden ist[5]. An sich wäre dieser Zug nach Kap. 2–3 überflüssig, aber gedankliche Geschlossenheit ist bei dem komplizierten Entstehungsprozeß dieser Kapitel von vornherein nicht zu erwarten. Jedenfalls stehen V. 1–3 unter dem theologischen Vorzeichen des Gesamtaufbaus[6] und sind als vermutlich vordeuteronomistische Erweiterung anzusprechen[7]. Daß hier, wie oft angenommen wird, eine selbständige Samuelüberlieferung vorliegt[8], ist möglich, aber nicht mit Sicherheit zu erweisen. Das könnte natürlich gut die Namen erklären, die andererseits aber auch nicht gerade den Stempel des Unerfindbaren tragen. Der Gesamttenor erinnert stark an die Quintessenz Jdc 21,25, wo das Königtum als Befreiung aus Rechtsunsicherheit anerkannt wird.

4–6 Im Gegensatz zu dem V. 10 und 10,17 genannten עם sind es hier die זְקֵנִים, die zu Samuel nach Rama zusammenkommen (vgl. Anm. a zu V. 4). Das ist keine Nachlässigkeit, sondern könnte gerade altes Überlieferungsgut sein, denn beide Gruppen werden den einzelnen Phasen des Vollzuges nach auseinandergehalten, und die Ältesten haben die ersten vorbereitenden Schritte zu tun[9]. Die Aufgabe des erwünschten Königs wird wiederum durch שפט umschrieben; jetzt hat der Begriff viel weiterreichende Bedeutung. Es handelt sich tatsächlich um die Ersetzung einer alten Einrichtung durch eine neue. Offenbar schließt hier שפט

3. So anscheinend Hertzberg: ThLZ 1954, Sp. 288.
4. Alt I, S. 301.
5. Kap. 9; das ist unabhängig davon, ob beide Überlieferungen schon zu einer Einheit gefaßt waren, was ich indessen annehmen möchte.
6. Vgl. dazu o. S. 84.
7. Weiser: Samuel, S. 30; Wildberger: ThZ 1957, S. 457; Buber, in: Lohmeyer-Gedenkschrift, S. 55.
8. Noth: Studien, S. 56, Anm. 7; Hertzberg: ThLZ 1954; Caird. Walter Zimmerli: Geschichte und Tradition von Beerseba im Alten Testament. 1932 (Diss. Göttingen), S. 7, sieht darin eine Lokaltradition, die das Priestergeschlecht von B. von Samuel ableitet.
9. J. L. McKenzie: The elders in the Old Testament. Bibl 1959, S. 524ff.

die Bedeutung des Herrschens mit in sich ein. Diese schon früher von Hertzberg aufgestellte These[10], die in der Zwischenzeit nachdrücklich bestritten war[11], scheint sich jetzt gerade durch außeralttestamentliche Parallelen zu bestätigen[12]. Das כְּכָל־הַגּוֹיִם, das an Dt 17,14 erinnert, umschließt ebenso eine Kritik an dem Wunsch wie auch das Bewußtsein, daß im Begriff eine Bedeutungsverschiebung eingetreten ist[13]. Diese Stelle hat sehr starkes Gewicht für die Folgerung, daß Samuel eine richterliche Funktion ausgeübt habe, jedenfalls eine Instanz darstellte, an die sich die Ältesten zum Zwecke der Verhandlung wenden konnten. Doch wird diese Linie durch die Rückbeziehung auf die Söhne verdunkelt. V. 6 ist eine ungeschickt wirkende Überleitung zum Folgenden, da sie den Eindruck hinterläßt, daß Samuels ablehnende Haltung durch ein Gefühl der Verärgerung mitbestimmt ist; er erhält sein Licht erst durch die folgende Gottesrede.

7–9 Spätestens mit V. 7 setzt die Hand der deuteronomistischen Bearbeitung ein. Daß es sich nicht um einen organischen Erzählungsbestandteil handelt, erhellt einmal daraus, daß der Gedanke der Verwerfung Samuels nicht folgerichtig durchgeführt ist[14], der Vorwurf des Abfalls zu fremden Göttern weder im Vorhergehenden noch im Folgenden einen Anhalt hat. Der Versuch, diese Einfügung nur auf V. 8 zu beschränken, im anderen alte amphiktyonische Tradition zu sehen[15], scheitert an dem engen Zusammenhang des Ganzen. Auch die Benennung Jahwes als König läßt die spätere Hand erkennen[16]. Der Hinweis Weisers[17] auf vordeuteronomische Bezeugung dieses Gedankens, auf sein Fehlen im deuteronomischen Schrifttum selbst, ist nach beiden Seiten nicht beweiskräftig. Durch diese Verse erhält nun das Folgende seinen Akzent, der vielleicht durch das הָעֵד תָּעִיד V. 9[18] noch unterstrichen wird.

10. Die Entwicklung des Begriffes מִשְׁפָּט im Alten Testament. ZAW 1922, S. 256ff.; 1923, S. 16ff.

11. J. van der Ploeg: Šapaṭ et mišpaṭ. OTS II. 1943, S. 144–155.

12. Vgl. Werner Schmidt: Königtum Gottes in Ugarit und Israel. 1961 (BZAW 80), S. 31; 2. Aufl. 1966, S. 39.

13. Es dürfte also schon ein den Hauptgedanken ändernder Zusatz sein. Vgl. dazu auch Alt II, S. 17, Anm. 1.

14. Vgl. zu V. 8b.

15. Bernhardt: Königsideologie, S. 149.

16. So zuletzt John Gray: The kingship of God in the Prophets and Psalms. VT 1961, S. 12.

17. Samuel, S. 34.

18. Vgl. V. 9b.

8,10–22 Das Königsrecht und seine Annahme

10 Samuel sagte alle Worte Jahwes dem Volk, das von ihm einen König gefordert hatte, weiter. 11 Er sprach: »Das wird das Recht des Königs sein, der über euch herrschen wird: Eure Söhne[a] wird er nehmen und sie für sich bei seinen Wagen[b] und bei seinen Pferden[c] anstellen, auch dazu, daß sie vor seinem Wagen[d] herlaufen[e]. 12 (Auch wird er sie nehmen) um[a]

sie sich als Oberste[b] über Tausend und Hauptleute[b] über Fünfzig[c] zu bestellen[d] und um sein Pflugland zu beackern und seine Ernte einzubringen[e] und um seine Kriegsgeräte und seinen Wagenbedarf herzustellen. 13 Eure Töchter wird er als Salbenmischerinnen[a], als Köchinnen und Bäckerinnen anstellen. 14 Eure ertragreichsten Äcker, Weinberge und Ölbaumpflanzungen wird er sich aneignen und sie an seine Knechte[a] austeilen. 15 (Darüber hinaus)[a] wird er eure Pflanzungen und Weinberge[b] mit dem Zehnten belegen[c] und ihn seinen Höflingen[d] und Knechten geben. 16 Eure Knechte und eure Mägde[a], eure beste Jungmannschaft[b] und eure Esel wird er nehmen und sie für seine Vorhaben[c] einspannen. [17 Von euren Schafherden wird er den Zehnten nehmen, und ihr selber werdet seine Knechte werden][a]. 18 An jenem Tage werdet ihr weg[a] von eurem König, den ihr euch erwählt habt, (wollen und) um Hilfe schreien, aber Jahwe wird euch nicht erhören[b] an jenem Tage[c].« 19 Doch das Volk weigerte sich, auf die Stimme Samuels zu hören, und sagte: »Nein[a], sondern ein König soll über uns sein. 20 Auch wir wollen sein wie alle (anderen) Völker[a]; unser König soll uns richten, er soll uns voran zu Felde ziehen[b] und unsere Kriege führen.« 21 Samuel hörte alle Worte des Volkes an und sagte sie dann Jahwe wieder. 22 Darauf wies Jahwe Samuel an: »Höre auf ihre Forderung und setze ihnen einen König ein.« Samuel beschied die Männer Israels: »Jeder gehe (nun wieder) in seine Stadt[a].«

11 a) Zur emphatischen Voranstellung des Objekts vgl. BroS § 123a. b) Hier kollektiv wie Jdc 4,15; 1 Reg 5,6 (𝔊 *ἐν ἅρμασιν*); später wird dafür der Pl. gebräuchlich (z. B. Jes 2,7; Joel 2,5 u. a.). c) Hier eher Wagenpferde als Reitpferde wie 1 Reg 1,5 (vgl. dagegen das Vorkommen von פָּרָשִׁים neben סוּסִים Ez 27, 14; Joel 2,4), da Reiter in geschlossener Formation erst vom 8. Jh. an nachweisbar sind (BRL, Sp. 425; ausdrücklich anders Caspari, S. 87. 𝔊 *ἱππεῦσιν*). d) Hier singularisch vom Königswagen, vgl. 2 Sam 15,1; 1 Reg 1,5. e) Ehrlich schlägt unnötig nach 𝔗𝔊 (*προτρέχοντας*) Änderung in ein Part. vor; auch so ist וְרָצוּ dem Vorhergehenden nicht unter- (Budde), sondern beigeordnet. Es handelt sich um verschiedene Aufträge.

12 a) GK § 114p. b) Bezeichnet zunächst die militärische Stellung, kann aber, wohl auch hier, allgemeiner verstanden werden (de Vaux: Lebensordnungen I, S. 117). Die Änderung in שָׂרֵי, Rotten, (Bruno: Epos, S. 58) beruht auf falschen Voraussetzungen (vgl. Anm. d). c) Als militärische Einheit 2 Reg 1,9–14; vgl. auch 2 Sam 15,1; 1 QM 4,3.4; damit verliert die Änderung Casparis in חֲמִשִּׁים (vgl. BH³ zu Jes 3,3) von vornherein jeden Grund. Zur Sache vgl. de Vaux: a. a. O. II, S. 17. 𝔗 = 𝔐; 𝔊 *χιλιάρχους, ἑκατοντάρχους* (Num 31, 14, danach Wellhausen, Budde, Smith) beweist nichts für ursprünglichen Text; vielleicht fehlte ein entsprechendes Wort für fünfzig? 𝔖 1000:100:50:10 (wonach Dhorme, Tiktin die 100 zusetzen, vgl. auch Ex 18,21.25. 1 QS 2,22; 1 QSa 1,14). Vielleicht steht die niedrigere Zahl im Zusammenhang damit, daß vornehmlich an landwirtschaftlichen Einsatz zu denken ist (ein ähnlicher Gedanke bei Bruno: Epos, S. 58). d) Der Einwand, daß der Halbvers späterer Einschub sein müsse, weil es sich um Ehrenstellungen handele (Ehrlich, Smith, Greßmann) – er steht auch hinter der Änderung bei Bruno (vgl. Anm. c) –, verkennt den Überlieferungscharakter des Stückes. e) Zur Sache vgl. M. Noth: Das Krongut der israelitischen Könige. ZDPV 1927, S. 214ff.

13 a) 𝔖 denkt unter Verkennung des Zusammenhanges an Weberinnen (Smith רקמות). Zur

Sache vgl. AuS IV, S. 265. An die Bedeutung »Kebsfrau« (Ernst Klauber: Assyrisches Beamtenrecht nach Briefen aus der Sargonidenzeit. 1910, S. 81 f.) ist hier nicht zu denken.

14 a) Kennzeichnet das Verhältnis dieser Vorgesetzten zum König. Beachte die verschiedene Bedeutung, die der Ausdruck hier im Zusammenhang hat. Daran ist wohl nicht zu denken, daß hierin die ältere Bezeichnung für das spätere שָׂרִים vorliegt (so Begrich: Sōfer und Mazkīr. ZAW 1940/41, S. 14f.).

15 a) Die Auffassung von V. 14 und 15 als Parallelberichten (Caspari, S. 88; zustimmend E. Sellin: Die palästinischen Krughenkel mit den Königsstempeln. ZDPV 1943, S. 218) verkennt den tatsächlichen Gedankenfortschritt. b) Die Nennung der כְּרָמִים ist hier auffallend, Ergänzung nach V. 14 scheint nicht ausgeschlossen. Caspari streicht dagegen V. 14. c) Gegen die Zweifel an einem staatlichen Zehnten in vorexilischer Zeit (z. B. Otto Eißfeldt: Erstlinge und Zehnten im Alten Testament. 1917 [BWAT I/22], S. 154) kann jetzt auf die ugaritische Literatur verwiesen werden (Mendelsohn: BASOR 143. 1956, S. 20f.). Vokalisiere aber besser Piel (S. R. Driver, Dhorme; vgl. GK § 52h). d) Assyrisches Lehnwort (RLA I, S. 453a); zunächst allgemein der Funktionär des königlichen Hofes, später auch der Eunuch (de Vaux: Lebensordnungen I, S. 197). Vgl. dazu Dt 23,2.

16 a) Zu שִׁפְחָה als das noch unberührte unfreie Mädchen vgl. A. Jepsen: AMA[H] und SCHIPCHA[H]. VT 1958, S. 293ff. b) 𝔊 *τὰ βουκόλια* (allerdings auch sonst mit erheblichen Abweichungen: *καὶ τὰ ἀγαθά* (𝔊[B]) und *ἀποδεκατώσει*, יַעְשֵׂר statt וְעָשָׂה). Die danach zuerst von Capellus vorgeschlagene Änderung in בְּקָרֵיכֶם (besser בְּקַרְכֶם, so richtig Klostermann; Ehrlich; DelF § 140) ist fast ausnahmslos, selbst von Keil übernommen (Dhorme streicht sogar das חֲמֹרֵיכֶם), doch müßte man dann nach dem Zusammenhang שׁוֹרֵיכֶם erwarten, vgl. Stoebe: VT 1954, S. 178); zum Nebeneinder von בַּחוּרִים und חֲמֹרִים s. die Auslegung. Vielleicht liegt ein Hörfehler vor (de Boer: Research, S. 63), oder 𝔊 hat einem nicht verstandenen Text einen Sinn abgewinnen wollen. Ganz willkürlich die Änderung Casparis in בְּאֵרוֹת. c) Die von der regelmäßigen Landarbeit unterschiedenen Sonder(Bau-?)vorhaben des Königs. Vgl. zum Ausdruck Ex 38,24; Lev 7,24; Ez 15,5. Im Unterschied zu לִמְלָאכָה meint הָעֹשִׂים בַּמְּלָאכָה 1 Reg 5,30 die an schon laufenden Unternehmen Eingesetzten (anders Smith).

17 a) Auffallend die nachhinkende Wiederholung. 𝔊𝔖𝔙 וְצֹאנְכֶם helfen ebensowenig wie eine Versumstellung (17a, 16b, 16a, 17b, Joüon: MUB 5/2. 1912, S. 467); sie legt den Gedanken an eine spätere Auffüllung nahe (so auch Dhorme). Beachte auch, daß עֲבָדִים hier eine von V. 14 abweichende Bedeutung hat.

18 a) Kein Grund zur Änderung (aus מִפְּנֵי verschrieben, Ehrlich); zur Bedeutung »aus einer bestehenden Verbindung herauswollen« vgl. 1 Sam 18,12, andererseits auch חָרַשׁ מִן 7,8. b) Der Gegensatz zu 7,9 scheint beabsichtigt, c) 𝔊 + *ὅτι ὑμεῖς ἐξελέξασθε ἑαυτοῖς βασιλέα* unnötige Interpretation.

19 a) Zu לֹא vgl. GK § 20g; zum ganzen Ausdruck BroS § 168.

20 a) Vgl. Dt 17,14. b) Säkularisierte Form des Rituals des Heiligen Krieges, beachte dazu das מִלְחֲמֹתֵנוּ und vgl. Dt 20,1–4; Jdc 4,14, dazu von Rad: Krieg, S. 9.

22 a) Redaktionelle Klammer, um den Bericht über die Anfänge Sauls einschieben zu können; an eine besondere Vorbereitung von 9,12 (Buber, in: Lohmeyer-Gedenkschrift, S. 65) ist dagegen nicht zu denken.

8,10–22 DAS KÖNIGSRECHT UND SEINE ANNAHME. In der jetzigen Komposition nimmt 10,25 offenbar auf das hier genannte Königsrecht Bezug. Allerdings handelt es sich da um ein Instrument, das das Verhältnis König-Volk rechtens regelt[1]. Das berechtigt nicht zu der Annahme, daß V. 11–17 aus diesem Zusammenhang hierher verstellt worden sind[2], legt aber den Gedanken nahe, daß den Kern dieses Stückes einmal eine inhaltlich neutrale »Wahlkapitulation«[3], also

1. Fohrer: ZAW 1959, S. 3. 2. Caspari.
3. Caspari, wenngleich seine Annahme, daß es sich um einen regelmäßig wiederkehrenden

ein Königsrecht im eigentlichen Sinne[4], gebildet habe, das dann entsprechend veränderten Zeitverhältnissen und aufgetretenen Mißständen erweitert und anders akzentuiert wurde, so daß das »Pamphlet[5]« entstand, das jetzt vorliegt. Im Ansatz handelt es sich jedenfalls um Fragen, deren Beantwortung und Regelung die unabdingbare Voraussetzung eines jeden Königtums sein mußte, nicht um eine relativ spät und aus resignierender Rückschau gestaltete Aufzählung von allerlei Despotismen[6]. In der nichtisraelitischen Umwelt waren diese Fragen ja auch bereits abgeklärt, und es ist wohl nicht zu übersehen, daß hier eine ziemlich genaue Kenntnis der rechtlichen und wirtschaftlichen Verhältnisse dieser Umwelt vorliegt[7]. Da das Königtum noch nicht über eigene Macht verfügt, müssen die Mittel abgegrenzt werden, durch die es bestehen kann. Dabei zeigen die Angaben im Aufbau eine steigende Klimax[8], die vom Leichteren zum Schwereren, schließlich zu den tatsächlichen Übergriffen fortschreitet.

11–15 setzen Verhältnisse voraus, wie sie sich zur Zeit Salomos herausgebildet haben[9]; die Verwendung der Töchter in der königlichen Hofhaltung erinnert an 1 Reg 4. Zunächst wird davon geredet, daß der König einzelne Söhne des Volkes in seinen Dienst nehmen wird[10], ebenso für repräsentative Aufgaben wie für den Ausbau seiner Wehrmacht. Hiermit ist vor allem an die neu übernommenen bespannten Truppen gedacht[11]. Dabei handelt es sich um Vorgesetztenstellungen. Die Sache wird zwar dadurch etwas verdunkelt, daß ein Mißverhältnis zwischen V. 12a u. 12b zu bestehen scheint, doch schließt das nicht aus, daß es sich auch da um Aufsichtspersonal bei Ernte und Fronarbeiten, die der König verlangt, handeln wird. Das paßt zu der Angabe 1 Reg 9,22 (etwas verändert 2 Chr 9,9), wonach die Israeliten nicht zu fronen brauchten; ihnen waren der Militärdienst und die Beamtenstellen vorbehalten. Die Zahl der so fest in Dienst Gestellten wird nicht allzu hoch anzunehmen sein; 1 Reg 9,23 gibt 550 solcher Aufseher an[12]. Für diesen Personenkreis muß eine Versorgungsgrundlage geschaffen werden; der König muß über ein festes Krongut verfügen[13]. Wie weit es sich um wirkliche Landabgabe, wie weit um ein Konfiskationsrecht des Königs handelt, ist

Bestandteil des Rituals einer jeden Königsinthronisation gehandelt habe, wenig Wahrscheinlichkeit hat.

4. Vgl. zu 9d.

5. Buber, in: Lohmeyer-Gedenkschrift, S. 63. Den negativen Tenor betont wieder Macholz, G. Ch.: Noch einmal: Planungen für den Wiederaufbau nach der Katastrophe von 587. VT 1969, S. 341.

6. So etwa Fohrer: ZAW 1959, S. 3; Alt III, S. 356. Vgl. auch de Vaux: Lebensordnungen I, S. 161.

7. Vgl. Mendelsohn: BASOR 143. 1956, S. 17ff.

8. Vgl. Stoebe: VT 1954, S. 180; vgl. auch Haran: VT 1961, S. 164, Anm. 1.

9. Vgl. dazu die Überlegungen zu שׂר von Begrich: ZAW 1940/41, S. 14.

10. In ähnlicher Weise wird ja auch David in den Dienst Sauls genommen.

11. Vgl. dazu 1 Reg 9,15.17f.; 10,26. Zur Sache Eberhard Junge: Der Wiederaufbau des Heerwesens des Reiches Juda unter Josia. 1937 (BWANT IV/23), S. 12f.

12. 1 Reg 5,30 sind es 3300; die niedrigere Zahl hat wohl die größere Wahrscheinlichkeit.

13. Vgl. hierzu und zum Folgenden Anm. e zu V. 12 (Noth).

schwer zu entscheiden. Jedenfalls ist dieses Krongut ein Streubesitz[14]. 1 Reg 21 läßt zur Genüge erkennen, welche Bedeutung einem solchen Recht zukam, auch welche theologische Belastung es für den freien Wehrbauern darstellte. Diese Fragen bestanden, wie 1 Sam 22 zeigt, schon in der Zeit Sauls[15]. Natürlich handelt es sich bei diesen עֲבָדִים nicht um die Neubildung eines Standes von Besitzenden[16] – das setzt gänzlich veränderte wirtschaftliche Verhältnisse voraus –, sondern um einen Lehnsadel, dessen Grundbesitz Eigentum des Königs blieb[17]. Aber auch was im Besitz des freien Bauern bleibt, steht nicht mehr zu seiner uneingeschränkten Verfügung, denn er hat auch die landwirtschaftlichen Erträgnisse seines Eigentums zu verzehnten (vgl. Anm. c zu V. 15).

16 Das Recht des Königs beschränkt sich nun nicht auf dingliche Abgaben; während vorher von festen Anstellungen im königlichen Dienst geredet war, handelt es sich hier um das gelegentliche Verfügen über Knechte und Mägde des freien Besitzers zu Fronarbeiten für außerordentliche Vorhaben, in erster Linie wohl Bauvorhaben, wie sie für die Zeit Salomos ausdrücklich bezeugt[18], für die Zeit Davids schon vorauszusetzen sind[19]. Soweit diese nicht königlicher Repräsentation, sondern militärischen Zwecken dienten, waren sie natürlich eine Notwendigkeit. Doch wird der König dabei noch nicht Halt machen, sondern er wird sogar die בַּחוּרִים[20], also die Elite des Volkes, zu solchen Arbeiten pressen. Das stellt nun freilich den stärksten Eingriff in die Freiheit der Familie dar und ist nackter Despotismus. Daß Übergriffe, wie sie hier vorausgesetzt werden, trotz grundsätzlich anderer Bestimmungen im Rahmen des Möglichen lagen, zeigt 1. Reg 11,28, wo der Ephraimit Jerobeam beim Bau des Millo von Jerusalem eine Tätigkeit ausüben muß, die ihm seiner Herkunft nach nicht zukam[21]. Von hier aus bekommt auch das Nebeneinander von Söhnen und Eseln einen guten Sinn. Der Esel ist das Reittier des Vornehmen, wohl auch gerade dessen, der zu Führungsaufgaben in den Kriegen des Volkes, den Jahwekriegen,[22] befähigt ist. Man wird auch daran denken müssen, daß 9,2 Saul ebenfalls ein בָּחוּר genannt ist und daß er auszieht, die Esel seines Vaters zu suchen. Der Unterschied zur Nennung der Söhne V. 11 liegt darin, daß es sich dort um feste Dienstverhältnisse und angesehene Stellungen handelte.

17–20 Nachdem in V. 16 der Höhepunkt der Belastung geschildert war, erscheint die Zusammenfassung in V. 17 sehr matt. Das Zehnten des Kleinviehs paßt nicht in den vorgegebenen Rahmen einer landsässigen Bevölkerung. Außerdem hat עֶבֶד hier nicht wie V. 14 die Bedeutung eines im Königsdienst Stehenden,

14. Vgl. Martin Noth: Der Beitrag der samarischen Ostraka zur Lösung topographischer Fragen. PJ 1932, S. 61.
15. Vgl. dazu auch 14,52.
16. So etwa Mowinckel: Psalmenstudien I, S. 119.
17. Alt III, S. 208.
18. Vor allem 1 Reg 6;7 u. ö.
19. Vgl. zu 2 Sam 5,9.
20. Vgl. dazu Anm. b zu V. 16.
21. Zur Sache Stoebe: VT 1954, S. 180.
22. Stoebe: a. a. O., S. 181.

sondern wie V. 16 die eines völlig Unfreien. Es handelt sich wohl um eine vergröbernde Erweiterung im Zusammenhang mit V. 18, der eindeutig deuteronomistisch und uneingeschränkt königtumsfeindlich ist; einmal in dem Ausdruck בחר, der in keiner Rezension der Königswahlgeschichte sonst vorkommt[23], dann darin, daß hier das Königtum als schwerere Bedrohung als die feindlichen Angriffe der Richterzeit erscheint; denn diesem König gegenüber gibt es keine Erhörung und keine Hilfe mehr. V. 19f. liegen formal in der Linie dieser Ablehnung, fallen aber inhaltlich insofern aus ihr heraus, als das Verlangen nach einem König hier noch stärker als in V. 5 mit einer militärischen Notwendigkeit begründet wird. Dabei muß allerdings der Akzent mitgehört werden, den das מִלְחֲמֹתֵנוּ im Gegensatz zu dem sonst üblichen מִלְחֲמוֹת יְהוָה setzt.

22 Die Schlußsätze nehmen V. 9 wieder auf; vielleicht ein Hinweis darauf, daß das Königsrecht nachträglich in diesen Zusammenhang eingestellt wurde[24], jedenfalls Zeichen einer kompositorischen Naht. Damit ist aber einmal nichts über die ursprüngliche Absicht, auch die ursprüngliche Form dieses Königsrechtes gesagt. Sicher scheint mir zu sein, daß mindestens ein alter Kern sehr viel positiver von den Rechten eines Königs geredet hat[25], wenn jeder weitere Versuch einer Wiederherstellung auch Spekulation bleiben muß. Festzuhalten ist indes, daß Gott selbst die Einsetzung des Königs verfügt[26], von einer ablehnenden Stellung im eigentlichen Sinne also nicht die Rede sein kann[27]. Damit ist andererseits auch keine Entscheidung über die Zeit der Aufnahme des Königsrechtes in den Zusammenhang getroffen; eine Konzeption, nach der das Volk ein Königtum will, dieses aber auch mit den Rechten, die ihm zugestanden werden müssen, durch Gott selbst legitimiert ist, wäre schon in der frühen Königszeit denkbar, wo die Unzufriedenheiten mit den Lasten des Hofes eine erhebliche und nicht immer unberechtigte Rolle gespielt haben. Offenbar gehört ja dieses Kapitel, auch wenn ausdrückliche Ortsangaben fehlen, in den Umkreis der Mizpaüberlieferung. Unzweifelhaft hat das Ganze jetzt eine eindeutig antimonarchische Spitze; doch ist das eher Zeichen einer letzten, deuteronomistischen Hand, als daß man darin eine selbständige, in vollem Umfang erhaltene nomadisch amphikthyonische Tradition sehen kann[28] (vgl. dazu auch o. S. 177); ich würde dabei auch nicht an den beredten Appell eines Zeitgenossen Sauls (Samuel?) denken, nicht eine kanaanäische Institution auf sich zu nehmen, die der eigenen Lebensart so fremd war[29].

23. Vgl. aber auch zu 12,13.
24. Curt Kuhl: Die »Wiederaufnahme« – ein literarkritisches Prinzip. ZAW 1952, S. 9.
25. Preß: ZAW 1938, S. 197 denkt daran, daß in einer königsfreundlichen Urform das Recht des Königs als Recht, eine begrenzte Gefolgschaft um sich zu sammeln und Hauptleute für den Krieg zu ernennen, umrissen worden sein könnte.
26. Vgl. dazu besonders Hylander: Komplex, S. 122f. Die ursprüngliche Absicht dieses Kapitels ist nicht einmal darin zu sehen, daß »die Bitte um einen König in erster Linie die Klärung der sakralrechtlichen Grundlagen eines Königtums in Israel nötig macht« (so Seebaß: ZAW 1965, S. 288).
27. Auch Dt 17,14f. kommt der Deuteronomist, obwohl das Königtum für ihn eine erledigte Sache ist, an dieser Zustimmung nicht vorüber.
28. Bernhardt: Königsideologie, S. 152.
29. Mendelsohn: BASOR 143. 1956, S. 22.

9,1–10,16 Die Zurüstung zum Königsamt

1 Es gab (zu der Zeit) einen Mann aus Benjamin[a], der hieß Kis[b] und war ein Sohn des Abiel[c], des Sohnes des Zeror[d], des Sohnes des Bechorath[e], des Sohnes des Aphia[f], ein Benjaminit[g], ein vermögender Mann[h]. 2 Der hatte einen Sohn, der hieß Saul[a] und war ein hoffnungsvoller und stattlicher Jüngling[b], keiner von den Israeliten war stattlicher als er, um eines Hauptes Länge überragte er alles Volk[c]. 3 Einst gingen nun dem Kis, dem Vater Sauls, (alle) seine Eselinnen[a] verloren; darum sagte Kis zu seinem Sohn Saul: »Nimm dir einen von den jungen Leuten[b] mit und mach dich auf den Weg[c], suche die Eselinnen.« 4 Er durchquerte[a] das Gebirge Ephraim; er durchstreifte[a] die Landschaft Schalischa[b], sie fanden nichts; sie zogen durch die Landschaft Schaalim[c], ohne Erfolg; er durchwanderte[a] das Land Jemini[d], sie fanden (wieder) nichts. 5 (Schließlich) waren sie in die Landschaft Zuph[a] gekommen, da sagte Saul zu seinem Knecht, der ihn begleitete: »Komm, wir wollen umkehren, daß mein Vater nicht die Eselinnen aufgibt und sich unsertwegen Sorge macht.« 6 Der aber erwiderte ihm: »Schau, es gibt doch einen Gottesmann in dieser Stadt[a]; der Mann steht in hohem Ansehen, alles, was er sagt, trifft unfehlbar ein; dahin wollen wir nun gehen, vielleicht kann er uns zu unserem Vorhaben[b] Auskunft erteilen, um dessentwillen wir uns auf den Weg gemacht haben.« 7 Saul gab seinem Knecht zur Antwort: »Und wenn wir nun wirklich hingehen[a], was können wir dem Mann denn mitbringen? Das Brot in unseren Beuteln ist ausgegangen[b], und Überreste[c] sind nichts[d] (Geeignetes), um es dem Manne Gottes mitzubringen; [e]was haben wir denn noch[e]?« 8 Der Knecht gab Saul weiter zur Antwort: »Ja, ich habe da ja noch einen Viertelschekel[a] Silber, den werde ich dem Gottesmann geben[b], damit er uns Auskunft über unsern Weg[c] erteilt.« 9 Vormals[a] sagte man[b] (nämlich) in Israel, wenn man ging, um eine Gottesentscheidung zu suchen: »Kommt, wir wollen zum Seher[c] gehen«, denn früher nannte[d] man eben Seher, was heutigen Tages[e] ein Prophet ist[f]. 10 Saul stimmte seinem Begleiter zu: »Dein Vorschlag ist gut; los, wir gehen hin[a].« So kamen sie zur Stadt, wo der Gottesmann wohnte. 11 [a]Als sie noch die Steige zur Stadt hinaufschritten[a], trafen sie Mädchen, die gerade daher kamen, um Wasser zu schöpfen; die fragten sie: »Ist der Seher hier«? 12 Sie gaben zur Antwort: »Ja, sieh, gerade vor dir[a] (ist er)[b]; beeile dich nun, denn just heute[c] ist er in die Stadt gekommen, weil die Bevölkerung heute[d] ein Opferfest auf der Höhe[e] feiert. 13 Wenn ihr in die Stadt kommt, werdet ihr (ihn wohl gerade) treffen[a], bevor er sich auf die Höhe begibt, um an der Mahlzeit teilzunehmen; denn ehe er kommt, fängt das Volk nicht an zu essen, weil er das Opfer segnen muß[b], danach erst essen die Eingeladenen. Aber nun macht zu, denn ihn (nach dem ihr ge-

fragt habt)[c], gerade jetzt könnt ihr ihn treffen.« 14 So stiegen sie weiter zur Stadt hinauf; als sie nun mitten in die Stadt[a] gelangt waren, kam Samuel gerade heraus, ihnen entgegen, um auf die Höhe hinaufzugehen. 15 Nun hatte der Herr den Samuel einen Tag, bevor Saul kam, eine Offenbarung hören lassen: 16 »Morgen um diese Zeit[a] werde ich dir einen Mann aus Benjamin zuschicken, den sollst du zum Herzog[b] über mein Volk Israel salben, daß er mein Volk aus der Hand der Philister errette, denn ich habe 〈die Not〉[c] meines Volkes angesehen und ihr Schreien ist zu mir gedrungen.« 17 Als Samuel Saul zu Gesicht bekommen hatte, gab Jahwe ihm (schon) Bescheid: »Das ist der Mann, von dem ich zu dir geredet habe; der soll über mein Volk herrschen[a].« 18 Und Saul traf auf Samuel[a] inmitten des Toreinganges[b] und fragte: »Gib mir doch Auskunft, wo das Haus des Sehers ist.« 19 Samuel antwortete Saul und sagte: »Ich selbst bin der Seher. Geh vor mir her zur Höhe hinauf und eßt[a] heute mit mir; morgen früh will ich dich nicht weiter aufhalten und dann[b] will ich dir auch über alles, was du auf dem Herzen hast, Bescheid geben. 20 Was aber die Eselinnen anlangt[a], die dir heute vor drei Tagen[b] verlorengegangen sind, um die mach[c] dir keine Gedanken mehr, denn sie haben sich angefunden; auf wen aber richtet sich (jetzt) das ganze Sehnen[d] Israels? Gilt es nicht dir und dem [...][e] Hause deines Vaters?« 21 Saul aber fragte drauf zur Antwort: »Bin ich nicht ein Benjaminit? (Stamme ich also nicht) aus dem kleinsten[a] der Stämme Israels, ja aus der geringsten Sippe[b] von allen Sippen des Stammes[c] Benjamin? Warum sagst du zu mir so etwas?« 22 Aber Samuel brachte Saul und seinen Knecht mit zur Halle[a] und wies ihnen ihren Platz an der Spitze der Geladenen an; das waren bei dreißig Mann[b]. 23 Dann gebot Samuel dem Koch: »Gib mir das Stück[a], das ich dir gegeben habe, von dem ich dir sagte, nimm es (zur Aufbewahrung) an dich.« 24 Darauf erhob der Koch die Keule[a] [trug sie auf][b] und setzte sie Saul vor, indem er sagte: »Siehe, was übergeblieben[c] ist, ist dir vorgelegt[d]; nun iß, denn zur bestimmten Zeit ist es für dich aufbewahrt [folgendermaßen:][e] [...][f g].« So aß Samuel mit Saul an selbigem Tage. 25 Danach stiegen[a] sie wieder von der Höhe zur Stadt hinunter, und er unterredete[b] sich mit Saul auf dem Dach. 26 Und sie waren wieder früh auf[a], und als die Morgendämmerung anbrach, rief Samuel zu Saul auf das Dach hinauf: »Steh auf, ich will dich auf den Weg schicken!« Und Saul stand auf, und sie gingen miteinander[b] [...][c] nach draußen. 27 Als sie dahin herabkamen, wo die Stadt aufhört, wies Samuel Saul an: »Sage doch deinem Knecht, daß er vor uns hergehen soll [und der ging auch][a]; du aber bleibe jetzt[b] stehen, ich will, daß du einen Gottesspruch vernimmst.«

10,1 Darauf nahm Samuel den Ölkrug[a] und goß (ihn) über seinem Haupte (aus) und küßte ihn und sagte: »Also[b] hat dich Gott zum Herzog über sein

Erbteil gesalbt[c]. 2 Wenn du jetzt von mir fortgehst, wirst du am Grabe der Rahel[a] auf benjaministischem Gebiet zu Zelzach[b] zwei Männer treffen, die dir sagen werden: ›Die Eselinnen haben sich gefunden, nach denen du dich auf die Suche gemacht hast; siehe, dein Vater denkt gar nicht mehr an die Sache mit den Eselinnen und macht sich Sorge[c] um euch[d] und fragt, was kann ich nur für meinen Sohn tun?‹ 3 Wenn du von da (schnell) weiterläufst[a] und zur Eiche Tabor[b] kommst, werden dich dort drei Männer treffen[c], die zu Gott hinauf nach Bethel pilgern; einer wird drei Böckchen[d] tragen, der andere drei Laib[e] Brot und der dritte einen Schlauch Wein. 4 Die werden dich freundlich grüßen[a] und dir zwei Brote[b] geben, die sollst du von ihnen annehmen. 5 Danach[a] wirst du nach Gibea Gottes[b] kommen, wo der Posten[c] der Philister steht; wenn[d] du [e]dorthin [an die Stadt][e] gelangst, wirst du auf eine Schar Propheten stoßen, die von der Höhe herabkommen, und vor ihnen her Harfe und Pauke, Flöte[f] und Zither, die werden in prophetischer Ergriffenheit sein. 6 Da wird der Geist Jahwes über dich kommen[a], du wirst mit ihnen prophetisch ergriffen sein und zu einem anderen Menschen umgewandelt werden[b]. 7 Wenn aber (alle) diese Zeichen dir eintreffen[a], dann greif an[b], was dir[c] unter die Hand kommt[d], denn Gott wird mit dir sein. 8 Du sollst aber vor mir her ins Gilgal[a] hinabsteigen; ich werde nämlich zu dir herunterkommen, um Brandopfer darzubringen und Heilsopfer[b] zu schlachten; sieben Tage sollst du warten, bis ich zu dir komme, dann werde ich dir alles angeben, was du tun sollst[c].« 9 Als er sich wandte, um von Samuel fortzugehen, trat es ein[a], daß Gott ihn zu einem anderen Menschen verwandelte[b], und alle diese Zeichen trafen an jenem Tage ein. 10 Und sie gelangten dorthin[a] nach Gibea, wirklich, da kam ein Prophetenschwarm ihm entgegen, und der Geist Gottes[b] kam über ihn, und prophetisch ergriffen war er in ihrer Mitte. 11 Alle aber, die ihn von ehedem[a] kannten, sahen ihn, wie er mit den Propheten entrückt war. Da redete das Volk[b] untereinander: »Was ist denn[c] mit dem Sohn des Kis; ist jetzt auch Saul unter den Propheten[d]?« 12 Und einer von dort[a] warf die Bemerkung ein: »Wer ist denn überhaupt ihr Vater[b]?« Daher ist es zur geläufigen Redensart geworden: »Ist auch Saul unter den Propheten?« 13 Als er aber aus der prophetischen Ergriffenheit wieder zu sich gekommen war, ging er …[a]. 14 Da fragte Sauls Onkel[a] ihn und seinen Knecht: »Wo seid ihr denn hingegangen?« Er antwortete: »Um die Eselinnen zu suchen (waren wir unterwegs); wir sahen aber, daß sie nicht da waren und gingen zu Samuel.« 15 Der Onkel Sauls fragte weiter: »Erzähl mir doch (auch), was Samuel zu euch gesagt hat?« 16 Saul sagte seinem Onkel (nur): »Er hat uns berichtet, daß die Eselinnen sich angefunden haben.« Von der Verheißung des Königtums aber, [a]die Samuel ihm gemacht hatte[a], teilte er ihm nichts mit.

1 a) So Qere, wenngleich auch die Auffassung מִבְּנֵי־יְמִינִי (𝔊, Dhorme, de Vaux) möglich wäre. Wellhausen, Budde, Smith, Ehrlich, Hertzberg u. v. a. ändern in Analogie zu Jdc 13,2; 1 Sam 1,1 in מִגִּבְעַת בִּן־יָמִין (vgl. dazu 13,15; 2 Sam 23,29). Da diesem Namen aber in der Geschichte keine Bedeutung zukommt, wird dadurch der Charakter des Stammbaums verändert (vgl. Stoebe: VT 1956, S. 400; auch Tiktin und Bruno: Epos, S. 58). b) Vgl. NothPers, S. 171, verwandt mit akkadischem *ḳāšu*, *ḳīštu* »schenken«, »Geschenk« (dazu Johann Jakob Stamm: Die akkadische Namengebung. Leipzig 1939, S. 138). Anders, aber nicht überzeugend Wellhausen (Reste arabischen Heidentums. 2. Aufl. Berlin und Leipzig 1927, S. 66ff.): arabischer Gottesname. c) Zum Namen NothPers, S. 15ff. Die Identität mit בַּעַל 1 Chr 8,30; 9,39, die auf אֲבִיבַעַל als ursprüngliche Namensform führen soll (Klostermann, Dhorme), ist fraglich. Nach 1 Chr 8,33 ist נֵר der Vater Kis' (אֲבִיאֵל dann sein Großvater? Vgl. zu 1 Sam 14,50f.). Deswegen wird bisweilen hier Ausfall eines בֶּן־נֵר durch Homoioarkton angenommen (vgl. Wilhelm Rudolph: Chronikbücher. 1955 (HAT I/21), S. 81). Näher liegt die Annahme einer Überlieferungsverschiedenheit. d) NothPers, S. 225. 𝔊 *Αρεδ*, *Σαρεδ* und ähnlich; danach Dhorme עֶרֶד (Jdc 1,16; 1 Chr 8,15). Doch scheint 𝔊 nur Weiterbildung von 𝔐 zu sein. e) Zum Namen NothPers, S. 38.222, danach unnötig Caspari »eine Frau aus בכרי« (nach 2 Sam 20,1). Die Änderung in עַבְדּוֹן nach 1 Chr 8,30; 9,36 (Dhorme) beruht auf Fehlinterpretation von 1 Chr; ebenso unbegründet die Konjektur מָכִיר nach 𝔊L *μαχειρ* (Cook: JQR 1906, S. 532). Vgl. auch den Benjaminitenstammbaum Gn 46,21, der freilich nicht zur Konjektur בֶּכֶר benutzt werden darf (so Marquart: Fundamente, S. 14). f) Zum Namen NothPers, S. 227. In Konsequenz seiner Konjektur will Marquart: Fundamente, S. 14f. hier den Wohnort des Kis finden, da die Reihe über בֶּכֶר hinaus nicht mehr geführt sein könne, entweder מִן־אֲפֵק (𝔊 *υἱοῦ Ἀφεκ*) oder מִן־גֶּבַע. g) 𝔊𝔏 = 𝔐 (𝔖 ohne בֶּן־), könnte als Alternativlesart aufgefaßt werden (Boström: Alternative Readings, S. 29f.). Wahrscheinlicher ist aber mechanische Fehlschreibung des בֶּן־, vgl. etwa 2 Sam 20,1; Est 2,5 (so z. B. S. R. Driver, Smith, Dhorme, Caspari). Die Umstellung beider Worte (Budde, SBOT, Hertzberg) erscheint wenig hilfreich. Peters: Beiträge, S. 203f. sucht darin einen Eigennamen (אִישַׁי oder אִישְׁיוֹ). h) Kennzeichnet nicht besondere Tapferkeit, sondern einen Besitzstand (Ru 2,1; 2 Reg 15,20); aus dem damit verbundenen Ansehen in der Gemeinde (Smith) erwächst eine militärische Führerstellung (Jos 1,14; 6,2; 8,3; 10,7; Jdc 6,12; 11,1; 18,2; 1 Reg 11,28; 2 Reg 5,1) des »wehrfähigen Vollbürgers« (Caspari). Vgl. zur Sache Max Weber: Das antike Judentum. Tübingen 1921, S. 24f.; de Vaux: Lebensordnungen I, S. 118. Anders J. van der Ploeg: Le sens de gibbôr ḥail. RB 1941, S. 120–125; OTS 9. 1951, S. 58.

2 a) Zum Namen vgl. Gn 36,37; 46,10; zur Bedeutung NothPers, S. 136. b) Bedeutet mehr als nur »Jüngling« (so P. Joüon: Notes de Lexicographie Biblique. Bibl 1925, S. 314f.). Vgl. dazu Stoebe: VT 1954, S. 177ff. Hoffnungsvoll ist er, weil er nach Herkunft und Eigenschaften (Ehrlich »tüchtiger Körperbau«) zu besonderen Erwartungen berechtigt. Buber: VT 1956, S. 123 sieht darin bereits das Thema der Erwählung (ähnlich Schäfers: 1. Sm. 1–15. BZ 1907, S. 128), was indes bei der Allgemeinheit des Ausdrucks nicht wahrscheinlich ist. טוֹב ist hier nicht von der körperlichen Schönheit, sondern von der Stattlichkeit gebraucht. c) 𝔊 steigernd *τὴν γῆν* (von Peters: Beiträge, S. 204 übernommen, beachte aber die Erklärung bei de Boer: Research, S. 63: Diaspora). Zu V. b vgl. 10,23; er braucht deswegen aber nicht hier als späterer Einschub angesehen zu werden (Nowack, Budde, Dhorme; ähnlich de Vaux: »10,23 besser begründet«); dazu Buber: VT 1956, S. 115.

3 a) Die Streichung des Artikels als Dittogr (Budde, Dhorme, Caspari, Rehm, de Vaux u. a. v.; ausdrücklich anders und richtig Hertzberg) verkennt, daß hier ein Gesamtverlust gemeint ist; vgl. dazu Stoebe: VT 1957, S. 362; auch Bič: VT 1957, S. 93. b) Zur Syntax BroS § 21cε, § 96; GK § 117d. c) BroS § 133a.

4 a) 𝔊 Pl. wie schon V. 3 (𝔅 nur hier) bedeutet sinngemäße Glättung (nicht spätere Änderung in 𝔐, so Peters: Beiträge, S. 204). Da Numeruswechsel auch sonst begegnet (Num 13,22; 33,7), ist Änderung (Wellhausen, Budde, Dhorme, de Vaux u. v. a.) unnötig, noch mehr weitergehende Änderungen (וַיָּבֹאוּ Wutz: Systematische Wege, S. 109). b) Gewöhnlich nach 2 Reg 4,42 (בַּעַל שָׁלִשָׁה) in *kefr ṯilṯ* 28 km nördlich von Lydda gesucht (Abel: Géographie II, S. 428; Simons: Texts, § 662). Nach dieser, immer noch wahrscheinlichsten Deutung wendet sich Saul nach Westen. Dagegen sucht es W. F. Albright (Excavations at Gibeah of

Benjamin. AASOR, 1922/23, S. 116) nahe bei Jericho und läßt Saul wieder aus dem Jordantal hinaufsteigen. Eine östliche Lage wurde auch schon früher angenommen (C. Schick: Sauls Reise 1 Sam. Cap. 9. ZDPV 1881, S. 248, östlich vom heutigen *er-rām*). S. R. Driver sucht es dagegen nördlich von Bethel; 𝔗 scheint mit דְּרוֹמָא an den Süden gedacht zu haben. Angesichts dieser Unsicherheit verzichtet man besser auf eine genaue Lokalisierung (Smith, Hertzberg). Auch eine symbolische Bedeutung erscheint nicht unmöglich (so Bič: VT 1957, S. 95; freilich nicht in der von ihm vorgeschlagenen mythologischen Weise). c) Zum Namen vgl. Schwarzenbach: Terminologie, S. 204. Identifizierung ebenso schwierig wie bei שָׁלִשָׁה. Schicks Verweis auf *beni sālim* in der »Gegend zwischen michmās und ṭajjibe« ist schon aus sprachlichen Gründen abzulehnen. Gewöhnlich wird es mit שַׁעַלְבִים Jos 19,42; Jdc 1,35; 1 Reg 4,9 zusammengebracht und in *selbīt*, 5 km nordwestlich von *yālo* (Ajalon), vermutet (Abel: Géographie II, S. 53.80; dazu auch K. Elliger: PJ 1935, S. 52). Anders verbinden es Albright: a. a. O., S. 117 und andere mit שׁוּעָל und suchen es im Raume von Ophra. Unklar 𝔗 מתברא (vielleicht für מדברא?); vgl. Sperber II, Apparat z. St. d) Zur Form vgl. V. 1; schon früh (𝔗 בארע שיבט בנימין) als Benjamin verstanden, so auch die meisten Ausleger, jedoch nicht völlig gesichert (so richtig Hummelauer, de Groot, vgl. auch 𝔊B Ἰακιμ). An eine Lage im Gebiete Simeon (so auch Klostermann nach Gn 46,10; Num 26,12) wird aber nicht zu denken sein. Die Änderung in יְשָׁנָה (Wiener: JPOS 1927, S. 109–111) bessert nichts.

5 a) S. zu 1,1; 𝔗 auch hier ארעא דבה נביא. Die Annahme (BH[1]), daß ein ursprünglicher Ortsname einer Harmonisierung zum Opfer gefallen sei (Budde, Tiktin), verkennt den besonderen Überlieferungscharakter.

6 a) Die Stadt, die man sehen kann. Im Fehlen des Namens sieht Buber: VT 1956, S. 120, wohl überinterpretierend, eine besondere Feinheit; er hält an der Gleichheit des Ortes für Kap. 8 und 9 fest. Indessen sollte hier auch nicht in Gedanken ein Rama eingesetzt werden; ausdrücklich dagegen Nowack, Budde (vgl. auch Anm. a zu V. 5). b) Zum Einschluß des Zieles in den Weg (S. R. Driver) vgl. Gn 24,42; hier Breviloquenz. 𝔊 ἐφ' ἥν (so Thenius, aber Doppelübersetzung) ist unnötige Erleichterung. Carlson, R. C.: Élie à l'Horeb. VT 1969, S. 437, versteht es als »Berufung«.

7 a) Zur Bedeutung »angenommen der Fall, daß« vgl. 20,12; 2 Sam 18,11; auch Ex 8,22; Dt 13, 15; 17,4; 19,18 und GK § 159w. b) In Prosa nur hier, sonst Dt 32,36; Jer 2,36; Hi 14,11; Prv 20,14; zu Jdc 5,8 (BH[3] nach Budde) vgl. W. Rudolph: Textkritische Anmerkungen zum Richterbuch. In: Eißfeldt-Festschrift. Halle 1947, S. 200). Zum Sprachgebrauch vgl. noch G. R. Driver: Hebrew Poetic Diction. VTS I. 1953, S. 26ff. Mit Recht warnt Budde vor vorschneller Annahme eines Aramaismus; vgl. jetzt auch Max Wagner: Die lexikalischen und grammatischen Aramaismen im alttestamentlichen Hebräisch. 1966 (BZAW 96), S. 22. Eher volkstümlicher Ausdruck (Caspari). c) Unsicheres Wort; die von den meisten angenommene Bedeutung »Geschenk, Gabe« ist aus dem Zusammenhang erschlossen. 𝔙 »sportula«, 𝔖 = »viaticum« (Wz. שור I? vgl. Jes 57,9), 𝔊 πλεῖον οὐκ ἔστιν noch freier (de Boer: Research, S. 63). Änderungen (תְּרוּמָה Budde; תְּמוּרָה Klostermann, Tiktin) überzeugen nicht. Ansprechend die Ableitung von der Wz. שאר (Caspari, Hertzberg; de Boer: Research, S. 64; anscheinend auch schon Cappellus). Zur Sache vgl. 1 Reg 14,3; 2 Reg 4,42. d) Umstellung wegen des St. cstr. (Ehrlich) oder Vokalisierung als אַיִן (S. R. Driver) ist unnötig; vgl. Jes 56,10 und GK § 130a; BroS § 71d. e) 𝔊 übersieht die Frage und versteht מַה relativisch τὸ ὑπάρχον ἡμῖν (dabei Doppelübersetzung von אִתָּנוּ). Das gleiche Mißverständnis liegt in Tiktins Annahme einer interpretierenden Glosse vor (מַתָּנָה statt מָה אִתָּנוּ als Verdeutlichung des schwer verständlichen תְּשׁוּרָה).

8 a) Etwa 3 Gramm? Vgl. BRL, Sp. 185ff. Zur Kaufkraft siehe Lev 5,15; 27,16; 2 Reg 7,16; dazu BRL, Sp. 178. b) 𝔊 δώσεις Änderung aus inhaltlicher Bedenklichkeit (ähnlich 𝔗𝔖𝔙 1. Pl.; vgl. de Boer: Research, S. 64), was die Konjekturen übersehen (נָתַתָּה Wellhausen, S. R. Driver, Budde, Dhorme u. v. a.; נְתַתּוֹ Klostermann, Smith). Die an diese Stelle oft angeknüpfte Überlegung über die soziale Stellung der Sklaven (z. B. Alfred Bertholet: Die Stellung der Israeliten und der Juden zu den Fremden. Freiburg und Leipzig 1896, S. 56 u. a.) übersieht, daß es sich um einen נַעַר handelt. c) Wie V. 6; zugleich erscheint hier aber das 10,1–10 Berichtete im Blickpunkt.

9 a) Einführung gelehrter archäologischer Notizen durch לְפָנִים Jos 14,15; 15,15; Jdc 1,23

vor allem aber Ru 4,7. b) BroS § 36b. 𝔊 ungenau ἕκαστος, dazu König, Eduard: Geschichte der alttestamentlichen Religion. 3. und 4. Aufl. Gütersloh 1922, S. 134. c) Vgl. Jes 30,10; 1 Chr 9,22; 26,26; 29,29; 2 Chr 16,7.10. Zu חֹזֶה s. bei 2 Sam 24,11. Vorgeschlagene Änderungen עִירָה (Ehrlich), צֹד (Wutz: Syst. Wege, S. 485) bewerten die in רֹאֶה liegenden Anstöße zu stark. Zur Sache vgl. etwa S. Yeivin: Jerusalem under the Davidic Dynasty. VT 1953, S. 158. d) GK § 107e. e) BroS § 81b (eventuell לְנָבִיא? König § 380e). f) Da רֹאֶה erst in V. 11 begegnet, wird V. 9 seit Thenius, Wellhausen, Budde, bis Hertzberg meist als eine aus dem Zusammenhang geratene Glosse hinter V. 11 gestellt, wobei freilich übersehen wird, daß es sich nicht um die Erklärung eines Wortes, sondern der ganzen Redensart (נֵלֵךְ V. 6f.) handelt. Vgl. auch H. Wildberger: Die Völkerwallfahrt zum Zion. VT 1957, S. 74 (ob darin schon eine Verwandtschaft im Ausdruck mit den Zionsliedern liegt, muß freilich fraglich bleiben). Der Vers paßt also gut in den Zusammenhang; deswegen ist auch eine Umstellung nach V. 10 (Dhorme mit Änderung in V. 10) unnötig. Fragen könnte man nur, ob die ursprüngliche Erklärung noch eine Erweiterung erfahren hat (doppeltes לְפָנִים); ähnliche Gedanken übrigens bei Bruno: Epos, S. 59. Die Möglichkeit einer approximativen Festlegung des Alters der Glosse (J. Morgenstern: Amosstudien. HUCA 1936, S. 51) entfällt damit wohl.

10 a) Einfügung eines עַד־הָרֹאֶה (Greßmann) ist unnötig; vgl. Anm. f zu V. 11.

11 a) GK § 116u.

12 a) 𝔊^{B} κατὰ πρόσωπον ὑμῶν hat anders abgeteilt und das unverständlich gewordene הר ausgelassen (𝔊^{AL} ταχῦνον ist nachträgliche Korrektur; vgl. zur Sache de Boer: Research, S. 52). Da מַהֵר gut in den Zusammenhang paßt, bedarf es ebensowenig der Annahme einer voller geschriebenen Endung (לפניכמה P. Wernberg-Møller: Pronouns and Suffixes in the Scrolls and the Masoretic Text. JBL 1957, S. 45) wie einer sonstigen Änderung: 1. Ergänzung von הר zu הוא (Budde, Smith, Schulz); 2. Ergänzung von הר zu הראה (Wellhausen, S. R. Driver, Dhorme u. v. a. – von Perles I, S. 21 als Randglosse angesehen); 3. Ergänzung von הר zu הָרֵעַ (Wutz: Syst. Wege, S. 136); noch weitergehende Änderungen (Ehrlich, Tiktin) scheiden von vornherein aus. b) De Groot הִנֵּה הוא, sinngemäß aber unnötig; Bruno: Epos, S. 59 הִנֵּה »hier«. c) 𝔊 νῦν διὰ τὴν ἡμέραν die Änderung danach in כְּהַיּוֹם (Budde, S. R. Driver, Dhorme, de Vaux, Wellhausen) verkennt die Besonderheit der Überlieferung, vgl. S. 203. d) Die Änderung nach 1,21; 2,19; 20,6 in זֶבַח הַיָּמִים (Bruno: Epos, S. 59) übersieht den anderen Charakter dieser Feste. e) Nur in diesem Zusammenhang (und in Liedern: 2 Sam 1,19.25; 22,34). Zur Sache jetzt W. F. Albright: The high place in Ancient Palestine. VTS 4. 1957, S. 242–258.

13 a) 𝔊 + ἐν τῇ πόλει, unnötige Paraphrase nach V. 14. b) Als prophetische Tätigkeit sonst nicht genannt; zur Sache A. Murtonen: The use and the meaning of the words l^{e}bârek and b^{e}râkâ^{h} in the Old Testament. VT 1959, S. 163. Zum Gebet über dem Opfer vgl. Benzinger: Archäologie, S. 377. c) כִּי אֹתוֹ Anakoluth, der die aufgeregte Sprechweise der Mädchen kennzeichnen soll (sehr gut Buber: VT 1956, S. 126; vgl. auch Wellhausen, S. R. Driver). Da schwer übersetzbar, fehlt es 𝔊𝔅𝔖; Verkennung dieses Grundes veranlaßt Streichung (Thenius, Dhorme, Hertzberg, wohl auch Caspari) oder Änderung in עַתָּה (Klostermann, Budde, Schulz).

14 a) Gegen den Befund der Vers und nur aus inneren Gründen (Angleichung an V. 18; umgekehrt Ehrlich) wird mindestens das zweite עִיר von den meisten Auslegern (von Wellhausen bis de Vaux, Rehm, Hertzberg, van den Born) in שַׁעַר geändert, womit freilich das Besondere der einzelnen Überlieferungen verkannt wird.

16 a) GK § 118u; מָחָר ist also nicht Genitiv. Vielleicht aus dem volleren כִּהְיוֹת הָעֵת מָחָר entstanden (S. R. Driver). b) Vgl. 13,14; 25,30; 2 Sam 5,2; 6,21; 7,8; 1 Reg 1,35; 14,7; 16,2. Zur Form Jacob Barth: Die Nominalbildung in den semitischen Sprachen. 2. Aufl. Leipzig 1894, § 125e. Die Bedeutung ist nicht sicher; wahrscheinlich »der von Jahwe Kundgegebene« (Alt II, S. 23; anders Joüon: Bibl 1936, S. 229ff. »praepositus, chief«; vgl. auch KBL, S. 529). Eine etymologische Verwandtschaft mit נקד, wonach נָגִיד »Hirte = idealer Führer« bedeutet (J. J. Glueck: Nagid-Shepherd. VT 1963, S. 144ff.), erscheint unwahrscheinlich. Offenbar eignet dem Begriff im Gegensatz zu מֶלֶךְ eine besondere Weihe (Eichrodt: Theologie I, S. 300; auch de Fraine: L'Aspect, S. 98; besonders nachdrücklich Bright: Geschichte, S. 176.

Vgl. auch van der Ploeg: RB 1950, S. 45 f.). Das spricht dagegen, daß נָגִיד und מֶלֶךְ hier einfach promiscue gebraucht werden (Schulz; ähnlich I. Lewy: Dating of Covenant Code Sections on Humaneness and Righteousness. VT 1957, S. 325). In dieser Richtung führt jetzt die Erklärung weiter, daß der Titel bei den Nordstämmen in vorköniglicher Zeit den berufenen Retter aus Feindesnot bedeutet habe und von David für das Königtum usurpiert worden sei (Richter: BZ 1965, S. 71–84). c) Mit 𝔊 *ταπείνωσιν* (𝔗?) wird allgemein und mit Recht עֳנִי ergänzt.

17 a) Vgl. Jdc 18,7 (?); die anzunehmende Bedeutung »herrschen« ist zwar ungewöhnlich, deswegen aber nicht Textfehler (Smith), der zu ändern wäre (Klostermann יָשֹׁר von der Wz. שׂרר; Ehrlich יַעְזֹר). Dhorme verweist auf akkadisch *eṣêru* »herrschen«; eher scheint aber an die Nebenbedeutung des Sammelns zu denken zu sein, die das Verbum im jüngeren Hebräisch hat (vgl. Marcus Jastrow: Dictionary of the Targumim. II. New York 1950, S. 1103). Buber: VT 1956, S. 128 »hegen«; Hertzberg »in Schranken halten«. Zur Sache vgl. E. Kutsch: Die Wurzel עצר im Hebräischen. VT 1952, S. 57ff.

18 a) 𝔊 *πρός* = אֶל? S. dazu aber 30,21; Num 4,19; Jdc 19,18. Die Annahme einer Verschreibung und Änderung (S. R. Driver u. a.) ist demnach unnötig. b) 𝔊 *τῆς πόλεως* wie V. 14; so Ehrlich (vgl. Anm. a zu V. 14).

19 a) 𝔊 *καὶ φάγε* vereinheitlichend, was weder Grund zu einer Textänderung ist (Smith, Dhorme) noch auf ein ursprüngliches *'akalta-ma* führt (A. Jirku: Weitere Fälle von afformativem Ma im Hebräischen. VT 1957, S. 392. b) Nach Schulz bezieht sich בַּבֹּקֶר nur auf שִׁלַּחְתִּי, während die Mitteilung sofort erfolgt, was aber aus der Syntax nicht zu erweisen ist.

20 a) Zur Konstruktion GK § 143c; anders Ehrlich. b) Vgl. GK § 134m (die drei Tage, die Saul schon unterwegs ist; vielleicht auch »auf den Tag genau drei Tage«?). Jedenfalls ist Streichung des Artikels (Wellhausen, S. R. Driver, Budde) unbegründet. c) GK § 73e. d) חֶמְדָּה Gegenstand des Begehrens aber auch das Begehren selbst, und hier wohl so zu verstehen (Ehrlich, Schulz, Greßmann; mit unnötiger Textänderung auch Wutz: Systematische Wege, S. 445 f.) (anscheinend auch 𝔖), während die meisten sonst das objektive Verständnis (𝔙 »potima«, 𝔊 *τὰ ὡραῖα*) vorziehen und teilweise in חֲמֻדוֹת ändern (Budde, Dhorme, Hertzberg). Vielleicht ist diese Doppelsinnigkeit Absicht; de Groot, Rehm, v. d. Born sehen darin einen direkten Bezug auf das Königtum. e) כל ist mit 𝔊𝔖 zu streichen.

21 a) Die Form erklärt sich nicht aus bildhaftem Gebrauch von שֵׁבֶט (Klostermann): vielleicht alte constructus-Endung, jedenfalls singularisch zu verstehen (so die Vers und alle Ausleger; weniger überzeugend Tiktin "מִמִּק, aus einem der kleinsten Stämme«. b) Wörtlich »und meine Sippe ist die kleinste«. Eine ähnliche Übersetzungsglättung bei 𝔊 *τῆς φυλῆς τῆς ἐλαχίστης ἐξ ὅλου σκήπτρου*. c) Lies שֵׁבֶט, Fehlschreibung (Delf § 38f.).

22 a) 𝔊 *κατάλυμα*, *Θ σκήνη*. Vgl. 𝔊 zu 1,9.18; Jer 35,2; 36,12. Man sollte indessen הַלִּשְׁכָּתָה erwarten (Budde, Dhorme, S. R. Driver); zur Sache G. W. Ahlström: Der Prophet Nathan und der Tempelbau. VT 1961, S. 119; auch Brown, J. Pairman: The Mediterranean Vocabulary of the Vine. VT 1969, S. 152. b) Zur Zahl vgl. etwa die dreißig Helden Davids (2 Sam 23); 𝔊 *ἑβδομήκοντα* folgt einer in Angleichung an Num 11,16.24 gebildeten Überlieferung.

23 a) Zur Verbindung von מָנָה und שׁוֹק vgl. Lev 7,33.

24 a) Vgl. שׁוֹק תְּרוּמָה Ex 29,27; Lev 7,32; 10,14; Num 6,20. b) Nominale Übersetzung: 𝔊 *κωλέα* (wohl unter Einschluß von וְהֶעָלֶיהָ) 𝔙𝔗𝔖. 𝔊^A wörtlich *καὶ τὰ ἐπ' αὐτῇ*, was indessen trotz Lev 8,26 nicht wahrscheinlich ist (anders BroS § 150a, vgl. aber GK § 138k). Seit Geiger: Urschrift, S. 380 wird ziemlich allgemein (Wellhausen, S. R. Driver, Smith bis de Vaux, de Groot, Hertzberg) Änderung aus הָאַלְיָה (dazu F. A. Klein: Mitteilungen über Leben, Sitten und Gebräuche der Fellachen in Palästina. ZDPV 1883, S. 98) wegen theologischer Bedenken angenommen (vgl. die Vorschriften über das Verbrennen des Fettschwanzes Lev 3,9; 7,3; 9,18). Das befriedigt freilich auch nicht, denn offenbar steht hier die Existenz einer Opferthora im Hintergrund. Wahrscheinlich Alternativlesart (Boström: Alternative Readings, S. 30), aus וַיַּעֲלֶיהָ verschrieben und als erklärende Glosse zu וַיָּרֶם zu streichen (Budde, Dhorme, Ehrlich, Schulz, Caspari; auch Buber: VT 1956, S. 131). G. R. Driver: Some hebrew verbs, nouns and pronouns. JThS 1928/29, S. 373 schlägt עַלְיָה oder עֲלִיָּה »Oberschale« vor. c) 𝔊 (*ἰδοὺ ὑπόλειμμα*) 𝔗𝔖𝔙 = 𝔐. Trotz dieser guten Bezeugung werden aus inneren Gründen vielfache Änderungen vorgeschlagen (הַשְּׁאָר Nowack, Smith, Greßmann,

Caspari; הַבָּשָׂר Tiktin; הַנֶּאֱשָׁר Wutz: Systematische Wege, S. 38; הָרֵאשִׁית de Groot, Schulz; הַנִּשְׁמָר S. R. Driver, de Vaux). Sie beruhen auf einem Mißverständnis des Zusammenhanges (vgl. Stoebe: VT 1957, S. 366). Ebenso unnötig ist die Annahme höflicher Verkleinerung (Budde, Hertzberg; vgl. auch L. Köhler: Archäologisches 10. ZAW 1922, S. 45). d) Part. (gegen 𝔊𝔗𝔙, die Imperativ lesen). e) לאמר unverständlich und wohl als Versuch anzusehen, zwei selbständige Lesarten miteinander zu verbinden (vgl. Anm. f). f) 𝔐 »(denn zur bestimmten Zeit) habe ich das Volk zusammengerufen« ist wohl Variante zu dem vorhergehenden »denn zur bestimmten Zeit ist es für dich aufbewahrt«. g) Der Versuch, beide Varianten zusammenzuziehen (vgl. Buber: VT 1956, S. 131 »damit du sagen kannst, ich habe sie gerufen«, ähnlich Klostermann), scheint nicht gelungen. 𝔊 *ὅτι εἰς μαρτύριον τέθειταί σοι παρὰ τοὺς ἄλλους ἀπόκνιζε* (*Ἀ τῷ λέγειν*) ist freie Übersetzung, die V. a*β* einen erträglichen Sinn abgewinnen will (vgl. de Boer: Research, S. 64; auch 𝔖 vereinfacht) und bildet darum keine tragfähige Grundlage für Emendationen (מִשְּׁאָר הָעָם Wellhausen; לְכָל־ Dhorme; schon gar nicht für קְרַץ Thenius und קְרַע Caspari). Das gilt auch für den häufig gemachten Vorschag לֶאֱכֹל עִם הַקְּרֻאִים (Nowack, Budde, Smith, ähnlich Klostermann; vgl. auch Caspari, Hertzberg). Mit Recht verzichten andere (Löhr, Greßmann, de Vaux) auf den Versuch einer Wiedergabe.

25 a) 𝔊 Sg. b) Der Inhalt der Unterredung wird bezeichnenderweise nicht angegeben. 𝔊 *καὶ διέστρωσαν τῷ Σαουλ ἐπὶ τῷ δώματι καὶ ἐκοιμήθη* führt nicht auf ursprüngliches וַיַּרְבִּד מָצָּע שָׁאוּל (Wutz: Systematische Wege, S. 494), sondern folgt einer Rezension, die stärker harmonisiert. Die Aufnahme dieses Textes durch alle Ausleger (Ausnahme Rehm, van den Born) ist inhaltlich wohl richtig, aber nicht mehr 𝔐.

26 a) Überlieferungsstück, das zum Motiv der Unterredung auf dem Dach gehört. 𝔊 folgt mit *ἐκοιμήθη* einer anderen Tradition. Änderung in וַיִּשְׁכַּב ist unnötig. b) Fehlt 𝔊. c) 𝔐 »er und Samuel« entweder Wahllesart (Wellhausen, Nowack, Budde, Dhorme) zu שניהם oder Glosse (so Tiktin), die die Beziehung des שניהם auf Saul und den Knecht verhindern soll.

27 a) Fehlt 𝔊𝔖 und ist verdeutlichender Zusatz (von derselben Hand wie V. 26c, so Tiktin)?. Ehrlich עֲבוֹר, verstärkender Inf. zur Kennzeichnung einer weiteren Entfernung. b) Klostermann, Smith הֲלוֹם; Tiktin בָּזֶה; doch ist der zeitliche Bezug besser (»einen Augenblick«; Budde, Hertzberg).

10,1 a) Vgl. 2 Reg 9,1.3; sonst קֶרֶן 16,1; 1 Reg 1,39. b) Vgl. 2 Sam 13,28; zur Sache J. Blau: Adverbia als psychologische und grammatische Subjekte/Prädikate im Bibelhebräisch. VT 1959, S. 135. Die lapidare Kürze des Ausdrucks kann ebensowenig wie allgemein inhaltliche Überlegungen (etwa Wellhausen) für die Ursprünglichkeit des hier sehr viel umfangreicheren Textes von 𝔊 (BH[3]) geltend gemacht werden, aus dem 𝔐 durch Homoeotel (so Dhorme) verkürzt wäre (vgl. dagegen schon Ehrlich). 𝔊 folgt hier einer Rezension, die in fast langweiliger Breite alle Anstöße beseitigt. c) 𝔊 erweitert 𝔐 um *καὶ τοῦτό σοι τὸ σημεῖον ὅτι ἔχρισέν σε κύριος ἐπὶ κληρονομίαν αὐτοῦ* (vgl. auch Anm. b). Ein charakteristischer Versuch, die in 𝔐 noch unausgeglichenen nebeneinanderstehenden Überlieferungen zu harmonisieren.

2 a) Auf der Grenze von Benjamin und Ephraim, vgl. Jer 31,15 (zur Gleichsetzung mit Bethlehem Gn 35,19; 48,7 vgl. Joachim Jeremias: Heiligengräber in Jesu Umwelt. Göttingen 1958, S. 75). Für die Lokalisierung von Rama, das zum Gebiet von Benjamin gehört hat (Jos 18,25), ist die Angabe ohne Bedeutung (Hertzberg: Beweis, daß für den Erzähler רָמָה das heutige *er-rām* ist, gegenteilig Smith). Daß das Gebiet von Ephraim sich zeitweilig weiter südwärts erstreckte (Driver), ist kaum anzunehmen. Zur Sache vgl. G. Dalman: Einige geschichtliche Stätten im Norden Jerusalems. JBL 1929, S. 354. M. Naor (On the way to Ephrat. BIES 1958, S. 49–53) denkt hierbei an den Fundort der Esel (so vor ihm schon S. Grünberg: Exegetische Beiträge. Jahrbuch der jüdischen Literarischen Gesellschaft 1929, S. 297f.). b) Wohl Ortsname (trotz Greßmann u. a.) wenngleich nach קְבֻרַת רָחֵל ungewöhnlich (S. R. Driver, Budde). Bruno: Gibeon, S. 49; Smith setzen es mit צֵלָע 2 Sam 21,14 gleich, doch bleibt das unsicher. Die Vers haben diese Bedeutung z. T. verkannt: 𝔊 *ἁλλομένους*; 𝔏[Lg] »salientes« (Vorwegnahme des Folgenden?, so de Boer: Research, S. 50); 𝔙 »meridie«; 𝔊[L] *μεσεμβρίας*. Sie berechtigen daher nicht zu Änderungen: צֹלְחִים (BH[3]); בצלצל (Cappellus); בְּעֵת צָהֳרַיִם (Dhorme, Schulz); בְּצֵל צַח (B. Zimolong: בצלצח 1 Sam 10,2. ZAW 1938, S. 175). Weiter entfernte Konjekturen בְּצֵל צְחִיחַ »im Schatten eines kahlen Felsens« (Hertzberg) oder אֵצֶל שִׁחַ (Caspari) verkennen das Schwergewicht. Ganz verfehlt Budde

צֹפִים לָךְ, weil damit der Zeichencharakter der Begegnung verlorenginge. c) Iteratives Perf. cons. GK § 112h; Änderung in וְדָאַג (BH³, Budde, Smith, Dhorme) ist keine Erleichterung; man sollte dann וְדָאַג הוּא erwarten (so richtig Driver). d) Jirku (vgl. zu 9,19) findet auch hier *lᵉka-ma;* beachte dagegen den durchgehenden Wechsel im Numerus.

3 a) Ausdruck eiliger stürmischer Bewegung, vgl. Jes 8,8; 21,1; Hi 9,26. Die Vers vereinfachen (𝔊 ἀπελεύσει, 𝔗 Wz. הלך, 𝔖 Wz. עבר); Änderungen erübrigen sich daher (הָלַכְתָּ BH³, Ehrlich; חָשְׁתָּ Budde). b) 𝔊ᴸ τῆς δρυὸς τῆς ἐκλεκτῆς (davon abhängig 𝔏ᴸᵍ?) = בָּחוּר (?, BH³) gibt kaum die Grundlage für בְּכוּת דְּבֹרָה (Dhorme), obwohl nach Gn 35,8, vgl. auch Jdc 4,5 der Gedanke an דְּבֹרָה, vielleicht sogar die Annahme einer Verlesung naheliegt (Löhr, Nowack, Schulz, Caspari, de Vaux, Hertzberg). Doch ist bei der allgemeinen Bedeutung von תָּבוֹר keine Sicherheit zu erlangen (vgl. D. Winton Thomas: Mount Tabor; the meaning of the name. VT 1951, S. 229f.). 𝔗 übrigens מֵישַׁר תָּבוֹר. Zur Lokalisierung vgl. Dalman: JBL 1929, S. 357, Gleichsetzung mit בַּעַל תָּמָר, was in die Nähe von Gibea verwiese. c) 𝔊 καὶ εὑρήσεις ἐκεῖ scheint besser. d) Schulz Sg. גְּדִיָּה, inhaltlich ansprechend, aber ohne Anhalt im Text. e) Zur Form des Zahlwortes GK § 97c; vgl. Gn 7,13; Hi 1,4. 𝔊 ἀγγεῖα was höchstens die Änderung in כְּלֵי (Smith), nicht aber in כְּלוּבֵי (Klostermann, Budde) erlaubt, aber auch nicht nötig macht.

4 a) Wie Gn 43,27; Ex 18,7; Jdc 18,15; 1 Sam 17,22; 25,5; 30,21; 2 Sam 8,10. Zur Konstruktion vgl. einerseits Kö § 327k, andererseits (zu der mit dem Wunsche gesetzten positiven Gabe) Pedersen: Israel I/II, S. 524. b) In Gedanken כִּכָּרוֹת zu ergänzen (Kö § 314k, relative Ellipse wegen des fem. Zahlwortes. Anders Ehrlich: Femininform durch kollektive Bedeutung von לֶחֶם bedingt, vgl. Lev 23,17). 𝔊ᴬᴮ + ἀπαρχάς führt nicht auf ein aus כִּכָּרוֹת verlesenes בְּכֹרוֹת (Klostermann, Budde, Dhorme, Smith), das nur von tierischer Erstgeburt angewendet wird (Löhr), sondern folgt einer abweichenden Textüberlieferung, die den Charakter eines Dankopfers stärker unterstreicht (schon Peters: Beiträge, S. 230 nahm תְּרֻמוֹת לֶחֶם an).

5 a) BroS § 134d. b) Vgl. dazu den נְצִיב פְּלִשְׁתִּים 13,3, was nicht bedeutet, daß hier eine Glosse nach 13,3 angenommen werden darf, vielmehr werden beide Stücke als zusammengehörig ausgewiesen (zur abweichenden Ortsangabe גֶּבַע vgl. zu 13,3). Aus inhaltlichen Gründen muß man wohl גִּבְעַת הָאֱלֹהִים mit dem Ausgangspunkt der Reise, also dem Gibea Sauls = *tell el-fūl* gleichsetzen (so S. R. Driver, de Vaux; NothGI, S. 155), für das wegen seiner wichtigen Lage ein Posten durchaus denkbar wäre (Alt III, S. 247); weitaus weniger überzeugt die Gleichsetzung mit גֶּבַע (Simons: Texts, § 669f.). Eine Gleichsetzung mit *ram allā* (Löhr, Nowack, Schulz aus allgemeinen sprachlichen und inhaltlichen Gründen) hat weder am Textbefund noch an archäologischen Überlegungen eine Stütze; das gleiche gilt von der Deutung auf Gibeon (Bruno: Gibeon, S. 48f.; jetzt auch van den Born: OTS 10. 1954, S. 201ff.). Albright: AASOR 1922/23, S. 121 denkt an Bethel; Hertzberg: ZAW 1929, S. 179 an Mizpa. Das Itinerar ist zu wenig einsichtig, um etwas Sicheres ausmachen zu können. אֱלֹהִים (dafür Ehrlich אַלּוֹן) bezieht sich wohl auf das Erlebnis, das Saul hier hat. 𝔊 und 𝔗 knüpfen an 7,1 an. c) 𝔊 (Doppelübersetzung wie 13,3), 𝔖𝔙 Sg., danach von den meisten geändert; die Umstellung eines י ist an sich leicht möglich (DelF § 53a), vgl. aber 2 Sam 8,6. 14. Jedenfalls spricht die Pluralform für personales Verständnis: Posten, Vogt (𝔗𝔙; so S. R. Driver, Budde, Dhorme und die meisten, zuletzt noch O. Eißfeldt: Das Lied Moses Deuteronomium 32,1–43 und das Lehrgericht Asaphs Psalm 78 (1958 [BAL 104/5], S. 42) und gegen die Auffassung als Siegesstele (Wellhausen, Schulz, Caspari, de Vaux; Buber: VT 1956, S. 135; vgl. auch Pedersen: Israel I/II, S. 251). d) GK § 109k, 112z. Geläufiger wäre וְהָיָה, doch ist die Annahme einer Verschreibung (vgl. Maurice Lambert: Traité de Grammaire Hébraique. Paris 1946, S. 157) überholt. Vgl. R. Meyer: Zum Hebräischen Verbalsystem. VTS 7. 1959, S. 312; Auffallender Erzählungsstil in einem angeblichen Auszug aus der Chronik der Könige von Juda. In: Baumgärtel-Festschrift. Erlangen 1959, S. 114–123. Schließlich auch A. Rubinstein: Consecutive Tense in the Isaiah Scroll. VT 1955, S. 182f.; Conditional Constructions in the Isaiah Scroll. VT 1956, S. 76. e) Wohl eine Alternativlesart, in der entweder שָׁם (Budde) oder עִיר (Caspari) – wohl richtiger – überflüssig ist. f) Zu חָלִיל vgl. Max Wegner: Die Musikinstrumente des Alten Orients. Münster 1950, S. 41; vermutlich eine Art einzelner Flöte (anders BRL, Sp. 392).

6 a) Vgl. Jdc 14,6.19; 15,14; 1 Sam 11,6; auch 18,10. 1 Sam 16,13 liegt auf einer anderen Ebene und ist spätere Nachahmung. Zum Wort als solchem und seiner doppelten Bedeutung s. J. Blau: Über homonyme und angeblich homonyme Wurzeln II. VT 1957, S. 100f. b) Hier anders als V. 9 nur ein momentanes Ergriffensein (so richtig Nowack), s. dazu S. 207.

7 a) GK § 76g. b) Imp. statt eines zu erwartenden Perf. cons. hat verstärkenden Charakter. c) 𝔊 ποίει πάντα, Verschiebung der Aussage in Richtung auf V. 9; Änderung לך in כל (Dhorme, Schulz) darum unrichtig; unnötig auch לְךָ (Caspari). d) Vgl. Jdc 9,33 (in profaner Bedeutung 1 Sam 25,8). 𝔗 in charakteristischer Nivellierung עביד לך מני מלכות, von Ehrlich in Mißverständnis der Absicht übernommen.

8 a) Vgl. zu 1 Sam 7,16; hier ist es eindeutig, daß das benjaminitische Gilgal bei Jericho gemeint sein muß (anders Robertson: BJRL 1944, S. 184, der an Gilgal bei Sichem denkt). Zur Lage s. zu 11,5; zur Frage der kultischen Rolle Gilgals vgl. auch H.-J. Kraus: Gilgal. VT 1951, S. 181–199; anders und mit beachtlichen Gründen ablehnend C. Keller: Über einige alttestamentliche Heiligtumslegenden. ZAW 1956, S. 85ff. b) Zu Begriff und Sache Rudolf Schmid: Das Bundesopfer in Israel. 1964 (StANT 9), vor allem S. 43; jetzt noch Charbel, A.: זבח שלמים; il sacrificio nei suoi riti e nel suo significato religioso e figurativo. Jerusalem 1967. c) Caspari willkürlich הוֹדַעְתָּ לִי.

9 a) Die Änderung (nach 𝔊 καὶ ἐγενήθη) in וַיְהִי (S. R. Driver, Budde, Smith, Dhorme u. a. »Irrtum eines Abschreibers, der das Ende der Rede nicht erkannte«) oder in הוא (Caspari, de Groot) übersieht, daß mindestens V. 9a Erweiterung ist, jedenfalls aus der normalen Konsekutio herausfällt (zur Sache vgl. auch A. Rubinstein: Consecutive-Tense.. in the Isaiah Scroll. VT 1955, S. 182). b) Vgl. אִישׁ אַחֵר V. 6; beides ist im vorliegenden Text wohl als Synonym verstanden, liegt ursprünglich aber auf verschiedenen Ebenen (zur Sache vgl. auch Paul Volz: Geist Gottes. Tübingen 1910, S. 7). Die Erwähnung ist vor V. 10 zwar auffallend, ist aber deswegen nicht als an falscher Stelle in den Text gekommene Randglosse zu streichen (Nowack, Budde, Caspari) oder als Vorwegnahme wegen der Wichtigkeit zu erklären (Dhorme, Smith, Hertzberg); es handelt sich vielmehr um eine charakteristische Änderung des Verständnisses über die ursprüngliche Absicht hinweg (vgl. S. 205).

10 a) 𝔊 ἐκεῖθεν, danach z. T. in מִשָּׁם geändert (Budde, Dhorme, Smith, Schulz, de Vaux). Zur Annahme, daß hier etwas ausgefallen sein müsse (z. B. Budde, Smith, Hertzberg), vgl. die Auslegung S. 208. Unbegründet Ehrlich שְׁנֵיהֶם. b) V. 6 רוּחַ יְהוָה.

11 a) GK § 20h. b) Neuer Einsatz; die Erklärung eines geläufigen Sprichwortes begründet das הָעָם, das weder gestrichen werden (Klostermann, Smith) noch aus verfrühtem הִנֵּם verschrieben (Caspari) erklärt werden darf. c) Zur Konstruktion GK § 136c. d) Vgl. dazu jetzt Epstein: ZAW 1969, S. 287–304; Sturdy: VT 1970, S. 206–213.

12 a) 𝔊 τίς αὐτῶν: Versuch einer Harmonisierung, darum kein Grund zu ändern (מֵהֶם Dhorme, Schulz; מֵהָעָם Klostermann; noch weitergehend und aus der Luft gegriffen Bruno: Epos, S. 61 מְשַׁנֵּן »mit scharfer Zunge redend«). b) 𝔊 πατὴρ αὐτοῦ, nach V. 10 unmöglich, trotzdem von Bruno: Epos, S. 63 als Hinweis auf die Bedeutungslosigkeit des Hauses Sauls übernommen. Vgl. dazu auch Ravenna: Revista Biblica Italiana 1956, S. 144.

13 a) 𝔊 εἰς τὸν βουνόν; da βουνός sonst die Übersetzung von גִּבְעָה ist (1 Sam 7,1; 10,5.10; 14,2; 22,6 u. a.; für בָּמָה nur Ps 78,58), wird von vielen (z. B. Budde, Dhorme, Schulz, Hertzberg) גִּבְעָה angenommen, unter der Voraussetzung, daß Saul erst jetzt nach Hause kommt (vgl. indessen V. 10 und 11). Nach וַיָּבֹא könnte man הַבַּיְתָה erwarten (Wellhausen, Smith, Rehm, de Vaux u. a.); vgl. allerdings die sprachlichen Bedenken Ehrlichs (אל ביתו), wenngleich sein הָרָמָה auch nicht besser ist. Für Beibehaltung des überlieferten במה Ap-Thomas: VT 1961, S. 241–245, allerdings auf Grund einer bedenklichen Exegese.

14 a) Das Verständnis »Onkel« bleibt das nächstliegende (gegen Ap-Thomas, a. a. O.: דוד der Gouverneur der Philister). Zu דוד vgl. auch Stamm: VTS 7. 1959, S. 165–183).

16 a) Das Fehlen dieser Worte in 𝔊 liegt in der Linie der Erweiterung zu V. 1 (vgl. Anm. c), was bei der Streichung in 𝔐 (z. B. Klostermann, Budde, Schulz) leicht übersehen wird.

9,1–10,16 DIE ZURÜSTUNG ZUM KÖNIGSAMT[1a]. Nachdem in der jetzigen Gesamtkonzeption in Kap. 8 der äußere Rahmen für die Entstehung des Königtums abgesteckt ist, was freilich schon eine Umdeutung der diesem Kapitel zugrundeliegenden Überlieferung bedeutete[1], wird jetzt der erste König vorgeführt. Dabei stellt Kap. 9 einen völlig neuen Einsatz ohne quellenmäßigen Zusammenhang mit irgendeinem Stück der vorhergehenden Darstellung dar, wie die Einleitung in V. 1 zeigt; sie erinnert, wenn auch nicht genau in der Form, so doch in der Art der Einführung des Helden unter dem Vorzeichen des Vaters, an die Einleitung der Gideongeschichte Jdc 6,11 – dagegen nicht an Jdc 13,1 oder 1 Sam 1,1[2]. Saul wird damit also als charismatischer Führer vorgestellt, ohne daß der Zusammenhang nach einer besonderen Geburtsgeschichte verlangt[3]. Die Selbständigkeit der Tradition wird auch daran deutlich, daß ihre genealogischen Angaben von 1 Chr 8 u. 9 abweichen (vgl. Anm. c u. e zu V. 1). Die Spannungen, die in dieser an sich frühen, vordeuteronomistischen Überlieferung zutage treten, lassen auf einen verwickelten Entstehungsprozeß schließen. In V. 6 handelt es sich um einen nicht näher bekannten Gottesmann, auf den Saul erst aufmerksam gemacht werden muß; von V. 14 an ist er der bekannte Samuel. V. 6 ist die nicht namentlich genannte Stadt der Wohnort des Sehers; dagegen ist der Prophet V. 12 nur zur Vornahme einer Opferhandlung in diese gekommen. V. 18 kennt Saul den Seher nicht, obwohl er von dem allgemein bekannten Samuel wenigstens gehört haben sollte; ebenso fragt er nach dem Haus des Sehers, obwohl die Mädchen ihn bereits darauf hingewiesen haben, daß dieser nur anläßlich eines Opfers in die Stadt gekommen sei. Diese Erscheinungen sind nicht so zu beurteilen, daß hier zwei Erzählungen ineinander geschoben und zu einer Einheit verschmolzen sind, die einmal jede für sich selbständig waren[4]. Man kann diese Beobachtungen aber auch nicht so erklären, daß örtlich getrennt zwei parallele Rezensionen desselben Ereignisses bestanden haben, von denen die eine in der Weise mit den Zügen der andern bereichert und aufgefüllt wurde, daß die Hauptgeschichte – sie erzählte von einem Besuch Sauls bei dem in der Nähe wohnenden Samuel – das Ende der Darstellung beherrschte und daß sie durch den zweiten Bericht von dem unbekannten Seher in der unbekannten Stadt lediglich ergänzt wurde[5]. Dagegen spricht, daß die zweite Geschichte dann den Rahmen für das Ganze abgegeben hätte, obwohl ihr Inhalt sich manchmal schlecht mit diesem Rahmen vereinen ließ. Der Befund des ganzen Kapitels wird sich vielmehr so erklären, daß hier ein ursprünglicher Bericht, der unter einem bestimmten Gesichtspunkt stand, beim

1. Vgl. o. S. 178f.

1a. Vgl. zur Perikope jetzt auch Richter, W.: Berufungsberichte. 1970 (FRLANT 101), S. 13–56; Schmidt, L.: Erfolg. 1970 (WMANT 38), S. 58–102.

2. So etwa Alfred Jepsen: Nabi. 1934, S. 103; doch könnte diese Parallele nur durch unzulässige Textänderungen erreicht werden; vgl. Anm. a zu V. 1.

3. Zur Annahme einer ursprünglichen Geburtslegende Sauls, die dann auf Samuel übertragen wurde, vgl. o. S. 97f. Ablehnung dieser These jetzt auch bei Noth: VT 1963, S. 395.

4. Z. B. Tiktin; Hylander: Komplex, S. 153. Gegenüber solchen Versuchen muß die literarische (nicht überlieferungsmäßige) Einheit des Kapitels festgehalten werden; so mit Recht wieder EißfE[3]; dieses Urteil gilt unabhängig von der von ihm vorgenommenen Quellenzuteilung.

5. Hertzberg, ähnlich auch Caspari.

Weitererzählen auf eine neue, jedenfalls veränderte Fragestellung antworten mußte und damit einen neuen Skopus bekam[6]. Dieser neue Skopus, der dem alten übergeordnet und um dessentwillen das Ganze erweitert, nötigenfalls auch verändert wurde, ist die heimliche Salbung. Dabei handelt es sich schwerlich um eine Redaktion im eigentlichen Sinne, eher um einen Vorgang organischen Wachstums im Verlauf einer mündlichen Weitergabe; das bedeutet, daß diese Erweiterungen in der Linie des schon vorliegenden Bestandes erzählt worden sind und Spannungen nur an den Stellen auftreten, wo sie sich um der neuen Absicht willen nicht recht in die ursprüngliche Darstellung einfügen.

Da die geheime Salbung von David ebenso wie von Saul berichtet ist, erscheint es als berechtigt, 16,1 ff. zur Klärung der Fragen heranzuziehen, die sich aus dieser Salbung für das Gesamtverständnis von Kap. 9 ergeben. Das heißt natürlich nicht, daß eine direkte Abhängigkeit in der einen oder anderen Hinsicht angenommen werden muß[7]; die Form der Überlieferungsbildung ergibt sich mit einer gewissen Zwangsläufigkeit aus der Sache. Läßt sich nachweisen, daß diese geheime Salbung als umdeutende Erweiterung auf einen anderen Bericht aufgepfropft wurde, so spricht das einmal dagegen, daß Sauls Königtum von vornherein einen institutionellen Zug enthalten habe[8]; es läßt auf der anderen Seite das Bemühen erkennen, das mit dem Königtum gegebene Neue in der Linie des alten charismatischen Führertums zu verstehen. Damit ergibt sich eine relative Zeitbestimmung für diese Erweiterung; sie muß zu einer Zeit entstanden sein, in der die Salbung unabdingbare Legitimierung eines Königs war[9], muß auf der anderen Seite aber so früh sein, daß die Erinnerung an Saul, seine Taten und Erfolge noch lebendig war, so daß Davids Königtum nur als Fortsetzung verstanden werden konnte[10]. Zu späterer Zeit hätte kaum ein Anlaß dazu bestanden, die Gestalt Sauls so auszuzeichnen.

2–5 Mit der Bezeichnung Sauls als בָּחוּר klingt bereits das Thema der ganzen Darstellung an (vgl. Anm. b zu V. 2); die Angabe über seine körperlichen Vorzüge (vgl. Anm. c zu V. 2) steht zwar in einer gewissen Spannung zu V. 21 (beachte aber die gleiche Spannung in Kap. 16); sie gehört zur stehenden Charakterisierung Sauls wie später der Speer als seine Waffe. Der Zug ist überlastet, wenn man damit die Aufregung der Mädchen in Zusammenhang bringt[11]. Der Verlust aller (vgl. Anm. a zu V. 3) Eselinnen ist mehr als eine idyllische Möglichkeit, Saul in der Rolle eines gehorsamen Haussohns zu zeigen oder ihn wie David als Hirten einzuführen[12]. Der Hintergrund dieses Erzählungselementes liegt freilich

6. Stoebe: VT 1957, S. 64; vgl. dazu jetzt auch Schunck: Benjamin, S. 85.

7. Zur Sache vgl. Weiser: Samuel, S. 51.

8. Vgl. dazu u. S. 180.

9. Zur Salbung vgl. u. S. 209f.; es ist für die Frage hier übrigens unwesentlich, ob Saul schon selber gesalbt wurde oder ob diese Angabe Niederschlag späterer Verhältnisse ist.

10. Es ist dabei an Kap. 24; 26 zu erinnern, wo David die Rechtmäßigkeit seiner Nachfolge und die Unanfechtbarkeit seiner Salbung durch die Achtung vor dem character indelebilis der Salbung des Vorgängers begründet. Vgl. dazu auch o. S. 181.

11. Weiser: Samuel, S. 55.

12. Unter Verweis auf Gn 36,24; vgl. dazu Stoebe: VT 1954, S. 181.

nicht, wie Bič es annahm[13], im Bereich des Mythus von einer sterbenden und auferstehenden Gottheit – damit würden Züge eingetragen, die schlechterdings hier nicht enthalten sind. Eher ist an die Bedeutung zu denken, die der Esel als Reittier der Vornehmen (Jdc 10,4; 12,14) und Krieger (Jdc 5,10)[14] oder des messianischen Herrschers der Endzeit (Sach 9,9) hat. Durch den Verlust aller Esel ist das Haus des Kis verarmt und scheidet damit scheinbar für die Übernahme von Führungsaufgaben aus; damit ist also besonders nachdrücklich das Demutsmotiv unterstrichen. Der Einwand, daß damit die Stelle in einer bedenklich an Allegorese erinnernden Weise überlastet sei[15], übersieht, daß diese Geschichte selbst eine solche Auslegung verlangt, denn Esel laufen wohl gerne fort, aber dann nie weit. Dasselbe gilt für die Beurteilung des Itinerars, wie man seine Angaben im einzelnen auch identifizieren mag (vgl. Anm. b u. c zu V. 4)[16]. Führte der Weg, wie meist angenommen, zuerst nach Norden, dann nach Westen in die Küstenebene und wieder zurück, so erscheint die Zeit von drei Tagen dafür reichlich kurz[17].

6–14 Ebensowenig wie der Name des Wohnortes wird der Name des Gottesmannes genannt; beides bedingt sich gegenseitig und ist keineswegs als besondere literarische Feinheit anzusehen (Anm. a zu V. 6)[18]. Dieser Befund erlaubt ebenso die Annahme, daß hier dieselbe Person gemeint sei[19], wie die andere, daß sich hier Züge verschiedener Personen vereinigen[20]. Im ersten Fall wäre an den Wechsel zwischen der bloßen Nennung Elias des Thisbiters bei Namen und mit seiner Berufsbezeichnung als Gottesmann zu erinnern[21]; dies meist da, wo er angeredet oder wo von ihm gesprochen wird; im andern Fall an die Einfügung unbenannter (1 Reg 20,35–43) oder sonst unbekannter Propheten (1 Reg 22) in Zusammenhänge, die sonst durch Elia bestimmt sind. Es ist auch gar nicht so, daß der Seher hier zunächst als lokale, gegen Bezahlung arbeitende Berühmtheit vorgestellt wird[22]; noch Am 7,12 wird Lohn als allgemeine Tatsache ohne Werturteil stillschweigend anerkannt. Im übrigen ist diese Bemerkung mit darauf angelegt, zu zeigen, daß alle Lebensmittel ausgegangen sind, was wohl 10,4 vorbereiten soll, wie überhaupt der Nachdruck dieses Abschnittes auf der Auskunft über den »Weg« liegt, die man vom Gottesmann einholen will. Das führt auf 10,1 ff.

Die archäologische Notiz V. 9 (vgl. Anm. f) ist in ihrer Bedeutung für die Entwicklung des Prophetismus[23] wahrscheinlich stark überbewertet worden. Es geht

13. VT 1957, S. 92ff.
14. VT 1954, S. 181.
15. Weiser: Samuel, S. 49.
16. Auf das Vorkommen als Personennamen in der Genealogie Assers 1 Chr 7,36.37 verweist A. Malamat: Mari and the Bible. JAOS 1962, S. 145.
17. De Vaux.
18. In dieser Richtung auch Robertson: JRL 1944, S. 182, der darin einen Hinweis darauf sieht, daß weder das Volk noch Samuel an der Entstehung des Königtums beteiligt war.
19. Besonders nachdrücklich Buber: VT 1956, S. 124f.
20. Vgl. o. S. 179.
21. 1 Reg 17,18.24; 2 Reg 1,9.10 u. ö.
22. Was Buber: VT 1956, S. 125 anscheinend verkennt.
23. Dazu besonders Hubert Junker: Prophet und Seher in Israel. 1927.

in dieser Notiz darum, sicherzustellen, daß der Besuch beim Gottesmann tatsächlich die Einholung eines Gottesentscheides bedeutet; sie steht also durchaus an richtiger Stelle. Der Interpolator glaubte, eine vorhandene, aber für sein Empfinden nicht deutlich genug ausgezogene Linie unterstreichen zu müssen. V. 9b geht freilich darüber hinaus; wenn aber erst einmal eine Erklärung da war, konnte sie leicht erweitert werden. Die Begegnung mit den Wasser holenden Mädchen ist ein Erzählungselement, das sich aus den Verhältnissen von selbst ergibt[24]. Es bringt insofern einen neuen Zug in die Darstellung, als es eine vorher nicht zu beobachtende Freude am plastischen Detail verrät (vgl. Anm. c zu V. 13). Dieser weist sich auch dadurch als zu der Erweiterung gehörend aus, daß er ein gelegentliches Kommen Samuels in diese Stadt voraussetzt, die nicht seine Heimatstadt ist (womit auch die Bezeichnung Gottesmann fortfällt, vgl. allerdings V. 18). Als Grund für diesen Besuch wird der Vollzug einer Opferhandlung angegeben. Daraus ist nun nicht zu schließen, daß Samuel für eine ursprüngliche Überlieferung als Priester gegolten habe[25]. Offenbar steht diese Opferhandlung im Zusammenhang mit der geheimen Salbung. Sie findet sich ebenso Kap. 16[26]; auch dort kommt Samuel in eine Stadt, die nicht die seine ist, um zu opfern und zur Opfermahlzeit einzuladen. Es erscheint als durchaus möglich, daß dieser Zug das Bild von dem Richter Samuel gefördert hat, der sein Amt im Umherziehen ausübte. Dabei ist es aber bezeichnend, daß die Darstellung nun doch durch den Rahmen bestimmt ist, der sich aus V. 6 ergibt. Die Aufforderung zur Eile (vgl. Anm. a zu V. 13), an sich gut verständlich, wenn Samuel schon beim Opfer auf der Höhe ist, verträgt sich nicht eigentlich damit, daß Samuel noch in der Stadt weilt, wo er nach V. 18 auch ein Haus hat. Diese Spannung darf nicht durch die Erklärung harmonisiert werden, Samuel sei noch einmal nach der Opferschlachtung in die Stadt zurückgekehrt[27], noch weniger durch die Annahme, er sei von der jährlichen Runde an den übrigen Heiligtümern an seinen üblichen Wohnsitz zurückgekehrt, um an der dortigen Kultfeier teilzunehmen[28].

15–10,1 Die nächsten Verse leiten zu der besonderen Zielsetzung über; der kommende Mann soll Samuel im Augenblick der Begegnung kundgetan werden. Der Vorgang ist derselbe wie in Kap. 16, unterscheidet sich davon aber durch die Anwendung des Begriffes נָגִיד (vgl. Anm. b zu V. 16), der vielleicht einmal für den Stammeshäuptling als primus inter pares gebraucht wurde[29], auf jeden Fall von מֶלֶךְ abgesetzt war und eine besondere Weihe enthielt. Das erklärt einmal die Demokratisierung des Begriffes durch die Verwendung seiner Pluralform 1 Chr 11,11; 2 Chr 35,8[30], ebenso aber seine Anwendung auf den Hohenpriester (1 Chr 9,

24. Es enthält also kein Indiz für Quellenzuteilung (Budde: E).

25. Hylander: Komplex, S. 243.

26. Die Verschiedenheiten, die bestehen (vgl. zu Kap. 16), zeigen, daß eine direkte Beziehung zwischen beiden Kapiteln nicht angenommen werden kann.

27. So Schulz.

28. Weiser: Samuel, S. 50.

29. So Y. Yeivin: The Administration in Ancient Israel (The Kingdom in Israel and Juda). 1961, S. 50ff. Vgl. zur Sache auch Soggin: ZAW 1963, S. 59.

30. De Vaux: Lebensordnungen I, S. 118.

11; 2 Chr 31,13; Neh 11,11)[31]. Die deuteronomistische Formulierung hat diesen Ausdruck, der in Verbindung mit משׁח den Übergang vom charismatischen Führertum zum Königtum charakterisiert, nicht beseitigt. Festzuhalten ist, daß die Beauftragung sich gegen die Philister richtet[32].

Seine Aufforderung an Saul, zu bleiben, unterstützt Samuel durch den Hinweis darauf, daß die Esel gefunden seien. Dasselbe wird noch einmal 10,2, und zwar als etwas nicht Bekanntes, berichtet. Während es sich dort organisch der Darstellung einfügt, wirkt es hier künstlich[33], denn die Sorge des Vaters als Grund für die Umkehr (V. 5) bleibt bestehen, wird auch 10,2 ausdrücklich berücksichtigt. Außerdem stößt es sich mit der Angabe V. 19b[34], dessen כֹּל אֲשֶׁר בִּלְבָבְךָ natürlich nicht bedeutet, daß Saul im geheimen schon mit dem Gedanken an das Königtum gespielt habe[35]. Die Nennung an dieser Stelle ist wohl in dem mit Absicht doppeldeutig gehaltenen חֶמְדָּה (vgl. Anm. d zu V. 20) begründet. Der Hinweis auf die Kleinheit des Stammes und der Sippe gehört zum Stil[36] und besagt nichts über die tatsächliche Bedeutung des Stammes zu dieser Zeit[37]. Auf der Opferhöhe muß Saul den Ehrenplatz bei den dreißig Geladenen einnehmen. Das ist ein Zug, der offenbar zur Königsproklamation gehört; wir finden die Sache, wenn auch mit anderen Zahlen, ebenso 2 Sam 15,12 und 1 Reg 1,9. Hier freilich knüpft die Zahl Dreißig an vorkönigliche Vorstellungen an[38]. Im übrigen wird der Zug trotz seiner Wichtigkeit nicht weiter verfolgt. Es erscheint unmöglich, daß ein Jüngling so auffallend bevorzugt wird[39], ohne daß den Teilnehmern die Bedeutung dessen bewußt wird[40]. Mit dieser Unschärfe wird es zusammenhängen, daß der Text V. 24 (vgl. Anm. c–g) so unklar ist; sie macht es verständlich, daß hier zwei Deutungsmöglichkeiten nebeneinander bestanden und miteinander kompiliert sind. Ebenso erklärt sich die Abweichung in der Textüberlieferung V. 25. Die Unterredung auf dem Dach ist zwar die gegebene Möglichkeit für eine vertrauliche Mitteilung, für die dem Zusammenhang nach aber kein Platz ist, was

31. De Vaux: Lebensordnungen II, S. 238.

32. Vgl. zu Kap. 13.

33. M. E. zu Unrecht sieht Weiser: Samuel, S. 57 in der Salbung den Abschluß der Geschichte und in 10,2–13 Erweiterungen, die die an sich in 10,1 abgeschlossene Darstellung angezogen hätte.

34. Vgl. dazu Anm. b.

35. Dieser Gedanke (z. B. Thenius, Löhr) hat mit Recht wohl allgemein Ablehnung gefunden.

36. Vgl. Jdc 6,15.

37. Zu Unrecht versteht Dus (Gibeon – Eine Kultstätte des ŠMŠ und die Stadt des benjaminitischen Schicksals. VT 1960, S. 371) die Angabe ganz wörtlich. Zur tatsächlichen Bedeutung Benjamins jetzt wieder Hans-Jürgen Zobel: Stammesspruch und Geschichte. 1965 (BZAW 95), S. 107.

38. Vgl. Anm. b zu V. 22; auch Mazar: VT 1963, S. 310.

39. 1 Sam 16,1–13 wirken in dieser Hinsicht organischer.

40. Im Prinzip hat Wildberger: ThZ 1957, S. 453–458 recht, wenn er folgert, daß Geladene wie Koch über die Bedeutung orientiert gewesen sein müßten und daß hier eine Parallele zu Kap. 8 im Sinne einer geheimen Absprache vorliege, in der abgeklärt wurde, unter welchen Voraussetzungen das Königtum zu übernehmen sei. Indessen verkennt dies einmal die Spannung im Text und ihre Überlieferungshintergründe, beurteilt auch die besondere Zahl hier nicht in ihrer Eigenart (vgl. dazu auch Weiser: Samuel, S. 51).

die von 𝔊 vertretene Rezension zu V. 25 (vgl. Anm. b) wie zu V. 26 (vgl. Anm. a) erklärt. Deutlich ist, daß nach der Absicht der ursprünglichen Erzählung das Gespräch, das die Geschichte weiterführt, in dem Augenblick erfolgt, als sich Saul am Morgen wieder auf den Weg macht; das bedeutet, vorbereitet durch 9,8 (vgl. o. S. 202), daß die eigentliche Entscheidung auf diesem Wege fallen soll. Da salbt Jahwe – bzw. Samuel in Jahwes Auftrag[41] – Saul zum נָגִיד über sein Erbteil[42]. Das ist also die Ausführung des Befehls von 9,16. Nun erscheint dieser Zeitpunkt, schon um der Bedeutung der Salbung willen, am ungeeignetsten; es hätte näher gelegen, sie auf der Opferhöhe[43] oder, wenn auf der Geheimhaltung so starkes Gewicht lag (9,27)[44], auf dem Dache zu vollziehen. Dazu tritt der Eindruck, daß im Blick auf die Wichtigkeit, die diesem Ereignis zukommen muß, die Darstellung sehr kurz ist und ganz hinter der Beschreibung dessen zurücktritt, was sich auf dem Wege ereignet. Dieser Eindruck wird durch die Erweiterungen von 𝔊 (vgl. Anm. b u. c zu 10,1) noch unterstrichen. Es kann sich dabei schwerlich um die ursprüngliche Rezension[45] handeln, weil solche Verkürzung einer theologisch klaren und gewichtigen Aussage zu bedenklicher Unklarheit schwer einsichtig gemacht werden kann. Die übliche Erklärung, Ausfall durch Homoioteleuton[46], berücksichtigt nicht, daß das V. 2 vorausgesetzte אות einen anderen Charakter haben müßte als V. 7, wo es in 𝔐 vorkommt. Hier wäre es nämlich Zeichen für etwas, was objektiv geschehen ist – und als solches überflüssig –, dort löste es in seiner Einmaligkeit die konkrete Tat aus[47]. Dieselbe Spannung[48] findet sich auch zwischen dem »zu einem anderen Mann verwandelt werden« (V. 6)[49] und dem anderen Herzen (V. 9)[50].

2–7 Es erscheint somit berechtigt, zuerst einmal nach Inhalt und Bedeutung dessen zu fragen, was auf dem Wege geschieht, unabhängig von den Fragen, die mit der Salbung im eigentlichen Sinne zusammenhängen[51]. Eine gewisse Stilverwandtschaft, Weissagungen von Ereignissen auf dem Weg, besteht zu 1 Reg

41. Salbung durch Propheten außer bei David (16,12f., mittelbar 2 Sam 12,7) noch bei Jehu berichtet (2 Reg 9,3.6.12; 2 Chr 22,7).

42. Der Gedanke, sonst vor allem Dt (4,20; 9,26.29) bezeugt, findet sich schon 2 Sam 20,19, kann also kein sicheres Indiz für die Entstehungszeit abgeben.

43. Wenn Michel (Studien zu den Thronbesteigungspsalmen. VT 1956, S. 46) diese Stelle als Beweis dafür nimmt, daß der Zustand des Königseins auch ohne Proklamation, nur durch direkte Anrede gegeben sein konnte, erkennt er zwar das Besondere dieser Stelle, berücksichtigt aber nicht die Überlieferungsfragen und überlastet sie daher.

44. 16,13 sind offenbar die Brüder als Repräsentanten der Kultgemeinde zugegen.

45. Obwohl es so fast ausschließlich von der Auslegung bis de Vaux, Hertzberg, van den Born angenommen wird. So übrigens auch Keller: Oth, S. 22.

46. Man darf mit einem Homoioteleuton wohl auch nicht zu mechanisch rechnen, denn diese Annahme setzt m. E. mit voraus, daß der ausgefallene Text auch inhaltlich leicht übergangen werden konnte; das ist hier aber nicht der Fall.

47. Vgl. Anm. c zu V. 7 und u. S. 209.

48. Diesen in der verschiedenen Stellung im Erzählungszusammenhang begründeten Unterschied beachtet auch Lys: Rûach, S. 120. 134 u. ö. nicht genügend.

49. V. 6. Beachte Anm. b.

50. V. 9. Beachte Anm. b.

51. Vgl. dazu ausführlicher VT 1957, S. 369.

13,11 ff., einer ausgesprochenen Prophetengeschichte[52]. Die Angaben des Itinerars weisen auf den Raum Benjamin. Die Gleichsetzung von צֶלְצַח mit צלע (vgl. Anm. b zu V. 2) leuchtet eher inhaltlich als sprachlich ein. Sehr unsicher bleibt auch die jetzt vorgeschlagene Ansetzung im Raume קִרְיַת יְעָרִים[53], obwohl sie unter der Voraussetzung, daß רָמָה = רָמָתַיִם (vgl. Erklärung zu 1,1) ist, gut passen könnte. Die einzelnen hier geschilderten Ereignisse sind hintergründig; sie sind ebenso im Erzählungsganzen verankert, wie sie untereinander zusammenhängen. Eine Auffassung, die nur den letzten beiden Symbolcharakter zuerkennt, das erste als bloßen Erzählungszug ansieht, ist von vornherein unwahrscheinlich[54]. Das Wiederfinden der Esel stellt einen Besitz wieder her, dessen Verlust die Wirkungsmöglichkeit der Familie beeinträchtigt hatte. Eine Beziehung zum Königtum in dem Sinne, daß ein Mann mit Königsauftrag sich um andere Dinge als um Esel zu kümmern habe[55], besteht nicht. In der gleichen Richtung wird das Geschenk der zwei Brote zu verstehen sein; auch hier ist daran zu erinnern, daß unterwegs das Brot ausgegangen war (9,7). Damit, daß darin eine Huldigung an den König[56], noch genauer eine Anerkennung des königlichen Rechtes auf die Gaben des Heiligtums liege, wie weithin angenommen wird[57], ist dieses Erzählungsglied überlastet[58]. Dieses Moment ist zweifellos im Bericht vom Mahl auf der Opferhöhe enthalten, wird aber auch dort nicht weiterverfolgt; hier wäre es unerträglich beiläufig erzählt. Für eine Huldigung wäre die Gabe außerdem zu gering, für einen Zehnten[59] zu groß. Die Situation ist in ihrer Bildhaftigkeit aus sich selbst verständlich: Pilger, die sich für ihren Weg mit Lebensmitteln versehen haben, geben hiervon dem bedürftigen Fremdling. Man kann dabei durchaus an den Erweis der freundlichen Gnade Gottes denken[60]. Darüber hinaus ist an die Ausrüstung zu erinnern, mit der der junge David an den Hof Sauls geschickt wird (16,20; s. dazu u. S. 311f.), wobei wohl an den Eintritt in den königlichen Heeresdienst gedacht ist. Die dritte Begegnung (mit der Prophetenschar) führt dazu, daß Saul den Geist empfängt. Dabei hat es keine Bedeutung, daß es sich um ekstatisches Prophetentum handelt: die Grenzen sind offenbar fließend gewesen, und schon in Mari ist die Ekstase nur ein Mittel, einen göttlichen Auftrag zu erfüllen, und steht neben eigentlichem Sehertum[61]. Auch diese Propheten

52. Gemeinsam ist übrigens auch die Einladung zur Mahlzeit, doch steht sie 1 Sam 9 unter anderem Vorzeichen.

53. Tsevat: HUCA 1962, S. 107–118; das »De Hierusalem usque in Silona, ubi fuit arca testamenti domini« des Pilgers Theodosius, auf das die Beweisführung sich mit stützt (a. a. O., S. 113), läßt sich ebenso wie das *ἐν Σηλω* vieler 𝔊 MSS wohl eher als Verwechslung aus bibelkundlicher Reminiszenz erklären.

54. So auch Tsevat: HUCA 1962, S. 117, der allerdings den symbolischen Sinn in einem in צֶלְצַח verborgenen צלח sieht.

55. Hylander: Komplex, S. 137.

56. So schon Budde; Tsevat, a. a. O.

57. Hylander: Komplex, S. 137; Buber: VT 1956, S. 134; Weiser: Samuel, S. 58; Tsevat: HUCA 1962, S. 117.

58. So schon Schulz.

59. Der Gedanke des Zehnten besonders bei Greßmann.

60. Hertzberg.

61. Zur Sache M. F. Th. Böhl: Prophetentum und stellvertretendes Leiden. Opera Minora 1953, S. 67.

hier haben ersichtlich eine enge Beziehung zu treuem Jahweglauben[62]. Die Frage, ob Samuel zu ihnen gehört oder mit ihnen zusammengearbeitet habe[63], ist ziemlich müßig; um so wichtiger ist es, die starke Verwurzelung der Samuelgestalt in prophetischer Überlieferung zu beachten, die nicht ausschließt, daß auf ihn auch politische Funktionen übertragen wurden[64], wozu an Debora und Barak (Jdc 4) zu erinnern wäre. Handelt es sich um die Geistbegabung, wie sie von den charismatischen Führern bekannt ist, müßte sie nun zu einer konkreten Tat führen. Diese Tat scheint im ursprünglichen Überlieferungsbestand wirklich 13,3 enthalten zu sein[65]. Das wird jetzt dadurch verdunkelt, daß durch kompositorische Einschübe alte Zusammenhänge zerrissen sind[66]. Hinsichtlich des Verhältnisses von Zeichen und Geistbegabung ist zu beachten, daß letztere nicht nur als nebiistisch, also als bloße Erregung angesehen werden darf[67]. Wenn sie schon ihr Ende gefunden hat, als Saul nach Hause gekommen war, hängt das mit der jetzigen Komposition zusammen, die vielleicht sogar einen neuen Einsatz nötig machte, so daß die Heimkehr doppelt erzählt wäre[68].

Mit den einzelnen Ereignissen wird Saul in strenger Sachbezogenheit Schritt um Schritt an seinen Auftrag dadurch herangeführt, daß er für ihn ausgerüstet wird. Es sind also nicht bloße Hilfsweissagungen, die die Salbung als wirksam oder Samuel als zu ihrer Vornahme berechtigt ausweisen sollen[69] und die darum beliebig durch andere ersetzt werden könnten[70]. Wenn auch, wie schon gesagt, das Überspringen des Geistes durch die Begegnung mit den Propheten ausgelöst wird und sich entsprechend äußert, so erschöpft sich die Bedeutung dieses Zuges doch nicht darin, auf etwas anderes hinzuweisen[71], sondern er ist selber Zielpunkt, denn dann soll Saul losschlagen, weil Jahwe mit ihm sein wird (V. 7); diese Zusage steht im Zusammenhang prophetischer Überzeugung von der rettenden Hilfe Jahwes im Heiligen Krieg[72]. Durch diese Doppeldeutigkeit gehört die Geistbegabung nicht mehr zu den Zeichen im eigentlichen Sinne. Es ist verständlich, wenn in der Auslegung Unsicherheit darüber besteht, ob das dritte

62. Rolf Rendtorff: Erwägungen zur Frühgeschichte des Prophetismus in Israel. ZThK 1962, S. 145 ff.; vgl. dazu auch Eißfeldt: BAL 104/5. 1968, S. 42, wenngleich die Beziehung zu Ps 78 wohl zu weit geht.

63. Bright: History, S. 166.

64. Zu einer Analogie in Mari vgl. A. Finet: A: Une affaire de disette dans un district du royaume de Mari. RA 1959, S. 57–69.

65. So auch Wiener: Composition, S. 11.

66. Sie haben in 13,3 zur Ersetzung des Namens Sauls durch Jonathan geführt; vgl. u. S. 247.

67. Beyerlin: ZAW 1961, S. 188.191.

68. Isaac Leo Seeligmann: Hebräische Erzählung und biblische Geschichtsschreibung. ThZ 1962, S. 320, was zugleich ein starkes Argument für ursprüngliches גִּבְעָה in V. 13 (Anm. a) wäre.

69. Etwa Hertzberg, auch Caspari, Greßmann u. a.

70. Keller: Oth, S. 51 f.

71. Was Beyerlin: ZAW 1961, S. 188 (ähnlich Soggin: ZAW 1963, S. 61 u. a.) verkennt, wenn er einseitig nur von prophetischer Geistbegabung spricht, die mit charismatischem Führertum nichts zu tun hat.

72. Vgl. etwa Dt 20,4; Jos 1,9; Jdc 6,12; es entspricht der in größerem Rahmen gegebenen Versicherung, daß Jahwe für sein Volk streiten werde (vgl. von Rad: Krieg, S. 9).

»Zeichen« sekundär hinzugefügt sei[73] – dagegen spräche aber von vornherein die beabsichtigte Dreizahl –, oder ob sich das כָּל־הָאֹתוֹת הָאֵלֶּה V. 9 nur auf das letzte Zusammentreffen beziehe[74]. Wenn entgegen epischem Erzählungsstil nur das Eintreffen der dritten Vorhersage genau beschrieben wird, so hängt das wohl mit dem Gewicht zusammen, das diesem letzten auslösenden Ereignis zukommt. Darüber hinaus läßt sich aber vermuten, daß hier eine Umdeutung eingetreten ist, die auf der einen Seite zur Kürzung des ursprünglichen Erzählungsgutes führte, auf der anderen Seite vielleicht aber auch zur Einfügung des in sich nicht widerspruchslosen Begriffes der Zeichen[75], deren Nennung, wenn ursprünglich, man eigentlich schon 10,2 erwarten müßte[76]. Somit besteht aber, wenigstens in der Darstellung der Anfänge des Königtums, kein ursprünglicher und organischer Zusammenhang zwischen Salbung und Geistbegabung[77], wie oft verallgemeinernd angenommen wird[78]. Beide stehen an sich auch in einem gegensätzlichen Verhältnis zueinander; die Salbung bewirkt einen character indelebilis[79], der Kap. 24 und 26 für Saul auch nach dem Verlust des Geistes fortbesteht. Auch sonst wird an keiner Stelle der Saulgeschichte Geistbegabung und Salbung in Zusammenhang zueinander gebracht[80]. Dazu kommt, daß hier ein sehr deutlicher zeitlicher Abstand vom einen zum anderen besteht, dies im Unterschied zu 16,13[81], wo beide untrennbar zusammengehören und keine zeitliche Grenze haben. Diese Spannung ist aber nicht so zu erklären, daß hier ein ursprünglicher Bericht novellistisch um die Vorhersage zweier Zeichen erweitert wurde[82]; unzureichend und m. E. widersprüchlich ist auch die Auffassung Beyerlins[83], daß es für die hier vorliegende Form des Königscharismas noch keinen geprägten Ausdruck gegeben habe. Zutreffend weist Weiser darauf hin[84], wie hier noch um das Verständnis des Königtums gerungen wird. Das ist richtig und auf jeden Fall unabhängig davon, wie man Einzelheiten des Textes auslegt. Der Befund kann m. E. nur so interpretiert werden, daß der ursprüngliche Bericht, der den Rahmen für die heutige Form der Erzählung abgibt (vgl. o. S. 201), nur von einer charismatischen Begabung weiß, die durch den prophetischen Seher vorhergesagt wird; sie ist damit gegen jeden Verdacht menschlicher Einwirkung gesichert. Die Wurzel des israelitischen Königtums liegt also im Charismatischen[85]. Dieser in sich ge-

73. So van den Born.
74. So Schulz.
75. Vgl. Weiser: Samuel, S. 57, der die Einfügung allerdings nicht auf den Begriff אתות begrenzt, sondern ihn für das erste und zweite Zeichen auch auf die Sache ausdehnt.
76. Zu 𝔊 vgl. Anm. c zu 10,1.
77. Vgl. zur Sache Lys: Rûach, S. 45 ff. 89.
78. Vgl. etwa de Fraine: L'aspect, S. 192 f. (dort weitere Literaturangaben); Lys: EThR 1954, Nr. 3, S. 31; jetzt auch Beyerlin: ZAW 1961, S. 188.
79. Vgl. Anm. b zu V. 6.
80. Weiser: Samuel, S. 58.
81. Vgl. Lys: Rûach, S. 193.
82. Hylander: Komplex, S. 231.
83. A. a. O., S. 191.
84. Samuel, S. 60.
85. Vgl. o. S. 180; vor allem auch Soggin: ZAW 1963, S. 55.

schlossene Vorstellungskreis wird durch den Gedanken der Salbung erweitert, der sich nicht reibungslos in den eigentlichen Rahmen einfügt und so erkennen läßt, wie man auch das mit der Salbung gegebene Neue als geradlinige Fortsetzung des Alten zu übernehmen bemüht war[86]. Das gilt natürlich nur für die Wurzel; es ist schwer, wenn nicht unmöglich, zu entscheiden, ob diese Salbung erst David oder schon Saul realiter zuteil wurde[87], das hieße wohl, mit der Akklamation verbunden war[88]. Gegen letzteres spräche, daß 10,17–27 nichts von der Salbung gesagt wird (vgl. u. S. 218). Mit dieser Frage würde die andere zusammenhängen, ob das Königtum von vornherein dynastisch gedacht gewesen ist[89].

Die mit der Salbung und dem Salböl, seiner reinigenden und heilenden Wirkung verbundenen Vorstellungen stammen aus magischen Bereichen. Sie können hier außerhalb des Ansatzes bleiben. Es genügt, die Frage auf den Fall der Königssalbung zu begrenzen, wo Salbung zu einem Rechtsakt geworden ist oder doch einen solchen begleitet[90]. Deutlich ist, daß sie sakralen Charakter hat und dem Empfänger Kraft, Macht, Ehre vermitteln soll[91]. In dieser Beziehung steht sie im Gegensatz zu alttestamentlichem Denken[92] und gehört offenbar zu dem mit dem Königtum übernommenen außerisraelitischen Brauchtum[93]. Schwerer zu entscheiden ist die Frage nach der Herkunft. Die Sache findet sich mit Sicherheit einmal auf ägyptischem Boden, wo nach gelegentlichen Zeugnissen hohe Beamte bei der Einsetzung in ihr Amt durch den Pharao gesalbt wurden[94]. Der Akt ist also als Ausstattung mit königlichen Vollmachten zu verstehen. In dieser Richtung ist auch die Salbung eines syrischen Vasallen durch den Pharao Thutmosis III. zu begreifen[95]. Dabei ist besonders interessant, daß sich hier der Enkel unter Berufung auf die Salbung seines Großvaters an den Pharao wendet, die Salbung also so etwas wie eine legitime Nachfolge einleitet[96]. Die Tatsache, daß die Handlung vom Pharao vollzogen wird, hat im AT ihre Entsprechung an den Stellen, wo der König durch den Propheten, also von Gott gesalbt wird[97]. Zahlreicher stehen neben diesen die anderen Stellen, wo die Salbung eines Königs durch das Volk vorgenommen wird[98]. Dafür liegen ausgeprägte und sichere Analogien aus dem hethitischen Bereich vor[99]. Daß hethitische Vorstellungen noch lange, nachdem die Hethiter direkten Einfluß auf das Gebiet Palästina verloren hatten, lebendig waren, darf man auch aus anderen Analogien vermuten[100], wenn man natürlich immer auch für die Möglichkeit offen bleiben muß, daß es sich z. T. um spontane Neuschöpfung handeln kann. Ein Einfluß auf Israel kann aber nur mittelbar

86. Dazu Stoebe: VT 1957, S. 368.
87. Im Sinne eines grundsätzlichen Unterschiedes zu dem alten Charismatikertum, so Beyerlin: ZAW 1961, S. 190.
88. Alt II, S. 21ff.
89. Beyerlin: ZAW 1961, S. 196.
90. Vgl. dazu Kutsch: Salbung, S. 52ff.
91. Kutsch: Salbung, S. 33.
92. So auch Beyerlin: ZAW 1961, S. 192.
93. An eine Übernahme von den Amoritern dachte schon Hugo Greßmann: Der Messias. 1929, S. 5. Die Möglichkeit einer spontanen Entstehung des Brauches auf palästinischem Boden scheidet wohl von vornherein aus (vgl. Martin Noth: Amt und Berufung im Alten Testament. 1958, S. 15).
94. Näheres bei Kutsch: Salbung, S. 34.
95. EA 51, 6.8 (I. A. Knudtzon: Die El-Amarna-Tafeln. 1915, S. 318f.).
96. Daß es sich um eine Amtsweihe handelt und daß die Königssalbung im näheren Bereich des Orients sonst fehlt, könnte gerade gegen ein sakrales Verständnis des israelitischen Königtums sprechen; ein von Natur göttlicher König bedurfte der Weihe durch die Salbung nicht (Martin Noth: Amt und Berufung im Alten Testament. 1958, S. 16).
97. 9,16; 10,1; (11,15 𝔊); 15,1; 16,12; 2 Sam 12,7; 2 Reg 9,3.6.12 (2 Chr 22,7).
98. 2 Sam 2,4.7; 5,3; 19,11; 1 Chr 11,3; weiter noch 2 Reg 11,12; 23,30.

auf dem Weg über die palästinischen Vorbewohner erfolgt sein. Daß die Vorstellungen geläufig waren, zeigt ja die Jothamfabel (Jdc 9,8–15)[101]. Es ist jedenfalls eine Berührung mit einem eingeführten Königtum dieser Art anzunehmen. Da Saul offenbar der nichtisraelitischen Landbevölkerung gegenüber eine sehr reservierte Stellung eingenommen hat[102], erscheint es wahrscheinlich, daß die Salbung auf dem Wege über das Jerusalemer Stadtkönigtum, oder was davon noch bestand, Eingang, dann aber in Juda, gefunden hat. Man kann auch die beiden Typen der Salbung nicht auf Nord und Süd aufteilen[103]. Dagegen spricht, daß gerade von Saul eine Salbung durch das Volk nicht berichtet ist, daß andererseits mit einer Ausnahme[104] Salbungen nur von den judäischen Königen erzählt werden, was sicherlich mehr als nur Zufall und keine Überlastung des argumentum e silentio ist. Die Salbung kann deswegen auch nicht als ein Bestandteil der Akklamation angesehen werden[105]. Im übrigen muß die Spannung zwischen den beiden Möglichkeiten des Vollzuges festgehalten werden, ohne daß es möglich erscheint, gerade daraus gesicherte Folgerungen zu ziehen. Auch wenn die Salbung erst unter David festen Eingang gefunden hat, bliebe es doch verständlich, daß die Überlieferung sich darum bemüht hat, dieses Neue gleich an den Anfang des Königtums zu setzen und ebenfalls durch Jahwe sanktionieren zu lassen. Auffallend ist jedenfalls auch, daß außer 15,1 (vgl. dazu u.) sonst von der Salbung Sauls nur in Verknüpfung mit der Davidsgeschichte geredet wird.

8–16 Diese Erzählung, die ihrer ursprünglichen Anlage nach darauf hindrängt, daß der vom Geist ergriffene Saul eine charismatische Tat tut, wird jetzt durch drei retardierende Elemente unterbrochen.

Die Aufforderung, ins Gilgal hinabzuziehen (V. 8), ist im Vorhergehenden nicht begründet, steht sogar im Widerspruch dazu; es wird im Folgenden erst 13,7b–15 wieder darauf Bezug genommen. Versuche, den Vers harmonisierend aus seinem Zusammenhang heraus zu verstehen[106], können nicht gelingen. Der Vers wird deswegen seit Wellhausen[107] vielfach[108] als verbindende Glosse zu 13,7bff. angesehen. Nun ist aber der inhaltliche Zusammenhang dieses Kapitels mit dem Kern des Kap. 13 Berichteten so eng[109], daß eine verbindende Glosse nicht wahrscheinlich ist. Ebensowenig kann die Annahme befriedigen, daß der Vers von seinem ursprünglichen Zusammenhang versprengt ist[110]. Eher handelt es sich bei 10,8 und 13,7bff. um eine gemeinsame Überarbeitung, die allerdings nicht

99. Kutsch: Salbung, S. 36ff.

100. Ich verweise auf Herbert Donner: Amt und Herkunft der Königinmutter im Alten Testament. In: Festschrift für J. Friedrich. 1959, S. 106–145; auch Baltzer: Bundesformular, S. 19ff.

101. Die inhaltlich den Typus Salbung durch das Volk repräsentiert.

102. Vgl. u. zu 2 Sam 21,2ff.

103. Kutsch: Salbung, S. 52ff.

104. Jehu 2 Reg 9,6; doch fällt das insofern aus dem Rahmen heraus, als in der parallelen Elialegende 1 Reg 19,15f. mit der Salbung Jehus auch die Salbung Hasaels und die Salbung Elisas zum Propheten befohlen ist.

105. Vgl. etwa Alt II, S. 22f.

106. So etwa Dhorme.

107. Composition, S. 248.

108. Z. B. Budde, Nowack, Smith.

109. Vgl. Eißfeldt: Komposition, S. 8.56f. Für Ursprünglichkeit im Kontext auch Hylander: Komplex, S. 161; Caspari.

110. Z.B. Greßmann, Rehm; Joh. Göttsberger: Ist auch Saul unter den Propheten. ThGl 1912, S. 368–374; 1913, S. 396–398, ihm folgend versetzt Schulz das ganze Stück 5–13 nach Kap. 13. Vgl. dazu auch Eißfeldt, der seinem Quellenstrang II zurechnet 9,1–10,16; 11,6a; 13,3bα. 4b–5. 7b–15, was von vornherein sehr künstlich ist.

sekundär deuteronomistisch zu sein braucht[111]. Sie weiß davon und unterstreicht nachdrücklich, daß diese spezielle Überlieferung von der Entstehung des Königtums an das Heiligtum vom Gilgal geknüpft ist[112]. Da die Darbringung von Opfern unter dem Vorzeichen der Vorbereitung zum Heiligen Krieg steht, also eng mit dem Kontext zusammengehört, ist es berechtigt, hier an die Einarbeitung einer besonderen Ausprägung der Gilgalüberlieferung[113] zu denken, die durch die Frage nach dem Grund für die Katastrophe Sauls bestimmt war.

In V. 11f. handelt es sich um die Ätiologie einer landläufigen Redensart, die 19,24 mit einer anderen Motivation erklärt wird. Wohl scheint die Verankerung im Text hier besser[114], doch ist die Verbindung auch hier nachträglich und im Inhalt, nämlich der prophetischen Raserei, begründet. Die Herleitung aus einem Wortspiel der Volksetymologie[115] dürfte jedenfalls nicht ausreichen. Nach 19,24 hat die Redensart deutlich abwertenden Charakter; das ist aber nicht nur dort so[116], sondern da der Tenor solcher Worte konstant zu sein pflegt, ist die gleiche Bedeutung auch hier anzunehmen. Sie kommt besonders in der Frage 12a zum Ausdruck, für deren Tilgung[117] somit kein Grund besteht. Der Sinn ist also nicht prosaulidisch[118] – auch nicht in der Weise, daß der Sohn des angesehenen Kis ebensogut Prophet sein könne wie jeder andere, weil Prophetengeist frei wirksam sei[119] – sondern umgekehrt die Verwunderung, wie ein junger Mann aus gutem Hause unter solche Leute kommen kann[120]. Das darin liegende abschätzige Urteil über die Propheten wird auch auf Saul ausgedehnt, was zweifellos in Spannung zur Meinung des Kontextes steht. Jedenfalls darf es nicht durch einen Vergleich mit Act 2 in ein positives Urteil[121] geändert werden. Die Entstehung dieser Redensart möchte man – mit aller Vorsicht, beweisbar ist das nicht – im Zusammenhang mit Auseinandersetzungen vermuten, die zwischen dem charismatischen Führertum und dem mit dem späteren Königtum gegebenen Neuen bestanden haben werden. Auch das macht deutlich, daß es sich um eine nachträgliche, dem eigentlichen Zusammenhang fremde Erweiterung handelt.

Die letzte Erweiterung ist die Frage von Sauls Onkel V. 14–16. Die Verse können nicht als Schluß der Geschichte von der Eselsuche[122] angesehen werden, denn die hat ihren Schluß im Überspringen des Geistes. Außerdem müßte man bei dieser Annahme mit dem Ausfall wichtiger Erzählungselemente rechnen[122]. Das darf man aber nur von solchen Stücken annehmen, die für den Zusammen-

111. Schunk: Benjamin, S. 108.
112. Vgl. dazu auch Schunck: Benjamin, S. 107.
113. De Vaux spricht direkt von einer besonderen Quelle.
114. Buber: VT 1956, S. 140.
115. Klostermann נָבִיא = אֵין אָבִי, zustimmend Dhorme, Buber.
116. Buber: »dürftige Bosheit«.
117. Wellhausen, Löhr.
118. Buber: VT 1956, S. 140.
119: Etwa Driver, Löhr, Rehm.
120. Budde, zuletzt de Groot, de Vaux, überhaupt die meisten.
121. Hertzberg.
122. Z. B. Schulz.

hang keine tragende Bedeutung haben. Das Ganze bleibt irgendwie blaß und verschwommen; die Gestalt des Onkels ist zu wenig profiliert, als daß man eine Sonderüberlieferung postulieren könnte, nach welcher der Onkel Saul zu Samuel geschickt habe[123]. Abgesehen davon, daß ein solches Recht nur dann bestanden hätte, wenn Sauls Vater schon tot war[124], fällt auf, daß der Onkel, der sonst mit Namen bekannt ist[125], hier so unbestimmt bleibt[126]. Die Erklärung von Ap-Thomas (s. Anm. a zu 10,14) beurteilt, abgesehen von sonstigen Unwahrscheinlichkeiten, auch den historischen Charakter der Überlieferung falsch. Viel eher scheint mir das in דוד ja auch liegende Moment der Liebe, des Lieblings zu berücksichtigen zu sein, so daß der Sinn sein könnte: auch seinem vertrautesten Freunde verriet Saul nichts von der Sache. Diese Erweiterung setzt den Text in der Gestalt voraus, in der er heute vorliegt, gehört selber aber genau genommen zum Motivkreis der Salbung, deren Heimlichkeit sie nachdrücklich unterstreicht. Sie könnte ihren Grund darin haben, daß es auffiel, daß in der folgenden Darstellung sich nichts mehr auf diese Salbung zurückbezog. Sicherheit läßt sich darüber natürlich nicht mehr gewinnen.

123. Hylander: Komplex, S. 145ff.
124. Schon Smith.
125. 14,50.
126. Es ist verständlich, wenn Budde das דוד einfach auf Ner deutet.

10,17–27 Losentscheid und Königsjubel

17 Samuel rief das Volk zu Jahwe nach Mizpa[a] zusammen. 18 (Dort) sagte er zu den Israeliten: »So spricht Jahwe, der Gott Israels: Ich war es, der Israel aus Ägypten herausgeführt hat; ich habe euch errettet aus der Hand[a] Ägyptens und aus der Hand aller Königreiche[b], die euch bedrückten[c]. 19 Ihr aber habt heute euren Gott verworfen, der[a] euch errettete aus allen euren Bedrängnissen und Nöten[b] und habt gesagt, ⟨nein⟩[c], einen König sollst du über uns einsetzen. Nun stellt euch auf[d] vor Jahwe nach[e] euren Stämmen und Familien[f].« 20 Also ließ Samuel alle Stämme Israels herantreten[a], da wurde der Stamm Benjamin ausgelost[b]. 21 Und er ließ den Stamm Benjamin herantreten nach seinen Sippen[a], da wurde die Sippe Matri[b] ausgelost[c], und dann wurde Saul, der Sohn des Kis ausgelost, und sie suchten ihn, aber er war nicht zu finden. 22 Da fragten sie[a] noch einmal bei Jahwe an[b]: »Kommt (denn) noch jemand hierher[c]?« Jahwe gab zur Antwort: »Seht doch, er hält sich bei dem Gepäck verborgen[d].« 23 Da liefen sie und holten[a] ihn von dort; und als er sich in die Mitte des Volkes stellte, war er einen Kopf größer als alles Volk[b]. 24 Und Samuel sagte zu dem ganzen Volk: »Habt ihr den gesehen[a], den[b] Jahwe erwählt hat? Keiner im Volk[c] ist ihm gleich.« Da jubelte[d] das ganze Volk und schrie: »Es lebe

der König[e].« 25 Dann verkündigte Samuel dem ganzen Volk das Königsrecht[a] und schrieb es in ein Buch[b] und legte es vor Jahwe nieder; darauf entließ Samuel das ganze Volk, einen jeden nach Hause. 26 Auch Saul ging in sein Haus nach Gibea, und mit ihm zog der Heerbann[a], soweit sie Gott[b] im Herzen gepackt hatte. 27 Einige aber, wertloses Pack[a], schmähten: »Was kann uns der schon helfen?« und bezeigten ihm Verachtung[b] und brachten ihm keine Geschenke[c]; er aber verhielt sich, als sei er stumm[d].

17 a) Zu Mizpa vgl. den Exkurs S. 215.

18 a) 𝔊 *Φαραὼ βασιλέως Αἰγύπτου*, Erweiterung, schwerlich aus der Örtlichkeit des Übersetzers zu erklären (so de Boer: Research, S. 59), sondern als in der Sache begründete ebenfalls mögliche Lesart (vgl. ebenso Jdc 6,9 wie 2 Reg 17,7). 𝔖 schließt mit p^e*lištîn* an 7,1 an. b) 𝔙 = מְלָכִים, vgl. *Φαραώ* 𝔊. c) Deuteronomistischer Ausdruck, vgl. Jdc 2,18; 4,3. Zur Konstruktion vgl. Ps 68,33 und GK § 145h; BroS § 59c. Unnötig die Tilgung von לֹחֲצִים (Smith) oder מַמְלָכוֹת (Budde; Dhorme aus quellenkritischen Gründen).

19 a) BroS § 152a. b) Vgl. Dt 31,17.21; Jer 15,11. Die Annahme einer Nebenlesart erübrigt sich. c) Vgl. 2,16; mit 𝔊𝔖𝔙 und den meisten Auslegern in לֹא zu ändern (anders de Boer: Research, S. 64). כִּי ist dann nicht emphatische Partikel, sondern als כִּי אִם aufzufassen (schon Cappellus, S. 435 wollte in לִי ändern). Zur Sache vgl. noch S. Grill: Die Partikeln lo, lô, lû, lî. BZ 1957, S. 278. d) Vgl. Jos 24,1. e) BroS § 107i, unmöglich Casparis Streichung des ל vor שִׁבְטֵיכֶם f) Hier nicht die Tausendschaft, sondern die Unterabteilung des Stammes, vgl. Jos 7,14 und Jdc 6,15.

20 a) Vgl. Jos 7,17. Wie der Vollzug genau vorzustellen ist, bleibt auch hier im Dunkeln. Vgl. zu 14,41 (Lindblom). b) Terminus technicus der Orakelbefragung (dazu R. Preß: Das Ordal im Alten Testament. ZAW 1933, S. 230).

21 a) Lies mit 𝔊𝔗𝔖 Qere לְמִשְׁפְּחֹתָיו, 𝔙 ומשפחתיו. b) Der Name ist sonst nicht genannt (𝔊^L *μαχιρ* wie 9,1, vgl. dort) und darum unerfindbar und ebensowenig in מַטְרֵד (Caspari nach Gn 36,39) wie in הַבִּכְרִי (nach 1 Sam 9,1; 2 Sam 20,14, aber beides unsicher) zu ändern, obwohl dies häufig geschieht (vgl. BH^3, so schon Ewald: Geschichte III, S. 32). Zur Namensbedeutung (geboren zur Zeit des Regens) s. Ph. Reymond: L'eau, sa vie et sa signification dans l'Ancien Testament. VTS 6. 1958, S. 19. c) 𝔊 + *καὶ προσάγουσιν τὴν φυλὴν Ματταρεὶ εἰς ἄνδρας*, wonach zumeist unter Verweis auf Jos 7,17 וַיַּקְרֵב אֶת־מִשְׁפַּחַת הַמַּטְרִי לַגְּבָרִים eingefügt wird (schon Thenius, Wellhausen bis de Vaux, Hertzberg; ausdrücklich dagegen Schulz, der mit Recht auf den Numeruswechsel in *προσάγουσιν* hinweist). 𝔊 folgt hier einer Rezension, die (wohl nachträglich?) aufgefüllt wurde (vgl. auch 9,25; 10,1 u. a.), was die Sache selbst nicht sonderlich erhellt, denn nun bleibt es unklar, wie denn der nicht anwesende Saul durch das Los getroffen werden konnte. Nicht besser וַיּוֹלִיכֶם לַאֲנָשִׁים (Caspari).

22 a) 𝔊𝔖 haben Samuel als Subjekt, was tatsächlich besser in den Zusammenhang paßte. b) Klostermann versucht, die bestehende Spannung durch die Übersetzung »mit feierlichem Eide bei Jahwe auffordern« zu beseitigen, was allerdings noch weitere Textänderungen nach sich zieht. c) So 𝔐; 𝔊𝔗𝔖 scheinen הָאִישׁ vorauszusetzen, was von allen Auslegern übernommen wird, da es besser zu V. 21 und 22b passe. Dabei ist nicht berücksichtigt, daß 𝔐 einen in sich klaren Gedanken ausdrückt (בָּא Part.) und darin noch eine andere Überlieferung erkennen läßt. Das zweite עוֹד fehlt naturgemäß 𝔊𝔙 und wird dann entweder gestrichen (z. B. Wellhausen, S. R. Driver, Smith, Dhorme, de Vaux) oder als עַד vokalisiert (Schulz, Caspari, Rehm, Hertzberg). Andere Vorschläge sind frei aus dem vorausgesetzten Zusammenhang heraus konstruiert (Klostermann הַנֶּחְבָּא; Bruno: Epos, S. 62 אֵי יֵשׁ; Wutz: Systematische Wege, S. 106 הזאב איש »vermißt wird ein Mann«). d) Vgl. שֹׁמֵר הַכֵּלִים 1 Sam 17,22. In diesem Rahmen ist die Nennung unmotiviert, die Erklärung »das Gepäck der in Mizpa Versammelten« gekünstelt. Unverständlich Bruno: Gibeon, S. 64 הֵיכָל.

23 a) 𝔊 Sg. mit Samuel als Subjekt, in Konsequenz der V. 22 gebotenen Textform. b) Vgl. 9,2.

24 a) GK § 22s, 100 l. b) 𝔊 *ἑαυτῷ* (danach Peters: Beiträge, S. 204f.), sicher Mißverständnis.

c) 𝔊 ἐν ὑμῖν konkretisiert die Darstellung über 𝔐 hinaus; eine Änderung in בְּכֻלְּכֶם (Dhorme, Budde, Smith) ist deswegen unbegründet. d) 𝔊 καὶ ἔγνωσαν, in der intellektualisierenden Linie der 𝔊 liegende Verlesung. Zum Königsjubel vgl. Paul Humbert: La »terou'a«. Neuchâtel 1946, S. 34ff. Zum Charakter der תְּרוּעָה als Akklamationsruf vgl. auch D. Michel: Studien zu den sogenannten Thronbesteigungspsalmen. VT 1956, S. 46ff. e) Vgl. 2 Sam 16,16; 1 Reg 1,25.39; 2 Reg 11,12. Die Deutung der Jussivformen als Indikative (P. A. H. de Boer: Vive le Roi. VT 1955, S. 225–231) vermag hier nicht zu überzeugen.

25 a) 𝔊 δικαίωμα τοῦ βασιλέως wie zu 8,11. b) GK § 126s; BroS § 21bβ. Zur Sache vgl. Ex 16,33; Dt 31,26 (Dt 17,18); 2 Reg 22,8. Dazu auch Jirku: Kommentar, S. 184.

26 a) 𝔊 υἱοὶ δυνάμεων, übliche Standardübersetzung (de Boer: Research, S. 56), was die danach weithin vorgenommene Ergänzung eines בְּנֵי (BH[3]) übersieht; sie ist weder durch das folgende בְּלִיַּעַל zu begründen (so Wellhausen) noch überhaupt nötig (so Hertzberg). Caspari will es (auch unrichtig) ganz streichen. חַיִל ist hier als Einheit gefaßt und denkt an den Heerbann. 𝔗 theologisiert in גִּבָּרִין דָּחֲלֵי חִטְאָה (Anklang an חַיִל). b) 𝔊 κύριος.

27 a) Wie Dt 13,14; Jdc 19,22; 20,13; 1 Sam 2,12; 25,17; 2 Sam 16,7; 20,1; 1 Reg 21,10.13 »Unkraft«, anders G. R. Driver: Hebrew Notes. ZAW 1934, S. 52f. Zur Sache Pedersen: Israel I/II, S. 431f. (vor allem zu Ps 18,5; 41,9) und Galling: RGG I. 3. Aufl. 1957, Sp. 1025. Ein בְּלִיַּעַל ist ein Verletzter des Gottesrechtes. Vgl. jetzt auch V. Maag: B^{e}lijaʿal im Alten Testament. ThZ 1965, S. 287–299. »Verfehmter« (so Caspari) ist zu schwach. Vgl. dazu Ex 22,27 und s. T. Stenhouse: Baal and Belial. ZAW 1913, S. 295ff. b) 1 Sam 17,42. Jahwe als Objekt Num 15,31; 1 Sam 2,30; 2 Sam 12,9.10. c) מִנְחָה kultischer Ausdruck; zum Charakter der Huldigungsgabe vgl. (mit verschiedenem Objekt) Gn 32,14.19; Jdc 3,15; 6,18; 2 Sam 8,2.6; 2 Reg 8,8. 𝔗 darum auch hier theologisch abschwächend למשאל בשלמיה. d) 𝔗𝔖 = 𝔐 (so auch und mit Recht Rehm, Hertzberg; de Boer: Research, S. 54). 𝔊𝔏 liest καὶ ἐγενήθη ὡς μετὰ μῆνα (𝔙 = 𝔊 + 𝔐) und zieht es zum Folgenden (was kaum auf einer Verwechslung von ר und ד allein beruht; so de Boer: Research, S. 54). Danach wird von der Mehrzahl der Ausleger in וַיְהִי כְּמֵחֹדֶשׁ (vgl. BH[3]) geändert (Ehrlich מֵחֹדֶשׁ יָמִים; Wiener: JPOS 1928, S. 125 כְּאַחֲרֵי חֹדֶשׁ) und unter Verkennung des Zusammenhanges mit dem Folgenden verbunden.

10,17–27 LOSENTSCHEID UND KÖNIGSJUBEL. Dadurch, daß nach 10,10 der ursprüngliche Bericht mit dem Eintreffen des letzten Zeichens abbricht, ist Raum für die Krönungsgeschichte V. 17–27 geschaffen. Inhaltlich ist diesen Versen zwar mit Kap. 9–10,16 gemeinsam, daß Saul als relativ jung und unbedeutend (vgl. zu V. 22) vorgestellt wird; indessen wird in ihnen weder die Salbung – nach der eine Loswahl nicht nur überflüssig, sondern geradezu Sakrileg wäre – noch überhaupt eine frühere Begegnung Samuels mit Saul vorausgesetzt. Die Abweichungen von 𝔊 zu V. 22 (vgl. Anm. a u. c) lassen schon das Bemühen erkennen, einen stärkeren Ausgleich zwischen beiden Berichten herzustellen; das läßt zunächst vermuten, daß die hier vorliegende Überlieferung nicht eine wesentlich andere Absicht hat als die von 9–10,16. Auf der andern Seite schließt sie inhaltlich eng an 8,22 an. Das הַיּוֹם V. 19 ist wohl geradezu dahin zu verstehen, daß wenigstens für den Bearbeiter die in Kap. 8 und 10,17ff. berichteten Ereignisse auf einen Tag zusammenfielen[1]. Sie werden jetzt durch den redaktionellen V. 8,22b (vgl. Anm. a) getrennt, um 9–10,16 einfügen zu können; das mag schon im Stadium der vorliterarischen mündlichen Überlieferung geschehen sein. Der Unterschied zwischen זִקְנֵי יִשְׂרָאֵל 8,4 und dem עָם 8,6.10; 10,17, bzw. den אַנְשֵׁי יִשְׂרָאֵל 8,22 hat nicht das Gewicht, das ihm bisweilen zugeschrieben wird[2]; eher gälte das

1. Hertzberg. 2. Z. B. Weiser: Samuel, S. 63.

von der Unterscheidung zwischen הָרָמָתָה 8,4 und הַמִּצְפָּה 10,17, doch begründet auch sie nicht die Annahme, daß mit 10,17 eine grundsätzlich neue Überlieferung einsetzt[3]. Ebensowenig führt sie zwingend darauf, daß Kap. 8 im Unterschied zu 10,17ff. freie Komposition des Deuteronomisten ohne Überlieferungsgrundlage sei[4], die nur aus Rücksicht auf 9–10,16 geformt wurde, denn ohne eine solche Einfügung hinge nicht nur 10,17–21 sondern auch 10,21b–27 in der Luft. Diese Verschiedenheiten lassen wohl an zwei Phasen des Geschehens denken, die aber nicht voneinander getrennt zu sein brauchen, da die Ältesten die gegebenen Repräsentanten des Volkes sind[5], außerdem Mizpa und Rama nur in sehr geringer Entfernung voneinander gelegen haben werden.

Das für die Entstehung des Königtums so wichtige Mizpa wird (abgesehen von Jos 18,26)[6] einmal Jdc 20–21[7], dann wieder in der späteren Königsgeschichte (1 Reg 15,22; 2 Reg 25,23; Jer 40–41) und schließlich auch Neh 3,15 genannt. Dabei ist von vornherein anzunehmen, daß es sich in allen Fällen um denselben Ort handelt[8]. Für eine Übertragung der bei der Königskür geschilderten Vorgänge auf das Mizpa der späteren Königszeit[9] ist kein rechter Grund einzusehen. Die Lokalisierung schwankt zwischen dem nordwestlich von Jerusalem gelegenen *en-nebi samwīl*[10] und dem 11 km nördlich von Jerusalem an der Hauptstraße in wichtiger Verkehrslage gelegenen *tell en-naṣbe*[11]. Gegen die Annahme des *en-nebi samwīl* scheint mir zu sprechen, daß die steile Kuppe für die Entwicklung eines Ortes keine rechte Möglichkeit bot; außerdem ist der archäologische Befund für die Annahme nicht sehr günstig[12]. Die Ausgrabungen von F. G. Badé in den Jahren 1926–35 auf dem *tell en-naṣbe*[13] haben eine vom Chalcolithicum bis zur mittleren Bronze reichende lockere Besiedlung, dann nach einer Besiedlungslücke in der späten Bronze eine feste Besiedlung von Eisen I bis in das 4. Jh. v. Chr. ergeben. Die starke Mauer stammt erst aus der Zeit um 900[14]. Dieser archäologische Befund könnte auf Mizpa lediglich unter der Voraussetzung nicht zutreffen, daß es amphiktyonisches Zentralheiligtum gewesen sei (so zuletzt wieder Beyerlin: VT 1963, S. 11); da das aus Jdc 20+21 nicht zu erschließen ist, darf es auch für diese Stelle nicht postuliert werden. Da für das Mizpa der späteren Königszeit die Ansetzung auf dem *tell en-naṣbe* aus verkehrsgeographischen Überlegungen das Wahrscheinlichste ist[15], besteht keine Nötigung, es für 1 Sam 10,17 an anderer Stelle zu suchen. Für die Wahl von Mizpa zum Ort der Königskür, was ja nicht Sondertradition ist, sondern einen geschichtlichen Hintergrund hat, ist vielleicht gerade diese Lage maßgeblich gewesen.

3. Weiser: Samuel, S. 62.
4. Noth: Studien, S. 57.
5. Vgl. Jos 24.
6. In der Form הַמִּצְפֶּה, vgl. Noth: Das Buch Josua. 2. Aufl. 1953 (HAT I/7), z. St.
7. Vgl. o. S. 180. Dazu zuletzt A. Besters: Le sanctuaire central dans Jud XIX–XXI. EThL 1965, S. 20–41.
8. Anders Karl Elliger: Beeroth und Gibeon. ZDPV 1957, S. 132; RGG IV. 3. Aufl. 1960, Sp. 1065.
9. James Muilenburg: Mizpa of Benjamin. StTh 1955, S. 25–42.
10. W. F. Albright: AASOR 4. 1922/23, S. 90ff; noch INES 1948, S. 203; H. W. Hertzberg: Mizpa. ZAW 1929, S. 162f.; Albrecht Alt: Neue Erwägungen zur Lage von Ataroth, Beeroth und Gibeon. ZDPV 1953, S. 15; A. Kuschke: Mizpa. RGG IV. 3. Aufl. 1960, Sp. 1065.
11. Gustaf Dalman: Zur Tradition von nebi samwīl, Mizpa und Gibeon. PJ 1926, S. 105; zuletzt Simons: Texts, § 655; Feuillet: VT 1961, S. 275; de Groot, de Vaux, van den Born.
12. P. Vincent: RB 1922, S. 376–402; F. M. Abel: La question gabaonite et l'onomasticon. RB 1934, S. 347ff.
13. C. C. McCown – J. C. Wampler: Tell en-Naṣbe, excavated under the direction of the later William Frederic Bade. New Haven 1947.
14. Dazu Alt: ZDPV 1953, S. 4.
15. Diese Überlegung schon Phytian-Adams: The Mizpah of 1. Sam 7,5. JPOS 1923, S. 13–20.

Dieser Bericht ist aber nicht der einer Quelle, die das Königtum grundsätzlich ablehnt[16]. Während das Königsrecht in Kap. 8 in der Art, wie es jetzt vorgetragen wird[17], als äußerste Willkür und Hybris erscheint, wird es hier als das von Gott sanktionierte und den König sanktionierende Recht vorgetragen (V. 25). Nun kommt derselbe königtumsfeindliche Ton auch hier in den V. 18+19 zum Ausdruck. Nehmen wir die gleiche Überarbeitung an, so ist sie doch verschieden stark gewesen. Kap. 8 wird das deuteronomistische Schema in der Abfolge von Wohltat, Abkehr, Hinwendung zu fremden Göttern deutlich. Dieser letzte Gedanke fehlt hier, außerdem mündet das Wort in die Aufforderung ein, sich zur Loswahl bereitzustellen, und der Erloste wird dann mit den Worten אֲשֶׁר בָּחַר־בּוֹ יְהוָה כִּי אֵין כָּמֹהוּ (V. 24) vorgestellt. Nimmt man dazu, daß V. 19a eine Dublette zu V. 18 ist[18], so ist die Möglichkeit nicht von der Hand zu weisen, daß V. 18 ursprünglicher Bestand ist und für sich genommen eine andere Bedeutung gehabt hat als jetzt, wo diese durch den deuteronomistischen Zusatz V. 19 eindeutig ins Negative verschoben worden ist; auf der anderen Seite hat sie dieser Bearbeitung aber auch eine gewisse Begrenzung auferlegt, anders als in Kap. 8, wo sie in den V. 7–10 frei schaffen konnte. Daß es zu einer großen Zusammenfassung der Stämme zu gemeinsamem Handeln kommt, wie es vordem nicht der Fall gewesen ist, daß sie sich auf einen Mann einigen, muß entsprechend den Denkvoraussetzungen der Zeit als ein Bundschluß zwischen Saul und dem Volk verstanden werden. Auch wenn dieser Begriff selbst hier keine Anwendung findet, so ist doch auf die Parallele 2 Sam 3,21 zu verweisen. Das ist schon von Alt[19] erkannt worden und wird jetzt in verschiedener Weise unterstrichen[20]. Da es sich beim Bundschließen um Formulare handelt, die in ihrer Grundstruktur konstant bleiben[21], wäre es denkbar, daß die Berufung auf Jahwe und seine Taten im Zusammenhang eines solchen Zeremoniells steht. Indessen ist hier Vorsicht geboten. Mit der Folgerung, daß Samuel hier als Sprecher in einer kultisch-amphiktyonischen Tradition steht[22] – wofür auch die geprägte Formel יהוה אלהי ישׂראל[23] oder das וְעַתָּה[24] geltend gemacht wird –, ist die historische Tragfähigkeit des Berichtes überlastet. Der amphiktyonische Kult wird doch noch eine beweglichere Größe gewesen sein[25], und außerdem ist es gerade fraglich, ob Mizpa solch ein sakraler Mittelpunkt gewesen sei (vgl. o. S. 215). Im Gegenteil könnte der Erwählung Sauls gerade eine Bedeutung für die Festigung des Gemeinschaftsbewußtseins zukommen.

16. Preß: ZAW 1938, S. 203; Wildberger: ThZ 1957, S. 456; Weiser: Samuel, S. 73; auch Seebaß: ZAW 1965, S. 288, erkennt den königstumfreundlichen Zug in V. 17–21. Vgl. o. S. 176.
17. Sie entspricht nicht der üblichen Absicht, vgl. o. S. 187.
18. Hylander: Komplex, S. 129. 19. Alt II, S. 23.
20. Etwa Wildberger: ThZ 1957, S. 455; Fohrer: ZAW 1959, S. 3; vgl. dazu o. S. 186f.
21. Baltzer: Bundesformular, S. 20ff.
22. Weiser: Samuel, S. 64; Beyerlin: VT 1963, S. 11; vgl. auch Herkunft und Geschichte der ältesten Sinaitraditionen. Tübingen 1961, S. passim.
23. Beyerlin: a. a. O., S. 34f.; Weiser: Samuel, S. 58.
24. James Muilenburg: The form and structure of the convenantal formulations. VT 1959, S. 355; Weiser: Samuel, S. 65.
25. Zur Sache Herrmann: ThLZ 1962, Sp. 560ff.

Es handelt sich also im Ansatz um einen Vertrag zwischen König und Volk. Ort und Art des Berichtes lassen erkennen, daß er auf einer anderen Ebene liegt als 9–10,16. Aber trotz des anderen Ansatzpunktes geht es hier um das gleiche Anliegen, nämlich den Nachweis, daß auch dieser Weg unter der Führung Gottes stand. Das wird in der Darstellung durch die beiden Motive vom Losentscheid und dem Verstecken des Erkorenen zum Ausdruck gebracht, die zwar nicht der Form, aber dem Inhalt nach nahe mit 9–10,16 verwandt sind. Sie hängen beide eng zusammen, obwohl sie zugleich in einer inhaltlichen Spannung zueinander stehen (vgl. u.). Mit ihr ist ein Moment der Unanschaulichkeit gegeben, die ihren Grund darin hat, daß die theologische Absicht, eine Aussage über die Bedeutung der Vorgänge zu machen, das eigentliche Erzählen überbordet[26]. Der Weg, auf dem diese Überlieferung sich bildete, ist wohl weiter, verläuft auch in größerem Abstand von dem Geschehen als Kap. 9; sie ist aber deswegen nicht nachträgliche Traditionsbildung[27]. Der Losentscheid hat hier keine Beziehung zum priesterlichen Ephod; man kann also nicht sagen, daß hiermit an die priesterlichen Züge im Bilde Samuels angeknüpft werde (vgl. o. S. 85). Aber auch so hat er religiöses Gepräge und bedeutet eine Gottesbefragung[28]; die Überlegung, ob in Mizpa ein solcher Entscheid herbeigeführt werden konnte, bleibt außerhalb des Ansatzes. Nun ist, und das liegt in der Natur der Sache, ein solcher Losentscheid bei einer Königswahl sonst nicht, bei einer Priesterbestellung erst später berichtet[29]. Die Darstellung folgt hier also nicht einem alten nationalen Brauchtum[30]. Da aber der Losentscheid sonst auf anderen Gebieten als Erklärung Jahwes für oder gegen einen Menschen schon früh geläufig war[31], spricht der uneigentliche Gebrauch eher für das Alter der Überlieferung als gegen sie. Das Ziel ist jedenfalls auch hier, allen Zweifel daran auszuschließen, daß die Betrauung Sauls mit dem Königsamt von Jahwe bestimmt war. Das liegt ganz in der Linie des ursprünglichen Verständnisses, das Israel von seinem Königtum hat[32].

21–24 Das Motiv der Loswahl kann deswegen nicht folgerichtig durchgeführt werden, weil der Erkorene nicht anwesend, sondern beim Gepäck verborgen ist. An sich kann das Orakel nur Entscheidungsfragen beantworten (vgl. u. zu 14,30); die Bestimmung eines nicht Anwesenden ist schwer vorstellbar, eine Antwort wie V. 22 liegt außerhalb seines Bereiches. Dennoch darf hier nicht, etwa im Anschluß an 𝔊𝔖 zu V. 22, der Charakter der Losentscheidung zugunsten einer freieren Befragung Jahwes verwischt werden[33]. Zu erwägen wäre nur, ob

26. Stoebe: ThZ 1962, S. 392ff.
27. Weiser: Samuel, S. 65.
28. Lindblom: VT 1962, S. 170.
29. Adolphe Lods: Le rôle des oracles dans la nomination des rois. Mélanges Maspero I/1. 1934, S. 91f.
30. Caspari.
31. Jos 7; Jdc 20,9ff.; 1 Sam 14,38ff.
32. Das sehr viel jüngere Königsgesetz steht Dt 17,15 unter derselben unausgeglichenen Spannung zwischen der Willenserklärung Gottes und menschlich geplanter Einsetzung, und ist offenbar direkt von hier abhängig. Vgl. Stoebe: ThZ 1962, S. 390.
33. Hylander: Komplex, S. 127.

diese Erzählung einmal darauf hinausgelaufen ist, daß diese Befragung zunächst erfolglos blieb; darauf könnte jedenfalls 𝔐 zu V. 22 (s. Anm. c) führen[34]. Die Möglichkeit einer solchen Auffassung erhellt daraus, daß auch 16,1–13 so gestaltet ist. Das Verstecken beim Gepäck ist weder Zeichen besonderer Bescheidenheit oder verlegener Schüchternheit[35] noch ein allgemeiner Zug volkstümlicher Sage[36]. Es liegt eine Ausformung des Niedrigkeitsmotivs vor, denn wer sich beim Gepäck aufhält, ist nach menschlichem Ermessen nicht zur Übernahme von Führungsaufgaben geeignet (vgl. Anm. d zu. 30,24). Der Gedanke, daß Jahwes wunderbares Handeln jedes Begreifen übersteigt, wird so doppelt ausgedrückt. Daß hinter der Erwähnung des Gepäcks die Vorstellung des Heerbannes steht, ist nicht ausgeschlossen, doch sollte dieser Zug nicht überlastet werden (vgl. Anm. d). Daß Saul danach als der Größte vorgestellt wird, gehört zu seiner stehenden Charakterisierung, wie das אַדְמוֹנִי עִם־יְפֵה עֵינַיִם וְטוֹב רֹאִי David kennzeichnet (16,12; 17,42)[37]. Jedenfalls hat dies Motiv nicht so weit Selbständigkeit, daß es auf eine Überlieferung zurückführte, nach der der Größte König sein sollte[38]; es ist wohl nicht einmal daran zu denken, daß körperliche Größe an sich schon Königszeichen sei[39]. Eine solche Überlieferung[40] hinge jedenfalls völlig in der Luft, weil dieser Maßstab jeden Gottesentscheid unnötig machte. Die Akklamation des Volkes erkennt Saul als König an, ja setzt ihn als König ein (zu נָגִיד im Unterschied zu מֶלֶךְ vgl. zu 9,16). Sie gibt den hinter diesem Bericht stehenden historischen Tatbestand insoweit zutreffend wieder, als in diesem Willensentscheid des Volkes für einen Führer tatsächlich ein Novum vorlag[41]. Es ist im Prinzip durchaus richtig, wenn man in diesem Zusammenhang die Salbung Sauls durch Samuel als ursprünglich annehmen möchte[42]. Daß sie hier fehlt, hängt damit zusammen, daß die Überlieferung 9,1–10,16 um den Zug der Salbung bereichert worden ist (vgl. o. S. 209), und bedeutet nicht, daß Saul bereits vor dieser Akklamation ein »Königscharisma«[43] besessen habe; das indikativische Verständnis des יְחִי (vgl. Anm. e zu V. 24), also »der König hat Lebenskraft«, auf das sich diese Auffassung stützt, hat wenig Wahrscheinlichkeit.

25–27 Die schriftliche Fixierung und Niederlegung des Königsrechtes kennzeichnet noch einmal das Geschehene als Vertragsschluß[44]. Damit werden dem König Zugeständnisse gemacht, nicht seine Befugnisse von vornherein einge-

34. Dieser Zug wäre durch das das Ergebnis vorwegnehmende וַיִּלָּכֵד שָׁאוּל fortgefallen.

35. Etwa Schildenberger: Millerfestschift, S. 153.

36. Greßmann.

37. Der Unterschied in den Qualitäten ist jedenfalls so groß, daß man kaum sagen kann, hierdurch werde wenigstens in einer Hinsicht das Königtum Sauls dem Davids gleich gestellt (Beyerlin: ZAW 1961, S. 196).

38. Eißfeldt: Komposition, S. 7; Noth: Studien, S. 58; Fohrer u. v. a.

39. Hylander: Komplex, S. 127.

40. Von einer solchen redet auch Hertzberg, wenngleich er betont, daß dem Gesamtverfasser das Werk bereits in der jetzigen Zusammenstellung vorgelegen hat.

41. Alt II, S. 23.

42. Z. B. Budde.

43. Beyerlin: ZAW 1961, S. 195.

44. Baltzer: Bundesformular, S. 36ff.

schränkt worden sein. Darin ist er dem verwandt, was als Grundform für 8,10ff. herausgestellt war. Wie weit diese Verwandtschaft allerdings über das gedanklich Gemeinsame auf das Inhaltliche hinübergeht[45], ist nicht zu entscheiden. Die abschließenden Verse sind nicht schlechterdings als redaktionelle Überleitung zu Kap. 11 anzusehen[46]; jedenfalls enthalten sie nichts, was nicht aus der Situation verständlich wäre. Saul ist hier nicht mehr der Haussohn wie in Kap. 9 oder unbedeutend wie in 10,22, doch die Sympathie für ihn ist überall gleich. Er fängt offenbar in seiner Heimatstadt an, sich eine Truppe zu sammeln; die Worte erinnern an die Zusammenfassung 14,52. Mit dem נָגַע בְּלִבָּם wird ein Ausgleich zwischen Institution und Charisma hergestellt. Die verachtende Ablehnung, die er bei einigen findet – an sich nach einer so eindeutigen Gottesentscheidung auffallend, was das בְּנֵי בְלִיַּעַל nachdrücklich unterstreicht –, richtet sich eher gegen Saul bzw. seine Eignung für diese Aufgabe[47], als daß es eine grundsätzliche Ablehnung des Königtums wäre[48]. Das Schweigen V. 27 (vgl. Anm. d), zu dem an Ex 14,14 erinnert werden kann, ist Ausdruck des Gottvertrauens; es wäre auch möglich, an Gedanken des Klageliedes zu denken (was nicht bedeutet, daß hier ein Königsritual vorliegt).

45. Anscheinend stellt 8,10ff. doch eine jüngere Form dar.
46. Budde, Smith und die meisten bis de Vaux, van den Born. S. auch Anm. d zu V. 27.
47. Das ist es, was Buber: VT 1956, S. 167 mit seiner sonst wohl nicht ganz zutreffenden Formulierung »pro-« und »antisaulidisch« meint.
48. So Bernhardt: Königsideologie, S. 143f.

11,1–15 Sauls Sieg über die Ammoniter

1 [a]Da zog nun der Ammoniter(könig)[b] Nahasch[c] herauf und belagerte Jabesch Gilead[d], und die gesamte Bevölkerung von Jabesch bot Nahasch an: »Schließe mit uns einen Bund[e], auf den hin wir dir untertan sein wollen.« 2 Doch Nahasch, der Ammoniter(könig), gab ihnen zur Antwort: »Unter der Bedingung will ich einen Bund mit euch schließen, daß ich einem jeden von euch das rechte Auge ausbohre[a], und das[b] werde ich ganz[c] Israel als Schmach[d] antun«. 3 Die Ältesten[a] von Jabesch erwiderten darauf: »Gewähre uns einen Aufschub von sieben Tagen; wir wollen (in der Zeit) Boten durch das ganze Gebiet von Israel schicken, und wenn wirklich keiner da ist, der uns retten kann[b], dann wollen wir uns dir ergeben[c].« 4 Die Boten kamen (schließlich) nach Gibea Sauls[a] und gaben einen Bericht von dieser Lage, und das Volk hörte zu; und dann erhob das ganze Volk seine Stimme und weinte. 5 Doch da in dem Augenblick kam Saul hinter seinen Pflugrindern[a] vom Felde her, und Saul fragte: »Was hat das Volk, daß es so weint?« Da erzählten sie auch ihm die (Trauer)botschaft, die die Männer von Jabesch gebracht hatten. 6 Und da, als er diese Worte hörte, kam ein Gottesgeist[a] über Saul und sein Zorn[b] loderte hoch auf. 7 Er

ergriff ein Joch Pflugochsen und zerstückte es[a] und sandte (die Stücke) durch Boten[b] im ganzen Gebiet von Israel umher mit der Drohung: »Wenn[c] einer nicht hinter Saul und Samuel[d] her zu Felde zieht, dann wird es seinem Vieh[e] gerad so ergehen.« Da fiel der Jahweschrecken[f] auf das Volk, und sie rückten aus[g] wie ein Mann. 8 Als er sie dann zu Besek[a] musterte, da waren die Israeliten[b] dreihunderttausend Mann[c] stark; das judäische Aufgebot aber betrug dreißigtausend Mann[d]. 9 Nun wies er[a] die Boten, die gekommen waren, an: »So sollt ihr der Bevölkerung von Jabesch Gilead ansagen: Morgen um die Zeit, [b]wo die Sonne zu brennen anfängt[b], wird euch Rettung werden.« Da gingen die Boten[c] und verkündeten es den Leuten von Jabesch, und die wurden froh. 10 Und die Männer von Jabesch gaben Bescheid[a]: »Morgen wollen wir uns euch ergeben. Dann mögt ihr es mit uns halten, wie es euch gefällt.« 11 Am nächsten Morgen verteilte Saul sein Kriegsvolk auf drei Kampfgruppen[a], und sie drangen um die Zeit der Morgenwache[b] mitten in das (feindliche) Lager ein und schlugen Ammon[c], bis es heiß wurde. Was übrigblieb[d], lief (in alle Winde) auseinander; nicht (einmal) zwei Männer blieben zusammen.

12 Das Volk aber sagte zu Samuel[a]: »Wer waren die, die gesagt haben: Soll[b] etwa Saul über uns König sein[c]? Überlaßt (uns) die Kerle, daß wir sie töten können.« 13 Saul[a] sagte indessen: »An diesem Tage soll kein Mensch zu Tode gebracht werden[b], denn heute hat Jahwe (selbst sein) heilvolles Werk an Israel getan.«

14 Darauf forderte Samuel[a] das Volk auf: »Kommt, wir wollen nach Gilgal[b] ziehen und dort das Königtum erneuern[c].« 15 So zog das ganze Volk nach Gilgal, und sie machten dort Saul zum König[a] vor Jahwe in Gilgal und opferten dort Heilsopfer[b] vor Jahwe, und Saul[c] und alle Männer von Israel feierten dort in großer Freude.

1 a) S. zu 10,27. b) Gn 19,30–38; ehemaliger Stammesverband (immer בְּנֵי עַמּוֹן) aus der Wüste, der im 12. Jh. im Ostjordanland in der östlichen *el-belqa* in staatlicher Form seßhaft wurde (Hauptstadt רַבַּת בְּנֵי עַמּוֹן Dt 3,11; 2 Sam 11,1; 12,26 u. ö.) und seinen Landbesitz nach Nordwesten bis in das fruchtbare Hochland *el-buqeiʿa* auszudehnen vermochte. Vgl. dazu M. Noth: Beiträge zur Geschichte des Ostjordanlandes. ZDPV 1946/51, S. 36–44; W. F. Albright: Notes on Ammonite History. In: Miscellanea Biblica B. Ubach. Montserrat 1954, S. 131–136. Zu den ammonitischen Grenzbefestigungen gegen südlich des Jabbok wohnende Israeliten vgl. N. Glueck: Explorations in Eastern Palestine III. AASOR 1937–39, S. 151ff.; zu den Grenzbefestigungen überhaupt vgl. jetzt H. Gese: Ammonitische Grenzfestungen zwischen *wādi eṣ-ṣir* und *nāʿūr*. ZDPV 1958, S. 55–64; R. Hentschke: Ammonitische Grenzfestungen südwestlich von *ʿammān*. ZDPV 1960, S. 103–123; G. Fohrer: Eisenzeitliche Anlagen im Raume südlich von *nāʿūr* und die Südwestgrenze von Ammon. ZDPV 1961, S. 56–71; auch Stoebe: ZDPV 1966, S. 33f. Zusammenfassend G. M. Landes: The Material Civilization of the Ammonites. BA 1961, S. 66–86. c) Vgl. 2 Sam 10,2, auch 2 Sam 17,25 (unsicher).27. Zum Namen NothPers, S. 230. Die Vermutung Casparis, daß Nahasch der Begründer der ammonitischen Dynastie war, ist möglich, aber nicht zu beweisen; der Name scheint nicht ganz selten gewesen zu sein (vgl. 2 Sam 17,25.27). d) 𝔖 *lakiš*, wohl nur ein Irrtum, kaum eine

tendenziöse Änderung mit Rücksicht auf 31,13 (so de Boer: Research, S. 25). Nach Euseb: Onom. 110,11–13 ist *tell-el-maqlūb* im *wādi yābis* als Ortslage wahrscheinlich (M. Noth: Jabes-Gilead. ZDPV 1953, S. 28–41). Andere Vorschläge (z.B. *tell abu ḫaraz* und *tell el-meqbere* beim Austritt des *wādi jābis* in die Jordanebene [so N. Glueck: Explorations in Eastern Palestine IV/1. 1951 (AASOR XXV–XXVIII 1945–49), S. 248ff. u.ö., zustimmend de Vaux]) erfüllen kaum die nötigen Voraussetzungen. Zur Annahme einer Erwähnung in den Amarnatafeln (J.A.Knudtzon: Die El-Amarna-Tafeln. I. Leipzig 1915, Nr. 256:22–28) vgl. die Widerlegung bei W.F.Albright: Two little understood Amarna Letters from the middle Jordan valley. BASOR 89. 1943, S. 15; dazu auch Alt III, S. 401–403. e) Hier deutlich ein Bund zwischen nicht gleichwertigen Partnern zum Zwecke der Lebenssicherung des Schwächeren; vgl. J. Begrich: Berit. Ein Beitrag zur Erfassung einer alttestamentlichen Denkform. ZAW 1944, S. 2; weiterführend jetzt NothGS, S. 142–154, auch A. Jepsen: Berith, ein Beitrag zur Theologie der Exilszeit. In: Rudolph-Festschrift. Tübingen 1961, S. 163.

2 a) Vgl. Prv 30,17; auch (Piel) Num 16,14; Jdc 16,21 (danach von Ehrlich in Piel geändert). Zur Sache 2 Reg 25,7; dazu Bruno Meißner: Babylonien und Asryrien. I. Heidelberg 1920, S. 112, auch eine Elfenbeinschnitzerei aus Ugarit im Museum von Damaskus. Aus dem Bild wie aus der Satzkonstruktion folgt, daß Nahasch Subjekt ist. Abwegig die Annahme, daß er selber ein Auge verloren habe und darum Rache übe (ATAO, S. 491). b) GK § 135p; fehlt 𝔊 (Erleichterung). c) Fehlt 𝔊, was den Charakter der Drohung abschwächt. d) Vgl. 1 Sam 17 passim. Unter Verkennung der theologischen Bedeutung von Bruno: Epos, S. 63 als Glosse gestrichen; zu schwach auch Caspari: »sollte ich damit auch eine Herausforderung an Israel richten«.

3 a) 𝔊 *οἱ ἄνδρες* (so Budde, Caspari); aber wohl nur Harmonisierung. b) Zur Konstruktion vgl. Gn 24,42; Jdc 11,9; zur Sache 1 Sam 17,47; Jdc 6,36; 10,14; dazu O. Grether: Die Bezeichnung »Richter« für die charismatischen Helden der vorstaatlichen Zeit. ZAW 1939, S. 120. Zum theologisch gefüllten Heilscharakter dieses Wortes jetzt auch J. Sawyer: What was a mošiaʿ? VT 1965, S. 475ff. c) Zur יצא »ergeben« vgl. 2 Reg 24,12; Jes 36,16; Jer 38,17; anders – nämlich term. techn. für den Aufbruch zum Heiligen Krieg – V. 7, vielleicht ein beabsichtigtes Wortspiel; vgl. V. 10.

4 a) 𝔊 *πρὸς Σαούλ*, Umbiegung nach dem jetzigen literarischen Zusammenhang, was Änderung danach (Wiener: Composition, S. 12) verkennt.

5 a) 𝔊 *μετὰ τὸ πρωί*. (𝔊[L] beides) nicht einfaches Mißverständnis, sondern auf derselben Linie wie V. 4a liegend (Wiener, a. a. O. auch hier zustimmend). 𝔊 konnte sich das bäuerliche Tun eines erwählten Königs nicht mehr vorstellen (Klostermann). Zur Sache vgl. 1 Reg 19,19 und die bildlichen Darstellungen ATAO, S. 492f. Die Überlegung de Groots, daß man in der Zeit des Pflügens keinen Kriegszug unternimmt, überlastet den Text. Siehe sonst AuS II, S. 65. 𝔊[A] hat erheblichen Textverlust durch Homoeotel.

6 a) 𝔊 *κυρίου* (so Budde, Greßmann, Smith, de Vaux); zu צלח in dieser Bedeutung vgl. 1 Sam 10,6 (רוּחַ יהוה). 10 (אֱלֹהִים); Jdc 14,6.19; 15,14 (יהוה). Zum Wort J. Blau: Über homonyme und angeblich homonyme Wurzeln. VT 1957, S. 100; anders P. Joüon: Notes de Lexicographie Hébraique. MUB 1925, S. 39f. b) Saul zürnt nicht über die Schwäche seiner Landsleute (so Budde) oder die harten Bedingungen, sein Zorn hat religiöse Motive und gilt der Schmach Gottes durch die Vermessenheit des Nahasch. Beachte, daß חֳרִי אַף, auch חֲרוֹן אַף ausschließlich vom Zorne Gottes gebraucht werden (J. Fichtner, in: ThW V, S. 396).

7 a) Weder mit Gn 15, dem Opfer bei einem Bundesschluß (so Greßmann, Kittel), noch mit Num 22,40, Versendung von Opferstücken durch die Moabiter (so Caspari), zusammenzubringen. Als Aufgebot zu gemeinsamem Handeln der Amphiktyonie auch Jdc 19,29 (dazu Martin Noth: Das System der zwölf Stämme Israels. Stuttgart 1930 [BWANT IV/I], S. 102). Der Brauch war allgemein semitisch; vgl. KAT[3], S. 597, vor allem aber eine Parallele aus Mari (ARM II Brief 48; dazu G. Wallis: Eine Parallele zu Richter 19,29ff. und 1 Sam 11,5ff. aus dem Briefarchiv von Mari. ZAW 1952, S. 57–61). Vgl. auch J. Friedrich: Der hethitische Soldateneid. ZA 1924, S. 161–191. b) 𝔊 *ἐν χειρὶ ἀγγέλων*, erleichternd, aber Änderung in מַלְאָכִים (S. R. Driver, Budde u. a.) unnötig (GK § 126q); auch mit dem überlieferten Text sind nicht die Boten von Jabesch gemeint (so Ehrlich). c) GK § 138e; Caspari אִישׁ. d) וְאַחַר שְׁמוּאֵל (vgl. das אַחֲרֵי vorher) ist redaktionelle, also nicht zu streichende Harmonisierung und

weder eine schlechte Dittogr (Dhorme) noch ein Hinweis darauf, daß Saul sich auf die Autorität Samuels stützen mußte (Wiener: Composition, S. 12; Klostermann, Goslinga). Unmöglich Wutz: Systematische Wege, S. 639 רְשׁוּם אֵל hinter dem Gotteszeichen her. e) Budde, לו statt לִבְקָרוֹ, empfindet richtig die Abschwächung alter Vorstellungen. f) Vgl. Gn 35,5; Jdc 5,20; 1 Sam 14,15; dazu von Rad: Krieg, S. 12. Die Erklärung als einfache Steigerungsform (vgl. Svi Rin: The מות of grandeur. VT 1959, S. 325; auch Caspari »ungewohnter Geist der Unterordnung«) ist nicht ausreichend. Auffallend ist freilich, daß dieser Gottesschrecken hier auf die Israeliten und nicht auf die Gegner fällt. g) 𝔊 ἐβόησαν; die Annahme der Fehlübersetzung eines ursprünglichen (und wiederherzustellenden) וַיִּצְעֲקוּ (S. R. Driver, Budde, Dhorme) verkennt, daß hier der Nachdruck auf dem tatsächlichen Vollzug liegt (zur Freiwilligkeit der Heerfolge vgl. Nyström: Beduinentum und Jahwismus. Lund 1946, S. 44f.). Eine Auslassung des Wortes (Bruno: Epos, S. 63 aus metrischen Gründen) ist deswegen ebenfalls unmöglich. In militärischer Bedeutung sonst mit בוא zusammen gebraucht (z. B. Jos 14,11; 1 Sam 18,13, dort allerdings von Führerpersönlichkeiten).

8 a) 𝔊 'Αβιέζεκ ἐν Βαμά (Ant VI, 78 βαλᾶ), als Personennamen mißverstanden (de Boer: Research, S. 49), keine Verschreibung aus רָמָה (Smith); Jdc 1,4 (Identität fraglich) von Euseb: Onom. 54,5 17 Meilen von Sichem auf dem Wege nach Beth-Schean lokalisiert, was auf jeden Fall für 1 Sam 11 paßt. Jetzt *ḫirbet ibzīq* nordöstlich von *ṭūbas* (A. Alt: PJB 1926, S. 49; Abel: Géographie II, S. 285; zuletzt P. Welten: Bezeq. ZDPV 1965, S. 138–165). b) 𝔊 πάντα ἄνδρα 'Ισραήλ versteht Israel als Gesamtbezeichnung. c) 𝔊 ἑξακοσίας χιλιάδες Ant VI, 78 ἑβδομήκοντα μυριάδας (vgl. dazu Anm. d). Die stark übersetzte, schon aus strategischen Gründen unmögliche Zahl soll die Beteiligung des ganzen Volkes unterstreichen (Keil), vielleicht ist Jdc 7,6 vertausendfacht (so ansprechend Hertzberg). d) 𝔊 ἑβδομήκοντα, vgl. 𝔊 zu 9,22; deutliches Zeichen späterer Anschauungen, deswegen aber v.b nicht als Glosse zu tilgen (Nowack, Budde, Schulz u. a.); dann müßten alle Angaben über die Zahlenverhältnisse Zusatz sein (Hylander: Komplex, S. 155f.).

9 a) Lies mit 𝔊𝔖 und allen Auslegern Sg. b) Qere כְּ ist nicht unbedingt vorzuziehen (richtig Caspari); zur Sache R. B. J. Scott: Meterological phenomena and terminology in the Old Testament. ZAW 1952, S. 19–21; gedacht ist wohl nicht an den Mittag, sondern an den hohen Vormittag. c) 𝔊 + εἰς τήν πόλιν.

10 a) 𝔊 + πρὸς Ναὰς τὸν Αμανείτην folgt wie in V. 9 (vgl. Anm. c) und auch sonst der pedantischeren Rezension, es bedarf weder der Annahme einer Haplogr nach יָבֵישׁ (Tiktin) oder einer Verschreibung von לנחש in אַנְשֵׁי (Smith) noch überhaupt einer Ergänzung nach 𝔊 (Schulz, Greßmann, de Vaux).

11 a) Vgl. 13,17; Jdc 7,16.20; 9,43. b) Die Zeit zwischen zwei und sechs Uhr morgens (Paul Volz: Die Biblischen Altertümer. Calw u. Stuttgart 1914, S. 442; vgl. auch P. J. Headwood: The beginning of the Jewish day. JQR 1945/46, S. 393–401). c) Ungewöhnlich, 𝔊𝔗𝔖 setzen בְּנֵי עַמּוֹן voraus, was besser ist (so S. R. Driver, Budde, Dhorme); vgl. allerdings Ps 83,8. d) GK § 111g, auch 116w; וַיְהִי ist weder aus וַיָּהָם (Smith) oder הַיּוֹם (Caspari) verschrieben, noch handelt es sich um den Rest eines Satzes, der die Zahl der Gefallenen angab (Klostermann), unter denen nach Ant VI 79 auch Nahasch gewesen wäre (was nach 2 Sam 10,2 unwahrscheinlich ist).

12 a) Caspari שָׁאוּל, gewinnt unter Auslassung des (zweiten) שָׁאוּל den Sinn: »Wer hofft noch, uns zu beherrschen«. (Ähnliche Überlegungen bei Tiktin). Doch ist das nur eine unzulässige Harmonisierung. b) 𝔊𝔖𝔗 setzen לֹא (Smith, Schulz, Greßmann; Ehrlich אַל) voraus; doch liegt nach 10,27 die Auffassung als Frage näher; zum Fehlen der Fragepartikel s. GK § 150a; BroS § 54a, 154. c) Vgl. 10,27; beachte allerdings die im Unterschied von יִמְלֹךְ zu יֹשִׁעֵנוּ andere Nuancierung, die gegen quellenhaften Zusammenhang spricht.

13 a) 𝔊B Σαμουήλ, eine über 𝔐 hinausgehende Harmonisierung zur größeren Verherrlichung Samuels. b) Zur königlichen Großmut vgl. 2 Sam 19,23.

14 a) Caspari שָׁאוּל; Klostermann כָּל־הָעָם. b) Überlegungen, die die Lage des Gilgal von einem Itinerar Sauls nach dem Sieg bei Jabesch her bestimmen (bei Sichem: Ernst Sellin: Gilgal. Leipzig 1917, S. 17; bei Silo: Keil, van den Born), verkennen den Überlieferungshintergrund (vgl. auch Alt II, S. 21). Die Frage ist auch unabhängig davon, ob die Beziehungen Samuels zu diesem Gilgal ursprünglich (Hertzberg, S. 73) oder Ergebnis nachträglicher Harmoni-

sierung sind (vgl. Möhlenbrink: ZAW 1940/41, S. 66). Es handelt sich offenbar um dasselbe benjaminitische Heiligtum bei Jericho wie 10,8 (wohl auch 7,16; s. dort) und Jos 4,19. Zu seiner besonderen Bedeutung für die Geschichte Sauls vgl. Exkurs S. 230. Die Lage ist immer noch ungewiß. Da es nach Jos 4,19 östlich von Jericho gelegen hat, unterliegt die Ansetzung in dem nördlich gelegenen *ḫirbet mefǧīr* (A. M. Schneider: Das byzantinische Gilgal. ZDPV 1931, S. 50–59), schon abgesehen von dem unbefriedigenden archäologischen Befund (zum Fehlen einer byzantinischen Basilica in *ḫirbet mefǧīr* vgl. D. C. Baramki: Excavations at khirbet el Mefjer. QDAP 1936, S. 132–138), starken Bedenken, obwohl sie weitgehend Zustimmung gefunden hat (z. B. A. Alt: PJ 1931, S. 47–48; K. Galling: Bethel und Gilgal. ZDPV 1943, S. 145; Eugen Täubler: Biblische Studien. Tübingen 1958, S. 26ff. u. a.). Diese Bedenken können auch nicht durch den Nachweis frühisraelitischer Besiedlung nördlich vom Omayadenpalast in *ḫirbet mefǧīr* (vgl. Muilenburg: The Site of ancient Gilgal. BASOR 140. 1955, S. 11–27) behoben werden. Die früher häufig vertretene Ansetzung in *ḫirbet el-eṯele*, 3 km östlich von Jericho (vgl. Martin Noth: Das Buch Josua. 2. Aufl. 1953 [HAT I/7], S. 25) ist wegen des Fehlens eines über byzantinische Zeit hinabreichenden archäo logischen Befundes ebenfalls unsicher (J. L. Kelso and D. C. Baramki: Excavations at New Testament Jericho and Khirbet En-Nitla. AASOR XXIX 1949/51, S. 50ff. c) Redaktioneller Bezug auf 10,24, keineswegs die organische Fortsetzung der Königswahl von 10,21b–27 (so Eißfeldt: Komposition, S. 10; Bernhardt: VTS 8. 1961, S. 142; de Groot: Fortsetzung von 10,17 durch militärische Anerkennung der Krönungsgeschichte von Mizpa). נְחַדֵּשׁ darf weder geändert (Ehrlich נְקַדֵּשׁ, Caspari ändert statt dessen noch weitergehend הַמְּלוּכָה in מִלְּאָה nach Ex 28,17, was vollends unverständlich ist) noch durch erleichternde Übersetzung beseitigt werden (Dhorme, »inaugurer«; Klostermann »ein Volksfest feiern«).

15 a) 𝔊 *καὶ ἔχρισεν Σαμουὴλ ἐκεῖ τὸν Σαοὺλ εἰς βασιλέα* ist in der Angleichung an 10,17 weiter fortgeschritten (Budde); die an sich richtige Überlegung widerspricht 10,1ff. Auf keinen Fall ist *Σαμουήλ* aus Doppellesung des שָׁם entstanden (so Dhorme). b) Vgl. Ex 24,5, sonst in der priesterlichen Gesetzgebung (זֶבַח שְׁלָמִים/הַשְּׁלָמִים) oder שְׁלָמִים allein. Ob zwischen den Opferarten ursprünglich ein Unterschied bestand (z. B. Eduard König: Theologie des Alten Testaments. 3. und 4. Aufl. Stuttgart 1923, S. 287), ist an den Texten nicht zu entscheiden, indessen wahrscheinlich. Zum Vorkommen der Ausdrücke außerhalb des Alten Testaments vgl. Th. H. Gaster: The service of the Sanctuary. Mélanges Syriens: A Study in Hebrew Survivals (Festschrift für R. Dussaud) II. Paris 1939, S. 577ff.; D. M. L. Urie: Sacrifice among the West Semites. PEQ 1949, S. 67–82. Hier werden die beiden Ausdrücke für das Gemeinschaftsopfer entweder appositionell gebraucht (GK § 131b; 𝔊 *καὶ εἰρηνικὰς* Mißverständnis), oder der zweite ist Epexegese (Klostermann). Bruno: Epos, S. 63 זִבְחֵי שְׁלָמִים wie 10,8. Zur Frage im ganzen jetzt Rudolf Schmid: Das Bundesopfer in Israel. 1964 (STANT 9), S. 42f. 104f. Jetzt auch Rendtorff: Geschichte des Opfers, S. 119ff.; vgl. auch de Vaux: Sacrifice, S. 37ff. c) 𝔊 *Σαμουηλ*; zur Freude beim Opfer Dt 12,7.12.18; 14,26.

11,1–15 SAULS SIEG ÜBER DIE AMMONITER kann keine direkte Fortsetzung von Kap. 10,21–27 sein[1], denn wenigstens in V. 1–11 wird nirgends vorausgesetzt, daß eine Königsproklamation bereits erfolgt sei. Die Erklärung, sie brauche eben noch nicht überall bekannt gewesen zu sein[2], ist eine unerlaubte Ausflucht. Der Zusammenhang, der mit 9,1–10,16 angenommen wird[3] – wenngleich schon Wellhausen den besonderen Charakter dieses Stückes betonte[4] –, ist nicht quellenhaft[5].

1. Vgl. o. S. 176, Anm. 5; ähnlich Wiener: Composition, S. 12.
2. Etwa Keil, Goslinga.
3. Vgl. o. S. 176; zuletzt noch nachdrücklich Hylander: Komplex, S. 159f.
4. Composition, S. 245.
5. Wie schon Kittel, Greßmann erkannten; vgl. Wiener: Composition, S. 12; Preß: ZAW 1938, S. 204; Seeligmann: ThZ 1962, S. 303; Weiser: Samuel, S. 78; Soggin: ZAW 1963, S. 61 u. a.

Dabei liegt die Spannung gar nicht einmal – wie manchmal gesagt wird – in einer verschiedenen Darstellung von Sauls Alter und Familienstand, denn auch Elisa pflügt als Sohn seines Vaters hinter den Rindern her, als er berufen wird[6]. Entscheidend ist die doppelte Geistbegabung, und zwar nicht deswegen, weil eine verschiedene Auffassung von der theologischen Relevanz der Geistbegabung festzustellen wäre[7] – auch Kap. 10 ist die Beteiligung Samuels im besten Fall mittelbar –, sondern weil der pflügende Saul ebenso unvorbereitet ist wie der Saul von Kap. 9[8]. Der Zusammenhang mit 9,1–10,16 ist allenfalls nachträglich redaktionell, was nicht ausschließt, daß ein Erzählungsganzes von überraschender Geschlossenheit erreicht wurde[9]; in dieser Endredaktion geht es in Kap. 11 um die Einlösung der 10,7 gemachten Weissagung[10]. Aber gerade so wird ein organisches Gefüge zerbrochen[11]. Damit erweist sich zunächst 11,1–11 als selbständiges Überlieferungsstück[12], parallel zu 9,1–10,16; es ist freilich davon nicht durch eine grundsätzlich positivere Einstellung zu Saul und seinem Königtum unterschieden[13]. Es ist eine Saulüberlieferung, zunächst ohne ausdrückliche Beziehung[14] zum Königtum, inhaltlich in gewisser Weise den Richtergeschichten verwandt[15]. Es hat keine quellenhafte Fortsetzung[16], auch nicht im Sinne einer besonderen Jabeschüberlieferung, die mit einer Gilgalüberlieferung zu einer Gilgal-Jabesch-Quelle zusammengewachsen wäre[17]. Das Verhältnis läßt sich nicht einmal so bestimmen, daß 9,1–10,16 einen beabsichtigten Unterbau für Kap. 11 darstelle[18]. Der Grund für die Aufnahme dieses Stückes in den Erzählungszusammenhang liegt wohl in der plastischen Anschaulichkeit des Kampfberichtes[19]. Das dargestellte Begebnis als solches macht so sehr den Eindruck des Unerfindbaren, daß die geschichtliche Grundlage der Jabeschepisode nicht zu bezweifeln ist[20], wenn auch der Bezug auf Benjaminsprüche (Gn 49,27; Dt 33,12)[21] sehr weit hergeholt zu sein scheint. Zeitlich müßte es sich vor dem Ausbruch der eigentlichen Philisterkämpfe zugetragen haben[22]. Das folgt aus allgemeinen Überlegungen; mit dem Argument, daß die Israeliten ja später entwaffnet waren[23], ist die Notiz

6. 1 Reg 19,19ff.
7. So Weiser: Samuel, S. 72.
8. Soggin: ZAW 1963, S. 57.
9. Buber: VT 1956, S. 150.
10. Besonderen Nachdruck auf diesen Zusammenhang legt W. Robertson Smith: The old testament in the Jewish church. 1892, S. 135ff.
11. Wiener: Composition, S. 12, sieht die Fortsetzung 13,4ff.; sie beginnt wohl schon 13,3. Vgl. dazu u. S. 247.
12. S. Anm. 5.
13. So Bernhardt: Königsideologie, S. 142.
14. Vgl. aber u. S. 225.
15. Täubler: Studien, S. 8; vgl. aber auch u. S. 227.
16. So z. B. Lods: Origines, S. 408.
17. Schunck: Benjamin, S. 107.
18. Caspari, S. 122; zustimmend Smend: Jahwekrieg, S. 49, trotz grundsätzlicher Anerkennung der Selbständigkeit.
19. Vgl. zu 13,3f.
20. So besonders Greßmann, aber auch die meisten anderen.
21. So Täubler: Studien, S. 216; Schunck: Benjamin, S. 74.
22. So auch Schunck: Benjamin, S. 109.

13,19f. sicherlich überlastet. Andererseits darf der zeitliche Abstand auch nicht als zu groß angesehen werden[23], weil es sonst unverständlich wird, daß man von hier aus nun einmal doch eine Beziehung zur Entstehung des Königtums gesehen hat[24]. Daß die Ammoniter in einem bundesähnlichen Verhältnis zu den Philistern gestanden und ihre Unternehmungen im Grunde sich nicht gegen Jabesch, sondern gegen Israel als Ganzes gerichtet hätten, ist schon deswegen unwahrscheinlich, weil es fraglich sein kann, wie weit Israel damals schon als solche Einheit empfunden wurde.

Expansionsbestrebungen der Ammoniter aus einem zwar fruchtbaren, doch relativ engen Siedlungsraum[25] sind verständlich. Jdc 10,17 erzählt von einem Angriff auf das südlich des Jabbok liegende Gilead. Für seine Abwehr scheinen die Kräfte eines zwar stammverwandten, aber nicht als ebenbürtig anerkannten Kondottiere ausreichend gewesen zu sein[26]. In gewisser Weise überrascht es, daß Nahasch so weit von seiner Ausgangsbasis operiert; freilich konnte er für den Aufmarsch wahrscheinlich eine alte Ost-West-Verbindung benutzen[27]. Man hat diesen Zug damit in Zusammenhang bringen wollen, daß die Jabeschiten durch das Jdc 21,10 berichtete Blutbad geschwächt und darum ungefährliche Gegner waren[28]. Das ist möglich, aber nicht sicher zu erweisen. Auffallend ist es dann aber, daß die Jabeschiten nicht die ihnen näher wohnenden Gileaditen um Hilfe anrufen. Die Folgerung scheint nicht unbegründet, daß sie sich in einem anderen Status befanden als diese.

Der Bericht zeigt wohl viele altertümliche Züge, indessen doch nicht einfach den Stil der Heldensage[29]. Es handelt sich auch hier um theologisch geschaute und gedeutete Geschichte, bei der man sehr wohl Kern und Einkleidung unterscheiden muß[30]. Das bekannte Urteil, das Wellhausen[31] auch gerade im Blick auf dieses Kapitel fällte, man fühle sich in die frische Luft versetzt, trifft die Sache doch nicht ganz.

1–2 Auf das Angebot einer bedingten Unterwerfung und die Bitte um einen Vertragsabschluß antwortet Nahasch mit dem Angebot teilweiser Blendung. Das hängt nicht damit zusammen, daß der Verlust eines Auges zum Kämpfen unfähig mache[32], sondern ist Ausdruck völliger Unterwerfung unter die Willkür

23. Wildberger: ThZ 1957, S. 466f.; er rechnet sogar mit einem Zeitraum von u. U. mehreren Jahrzehnten.

24. So auch Weiser: Samuel, S. 72.

25. S. Anm. b zu V. 1.

26. Das wird jetzt etwas dadurch verdunkelt, daß nach 10,9 der Angriff über den Jordan hinweg auch auf Ephraim, Benjamin und Juda ausgedehnt worden ist; indessen handelt es sich hier schon um die Erweiterung des deuteronomistischen Rahmens.

27. Vgl. dazu Arnulf Kuschke: ZDPV 1958, S. 23ff.

28. So z. B. Ehrlich, de Groot; vgl. aber auch Schunck: Benjamin, S. 91.

29. So Bernhardt: Königsideologie, S. 143.

30. So im Grundsatz richtig Hylander: Komplex, S. 156, wenn er auch das novellistische Moment zu stark betont; vgl. auch Weiser: Samuel, S. 70.

31. Composition, S. 243.

32. So schon Ant VI, 70, wo es so erklärt wird, daß das linke Auge im Kampf von dem Schild verdeckt wurde.

des Siegers (vgl. Anm. zu V.2); es muß im Zusammenhang mit der חֶרְפָּה verstanden werden; es ist ein religiöser Begriff, durch den das ganze Geschehen den Charakter eines Jahwekrieges erhält. Zugleich wird unterstrichen, daß diese Bedrohung Gesamtisrael betrifft.

3–4 Die Gewährung eines Waffenstillstandes entspricht schwerlich einem ritterlichen Brauch[33], der in keinem Verhältnis zur Härte der Vertragsbedingung stünde. Sie ist vielmehr ein konventionelles Erzählungselement, das nicht nur die Gesandtschaft und die Begegnung mit Saul ermöglicht[34], sondern mit der Überlegenheit des Nahasch zugleich unterstreicht, wie, menschlich gesehen, keine Hoffnung auf Rettung mehr besteht.

Der Bericht will nun doch wohl den Anschein erwecken, als hätten die Boten zuvor das ganze Gebiet Israel durchzogen, ehe sie nach Gibea kamen[35], doch kann es fraglich sein, ob das auch die ursprüngliche Erzählungsabsicht war. Der zur Verfügung stehende Zeitraum wäre dann sehr knapp bemessen, außerdem wäre nicht einzusehen, warum die Etappen des Weges nicht mehr genannt, der Mißerfolg nicht beschrieben wurde[36]. Das hätte jedenfalls die Spannung in eindrucksvoller Weise gesteigert. Wollte man die Zuverlässigkeit dieser Angabe damit begründen, daß das Versagen der nordisraelitischen Stämme auf den Verlust der Lade zurückzuführen sei[37], so hätte auch das in irgendeiner Weise gesagt werden sollen. Geschichtlich geurteilt werden die Jabeschiten sich direkt nach Gibea gewendet haben[38]. Dann ist es bemerkenswert, daß 𝔐 noch zu wissen scheint, daß das unabhängig von der Gestalt Sauls geschah[39]. Es wird auch sonst wahrscheinlich, daß engere Verbindungen zwischen Benjamin und Jabesch bestanden[40]. Die Jdc 21,8ff. berichteten Ereignisse sind nicht der Grund für solche engen Beziehungen, sondern haben ihrerseits diese bereits zur Voraussetzung. Dieses Zusammengehörigkeitsbewußtsein geht vermutlich auf Besonderheiten bei der Landnahme zurück, die uns nicht mehr durchschaubar sind. So wäre der Entsatz von Jabesch in erster Linie eine benjaminitische Angelegenheit, was Schrader[41] m. E. schon richtig erkannte, wenngleich seine Folgerung, daß Saul selber Gileadit aus Jabesch gewesen sei, jedes zureichenden Grundes entbehrt. Mit einer Unternehmung in beschränkterem Rahmen rechnet auch Möhlenbrink[42], doch

33. So etwa Greßmann.

34. Hylander: Komplex, S. 156.

35. Schulz: Wir müssen ergänzen: nach vergeblichen Versuchen; vgl. auch Hertzberg.

36. Es ist eine Verdrehung, wenn Budde daraus folgert, daß der Passus, aus dem die fruchtlosen Bemühungen hervorgegangen wären, fortgefallen sei, um zu zeigen, daß die Boten sich gleich an Saul wandten; das ist zweifellos die Überzeugung von 𝔊 (4a), hier aber noch nicht ohne weiteres vorauszusetzen.

37. Julius Morgenstern: The Ark, the Ephod, and the »Tent of Meeting«. HUCA 1942/43, S. 237.

38. Oder wenigstens nach Benjamin; so auch de Groot; vgl. weiter Möhlenbrink: ZAW 1940/41, S. 63.

39. Vgl. o. S. 224.

40. Stoebe, in: Eißfeldt-Festschrift, S. 230.

41. KAT³, S. 227.

42. ZAW 1940/41, S. 57ff.

ist seine Annahme einer Benjamin, Ruben und Gad umfassenden Dreieramphiktyonie mit dem Kultmittelpunkt im Gilgal[43], abgesehen von anderen Schwierigkeiten, auch deswegen unwahrscheinlich, weil zur Zeit Sauls diese drei Stämme nach Herkunft und Bedeutung zu verschiedenartig gewesen sind. Näher liegt es dann, mit einer wenigstens partiellen Beteiligung von Ephraim und Manasse zu rechnen[44]; doch würde ich noch nicht von einem eigentlichen Aufgebot aus diesen Stämmen reden. Jedenfalls ist die Angabe über die Beteiligung von Israel und Juda V. 8 weniger ein Anachronismus[45] als eine bewußte Ausdehnung auf gesamtisraelitischen Rahmen.

5–7 Saul ist unvorbereitet, das Ergriffenwerden vom Geiste Gottes als Zeichen charismatischer Berufsausrüstung durch nichts vermittelt (zu שמואל V. 7 vgl. Anm. d); es ist die Antwort Jahwes auf eine konkrete Notlage. Das Jammern und Weinen des Volkes, dem Kontext nach Zeichen der Schwäche und Hilflosigkeit, kann vielleicht im Zusammenhang mit der Klage über die Folgen des Abfalls von Jahwe gesehen werden, die aus dem deuteronomistischen Rahmen bekannt ist. Die Verbindung mit dem Zorn als einem menschlichen statt göttlichen Affekte (vgl. Anm. b zu V. 6) scheint ein Zeichen späteren Erzählungsstils zu sein, ist jedenfalls nicht als eigenständige Motivierung neben der charismatischen Begabung[46] oder das eine als Epexegeticum des andern[47] zu verstehen. Noch weniger kann man daraus eine Zugehörigkeit der einzelnen Glieder zu verschiedenen Erzählungsfäden[48] folgern. Das Zerstückeln der Tiere und Versenden der Teile zum Zwecke amphiktyonischen Aufgebotes unterscheidet sich von Jdc 19,29 insoweit, als es für Saul bereits das Recht voraussetzt, das Jdc 19 erst Gegenstand der Verhandlungen ist, solche Gefolgschaft zu verlangen. Was vom Gottesschrecken gesagt wird, legitimiert Sauls Führungsanspruch gegenüber dem Volk. Dieser uneigentliche Gebrauch zeigt wohl, daß hier ein Recht erklärt werden soll, von dem es fraglich sein muß, ob es Saul in diesem Augenblick schon zustand[49] oder aber ihm gewährt wurde, als er durch seinen Erfolg ausgewiesen war. Das Letztere erscheint wahrscheinlicher. Das würde bedeuten, daß sich erst nach dem Erfolge Sauls und unter ihm die Amphiktyonie als Volk im politischen Sinne konstituierte[49]. Davon, daß Saul hier als amphiktyonischer Beamter handele[50], kann man nicht sprechen.

8–11 Die Nennung Judas ist mit den hohen Zahlen zusammenzunehmen (vgl. dazu Anm. c zu V. 8); sie ist nicht für sich als Zusatz anzusehen (vgl. Anm. d zu V. 8), vielmehr kennzeichnet der ganze Satz die Ausweitung eines begrenzten

43. Die Landnahmesagen des Buches Josua. ZAW 1938, S. 238f.; soweit diese Auffassung auf Jos 22,10.12 gründet, hat sie wenig Überzeugungskraft; vgl. zur Sache Kurt Galling: Bethel und Gilgal. ZDPV 1943, S. 146.

44. Noth: PJ 1941, S. 82.

45. Von Rad: Krieg, S. 20.

46. Hylander: Komplex, S. 159.

47. So z. B. Budde.

48. Eißfeldt: Komposition, S. 8.

49. Vgl. dazu vor allem Smend: Jahwekrieg, S. 47.

50. So Wildberger: ThZ 1957, S. 468.

Ereignisses auf gesamtisraelitische Verhältnisse. Die Musterung in Besek, die unerfindbar scheint, läßt an eine Beteiligung ephraemitischer-manassitischer Gruppen denken. Die Schlacht selbst wird in konventioneller Weise beschrieben, unter Verwendung des Überraschungsmomentes. Der Schlußsatz kennzeichnet die vollständige Niederlage der Ammoniter.

12–15 stellen einen redaktionellen Ausgleich dar; es gehört zum Wesen solcher Verbindungsstücke, daß sie den Ansatz für verschiedene Erweiterungen bieten. V. 12f. enthalten einen selbständigen Gedanken[51]. Daß es sich dabei im Blick auf die Anknüpfung an 10,27 um ein vorgegebenes Traditionselement handelt und der Ammoniterkriegsbericht schon in Verbindung mit diesem Rahmen vorlag[52], wird ebenso durch die Verschiedenheit der gewählten Worte (vgl. Anm. c zu V. 12) wie durch den Wechsel des Subjekts V. 13 u. 14 (vgl. Anm. a zu V. 13 u. Anm. a zu V. 14) unwahrscheinlich. Das erlaubt weiterhin die Vermutung, daß die Verse 12 u. 13 gegenüber V. 14f. nachträglich sind[53], weil ihr יִמְלֹךְ darauf Bezug nimmt; jedenfalls nicht, wie meist angenommen, mit V. 14 u. 15[54] oder wenigstens mit V. 14[55] auf einer Ebene liegen. Diese beiden Verse wiederum dürften nicht allzu spät entstanden sein, weil zu einem späteren Zeitpunkt keine Notwendigkeit mehr für sie bestanden hätte. Daß 10,17–27 als vollgültige Königswahl und Einsetzung aufgefaßt wurde, erweist das gewundene, in sich unmögliche נְחַדֵּשׁ; gerade das läßt nun vermuten, daß hier, wenn nicht eine alte Überlieferung, so doch die Erinnerung an eine solche vorliegt. Eine Akklamation des Volkes ist schon 10,26 erfolgt, wie überhaupt 10,22ff. und 11,14f. eine schwer zu erklärende Parallelität aufweisen, der die Erklärung, einmal handele es sich um die Wahl, das andere Mal um die Weihe[56], nicht gerecht wird. Andererseits ist es zwar richtig, daß V. 1–11 ein in sich geschlossener Bericht vorliege, der keiner Ergänzung bedürfe[57], aber zwingend ist das Argument nicht, denn Richtergeschichten schließen ja immer mit einer Angabe über die Folgen eines Sieges, und gerade Beyerlin hat sich um den Nachweis bemüht, daß die Umrahmungen der Richtergeschichte älter seien als das Deuteronomium[58]. Wie eine nur aus dem Zusammenhang gewonnene Angleichung aussehen konnte, zeigt 𝔊 zu V. 15. Es besteht also auch kein Grund zu der Folgerung, daß dieses Kapitel einer Ableitung des Königtums aus dem charismatischen Führertum[59] widerspräche. Wenn weiter darauf hin-

51. Vgl. etwa Hertzberg, Rehm, van den Born.

52. Weiser: Samuel, S. 73; Hertzberg will die Verse überhaupt hinter 10,27 als ursprüngliche Fortsetzung versetzen.

53. Preß: ZAW 1938, S. 204 rechnet sie dagegen zum ursprünglichen Bestand; ähnlich Dhorme.

54. Wellhausen: Composition, S. 243.

55. Budde, Smith, Greßmann, de Vaux u. v. a.

56. Bernhardt: Königsideologie, S. 142; allerdings unter nicht zutreffenden literarkritischen Voraussetzungen; vgl. dazu o. S. 224.

57. Beyerlin: ZAW 1961, S. 189; zu seinem Argument des verschiedenen Charakters der Geistbegabung vgl. o. S. 207.

58. Gattung und Herkunft des Rahmens des Richterbuches. In: Weiser-Festschrift. 1963, S. 1ff., wenngleich diese Untersuchung stärker unter dem Gesichtspunkt des rîb-pattern geführt ist.

59. Vgl. o. S. 226, Anm. 39.

gewiesen wird, daß der eigentliche Kriegsbericht Samuel nicht kenne, so berechtigt auch das nicht zu der Annahme, daß alle Samuel betreffenden Aussagen aus dem Kapitel zu eliminieren seien[60] oder daß auch die älteste Schicht von 9,1–10,16 Samuel nicht gekannt habe[61]. Damit erscheint das Wesen der Königswahl von vornherein im Ansatz verzeichnet[62]. Im Gegensatz dazu sieht gerade Möhlenbrink[63] in V. 14a einen gut historischen Kern. Genaueres über das Wesen dieser Überlieferung läßt sich freilich nicht mehr feststellen. Das aber ist von vornherein unwahrscheinlich, daß die Bedeutung Samuels darin bestanden haben sollte, daß er die Stämme der Josephgruppe und vielleicht sogar schon die galiläischen Stämme Saul zur Verfügung stellte[64]. Jedenfalls zeigt der neben der Hauptlinie selbständig herlaufende Bericht, wie stark die Erinnerung daran war, daß die Wurzel des Königtums Sauls in seinem charismatischen Führertum lag, daß gerade diese charismatische Seite in enger Verbindung mit dem benjaminitischen Heiligtum im Gilgal stand und Samuel, offenbar als prophetische Größe, eine wichtige Rolle dabei gespielt hat[65]. Damit, daß ursprünglich parallele Berichte zu einem Nacheinander koordiniert sind[66], ist eine Art von zeitlicher Abfolge entstanden, die sich indessen nicht zur Nachzeichnung eines geschichtlichen Verlaufes benutzen läßt[67]. Ebensowenig, wie man daraus eine Marschroute Sauls nach seinem Sieg über die Ammoniter rekonstruieren kann[68], darf man auf ursprüngliches Auseinanderfallen der einzelnen Akte der Königskür schließen[69] (wenn solche Gedanken auch das methodische Einteilungsprinzip des Endredaktors gewesen sein mögen[70]), so, als sei die endgültige Anerkennung an die Bewährung des Gewählten gebunden oder als exerziere Saul seinen Auftrag erst bei einem Unternehmen begrenzteren Ausmaßes. Ganz abwegig ist es, aus dem נְחַדֵּשׁ auf eine kultische Wiederholung der Königseinsetzung zu schließen, die regelmäßig am Neujahrsfest erfolgt sein soll (A. Haldar: Associations of Cult Prophets among Ancient Israel. Uppsala 1945, S. 144). Allen solchen Versuchen gegenüber muß nachdrücklich daran festgehalten werden, daß Kap. 11 weder organische Fortsetzung von 10,1–16 noch von 10,17–27 ist. Eine Frage könnte es allenfalls sein, ob auch dieser Bericht einmal auf eine Bestellung Sauls zum נָגִיד ausgerichtet gewesen sein könnte und durch die Einordnung nach der Königsproklamation zu Mizpa ebenso nivelliert wie in seinem Bedeutungsumfang erweitert wurde.

60. Smith, Greßmann; Soggin: ThZ 1959, S. 406.
61. Schunck: Benjamin, S. 90, wogegen grundsätzlich einzuwenden ist, daß die Selbständigkeit und Parallelität beider Berichte nicht genügend beachtet ist.
62. Dazu Weiser: Samuel, S. 70.
63. ZAW 1940/41, S. 65.
64. ZAW 1940/41, S. 66.
65. Vgl. zuletzt Hertzberg.
66. Weiser: Samuel, S. 69.
67. O. S. 224f.
68. Vgl. Anm. b zu V. 14; auch Täubler: Studien, S. 26.
69. Vgl. Anm. 56.
70. Zur Sache vgl. Budde, Dhorme, de Groot u. a.

Da die mit dem Gilgal gestellten topographischen Fragen nicht völlig geklärt sind[71], kann sich die Annahme, es sei von vornherein gemeinsames Heiligtum für Ephraim und Benjamin gewesen[72], jedenfalls nicht auf seine Grenzlage stützen. Daß die Ephraimiten am Unternehmen gegen die Ammoniter[73] beteiligt sind, ließe sich zur Genüge daraus erklären, daß auch sie bedroht sind. Da das Gilgal ein benjaminitisches und mit der Landnahmeüberlieferung gerade dieses Stammes eng verbundenes Heiligtum ist, ist seine Wahl zum Krönungsort tatsächlich ein Problem[74]. Die Folgerung, daß dieses Heiligtum schon in vorköniglicher Zeit eine umfassendere Bedeutung gehabt haben müsse[75], drängt sich als wahrscheinlich auf, reicht aber zur Erklärung noch nicht aus. In der Form, daß Gilgal bereits das Zentralheiligtum der Amphiktyonie gewesen sei[76], ist sie ein durch nichts zu erweisendes Postulat. Die These, daß es in dieser Funktion das Zentralheiligtum von Sichem abgelöst habe[77], erreicht zwar gegenüber dem Auseinanderfallen von Landnahme- und Sinaitradition[78] eine stärkere Vereinheitlichung des Überlieferungsbestandes, hat aber gegen sich, daß die Traditionselemente, die die Lade enthalten, nicht zur ältesten Schicht der Gilgalüberlieferung gehören[79] (zu der Annahme, daß die Lade ein spezifisch benjaminitisches Heiligtum gewesen sei, vgl. Exkurs S. 164f.). Dazu träte wohl auch die Überlegung, daß die sicher bezeugten Zentralheiligtümer an einer geographischen Linie nahe der Hauptverkehrsader lagen. So bleibt es also auch gerade von der Nennung des Gilgal in diesem Zusammenhang her am wahrscheinlichsten, daß die hier erfolgte Königsproklamation zuerst wenigstens benjaminitische Bedeutung hatte[80], wozu passen würde, daß Saul noch als König sich vor allem auf seine benjaminitische Sippe stützte[81], also ein mit der besonderen Struktur seines Herrschaftsbereiches gegebenes Problem nicht zu lösen verstanden hatte.

71. Hierzu und zum Folgenden Anm. b zu V. 14. Die jüngst von H. J. Franken (Excavations at Deir Alla. VT 1964, S. 422) geäußerte Vermutung, Deir Allah könne statt Sukkoth ebensogut das Gilgal von 1 Sam 11 sein, entbehrt jeder zureichenden Begründung.

72. Schunck: Benjamin, S. 56; Alt II, S. 21; Galling: Bethel und Gilgal. ZDPV 1943, S. 146 u. a.

73. Oben Anm. 44.

74. Galling: ZDPV 1943, S. 147.

75. So z. B. auch Richard Hentschke: Die Stellung der vorexilischen Schriftpropheten zum Kultus. 1957 (BZAW 75), S. 51; auch v. a.

76. Vgl. etwa Martin Noth: Das Buch Josua. 2. Aufl. 1953 (HAT I/7) zu Kap. 3 und 4; zuletzt John Gray: The kingship of God in the Prophets and Psalms. VT 1961, S. 26.

77. Hans-Joachim Kraus: Gilgal, ein Beitrag zur Kultusgeschichte Israels. VT 1951, S. 193.

78. Gerhard von Rad: Das formgeschichtliche Problem des Hexateuch. 1938 (BWANT IV/26).

79. Carl Keller: Über einige alttestamentliche Heiligtumslegenden II. ZAW 1956, S. 91.

80. Vgl. zu diesem Komplex John Mauchline: Gilead and Gilgal: Some reflections on the Israelite occupation of Palestine. VT 1956, S. 29.

81. 1 Sam 22,7.

12,1–25 Samuels Rechenschaft und Mahnrede

1 Dann sagte Samuel zu ganz Israel: »Wohlan, ich habe auf eure Forderung gehört in allem, was ihr mir aufgetragen habt, und habe einen König über euch eingesetzt. 2 Und da ist nun der König, der vor euch ein und ausgehen[a] kann; ich indessen bin alt und grau[b] geworden; und meine Söhne sind schon bei euch[c]; ich habe meinen Wandel offen vor euch gehabt, von meiner Jugend an bis heute. 3 Da bin ich, erhebt Anklage[a] gegen mich vor[b] Jahwe und vor seinem Gesalbten[c]! Wessen Rind habe ich fortgenommen, wessen Esel[d] habe ich fortgenommen? An wem habe ich Unrecht

getan, wen mißhandelt[e]? Von wem habe ich Bestechungsgeschenke[f] angenommen ⟨oder ein Paar Sandalen? Klagt mich an⟩[g], ich will es erstatten[h].« 4 Sie antworteten darauf[a]: »Du hast uns kein Unrecht getan, hast uns nicht mißhandelt, keinem Menschen hast du irgend etwas fortgenommen.« 5 Da sagte er zu ihnen[a]: »Dann soll Jahwe Zeuge sein bei euch, und sein Gesalbter soll heute (auch) Zeuge sein dafür, daß ihr in meiner Hand nichts gefunden habt.« ⟨Sie erwiderten⟩[b]: »Ja, er ist Zeuge.« 6 Dann redete Samuel weiter zum Volk: »[Jahwe[a], der Mose und Aaron geschaffen hat[b] und der eure Väter aus dem Lande Ägypten heraufgeführt hat][c] 7 So stellt euch nun herzu, ich will mit euch vor Jahwe über alle Gnadentaten[a] Jahwes rechten[b], die er an euch und an euren Vätern getan hat. 8 Wie Jakob[a] nach Ägypten gekommen war[b], da schrieen eure Väter zu Jahwe, und Jahwe sandte Mose und Aaron, die führten[c] eure Väter heraus und gaben[d] ihnen ihre Wohnstatt an diesem Ort. 9 Sie dachten aber nicht mehr an Jahwe, ihren Gott; da verkaufte[a] er sie in die Hand Siseras[b], des Feldhauptmanns von Hazor[c], und in die Hand der Philister und in die Hand des Königs von Moab[d], die führten[e] Krieg gegen sie. 10 Drob schrieen sie zu Jahwe und bekannten: »Wir haben gesündigt daran, daß wir Jahwe, unsern Gott, verlassen und den Baalen und den Astarten gedient haben[a]. Aber nun rette du uns aus der Hand unserer Feinde, so wollen wir *dir* dienen.« 11 Da sandte Jahwe Jerubbaal[a], Bedan[b], Jephta[c] und (schließlich) Samuel[d] und errettete euch vor euren Feinden ringsum, daß ihr in Sicherheit[e] wohnen konntet. 12 Als ihr aber saht, daß Nahasch, der König der Ammoniter[a], gegen euch heranzog, sagtet ihr zu mir: »Nein[b], sondern ein König soll über uns herrschen«, wo doch Jahwe, euer Gott, euer König ist. 13 Nun, da habt ihr also den König, [a][den ihr erwählt,] um den ihr gebeten habt[a]; Jahwe hat also über euch einen König bestellt. 14 [a]Wenn ihr Jahwe fürchtet und ihm dient, wenn ihr auf seine Weisung hört und euch nicht dem Gebote Jahwes ⟨widersetzt⟩[b], wenn ebenso ihr wie der König, der über euch herrscht, eurem Gotte nachfolgt[c], (dann ist es recht)[d a]. 15 Wenn ihr aber nicht auf die Weisung Jahwes hört und euch dem Gebot Jahwes widersetzt, dann wird die Hand Jahwes wider euch sein, wie sie gegen eure Väter war[a]. 16 Tretet nun also herzu und seht dieses große Wunder, das Jahwe vor euren Augen tun wird. 17 Ist jetzt nicht gerade Weizenernte[a]? Ich werde zu Jahwe rufen, daß er Gewitter und Regengüsse[b] senden soll; so werdet ihr erkennen und einsehen, wie groß eure Schlechtigkeit in den Augen Jahwes ist, die ihr damit begangen habt, daß ihr für euch einen König fordertet[c].« 18 Und Samuel rief zu Jahwe, und Jahwe ließ es donnern und regnen an jenem Tag, so daß das Volk in große Furcht [a]vor Jahwe und Samuel[a] geriet[b]. 19 Und das ganze Volk bat Samuel: »Tritt fürbittend für deine Knechte bei Jahwe, deinem Gott, ein, daß wir nicht sterben[a], denn wir haben zu unsern Sünden (noch) Böses damit hinzugefügt, daß wir für uns einen König verlangt haben.« 20 Samuel gab dem Volk darauf zur Antwort: »Fürchtet euch nicht! Ihr[a] habt (zwar) all dieses Böse getan, indessen, jetzt geht[b] nicht von Jahwe weg und dient ihm allein von ganzem Herzen. 21 Auf keinen Fall weicht ab, es wäre ja doch nur[a] hinter dem her, was nichts[b] ist, das nichts nützen, nicht helfen kann, es ist ja gar nichts. 22 Wahrlich, (dann) wird Jahwe sein Volk nicht aufgeben um seines großen Namens[a] willen, denn Jahwes Wohlgefallen[b] ist's ja gewesen, euch sich zum (Eigentums)volk zu machen. 23 Auch ich[a], fern sei es mir, mich damit an Jahwe zu versündigen, daß ich aufhöre, fürbittend für euch[b] einzustehen und euch über den guten, geraden[c] Weg zu belehren[d]. 24 Nur fürchtet Jahwe und dient ihm in Wahrhaftigkeit von ganzem Herzen[a], denn seht[b], welch großes Werk er an euch[c] getan hat. 25 Wenn ihr aber frevelt, dann werdet ihr ebenso wie euer König hinweggerafft.«

2 a) Fehlt 𝔖, der indessen לִפְנֵיכֶם auch hat, darum kein Grund zur Tilgung (Ehrlich, Greßmann); מִתְהַלֵּךְ scheint hier eine technische Bedeutung zu haben, die 𝔖 und 𝔗 (מְדַבֵּר בְּרֵישֵׁיכוֹן) nicht mehr verstanden haben. b) Sonst nur Hi 15,10; Sir 35,3, vielleicht Wahllesart (Caspari). 𝔊 irrtümlich *καθήσομαι*. c) Neutral zur Kennzeichnung des Alters Samuels gebraucht, keine andere Tradition als 8,3 (de Vaux) oder Textverderbnis bzw. Zusatz (Greßmann).

3 a) Ausdruck der Gerichtspraxis, vgl. Num 35,30; Dt 19,16 (dazu H. J. Stoebe: Das achte Gebot. WuD 1952, S. 112; vgl. auch Ludwig Köhler: Die hebräische Rechtsgemeinde. In: Der hebräische Mensch. Tübingen 1953, S. 143–171). b) נֶגֶד in dieser Bedeutung kein deuteronomistischer Ausdruck (Budde). c) So schon Sir 46,19, Streichung (Löhr) deswegen unbegründet. d) Vgl. Num 16,15b die Verteidigung des Mose, dazu auch E. Nielsen: Ass and ox in the Old Testament. In: Pedersen-Festschrift. Kopenhagen 1953, S. 265. e) Zum Nebeneinander vgl. Dt 28,33; Am 4,1; Hos 5,11. f) Zunächst das Lösegeld zum Ersatz eines verwirkten Lebens (Ex 21,30; 30,12; Num 35,31f.; vgl. J. Herrmann: ThW III, S. 303), hier jedoch in erweitertem Sinne wie Am 5,12 (anders Herrmann, a. a. O.). g) Zu 𝔐 (»daß ich dafür meine Augen fest zuhielt«) vgl. Jes 1,15; Ez 22,26; dazu mit entsprechender Textänderung R. Gordis: Naʿalam and other observations on the Ain Feshka Scrolls. JNES 1950, S. 44 (נַעֲלָם geradezu Synonym für כֹּפֶר?). 𝔊 *καὶ ὑπόδημα* folgt hingegen einer anderen und m. E. ursprünglicheren Rezension, die durch Sir 46,19 bestätigt wird; vgl. dazu auch Am 2,6; 8,6 (so z. B. Wellhausen, Dhorme, Schulz, Greßmann; Peters: Beiträge, S. 205 ff.; beide Möglichkeiten offenlassend Hertzberg, de Vaux). An sich macht diese Lesart den Eindruck der Unerfindlichkeit (vgl. zum außeralttestamentlichen Vorkommen E. A. Speiser: New Kirkuk documents relating to family laws. AASOR 1928/29, S. 63; auch: Of shoes and shekels. BASOR 77. 1940, S. 15–20). Der Einwand dagegen, daß die Lesart unvereinbar mit כֹּפֶר sei (Löhr, Budde, S. R. Driver, Ehrlich, Smith), hat zwar ein gewisses Gewicht, vielleicht gehörte כֹּפֶר zunächst ausschließlich dem durch 𝔐 vertretenen Typus an (vgl. aber auch Joüon: MUB 5/2. 1912, S. 467, כֶּסֶף statt כֹּפֶר wie Am 2,6; 8,6); weniger wahrscheinlich erscheint eine einschränkende Auffassung des ו (so schon Thenius). 𝔊 liest dann weiter עֲנוּ בִי statt עֵינַי בּוֹ, was selbständige Überlieferung und nicht in 𝔐 nach עֵינַי בּוֹ ausgefallen ist (so z. B. Budde, S. R. Driver, Ehrlich, Smith). h) So mit den Vers; die Auffassung »ich will euch Antwort geben« (z. B. Wellhausen, Löhr, Nowack) erfordert דָּבָר אֶתְכֶם oder wenigstens den Akk. der Person (S. R. Driver).

4 a) 𝔊 *πρὸς Σαμουήλ*, Erleichterung, die aber das Rechtsgeschehen des Stückes verkennt.

5 a) 𝔊 *πρὸς τὸν λαόν*, vgl. dazu Wutz: Transskriptionen, S. 69 und 293. b) Lies וַיֹּאמְרוּ (Seb und Vers), vgl. aber auch S. R. Driver zur Stelle וַיֹּאמֶר הָאֹמֵר, wenngleich das hier schlecht in den Zusammenhang paßt.

6 a) 𝔊 *μαρτὺς ὁ κύριος*, eine Erleichterung, die übersieht, daß mit V. 6 ein neuer Gedankengang einsetzt, ist also nicht als עֵד (so die meisten, z. B. Wellhausen, Nowack, Budde, S. R. Driver, Dhorme, de Vaux) bzw. הָעֵידוּ (Caspari) in den hebräischen Text zu übernehmen, ebensowenig wie nach 𝔖 (*balḥûd* »Jahwe ist allein Gott«) ein הוּא (Smith, Ehrlich, Greßmann) ergänzt werden sollte. b) Nach der Paraphrase von 𝔗 דַּעֲבַד גְּבוּרָן עַל יְדֵי מֹשֶׁה (danach vor allem von Schlögl ergänzt) verstehen Keil, S. R. Driver עשה in moralischem Sinn, ähnlich Caspari »Jahwe, der mit Mose und Aaron gehandelt hat«; vgl. dazu auch Th. J. Meek: Translating the Hebrew Bible. JBL 1960, S. 331, את = ל. Man könnte dann sogar fragen, ob dieser Satz nicht ursprünglich ein חֶסֶד enthalten hat. Dem Zusammenhang nach liegt hier aber die physische Auffassung am nächsten. Ganz unbegründet Tiktin »der Himmel und Erde gemacht hat«. c) Der Text macht einen unvollständigen Eindruck, was auf ein zusammenhangfremdes Stück schließen läßt (vgl. auch Bruno: Epos, S. 64). Dafür spricht auch das Nebeneinander von Mose und Aaron, das erst seit P und der Chronik (Smith) begegnet (in Jos 24,5 handelt es sich um einen späteren Einschub, wie aus einem Vergleich von 𝔐 mit 𝔊 hervorgeht; vgl. Noth: HAT I/7).

7 a) Vgl. Jdc 5,11, inhaltlich klar, aber ohne rechtes Verhältnis zu dem Zusammenhang. b) GK § 51p. Zur Konstruktion vgl. Ez 17,20. 𝔗 = 𝔐; 𝔊𝔖 übersetzen Qal, 𝔊 + *καὶ ἀπαγγελῶ ὑμῖν*, sachlich richtige, aber weniger prägnante Auflösung der Breviloquenz, die nicht die entsprechende Ergänzung von 𝔐 fordert (וְאַגִּידָה לָכֶם, Wellhausen, Budde, S. R. Driver, de Vaux u. a.; אֲשִׁימָה Ehrlich). Caspari nimmt neuen Satzanfang an.

8 a) 𝔊 + *καὶ οἱ υἱοὶ αὐτοῦ* wie Jos 24,5 (so Thenius, Budde, Dhorme), ist schriftgelehrte Erweiterung der pedantischeren Rezension. b) 𝔊 + *καὶ ἐταπείνωσεν αὐτοὺς Αἴγυπτος* Zusatz aus demselben Geist, Ergänzung von יַכְנִיעוּם (Wellhausen, Nowack u. v. a.) oder וַיְעַנּוּם (wie Ex 1,12; Dt 26,6, so Budde, Dhorme) erübrigt sich. c) 𝔊^A𝔖𝔙 Sg., so daß Jahwe Subjekt ist (so Caspari, Schlögl). d) Vers Sg.: Jahwe Subjekt; danach und aus inhaltlichen Erwägungen von den meisten (z. B. Wellhausen, S. R. Driver, Budde, Dhorme, Caspari, de Vaux) in יוֹשִׁיבֵם geändert (de Groot, 𝔐 Arabismus?); wahrscheinlich die Korrektur einer flüchtigeren Darstellung (Hertzberg); die Annahme einer älteren, von der bekannten abweichenden Tradition (Ehrlich) ist nicht ausreichend begründet.

9 a) Deuteronomistische Formel, vgl. Jdc 2,14; 3,8; 4,2; 10,7. b) Vgl. Jdc 4,2–22; 5,20–30; Ps 83,10; zur Herkunft des Namens aus philistäisch-illyrischem Bereich vgl. Alt I, S. 266 was einleuchtender ist als die Erklärung bei H. Bauer: Die Gottheiten von Ras Schamra. ZAW 1933, S. 83 f. c) 𝔊 + *'Ιαβεὶς βασιλέως*, pedantische Harmonisierung mit Jdc 4; zu 𝔐 vgl. 1 Reg 2,32. Caspari will שַׂר צָבָא tilgen. d) Jdc 3,12 ff. e) 𝔊 *ἐπολέμησεν*, von Joüon: Bibl 1928, S. 165 bevorzugt.

10 a) Vgl. 7,3.4; zum Wortlaut Jdc 10,10.

11 a) Jdc 6,32; 7,1; 8,29. Schlögl vermißt nicht ohne Grund die Nennung Midians. b) Name eines sonst unbekannten Richters und daher Zeichen einer selbständigen Überlieferung (so richtig de Groot), mit der schon die Vers nichts anzufangen wußten, wie ihr Abweichen untereinander zeigt (𝔐 nur durch 𝔙 vertreten), 𝔊 *καὶ τὸν Βάρακ*, danach von den meisten (selbst Keil und konservativen katholischen Kommentatoren) geändert. Diese Lesung liegt aber im Blick auf Sisera sehr nahe, außerdem ist Barak so bekannt, daß schon von daher eine sinnlose Verschreibung unwahrscheinlich ist; außerdem bestätigt 𝔗 mit שִׁמְשׁוֹן (= דן (בן?) indirekt 𝔐. Dhorme denkt nach dem Vorgang von Ewald an עַבְדּוֹן (Jdc 12,13), was ebenfalls wenig Wahrscheinlichkeit hat. 𝔖 füllt noch stärker auf: Debora, Barak, Gideon (Gideon für Jerubbaal auch 𝔗), so daß die daraus gewonnene Emendation גִּדְעוֹן (Ehrlich, Greßmann) erst recht keine Wahrscheinlichkeit hat. c) Jdc 11 f. d) 𝔊^L𝔖: Simson (danach Klostermann, Schlögl, Greßmann), doch ist diese Lesart nur schlecht bezeugt, die ihr zugrunde liegende Überlegung, daß Samuel nicht von sich selber reden könne, durchsichtig. e) GK § 118q und vgl. Dt 12,10; 33,28.

12 a) 11,1 הָעַמּוֹנִי. Der Ammoniterfeldzug hat hier einen anderen Akzent als Kap. 11. b) Vereinigt die beiden Lesungen in 8,19 und 10,19 (Boström: Alternative Readings, S. 32); vgl. auch 2,16 Qere; 2 Sam 16,18. Strenggenommen paßt es hier nicht in den Zusammenhang. 𝔊𝔖 ohne לִי.

13 a) Zur Form שְׁאֶלְתֶּם vgl. GK § 44d; 64f; BLe § 50v; fehlt 𝔊^B, und klingt neben בחר hart, wird

darum von den meisten als Wahllesart oder in den Text gekommene Glosse gestrichen (Wellhausen, S. R. Driver u. v. a.; vgl. auch Boström: Alternative Readings, S. 32). Vielleicht ist es aber richtiger, wegen der theologischen Prägnanz und des Anklanges an den Namen שָׁאוּל (? Hertzberg) das בְּחַרְתֶּם zu streichen (Ehrlich, Caspari, Buber: VT 1956, S. 160).

14 a) Leitet einen Anakoluth ein, bei dem der Nachsatz (»so ist es recht«) selbstverständlich ist (GK § 17a; BroS § 170b). Vgl. dagegen jetzt auch A. D. Crown: Aposiopesis in the O. T. and the Hebrew Conditional Oath. Abr-Nahrain 1963/64 (Leiden), S. 96–111 (103). b) Besser als תִּמְרוּ zu vokalisieren. c) Vgl. 2 Sam 2,10; 1 Reg 12,20; 16,21. Die Lesung וִחְיִתֶם (von Klostermann, Dhorme, Smith unter Tilgung des אַחַר יְהוָה אֱלֹהֵיכֶם als Nachsatz zur Bedingung aufgefaßt) verkennt den Anakoluth und hat keinen Anhalt in den Vers. d) 𝔊^L + *καὶ ἐξελεῖται ὑμᾶς* aus gleichem Mißverständnis kommende freie Erweiterung.

15 a) 𝔊 *καὶ ἐπὶ τὸν βασιλέα ὑμῶν* (so Wellhausen, Löhr, S. R. Driver, Smith, de Vaux), wozu z. T. nach 𝔊^L *ἐξολοθρεῦσαι ὑμᾶς* noch ein לְהַאֲבִידְכֶם zugefügt wird (Klostermann, Dhorme u. a.; Hertzberg verbindet 𝔐 und 𝔊). Am nächsten liegt die Auffassung »wie an euren Vätern« (𝔗𝔖; so Rehm). Zur Rechtfertigung von 𝔐 verweist de Boer: Research, S. 84 auf das andere Zeitdenken, was aber hier zur Erklärung schwerlich ausreicht.

17 a) Zum Ausdruck vgl. im Gezerkalender ירח קצר שערים; die Erntezeit ist nach der Lage verschieden, im allgemeinen Mai, Juni (AuS III, S. 3 ff.), wo Regenfälle tatsächlich äußerst selten sind. b) Vgl. zur Sache J. Gray: The legacy of Canaan. VTS 5. 1957, S. 43. 2. Aufl. 1965, S. 52. c) GK § 114o.

18 a) Budde bemängelt, kaum zu Recht, אֶת יְהוָה וְאֶת שְׁמוּאֵל als »nach schlechtem Zusatz klingend«; Caspari tilgt אֶת יְהוָה. b) GK § 111 l.

19 a) GK § 107p.

20 a) DelF § 7b וְאַתֶּם (Haplogr) »obwohl ihr«. b) סור in Verbindung mit עבד Dt 11,16.

21 a) Das כי ist als emphatische Partikel (KBL, S. 431) beizubehalten (de Boer: Research, S. 52; Hertzberg), braucht jedenfalls nicht nach 𝔊𝔙 als sinnlos gestrichen zu werden (Wellhausen, S. R. Driver, Schulz, DelF § 100a u. a.), ist auch nicht Rest eines ursprünglichen לָלֶכֶת (Ehrlich). b) Spätes Wort, vornehmlich bei Deuterojesaja, darum von manchen als spätere Glosse angesehen (Wellhausen: Prolegomena zur Geschichte Israels. 6. Aufl. Berlin 1905, S. 387; Budde, Nowack, Caspari u. a.); Klostermann, auch Schulz finden unter Berufung au 𝔗 ursprüngliches הַתֹּעֵבוֹת darin.

22 a) Vgl. Jos 7,9; Jer 44,26; Ez 36,23 und besonders häufig in den Psalmen. b) Nach dem theologisch gut verständlichen »juravit« bei 𝔙 liest Caspari ohne Not הָאָלָה.

23 a) Zum casus pendens vgl. GK § 135g. b) 𝔊 *περὶ ὑμῶν καὶ δουλεύσω τῷ κυρίῳ*, aus falschem Verständnis des בַּעַדְכֶם entwickelte Fehlübersetzung, neben die dann das Richtige gestellt wurde, auf keinen Fall ein »trefflicher Gegensatz zu מֵחֲטֹא לַיהוָה« (Thenius) und nicht in 𝔐 zu ergänzen (Schulz). c) In der vokalisierten Form St. cstr. (BroS § 60a); besser בַּדֶּרֶךְ. d) Zur Fortsetzung des Inf. durch Perf. cons. GK § 112i; vgl. auch Joüon: Bibl 1928, S. 165.

24 a) In dieser Zusammensetzung ungewöhnlich (Jos 24,14 בְּתָמִים וּבֶאֱמֶת; vielleicht eine Wahllesart [so Schlögl]). b) 𝔊 *ὅτι εἴδετε* (𝔙 »vidistis enim«), Erleichterung der ungewöhnlichen Verbindung von כִּי mit Imp. (nach Budde Hinweis auf Glosse), kein Grund zur Änderung in רְאִיתֶם (Schlögl; Joüon: Bibl 1928, S. 165). c) Kann sich nicht mehr auf das gegenwärtige Wunder, sondern muß sich auf die geschichtlichen Taten Jahwes beziehen (so richtig Greßmann gegen Budde). Deswegen ist eine Änderung von עִמָּכֶם in לְעֵינֵיכֶם (Ehrlich) verfehlt.

12,1–25 SAMUELS RECHENSCHAFT UND MAHNREDE. Mit der häufigen Kennzeichnung dieses Stückes als »Samuels Abschied vom Volk[1]« ist eher seine jetzige Stellung im Zusammenhang der Berichte von der Entstehung des Königtums bestimmt, als daß sie im Inhalt selbst ihren Grund hätte[2]. Damit, daß Samuel seine weitere Fürbitte zusagt (V. 23), erscheint er als Vertreter des prophetischen

1. Z. B. Schulz, Hertzberg u. v. a.; vgl. vor allen Dingen Noth: Studien, S. 59.
2. So auch Weiser: Samuel, S. 81 ff.

Amtes[3], in diesem Amt ist er aber nicht abzulösen[4]. Das ist von grundsätzlicher Bedeutung im Blick auf die Annahme, daß das Königtum Ablösung und Fortsetzung des Richtertums darstellt[5]. Ein Ort wird nicht genannt, die Stellung im Kontext verweist die Begebenheit in den Bereich der mit dem Gilgal verbundenen Ereignisse. Das wird jetzt von verschiedenen Seiten auch als die eigentliche Erzählungsabsicht angenommen[6], womit die übliche Zuweisung des Stückes zum Komplex 8; 10,17–27[7] abgelehnt ist.

An dieser Auffassung ist zweifellos richtig, daß Kap. 12 als Ganzes nicht einfach quellenhafte Fortsetzung von 8; 10,17–27 ist[8], sondern daß es sich um ein im Kern selbständiges Überlieferungsstück handelt[9]. Die Spannungen, die hier im einzelnen bestehen, machen es von vornherein unwahrscheinlich, daß es dabei um eine frei komponierte Abschiedsrede gemäß der Darstellungsweise des Deuteronomisten[10], noch überhaupt in dem Komplex 8; 10,17–27 um eine mit Überlieferungsresten frei schaltende tendenziöse Konstruktion geht[11] (anders liegt es natürlich Kap. 7; vgl. dazu o. S. 171). Unter dieser Voraussetzung wären die Unglattheiten tatsächlich unerfindlich[12]. Andererseits sind sie, gemessen an den Gemeinsamkeiten, auch wieder nicht so stark, daß man dieses Kapitel grundsätzlich von 8; 10,17–27 absetzen müßte[13]; es gehört in die Mizpatradition hinein[14], nur daß es sich bei dieser, ebenso wie bei 9; 10,1–16 um eine komplexe Größe handelt, die ihren zentralen Gedanken durch die Verarbeitung verschiedener Traditionsstücke zum Ausdruck bringt.

Der Tenor dieser besonderen Überlieferung war ebensowenig königtumsfeindlich[15] wie dies bei 8; 10,17–27 (vgl. o. S. 176) der Fall war[16]. Dieser Eindruck entsteht, wie auch sonst, daraus, daß die deuteronomistische Bearbeitung einen ursprünglich positiven Eindruck verwischte bzw. einen Hinweis auf die Problematik in handgreifliche Ablehnung umgedeutet hat[17]. Eine besondere Schwierig-

3. So vor allem auch Buber: VT 1956, S. 162.
4. Es war folgerichtig, wenn Weiser: ZAW 1936, S. 26 annahm, daß die Überlieferung von Samuels Rücktritt in der Form von Kap. 12 erst begreiflich wird, wenn ihr die Tradition von 1. Sam 15 zeitlich und logisch vorausgegangen ist.
5. Vgl. dazu o. S. 182ff.
6. James Muilenburg: The form and the structure of the convenantal formulations. VT 1959, S. 360ff.; Weiser: Samuel, S. 81ff.
7. Vgl. dazu o. S. 176; zusammenfassend Noth: Studien, S. 54ff.
8. So auch Hertzberg; Wildberger: ThZ 1957, S. 456f.
9. Darauf hatten schon Budde und Dhorme hingewiesen.
10. Noth: Studien, S. 59f.
11. Noth: Studien, S. 57f.
12. Vgl. dazu die Besprechung Eißfeldts (ThLZ 1947, Sp. 74).
13. Wie Weiser es will.
14. Caspari, Hertzberg.
15. Weiser: Samuel, S. 81ff., auch schon Stoebe: 1 Sam 12. In: Joh. Herrmann zum 70. Geburtstag. 1950 (in Maschinenschrift).
16. Preß: ZAW 1938, S. 196 nimmt zwar grundsätzlich eine Sonderstellung von Kap. 12, aber mit einer ausgesprochen königtumsfeindlichen Tendenz an, die auf Kap. 8 eingewirkt haben soll.
17. Deuteronomistisch jetzt auch wieder Bernhardt: Königsideologie, S. 151f.

keit liegt hier darin, daß anders als in Kap. 8 eine eindeutige Abgrenzung zwischen Ursprünglichem und Überarbeitung nicht möglich ist; da dieses Stück vom Ansatz her durch prophetisches Denken bestimmt ist[18], sind von vornherein Gemeinsamkeiten vorhanden, die jedes Urteil dem Verdacht aussetzen, Geschmacksurteil zu sein[19]. Man pflegt dieses Stück mit der Abschiedsrede Josuas (Jos 24) zusammenzustellen[20], doch muß man sich vor der Ausmalung der historischen Situation immer wieder diesen Unsicherheitsfaktor vergegenwärtigen[21].

1–5 Die Verse bilden, wie auch meist zugestanden ist[22], die direkte Fortsetzung von 10,25. »Einige stilistische Überleitungen von Kap. 11 nach 12 sind nachträglich geschaffen worden«[23]. Der König erscheint hier als Rechtsgarant, vor dem Samuel sein Leben darlegt; die Einstellung zum Königtum ist also durchaus positiv in diesen Versen[24]. Mit einem gewissen Recht kann man da von einer Abschiedsrede sprechen. Als gerechter Richter wird der König auch Ps 72 dargestellt[25], dennoch ist es nicht so, daß hierfür der Gedanke an die Salbung eine entscheidende Bedeutung hat[26]; jedenfalls übernimmt der König dieses Richteramt nicht auf Grund einer göttlichen Dignität. Dabei scheint nicht notwendig an die Entlastung des Vorgängers im Richteramt beim Amtsantritt des Nachfolgers zu denken zu sein. Die Listen der »Kleinen Richter[27]« betonen nachdrücklich, daß der Auftrag dieser Richter erst mit ihrem Tode endete. Auch wenn man annimmt, daß dieses Amt zugleich eine Appellationsinstanz in schweren Rechtsfällen darstellte[28] – was aber nicht mehr als eine Möglichkeit ist–, so ist eigentlich mit einer Appellationsgerichtsbarkeit die Gefahr eigensüchtiger Willkür nicht gegeben. Daß der König ein solches Recht ausübte, zeigt 2 Sam 15; aber auch da wird nur der Vorwurf volksfremder Rechtsfindung erhoben, nicht der bestechlicher Willkür. Daß der König als oberste Instanz des Volkes auch richterliche Funktionen ausübte, ist verständlich und besagt noch nicht, daß sein Amt die Fortführung des Richteramtes war, schon gar nicht, wenn man mit Noth (vgl. Anm. 28) annehmen will, daß dieses Amt bis zum Exil bestanden habe. Auf der anderen Seite möchte ich auch nicht annehmen, daß Samuel hier durch die »Bestätigung einer einfachen bundesgemäßen Lebensführung auch unter neuen Verhältnissen als Repräsentant des Jahwebundes aufzutreten berechtigt und ermächtigt zu sein wünscht«[29]. Dazu liegen die Gedanken

18. Wobei an die Diskussion in der älteren Literarkritik (elohistisch–deuteronomistisch) zu erinnern wäre. C. F. Whitley: The sources of the Gideon stories. VT 1957, S. 162 schreibt es noch im wesentlichen E zu.

19. Vgl. die weitgehende Reduzierung des Bestandes bei Buber: VT 1956, S. 157.

20. Bzw. zu Jos 23; vgl. dazu jetzt vor allem Baltzer: Bundesformular, S. 71 ff.

21. Vgl. Buber: VT 1956, S. 157.

22. Budde, Pfeiffer, Caspari und die meisten.

23. Caspari.

24. Auch Bernhardt: Königsideologie, S. 152.

25. Der bezeichnenderweise von der Überlieferung Salomo zugeschrieben wird.

26. So Beyerlin: ZAW 1961, S. 192.

27. Jdc 10,1–5; 12,7–15.

28. Alt I, S. 300; vgl. auch Martin Noth: Das Amt des »Richters Israels«. In: Bertholet-Festschrift. 1950, S. 415.

29. Weiser: Samuel, S. 83; vgl. auch Muilenburg: VT 1959, S. 361; auch Baltzer: Bundesformular, S. 74f.

doch zu sehr in der Ebene des ausgesprochen Juristischen. Es steht eher so, daß dem König hier die Wahrung des Sakralrechtes zugesprochen wird. Damit ist es wohl gegeben, daß die richterlichen Züge im Bilde Samuels hier stärker hervortreten (vgl. aber V. 23 u. ö.), zugleich aber im Bereich forensischer Gerichtsbarkeit bleiben. Die Textunsicherheit V. 3 (vgl. Anm. g) zeigt dabei wohl, daß das Bild des Richters Samuel noch nicht eindeutig festliegt. Dazu daß die Söhne Samuels mit einem anderen Akzent erscheinen als 8,3, vgl. Anm. c zu V. 2.

6–15 Eine zweite, in sich geschlossene Rede beginnt mit V. 7[30], dessen וְעַתָּה הִתְיַצְּבוּ sich auf den geprägten Stil eines Bundesformulars[31] zurückführen ließe. V. 6 ist, wie das Fehlen einer Fortsetzung zeigt (vgl. Anm. a), Einschub, der einen Gedanken von V. 7ff. vorausnimmt. Eine Umstellung des überschießenden Verses vor 10,25[32] könnte noch nicht die irrtümliche Einsetzung hier verständlich machen. So ist die Frage berechtigt, ob die Nennung von Mose und Aaron auch V. 8 noch nicht so fest im Kontext verankert war wie das übrige. Sie könnte eine Ergänzung sein, die mit dem Hineinstellen der Samuelrede in einen größeren heilsgeschichtlichen Rahmen zusammenfällt[33]. (zu וַיֹּשִׁבוּם vgl. Anm. d zu V. 8). Das dann bleibende Stück steht vollständig unter dem Gesichtspunkt der Führung Israels durch charismatische Helden während der Richterzeit. Dieses Stück muß, wenn auch die jetzige Ausformung deuteronomistisch ist (vgl. Anm. a zu V. 10), in seinem Ansatz bereits ähnliche Gedanken enthalten haben. Das Deuteronomium selbst ist ja auch nur die Endgestalt einer langen Entwicklungsreihe prophetischer Vorstellungen und Maximen. Jedenfalls gehen die Abweichungen, die in der Darstellung der einzelnen Daten der Heilsgeschichte vom üblichen Bild bestehen, tiefer, als daß sie sich als einfache redaktionelle Flüchtigkeiten erklären ließen[34]. Mindestens der sonst unbekannte Richter בְּדָן (vgl. Anm. b zu V. 11) verrät eine unbekannte Tradition; aber auch die Nennung יְרֻבַּעַל statt des geläufigen גִּדְעוֹן weist in dieselbe Richtung. Das שְׁמוּאֵל (vgl. Anm. d zu V. 11) dürfte dann wohl eine spätere Auffüllung sein[35], die im Zusammenhang mit der deuteronomistischen Überarbeitung gesehen werden muß. Das bedeutet natürlich nicht, daß es gestrichen werden soll; hier soll die Gesamtperiode der Richter einschließlich Samuels begutachtet werden[36]. Am auffallendsten ist die Beurteilung der Nahasch-Episode als des Ereignisses, das das Verlangen nach einem König ausgelöst hat. Dieser Blickpunkt ist von Kap. 11 so verschieden, daß mindestens dieses Stück, dann aber wohl das ganze Kapitel, weder eine Fortsetzung von Kap. 11 (vgl. dazu o. S. 236) noch eine freie Gestaltung in Abhängigkeit von diesem Kapitel sein kann[37]. Noch viel weniger läßt es sich als bloße Gedankenlosigkeit der Redaktion

30. Zu V. 7 vgl. auch Th. J. Meek: Translating the Hebrew Bible. JBL 1960, S. 31.
31. Muilenburg: VT 1959, S. 361.
32. Hylander: Komplex, S. 129f.
33. Eine grundsätzlich andere Deutung Weiser: Samuel, S. 84.
34. Etwa de Vaux.
35. Etwa Driver, Smith, de Vaux.
36. So richtig Hertzberg.
37. Greßmann, Rehm, de Vaux; auch Noth: Studien, S. 60.

begreifen[38]. Hier liegt eindeutig eine selbständige Überlieferung vor[39], die eine eigenartige Zwischenstellung zwischen Kap. 8 u. 11 einnimmt. Sie beweist ebenso den alten Überlieferungsbestand von Kap. 8 wie sie andererseits sicherstellt, daß ein Sieg Sauls über die Ammoniter grundsätzliche Bedeutung für sein Prestige gehabt haben muß. Eigenartig, aber nicht verwunderlich ist es, daß hier Gilgal- und Mizpatradition, Stammesführer und Volkskönig so durcheinander laufen.

Der eigentliche Gedanke ist dann aber – und das berührt sich überraschend eng mit dem Komplex 9,1–10,16; 11 – nicht eine Ablehnung des Königtums, sondern gerade die Überzeugung, daß auch das Königtum eine Gnadengabe Jahwes ist, mit der die Linie der charismatischen Führer fortgesetzt wird. Die Versicherung, daß Jahwe der eigentliche König ist (V. 12b; vgl. dazu oben S. 184), dürfte deuteronomistische Ausformung sein[40].

Die Verse 13–15, die dem Sinne nach auch Kap. 10 stehen könnten[41], zeigen mit ihrer Gerichtsankündigung, daß ein Bundschlußschema als normgebende Struktur die Darstellung bestimmt[42]. Indessen besteht eine Abweichung von dem sonst zu beobachtenden Aufbau; dazu kommt, daß durch den Anakoluth V. 14 (vgl. Anm. a) das Moment der ablehnenden Zurückweisung verstärkt wird[43]. Das läßt auf redaktionelle Absicht und Überarbeitung schließen, über deren Umfang sich natürlich keine Sicherheit gewinnen läßt. Der Gedanke als solcher kann durchaus alt sein; es läßt sich vermuten, daß die Grundlage der Darstellung ein solenner Bundschluß zwischen König und Volk vor Jahwe gewesen sein kann[44]. Aber Sicherheit läßt sich hier nicht erlangen.

16–25 Das Gewitter in der Weizenernte soll den Israeliten das Vermessene und Sündhafte ihres Verlangens deutlich machen, schließt darin also eng an eine deuteronomistische Tendenz an, zu eng, als daß man darin die bloße Willkür späterer Legendenbildung sehen[45] oder sonst eine Art Glosse[46] annehmen könnte. Nun ließe sich allerdings für eine solche gewissenschärfende Bedeutung des Zeichens sonst keine rechte Parallele aufzeigen. Gn 15,17; Ex 19,18 ist das Gewitter das Zeichen des Machterweises Jahwes beim Bundschluß, trägt also den Charakter einer Theophanie. Aber gerade daran ist hier nicht zu denken. Es leuchtet auch nicht ein, daß eine Gewitterschilderung die ursprüngliche Theophanie verdrängt haben sollte[47]; welchen Grund wollte man dafür finden? Schon die

38. Budde.
39. Caspari, Hertzberg.
40. Seebaß: ZAW 1965, S. 290 sieht in der ganzen Rede den Ersatz eines Königsrechts Samuels, das, stark theokratisch, dem zur Zeit des Bearbeiters geltenden Königsrecht nicht mehr entsprochen hätte.
41. Buber: VT 1956, S. 145.
42. Muilenburg: VT 1959, S. 362; Weiser: Samuel, S. 84.
43. Baltzer: Bundesformular, S. 74.
44. Etwa im Sinne von Fohrer: ZAW 1959.
45. Buber: VT 1956, S. 158.
46. Budde; ausdrücklich betont Hertzberg die Zugehörigkeit zum ursprünglichen Traditionsbestand. Vgl. jetzt auch Seebaß: ZAW 1965, S. 289, der – in dieser Form wohl auch nicht richtig – hierin die sachgemäße Fortsetzung von 8,12–18 sieht.
47. Baltzer: Bundesformular, S. 74, Anm. 9.

Tatsache, daß sich das Gewitter zur Zeit der Weizenernte ereignet, spricht nachdrücklich gegen eine Zuweisung des Vorganges zu einem doch recht hypothetischen Bundeserneuerungsfest[48]. Der Nachdruck liegt darauf, daß hier etwas eintritt, was der gesunde Menschenverstand füglich nicht erwarten kann. Gegen ein im Kult verankertes Ritual anläßlich einer Kultversammlung von ganz Israel spricht weiterhin, daß hier zum Gewitter der Regen kommt, und Regen gehört nun sicherlich nicht zu einer Theophanieschilderung. Darum liegt es viel näher, dies unerwartete Ereignis als Beglaubigung eines Auftrages aufzufassen[49]. Stärker noch als die Verwandtschaft mit 7,10, auf die man bisweilen hingewiesen hat[50], scheint die Analogie zu dem Wunder auf der Tenne aus der Gideongeschichte[51] zu sein. Auch Gideon sieht darin die Bestätigung eines Auftrages. Es wird auch hier deutlich, wie hinter dem Bericht die Ideologie des charismatischen Führertums aufleuchtet.

Dieser Gedanke ist wiederum, wenn auch nicht sehr geschickt, umgebogen worden. An sich soll die Furcht vor Jahwe den Menschen in ein Gehorsamsverhältnis zu ihm setzen[52], doch dazu paßt die Nennung Samuels V. 18b nicht. Man braucht vielleicht nicht direkt eine Travestie darin zu sehen[53], aber sie verrät eine eigentümliche Gebrochenheit der Darstellung damit, daß sie das Interesse unzulässig auf Samuel verlegt und das Gewitter zu einem Mirakel macht, an dessen Größe sich die Größe des Menschen erweist, der es auslösen kann[54].

V. 19ff. erinnern an den Sinaibundschluß (auch an Jos 24), zeigen aber zugleich charakteristische Unterschiede, die auch hier vermuten lassen, daß das gegenwärtig vorliegende Bundesschema nachträglich ausgeformt ist; denn wenn das Volk zur Einsicht in seine Vermessenheit gekommen ist, besteht eine schlecht ausgeglichene Spannung zu V. 20, wo mit »Zwar und Aber« der Eindruck sofort wieder abgeschwächt wird.

V. 21 u. 22 erweisen sich durch die Eigentümlichkeit ihres Sprachgebrauches als sehr junger Zusatz; das Urteil, es handele sich hier um einen Einschub im Einschub[55], dürfte zu Recht bestehen. Eine Frage für das Verständnis gibt noch V. 24 auf; die Aussage knüpft formal an das Wunder an, spricht aber davon in einer Weise, die darüber hinausgreift und auf das souveräne Geschichtshandeln Gottes hinweist. Fraglich ist dann wohl, ob dies ebenfalls als deuteronomistische Erweiterung auszuklammern ist. Näher liegt es, daß der Grundbestand der Geschichtsrede, auf den hier zurückgegriffen wird, alter Überlieferungsbestand war.

48. Weiser: Samuel, S. 84ff.; Das Deboralied. ZAW 1959, S. 79.

49. So schon mit Recht Caspari, wenngleich seine Überlegung, daß in einer Überleitung zu Davids Taten dieser Gesichtspunkt aufgegeben werden mußte, nicht zwingend ist.

50. Etwa Hertzberg.

51. Jdc 6,36ff.

52. H. A. Brongers: La crainte du Seigneur. OTS 5. 1948, S. 161.

53. Buber: VT 1956, S. 159.

54. Edmond Jacob: L'histoire d'Israel vue par Ben Sira. Festschrift für Robert. 1957, S. 290.

55. Buber: VT 1956, S. 159. Zum Alter der Bundesformel V. 22 vgl. jetzt aber Lohfink, Norbert: Dt 26,17–19 und die »Bundesformel«. ZKTh 1969, S. 517–553.

V. 25 steht unter dem Eindruck der späteren Verwerfung Sauls. Eine Reflexion über den Verlust des Charismas der Salbung liegt nicht vor[56].

Mit der Feststellung einer so weit reichenden Änderung ursprünglicher Gedanken durch die deuteronomistische Bearbeitung ist vor allem die Frage nach der theologischen Zielsetzung dieser redaktionellen Eingriffe gestellt. Sie soll im Anschluß an Kap. 15 besprochen werden.

56. So Beyerlin: ZAW 1961, S. 194.

13,1–14,46 Kämpfe, Heldentaten und tragisches Versagen

Die Versuche sind zahlreich, auf Grund dieser beiden Kapitel[1] ein Bild des historischen Ablaufs der Ereignisse zu skizzieren, derart etwa, daß Saul in Voraussicht eines bevorstehenden Kampfes ein Heer sammelte[2], die Königskür den Philistern als Zeichen des Aufruhrs gelten mußte (Budde), der Sieg über die Ammoniter ebensosehr das Selbstvertrauen Sauls stärken wie das Mißtrauen der Philister wachrufen konnte[3]. Gegenüber solchen Konstruktionen muß man sich bewußt bleiben, daß zu diesem Bilde einzelne Episoden komponiert sind[4]; der Zusammenhang liegt aber zunächst nur darin, daß sie sich bei den Auseinandersetzungen mit den Philistern zur Zeit Sauls zugetragen haben und in einer Beziehung zu ihnen standen. Eine Schilderung, die in Einzelheiten absolut klar wäre, entsteht so nicht. Diese Tatsache kommt bereits in der Unsicherheit über den Gebrauch der beiden Ortsnamen גִּבְעָה und גֶּבַע zum Ausdruck (vgl. Anm. e zu V. 2); sie ist ein Zeichen dafür, daß in der Überlieferung der Name Sauls mit einer Tat in גִּבְעָה, der Jonathans mit einer in גֶּבַע verbunden war[5]. Jedenfalls erscheint es nicht möglich, in den verschiedenen Namen jeweils den gleichen Ort zu suchen[6]; es ist daher auch nicht wahrscheinlich, in dem Kap. 13 u. 14 Berichteten nur verschiedene Überlieferungen des gleichen Ereignisses zu sehen[7].

Redaktionell-literarisch stellen die Kap. 13 und 14 eine direkte Fortsetzung des Vorhergehenden dar. Es kann auch kein Zweifel sein, daß sie an sich Bestandteile einer alten Saulüberlieferung sind[8]. Deswegen ist es nicht zutreffend, hier nur frei für sich stehende Überlieferungsstücke ohne Verbindung mit dem Ganzen anzunehmen[9]. Indessen ist die erweiternde Überarbeitung eines ursprünglichen

1. Zum Ganzen vgl. Lombardi: Studii Biblici Franciscani liber Annuus 1959, S. 251–282.
2. Z. B. Nowack, Schulz.
3. Kittel: Geschichte des Volkes Israel. II. 7. Aufl. Stuttgart 1925, S. 82; Auerbach: Wüste I, S. 174; Noth: Geschichte, S. 160.
4. So richtig Hylander: Komplex, S. 163f. (ähnlich auch de Groot), wenngleich die Umstellungen, die er vornimmt, verfehlt sind.
5. Stoebe: ThZ 1965, S. 269–280.
6. De Groot immer גִּבְעָה = *tell el fûl;* Smith גֶּבַע.
7. So Winckler: Geschichte II, S. 162.
8. Vgl. Noth: Studien, S. 62.
9. So etwa Greßmann; Alt II, S. 14, Anm. 3.

Kernes hier so stark, daß über den eigentlichen Zusammenhang Zweifel bestehen können. Dhorme schließt z. B. V. 2 – unter der an sich richtigen Voraussetzung, daß er nicht zum Grundbestand des Abschnittes gehöre – direkt an 12,25 an; damit ist die tatsächliche Verschiedenheit beider Aussagen zu wenig beachtet, andererseits das Gewicht des frei für sich stehenden Verses überlastet. Eine Verbindung mit 10,26 kommt deswegen nicht in Frage, weil es sich dort nur um eine ungeordnete, gleichsam charismatische Gefolgschaft, hier aber schon um fest gefügte militärische Einheiten handelt. Die meisten Ausleger[10] schließen darum den ganzen Abschnitt unter Einbeziehung von V. 2 an 11,15 an. Wenn das auch die Absicht der Redaktion für sich hat, so befriedigt es zuletzt doch nicht ganz; bei der Annahme einer so straff geordneten Erzählungsabfolge bliebe die unvorbereitete Einführung Jonathans Kap. 13 unverständlich; außerdem werden damit tatsächlich vorhandene, wenn auch nur schwach sich abzeichnende Zusammenhänge (s. zu V. 3) zerrissen. So ist es richtiger, mit dem Anschluß bis auf Kap. 10,1–16 zurückzugehen[11], freilich auch nicht auf dieses Kapitel als Ganzes[12], sondern auf V. 7 bzw. den Vers, der das Eintreffen der dort gemachten Vorhersage schildert.

10. Z. B. Wellhausen, Kittel, Caspari; Preß: ZAW 1938, S. 204; Budde, Dhorme weisen es damit ihrer Quelle J zu, Eißfeldt wenigstens für einen Teil der in 13 enthaltenen Überlieferung seiner L entsprechenden Schicht I.

11. Lods: Sources, S. 283; Otto Procksch: König und Prophet in Israel. 1924, S. 4, Anm. 1; Smith.

12. Zur Sache vgl. Apton-Thomas: VT 1961, S. 242.

13,1–18.23 *Der Befreiungskampf beginnt*

1 ...[a] Jahre war Saul alt, als er König wurde, und zwei Jahre[b] war er König über Israel[c]. 2 Und Saul wählte sich dreitausend ⟨Mann⟩[a] aus Israel aus. (Davon) standen zweitausend bei Saul in Michmas[b] und auf dem Bergland von Bethel[c], tausend waren bei Jonathan[d] in Gibea Benjamin[e]. Den Rest des Volkes entließ er, einen jeglichen zu seiner Heimstatt[f]. 3 Jonathan aber erschlug den Vogt[a] der Philister in Geba[b], davon erfuhren die Philister. Saul[c] aber ließ im ganzen Land in die Posaune stoßen, in der Absicht: »Die Hebräer[d] sollen es hören[e].« 4 Auch ganz Israel vernahm die Kunde: »Saul[a] hat den Vogt der Philister erschlagen, damit ist ganz Israel bei den Philistern stinkend[b] geworden.« Das Volk wurde zur Gefolgschaft hinter Saul ins Gilgal[c] aufgeboten[d]. 5 Indes sammelten sich die Philister zum Kampf gegen Israel; (sie waren stark) ⟨dreitausend⟩[a] Wagen, dazu sechstausend Mann Besatzung[b] und Kriegsvolk, zahlreich wie der Sand am Ufer des Meeres. So rückten sie herauf und bezogen östlich[c] von Beth-Aven[d] bei Michmas ein Lager. 6 Als die israelitische Bevölkerung nun sah[a], daß sie in Bedrängnis war, [daß das Volk[b] bedrängt wurde[c]][d], verbargen sie sich in Höhlen, in Dornengestrüpp[e], in unwegsamem Bergland[f],

in Grabkammern[g] und in Zisternen[h]. 7 Hebräer[a] aber überschritten auch den Jordan und flüchteten sich in das Land Gad und Gilead[b]. Derweil stand Saul noch im Gilgal, und das ganze Volk bei ihm war mutlos und verzagt[c]. 8 ⟨Er wartete⟩[a] sieben Tage bis zu dem Zeitpunkt, den Samuel ⟨angegeben hatte⟩[b], doch Samuel kam nicht ins Gilgal, und das Volk fing an, von ihm weg- und auseinanderzulaufen[c]. 9 Darum befahl Saul (schließlich): »Gebt mir[a] das Brand- und die Heilsopfer[b] her« und brachte das Opfer dar. 10 Gerade war er mit der Darbringung des Brandopfers fertig geworden, da kam Samuel (endlich); Saul ging ihm entgegen, ihn zu begrüßen. 11 Samuel fragte ihn: »Was hast du gemacht?« Saul erwiderte darauf: »Ich sah, daß das Volk ⟨von mir weg- und auseinanderlief⟩[a], du aber stelltest dich zum vereinbarten Zeitpunkt nicht ein, und die Philister standen schon in Michmas[b] bereit. 12 Da dachte ich, nun werden die Philister gegen mich nach Gilgal herunterziehen, und ich habe noch nicht einmal Jahwes gnädigen Beistand gesucht[a]. Da faßte ich mir ein Herz[b] und brachte (selbst) das Brandopfer dar[c].« 13 Da sprach Samuel zu Saul: »Du hast dich wie ein Tor benommen; ⟨hättest⟩[a] du das Gebot Jahwes, deines Gottes[b], gehalten, Jahwe hätte dir dann[c] dein Königtum über Israel[d] in Ewigkeit bestätigt. 14 Nun aber wird dein Königtum keinen Bestand haben. (Schon) hat Jahwe sich einen Mann nach seinem Herzen[a] gesucht[b], und ihn bestellte Jahwe zum Herzog[c] über sein Volk, weil du das nicht gehalten hast, was Jahwe dir anbefohlen hat.« 15 Danach brach Samuel auf und stieg aus dem Gilgal[a] (wieder) nach Gibea Benjamin[b] hinauf. Indessen musterte Saul das Kriegsvolk[c], das sich bei ihm befand[d], es waren gegen sechshundert Mann[e]. 16 Saul und sein Sohn Jonathan sowie das Kriegsvolk, das bei ihm war, standen in Geba[a] Benjamin[b], die Philister dagegen hatten ein Lager in Michmas bezogen[c]. 17 Und das Plünderungskommando[a] rückte[b] in drei Abteilungen aus dem Lager der Philister[c] aus; die eine Abteilung[d] nahm Richtung[b] auf Ophra[e] zum Lande Schual[f]; 18 eine andere Abteilung nahm Richtung[a] auf Beth Horon[b], eine dritte zu dem Gebiet[c], das das Hyänental[d] nach der Steppe zu[e] überschaut.

23 Und ein Posten[a] der Philister rückte aus auf die Furt von Michmas zu.

1 a) Von vornherein bestehende Lücke (so richtig Wellhausen, Hertzberg, Dhorme, de Vaux u. a.), offenbar deswegen, weil für diese Angaben keine lebendigen Traditionen zur Verfügung standen (weniger deswegen, weil die verschiedenen Angaben über ihn Unsicherheit ob seines Lebensalters entstehen ließen, so Hertzberg). Das *τριάκοντα* einiger Handschriften (Schlögl) ist geraten und geht nicht auf ein vor שָׁנָה korrumpiertes שְׁלֹשִׁים zurück (Schlögl, ähnlich Schulz, vgl. auch die darauf fußenden Konjekturen bei P. van Grinsven: 1 Sam 13,1. Bibl 1926, S. 193–203; F. J. Briggs: 1 Sam 13,1. ET 1938/39, S. 94 בן שמנה ושלושים שנה). Ebenso sind die auf dem Zahlenwert einzelner Buchstaben aufbauenden Versuche geistvoll, aber nicht überzeugend (Caspari, de Groot »fünfundfünfzig« = נה; Robertson: BJRL 1944, S. 195 »zweiundfünfzig, haplogr. בן«). Dasselbe gilt von der Annahme einer irrtümlich in den Text

geratenen Randnotiz ב״ שנה »zweites Jahr« (Peters: Beiträge, S. 107). Vgl. dazu jetzt auch G. R. Driver: Abbreviations in the Masoretic Text. Textus 1960 (Jerusalem), S. 127. Der von einer zweimaligen Königseinsetzung ausgehende Versuch (כֵּן שנה במלכו »so wurde Saul zum zweitenmal in das Königtum eingeführt«, Wutz: BZ 1935/36, S. 134) verkennt die überlieferungsmäßigen Zusammenhänge. Zur dogmatisierenden Erklärung: 𝔗 »unschuldig wie ein einjähriges Kind (Σ ἐνιαύσιος)« s. J. Schoeps: Symmachusstudien III. Bibl 1948, S. 34. Zur Sache sonst vgl. auch 2 Sam 2,10. b) Der Hinweis, daß man eher שְׁנָתַיִם erwarten sollte (S. R. Driver, Ehrlich), ist angesichts des ersten שנה nicht zwingend (vgl. auch Noth: Studien, S. 25), ebensowenig die Folgerung, daß hier eine ursprüngliche Lücke durch eine an sich sinnlose Zahlangabe aufgefüllt wurde (z. B. Wellhausen in der Form, daß שְׁתֵּי nur aus den drei Anfangsbuchstaben von שָׁנִים, eigentlich שְׁנֵי, wiederholt sei). Üblicherweise wird hier eine höhere Zahl als ursprünglich angenommen: Hertzberg u. a. »vierzig« unter Berufung auf Act 13,21 und Ant VI 378 (18 Regierungsjahre vor, 22 nach dem Tode Samuels; vgl. jedoch Ant X 143 »zwanzig Jahre«, wodurch sich diese Angaben als schematische Nachbildungen des Rahmens der Richtergeschichten erweisen); Keil, Rehm »zweiundzwanzig« unter Annahme ausgefallener Zahlenzeichen; Caspari »zwölf«; de Groot »zehn«. Indessen sind das nur vage Vermutungen. Budde rechnet auch hier mit einer ursprünglichen Lücke, ähnlich Wellhausen und S. R. Driver. Mit gewichtigen Überlegungen tritt NothGI, S. 163 für Zuverlässigkeit dieser Überlieferung ein. c) Zur Formel vgl. 2 Sam 2,10; 5,4; auch 1 Reg 14,21; 22,42 u. ö., aber immer von den Königen Judas; das Fehlen dieses ganzen Satzes in 𝔊^{AB} ist kein Kriterium für sein Entstehungsalter (so z. B. Wellhausen, Smith, Dhorme, de Vaux), näher liegt es, daß 𝔊 diesen Text als unsinnig fortgelassen hat (so schon Klostermann, Löhr; jetzt auch de Boer: Research, S. 52; Wutz: Systematische Wege, S. 248).

2 a) Nach 𝔊𝔖 ist vielleicht אִישׁ zu ergänzen (Budde, Smith, S. R. Driver). b) Jetzt *muḫmās*, 13 km nördlich von Jerusalem auf der Nordseite des *wādi eṣ-ṣuweinīṭ* (Abel: Géographie II, S. 386); zur strategischen Lage vgl. G. Dalman: Palästinische Wege und die Bedrohung Jerusalems nach Jesaja 10. PJ 1916, S. 48. c) Jetzt *beitīn*, 17 km nördlich von Jerusalem und 6,5 km von Michmas (Abel, Géographie II, S. 270), in günstiger strategischer Lage, worauf sich das הַר beziehen könnte. d) Beachte die unvorbereitete Einführung des Namens, deswegen 𝔖 + בְּנוֹ; Ergänzung danach (Budde, Smith) verkennt ebenso die Überlieferungseigenart wie die Anzweiflung des Namens durch Caspari, der hier auch שָׁאוּל streicht. e) 𝔊 γαβεε wie 14,16; 𝔊^{L} γαβαα; 𝔗𝔖𝔙 bestätigen dagegen 𝔐, das nicht in גֶּבַע (so S. R. Driver, Budde, Dhorme, Caspari, de Vaux, Hertzberg u. a.) geändert werden sollte. Die Unsicherheit im Gebrauch der Namen erklärt sich nicht aus der gleichen Bedeutung der Worte (so Kittel), vgl. dazu Stoebe: ThZ 1965, S. 272.277f.; ferner Lombardi: Studii Biblici Franciscani Liber Annuus (Jerusalem) 1959, S. 251–282 und die Auslegung. f) Wörtl. »Zelte«, vgl. 1 Sam 4,10; 2 Sam 18,17 u. ö., in jedem Fall Erinnerung an die nomadische Vergangenheit, die keinen Schluß auf die Verhältnisse zur Zeit Sauls zuläßt (Alt III, S. 240f.).

3 a) Gn 19,26 rechtfertigt für unsere Stelle nicht die Übersetzung »Säule« (z. B. Caspari, de Vaux; de Boer: Research, S. 84 und viele ältere). (𝔗)𝔊 τὸν Νασιβ τὸν ἀλλόφυλον bestätigen die personale Auffassung als Vogt (Kittel, Smith, Greßmann, Rehm, Hertzberg u. a.). Dem Zusammenhang nach (10,5 נְצִבֵי) wäre auch die Bedeutung »Posten« möglich (𝔙 »statio«), so Joüon: MuB 5/1. 1911, S. 414; v. d. Born. b) 𝔊 ἐν τῷ βουνῷ 𝔗𝔙 übereinstimmend גִּבְעָה was tatsächlich erwartet wird, deswegen zumeist danach geändert, ausdrücklich anders Smith (vgl. dazu die Auslegung). Jedenfalls kann 𝔐 nicht damit erklärt werden, daß der Posten von 10,5 inzwischen nach Geba vorgerückt sei (Keil). c) Von Peters: Beiträge, S. 207; Caspari gestrichen, so daß, unbegründet, die Philister Subjekt des Alarms werden. Dasselbe Ergebnis wird von andern durch Umstellung von 3bβ erreicht (vgl. Anm. e). d) 𝔊 οἱ δοῦλοι, 𝔗 יְהוּדָאֵי, 𝔖 + »ganz Israel«; verschiedene Versuche der Deutung eines schwierigen Textes. e) Durch 𝔗𝔖𝔙 bestätigt und mit Recht von Ehrlich, de Groot; de Boer: Research, S. 84 beibehalten. Anders 𝔊 ἠθετήκασιν οἱ δοῦλοι, wonach sonst von allen Auslegern in פָּשְׁעוּ (Klostermann graphisch besser יִשְׁמְטוּ) geändert und mit Umstellung (vgl. Anm. c) der Sinn erreicht wird »die Philister hörten, daß die Hebräer abgefallen seien« (עִבְרִים wie 4,6; 14,11).

4 a) Vgl. V. 3 יוֹנָתָן; Zeichen der Eigenart der Überlieferung, nicht für den Wechsel des Verfassers (Smith). b) So auch 2 Sam 10,6; 16,21. Zur Wortbedeutung s. Peter R. Ackroyd:

The Hebrew root בּאשׁ. JThS 1951, S. 31–36; Tsevat: JSS 1958, S. 242. c) Auch hier das Gilgal bei Jericho (selbst Ernst Sellin: Gilgal. Leipzig 1917, S. 15); das militärisch Unmögliche der Angabe erweist es als redaktionellen Ausgleich (von Budde, Caspari, Caird u. a. deswegen überhaupt gestrichen). Auf keinen Fall darf es geändert werden (גִּבְעָה Cornill: ZWL 1885, S. 123). d) Jdc 6,34; 𝔊^{B} *ἀνέβησαν* (vgl. 1 Sam 11,7) ist wohl innergriechische Verschreibung für *ἀνεβόησαν*.

5 a) 𝔊^{L} 𝔖 = שְׁלֹשֶׁת, als richtig durch das Folgende bestätigt und von allen Auslegern übernommen. Die Zahl erscheint auch dann sehr hoch, beachte aber den konventionellen Charakter der Darstellung; Pferde sind im Bergland unbrauchbar. Unnötig ist die Annahme eines dittographierten und als Zahlwort verstandenen ל (Thenius, Keil, Caspari). b) Nicht Reiter, sondern Wagenbesatzung, vgl. S. Mowinckel: Drive and/or Ride. VT 1962, S. 281; offenbar hatte der philistäische Streitwagen zwei Mann Besatzung wie der ägyptische (BRL, Sp. 424). c) Lokalisierung des Lagers; 𝔊 *ἐξ ἐναντίας ... κατὰ νώτου* eine ebenfalls mögliche Ortsbestimmung. d) Ist hier wohl nicht, wie vielfach angenommen wird (Smith, Schulz, de Vaux u. a.), die sonst übliche Namensentstellung (𝔖 tatsächlich בֵּית־אֵל), was schlecht zur Ortsbestimmung paßte (von Smith, Budde deswegen als Zusatz gestrichen). 𝔊 *Βαιθωρών* geht wohl ebenfalls auf *Βαιθών* (𝔊 zu Jos 18,12) zurück. Seine Lage muß dann im Raume von Ai gesucht werden, vgl. dazu etwa W. F. Albright: Ai and Beth-Aven. AASOR 1922/23, S. 145 (*burqa*, südlich von *beitīn*), jetzt auch Z. Kallai-Kleinmann: Notes on the topography of Benjamin. IEJ 1956, S. 180–187 (*tell miryam*, weniger wahrscheinlich). Zur Sache vgl. einerseits Abel: Géographie II, S. 268, andererseits M. Noth: Bethel und Ai. PJ 1935, S. 13.

6 a) 𝔊 *εἶδεν*, im Blick auf das folgende לוֹ ist רָאָה besser (Budde, Dhorme, S. R. Driver), aber nicht nötig. b) Fehlt 𝔊 und wird z. T. entweder als überflüssiges Explicitum gestrichen (Wellhausen, Smith, Greßmann, de Vaux) oder (unter Änderung des Verbums in נִגַּשׁ) auf die Philister bezogen (Budde; Bruno, Epos, S. 66, direkt mit Änderung in עֲרֵלִים; ähnlich, aber ohne Änderungen de Boer: Research, S. 84). c) 𝔊 *μὴ προσάγειν αὐτόν*, mißverstandenes נגשׁ. d) Wahrscheinlich handelt es sich bei dem ganzen Sätzchen um eine Wahllesart (Dhorme, Hertzberg, Greßmann). e) So mit 𝔐; 𝔊 *ἐν μάνδραις* scheint eher auf 𝔐 als auf das stattdessen vielfach (Wellhausen, Budde, Caspari, Hertzberg u. a.) vorgeschlagene בַּחֹרִים zu führen. f) Zum Artikel hier und auch sonst BroS § 21 bγ. g) Vgl. Jdc 9,46.49, dort allerdings eher Keller bei einem Gebäude, was hier nicht gemeint sein kann. h) Ähnlich 2 Sam 17,18. Das Ganze ist vielleicht eine Weiterentwicklung aus 14,11 (de Vaux).

7 a) 𝔗𝔖 = 𝔐; 𝔊 *οἱ διαβαίνοντες διέβησαν*; danach vorgeschlagen וַיַּעַבְרוּ מַעְבְּרוֹת הַיַּרְדֵּן »sie überschritten die Furten« (Wellhausen, Löhr, Nowack, Dhorme, de Vaux u. a.) oder עָבוֹר עָבְרוּ »sie hatten gar überschritten« (Schulz, Caspari). Anderer Vorschlag עַם רַב (so nach Klostermann, S. R. Driver, Budde, Hertzberg u. a.). Es ist indessen nicht einzusehen, wie eine so klare Lesart so sehr verschrieben sein sollte. Das für 𝔊 vorauszusetzende עֹבְרִים liegt auf derselben Linie wie das עֲבָדִים V. 3. Zu der Schwierigkeit des fehlenden Artikels (die besonders Wellhausen betont) beachte den Hinweis auf Ex 2,11 f. (J. Lewy: Origin and Signification of the Biblical term Hebrew. HUCA 1957, S. 3 ff: einmal Hebräer aus seinen Brüdern, dann Hebräer, die gemeinsame Sache mit den Ägyptern machten) oder auch das »Hebräergesetz« (Alfred Jepsen: Untersuchungen zum Bundesbuch. 1927 (BWANT III/5), S. 76. b) Zu dem Nebeneinander beider Namen, die ursprünglich voneinander geschieden waren (von denen also nicht der eine einfach die kürzere Form des andern ist, so Caspari), vgl. M. Noth: Gilead und Gad. ZDPV 1959, S. 14–73; auch Eugen Täubler: Biblische Studien. Stuttgart 1958, S. 230–235. c) Zu dem Moment der Angst s. V. 8 (nicht Ausdruck freudiger Eile, so Ehrlich, Schulz, Tiktin). Nach 𝔊^{L} *ἀπὸ ὀπίσθεν αὐτοῦ* wollen Wellhausen, Dhorme, S. R. Driver, de Groot מֵאַחֲרָיו lesen, was wiederum V. 8 vorgriffe.

8 a) Das Ketib וַיִּיחֵל ist trotz seines poetischen Charakters vorzuziehen (nicht וַיָּחֶל, so Löhr, S. R. Driver, BLe § 55 c'). 𝔊 *διέλιπεν* braucht keinen anderen Text vorauszusetzen. b) Mit 𝔗𝔊 ist entweder, graphisch leicht denkbar, hinter אֲשֶׁר ein אָמַר (z. B. Wellhausen, Löhr, Budde, Dhorme u. a.), noch leichter ein שָׂם (z. B. S. R. Driver, Smith, Greßmann, de Vaux) zu ergänzen (zur Entstehung Perles I, S. 47). Jedenfalls kann שְׁמוּאֵל nicht aus שָׁמְעוּ erweitert sein (so Caspari). 𝔙 scheint אֲשֶׁר ausgelassen zu haben. c) Zum Hiphil vgl. Ex 5,12; Hi 38,24; vokalisiere aber besser Qal oder Niphal.

9 a) 𝔊 ἵνα ποιήσω sinngemäße Wiedergabe, die nicht auf ursprüngliches אֲלֵה führt (statt אֵלַי, so vor allem Peters: Beiträge, S. 208). b) Im Folgenden werden nur die עוֹלֹת genannt, die auch allein dem besonderen Anlaß angemessen sind (weil die שְׁלָמִים zu den Gemeinschaftsopfern gehören; zur Sache de Vaux: Lebensordnungen II, S. 273). Deswegen ist aber שְׁלָמִים nicht zu tilgen (so Dhorme, Caspari), vielmehr 10,8 zu vergleichen.

11 a) Part. Niphal von פצץ (GK § 67dd), aber doch besser als נָפוֹץ zu vokalisieren (DelF § 63b). b) Von Caspari getilgt, was sicher unnötig ist, aber richtiges Gefühl für das Konstruierte der Situation zeigt.

12 a) Wörtl. »das Antlitz Jahwes besänftigt« wie Ex 32,11 (vgl. D. R. Ap-Thomas: Notes on some terms relating to prayer. VT 1956, S. 239f.). Zum Opfer als notwendiger Voraussetzung für den Beginn des Hl. Krieges vgl. von Rad: Krieg, S. 7, auch de Vaux: Lebensordnungen II, S. 70. b) GK § 54k. c) Vgl. 14,32–35; anscheinend wird auch hier das Recht Sauls, ein Opfer darzubringen, nicht bezweifelt, nur gilt es nicht in diesem Fall.

13 a) Vermutlich war לֹא beabsichtigt, so Wellhausen, Budde u. v. a. Allerdings ist diese Annahme nicht unbedingt zwingend, da 𝔐 durch 𝔊𝔗𝔖 bestätigt wird und die Bedingung auch aus der vorhergehenden Aussage ergänzt werden kann (GK § 159dd), so 𝔅, Hertzberg, Rehm, denen S. Grill: Die Partikeln lo, lô, lû, lî. BZ 1957, S. 278 zustimmt (vgl. auch Caspari oder Th. Meek: The co-ordinate adverbial clause in Hebrew. AJSL 1930/31, S. 51). b) 𝔊 bedächtiger τὴν ἐντολήν μου ἣν ἐνετείλατό σοι κύριος. c) כי עתה führt die Apodosis nach לו ein, könnte sich aber auch auf eine stillschweigend mitenthaltene Bedingung beziehen. d) BroS § 108c.

14 a) Zur Kennzeichnung eines idealen Herrschers nur noch Jer 3,15; vgl. auch 2 Sam 7,21. b) Die Änderung in וּבִקֵּשׁ und וְצִוָּהוּ (so Klostermann, Dhorme: als Tempus der Erzählung) würde den Sinn erheblich verschieben; zur Sache vgl. auch den in Anm. a zu V. 13 zitierten Aufsatz von Meek. c) Wie 9,16; vgl. dort.

15 a) 𝔊 + εἰς ὁδὸν αὐτοῦ· καὶ τὸ κατάλειμμα τοῦ λαοῦ ἀνέβη ὀπίσω Σαουλ εἰς ἀπάντησιν ὀπίσω τοῦ λαοῦ τοῦ πολεμιστοῦ (𝔅 obviam). αὐτῶν παραγενομένων ἐκ Γαλγαλων εἰς Γαβαα Βενιαμιν eine schwerfällige Erweiterung, die schon durch das unhebräische εἰς ἀπάντησιν ὀπίσω als nicht ursprünglich charakterisiert wird (oder ist sogar ein Gegensatz zwischen κατάλειμμα und λαὸς πολεμιστής beabsichtigt?). Sie darf darum nicht zur Ergänzung des hebräischen Textes benutzt werden, wie es fast ausnahmslos unter der Annahme eines Homoeotel, z. T. mit Änderung des וַיַּעַל in וַיֵּלֶךְ (z. B. S. R. Driver), geschieht. Mit Recht treten ausdrücklich für den überlieferten Text von 𝔐 de Groot, van den Born, auch Caspari ein. Die Erweiterung soll die Spannung harmonisieren, die durch das Zusammenkommen zweier Erzählungseinheiten entstanden ist (vgl. de Boer: Research, S. 65). b) גִּבְעָה durch die Vers (auch 𝔊) gut bezeugt; unter der Voraussetzung, daß die Erweiterung authentisch ist, müßte man גֶּבַע erwarten (was auch konsequent Smith, Dhorme, de Vaux, Hertzberg herstellen). c) Inkongruenz zwischen V. a und b (vgl. Anm. a). d) Zur Form BLe § 69j, zur Konstruktion GK § 132g; BroS § 59b. e) Vgl. 14,2.

16 a) Mit Benjamin verbunden nur hier, vielleicht in Angleichung an V. 15; jedenfalls erübrigt sich die Änderung in גִּבְעָה (Ehrlich), da גֶּבַע hier erwartet wird und auch zu Benjamin gehört. b) 𝔊 + καὶ ἔκλαιον vgl. Jdc 2,4; Erweiterung im Gegensatz zur Situation (Dhorme), auf keinen Fall ursprünglicher Ortsname (Wutz: Systematische Wege, S. 109f). c) Vgl. V. 5 und dazu Kuhl: ZAW 1952, S. 1–11.

17 a) Vgl. Dt 20,19; Jdc 6,4; ein militärtechnischer Terminus (dazu M. Th. Houtsma: Textkritisches. ZAW 1907, S. 59). Zum generellen Artikel GK § 126l; BroS § 17. b) Joüon: Bibl 1928, S. 166 will וְיֵצֵא vokalisieren und יִפְנֶה frequentativ verstehen. 𝔊 ἐπιβλέπουσα. c) 𝔊 ἐξ ἀγροῦ ἀλλοφύλων, wonach sie nicht von Michmas ausgegangen wären, folgt hierin wohl einer anderen Rezension. d) GK § 126z; 134l; BroS § 21cε. e) Abel: Géographie II, S. 402; Simons: Texts, § 676. Jetzt *eṭ-ṭaiyibe*, 9 km nördlich von Michmas. Dazu A. Alt: PJ 1928, S. 32f. f) Vgl. zu 9,4; doch schwerlich mit dem dort genannten שַׁעֲלִים identisch. 𝔗 auch hier דָּרוֹמָה, wohl um der in 𝔐 fehlenden Südrichtung willen.

18 a) 𝔊 ἐπιβλέπουσα ὁδόν wie V. 17, ein zu ἐξ ἀγροῦ ἀλλοφύλων passendes Verständnis. b) Vgl. Abel: Géographie II, S. 274 und Simons: Texts, § 677; jetzt *beit ʿūr* (Doppelort, vgl. Jos 16,5 und Jos 18,13; 1 Reg 9,17; auch 1 Chr 7,24); etwa 18 km westlich von Michmas. Zum

Namen vgl. J. Gray: The Canaanite God Horon. JNES 1949, S. 27–34. c) 𝔊 *ὁδὸν Γαβεε τὴν εἰσκύπτουσαν* von Wellhausen, Budde, Dhorme u. v. a. als Ortsname גֶּבַע (bzw. גִּבְעָה, dann הַנִּשְׁקָפָה) für ursprünglich angenommen; es ist aber eher Parallellesart zu גְּבוּל und als Hügel zu verstehen (so z. B. S. R. Driver, de Vaux, Hertzberg; auch Simons: Texts, § 678); ähnlich, doch mit unnötiger Änderung (סֶלַע) Caspari. d) Vgl. Neh 11,34; einer der südlichen Einflüsse des *wādi el-qelt* hat den Namen *abu-ḍ-ḍbāʿ*, wegen der gleichen Namensbedeutung von manchen (z. B. Dhorme, Smith, de Groot, Rehm) mit dem Hyänental gleichgesetzt. Da dieser Einfluß sehr unbedeutend ist, auch außerhalb der zu erwartenden Richtung liegt, denken andere mit größerer Wahrscheinlichkeit an das *wādi el-qelt* (Nowack) bzw. seinen Oberlauf, das *wādi fāra* (so schon Buhl: Geographie, S. 98; dann S. R. Driver). Ausdrücklich anders G. Dalman: PJ 1913, S. 27 (*wādi el ḳalābis*, der Unterlauf des *wādi eṣ-ṣuweinit*, aus dem der *rās eṭ-ṭawīl* aufragt). Letzteres hat viel Wahrscheinlichkeit; eine Entscheidung ist nicht möglich. e) Fehlt 𝔊; gemeint ist die Steppe im Ostabfall des judäischen Berglandes.
23 a) GK § 92g. 𝔊 mißverstanden *ἐξ ὑποστάσεως*.

13,1–18.23 *Der Befreiungskampf beginnt.* Die einleitende Formel, die Sauls Regierung in eine Königschronologie einordnen soll, erweist sich schon durch ihre Unbestimmtheit als spät und dem Zusammenhang fremd. Die Einzelüberlieferungen über Saul waren eben noch so spannungsreich, vor allem die über sein Königtum, daß sich diese Epoche in kein Schema einordnen ließ[1]. Die Angabe über die Dauer seiner Tätigkeit überrascht durch die niedrige Zahl. Auch wenn Sauls Auftreten mehr eine Episode war[2], so hat sie doch soweit prägende Bedeutung gehabt, daß der nicht zu bezweifelnde Versuch gemacht werden konnte, seine Dynastie fortzusetzen (2 Sam 2,8ff.), und daß David die Legitimität seiner Herrschaft durch die Ehe mit Sauls Tochter unterstreichen wollte (2 Sam 3,12ff.; s. dort). Auch die Annahme tendenziöser Verkürzung einer volleren Zahl (vgl. Anm. b zu V. 1) befriedigt nicht; dann hätte ein vollständiger Verzicht näher gelegen. Die niedrige Zahl könnte freilich eine reale historische Erinnerung insofern enthalten, als man in der Königskrönung Sauls über Israel den Abschluß seiner Wirksamkeit zu sehen hat. Ihr müßte eine u. U. erheblich längere Zeit vorausgegangen sein, in der Saul als Führer der Geschicke Benjamins seine Qualifizierung zu diesem Amt erweisen konnte. Im Grunde handelt es sich ja bei dem Kap. 13 u. 14 Berichteten um die Ereignisse wenn auch nicht eines Tages, so doch eines recht beschränkten benjaminitischen Raumes. Daß dieser Unterschied hier nicht mehr bewußt ist – die Königseinleitung steht dann ja im Grunde an falscher Stelle –, ist mit der Redaktion der Berichte von der Entstehung des Königtums gegeben, die ja beide Ereignisse ineinanderschiebt.

2 Auch dieser Vers ist noch nicht die organische Einleitung zu V. 3ff.[3], sondern eine redaktionelle Zusammenfassung, wenngleich früher und im Charakter anders als V. 1. Auffallend ist vor allem die Nennung von מִכְמָשׂ, denn nach 13,5.16; 14 haben die Philister dort ihr Lager. Die Hilfskonstruktion, daß es in der Zwischenzeit aufgegeben werden mußte, dieser Zug aber in der Darstellung als unwichtig übergangen wurde[4], ist an sich nicht unmöglich, aber doch nicht wahrscheinlich.

1. Zu keilschriftlichen Parallelen für diese Erscheinung vgl. Buccellati: BeO 1963, S. 29.
2. Noth: Geschichte, S. 163.
3. So durchaus richtig etwa Thenius, Dhorme, van den Born.
4. Etwa Budde, Hertzberg; Bright: History, S. 168.

Wenn Saul Truppen auf dem Bergland von Bethel zu stehen hat, bedeutet das nicht nur die Besetzung eines strategisch wichtigen Punktes, sondern eine Ausweitung des von ihm kontrollierten Gebietes. Die verschiedenen Vorschläge, entweder מִכְמָשׂ als aus V. 23 eingeflossene Nennung[5] oder V. 2 ganz zu tilgen[6], beruhen auf einem richtigen Gefühl für die Schwierigkeit des Textes, sind aber doch zu literarkritisch. Es handelt sich um eine zusammenfassende Vorwegnahme der Ergebnisse der Schlacht von Michmas, des Sieges von Kap. 14. Der literarische Charakter des Verses macht einmal verständlich, daß Jonathan hier ohne weitere Erklärung eingeführt, zum andern, daß er hier, wie sonst im ganzen Zusammenhang nicht, mit גִּבְעָה verbunden ist. Die Annahme einer vollständigeren Quelle, in der Jonathan schon vorgekommen sei, bleibt unwahrscheinlich, nicht nur in der Form, daß sie Jonathan als Nachfolger des verworfenen Saul gekannt habe[7].

3 Mit diesem Vers beginnt die eigentliche Erzählung. Die Tat, die hier Jonathan zugeschrieben wird, erwartet man als Fortsetzung der Geistbegabung Sauls bei Gibea und der Aufforderung: »Tue, was dir vor die Hand kommt« (10,7)[8]; sie ist davon jetzt kompositionell durch den Sieg von Jabesch Gilead (Kap. 11) getrennt, wohl weil diese Überlieferung gewichtiger zu sein schien; dadurch ist sie in den Schatten der Tat Jonathans bei גֶּבַע getreten, was hier die Änderung von גִּבְעָה nach sich zog. Das war um so leichter, als beide Ereignisse insoweit verwandte Züge zeigen, als es sich um ein über das Übliche hinausgehendes Geschehen handelt. Die Annahme, Saul habe Jonathan einen Befehl gegeben[9], verkennt das Wesen solcher Überlieferung und darf schon gar nicht als Beweis dafür genommen werden, daß Saul hier bereits ein institutionelles Amt innegehabt hätte[10]; vielmehr überrascht die Nennung des Namens, weil Saul sonst als der allein Verantwortliche erscheint[11]. Die Übertragung einer Tat des Vaters auf den Sohn[12] wäre, wenn der Vater der Held der Darstellung ist, gegen jede Wahrscheinlichkeit.

Außer hier und 14,21 begegnet der Name עִבְרִי nur im Munde der Philister zur Kennzeichnung ihrer israelitischen Gegner (4,6.9; 13,19; 14,21; 29,3). In gleicher Weise wird es von den Ägyptern auf die fremden Zuwanderer in ihrem Lande angewendet (Gn 39,14.17; 41,12; 43,32; Ex 1,15.16.19; 2,6) oder steht doch wenigstens in Beziehung zu ägyptischer Denkweise (Gn 40,15; Ex 2,11.13; 9,9.13; 10,3). Diese Stellen legen es nahe, Verbindungslinien zu ziehen zunächst zu den *ᶜpr(w) = apir(u) ?*, die in ägyptischen Texten in unfreier Stellung, teils als Arbeiter, teils als Soldaten auftreten, dann weiterhin zu den *ḫabiri* (SA-GAZ) bzw. *ᶜprm* in Ugarit[13], die zu ver-

5. Hylander: Komplex, S. 164, Anm. 1.
6. Löhr, S. XXXIIf.; Nowack, Greßmann.
7. Hylander: Komplex, S. 172f. vgl. Anm. b.
8. Richtig Bruno: Gibeon. 1923, S. 55; vgl. auch Kittel: Geschichte des Volkes Israel. II. 7. Aufl. 1925, S. 82.
9. Etwa Dhorme.
10. Beyerlin: ZAW 1961, S. 197.
11. Bruno: Epos, S. 65; Budde.
12. Schulz.
13. Was nach Riekele Borger: Das Problem der ʿapīru (»Ḫabiru«). ZDPV 1958, S. 121–132, die ursprüngliche Lesung ist.

schiedenen Zeiten und in verschiedenen Bereichen des durch den Gebrauch der Keilschrift charakterisierten Raumes begegnen[14]. Wenn die Berechtigung dazu auch nie ganz unbestritten gewesen ist[15], so sind doch die Analogien zwischen der Rolle, die diese *ᶜpr(w)*, *ḫab/piri* auf der einen, die עִבְרִים auf der anderen Seite spielen, so groß, daß Zusammenhänge das Wahrscheinlichste sind[16]. Die weite Verbreitung des Namens, auch die verschiedene Schreibung machen eine sichere Bestimmung seiner Etymologie unmöglich; es ist ja nicht einmal klar, aus welchem Sprachbereich er stammt. Die früher bisweilen vertretene Herleitung aus dem Kanaanäischen (Wz. חבר, *ḫabiri* »die Verbündeten, Alliierten«)[17] erweist sich damit als unmöglich, während ein Zusammenhang mit der Wz. עבר[18] nicht völlig auszuschließen ist[19]; er dürfte zum mindesten von den Israeliten selbst empfunden worden sein (vgl. Jos 24,3). Er ist aber nicht so gesichert, daß sich weitreichende Folgerungen darauf bauen ließen[20]. Von einer sumerischen Wurzel ausgehend sieht Dossin[21] in *ḫabiru* ein Appellativum mit der Bedeutung »Mann der Wüste«, während nach Götze[22] von einem ostsemitischen *epêru*[23] ein *ᶜapiru* »einer ist, der mit Lebensmitteln versorgt wird«, richtiger wohl »einer, der dieser Versorgung bedarf«. Das könnte ebenso der Landfremde wie der sonst Verarmte sein und scheint in dieser Allgemeinheit wenig überzeugend. Borger[24] selbst denkt an die Wz. אפר »Staub«, eine Wurzel, die in den meisten semitischen Sprachen vorkommt (עפר), und sieht darin eine Bezeichnung für Beduinen, freilich nicht in dem Sinne, daß sie aus dem Staub der Wüste kommen[25], sondern daß sie mit dem Wüstenstaub bedeckt sind[26]. Das scheint allerdings merkwürdig eng auf den ägyptischen Raum zugeschnitten. Diese Unsicherheit bedeutet natürlich auch Unklarheit in der Frage, ob es sich um eine ethnische Größe oder ein Appellativum für Deklassierte handelt, die in eine Lage der Unfreiheit geraten sind. Die letzte Anschauung hat weithin Zustimmung gefunden[27]. Ihre Berechtigung zunächst einmal vorausgesetzt, kann es sich bei diesen Unfreien einmal um ein aus landsässiger Bevöl-

14. Ausführliches Material bei Jean Bottéro: Le Problème des Ḫabiru à la 4ᵉ Rencontre Assyriologique Internationale. Paris 1954 (Cahiers de la Société Asiatique XII). Ungefähr gleichzeitig Moshe Greenberg: The Ḫab/piru. New Haven 1955.

15. Vgl. Edouard Dhorme: Les ḫabiru et les Hébreux. Revue Historique 1954, S. 256–264; auch Alt I, S. 168ff.; zuletzt mit besonderem Nachdruck Borger: ZDPV 1958, S. 132.

16. Vgl. die Aufgabe ursprünglicher Skepsis bei William Albright: The smaller Beth-Shan Stele of Sethos I (1309–1290 B. C.). BASOR 125. 1952, S. 32.

17. H. H. Rowley: From Joseph to Joshua. 2. Aufl. 1952 (The Schweich Lectures of the British Academy 1948), S. 50f., dort nähere Literaturangaben.

18. Etwa E. G. H. Kraeling: The origin of the name Hebrew. AJSL 1941, S. 248ff. einer von der anderen Seite; weiteres bei Rowley: a. a. O., S. 52.

19. Rowley: a. a. O., S. 51; vgl. auch etwa Roland de Vaux: Les patriarches hébreux et les découvertes modernes. RB 1948, S. 342.

20. Z. B. Täubler: Studien, S. 17f.: Die Leute vom Ufer, ripuarii.

21. Les Bédouins dans les textes de Mari. Studi Semitici (Rom) 1959, 35–51.

22. Bottéro: Le Problème des Ḫabiru à la 4ᵉ Rencontre Assyriologique Internationale. Paris 1954 (Cahiers de la Société Asiatique XII), S. 162; im wesentlichen zustimmend Julius Lewy: Origin and signification of the Biblical term »Hebrew«. HUCA 1957, S. 10ff. In gleiche Richtung gehen die Überlegungen von M. Greenberg: The Hab/piru. New Haven 1955, S. 57f.

23. Vgl. dagegen allerdings Borger: ZDPV 1958, S. 129.

24. A. a. O., S. 130.

25. So z. B. Robert de Langhe: La Bible et la Littérature Ugaritique. 1957 (Orient. et Bibl. Lovaniensia I), S. 82ff.

26. So schon Dhorme: Revue Historique 1954, S. 261.

27. Statt vielen seien hier nur genannt: Edward Chiera: Habiru and Hebrews. AJSL 1933, S. 115; Martin Noth: Erwägungen zur Hebräerfrage. In: Procksch-Festschrift. 1934, S. 103ff.; VT 1951, S. 78; Alt I, S. 170; Anmerkungen zu den Verwaltungs- und Rechtsurkunden aus Ugarit und Alalach. WO 1956, S. 237. Weitere Literatur bei Rowley (From Joseph to Joshua. 2. Aufl. 1952) und Bottéro (Le Problème des Ḫabiru à la 4ᵉ Rencontre Assyriologique Internationale. Paris 1954); vgl. auch Alt: RGG III. 3. Aufl. 1959, Sp. 105.

kerung abgesunkenes Proletariat handeln. Diese besonders von Alt vertretene Auffassung[28] ist aber zu eng. In den Bestimmungen über die Freilassung eines hebräischen Sklaven[29] (Ex 21,2ff.) hat sie schwerlich einen Anhalt[30]. Gerade, daß in der Neufassung und Aktualisierung dieser Vorschrift Dt 15,12ff. so nachdrücklich unterstrichen wird, es handle sich dabei um einen Volksgenossen אָח, zeigt doch wohl, daß das mit der Nennung des עִבְרִי keineswegs als selbstverständlich gegeben empfunden wurde, sondern noch eine schwache Erinnerung an ursprüngliche Unterschiede vorhanden war, denen freilich zur Zeit des Deuteronomiums keine Realität mehr entsprach; sie hatten vielleicht schon mit der Assimilationspolitik Davids ihre konkrete Bedeutung verloren[31]. Wenn aber dann עִבְרִי so mit אִישׁ יִשְׂרָאֵל identifiziert werden konnte, wiese auch das in die Richtung ethnischer Bedeutung. Außerdem wäre bei der Altschen Erklärung die Gleichartigkeit des Ausdrucks in so verschiedenen Gebieten und Zeiten auffallend. Nimmt man dagegen, wie es meistens geschieht, an, daß es sich um landfremde Zuwanderer, Refugiés, Kriegsgefangene oder dgl. handelt[32], wird einerseits der Unterschied zwischen ethnischer und appellativer Bedeutung fließend, gewinnt andererseits die Gleichartigkeit des Ausdrucks vermehrtes Gewicht. Wenn Idrimi von Alalach sich sieben Jahre bei den SA-GAZ aufgehalten hat[33], so läßt das am ehesten an eine ethnisch bestimmte Gruppe denken. Nach einem sehr vorsichtigen Urteil von de Vaux[34] sprechen sehr viele Vorkommen dieses Namens nicht ausdrücklich gegen ein solches Verständnis, würden andere von ihm aus eine befriedigende Erklärung finden. Nicht zuletzt entfiele die Notwendigkeit, eine Etymologie zu suchen, die allgemein anerkannt wird, was offenbar nicht möglich ist. Mit vollem Recht hat darum in letzter Zeit die ethnische Erklärung in steigendem Maße Vertreter gefunden[35]. Natürlich ist dieser völkische Zusammenhang ganz locker – wie diese עִבְרִים ja in keiner Weise mit den Israeliten identisch oder auch nur nächste Verwandte sind –, aber das schließt nicht aus, daß er da ist, vielleicht in der Art, daß *ḫabiru* die semitischen Beduinen der verschiedenen Wanderungswellen bezeichnet[36].

Es besteht somit kein Grund, den überlieferten Text in V. 3 zu ändern; es wäre

28. »Nur unter der Voraussetzung umfangreicher sozialer Fehlentwicklungen in Palästina und Syrien läßt sich das gehäufte Auftreten der ḫabiru und SA. GAZ in den Amarnabriefen historisch erklären. Es sind die Klassen der wirtschaftlich Gescheiterten und Entrechteten, die nach neuen Daseinsmöglichkeiten suchen, nachdem sie ihren Platz in der alten Lebensordnung verloren haben« (Alt I, S. 170); vor ihm Bruno Landsberger: »Ḫabiru und Lulaḫḫu«. Kleinasiatische Forschungen 1. 1927/1930, S. 323ff.; für ägyptische Verhältnisse T. Säve Söderbergh: The ʿprw as vintagers in Egypt. Orientalia Suecana 1952 (Uppsala), S. 5–14. Wenn Alt dazu an die Freischar Davids erinnert, wäre wohl zu fragen, warum dort das Wort nicht begegnet.

29. Alt I, S. 291ff.; vgl. auch Henry Cazelles: Hébreu et Ubru, Habiru. Syria1958. S. 198–217: kein Ethnikon, sondern »population flottante«.

30. Vgl. dazu besonders Jepsen: Die Hebräer und ihr Recht. AfO XV. 1945/51, S. 55–68.

31. Cazelles: VT 1958, S. 323.

32. Etwa Chiera, Noth, Bottéro; Rene Follet: Un défi de l'histoire: Les Ḫabiru. Bibl 1955, S. 510–513 u. v. a.

33. Bottéro: Le Problème des Ḫabiru. Paris 1954, S. 33; Sidney Smith: The statue of Idrimi. 1949, S. 73.

34. Besprechung RB 1956, S. 261–67.

35. Früher Anton Jirku: Die Wanderungen der Hebräer im 3. und 2. Jahrtausend vor Christus. Leipzig 1924 (AO 24,2). Jetzt Rowley: From Joseph to Joshua. 2. Aufl. 1954; A. Pohl: Einige Gedanken zur Ḫabirufrage. WZKM 1957, S. 157–160; Hartmut Schmökel, in: HO II/3. 1957, S. 232ff.; Jepsen: AfO 1945/51, S. 63ff.

36. Michael Astour: Les étrangers à Ugarit et le statut juridique des Ḫabiru. RA 1959, S. 70–76; Helck, W.: Die Bedrohung Palästinas durch einwandernde Gruppen am Ende der 18. und am Anfang der 19. Dynastie. VT 1968, S. 472–480 (sozial Entwurzelte); Koch, Klaus: Die Hebräer vom Auszug aus Ägypten bis zum Großreich Davids. VT 1969, S. 37–81; de Vaux, Roland: Le problème des Hapiru après quinze années. JNES 1968, S. 221–228 (ursprünglich ethnischer Begriff); Weippert, Manfred: Die Landnahme der israelitischen Stämme in der neueren wissenschaftlichen Diskussion. 1967 (FRLANT 92), S. 66–102.

durchaus einzusehen, daß Saul mit der Möglichkeit rechnet, diese Gruppen zu sich hinüberzuziehen[37], die ihm nach seinem Empfinden näher stehen als die ansässige Bevölkerung. Der Erfolg gibt ihm darin recht (14,21). Daß 𝔊 den Zusammenhang nicht mehr verstanden hat (vgl. Anm. e), ist um so weniger verwunderlich, als 𝔐 selbst schon die Linien verwischt hat, wenn sie von כָּל־יִשְׂרָאֵל, כָּל־הָאָרֶץ V. 4 und einem Aufgebot des (ganzen) Volkes ins Gilgal spricht. Das liegt in der bekannten Linie ausweitender Darstellung, paßt hier aber nicht zu dem Rechnen mit den עִבְרִים, das eigentlich nur dann Sinn hat, wenn es sich zunächst wenigstens um Unternehmungen in engerem Raum, mit begrenzten Kräften, also eine vornehmlich benjaminitische Angelegenheit handelt. Gerade das klingt aber auch mit der Nennung des Gilgal an (vgl. Anm. c zu V. 4), die durch 10,8 vorbereitet und gefordert ist, nicht erst Eintrag aus V. 8ff. sein muß; sie bleibt trotzdem redaktionell. Naturgemäß kommt es nicht in den Blickpunkt, daß die Aufgabe von festen Plätzen im Gebirge ein nicht wiedergutzumachender militärischer Fehler, daß Gilgal der ungeeignetste Sammelplatz für einen Aufmarsch ist[38]. Es bedarf hier auch weder der Annahme einer schon bestehenden amphiktyonischen Dignität dieses Ortes[39] – die bekam er erst später – noch einer aus besonderen Anlässen regelmäßig dorthin unternommenen Pilgerfahrt[40], die ebenfalls später ist (Am 5,5). Ebensowenig ist Streichung (vgl. Anm. c zu V. 14) oder die Annahme einer anderen Quelle[41] nötig.

5–7a In der vorliegenden Komposition erweckt der Abschnitt den Eindruck einer Mobilmachung in großem Umfang als notwendige Antwort der Philister auf die Tat von Gibea, doch wird diese Auffassung durch die Form der Darstellung selbst nicht gestützt[42]. Die Einführung entspricht sowohl nach der Zahl der aufgebotenen Feinde[43] wie dem angewandten Verbum[44] dem üblichen Darstellungsstil. Dann wäre aber ein Lager in מִכְמָשׂ unmotiviert, das durch das tief eingeschnittene *wādi eṣ-ṣuweiniṭ* von den Angegriffenen getrennt ist, woher diesen also ein gewisser Schutz entsteht. Es handelt sich eher um einen selbständigen Einsatz[45] zur Schilderung einer Episode, wie sie in den Auseinandersetzungen zwischen Israeliten und Philistern nicht selten gewesen sein mag[46], die aber durch ein Besonderes, das dabei vorfiel, Gewicht und Bedeutung bekam. Sie findet ihre Fortführung V. 16ff. und dann in Kap. 14. Mit dem אִישׁ יִשְׂרָאֵל, der

37. Jirku: Die Wanderungen der Hebräer. 1924 (AO 24,2), S. 9; vgl. auch F. M. Theodor de Böhl: Kanaanäer und Hebräer. 1911, S. 67f. Dazu jetzt auch Weingreen, J.: Saul and the Ḫabiru. Fourth World Congress of Jewish Studies. Vol. I. 1967, S. 63–66.

38. Etwa Budde, Smith, auch de Vaux.

39. So wieder John Gray: Kingship of God in the Prophets and Psalms. VT 1961, S. 26.

40. W. C. Graham and H. C. May: Culture and Conscience. 1936, S. 50.

41. Smith.

42. Cook: JQR 1906, S. 122 hat ein richtiges Gefühl dafür, wenn er V. 5–7 als eine besondere Situation erklärt.

43. Dreißigtausend: Jos 8,3; 1 Sam 4,10; 11,8; 2 Sam 6,1; bzw. Dreitausend: Jos 7,3; Jdc 15,11; 1 Sam 24,3; 26,2. Auch die Nennung der Kriegswagen wird durch einen Hinweis auf die Gepflogenheiten zur Zeit Tiglat-Pilesers (Caspari) nicht gerechtfertigt.

44. אסף 1 Sam 17,1; 2 Sam 23,9.11.

45. So richtig Dhorme, van den Born.

46. Vgl. dazu auch Alt II, S. 26.

flieht, kann auch nicht die Mannschaft Sauls gemeint sein; dann müßte bereits eine Schlacht und eine Niederlage stattgefunden haben, was freilich von manchen stillschweigend, aber doch ohne zureichenden Grund, vorausgesetzt wird[47]. Es wäre schließlich nicht das Verhalten eines zum Widerstand entschlossenen Volkes, das zudem schon einen entscheidenden Sieg hinter sich hätte[48]. Das Bild, das hier entworfen wird, ähnelt viel eher der aus der Richterzeit bekannten Situation eines Volkes, das zunächst hilflos fremden Plünderungen ausgesetzt ist[49]. Daß hier bereits früh eine Spannung empfunden wurde, zeigt die Wahllesart (vgl. Anm. d zu V. 6), die entsprechend dem Kontext an eine Notlage zu denken scheint, in die das Heer geraten ist, die aber auch ihrerseits nicht glatt im Zusammenhang aufgeht. Beachtung verdient das unterschiedliche Verhalten der Hebräer und Israeliten; die Hebräer sollen anscheinend als weniger seßhaft und dem Lande verbunden gezeigt werden, darum können sie es leichter aufgeben und über den Jordan gehen.

7b–14 Die Berichte über Sauls Taten liegen bereits in einer frühen Durchformung vor, die von der drängenden Frage bestimmt ist, warum eine unter so hoffnungsvollen Vorzeichen strahlend begonnene Laufbahn in einer Katastrophe enden mußte. Die Antwort wird hier gleichsam tastend gegeben, und sie zeigt offenkundig Sympathie mit Saul[50]. Es handelt sich darum hier nicht um eine Verwerfungsgeschichte im eigentlichen Sinne[51]. Der Grund für diesen Verlauf des Lebens Sauls liegt nun einmal darin, daß Jahwe den Mann schon bestimmt hatte, der das Werk vollenden sollte, an dem Saul scheiterte[52]. (13,14; 15,28; 15,28 ist die Aussage zwar stärker im Kontext verankert, in beiden Fällen aber ist sie ursprünglich). Zum andern aber liegt er in einem tragischen und doch schuldhaften Versagen Sauls, das, nach dieser Stelle von Anfang an[54], einen endgültigen und dauernden Erfolg seiner Wirksamkeit, kaum daß sie begonnen hatte, in Frage stellte[55]. Das Wesen dieses Versagens wird Kap. 13 u. 15 verschieden gedeutet; die Gemeinsamkeit des Grundansatzes zeigt aber, daß hier tatsächlich Spannungen zwischen alten sakralen Anschauungen und den Erfordernissen einer neuen Zeit aufgetreten sein werden (vgl. auch Kap. 14 und 15)[56]. Da das charismatische Element im Führertum Sauls mit einem Geschehen am benjaminitischen Heiligtum im Gilgal (vgl. o. S. 178) verbunden war, ist es von vornherein gut begründet,

47. So etwa Budde, auch Hertzberg.

48. Folgerichtig urteilt Hertzberg, daß das Kapitel kein Ruhmesblatt für den kriegerischen Geist Israels sei.

49. Zu צר vgl. Jdc 2,15; 10,9; 11,7; zur Lage vor allem Jdc 6,2.

50. So mit feinem Gefühl und durchaus richtig Hertzberg.

51. So richtig z. B. Gutbrod.

52. Vgl. z. B. Smith, der den Skopus in der Verherrlichung des souveränen Willens Gottes sieht.

53. Es wäre hierzu an E. M. Good: Irony in the Old Testament. 1965, S. 56ff., zu erinnern, der in Saul die tragische Ironie darstellt.

54. Grundsätzlich richtig betont Greßmann, daß man ein solches Ereignis am Ende der Regierung Sauls erwarten sollte, verkennt damit aber doch den Tenor der Darstellung.

55. Vgl. das ansprechende Bild vom Kreuz bei einem Musikstück bei Hertzberg.

56. Noth: Geschichte, S. 162.

daß ein Ereignis, das die Peripetie bringt, ebenfalls dorthin verlegt wurde, ebenso, daß Samuel maßgeblich daran beteiligt wurde. Darüber hinaus ist es möglich, ja sogar sehr wahrscheinlich, daß dieser Rahmen eine aus dem Strom lebendiger Überlieferung geschöpfte geschichtliche Erinnerung darstellt (Preß: ZAW 1938, S. 210). Die Verbindung mit 10,8 ist deutlich; ebenso deutlich ist, daß es sich zwar um eine Ausgestaltung älterer Überlieferung handelt, daß diese Ausgestaltung aber sehr früh ist (vgl. zu 10,8)[57], jedenfalls nicht als zusammenhangsfremde Einfügung im üblichen Sinne angesehen werden darf[58]. Eine ebenso falsche Beurteilung ist es aber, wenn man diesen Zug in eine fortlaufende Darstellung der Vorgänge einordnen will, derart etwa, daß Saul dem Drucke der Philister ausgewichen sei und einen Brückenkopf im Gilgal gebildet habe[59].

Der Bericht ist, mit dem von Kap. 15 verglichen, unanschaulicher und weniger in sich selbst begründet[60]. Wenn auch zeitliche Priorität hier keine zureichende Kategorie bedeutet[61], muß man doch urteilen, daß Kap. 15 die Absicht einer Verwerfung klarer ausdrückt[62]. Hier wird nicht einmal deutlich, worin das Versagen Sauls eigentlich liegt. Tatsächlich hat Samuel sich zum angegebenen Zeitpunkt nicht eingestellt, und es mußte etwas geschehen; das Opfer steht ja doch in Beziehung zur kriegerischen Notsituation. Soll hier eine aufs Äußerste getriebene Glaubensbewährung geschildert werden – Gehorsam ist besser als Opfer[63] –, bliebe das ohne Kenntnis von Kap. 15 ziemlich unverständlich[64]. Soll man dagegen eine Verfehlung darin erkennen, daß Saul in der Not sich priesterliche Rechte angemaßt habe (vgl. aber 14,34ff.), so wäre das einmal Ausfluß sehr jungen Denkens[65]; andererseits wird das Recht Sauls zum Vollzug des Opfers sonst nicht bestritten, es gilt eben nur hier nicht[66]. Das Geschehen darf aber auch nicht dahin bagatellisiert werden, daß Sauls Voreiligkeit die Pläne Samuels durchkreuzt habe[67]. Nun handelt es sich nicht um eine ausdrückliche Verwerfung der Person Sauls, sondern darum, daß sein Königtum keinen Bestand haben, und nicht zu einer Dynastie führen wird. Schon die Einleitung durch נִסְכַּלְתָּ ist auffallend; wenn auch nicht gänzlich der moralische Aspekt der Versündigung fehlt[68], ist

57. Das ist das richtige Moment an der quellenhaften Verbindung von 13,7b–15 mit 9; 10,1–16 bei Eißfeldt: Komposition, S. 8, wenngleich die begründenden Harmonisierungsversuche nicht zwingend sind; vgl. dagegen etwa Buber: VT 1956, S. 138 und den Hinweis auf die Konsequenzen dieser Anschauung bei Hylander: Komplex, S. 161.

58. Wellhausen, Budde, Smith und die meisten bis Hertzberg, Gutbrod.

59. Caspari.

60. De Vaux, Hertzberg u. a.; vgl. zuletzt Seebaß: ZAW 1966, S. 154ff.

61. Daß Kap. 15 die Vorlage für Kap. 13 gebildet habe, oder umgekehrt, daß dieses ein Vorspiel zu 15 sei (de Groot).

62. Hylander: Komplex, S. 161 scheint mit der Umkomposition einer Episode zu rechnen, die sich für ihren Zweck des einmal im Text gegebenen Siebentageschemas bediente.

63. So die Älteren wie Seb. Schmidt, Keil, aber auch Nowack, Schulz, Gutbrod.

64. So richtig Preß: ZAW 1938, S. 209.

65. Kittel, Greßmann, u. a.

66. Etwa Budde; vgl. auch Beyerlin: ZAW 1961, S. 198; auch H. Kaupel: Die Beziehungen des israelitischen Königtums zum Kult. 1930, S. 23.

67. Caspari.

68. Etwa 2 Sam 24,10. Zum Wort: Roth, W. M. W.: A Study of the classical Hebrew verb skl. VT 1968, S. 74.

doch der Gedanke an eine wahnhafte Verkennung der Wirklichkeit vorherrschend (von Rad: Theologie I, S. 265). Wenn man hier nun auch nur auf Vermutungen angewiesen bleiben wird[69], besteht eine nicht geringe Wahrscheinlichkeit dafür, daß die Grundlage dieser Verse eine Erzählung gebildet hat, die gedanklich den Prophetengeschichten, auch der Sehergeschichte von Kap. 10, insoweit nahestand, als die Länge des Wartens, die Größe der Geduld zeichenhafte Bedeutung für die Dauer der Herrschaft hatten[70]. Man wäre also berechtigt, diesen Zug seinem Ansatz nach für alt und urtümlich zu halten[71].

15 Der Vers schafft einen Ausgleich zwischen den beiden frühen Überlieferungsstücken[72]. Ob die Musterung der Truppen im Gilgal oder in גֶּבַע erfolgt, geht aus dem Wortlaut V. b nicht hervor, ist im Grunde auch unwesentlich. Daß Samuel nach Gibea geht, ist ein nicht mehr zu deutender Einzelzug, der schon früh zu Textänderungen (vgl. Anm. a) Anlaß bot[73].

16–18 Mit V. 16 ist ein neuer Einsatz markiert, eine Situation, wie sie sich nicht selten gefunden haben wird, ist zur Schilderung der Not, zugleich zum Ausgangspunkt für die Schilderung der Überwindung der Not benutzt. Hätte es sich hier um eine Entscheidungsschlacht gehandelt, die die Antwort der Philister auf die Tat Sauls gewesen wäre[74], wäre es unverständlich, daß die Philister damit ihre Kraft zersplittern, daß sie Plünderungstrupps aussenden[75]. Diese Landschatzungen erinnern viel mehr an 1 Sam 23,1.27, vor allem aber Jdc 6,4f.[76]; sie erklären sich als Übergriffe der Philister, die durch Plünderungen ihre Bedürfnisse aus dem Besitz eines schwachen Volkes decken. Auch zahlenmäßig braucht man sich diesen מַשְׁחִית[77] nicht übermäßig stark vorzustellen (Alt II, S. 26). Wenn auch die Angaben über die Stoßrichtung der einzelnen Gruppen nicht völlig durchschaubar sind, wird doch deutlich, daß sie nach Osten, Norden und Westen, nicht

69. M. E. unrichtig und in Verkennung formgeschichtlicher Zusammenhänge sieht Seebaß (ZAW 1966, S. 157) hierin eine vor einer Schlacht sinnvolle Siegeszusage, die durch den deuteronomistisch redaktionellen V. 14 in eine Verwerfung umgedeutet ist.

70. Vgl. etwa das Pfeilorakel 2 Reg 13,14ff.; auf diesen Zug verweist auch Rehm; die Gedanken Hylanders (Komplex, S. 161) gehen anscheinend in gleiche Richtung.

71. Was nicht ausschließt, daß im Verlauf der Überlieferung das Verständnis durch 1 Sam 15 bestimmt wurde.

72. Vgl. hierzu Seeligmann: ThZ 1962, S. 308: »Die novellistische Erzählung ist eine Episode; an ihrem Anfang werden die auftretenden Personen vorgeführt und zusammengebracht, an ihrem Ende treten sie wieder auseinander und jeder geht seines Weges«.

73. Die Nennung von גִּבְעָה könnte mechanisch daher entstanden sein, daß die folgende Darstellung zwischen beiden Orten hin und hergeht.

74. So zuletzt noch Noth: Geschichte, S. 160.

75. Beachte für vieles die Spannung in der Darstellung Buddes; die Philister wollen den Frontalangriff auf eine von einer verzweifelten Schar verteidigte befestigte Stellung sparen; auf der anderen Seite lösen sie im Vertrauen auf ihre Übermacht Streifscharen aus dem Lager ab. Richtiger beurteilt Auerbach: Wüste I, S. 182 dieses Vorgehen als einen schweren taktischen Fehler, den die Philister gemacht hätten.

76. Vgl. zur Sache Adrianus van Selms: The Judge Shamgar. VT 1964, S. 306.

77. Es nötigt nichts dazu, darin eine besondere Elitetruppe zu sehen (Tiktin: Sturmtruppe); ihre Aufgabe ist auch nicht, eine terre brulée zu schaffen (so anscheinend Driver), Verwüstung ist die unerläßliche Begleiterscheinung jeder Plünderung.

aber nach Süden geht (V. 17f.), also benjaminitisches Gebiet nur am Rande berührt und sich hauptsächlich auf Ephraim auswirkt[78], wo anscheinend kein Widerstand erwartet wurde[79]. Ein Erfolg Sauls empfiehlt ihn also auch den Ephraimiten. Die Lage zeigt in gewisser Weise Verwandtschaft mit der von Kap. 11[80].

23 Dieser Vers ist nicht, wie vielfach angenommen wird[81], die organische Fortsetzung von V. 15b–18, mit deren Angaben sein Inhalt sich streng genommen nicht deckt[82]. Er bereitet die Situation von Kap. 14 vor, ist also eine Überleitung[83] und damit selbständig.

78. Das hat Auerbach: Wüste I, S. 168 mit Recht betont. Bethel und Ophra sind nach Jos 16,1f.; 18,13 ephraimitisch, nach 18,22 benjaminitisch (Elliger: BHH I, Sp. 231; II, Sp. 1353); vgl. dazu Alt II, S. 76ff.; auch Zechariah Kallai-Kleinmann: The Town Lists of Judah, Simeon, Benjamin and Dan. VT 1958, S. 134ff.

79. Was vielleicht auf die Ereignisse von Kap. 4 zurückzuführen ist.

80. Saul ist zwar nicht unmittelbar betroffen, aber durch die Notlage naher Verwandter zur Hilfe aufgerufen.

81. Smith, Schulz, Hertzberg, Caspari u. v. a.

82. Schon gar nicht so, daß hier die vierte Stoßrichtung nach Süden gemeint sei (Budde).

83. Z. B. Nowack, Hylander: Komplex, S. 165; van den Born.

13,19–22 *Ein kulturgeschichtlicher Rückblick*

19 (Damals) fand man keinen Schmied[a] im ganzen Gebiet Israels, denn die Philister ⟨sagten sich⟩[b]: »Die Hebräer sollen sich nicht Schwert oder Spieß (selber) machen können.« 20 Darum ⟨mußte⟩[a] ganz Israel ⟨zu den Philistern⟩[b] ⟨hinuntergehen⟩[a], wenn einer sich eine Pflugschar[c], einen Karst[d], eine Axt[e] ⟨oder Steinpicke⟩[f] schmieden[g] lassen wollte. 21 Und der Preis[a] war [b]zwei Drittel eines Schekel[b] für die Pflüge und Karste …[c] und für die Äxte …[d]. 22 Und wenn[a] es zu Kriegen[b] kam, fand sich weder Schwert noch Spieß bei dem ganzen Volk, das mit Saul und Jonathan war; dagegen[c] fanden sie sich bei Saul und seinem Sohn Jonathan.

19 a) 𝔊 *τέκτων σιδήρου* (𝔙 entsprechend) kommt der vorauszusetzenden Situation näher und könnte tatsächlich auf eine ursprüngliche Rezension zurückgehen (Klostermann, Budde ergänzen danach בַּרְזֶל). 𝔗 sinngemäß Handwerker, der Waffen anfertigt. b) Lies mit Qere אָמְרוּ.

20 a) Vokalisiere וְיָרְדוּ mit frequentativer Bedeutung (Budde, S. R. Driver; vgl. auch Joüon: Bibl 1928, S. 165). b) 𝔊 *εἰς γῆν ἀλλοφύλων*, entweder אַרְצָה oder אֶל־אֶרֶץ, doch genügt die Annahme eines haplographierten אל (vgl. zur Sache Perles II, S. 27). c) So auch 𝔙, Wz. חרש; zur Sache s. AuS II, S. 65.189; auch BRL, Sp. 427. 𝔊 *θέριστον* denkt an Sicheln, ähnlich 𝔖; 𝔗 an Ochsenstacheln פְּרָשֵׁה, wozu die Verwendung von Eisen allerdings nicht so erforderlich wäre (vgl. AuS II, S. 76). d) So auch 𝔊𝔙. Zur Form BLe § 71x. 𝔗𝔖 verstehen es als Pflugschar; vgl. BRL, Sp. 428; AuS II, S. 76. e) Dazu AuS II, S. 125. f) Offenbar Verschreibung nach dem Anfang (Perles II, S. 50). Nach 𝔊 *δρέπανον* wird von den meisten von Thenius bis Hertzberg חֶרְמֵשׁוֹ angenommen (BH3); andere (z. B. Wellhausen, Löhr, Budde, de Vaux) ändern nach 𝔖 in דָּרְבָנוֹ, doch s. die Bedenken dagegen in Anm. c. 𝔗 »Zimmermannsaxt (עושפה)«, *Σ δίκελλα*, 𝔙 »sarculum« haben für sich, daß es sich dabei um Werkzeuge handelt, bei denen eine eiserne Schneide besonderen Vorteil bot. Ansprechend darum חֲרִיצוֹ (so Smith, nach Ewald: Geschichte III, S. 47; vgl. dazu 2 Sam 12,31). g) Entgegen der üblichen

Bedeutung »Schärfen« ist hier wohl an die erste Herstellung des Gerätes aus seinem Stoff gedacht (so auch Klostermann, Schulz); die Bedeutung »Schärfen« würde zu schwer vorstellbaren Folgerungen führen.

21 a) Ist schon von den Vers nicht mehr verstanden worden; 𝔗 (»und sie hatten Feilen, um die Scharten zu schärfen«), 𝔙 (»retusae erant acies«), ähnlich 𝔖 (breitere Feilen wurden zu Sicheln, Pflugscharen usw.) sehen darin naheliegend eine durch das Fehlen der Schmiede entstandene Notlage. Danach früher weithin gedeutet (vgl. S. R. Driver; Perles II, S. 73 denkt an die notgedrungene Benutzung eines scharfen Steines). Entsprechend ihrer starken Betonung der Erntegeräte paraphrasiert 𝔊 *καὶ ἦν ὁ τρυγητὸς ἕτοιμος τοῦ θερίζειν* (wonach Dhorme in הַבָּצִיר ändert). Dies alles sind aber nur aus dem Zusammenhang erschlossene Versuche; 𝔗 scheitert daran, daß פְּצִירָה »Schartigkeit« nicht zu belegen ist (Wutz: Systematische Wege, S. 109). Zur jetzt wohl allgemein angenommenen Bedeutung (de Vaux, Hertzberg, van den Born) »Preis« vgl. Julius A. Bewer: 1 Sam 13,21. JBL 1942, S. 45–49; auch G. R. Driver: On the Hebrew פְּצִירָה 1 Sam 13,21. AfO 1945/51, S. 68 (Nebenform oder Textverderbnis für פְּרִיצָה). Damit erübrigt sich die Vielzahl der hier vorgetragenen Konjekturen. b) Von den Vers noch verkannt, als Gewichtsbezeichnung durch beschriftete Gewichte bestätigt. Ovid R. Sellers und W. F. Albright: The first campaign of excavation at Beth-Zur. BASOR 43. 1931, S. 9; Olga Tufnell: Lachisch III. Iron Age. London, New York und Toronto 1953, S. 313–315.348–357; W. R. Lane: Newly recognized occurences in the Weight-Name PYM. BASOR 164. 1961, S. 21–23). Ein פִּים war zwei Drittel eines שֶׁקֶל (s. dazu Ephraim A. Speiser: Of Shoes and Shekels. BASOR 77. 1940, S. 18–20; außerdem R. Gordis: A note on I. Sam 13,21. JBL 1942, S. 209–211). c) Ebenfalls schwer verständlich. Die Vers 𝔗𝔙 denken an ein dreizinkiges Gerät (verstehen also קִלְּשׁוֹן als Gerät [ähnlich Gordis, a. a. O. שְׁלִישׁ בַּקִּלְּשׁוֹן »ein Drittel für die Hacke«]). Zumeist wird unter Verwendung des Konsonantenbestandes (שון) שלשׁ שקל auf einen Preis von drei Sekel gedeutet. Nach פִּים liegt es aber näher, an ein Drittel zu denken (so schon Dhorme, jetzt Hertzberg, de Vaux. Auerbach: Wüste I, S. 269 »ein drittel Sekel pro Zahn« (𝔊 *τρεῖς σίκλοι εἰς τὴν ὀδόντα*). Überzeugender ist es dann aber, לְשׁוֹן »um zu schärfen« zu lesen und es mit הַקַּרְדֻּמִּים zu verbinden »und ein Drittel| Sekel (Raffaeli: 1 Sam 13,21. JBL 1921, 184) kostete das Schärfen der Äxte« (so Bewer: JBL 1942, S. 45ff.; jetzt auch Hertzberg, de Vaux). Weiter wird man hier nicht kommen. d) Ebenfalls unklar. Nach der üblichen Auffassung handelt es sich um das Einsetzen eines Ochsenstachels (AuS II, S. 117). Doch einmal ist diese Bedeutung von דָּרְבָן nicht völlig gesichert, dann bleibt auch die Nennung des Ochsensteckens in diesem Zusammenhang auffallend; es könnte nach Jdc 3,31 (dort allerdings מַלְמַד הַבָּקָר) in den Text gekommen sein. Zur Sache W. F. Albright: The Excavations of Tell Beit Mirsim III. AASOR XXI–XXII. 1943, S. 33.

22 a) Iteratives Perf. wie vorher, aber neuer Einsatz, der aus dem Berichteten die Folgerungen für die militärische Situation zieht, keineswegs eine ungeschickte Beibehaltung des bisherigen Tempus (so Budde). 𝔊 *καὶ ἐγενήθη*, danach Dhorme, Driver וַיְהִי, was den Einsatz verwischt. b) 𝔊 *Μαχεμας*, wonach unter Berücksichtigung des st. cstr. von vielen (z. B. Wellhausen, Budde, Dhorme, S. R. Driver, Smith, de Vaux) entweder מִכְמָשׂ hinzugefügt oder auch nur gelesen wird. Richtiger ist es aber, in מִלְחֶמֶת einen ungewöhnlichen St. abs. anzunehmen (Schlögl מִלְחָמָה) oder מִלְחָמוֹת zu vokalisieren (Klostermann). Der Sinn ist jedenfalls »wenn Krieg war« (so richtig Hertzberg mit 𝔗𝔖𝔙). Vielleicht ist 𝔐 aus der Kontaminierung zweier Rezensionen entstanden. c) Der Gegensatz wirkt konstruiert; V. b gehört wie V. 23 schon zur Hinführung auf die Schlacht von Michmas.

13,19–22 *Ein kulturgeschichtlicher Rückblick* von äußerster Bedeutung, der im jetzigen Kontext wohl die Waffenlosigkeit der Israeliten verständlich machen soll (vgl. zu V. 22); dennoch wäre er falsch verstanden, wenn man ihn dahin deutete, daß die Philister auf Grund eines Sieges alle Schmiede fortgeführt hätten[1]. Wenn

1. Smith, Budde, Hertzberg u. d. m.

sich für solche Maßnahmen natürlich Analogien aufzählen lassen[2], berücksichtigen sie nicht genug die Verschiedenheit der Situation. Das setzt größere räumliche Entfernungen voraus und Deportationen in einem Ausmaß, das nicht zu den nachbarschaftlichen Grenzgängen paßt, mit denen hier gerechnet wird. Es wird sich hier viel eher um eine kulturgeschichtliche Erinnerung handeln, wie sie sich im Bewußtsein eines Volkes lange hält, auch wenn Hintergründe und eigentliche Zusammenhänge nicht mehr bekannt sind. Die Philister waren den Israeliten einen Schritt auf dem Wege von einer Bronzekultur zu einer Eisenkultur voraus (vgl. zu Kap. 17)[3]. Es ist durchaus verständlich, daß sie ein solches Monopol sorgfältig wahrten, das ihnen erhebliche wirtschaftliche Vorteile bot[4], weil die Israeliten auf den Import angewiesen waren[5]. Bezeichnenderweise handelt es sich bei den Angaben um landwirtschaftliche Geräte[6]. Daraus ergibt sich, daß eiserne Waffen für einen Durchschnittsisraeliten unerschwinglich waren. V. 22 sieht darin die Absicht, obwohl es eher die Folge der wirtschaftlichen Überlegenheit der Philister war[7]. Das heißt nicht, daß die Israeliten ohne alle Waffen waren, wie die Darstellung es glauben machen will. Sie verrät damit das theokratisch-charismatische Interesse der Richtergeschichten; durch die Waffenlosigkeit wird das Wunder von Michmas besonders deutlich, obwohl daran festzuhalten ist, daß die hier gemachte Aussage ganz allgemein gefaßt ist. Diese Linie wird durch die Bemerkung über die Bewaffnung Sauls und Jonathans V. b gestört. Durch ihr anderes Interesse und auch durch die ungeschickte Stilisierung erweist sie sich als eine Erweiterung, deren Grund direkt in der Darstellung von Kap. 14 liegen könnte. An sich ist es natürlich gut denkbar, aber darum auch wieder selbstverständlich, daß wirtschaftlich Bessergestellte sich solche Waffen leisten konnten.

2. Vgl. etwa Greßmann z. St.

3. So schon R. A. S. Macalister: A century of excavations in Palestine. 1925, S. 165, wo diese Stelle ausführlich besprochen wird; R. J. Forbes: Metallurgie in Antiquity. 1950, S. 432–436.

4. Vgl. dazu die in machem freilich sehr phantasievollen Angaben bei Auerbach: Wüste I, S. 169ff.

5. So mit Recht z. B. de Groot, Caspari.

6. Was auch gegen die Vermutung von Steven T. Byington: Brief communications. JBL 1920, S. 77–80 spricht, daß es sich bei וְלִשְׁלֹשׁ קִלְּשׁוֹן um Wagengerätschaften gehandelt habe.

7. Caspari.

14,1–23a *Jonathans Heldentat bei Michmas*

1 Eines Tages[a] sagte Sauls Sohn[b] Jonathan zu seinem jungen Waffenträger: »Komm, wir wollen hinüber zum Philisterposten gegenüber von hier[c]« – doch seinem Vater hatte er nichts davon gesagt. 2 Saul saß (zu der Zeit) an der Gebietsgrenze[a] von Gibea[b] unter dem Granatapfelbaum[c] ⟨auf der Tenne⟩[d]; das Volk, das er bei sich hatte, belief sich auf sechshundert Mann. 3 Damals trug den Ephod[a] Ahia[b], der Sohn Ahitubs, des Bruders Ikabods[c], (der der) Sohn des Pinhas, des Sohnes Elis[d], des Priesters Jahwes zu Silo (war)[e]; – indessen hatte das Volk nicht bemerkt, daß Jonathan fortgegangen war. 4 Nun war zwischen den Pfaden[a], wo Jonathan versuchte,

zum Philisterposten hinüberzukommen, eine Felszacke[b] hüben[c] und eine drüben; die eine hatte den Namen Bozez[d], die andere Senne[e]. 5 Die eine Zacke[a] ragte wie eine Säule[b] von Norden auf, Michmas gegenüber, die andere von Süden, gegenüber von Geba. 6 Jonathan sagte (also) zu seinem jungen Waffenträger: »Komm, wir wollen (einmal) hinüber zu dem Posten dieser Unbeschnittenen; vielleicht handelt[a] Jahwe selbst für uns. Für ihn gibt es ja kein Hindernis[b], durch viel oder wenig zu helfen.« 7 Sein Waffenträger stimmte ihm zu: »Tu alles, was du im Sinn hast. Gib dich dran[a]! Gewiß, ich gehe mit dir, als sei ich dein eigenes Herz[b].« 8 Darauf gab Jonathan die Weisung: »So gehen wir jetzt also hinüber zu den Männern und werden[a] uns ihnen zeigen[b]. 9 Wenn sie uns dann anrufen: ›Halt! Stehenbleiben, bis wir zu euch kommen[a]‹, dann bleiben wir eben stehen, wo wir sind[b], und klettern nicht weiter hinauf. 10 Wenn sie uns aber zurufen: ›Kommt nur herauf zu uns[a]‹, dann steigen wir hinauf, denn dann hat sie Jahwe in unsere Hand gegeben, und das ist dann das Zeichen[b] für uns.« 11 So zeigten[a] sie sich also beide dem Posten der Philister, und die Philister sagten: »Sieh an, ein paar Hebräer[b] kommen aus den Löchern heraus, in die sie sich verkrochen haben[c].« 12 Also riefen die Männer des Postens[a] Jonathan und seinem Waffenträger zu: »Kommt nur herauf zu uns, wir werden euch schon etwas erzählen[b]«. Da befahl Jonathan seinem Waffenträger: »Komm hinter mir her, denn Jahwe hat sie in die Hand Israels gegeben[c].« 13 Jonathan kletterte auf Händen und Füßen empor, sein Waffenträger folgte ihm unmittelbar; da fielen sie[a] (einfach) vor Jonathan um[b], und sein Waffenträger war hinter ihm her und machte ihnen den Garaus[c]. 14 Der erste Schlag, den Jonathan und sein Waffenträger führten, (traf) bei zwanzig Mann; (sie fielen) wie in der halben Furche eines Joch Acker[a]. 15 Darüber erhob sich Entsetzen im Lager, auf dem Feld und unter dem ganzen Volk[a], [auch der Posten und das Plünderungskommando erschraken][b c]. Dazu erbebte die Erde, und es kam[d] zu einem Gottesschrekken[e]. 16 Die Späher, die Saul in Gibea Benjamin[a] hatte[b], sahen, da wogte lärmendes Getümmel[c] und ging immer ⟨hin⟩[d] und her. 17 Deswegen wies Saul das Volk, das er bei sich hatte, an: »Haltet Musterung ab und stellt fest, wer bei uns verschwunden ist.« Als sie die Nachforschung durchführten, da (stellten sie fest,) waren Jonathan und sein Waffenträger nicht da. 18 Darauf befahl Saul dem Ahia: »Bring die Lade[a] Gottes her[b]«, denn die Lade Gottes befand sich an jenem Tag bei den Israeliten[c]. 19 Aber während Saul noch mit dem Priester redete[a], schwoll der Lärm im Lager der Philister immer mehr an[b], so daß Saul (schließlich) zu dem Priester sagte: »Laß es sein[c].« 20 So riefen Saul und das ganze Kriegsvolk, das bei ihm war, sich gegenseitig anfeuernd zu[a] und stürmten zum Kampf[b]. Da (fanden sie) eines jeglichen Schwert schon gegen den eigenen Kameraden gerichtet, eine unsagbare Verwirrung. 21 Die Hebräer[a] hatten wie schon ehedem auf seiten der Philister gestanden[b]; welche nun mit ihnen ins Kriegslager gezogen waren, die fielen jetzt auch ab[c], um auf die Seite Israels zu treten, das zu Saul und Jonathan hielt. 22 Aber auch die Israeliten, die sich auf dem Gebirge Ephraim versteckt gehalten hatten, hefteten[a] sich auf die Kunde davon, daß die Philister geflohen waren, zäh im Kampf an sie. 23a So schenkte Jahwe an jenem Tage Israel Rettung und Sieg.

1 a) GK § 126s. b) Beachte die Einführung mit voller Genealogie. c) Kürze der Umgangssprache; die Einschaltung eines הַמַּעֲבָר (Budde, S. R. Driver, ähnlich Ehrlich, de Vaux) oder Änderung in מֵהָעֵבֶר הַלָּז (S. R. Driver; auch P. Joüon: Notes de Lexicographie Hébraique XI. Bibl 1936, S. 345–347) erübrigt sich.

2 a) Gemeint ist nicht die Ortschaft, sondern die Feldmark (so A. Alt: PJ 1927, S. 19; aber auch schon Klostermann, S. R. Driver). b) Von 𝔊𝔗 bestätigt; die von den meisten (S. R. Driver, Budde, de Vaux, Hertzberg u. v. a.) vorgenommene Änderung in גֶּבַע erleichtert zwar das Verständnis der Situation, verwischt aber die überlieferungsmäßige Spannung. Es reicht auch nicht aus, hier die gewöhnliche Nominalbedeutung »Höhe« anzunehmen (so A. van den Born: Etude sur quelques toponymes Bibliques. OTS X. 1954, S. 203); zur ganzen Frage Stoebe: ThZ 1965, S. 177ff. c) 𝔗 שְׁפּוּלֵי רִמּוֹן sieht darin Ortsbezeichnung (Jdc 20,45). d) Vgl. Jes 10,28 und dazu G. Dalman: Palästinische Wege und die Bedrohung Jerusalems nach Jesaja 10. PJ 1916, S. 47; beides setzt A. Alt: PJ 1927, S. 20 gleich und lokalisiert es in *tell miryam* südwestlich von Michmas (zustimmend Hertzberg, Rehm). Einerseits wird aber das Recht zu dieser Gleichsetzung mit guten Gründen bestritten (A. Fernández: Geographica. Ḥefer, Migrón e el gran Bamah de Gabáon. In: Miscellanea Biblica B. Ubach. Montserrat 1953, S. 137–145), andererseits ist die unwahrscheinliche Änderung von גִּבְעָה vorausgesetzt; auch dann entspricht die Ortslage nur scheinbar den Erfordernissen der Situation (Stoebe: ZDPV 1964, S. 25). So hat die kollektive Deutung auf Tennplatz (בַּגֹּרֶן, בַּמִּגְרָן, weniger gut בַּמִּגְרָשׁ Klostermann) die größere Wahrscheinlichkeit (Wellhausen, Budde und alle Älteren, aber auch de Vaux, Caird). Für die Lage des Tennplatzes nördlich von גִּבְעָה (vgl. de Groot) habe ich (a. a. O., S. 24) den *rās et-tawīl* erwogen. 𝔊[O] *Μαγδων* 𝔊[B] *Μαγων* Buchstabenverwechslung (vgl. 13,3). Vgl. dagegen jetzt H. Donner: Der Feind aus dem Norden. ZDPV 1968, S. 53.

3 a) Wie 2,28 (22,19 𝔊), sonst ist אֲרוֹן Objekt zu נשׂא. b) So nur hier, mit אֲחִימֶלֶךְ 22,9 identisch. Schon deswegen ist es, abgesehen von zeitlichen Überlegungen und der Häufigkeit des Namens, unwahrscheinlich, ihn in Ahia von Silo, 1 Reg 11,29 (so A. Caquot: Aḥiyya de Silo et Jéroboam I. Semitica 1961, S. 17ff.) wiederzufinden. c) Vgl. 4,21. Zu Ahitub auch 22,9.11 und 2 Sam 8,17. d) S. zu 1,3. e) Unverbundener Zustandssatz, der mit der Nennung Ikabods eine Verbindung zu 4,17f. herstellen soll (anders 𝔊, Ehrlich, Schulz, Caspari); indessen braucht es deswegen nicht getilgt zu werden (so Grimme: BZ 1904, S. 37; Caspari, Caird); vgl. dazu Tsevat: HUCA 1961, S. 209ff.

4 a) Zur Form BLe § 74i'; gedacht ist an gangbare Wege von beiden Seiten zum *wādi eṣ-ṣuweinit*. Obwohl die Angabe topographisch genau scheint, ist eine Lokalisierung nicht möglich, wie die verschiedenen Versuche dazu zeigen (vgl. etwa G. Dalman: Der Paß von Michmas. ZDPV 1904, S. 165; Das *wādi eṣ-ṣwēnīt*. ZDPV 1905, S. 173; ein neuerer, nicht besserer Vorschlag desselben PJ 1911, S. 12 (vgl. auch PJ 1916, S. 47ff.); wieder anders wegen seiner Ansetzung von Migron A. Alt: PJ 1927, S. 18. Zur Sache sonst Abel: Géographie II, S. 328. b) Nebenton trotz Maqqef BLe § 71v; zur Sache s. Schwarzenberg: Terminologie, S. 20. c) Die Streichung von מֵהָעֵבֶר (nach 𝔊) als überflüssig vor מִזֶּה (Smith; Budde nimmt Wahllesarten an) ist im Blick auf Ex 32,15 unnötig. Zu dem Bedeutungswandel von »andere Seite« zu »Seite« schlechthin vgl. P. Joüon: Notes de Lexicographie Hébraique XI. Bibl 1936, S. 345–347. d) »Der Scheinende, der Glänzende« (Gesenius: Thesaurus); anders und wohl richtig G. Dalman: ZDPV 1904, S. 169 »der Schlüpfrige«, wofür die Wiedergabe durch 𝔗

(»steiler Abhang«; vgl. allerdings de Boer: Research, S. 13: nach der Situation gewähltes Wort) spricht. Eine Beschreibung der Örtlichkeit G. Dalman: ZDPV 1905, S. 165 ff. e) »Der Dorn, der Stachlige« (Dalman: ZDPV 1904, S. 169; s. auch Borée: Ortsnamen, S. 27, jetzt noch R. Tournay: Le nom du buisson ardent. VT 1957, S. 412).

5 a) 𝔊 *ἡ ὁδός*; gegen die Annahme einer bloßen Verlesung eines ursprünglichen *ὀδούς* (s. z. B. I. L. Seeligmann: Indications of editoral Alteration and Adaptation in the Masoretic text and in the Septuagint. VT 1961, S. 217) spricht die weitgehende Textänderung bei 𝔊. b) In der überlieferten Form verständlich; das Fehlen in 𝔊 (Grund die Übersetzung *ὁδός*, doch kommt auch *ἐπίρρυτος* = Wz. יצק vor. Field) berechtigt nicht zur Tilgung, weder als Dittogr zu מִצָּפוֹן (Budde, Dhorme, S. R. Driver, Smith, de Vaux u. a.) noch als Nebenlesart zu בּוֹצֵץ (Klostermann, Caspari); ebenfalls unnötig ist die Änderung in מוּצָק = מוּצָג (Budde: steht aufgerichtet); auch 𝔗𝔖𝔙 lassen sich als Wiedergabe von מָצוּק begreifen.

6 a) 𝔐 ist beizubehalten, aber nicht mit »kämpfen« zu übersetzen (Wellhausen, Budde). Zur hier vorliegenden prägnanten Bedeutung (𝔗 + נִפָּא »Wunder«) vgl. 1 Reg 8,32; Jer 14,7. Die Übersetzung durch »helfen« (𝔖) berechtigt nicht zu Konjekturen (יוֹשִׁיעַ, Ehrlich, Greßmann; יַעְזֹר Schlögl). b) Dazu E. Kutsch: Die Wurzel עצר im Hebräischen. VT 1952, S. 58; auch P. P. Saydon: The Meaning of the Expression עָצוּר וְעָזוּב. VT 1952, S. 372.

7 a) 𝔊 *ἐὰν ἡ καρδία σου ἐκκλίνῃ* (wohl nur Erleichterung; 𝔗𝔖𝔙 Imp. wie 𝔐), wonach in לְבָבְךָ נֹטֶה (נָטָה) לוֹ (so Wellhausen, S. R. Driver, Budde und die meisten) geändert, aber nicht gebessert wird; man sollte dann eher נָטוּי erwarten (DelF § 44b); auch ein als Subjekt gedachtes יהוה (Hylander: Komplex, S. 166) hilft nichts. Näher liegt die Annahme einer volkstümlichen Redeweise, die das Kapitel überhaupt charakterisiert (vgl. 2 Sam 2,21); so auch Hertzberg. b) 𝔊 *ὡς ἡ καρδία σοῦ καρδία μοῦ*, wonach vielfach לְבָבִי ergänzt wird (Wellhausen, Budde, S. R. Driver u. a.), was aber sprachlich unbefriedigend ist (man sollte dann כִּלְבָבִי erwarten), sich außerdem syntaktisch mit dem Vorhergehenden stößt. Obwohl ungewöhnlich, bleibt 𝔐 vorzuziehen. »Die abrupten Sätze des Waffenträgers zeigen die Aktivität des Geschehens an« (de Boer: Research, S. 84).

8 a) GK § 112t; BroS § 41f. b) 𝔊 *κατακυλισθησόμεθα* charakteristischer Übersetzungsfehler (Wz. גלל), *Θ ἀποκαλυφθησόμεθα*.

9 a) 𝔊 *ἀπαγγείλωμεν*, keine Verlesung, sondern Paraphrase. b) Auch dies wohl Ausdruck der Umgangssprache (Smith); zur Sache BroS § 114b.

10 a) Beachte die Doppeldeutigkeit des עַל. b) S. Carl A. Keller: Das Wort OTH als »Offenbarungszeichen Gottes«. Basel 1946, S. 16f.

11 a) 𝔊 *καὶ εἰσῆλθον*, ebenso Paraphrase wie V. 8. b) Die Annahme eines haplographierten ה (𝔊 *οἱ Ἑβραιοι*) ist überflüssig; die Änderung in הָעִבְרִים (z. B. Budde) ist angesichts 13,7 und 14,21 nicht mehr als eine Spielerei. c) Zur Örtlichkeit vgl. G. Dalman: ZDPV 1905, S. 168 ff.

12 a) 𝔊 *Μεσσάφ* wie V. 1 *Μεσσαβ*; die danach häufig (Wellhausen, Budde, Greßmann u. a.) vorgenommene Streichung der Endung übersieht, daß 𝔗 beides verschieden übersetzt. Auch das Wort »Posten« ist konkret und abstrakt möglich. b) Kennzeichen volkstümlicher Redeweise; jedenfalls nicht als Bereitschaft zu Verhandlungen (so Caspari) zu verstehen. Zur Sache Lande: Wendungen, S. 14f. c) Ideologie des Heiligen Krieges; s. von Rad: Krieg, S. 7f.

13 a) 𝔊 *καὶ ἐπέβλεψαν κατὰ πρόσωπον Ἰωναθάν* mißversteht das Wunderbare des Vorganges oder erleichtert das Verständnis (wobei zu fragen ist, welche der beiden Rezensionen hier die ursprünglichere ist). Änderungen in וַיִּפְנוּ (z. B. Budde, Dhorme, Smith) oder וַיֵּהָפְכוּ (Klostermann) verkennen ebenso die Meinung von 𝔐 wie von 𝔊 (gegen diese Änderungen schon Wellhausen, Ehrlich). Das gilt auch von anderen Erklärungsversuchen (Caspari »dann überfielen sie die Philister«; Wutz: Systematische Wege, S. 235 »sie fielen vor dem Schwertstreich«; 𝔙 »alii … alios«). b) 𝔊 *καὶ ἐπάταξεν αὐτούς*, bei ihrem Verständnis notwendige Ergänzung. c) Vgl. 17,51; 2 Sam 1,9; 𝔊 *ἐπεδίδου* erklärt sich aus ihrem Gesamtverständnis.

14 a) Unsicher; 𝔖 versteht es von der Hilflosigkeit der Besiegten; 𝔊 (*ἐν βολίσι καὶ κόχλαξιν τοῦ πεδίου*) denkt nach 13,19ff. an die ungenügende Bewaffnung (ähnlich H. Wiener: Notes and Comments. JPOS 1927, S. 142–144), was wohl nicht Änderung wegen der Schwierigkeit, sondern andere Rezension ist. Hier ist gemeint, daß sie auf engem Raum fielen. Zum Wort vgl. L. Delekat: Zum hebräischen Wörterbuch. VT 1964, S. 39; zur Sache G. Dalman:

Pflügelänge, Saatstreifen und Erntestreifen in Bibel und Mischna. ZDPV 1905, S. 27f.; auch AuS II, S. 49.171. Zu erinnern ist an unser »hingemäht sein«, so wohl auch Wutz: Systematische Wege, S. 235 mit seinem an sich unwahrscheinlichen כבקצר wie beim Ernteschnitt. Alle Konjekturen sonst sind willkürlich. Vgl. dazu jetzt auch Driver, G. R.: ZAW 1968, S. 174.

15 a) Überfüllter Text bedingt Unsicherheit der Vers; 𝔗𝔖𝔙 übersetzen הַמַּצָּב als Genitiv zu הָעָם; 𝔊 *καὶ ἐν ἀγρῷ καὶ πᾶς ὁ λαὸς οἱ ἐν μεσσαβ καὶ οἱ διαφθείροντες ἐξέστησαν*, entspräche וּבַשָּׂדֶה וְכָל־הָעָם (so Budde, Smith, Ehrlich, Greßmann u. a.; ausdrücklich anders Wellhausen); damit würde גַּם הֵמָּה überflüssig, sofern man nicht גַּם־הָמוּ vokalisiert (Schlögl, Budde) oder gar חָדְלוּ מִמִּלְחָמָה (Klostermann) konjiziert; andere wollen durch die Tilgung einzelner Worte helfen, Caspari gewinnt sogar durch gewagte Änderungen Michmas und eine am Ort gelassene Mannschaft. Da der überlieferte Text deutlich eine Steigerung beabsichtigt, ist er zu belassen; erwägenswert ist eine Umstellung von כָּל־הָעָם und שָׂדֶה (Hertzberg). b) Da diese in dem vorher Genannten mitenthalten sind, wohl die pedantische Beischrift eines Späteren, der jeden Zweifel ausschließen wollte (so auch Schulz). c) 𝔊 *καὶ αὐτοὶ οὐκ ἤθελον ποιεῖν* (danach Peters: Beiträge, S. 128 מֵאֲנוּ לַעֲשׂוֹת; vgl. auch Wiener: JPOS 1928, S. 125) ist schwerlich ursprünglich, sondern erklärende Parenthese über 𝔐 hinaus. d) GK § 144b. e) Zum Gottesschrecken im Heiligen Krieg s. von Rad: Krieg, S. 12; es ist jedenfalls mehr als ein großer Schrecken (vgl. zur Sache D. W. Thomas: A consideration of some unusual ways of expressing the superlative in Hebrew. VT 1953, S. 216; anders Svi Rin: The מות of grandeur. VT 1959, S. 325). Zu 𝔊 *καὶ ἐγενήθη ἔκστασις* und der darin enthaltenen Verschiebung in die Erlebnissphäre des Menschen siehe G. Bertram: Der Begriff »Religion« in der LXX. ZDMG 1934, S. 4f.

16 a) Die üblicherweise vorgenommene Änderung in גֶּבַע (S. R. Driver, Smith, de Vaux, Hertzberg u. v. a.) berücksichtigt nicht die enge Bindung Sauls an גִּבְעָה (s. Anm. b zu V. 2). b) GK § 129b. c) Das mit 𝔊 *ἡ παρεμβολή* (𝔊^{L} + *τῶν ἀλλοφύλων*) seit Thenius, Wellhausen von den meisten gelesene הַמַּחֲנֶה ist sicher unnötig (Budde, Hertzberg), da רָאָה die Gesamtheit der sinnlichen Wahrnehmung umschließt. Tilge allenfalls ה als Dittogr (Smith). d) Ergänze mit 𝔊 *ἔνθεν καὶ ἔνθεν* חָלַם (Haplogr DelF § 91a, nicht zu וַיֵּלֶךְ verschrieben [Driver]). 𝔗 bringt es mit חָלַם »schlagen, bezwingen« zusammen.

18 a) 𝔊^{B} *τὸ ἐφούδ* (𝔊^{A} *’Α Σ Θ* und alle Vers = 𝔐, dennoch von den meisten nach 𝔊 geändert); indessen ist 𝔐 als lectio difficilior beizubehalten (Greßmann, Rehm, de Groot, Hertzberg, v. d. Born; anders B. N. Wambacq: L'épithète Divine Jahvé S^{e}ba'ôt. Brügge 1947, S. 169); doch daraus darf für hier weder auf das Vorhandensein verschiedener Laden (z. B. Greßmann, vgl. W. R. Arnold: Ephod and Ark. 1917 [Harvard Theological Studies III], S. 34) noch auf ihren Charakter als Orakelbehälter geschlossen werden (bes. C. Budde: Ephod und Lade. ZAW 1921, S. 11ff. (dazu Seeber: Lade, S. 13). Eher könnte zu V. 3 die Frage gestellt werden, ob ursprüngliches אֲרוֹן verdrängt worden ist (Anm. a). b) 𝔊 *ὅτι αὐτὸς ἦρεν τὸ ἐφούδ* wie V. 3, ebenfalls von den meisten ergänzt. c) 𝔊 *ἐνώπιον Ἰσραηλ*, was zwangsläufig aus den anderen Textänderungen folgt. Viele (Wellhausen, S. R. Driver, Budde, Dhorme u. a.) ändern danach in לִפְנֵי, während andere (z. B. Klostermann, Rehm, Hertzberg, nach 𝔗𝔖𝔙 (»cum«) besser בִּבְנֵי lesen (vgl. dazu auch Pr. Wernberg-Møller: »Pleonastic« WAW in classical Hebrew. JSS 1958, S. 325).

19 a) BroS § 145b ζ; sonst vokalisiere als Inf. und vgl. Ex 33,22; Jdc 3,26 (so S. R. Driver, Smith). Die Änderung in עוֹד דִּבֵּר (Budde) ist unnötig, auch sprachlich nicht unbedenklich; besser מְדַבֵּר (Hertzberg). b) GK § 111h; 113u. c) 𝔗 seltsam קְרִיב אֵיפוֹדָה, was indirekt die Ursprünglichkeit von אֲרוֹן V. 18 bestätigt; vielleicht aus Unkenntnis der alten Gewohnheit kommende Fehlübersetzung (de Boer: Research, S. 20) oder aus theologischen Bedenken.

20 a) Nicht »aufgeboten werden« wie Jdc 6,34, sondern wie Jdc 18,22 »sich zusammenscharen« (Nowack), »sich gegenseitig anfeuern« (Löhr). Oder sollte nach 𝔊^{A} *ἀνεβόησεν*, 𝔊^{BL} *ἀνέβη*, 𝔙 »conclamavit« וַיִּזָּעֵק (Hertzberg, Smith) oder וַיִּזְעַק (Tiktin, Bruno: Bücher, S. 285) וַיִּסַּע (Caspari) gelesen werden? Es ist wohl doch nur erleichternde Übersetzung. b) Der Vorschlag הַמַּחֲנֶה (Greßmann; BH^{3}) gründet bereits auf einen konjizierten Text und hat keine Stütze in den Vers, paßt außerdem nicht zum Verbum זעק.

21 a) 𝔊 *οἱ δοῦλοι* wie 13,3 und ebensowenig wie dort Grund zur Änderung, auch nicht in הָעִבְרִים

(Schulz, Rehm). Zum Verständnis der Situation O. Eißfeldt: Ugarit und Alalach. FF 1954, S. 82. b) 𝔊 οἱ ὄντες, 𝔙 »qui«, wonach S. R. Driver, Budde, Smith, de Vaux, Hertzberg u. v. a. אֲשֶׁר ergänzen, DelF § 89 *a* הֶהָיוּ, Artikel in relativer Bedeutung, vorschlägt. Das Vorliegen eines verkürzten Relativsatzes ist unwahrscheinlich (GK § 155d). Anscheinend ist es die Meinung, daß die Hebräer in Gänze auf seiten der Philister gestanden haben (vgl. 𝔗 und 𝔖). Das paßte auch zu 13,3. c) Nach 𝔊𝔖𝔙 teilen alle mit Recht anders ab und lesen סָבִבוּ (vgl. DelF § 54a); gleichen Sinn unter Beibehaltung des Überlieferten, aber Versetzung des Athnach, gewinnt Wernberg-Møller: JSS 1958, S. 324; anders de Boer: Research, S. 85: die nähere Umgebung des Lagers.

22 a) Zur Form GK § 53n; BLe § 46c'; für die auf Ehrlich zurückgehende Änderung וַיִּדְלְקוּ besteht kein Grund.

14,1–23a *Jonathans Heldentat bei Michmas* bildet den weiteren und eigentlichen Kristallisationspunkt[1], an den sich die einzelnen Berichte angesetzt haben, die miteinander ein Bild der philistäischen Bedrückung und der Erfolge Sauls ergeben (vgl. o. S. 64.240). Sie hat nicht nur auf die Darstellung von 13,2 verändernd eingewirkt[2], sondern überhaupt die Anlage von Kap. 13 dadurch mitbestimmt, daß immer wieder מִכְמָשׂ als Zielpunkt philistäischer Unternehmungen genannt wird[3], was natürlich nicht ausschließt, daß dies Gebiet nördlich das *wādi eṣ-ṣuweinit* in besonderer Weise den Heimsuchungen durch die Philister ausgesetzt war. Insofern ist es also berechtigt, in Kap. 14 die geradlinige Fortsetzung von Kap. 13 zu sehen, freilich nicht in dem Sinne, daß Jonathan jetzt deswegen in der Umgebung Sauls erscheint, weil er zu ihm stoßen mußte, nachdem das von ihm in Gibea befehligte Kontingent auseinandergelaufen war[4]. Trotzdem ist es aber nicht so, daß Jonathan auf Kosten seines Vaters herausgestellt werden soll[5]; Saul bleibt der verantwortlich Handelnde. Es mag mit dem tragischen Ausgang der Regierung Sauls zusammenhängen, daß man die Heldentaten seiner Umgebung nicht auf ihn übertragen hat, wie es bei David fast selbstverständlich geschah[6]. Jedenfalls zwingt nichts dazu, an eine besondere Jonathanüberlieferung zu denken, die im Kreis um Meribaal bewahrt worden wäre[7]. Daß Saul hier als Vater eines sehr eigenwilligen Sohnes im besten Mannesalter steht, entspricht besser dem historischen Tatbestand.

Literarisch angesehen stellt dieses Kapitel eine Einheit dar[8], in der sich weder verschiedene Quellen feststellen[9] noch erzählungsfremde Stücke und Erweiterun-

1. Eine stilistische Analyse des Kapitels, die sich um den Nachweis der rhythmischen Struktur dieser episch-historischen Darstellung bemüht, gibt jetzt Blenkinsopp: CBQ 1964, S. 423–449.

2. Vgl. dazu o. S. 247.

3. 13,5.16.23; auch die Vorwegnahme des tatsächlichen Ertrages dieses Kampfgeschehens 13,1 könnte hierauf zurückgeführt werden; vgl. o. S. 247.

4. So z. B. Schulz.

5. Was von den mehr praktisch theologischen Auslegungen meist schief gesehen wird; vgl. zur Sache Gutbrod.

6. Vgl. 1 Sam 17 mit 2 Sam 21,19.

7. Buber: VT 1956, S. 163; vgl. auch o. S. 247.

8. Vgl. dazu etwa Eißfeldt: Komposition, S. 11.

9. So Lods: Sources, S. 275ff.; auch Dhorme. Mit der Annahme zweier paralleler Erzählungen desselben Ereignisses Lods grundsätzlich zustimmend, gewinnt jetzt wieder Seebaß (ZAW 1966, S. 148ff.) die zusammenhängende und weit im ganzen Kontext verankerte Darstellung einer (bzw.

gen ausscheiden lassen[10]. Bedenken dieser Art sind gegen die V. 36–45 geäußert worden[11], weil V. 35 den Eindruck eines Abschlusses macht. Das ist an sich richtig; indessen setzen sie die vorhergehenden Verse 23b–30 voraus, die ihrerseits nach einer über V. 28f. hinausgehenden Fortsetzung verlangen[12]. Spannungen hinsichtlich der vorausgesetzten Situation bestehen zwar auch zwischen V. 23 u. 24 (vgl. dort) und V. 30 u. 31[13]; sie erklären sich aber daher, daß literarische Einheit nicht Gleichförmigkeit der verarbeiteten Überlieferung bedeutet. Wir machen hier dieselbe Beobachtung wie schon bei Kap. 13, wenn auch mit leichter Verschiebung. Was von Kämpfen und Siegen erzählt wird, wird nicht nur um seiner selbst willen berichtet; es steht unter dem Schatten der Frage, warum diese zweifellosen Erfolge nicht über den Charakter des Episodischen hinauskommen, jedenfalls keine endgültige Entscheidung bringen konnten. Die Enttäuschung darüber kommt ebenso V. 30 wie V. 45 zum Ausdruck. Es ist deswegen auch nicht berechtigt, V. 32–35 als Dublette zum Folgenden anzusehen[14], wenn sie auch auf das gleiche hinzielen. V. 32–35 ist durch das Stichwort שָׁלָל fest mit dem Vorhergehenden verbunden[15], während V. 36–45 unter dem Gedanken – der freilich im Vorhergehenden ebenfalls angelegt ist – des Gelübdebruches und der versagten Gottesweisung stehen.

1–5 V. 1 knüpft an die vorbereitete Situation an; der Ort wird aber erst anläßlich der näheren Vergegenständlichung des Raumes genannt. Deswegen ist es unberechtigt, V. 1b–5 als Zusatz auszuklammern[16] und die Erzählung mit dem לְכָה וְנַעְבְּרָה V. 6 beginnen zu lassen. Die Wiederholung dieser Worte aus V. 1 kann nach dem langen Zustandssatz als Kennzeichen epischen Stils nicht überraschen[17]. Die Einführung Sauls an dieser Stelle ist nötig, weil die Gesamtdarstellung von ihm her bestimmt ist; sie ist durchaus konventionell, ebenso hinsichtlich der Zahl seiner Begleitung wie des Standortes in Gibea und erinnert an die Situation von 22,6[18]. Die Nennung Gibeas erklärt sich aber wohl nicht nur daraus, daß es Residenz ist, sondern daß es mit Saul durch seine Tat dort in besonderer Weise verbunden war[19]. Eine spezielle Situationsangabe ist schwerlich beabsichtigt. Der für מִגְרוֹן vorgeschlagene *tell miryam*[20] liegt so sehr in der Senke zwischen

zweier) Philisterschlacht(en) Sauls von grundsätzlicher Bedeutung. Da die Veröffentlichung nach Abschluß des Manuskripts zu diesem Teil erschien, mich auch in der Berechtigung meiner Anschauung nicht zweifelhaft gemacht hat, begnüge ich mich mit dem Hinweis. Eine Beurteilung meiner schon ThZ 1965 vorgetragenen Position a. a. O., S. 178f.

10. Caspari, Buber.
11. Wellhausen: Composition, S. 246.
12. So schon Budde: Bücher, S. 206, wenn auch mit etwas anderer Begründung. Vgl. auch Greßmann.
13. Zu den Harmonisierungsversuchen zwischen beiden Aussagen vgl. Anm. a zu V. 13.
14. So etwa Greßmann.
15. Vgl. Hylander: Komplex, S. 170.
16. Kuhl: ZAW 1952, S. 1ff. rechnet diese Stelle nicht zu den Wiederaufnahmen.
17. Schulz.
18. Er macht also gerade nicht den Eindruck eines Vogelfreien (Caspari).
19. Vgl. dazu o. S. 240.
20. Anm. d zu V. 2. In ähnliche Richtung gehen jetzt auch die Überlegungen von Seebaß: ZAW 1966.

מִכְמָשׂ und גֶּבַע, daß seine Besetzung und der Verzicht auf eine feste Stellung bei גֶּבַע wohl einen schweren militärischen Fehler bedeutet hätte, außerdem das Unternehmen Jonathans (נַעְבְּרָה) nicht mehr recht verständlich gewesen wäre. Die Angabe über den Priester in Sauls Begleitung erweist ihre Eigenständigkeit (vgl. Anm. e zu V. 3) durch die abweichende Namensform wie auch dadurch, daß der unter so einprägsamen Umständen geborene Ikabod nicht als der Stammvater des Geschlechtes genannt wird[21]. Der Ephod ist hier das Orakelgerät, keineswegs der priesterliche Ephod schlechthin[22]. Von der Erfüllung eines Fluches an den Eliden ist nichts zu merken (Schulz).

6–15 Die Darstellung ist formal durch volkstümliche Redeweise gekennzeichnet (1.4.7.9, vielleicht auch 12); dem entspricht auch der Inhalt. Er ist eine Heldengeschichte, die stark an charismatisches Führertum erinnert[23]. Die Gemeinsamkeiten mit der Gideonerzählung Jdc 7 sind stärker, als daß sie aus der zufälligen Gleichartigkeit der Situation erklärt werden könnten; sie liegen schon in dem Alleingang mit dem Knappen, obwohl hier die Reminiszenz an tatsächliche Vorgänge ihr Recht behaupten kann, weiter in dem zeichenhaften Gespräch, das eben nicht psychologisierend als Eingeständnis von Unsicherheit und Schwäche[24] oder als Hohn[25] zu deuten ist. Aber trotzdem, bei aller Sympathie für Jonathan – junge Kronprinzen konnten zu allen Zeiten eines besonderen Interesses gewiß sein –, ein Charismatiker ist er nicht[26]; das ist Saul[27]. Daran ändert auch nicht, daß er als Vertreter wahrer Jahwefrömmigkeit dargestellt wird (V. 6) und die Wirkung seines Vorgehens jedes normale Maß übersteigt. Die theologische Akzentuierung solcher Heldengeschichten scheint in verschiedener Dichtigkeit möglich gewesen zu sein, neben einer reinen Ausprägung scheint es auch eine mehr volkstümliche gegeben zu haben, in der das rein menschliche Interesse an der Heldentat stärker mitschwingt[28].

16–23 Das Auftreten Jonathans hat mehr als nur moralische Bedeutung[29]; der Gottesschrecken ist eine reale Größe, die den Kampf dadurch entscheidet, daß sie auf die Philister als Ganzes übergreift. Die Häufung der Ausdrücke in V. 15 (vgl. Anm. a) verrät die Absicht, dem Ereignis Entscheidungscharakter zu

21. Richtiger Hinweis bei Budde; die Annahme, daß אחיטוב und איכבוד identisch sein könnten (Henricus Oorth: ThT XVIII. 1884, S. 308, Zitat nach Budde), hat ein gewisses Gewicht.

22. Wolf W. Graf Baudissin: Die Geschichte des Alttestamentlichen Priestertums. 1889, S. 194; wohl auch Hertzberg.

23. Vgl. dazu auch Blenkinsopp: CBQ 1964, S. 427ff.; nicht anschließen kann ich mich seiner Bestimmung des literarischen Kontextes Mizpaquelle in Verbindung mit diesem religiösen und Stammeszentrum.

24. Z. B. Thenius, Keil.

25. Schulz, Kittel.

26. Zum Grundsätzlichen dieser Frage: Seeligmann: ThZ 1963, S. 401.

27. Es ist eine grundsätzliche Verkennung dieser Zusammenhänge, wenn Beyerlin: ZAW 1961, S. 190 schließt, daß die Überlieferung von Kap. 13 und 14 Sauls Königtum nicht für charismatisch gehalten habe.

28. Wenn man nicht geradezu annehmen will, daß hier der Gedanken mitspielt, daß es immer nur einen charismatischen Führer gegeben habe.

29. So etwa Caspari.

geben (Schulz). Eine Schilderung des Kampfablaufes, etwa so, daß die Plünderungstrupps schnellstens zurückkehren[30], ist damit sicherlich nicht beabsichtigt. Dieser Absicht ist auch die Darstellung des weiteren Eingreifens Sauls untergeordnet. Die geschichtliche Kontinuität zwischen den geschilderten Ereignissen liegt darin, daß jeder Erfolg dazu auffordert, ihn auszunutzen. Die Anknüpfung an das Vorhergehende ist konstruiert, damit locker, denn die Frage, wer fortgegangen sei, gibt für das Geschehen nichts aus, konnte höchstens Zeitverlust bedeuten. Sie scheint aber als Vorbereitung und Begründung für V. 28 als nötig empfunden worden zu sein. Welche Bedeutung der אֲרוֹן hier im Zusammenhang hat[31], ist ebensowenig deutlich; das אֵפוֹד von 𝔊 wird auch vom Inhaltlichen her nicht gefordert (trotz des הַגִּישָׁה, das höchstens frühe Unsicherheit des Verständnisses zeigt)[32]. Eine Entscheidung über das, was getan werden sollte, war nach dem Beben der Erde (V. 15) und dem offensichtlichen Gottesschrecken nicht mehr nötig; auf jeden Fall war plötzliches Abbrechen auffallender als der Verzicht. Daß hierin eine Eigenmächtigkeit Sauls zum Ausdruck kommen soll, ist nicht beabsichtigt[33]. Mit der Lade könnte eine Anknüpfung an die Führung Jahwes in kriegerischen Unternehmungen gemeint, im Verzicht auf das Mitziehen der Lade zugleich ein Vorwurf gegen Saul enthalten sein. Wie auffallend – und damit unerfindbar – dieser Zug im Verhältnis zu 1 Sam 6; 2 Sam 6 ist, zeigen die verschiedenen Harmonisierungsversuche[34], die zwar grundsätzlich eine richtige Frage stellen, aber einen Zug, der ja doch nur am Rande steht, unzulässig überlasten; das tut übrigens auch die Annahme einer Überlieferung, die vom Verlust der Lade nichts gewußt habe[32]. Die Art jedenfalls, wie erst nach der Lade gefragt, sie dann aber zurückgewiesen wird, zeigt, daß für diesen Zusammenhang irgendwann einmal ihre Erwähnung vermißt wurde[35]. Der Abschnitt schließt V. 23a mit der Feststellung eines vollen militärischen Erfolges, der die 13,3 ausgesprochenen Hoffnungen und Erwartungen erfüllt; die Hebräer schließen sich Saul an. Das ist aber nicht, wie die Darstellung jetzt vermuten läßt, eine Voraussetzung für die Verwirrung und Niederlage der Philister[36], was ebenso dem Gottesschrecken von V. 15 wie dem Verständnis des Sieges als einer Heilstat Jahwes (וַיּוֹשַׁע V. 23a) widerspräche, es ist vielmehr eine Folge davon. Auch die Ephraimiten[37], die vor-

30. Vgl. etwa Auerbach: Wüste I, S. 181ff.

31. Zur Authentizität des Wortes an dieser Stelle vgl. Anm. a zu V. 18.

32. Mit gutem Grund rechnet Hertzberg mit der Möglichkeit, daß 𝔊, weil sie wußte, daß erst David die Lade wieder zu Ehren gebracht habe, den Text abgeändert oder wenigstens eine andere Tradition bevorzugt habe, und nimmt an, daß zwei Überlieferungen im Umlauf waren. Das ist sehr wohl möglich, beantwortet aber nicht das eigentliche Problem.

33. So ist anscheinend Beyerlin: ZAW 1961, S. 190 zu verstehen; vgl. dazu auch u. S. 271 zu V. 24.

34. Z. B. de Groot: die Lade sei schon vor der Zeit Davids wieder auf israelitisches Gebiet gekommen; ähnlich übrigens auch Rehm: sie sei, wie es früher üblich war, auch von Kirjath-Jearim durch Saul in das Lager geholt worden.

35. In gewisser Weise erinnert das an 2 Sam 15,24ff., wenn dort auch die politische Absicht deutlich ist.

36. Etwa Greßmann, aber auch Rehm.

37. Der Nachdruck liegt auf dem בהר אפרים während das כל איש ישראל in der Linie üblicher Auffüllung liegt.

dem zu keinem Widerstand entschlossen gewesen waren (vgl. 13,5–7a)[38], reihen sich in die Front gegen die Philister ein. In diesen Einzelangaben hat sich offenbar eine zuverlässige geschichtliche Erinnerung erhalten; es wird deutlich, daß die zunächst partiellen Erfolge Sauls ein Fanal bedeuteten, daß damit auch die Voraussetzung für eine über Benjamin hinausgreifende Führerstellung Sauls geschaffen wurde[39].

38. Etwas anders nuanciert, in der Grundauffassung ähnlich Buber: VT 1956, S. 149.
39. Vgl. dazu o. S. 178.

14, 23b–46 *Sauls unbedachtes Gelübde und seine Folgen*

23b Der Kampf hatte sich über[a] Beth Aven[b] hinweg ausgedehnt[c]. 24 Die Mannschaft Israels war an diesem Tage ins Gedränge geraten[a]; darum verlangte Saul dem Volke einen Eid ab[b] des Inhalts: »Verflucht jeder Mann, der etwas ißt bis zum Abend, bis ich an meinen Feinden Rache genommen habe[c]«; deshalb nahm das ganze Volk nichts zu sich. 25 Nun war das ganze Land ...[a] und Honig[b] gab es auf freiem Felde. 26 Als das ganze Kriegsvolk zu den Waben kam, fand sich, daß der Honig überströmte[a]; doch keiner führte[b] seine Hand zum Munde, denn das Volk scheute den Schwur. 27 Jonathan indessen hatte nicht gehört, wie sein Vater dem Volk den Eid abverlangte, darum nahm er den Speer in seiner Hand mit der Spitze und tauchte ⟨sie⟩[a] in eine Honigwabe[b] und führte so seine Hand zum Munde; ⟨da wurden seine Augen wieder glänzend⟩[c]. 28 Darüber tadelte[a] ihn einer aus dem Volk und sagte: »Dein Vater hat dem Volk einen feierlichen Schwur abverlangt des Inhalts: Verflucht der Mann, der heute nur das Geringste zu sich nimmt«, [und das Volk war erschöpft][b]. 29 Jonathan[a] erwiderte: »In eine unheilvolle Verwirrung hat da mein Vater das Land gebracht[b]; seht doch nur, wie meine Augen wieder hell geworden sind, weil ich das bißchen Honig[c] gekostet habe. 30 Wieviel mehr, wenn[a] das Volk heute etwas von dem gegessen hätte, was es von seinen Feinden erbeutet hat. Denn[b] so ist ⟨der Sieg⟩[c] über die Philister eben doch nur unvollständig geblieben.«

31 So schlugen sie an jenem Tage[a] die Philister von Michmas bis Ajalon[b]; das Volk aber war sehr erschöpft. 32 Und das Volk ⟨stürzte sich auf die Beute⟩[a], es nahm (schnell) Schafe, Rinder und Kälber und schlachtete sie (einfach) auf die Erde hin[b], und dann hielt das Volk Mahlzeit über dem Blut[c]. 33 Das meldete man Saul: »Gib Obacht, das Volk versündigt[a] sich an Jahwe damit, daß sie über dem Blute essen[b].« Der fuhr auf: »Gefrevelt habt ihr[c], wälzt mir sofort[d] einen großen Stein[e] herzu.« 34 Saul ordnete weiter an: »Verteilt euch[a] unter die Leute und sagt zu ihnen, jeder bringe sein Rind, jeder sein Schaf her zu mir[b], schlachtet es hier und eßt es so, damit

ihr euch nicht damit an Jahwe versündigt, daß ihr ⟨über⟩[c] dem Blute eßt.« Da brachte das ganze Volk noch in derselben Nacht[d] herbei, was ein jeder zur Hand[e] hatte, und schlachtete dort. 35 So baute[a] Saul einen Altar für Jahwe, und es war der erste Altar, den er für Jahwe baute[b]. 36 Saul entschied: »Wir wollen bei Nacht[a] den Philistern in die Ebene nachsetzen und unter ihnen plündern[b], bis der Tag anbricht; keinen von ihnen wollen wir übriglassen[c].« Sie antworteten: »Tue nur, was du für richtig hältst«. [d]Der Priester aber sagte: »Wir wollen doch (zuvor) hierher vor Gott treten.[d]« 37 So fragte Saul bei Gott an: »Soll ich hinter den Philistern her in die Ebene hinabziehen? Wirst du sie in die Hände der Israeliten liefern[a]?« Er aber würdigte ihn an jenem Tage keiner Antwort. 38 Darauf befahl Saul: »Tretet herzu[a], alle Vorgesetzten[b] im Volk, erkennt und seht, wodurch[c] heute diese Versündigung geschehen ist. 39 Ja, so wahr Jahwe, der Rettergott Israels, lebt, auch wenn es sich um meinen eigenen Sohn Jonathan handelte[a], er müßte sterben.« Aber keiner vom ganzen Volk erhob Anklage[b]. 40 Darum wies er ganz Israel an: »Ihr sollt auf der einen Seite[a] stehen, ich aber und mein Sohn Jonathan, wir wollen auf der anderen Seite stehen.« Das Volk erwiderte Saul: »Tu alles so, wie du es für richtig hältst.« 41 Darauf rief Saul zu Jahwe: »Du Gott Israels[a], gib vollkommene Klarheit[b].« Da wurden Jonathan und Saul getroffen[c], das Volk aber ging frei aus. 42 Nun sagte Saul weiter: »Werft das Los zwischen mir und meinem Sohn Jonathan[a].« Da wurde Jonathan getroffen. 43 Da sagte Saul zu Jonathan: »Bekenne mir, was hast du getan?« Darauf bekannte ihm Jonathan: »Nun ja, mit dem Ende des Stabes, den ich in der Hand hatte, habe ich ein wenig Honig gekostet. Hier bin ich, bereit zu sterben[a].« 44 Saul sprach: »Gott tue mir[a] dieses und jenes[b], ja sterben mußt du auch, Jonathan[c].« 45 Doch da wandte sich das Volk an Saul: »Jonathan soll sterben, der diesen großen Sieg in Israel errungen hat? Das gibt es nicht[a]; so wahr Jahwe lebt, auch nicht eins von den Haaren seines Hauptes[b] soll zur Erde fallen, denn nur mit Gott[c] hat er es heute schaffen können.« So machte das Volk Jonathan frei[d], daß er nicht zu sterben brauchte. 46 Danach gab Saul die Verfolgung der Philister auf und zog wieder hinauf. Die Philister aber zogen (unbehelligt) in ihre Ortschaften ab.

23b a) 𝔗𝔙 und einige Handschriften עַד. b) 𝔊[L] *Βαιθωρων* (𝔊[B] *Βαμωθ* 𝔊[A] *Βηθαυν*) wie 𝔊[B] zu 13,5; die Änderung in בֵּית חרן (Budde, Greßmann, de Vaux u. v. a.) empfiehlt sich aber nicht (Hertzberg).| c) In 𝔊 (𝔏[Lg]) folgt sodann *καὶ πᾶς ὁ λαὸς ἦν μετὰ Σαουλ ὡς δέκα χιλιάδες ἀνδρῶν. καὶ ἦν ὁ πόλεμος διεσπαρμένος εἰς ὅλην πόλιν ἐν τῷ ὄρει Εφραιμ* (das letztere offenbar Dublette הר und הָעִיר), wonach Wellhausen, S. R. Driver, Budde, Dhorme u. a. einen hebräischen Text wiederherstellen (vgl. BH[3] zu V. 24). Nun wird dieser Einschub nicht freie Erfindung sein, sondern auf eine von 𝔐 abweichende Rezension zurückgehen, die, ihrerseits erweitert, die Spannung zwischen den einzelnen Überlieferungsstücken ausgeglichen hat (vgl. V. 31); sie ist aber nicht vorzuziehen, zumal sie auch sonst nicht sehr geschickt ist (Hertzberg).

24 a) In 𝔊 fehlt וְאִישׁ יִשְׂרָאֵל נִגַּשׂ. *καὶ Σαουλ ἠγνόησεν ἄγνοιαν μεγάλην* ist nicht abweichende Lesart für נגשׂ, aus der in 𝔐 שָׁגַג שְׁגָגָה (Wellhausen, S. R. Driver, Nowack) oder unter Annahme einer Verschreibung aus *ἥγνισεν ἁγνείαν* הִזִּיר נֵזֶר (Budde, de Vaux) oder Ähnliches hergestellt werden könnte, sondern eher um Doppelübersetzung von וַיֹּאֶל (einmal von יאל I, vgl. Num 12,11, so auch Schulz). Indem er 𝔊 zugrunde legt und in 𝔐 den Ausfall einer Zeile durch Homoioarkton annimmt, vermutet Seebaß: VT 1966, S. 74f. als ursprünglichen Text ואיש ישראל נִגַּשׂ עם שאול כעשרת אלפים איש ושאול שגג שגגה ביום ההוא . גִּגַּשׂ (nicht נִגַּשׂ BH³, obwohl 𝔖𝔙 das vorauszusetzen scheinen und Ehrlich ausdrücklich dahin ändert) führt nicht auf eine Notlage aus Mangel an Lebensmitteln (Wutz: Systematische Wege, S. 427), sondern eine militärische Bedrängnis (de Groot, Hertzberg); auch wenn das im gegenwärtigen Zusammenhang Schwierigkeiten macht, ist eine Änderung in נֹגֵשׂ / נָגַשׂ (»sie waren in der Verfolgung« oder ähnlich, z. B. Schulz, Löhr, Rehm, Caspari van den Born) nicht möglich. Das gilt noch mehr für die Erklärung als »unrein«, N. H. Torczyner: Anmerkungen zum Hebräischen und zur Bibel. ZDMG 1912, S. 392. b) Vokalisiere וַיֹּאַל GK § 76d; BLe § 57t''. Vgl. 𝔊 *ἀρᾶται*. c) Zur Anknüpfung des Perf. cons. GK § 112w; BroS § 145bζ.

25 a) Unverständlich. 𝔊 *καὶ πᾶσα ἡ γῆ ἠρίστα* von Tertullian sinngemäß zu *οὐκ ἠρίστα* ergänzt, von Budde als Auflösung eines צָמוּ angesehen, was aber nicht weiterhilft. Die Versionen sonst verstehen אֶרֶץ als Volk, was nach V. 29 naheliegt, ebenso יַעַר als Wald, was Caspari, de Groot, Rehm übernehmen und de Boer: Research, S. 85 in Übereinstimmung damit sieht, daß hier von den Soldaten, der Bevölkerung und den Flüchtlingen gesprochen wird. Dennoch bleibt אֶרֶץ in dieser Bedeutung unwahrscheinlich; es fällt auf, daß יַעַר im folgenden Vers die Bedeutung Honigwabe hat, daß außerdem Wald mit שָׂדֶה V. b kontrastiert ist. Das Wort ist zunächst unübersetzbar. Vielleicht hat בָּאוּ eine uns unbekannte Bedeutung. Erwägenswert, aber unsicher Bruno: Bücher, S. 285, der es mit אֵב »sprossen« zusammenbringt, auch Hertzberg, der an Verschreibung aus צָבוּ denkt. Könnte eine Breviloquenz beabsichtigt sein, »das Land war in die Zeit der Honigwaben gekommen«? In dieser Richtung dürfte wohl die Lösung liegen. Abzulehnen ist jedenfalls die Konjektur עָבְדֵי יַעַר דְּבַשׁ »die ganze Gegend betrieb Bienenwirtschaft« (Klostermann). Gegen die von anderen (Nowack, Schulz, BH³) im Blick auf V. 26a erwogene Streichung des Passus (Erweiterung, die entweder aus einem Mißverständnis von יַעַר entstanden ist oder aus einem anderen Zusammenhang stammt) spricht wohl die Parallelität des Aufbaus; außerdem sagt V. 25 nichts, was nicht als Voraussetzung zu V. 26 nötig wäre. Seebaß: VT 1966, S. 76 vermutet nach V. 29a וְכָל הָאָרֶץ יַעְכֵּר. b) 𝔊 *καὶ Ἰααλ* (𝔊^A *Ιαρ*) *δρυμὸς ἦν μελισσῶνος* eine dreifache Wiedergabe des schwierigen יַעַר, also unsicher und schwerlich zur Grundlage einer Konjektur geeignet (וַיַּעַר הָיָה bzw. וַיְהִי יַעַר דְּבַשׁ, Wellhausen, S. R. Driver, Budde u. a.).

26 a) הֵלֶךְ eigentlich »der Reisende«; danach von de Boer: Research, S. 85 als kurze, prägnante Redeweise erklärt (»stell dir vor – sie sind auf dem Weg – da ist Honig – und trotzdem«). Näher liegt es aber, an »Ausfluß, Überfließen« zu denken (so Hertzberg; vgl. auch Ph. Reymond: L'eau, sa vie et sa signification dans l'Ancient Testament. VTS 6. 1958, S. 63), ohne daß deswegen in הֹלֵךְ oder הָלַךְ (etwa Klostermann, Budde, Smith, Ehrlich, Schulz) geändert werden müßte. 𝔊 *καὶ ἰδοὺ ἐπορεύετο λαλῶν* kann Verlesung aus דְּבַשׁ oder epexegetische Verdeutlichung der Situation sein, aus der nicht auf ein ursprüngliches הָלְכוּ דְּבֹרָיו »die Bienen waren ausgeschwärmt« geschlossen werden darf (so z. B. Budde, Wellhausen, Greßmann, Caspari, auch de Vaux). Zur Sache AuS VI, S. 106; auch L. Armbruster: Die Biene im Orient II. Archiv für Bienenkunde 1932, S. 1–13 (יַעַר der Bienenröhrenstapel, dann auch die Wabe selbst). Mit weitgehenden und unbegründeten Streichungen gewinnt Hylander: Komplex, S. 169 וַיָּבֹא הָעָם אֶל־הַשָּׂדֶה וַיְהִי [דְבַשׁ] יַעַר בְּיַעַר »Wabe an Wabe«. b) Ungewöhnlicher Ausdruck, gewöhnlich nach 𝔊𝔗 in מֵשִׁיב geändert (S. R. Driver, Budde u. v. a.); näher läge dann wohl eine Verschreibung aus מַגִּישׁ (DelF § 82a, auch BH³).

27 a) Vokalisiere besser אתה, der Fehler ist vielleicht durch das folgende יַעֲרַת bedingt. b) ת braucht nicht als Dittogr getilgt zu werden (Tiktin, BH³); vgl. dazu BroS § 16c (Fem. zur Bildung kollektiver Einzelwörter). c) Lies mit Qere und allen Vers וַתָּאֹרְנָה (𝔊 *ἀνέβλεψαν* braucht auch nicht anders verstanden zu werden) *Ἀ ἐφωτίσθησαν*; unnötig Caspari תִּרְאֶינָה).

Die Ableitung von Wz. ארר »seine Augen wurden vom Fluch getroffen« (Hylander: Komplex, S. 170) verkennt den Zusammenhang.

28 a) Zu dieser prägnanten Bedeutung vgl. V. 39. b) Entweder von עִיף (Ehrlich von עוּף und Variante zu V. 32 Qere) oder יעף (dann וַיִּיעַף zu vokalisieren, S. R. Driver, GK § 72t) abzuleiten. Auf jeden Fall überschießend, da diese Worte nicht mehr zur Rede des Mannes gehören können (so Keil, van den Born und Hertzberg). Auch eine Umstellung hinter V. 29 (Klostermann) ändert nichts. Andererseits ist 𝔐 durch die Versionen so bestätigt, daß Textänderungen (וַיָּעַד S. R. Driver, Smith, Budde; וַיּוֹדַע Dhorme; וַיַּעְטֹף 𝔖; noch innerhalb der Fluchformel Caspari u. a.) willkürlich sind.

29 a) 𝔊 + καὶ ἔγνω (= וַיֵּדַע), nicht Variante zum vorhergehenden וַיָּעַף (Wellhausen), sondern eine spannungssteigernde (de Boer: Research, S. 60) Wucherung des Textes; vgl. Ant VI 119. b) ארץ wie 2 Sam 15,23; Gn 41,57; also nicht von einem Tabu des Landes zu verstehen (Schwally: Kriegsaltertümer, S. 43; ähnlich Caspari mit seinem Vorschlag, ארר oder עצר zu lesen). Zu עכר, das von den Versionen bestätigt ist, vgl. Jos 7,25; Jdc 11,35; aus 𝔊 ἀπήλλαχεν (ʼΑ Σ Θ ἐτάραξεν = 𝔐) gewinnt Klostermann הִתִּר = er hat freigelassen. c) Vgl. GK § 126x.

30 a) Ca. 15 MSS לֹא (so Schlögl, Klostermann »nicht aß das Volk«). אַף כִּי ist nicht Frage (Kö § 353a), sondern ist als Bestärkungspartikel der Protasis einer konditionalen Periode vorangestellt (S. R. Driver), deren Nachsatz nur gedacht ist. Die deutsche Übersetzung muß das etwas verwischen. b) Die Auffassung als Affirmativpartikel (GK § 159ee, ja dann) macht das לֹא unverständlich, das darum einige (z. B. Budde, Smith, Dhorme) nach 𝔊 streichen, andere (Greßmann, Schulz, Caspari, de Vaux) als הֲלֹא lesen oder doch verstehen. Friedrich Nötscher: Zum emphatischen Lamed. VT 1953, S. 375 denkt an verschriebenes ל. Diese Erklärungen lassen die Logik eines Gedankenfortschrittes vermissen. Möglich ist nur, daß כִּי die Begründung für den gedachten Nachsatz der Bedingung einleitet (Hertzberg, Rehm). c) Haplogr, lies הַמַּכָּה.

31 a) Neuer Einsatz, nicht mehr Rede Jonathans, wie unter Tilgung von הַיּוֹם (Smith) angenommen wird; Wellhausen tilgt den Vers bis zum Athnach. b) heute *yālo*, 3 km östl. von *ʿimwās* Emmaus (Abel: Géographie II, S. 240f.); es fehlt in 𝔊 aus verständlichen Gründen. Versuche, darin nach V. 24 eine Zeitbestimmung zu finden (מֵחֹם הַשֶּׁמֶשׁ עַד הַלָּיְלָה, Klostermann, Budde, עַד הַלָּיְלָה auch Nowack), verkennen den neuen Einsatz.

32 a) Qere וַיַּעַט von עִיט (BLe § 56 u″ DelF § 80) und entsprechend הַשָּׁלָל (Erklärung DelF § 135 unwahrscheinlich), während die Versionen (𝔗 וְאִתְפְּנִי, 𝔊 ἐκλίθη Σ ἐτράπη) stärker an נטה zu denken scheinen. Zu Ketib וַיַּעַשׂ s. G. R. Driver: Difficult words in the Hebrew prophets. In: Studies in Old Testament Prophecy. Ed. H. H. Rowley. Edinburgh 1950, S. 55: עשה »sich wenden zu«; ähnlich J. Reider: Contributions to the Scriptural Text. HUCA 1952/53, S. 85: וישע von Wz. *sʿj*. Am nächsten liegt aber die Annahme einer Alternativlesart וַיַּעַשׂ שָׁלָל oder וַיַּעַט אֶל־הַשָּׁלָל (so auch Boström: Alternative readings, S. 33), während die Erklärung als verschiedene Auflösung eines abgekürzten ויע (Perles I, S. 34) nicht ausreicht. Ganz unbegründet die Tilgung als Nebenlesart zu וַיָּעַף הָעָם V. 31 (Caspari). b) Breviloquenz; sie schlachteten so, daß das Blut einfach zur Erde floß. Vgl. Dt 12,16 (dort allerdings על und Lev 17,13. Danach scheint die Sache als solche unangreifbar zu sein, die Versündigung aber darin zu bestehen, daß sie die erbeuteten Tiere wie Jagdbeute behandeln (z. St. auch E. König: Deuteronomische Hauptfragen. ZAW 1930, S. 57). c) 𝔊 σύν 𝔙 »cum«. Ob על tatsächlich idiomatisch soviel wie »einschließlich« bedeuten kann (S. R. Driver), erscheint mindestens fraglich. Von der überwiegenden Mehrzahl der Ausleger wird die Stelle nach Gn 9,4; Lev 17,10ff.; 19,26 dahin verstanden, daß die Leute in der Hast des Heißhungers das Fleisch mit dem Blut gegessen hätten (Thenius direkt את). Abgesehen von den sprachlichen Bedenken ist das nach dem Vorausgehenden nicht wahrscheinlich, erklärt weiterhin nicht, wie durch die Errichtung eines Altars diesem Übelstand abgeholfen werden konnte (vgl. die eingehenden Überlegungen dazu bei Budde). Somit liegt das wörtliche Verständnis von על am nächsten (so auch Hertzberg). Zur Sache s. Lev 17,13; die Stelle, auf die Blut geflossen ist, gehört in den sakralen Bereich. Die Versündigung liegt darin, daß dieser Bereich nicht genügend gewahrt ist. Die Streichung als Dittogr zu כל העם (Caspari) verliert jeden Sinn.

33 a) Zur Form GK § 23c, 74i; auch BLe § 69a'. b) GK § 114o. c) 𝔊 ἐν Γεθθάιμ, Miß-

verständnis, das 𝔐 bestätigt; die Überlegung, daß Saul sich mit seinem Vorwurf an die Falschen wendet, berechtigt nicht zu Änderungen (מַגִּידִים S. R. Driver, Budde, Smith, de Vaux u. a.; בְּהַגִּידָם Caspari; בְּגַדְתֶּם Dhorme). d) 𝔊 *ἐνταῦθα* bei ihrer Wiedergabe von בְּגַדְתֶּם verständlich, führt jedenfalls nicht notwendig auf ursprüngliches הֲלוֹם (Wellhausen, S. R. Driver, Budde, Caspari, de Vaux u. a.). Im Blick auf V. 35 liegt הַיּוֹם (u. U. in der Form כַּיּוֹם näher (so Schulz, Hertzberg, van den Born. e) Vgl. dazu 6,14.

34 a) Zur Plastik des Wortes L. Kopf: Arabische Etymologien und Parallelen. VT 1958, S. 191. b) Fehlt 𝔊𝔖 (𝔊 *ἐνταῦθα* Übersetzungsfreiheit; Änderung in הֲלוֹם ebenso unbegründet wie in אֶל־יהוה (Budde, Smith). c) Lies עַל wie V. 33. d) Fehlt 𝔊 und wird deswegen von manchen getilgt (Wellhausen, Nowack, Caspari; DelF § 155 nimmt Korrektur zu לַיְלָה V. 36 an, ähnlich de Groot) oder ebenfalls (vgl. Anm. b) in אֶל־יהוה geändert (Klostermann, Budde, Smith). Doch scheint es hier zur Kennzeichnung der Situation unentbehrlich. e) 𝔊 *τὸ ἐν τῇ χειρί* (𝔗𝔖 = 𝔐), wonach überwiegend (S. R. Driver, Budde bis Hertzberg) in אֲשֶׁר geändert wird, was eine erwägenswerte, wenn vielleicht auch unnötige Glättung ist.

35 a) 𝔊𝔖 + »dort«, von manchen danach ergänzt. b) V. b fehlt 𝔖. Zur Konstruktion vgl. Dt 21,17; Jdc 10,4; 2 Sam 23,3; Hos 13,2; Hi 15,20 (nach S. R. Driver); anders BroS § 34b (determiniertes Subjekt »er selbst begann«. Gegen diese Möglichkeit J. Blau: Zum angeblichen Gebrauch von את vor dem Nominativ. VT 1954, S. 7–19). Jedenfalls ist gemeint, daß Saul nach diesem noch andere Altäre baute, nicht daß er später an Stelle dieses Steines einen Altar errichtete (Budde, Ehrlich). Alle darauf hinzielenden Textänderungen sind unbegründet.

36 a) 𝔊 *τὴν νύκτα*, danach Greßmann, Tiktin, Hertzberg הַלַּיְלָה, was gemeint sein kann; zu נָבֹזָּה paßt eher לַיְלָה, wenn es nicht besser ganz fehlt (𝔖, danach Caspari). b) Zur Form GK § 67dd; BLe § 58p'. Da es schlecht in den Text zu passen scheint, wird es oft (nach 𝔗 נִקְטוֹל) in וְנַכֶּה (Budde, Smith, Greßmann u. a.) oder נָבוֹסָה (Wellhausen, wozu allerdings בָּהֶם schlecht paßt) geändert. Beachte indessen, daß schon das Thema des Vorhergehenden שָׁלָל war (Stoebe, in: Baumgartner-Festschrift. VTS XVI. 1967, S. 340ff.). c) Vgl. GK § 48g, 109d; auch BroS § 5a; oder sollte נַשְׁאַר beabsichtigt sein (Caspari)? d) Fehlt 𝔖, sonst von den Vers bestätigt; die Überzeugung, daß die Initiative vom König ausgehen müsse, ist kein Grund zur Änderung in לַכֹּהֵן (Budde, Ehrlich, Greßmann, Hertzberg).

37 a) Zur Situation 1 Sam 23,11; 30,8; 2 Sam 5,19.

38 a) GK § 66c; BLe § 52t. Caspari »Kommando mit altertümlicher Befehlsfarbe«; (nach 𝔊 *προσαγάγετε* Budde הַגִּישׁוּ). b) Vgl. Jdc 20,2; Jes 19,13. Dazu Joüon: MUB 5,2. 1912, S. 416f.: militärische Zusammenrufung. c) Nach 𝔊𝔙 von den meisten aus inhaltlichen Gründen (vgl. V. 40) als מִי gelesen; beides ist möglich, inhaltlich ändert sich nichts. Der Text bleibt auf jeden Fall unanschaulich.

39 a) 𝔊 *ὅτι ἐὰν ἀποκριθῇ*, wonach von manchen (z. B. Greßmann, Schulz, Wutz, ähnlich Ehrlich) eine Form der Wz. ענה vorgeschlagen, von anderen (z. B. Wellhausen, Budde, S. R. Driver) wenigstens in יֶשְׁנָה; (DelF § 78 יֶשְׁנוֹ) geändert wird. Noch weitergehend יֵשׁ בִּי אוֹ בְּיוֹנָתָן (Klostermann, Smith). Die Form wird aber durch 1 Sam 23,23; Dt 29,14 bestätigt; vgl. GK § 100p, BLe § 80u.w. Zur Sache R. Preß: Das Ordal im alten Israel II. ZAW 1933, S. 228f. b) אֵין עֹנֵהוּ nicht im Sinne stillschweigender Ablehnung, sondern aus der alten Rechtspraxis zu verstehen, vgl. Lev 5,1; dazu H. J. Stoebe: Das achte Gebot. WuD 1952, S. 119.

40 a) S. dazu Anm. c zu V. 4. 𝔊 *εἰς δουλείαν*.

41 a) 𝔊 (𝔙) hat erweiterten Text + *τί ὅτι οὐκ ἀπεκρίθης τῷ δούλῳ σου σήμερον; εἰ ἐν ἐμοί ἢ ἐν Ιωναθαν τῷ υἱῷ μου ἡ αδικία, κύριε ὁ θεὸς Ἰσραηλ, δὸς δήλους· καὶ ἐὰν τάδε εἴπῃς δὸς δὴ τῷ λαῷ σου Ἰσραήλ*.., wobei das אל vor יהוה fehlt und dies vor die Gebetsanrede tritt. Diese Erweiterung wurde früher allgemein, aber auch jetzt noch von Caird, de Vaux, als ursprünglich angesehen und der hebräische Text durch Rückübersetzung hergestellt, wobei im Grundsätzlichen Einmütigkeit, höchstens in Einzelheiten der Rückübersetzung Verschiedenheiten bestanden, z. B. bei *καὶ ἐὰν τάδε εἴπῃς δὸς δή*, das unverständlich und nicht unterzubringen ist (ausdrücklich ablehnend schon früher Klostermann, Ehrlich, Schulz). Diese Stelle galt so als einziger Beleg für das Funktionieren des Losorakels der Urim und Tummim Ex 28,30, Lev 8,8; Dt 33,8; Esr 2,63; Neh 7,65; (אוּרִים allein Num 27,21; 1 Sam 28,6). Nun kann man nicht ernsthaft bezweifeln, daß 𝔊 nicht frei paraphrasiert, sondern eine andere

Rezension wiedergibt (vgl. z. B. Rehm); aber damit ist nicht erklärt, wie daraus unser Text entstanden sein sollte. Die Annahme eines Homoeotel wegen des zweimaligen יִשְׂרָאֵל (so schon Thenius, Nowack, S. R. Driver und wohl die meisten) erklärt niemals, wie ein so entscheidend wichtiger Passus verlorengehen konnte, wenn er ursprünglich gewesen wäre. Außerdem macht diese Erweiterung den eigentlichen Vorgang des Losorakels und vor allem die Bedeutung der einzelnen Lose durchaus nicht klar (vgl. z. B. J. Hempel: Die israelitischen Anschauungen von Segen und Fluch. In: Apoxysmata. Berlin 1961, S. 101; jetzt auch E. Robertson: The 'Ūrīm and Tummīm; what were they? VT 1964, S. 67ff.). Auffallend bleibt auch das breit ausgeführte Gebet, das eher in eine spätere Zeit weist (Preß: ZAW 1933, S. 228; vor ihm schon ähnlich Schulz). Mit Recht wird darum dieser Satz in den neueren Auslegungen (Ausnahmen s. o.) nicht als ursprünglich übernommen (z. B. Caspari, de Groot, Hertzberg, van den Born). Zur Frage vgl. jetzt noch Lindblom, in: Studier Broer Olsson, S. 253–261; VT 1962, S. 172ff. b) So auch Tsevat, in: Sepher Segal, S. 79. 𝔊 *δὸς δὴ ὁσιότητα* 𝔙 »sanctitatem«, wonach von denen, die an 𝔊 anschließen, in תֻּמִּים geändert wird, was auch möglich ist, wenn man 𝔊 nicht übernimmt (z. B. Klostermann, Caspari; s. auch DelF § 72b). Dazu jetzt Toeg, A.: VT 1969, S. 493–498. Noort, Edward: VT 1971, S. 112–116.
c) Wie Jos 7,16; 1 Sam 10,20.

42 a) 𝔊 (nicht 𝔙) wiederum erhebliche Erweiterung (*ὃν ἂν κατακληρώσηται κύριος, ἀποθανέτω. καὶ εἶπεν ὁ λαὸς πρὸς Σαούλ Οὐκ ἔστιν τὸ ῥῆμα τοῦτο. καὶ κατεκράτησεν Σαοὺλ τοῦ λαοῦ, καὶ βάλλουσιν ἀνὰ μέσον αὐτοῦ καὶ ἀνὰ μέσον Ἰωναθὰν τοῦ υἱοῦ αὐτοῦ*), die zwar von Klostermann, Budde, Smith (als spannungssteigernd) als ursprünglich angesehen, mit Recht aber von der Mehrzahl auch derer, die 𝔊 zu V. 41 übernehmen, abgelehnt wird (z. B. Wellhausen, S. R. Driver, Greßmann), weil sie zu sehr den Geist späterer Zeit verrät und aus V. 45 heraus gebildet ist. Nur gilt dieses Argument bereits gegen V. 41 (vgl. die sarkastische Bemerkung bei Ehrlich).

43 a) Caspari macht daraus eine Frage, was den Sinn erheblich verflacht.

44 a) 𝔊𝔖𝔗 + לִי, Ergänzung im Hebräischen unnötig. b) GK § 149d. c) 𝔊 *σήμερον* statt יוֹנָתָן wie V. 45; eine die dramatische Spannung unterstreichende Variante (danach Caspari). 𝔊L hat beides.

45 a) Fehlt 𝔊B (𝔊OL *ἵλεως*), ist aber, da sinntragend, deswegen nicht als Dittogr in 𝔐 zu streichen (so Budde, Klostermann). b) Dazu GK § 119w; BroS § 34a, 111b. c) 𝔊B *λαὸς τοῦ θεοῦ* (𝔊LB korrigierend *ἔλεος*) stützt עַם gegen Änderungen in כִּי אֱלֹהִים עָשָׂה חֶסֶד (Schlögl), נֹחַם אֱלֹהִים (Klostermann); zu עָשָׂה vgl. V. 6. d) 𝔊 *προσηύξατο* psychologisiert, mit den alten Verhältnissen nicht vertraut, sowohl das Verhalten des Volkes wie Sauls; überschätzt dabei dessen Möglichkeiten in dieser Situation. Der Vorgang des »Lösens« bleibt in der Schwebe. An sich liegt der Gedanke an die Stellung eines Ersatzmannes nahe (Wellhausen, Budde: vgl. dazu N. M. Nicolsky: Das Asylrecht in Israel. ZAW 1930, S. 169; Johann Jakob Stamm: Erlösen und Vergeben im Alten Testament. Bern 1940, S. 13). Ex 13,13–15; 34,20 kennt das Lösen durch tierische, Num 3,45ff. durch andere Ersatzleistung; an solche ist vielleicht zu denken (vgl. Pedersen: Israel III/IV, S. 319, auch A. Jepsen: Die Begriffe des »Erlösens« im Alten Testament. In: Festgabe für Rudolf Hermann. 1957, S. 155. Doch ist es nicht zufällig, daß פדה hier absolut gebraucht und inhaltlich nicht näher bestimmt wird.

14,23b–46 *Sauls unbedachtes Gelübde und seine Folgen.* Die Auslegung kann sich hier nur darum bemühen, einige Gesichtspunkte und durchlaufende Gedanken aufzuzeigen. Die Einzelepisode läßt ihren ursprünglichen Überlieferungscharakter nur noch schwach erkennen – sein Vorhandensein ist vielfach nur zu postulieren –, weil sie nur noch Material ist, das einer alles übergreifenden Frage untergeordnet ist[1].

23b–35 Der Eingangsvers ist durch die abschließende Bemerkung V. 23a vom

1. Vgl. o. S. 240. 251.

Vorhergehenden getrennt, paßt auch inhaltlich nicht dazu, denn hier ist durch die Nennung von בֵּית אָוֶן zunächst wieder ein Ereignis in sehr begrenztem Raum anvisiert[2]. Das נגשׂ schildert zudem eine Notlage (vgl. Anm. b zu V. 24), die Verwandtschaft mit 13,6 zeigt. Auch von hier aus besteht kein organischer Zusammenhang mit dem Vorhergehenden. Diese Situation macht das Enthaltungsgelübde Sauls verständlich. Es liegt zunächst wohl in der Linie des Fastens als Bußgestus bei Notständen[3], greift aber doch darüber hinaus und zeigt Verwandtschaft mit der sexuellen Enthaltsamkeit bei Kriegszügen, die nicht auf der Ebene des Profanen liegen[4], auf der anderen Seite auch Berührung mit dem Gelübde Jephtas (Jdc 11,30) bei Beginn seines Befreiungskampfes. Zu dem וְנִקַּמְתִּי ist 18,25, Jos 10,13, vor allem auch Num 31,2[5] zu vergleichen. Eine Verbindung zum Vorhergehenden in der Art, daß Saul an Stelle eines nicht eingeholten Orakelbescheides ein Gelübde gesetzt habe[6], ist also ebensowenig möglich wie die Deutung des וְנִקַּמְתִּי auf die Befriedigung persönlicher Rachegefühle[7]. Sollte V. 24 wirklich nur gesagt werden, daß die Israeliten infolge anhaltender Verfolgung durch Erschöpfung in Schwierigkeiten gekommen waren (Anm. b), so wäre das Gelübde in der Tat das letzte gewesen, was helfen konnte. Zwar ist das jetzt wohl auch die Meinung der letzten Redaktion, aber das dahin zielende וַיָּעַף הָעָם מְאֹד V. 31 wirkt aufgesetzt und gehört in eine andere und ursprünglich selbständige Gedankenführung. Wohl wird der Gehorsam des Volkes durch seine Enthaltung auch angesichts eines unerwarteten Honigfundes unterstrichen (V. 26ff.); damit ist der von V. 25–30 reichende Zusammenhang zwar eng mit dem Vorhergehenden verklammert, ist aber doch nicht die ursprüngliche Fortsetzung, wie schon die textlichen Schwierigkeiten und Übersetzungsunsicherheiten zeigen[8]. Sie hängen nicht damit zusammen, daß ein späterer Herausgeber sich nicht mit den religiösen Anschauungen abfinden konnte, die der Erzählung zugrunde liegen[9], sondern damit, daß durch die redaktionelle Verwendung die Verumständlichung dieser Einzelüberlieferung nicht mehr genügend erkennbar ist[10]. Diese Unglattheiten sind immerhin so stark, daß es nicht ausreicht, V. 24–30 als einen Zwischenfall anzusehen, der nachholt, was am Morgen geschehen ist und was sich weiterhin daran anknüpfte (Budde). Die wirkliche Fortsetzung des Gelübdes liegt in V. 31; Jahwe beantwortet die Enthaltung mit einem großen Sieg מִמִּכְמָשׂ אַיָּלֹנָה[11].

2. Was die Rezension der 𝔊 ebenso mit der Änderung des Ortsnamens (vgl. Anm. b zu V. 23) wie der langen Einschaltung (Anm. a zu V. 24) empfindet.

3. Das Gelübde gilt bis zum Abend; zu der sich dazu aus dem וְנִקַּמְתִּי ergebenden Spannung vgl. Johannes Pedersen: Der Eid bei den Semiten. 1914, S. 122; interessant weist Hertzberg auf die Praxis im mohammedanischen Fastenmonat Ramadan.

4. Vgl. zu 21,6 (u. S. 396); in weiterem Sinne auch Ps 132.

5. Zur Beziehung dieser Darstellung zur Beute und ihrer richtigen Verwendung vgl. u. S. 517.

6. Z. B. Budde, ihm folgend Hertzberg.

7. Etwa Keil, vgl. auch Gutbrod.

8. V. 25.26. 9. Etwa Smith.

10. Keineswegs darf von V. 25 eine Verbindung zu 13,6 hergestellt werden; so Caspari: der Satz soll zeigen, daß für die Flüchtlinge etwas Nahrung vorhanden war.

11. Unmöglich der Harmonisierungsversuch (Smith) mit V. 30 (Anm. a zu V. 31); übrigens bezweifelt auch Caird, daß der Vers in seiner ursprünglichen Form ist.

Daß dabei Beute gemacht wurde, versteht sich von selbst. Nirgends wird gesagt, daß es sich um Tiere handelte, die die Israeliten als rechtmäßiges Eigentum ansehen konnten, weil die Philister sie ihnen zuvor geraubt hatten[12], ebensowenig, daß sie sie schon aus dem Lager der Philister mitgebracht hätten[13]. Offenbar ist es Abend geworden und das Volk zum Essen berechtigt[14]. Die Frage, um die es hier geht, ist dieselbe, die auch im Hintergrund von Kap. 15 steht[15], wenn sie dort auch anders behandelt wird. Wie wichtig das ganze Problem war, wird daran deutlich, daß auch Num 31 sich noch um Antwort und Klärung müht[16]. Der Mißstand, der aufgetreten ist, liegt nicht in einem Verstoß gegen das Gebot Gn 9,4; Dt 12,23[17], sondern darin, daß durch die Schlachtung zum Boden hin die Rechte Gottes an der Beute nicht gewährleistet sind. Das ist jetzt zwar durch das וַיָּעַף הָעָם V. 31[18], das vielleicht sogar die Einschiebung des אֶל vor שָׁלָל[19] bewirkt hat, verdunkelt; daß es nicht ursprünglich sein kann, erhellt aber auch daraus, daß Erschöpfung am Ende eines Kampftages nicht mehr als eine Selbstverständlichkeit sein kann. Die Darstellung läuft darauf hinaus, daß Saul durch die Errichtung eines Feldaltars den geeigneten und weiterhin zu praktizierenden (das meint die Aussage von V. 35b)[20] Weg angibt, den Verhältnissen im Kriege, wo Brandopfer nicht möglich sind, Rechnung zu tragen[21]. Es soll wohl – reichlich konstruiert – der Eindruck erweckt werden, als sei dieses ganze Problem ein Novum gewesen. Die Linie an sich ist klar, selbständig[22] und auch in sich geschlossen[23]; sie ist durch den Zusammenhang, in dem sie steht, mit unter die Frage nach der Schuld gestellt, ohne daß diese eine volle Antwort findet. Deutlich ist wohl, daß der Bericht Saul und seiner Frömmigkeit positiv gegenübersteht, Saul also keine Schuld trifft, seine Maßnahme im Gegenteil als hilfreich anerkannt wird. Die Annahme, daß er, durch die Verhältnisse gezwungen, mit der Errichtung eines Altars das von ihm selbst aufgerichtete Tabu durchbrochen habe[24], verfolgt eine Linie, die nicht im Text angelegt ist. Ob dieses Urteil über Saul auch vom letzten Bearbeiter geteilt wird, kann nicht entschieden werden. Indessen ist keine deuteronomistische

12. Caspari; Stoebe, in: Baumgartner-Festschrift, S. 340ff.
13. Etwa Hertzberg.
14. Anders Hylander: Komplex, S. 170.
15. Vgl. Weiser: ZAW 1936, S. 19.
16. Auch hier charakteristischerweise ein erfolgreicher Rachezug gegen einen Erbfeind.
17. Vgl. allerdings Anm. c zu V. 32. In ähnlicher Richtung, wenn auch anders modifiziert, die Auffassung von Pedersen: Israel III/IV, S. 339: der Stein ist kein Heiligtum, sondern zu dem Zwecke errichtet, um eine sichere Scheidung des Blutes vom Fleische möglich zu machen; vgl. zur Sache auch R. J. Thompson: Penitence and Sacrifice in Early Israel outside the Levitical Law. 1963, S. 108f.
18. Vgl. dazu u. S. 273.
19. Anm. a zu V. 31.
20. Vgl. dazu etwa Julius Wellhausen: Reste arabischen Heidentums. 1927, S. 116.
21. Beachte die Kürze der Darstellung; kein: das ist der Stein, der noch heute zu sehen ist. Anders übrigens Hertzberg.
22. Dazu, daß V. 33 + 35 nicht einfach Dubletten sind, vgl. o.
23. Die Annahme des Resümees eines vollständigeren Berichtes (de Groot) ist nicht nötig.
24. So Hylander: Komplex, S. 170.

Redaktion festzustellen, die am Altarbau als solchem Anstoß genommen hätte[25]. Wenn eine Versündigung festgestellt werden kann, so liegt sie beim Volk; die Strafe, die man erwarten müßte, erfolgt aber nicht, im Gegenteil macht V. 35 den Eindruck eines Abschlusses[26], so daß die Meinung gewesen sein kann, daß die Maßnahme Sauls die Schuld beseitigt habe.

Lenken wir von hier auf V. 25–30 zurück; im Mittelpunkt steht die Gestalt Jonathans. Die Episode schließt ebensowenig glatt an V. 24 an – sie läßt die vorausgesetzte Notsituation nicht erkennen —, wie das Urteil Jonathans über den Erfolg V. 30 zur Feststellung V. 31 paßt[27]. Sie steht also nicht in einem Erzählungs –, sondern einem Problemzusammenhang und dient dazu, dies Problem von einer anderen Seite zu beleuchten; die Unterstreichung der besonderen Situation durch das וַיָּעַף הָעָם ist V. 28 eher am Platz als V. 31, so daß es nicht eine von dort übernommene Glosse sein kann[28]. Der Kernbestand dieses Abschnittes ist ein Honigfund auf freiem Feld – der Honig als schneller Kraftspender ist also schon früh bekannt gewesen (V. 27.29). Jonathan nimmt davon mit der Spitze seines Stockes, also ohne sich aufzuhalten[29]; das paßt gut zur vorausgesetzten Situation und kann ebenso den Kriegseifer wie die Eignung Jonathans beweisen[30]. Dieser an sich neutrale Zug einer Heldengeschichte ist mit dem Gesamtzusammenhang durch die Gesichtspunkte Beute wie Enthaltungsgelübde verbunden – beide sind eine feste Einheit eingegangen. Die Verknüpfung ist aber ziemlich künstlich, denn Honiggenuß und Beute liegen auf sehr verschiedenen Ebenen. Essen von der Beute – mit allem, was an Vorbereitung dazu gehört; es ist offenbar an schlachtbare Beute gedacht – ist bei währendem Kampf oder währender Verfolgung, darum handelt es sich aber, natürlich nicht möglich. Und weiter bleibt die Frage, warum Jonathan, der nach V. 27 nichts von dem Schwur gewußt hat[31], erst nach dem Essen darauf hingewiesen wird. Hier ist das Thema Beute und ihre Verwendung in einer überraschend aufklärerischen, jedenfalls nicht mit der Vorstellungswelt des Heiligen Krieges zu vereinbarenden Weise beantwortet. Wir stehen wieder vor der Spannung zwischen altem sakralrechtlichem Denken und den Erfordernissen, nicht nur den militärischen, einer neuen Zeit, an der Sauls Schöpfung zerbrochen ist. Jonathan erscheint, sicherlich historisch richtig[32], als Vertreter moderner Anschauungen; sein Vorwurf gegen den Vater (V. 29) wird stillschweigend als zu Recht bestehend anerkannt[33]. Damit freilich ist das Problem

25. Die gleiche Beobachtung, wenn auch anders gewendet, und Anerkennung alten Gutes bei Noth: Studien, S. 107.

26. Vgl. etwa Smith.

27. Vgl. Anm. a zu V. 31; es ist weder Kriterium für eine Quellenscheidung (Lods), noch kann es so erklärt werden, daß auch ein glänzender Sieg noch glänzender sein soll (Budde).

28. Das ist etwa die Meinung von Wellhausen, Ehrlich, de Vaux, de Groot u. a.

29. Der Zug, daß er sich dadurch vor den Bienen schützen will (Schulz), liegt wohl nicht darin.

30. Die nächste Verwandtschaft würde ich in Jdc 7,2ff. sehen.

31. Warum eigentlich nicht? Offenbar soll er mit dieser Angabe entlastet werden.

32. Man könnte daran denken, daß dies auch der Grund war, warum sich der Königssohn David zuwandte.

33. Noch weiter geht darin 𝔊 zu V. 24 (Anm. b).

noch nicht gelöst, denn Saul hat nichts getan, was man ihm vorwerfen könnte. Die verschiedenen Versuche, hier auf Kosten Sauls eine glatte Antwort zu finden[34], verkennen die unausweichliche Tragik des Geschehens, von der diese Berichte wissen[35] und die sie auch nicht erklären können.

36–45. Das Thema Beute wird im Folgenden durch וְנָבֹזָּה aufgenommen. Die inhaltliche Spannung zu לֹא נַשְׁאֵר אִישׁ könnte für den literarischen Charakter des Stückes bezeichnend sein[36]. Gegenüber der festen Stichwortverbindung ist die Situationsverknüpfung locker. Nach der Nennung von אַיָּלוֹן V. 31 ist das נֵרְדָה nicht begründet, nach dem großen Erfolg eine Jahwebefragung unnötig; jedenfalls berücksichtigt die Formulierung der Frage V. 37 nicht die tatsächlichen Verhältnisse und ist ebenso wie das לֹא עָנָהוּ[37] zu gewichtig. Die Befragung wird auch, obwohl sie für die Fortführung entscheidende Bedeutung hat, nicht von Saul verlangt[38], sondern vom Priester vorgeschlagen[39], auch dies wohl ein Kennzeichen der Eigenart des ganzen Stückes[40]. Wenn diese nicht berücksichtigt wird, ist schließlich die Frage nur konsequent, ob der Priester nicht aus Kenntnis der Versündigung die Befragung vorgeschlagen[41] oder ob er gar das Ausbleiben der Antwort manipuliert habe[42]. Daran wird erkannt, daß im Verhältnis zu Jahwe etwas nicht in Ordnung ist. Da eine Befragung des Volkes zu keiner Antwort führt[43], wird der Schuldige ausgelost (zur Sache vgl. Anm. a zu V. 41). Der aus Jos 7 bekannte Vorgang wird zwar erschöpfend, aber doch in so gedrängter Kürze erzählt, daß es fraglich bleiben muß, wieviel man hieraus für das Verständnis des Vorganges des Losens entnehmen kann. Jonathan ist zum Sterben bereit, aber nun übernimmt das Volk die Rolle der Aufgeklärten[44]; der durch einen solchen Sieg Ausgewiesene[45] darf nicht sterben. Diese Argumentation ist nur

34. So weiß Keil, daß Saul nicht für den Herrn eiferte, sondern für seine eigene Sache, nennt Greßmann Saul einen zornmütigen, finsteren König, redet Schulz von Übereifer, urteilt Kittel (zu V. 24), daß das Volk hier höher und freier steht als Saul.

35. So mit feinem Verständnis auch Hertzberg, wenn er das Ganze auch noch zu sehr als historische Darstellung ansieht.

36. Wellhausen: Composition, S. 246 hatte ein richtiges Gefühl für die Besonderheit, wenn er V. 36–45 als dem ursprünglichen Zusammenhang fremd ansah, wenn er auch den Wert der Beobachtung durch literarkritische Folgerungen einschränkt (zur Sache vgl. schon Budde: Bücher, S. 206).

37. Vgl. dazu 1 Sam 28,6.

38. Darin einen bewußten Tadel für die Selbstherrlichkeit Sauls zu sehen (Hylander: Komplex, S. 173), verkennt die Charakterisierung Sauls (Ermahnung zur Wahrnehmung religiöser Pflichten bei niemand weniger begründet als bei Saul; Budde). Eine negative Beurteilung Sauls ist nicht Absicht der eigentlichen Berichte, sondern erst des letzten Redaktors (Hertzberg).

39. Vgl. dazu Anm. d zu V. 36.

40. Nowack will den Passus vom Priester darum überhaupt streichen.

41. Smith.

42. Schulz; besonders eigenartig Auerbach: Wüste I, S. 184: der des Marsches ungewohnte Priester wollte nach einer Tagesleistung von 40 km eine Fortsetzung der Strapaze verhindern.

43. Vgl. dazu Anm. b zu V. 39; trotz der Bekanntschaft mit sakralrechtlichen Formen verrät die Stelle zugleich Abstand von ihnen, denn bei einer Befragung, wie Saul sie vornimmt, steht es nicht im Belieben des einzelnen, Anklage zu erheben oder nicht.

44. Wellhausen spricht zu V. 42 geradezu von einer irreligiösen Entscheidung des Volkes.

45. Beachte die Spannung zwischen אֲשֶׁר עָשָׂה הַיְשׁוּעָה הַגְּדוֹלָה und עִם אֱלֹהִים עָשָׂה V. 45.

möglich, weil Jonathan kein Charismatiker ist, denn, wie das Leben Sauls zeigt, der, von dem der Geist wich, gilt nichts mehr. Saul gibt nach, das Volk bekommt seinen Helden frei. Bei aller Unbestimmtheit des Ausdruckes וַיִּפְדּוּ[46] läßt er wohl doch erkennen, daß die Berechtigung der Entscheidung Sauls grundsätzlich anerkannt bleibt.

46 Das Ende ist Abbruch der Philisterverfolgung; ein Auseinandergehen, das trotz hoffnungsvoller Ansätze ohne Entscheidung bleibt. Das ist nicht so zu verstehen, daß es unterdes zu spät geworden ist, die Philister zu verfolgen[47]. Es darf trotz der Stilisierung wohl überhaupt nicht von den Ereignissen eines Tages verstanden werden[48]. Das ist der Ertrag der Tätigkeit Sauls: Erfolge, aber keine Entscheidung. Die Fragen bleiben in der Schwebe; damit ist der Weg geöffnet für den Mann nach dem Herzen Jahwes, der nach ihm kommt. Aber wo liegt die Schuld? Es verdunkelt den Ernst der hier im Alten Testament aufbrechenden Frage nach dem Ratschluß Gottes, wenn man vordergründige Erklärungen sucht[49]. Was später der Prophet vom Ratschluß Jahwes zu sagen weiß[50], ist hier notvoll erfühlt.

Die letzte Frage, vor die der Zusammenhang stellt, die nur zu sehen, nicht mit Sicherheit zu beantworten ist, muß sein, wie die Entstehung eines so vielschichtigen und doch in der theologischen Aussage so einheitlichen Kapitels vorzustellen sei. Es ist in seiner Komplexität nur von der mündlichen Überlieferung her zu verstehen; in ihr zog ein Grundbestand weitere Heldengeschichten an, die an sich positiv waren und von denen jede auf ihre Art von Tapferkeit und Erfolg zu berichten wußte. Bestimmte Grundaussagen davon sind stehengeblieben; sie erlauben es, trotz der Umbildung, die das Ganze erfahren hat, Zäsuren festzustellen, die ein Kennzeichen dafür sind, wie man sich unablässig mit der Frage auseinandergesetzt hat, warum solche Erfolge schon im Ansatz gebrochen waren. Zugleich läßt die Tatsache, daß eine Sympathie mit Saul überall deutlich zutage tritt, erkennen, daß es sich nicht um die einfache Vorbereitung für das Auftreten Davids handelt. Auch diese Linie läßt sich in den Samuelisbüchern feststellen, aber sie ist die Aussage späterer Bearbeitung.

46. Anm. d zu V. 45.

47. So Schulz; es paßt überhaupt in kein Zeitschema.

48. Hertzberg: So schließt der Tag mit einem Erfolg, der kein Sieg ist, und bei Saul nun wohl doch mit der Unsicherheit, ob der Herr zufriedengestellt sei oder nicht.

49. Vgl. Anm. 34.

50. Vgl. die Stellung des Rates Gottes in der Botschaft des Jesaja; dazu Johannes Fichtner: Jahves Plan in der Botschaft des Jesaja. ZAW 1951, S. 16f.

14,47–52 *Ergänzende Angaben zum Leben Sauls*

47 Nachdem Saul die Königswürde über Israel angenommen hatte[a], hatte er mit allen seinen Feinden ringsum zu kämpfen, mit Moab, mit den Ammonitern, mit Edom[b], mit den Königen[c] von Zoba, mit den Philistern; ⟨er blieb aber siegreich⟩[d], wohin er sich wandte. 48 Er sammelte ein Heer[a],

er schlug Amalek[b], er errettete Israel aus der Hand seines Plünderers[c]. 49 Sauls Söhne waren Jonathan, Ischjo[a] und Malkischua[b]; seine beiden Töchter hießen: die ältere Merab[c], die jüngere Michal[d]. 50 Das Weib Sauls hieß Ahinoam[a], (sie war) die Tochter des Ahimaaz[b]. Der Name seines Heeresobersten war Abner[c], (er war) der Sohn des Ner, des Oheims Sauls. 51 Kis, der Vater Sauls, und Ner, der Vater Abners, waren nämlich beide ⟨Söhne⟩[a] des Abiël[b]. 52 Der Kampf gegen die Philister dauerte die ganze Regierungszeit Sauls mit unverminderter Härte an; [a]darum zog Saul jeden tapferen und wehrtüchtigen Mann, den er sah, an sich[a].

47 a) 𝔊[B] + *κατακληροῦται ἔργον*, Doppelübersetzung von מלו(א)כה, inhaltlich Rückgriff auf 10,20. b) 𝔊 + *Βαιθεὼρ*, eine in der Linie dieser Angaben liegende Erweiterung nach 2 Sam 10,6, die nicht zur Ergänzung eines בֵּית־רְחוֹב (Budde, Smith, de Vaux u. v. a). nötigt. Winckler: Geschichte I, S. 143 findet sogar אֲרָם בֵּית־רְחוֹב. c) 𝔊 Sg., nach der Erweiterung verständlich; Änderungen danach (z. B. Smith, Schulz, Caspari) sind wie in Anm. b zu beurteilen. d) 𝔊 *ἐσώζετο* (𝔖𝔙 ähnlich), wonach seit Cappellus ohne Ausnahme in יושע (יושיע; Tiktin: יַשְׂכִּיל oder יַצְלִיחַ) geändert, 𝔐 dabei z. T. als tendenziöse Änderung erklärt wird (z. B. Schulz, Kittel). Mit unzureichenden Argumenten verteidigt K. Hj. Fahlgren: Ṣedāḳā, nahestehende und entgegengesetzte Begriffe im Alten Testament. Uppsala 1932 (Diss.), S. 5 den überlieferten Text, weil sonst das Tun Sauls eine sakrale Dignität bekäme, die schlecht in diese Aufzählung paßt.

48 a) So die Auffassung von 𝔗𝔖𝔙; vgl. קָבַץ אֶת־כָּל־חֵילוֹ 1 Reg 20,1. Möglich ist auch die Auffassung »er tat mächtige Taten« (Num 24,18; Dt 8,17); so von 𝔊 (*καὶ ἐποίησεν δύναμιν*) und den meisten Auslegern verstanden. 𝔊[B] + *αὐναιείν*, worin Schulz die Wiedergabe eines אונים als Wahllesart neben חַיִל sieht; sollte man dann nicht eher an אָוֶן »Schlechtigkeit« und eine Weiterentwicklung der mit יַרְשִׁיעַ angedeuteten Linie denken? b) Von Budde, Schulz; Bruno: Epos, S. 71; Hertzberg als Ergänzung und verfrühter Hinweis auf Kap. 15 angesehen, womit aber wohl die Eigenart dieser Zusammenfassung verkannt ist. c) 𝔊 *καταπατούντων*, danach von manchen (z. B. S. R. Driver, Budde, Schulz) als Pl. aufgefaßt (zur Form vgl. dann GK § 91 l); näher liegt aber der unmittelbare Bezug auf עֲמָלֵק.

49 a) Vgl. Gn 46,17; 𝔊[L] *Ιεσσιου* führt auf יִשְׁיוֹ = אִישְׁיוֹ, identisch mit אֶשְׁבַּעַל 1 Chr 8,33; 9,39. 𝔊[B] *Ιεσσιοὺλ* ist wohl als Zusammenziehung aus beidem zu verstehen. Sein Name ist sonst in der Davidgeschichte zu אִישׁ בֹּשֶׁת entstellt. Auffallend ist das Fehlen von אֲבִינָדָב (31,2). b) 31,2. מלכי Gottesbezeichnung, NothPers, S. 118. c) Vgl. 18,17.19; der Name ist unerklärbar, von 𝔊[A] wird er ausgelassen. d) 18,20; 2 Sam 3,13. Der Name drückt die Unvergleichbarkeit Gottes aus, siehe NothPers, S. 144. 𝔊 (𝔖) *Μελχόλ* scheint ihn von מלך abgeleitet zu haben.

50 a) Satzname, NothPers, S. 15.166. 25,43; 27,3 u. ö. auch Name der ersten Frau Davids. b) Nicht zu deuten; auch als Name des Sohnes Zadoks bekannt (2 Sam 15,27. 36). c) So nur hier, sonst אַבְנֵר, dazu NothPers, S. 34.167, Satzname mit נֵר »Leuchte« als prädikativem Element; anders jetzt H. Donner: Zur Inschrift von Sudschin Aa9. AfO 1958, S. 390–392 (נֵר theophores Element, ähnlich schon de Groot; jetzt auch A. Jirku: Zu einigen Orts- und Eigennamen Palästina-Syriens. ZAW 1963, S. 88).

51 a) Sg. zwar von allen Vers bestätigt, dennoch aus inhaltlichen Gründen im Blick auf 9,1 in בְּנֵי zu ändern (mit der Mehrzahl der Ausleger, vgl. dazu Ant VI 130 *ἀδελφοὶ ἦσαν*). Eine mögliche Erklärung für die Entstehung bei DelF § 134b. Wenn בֶּן ursprünglich sein sollte (vgl. dazu Anm. c zu 9,1), müßte man es als abweichende Überlieferung erklären; in dieser Linie könnte auch 𝔊[B] *υἱὸς ᾿Ιαμεὶν υἱοῦ ᾿Αβειήρ* liegen (Caspari danach »Sauls Vater Qaiš ... Abner waren Benjaminiten«). b) S. 9,1, dazu NothPers, S. 77.140.

52 a) GK § 112 ll.

14,47–52 *Ergänzende Angaben zum Leben Sauls.* Mit einer listenmäßigen Aufzählung seiner Gegner und Familienverhältnisse schließt V. 47–52 die Saulgeschichte als Darstellung seiner Unternehmen und Rettertaten ab; in ähnlicher Weise wird ein Abschnitt im Bericht über die Taten Davids durch ein solches Résumé markiert[1]. Diese Zusammenfassung gehört nicht mehr zur Saulüberlieferung im eigentlichen Sinne. Sie liegt auf derselben Linie wie 13,1 und bildet zusammen damit einen späteren redaktionellen Rahmen. Es ist wohl das Verdienst Buddes[2], als erster auf diese Sonderstellung hingewiesen zu haben; sein Urteil freilich, daß diese Verse in der Form deuteronomistisch seien, ist angesichts des Urteils, das sie über die Regierung Sauls haben, nicht zu rechtfertigen[3]. Die innere Verwandtschaft mit 2 Sam 8 erstreckt sich in der Nennung der Unternehmungen Sauls über das äußerlich Formale der Stellung auch auf das Inhaltliche. Diese Ähnlichkeiten sind so stark, die in Übereinstimmung mit der Vita Davids genannten Tatsachen gehen so weit über das hinaus, was für die Zeit Sauls bekannt, ja überhaupt wahrscheinlich ist, daß dieses Überschießen damit nicht zureichend erklärt werden kann, daß in der ausgeführten Lebensgeschichte Sauls eben nicht alles enthalten war, was man von ihm zu erzählen wußte[4], oder daß die Parallelität zeige, wie die Erfolge Sauls nichts Endgültiges waren[5]. Wenn solche Überlegungen wohl vor zu schnellen Pauschalurteilen warnen können[6], liegt doch immer angesichts der sonstigen Überlieferung von Saul die Annahme nahe, daß hier die Vita Sauls nach der Vita Davids aufgefüllt wurde[7], eben weil man wie bei der Einleitungsformel nicht über genügend sichere Nachrichten verfügte. Die Beobachtung,daß die Reihenfolge hier anders ist als in 2 Sam 8[8], beweist nicht mehr, als daß dieser Abschluß relativ früh erfolgt ist, als die Überlieferung noch fließend war. Noch deutlicher wird der Vorgang an der Rezension der 𝔊 mit ihren über 2 Sam 8 hinausgehenden Angaben (vgl. Anm. b zu V. 47). Daß man so einfach auf die Geschichte Davids zurückgreifen konnte, mag seinen Grund mit darin haben, daß trotz allem die frühe Königszeit als Einheit empfunden wurde, wenigstens was die Bedrohung Israels durch feindliche Mächte anlangt. Allenfalls könnte man fragen, ob das יַרְשִׁיעַ V. 47 doch nicht erst eine spätere Tendenzänderung, sondern eine von vornherein beabsichtigte Charakterisierung der Regierung Sauls im Unterschied von der Davids ist[9]; doch ist das angesichts des וַיַּצֵּל אֶת־יִשְׂרָאֵל מִיַּד שֹׁסֵהוּ doch nicht recht wahrscheinlich[10].

1. 2 Sam 8. 2. Bücher, S. 206. 3. Vgl. dazu Noth: Studien, S. 63.
4. So Alt II, S. 15; Hertzberg, de Groot u. a.; in gewisser Weise auch Smith, wenngleich seine Erklärung, daß damit die ursprüngliche Überlieferung von 1 Sam 9–11; 13–14 abgeschlossen sei, nicht recht einleuchtet.
5. Caird.
6. Hertzberg, S. 94, Anm. 6.
7. Budde, Löhr, Nowack, Greßmann, de Vaux u. v. a.
8. Nachdrücklich von Hertzberg unterstrichen.
9. Doch müßte dann eine Bedeutung von יַרְשִׁיעַ angenommen werden, die auf dem im Worte liegenden Moment des Nichtigen (Mowinckel: Psalmenstudien I, S. 47) aufbaut und als »ohne Bestand handeln« wiedergegeben werden müßte. Doch ist sie sonst nicht zu belegen.
10. Daran würde auch nichts ändern, wenn V. 48 ein Zusatz ist (vgl. Anm. b, auch Greßmann,

Daß dieser Abschluß an dieser Stelle steht, läßt erkennen, daß man mit Kap. 13 u. 14 die Königsgeschichte als vollendet empfand. Das heißt nicht, daß Kap. 15 mit seiner sehr eigenen Akzentuierung erst angefügt wurde, als dieser Abschluß schon in die Darstellung aufgenommen war. Dieses Kapitel steht so eindeutig unter dem Gesichtspunkt Verwerfung, daß es eher als Vorbereitung der Geschichte vom Aufstieg Davids zugerechnet werden muß. Die Tatsache des Abschlusses macht weiterhin sicher, daß die Angabe über die Erlangung des Königtums allgemein und nicht in Verbindung mit den zuvor genannten Ereignissen zu verstehen ist, so als wäre die Herrschaft ein Ergebnis dieser Taten[11]. So sehr das auch der historischen Wirklichkeit entspricht, ist es hier nicht die Absicht der Darstellung. Zweifelhaft kann noch die Stellung von V. 52 sein; er berichtet von einer Maßnahme Sauls, zu der ihn die immerwährende Philisterbedrohung nötigt, der Ergänzung des Heerbannes durch eine kleinere, ständig zur Verfügung stehende Truppe von גִּבּוֹרִים und בְּנֵי חַיִל[12]. Die Historizität der Angabe ist nicht nur durch innere Wahrscheinlichkeit, sondern auch durch die Stellung Davids in der Umgebung Sauls bestätigt. Damit und auch mit der Nennung nur eines Gegners besteht ein Spannungsverhältnis zu V. 47, um dessentwillen viele annehmen, daß V. 52 direkt an V. 46 anschließe und eine Überleitung zu 16,14ff. bilde[13]. Allerdings steht das Kommen Davids an den Hof Sauls unter einem so besonderen Vorzeichen, daß es nicht durch die Angabe V. 52 eingeleitet sein kann. Damit wird es aber auch unnötig, den Vers direkt an V. 46 anzuschließen[14].

Caspari), denn dann müßte er jünger sein als V. 47, für eine frühe Zeit aber ist ein solches Verständnis von הִרְשִׁיעַ auf keinen Fall anzunehmen.

11. So etwa Caspari, der V. 46 u. 47a so zusammennimmt: die Philister zogen ab, Saul aber erlangte das Königtum. Ähnlich Ehrlich: er überwand durch seinen Sieg die Opposition der ihm feindlichen Partei.

12. Alt II, S. 27.

13. Budde, Smith, Nowack, Greßmann, Caspari u. v. a.

14. So auch Dhorme.

15,1–35 Der Amalekiterkrieg und Sauls Verwerfung

Die biographischen Notizen 14,47–52 haben, wenigstens nach der Meinung dessen, der sie machte, einen Abschluß in der Darstellung des Lebens Sauls gesetzt; der Abschnitt seines Weges, den die Kap. 16ff. zum Gegenstand haben, ist durch seinen Gegensatz zu David bestimmt. Das eigentliche Ziel aller dieser Berichte ist Davids Aufstieg, Sauls Niedergang. Zwischen diesen beiden Komplexen stellt Kap. 15 in seiner vorliegenden Gestalt ein verbindendes Glied dar. Obwohl es selbst noch uneingeschränkt der Saulüberlieferung zugehört, bereitet es doch in seiner redaktionellen Verklammerung die eigentliche Davidgeschichte vor, insofern, als mit der hier geschilderten Verwerfung der Weg zum Königtum Davids eröffnet wird. Gewiß steht auch 13,7–14 der Neue, der kommen wird, bereits im Blickpunkt; indes besteht ein Unterschied darin[1], daß das, was dort

1. Eine schon im Ansatz liegende Verschiedenheit, die Hylander: Komplex, S. 202 bei

erst als mögliches Geschehen anvisiert ist, hier als unwiderrufliches Faktum festgestellt ist[2]. In dieser Anordnung, in diesem Schritt vom noch Unbestimmten zum Endgültigen, der noch Raum für die Darstellung verschiedener Einzelzüge bietet, liegt wahrscheinlich ein kompositorisches Prinzip (vgl. dazu u. S. 354). Inhaltlich wird aber – und das ist ziemlich allgemein zugestanden – dieses Stück hier nicht vorausgesetzt; eine Anknüpfung wäre wohl auch nur um den Preis möglich, daß der bereits verworfene Saul noch einmal die Chance zu einer »Wiedersalbung« bekommen soll[3], was der Bedeutung der Salbung schlechthin widerspricht.

Ebensowenig ist aber ein Anschluß an Kap. 12 bzw. den Quellenstrang, dem dieses Kapitel zugerechnet wird[4], wahrscheinlich. Für dieses ablehnende Urteil ist es noch nicht einmal so bedeutsam, daß hier nur Saul[5], nicht das Königtum als solches verworfen wird[6], denn dieser Gedanke ist auch 8; 10,17ff.; 12 erst durch deuteronomistische Umbiegung eingetragen (vgl. dazu o. S. 179). Daß aber weder in Kap. 15 als Ganzem noch bei einzelnen Abschnitten (etwa V. 24–31; vgl. dazu u. S. 295) Deuteronomistisches festzustellen ist[7], ist von verschiedenen Seiten und mit Recht herausgestellt worden[8]. Ebensowenig hat die Erwägung Gewicht, daß man von Kap. 12 her ein Eingehen Samuels auf die Versündigung des Volkes erwarten sollte[9]. Doch entscheidend ist es wohl, daß Samuel, anders als im Vorhergehenden, hier in viel eindrücklicherer Weise in der Art eines späteren Propheten, nicht nur eines Elia, Elisa, sondern geradezu eines Amos, Hosea erscheint[10]. Dieser Unterschied läßt sich nicht aus der Besonderheit der Situation erklären, so als habe Samuel, nachdem er das Richteramt niederlegt hatte, nur noch über prophetische Autorität verfügt[11]. Er liegt vielmehr in seinem ganzen Auftreten und in der Art, wie er Saul zum Verständnis seiner Versündigung bringen will und auch bringt; sie hat über die Parallele 2 Sam 12 hinweg ihre Analogien im prophetischen Werben um die Seele des Volkes[12]. Hierzu müßte wohl auch die Reaktion Samuels auf den ihm gewordenen Auftrag genannt werden. Wegen dieser deutlich prophetischen Elemente der Darstellung hat man einen unmittelbaren[13] Anschluß dieser Perikope an 3,19f. erwogen[14]. Indessen

seinem Versuch übersieht, aus Teilen von Kap. 15 und 13,7–14 eine literarische Einheit herzustellen.

2. Andere Bestimmung des Verhältnisses jetzt bei Seebaß: ZAW 1966, S. 154ff.

3. So Ehrlich לְמָשְׁחֲךָ.

4. Z. B. Budde, Smith, Dhorme; Eißfeldt: Komposition, S. 7; Alt II, S. 14; Bressan; ähnlich, wenn auch zurückhaltender, Kittel.

5. Obwohl dieses Kapitel auch wieder Sympathien für Saul erkennen läßt.

6. Greßmann; Weiser: ZAW 1936, S. 3; Preß: ZAW 1938, S. 206; de Vaux.

7. Eine Anschauung, die zuletzt wieder von Bernhardt: Königsideologie, S. 149; ihm folgend Schunck: Benjamin, S. 84ff., verteidigt worden ist.

8. So z. B. Löhr, Budde, Greßmann; Noth: Studien, S. 62.

9. So Weiser: ZAW 1936, S. 2.

10. Wellhausen: Composition, S. 246; Nowack; Alfred Jepsen: Nabi. 1934, S. 105.

11. So Budde; hinsichtlich der Autorität Samuels kommt Weiser zu genau entgegengesetztem Ergebnis.

12. Weiser: ZAW 1936, S. 17; Preß: ZAW 1938, S. 217.

13. Was sich mit der Annahme verbinden kann, daß dieses Kapitel einem Quellenstrang, und zwar einer jüngeren Schicht desselben, angehört (vgl. etwa Smith).

14. So Nowack (mittelbar auch Smith); Möhlenbrink: ZAW 1940/41, S. 65.

müßte dann mit dem Ausfall verschiedener Berichte der Vita des Propheten Samuel gerechnet werden; doch das scheint ein Widerspruch in sich, zumal die Angabe 3,19 selbst sehr blaß und nachträglich wirkt (vgl. o. S. 126). Einen anderen Weg ist Hertzberg damit gegangen, daß er einen direkten Zusammenhang mit Kap. 11, d. h. also eine Überlieferung annahm, die ihren Haftpunkt im Gilgal hatte[15]. Abgesehen davon, daß eine negative Traditionsbildung eine schwer begreifliche Sache zu sein scheint, weist auch 13,8–14 ins Gilgal, das demnach nicht nur ein Charakteristikum der Kap. 11 u. 15 ist. Außerdem bleibt so die tatsächliche Verschiedenheit der Rolle Samuels unerklärt. Wesentlich enger scheint da die Verbindung zur Davidgeschichte zu sein[16]. Der Einwand, der dagegen erhoben wurde, daß sich hier das Interesse des Erzählers so stark auf Samuel konzentriert wie sonst in der ganzen Davidgeschichte nicht[17], ist aber berechtigt und macht deutlich, daß ein unmittelbarer Zusammenhang nur mit 16,1–13 besteht, einem Abschnitt, der wiederum in der Davidgeschichte eine Größe eigener Art bildet und sekundär ist[18]. Auf der anderen Seite wird man auch Bedenken haben, 16,1–13 als Schlußpunkt der Saulgeschichte zuzurechnen[19]. Schon Wellhausen hat, trotz seiner grundsätzlichen Bereitschaft, zwei Quellen anzunehmen, gezögert, dieses Kapitel und auch Kap. 28 einer von beiden zuzuweisen, und hat, durchaus mit Recht, für sie eine Zwischenstellung angenommen[20]. Daß es sich hier um ein selbständiges Überlieferungsstück handelt[21], ist heute weithin zugestanden[22]. Diese Überlieferung kreist im Grunde um die gleiche Frage, die in Kap. 13, aber auch in einzelnen Episoden von Kap. 14 begegnete, die Frage danach, wo die Schuld liegt, die einen Erfolg schon in den Anfängen zunichte machte. Es sind dieselben Größen, Beute und Opfer, die hier begegnen, doch ist das Problem viel entschlossener von prophetischem Gesichtspunkt her beurteilt, auch darin, daß es unter das Deuteschema des Bannes, also des Heiligen Krieges, gerückt wird[23]. Wenn auf entgegengesetzte Weise behauptet werden konnte[24], daß diese Erzählung aus Kreisen stammt, die Saul nahe standen und sein Verhalten verherrlichen wollten, so kommt in dieser verschiedenen Möglichkeit der Auffassung derselbe Spannungsreichtum zum Ausdruck, der auch Kap. 13 u. 14 da ist.

Damit ist zunächst die Frage nach der Historizität des Berichteten gestellt. Die

15. Ähnlich schon Schulz (Kap. 13 Verwerfungsgeschichte aus M; Kap. 15 aus G); in gewisser Weise berührt sich damit auch Schäfers: BZ 1907, S. 359ff.

16. BaudE, S. 244; Wellhausen: Composition, S. 246; ähnlich de Vaux.

17. Weiser: ZAW 1936, S. 2.

18. Sie soll nachträglich dem als Tatsache bekannten Königtum die Dignität einer Weihe durch Samuel geben; vgl. dazu u. S. 302.

19. Alt II, S. 15; Noth: Studien, S. 62.

20. Composition, S. 247; ihm folgend Budde: Bücher, S. 189 (im Kommentar geändert); Löhr, Nowack.

21. Über die Beziehungen zu Kap. 28 vgl. u. S. 488.

22. Z. B. Weiser: ZAW 1936, S. 1ff.; Preß: ZAW 1938, S. 206; de Vaux, van den Born.

23. Vgl. etwa Jepsen: Nabi. 1934, S. 109ff.; von Rad: Krieg, S. 51; Brekelmans: Ḥerem, S. 186.

24. Greßmann.

eben angestellten Überlegungen sprechen von vornherein für einen historischen Kern, denn Fragen, wie sie hier dargestellt werden, konnten nur nach einem wirklichen Erfolg aufbrechen. Gegen die Historizität sind von verschiedener Seite[25] her Einwände erhoben worden; es bestünden keine Anzeichen dafür, daß der judäische Süden überhaupt jemals zum Bestande von Sauls Reich gehört habe[26], ein Sieg im Süden einen solchen militärischen Erfolg bedeutet hätte, daß das Fehlen eines Nachhalls in der erzählenden Literatur verwundern müsse. Man könnte die Überlegung anschließen, daß die überraschend schnelle Anerkennung, die David später im Süden findet, sich am leichtesten daher begreifen ließe, daß er der erste war, der judäische Interessen nachdrücklich gegen feindliche Bedrohung verteidigte. Diese Einwände erscheinen gewichtig; sie treffen die Sache aber nur am Rande. Daß Jerusalem nicht ein jebusitischer »Sperriegel« war[27], daß Saul ungehindert südlich davon operieren konnte, zeigt die Davidgeschichte zur Genüge, denn Davids zeitweiliger Übertritt zum Landesfeind läßt sich nur daher erklären, daß Saul ausreichende Anerkennung im Süden gefunden hatte, um ihm bedrohlich zu werden. Eine Unternehmung Sauls gegen die Amalekiter bedeutet eine politisch verständliche, strategisch jedenfalls mögliche zeitweilige Annäherung an den Süden[28], ohne daß deswegen schon an eine staatliche Zusammenfassung zu denken wäre. Ein durchaus gewichtiger literarischer Nachhall scheint übrigens im Bileamspruch Num 24,7[29] vorzuliegen, weiter darin, daß es ein amalekitischer גֵּר ist, der Saul erschlägt (2 Sam 1,7ff.). Zobel[30] hat, scheint mir, die theologische Bedeutung dieses Zuges verkannt, wenn er hier einen Beweis dafür findet, daß Amalekiter gemeint seien, die von ihrem Stammesverband abgesplittert in nächster Nähe Benjamins lebten. Daß die wirklichen Entscheidungen dann erst David herbeiführt, zeigt den begrenzten Umfang des Unternehmens und der Erfolge, die Saul hatte.

Dieser historische Kern ist nun aber nicht nur in der Festlegung des äußeren Rahmens, sondern ebenso im Inhaltlichen der geschilderten Situation zu finden. Der Gegensatz, der da in voller Schärfe zwischen Saul und Samuel aufbricht, ist nicht erst Eintrag sachfremder Vorstellungen einer späteren Theologie. Die Auseinandersetzung zwischen alter Sakralideologie und den Erfordernissen einer neuen Zeit wird geschichtliche Notwendigkeit, wo ein Königtum[31], besser ge-

25. So etwa Cook: JQR 1906, S. 130; Smith; Bernhardt: Königsideologie, S. 150; Schunck: Benjamin, S. 82f. Zurückhaltend Lods: Origines, S. 414; von Rad: Krieg, S. 51. Wenn Bernhardt darauf hinweist, daß die Forderung der Bannvollstreckung typisch deuteronomistisch sei, ist zu beachten, daß Brekelmans: Ḥerem, S. 107 gerade von der Besonderheit dieses Theologumenons her die Historizität keineswegs a limine ablehnt (vgl. u.).

26. Vgl. Alt II, S. 19ff.

27. Zur Bedeutung Jerusalems in der Zeit Sauls vgl. vor allem Alt III, S. 253; auch H. J. Stoebe: Die Eroberung Jerusalems und der Ṣinnôr. ZDPV 1957, S. 79.

28. Vgl. Kurt Galling: Die Erwählungstraditionen Israels. 1928 (BZAW 48), S. 72; ähnlich Budde, Caspari.

29. So etwa Greßmann, Preß: ZAW 1938, S. 206; vgl. auch RGG I. 3. Aufl. 1957, Sp. 1291.

30. Stammesspruch und Geschichte. 1965 (BZAW 95), S. 45.

31. Darin liegt das Recht in der Formulierung Brights: History, S. 170 (deutsch S. 178): die Schwierigkeit Sauls war es, daß er fortwährend Charismatiker sein mußte.

sagt ein ständiges Führertum entsteht, das anfängt, in einer festen Truppe einen Kreis von Menschen um sich zu sammeln, die ihre Lebenserwartungen an es binden[32]. Daraus erklärt sich auch im vorliegenden Text das Schwanken zwischen dem Ich Sauls und dem Volk als handelnden Größen (V. 9.15.21). In dieser Spannung kommt es zum Bruch zwischen alter Form und Frömmigkeit, als deren repräsentativer Vertreter Samuel dargestellt ist, und neuem Denken. Die Tragödie Sauls wird es gewesen sein, mindestens mit gewesen sein, daß in dem Augenblick, wo er aus dem Alten heraustreten muß, der Schritt ins Neue, den sein Nachfolger tun kann, ihm noch nicht eröffnet ist. Er hat also nach dem Willen Gottes die Rolle eines Wegbereiters zu spielen. Es handelt sich demnach hier nicht um einen historischen Bericht im strengen Sinn, so daß man aus dem Nebeneinander von Elementen, die sich schwer, jedenfalls nicht ganz reibungslos vereinigen lassen, literarkritische Folgerungen ziehen könnte[33]. Viel eher ist es die Absicht, diese Probleme an den geschichtlichen Gestalten der Zeit zu exemplifizieren[34]. Sie liegen nicht nur im Gegensatz Saul–Samuel, sondern auch in einer Spannung zwischen Saul und dem Volk (vgl. zu V. 21). Zu beachten ist, daß Saul jetzt, anders als Kap. 14, in gewisser Weise als der dargestellt wird, der der Väterfrömmigkeit entfremdet ist und in der eigenwilligen Beurteilung der Lage auf der Seite des Neuen steht. Vordergründig geschichtlich geurteilt, wird er wahrscheinlich zwischen beiden Möglichkeiten unentschlossen hin und hergeschwankt haben. Daß diese historische Problematik in ihrer Hintergründigkeit noch greifbar wird, spricht für die Nähe des Berichteten, wenigstens in seinem Kern, zu den dargestellten Ereignissen. Wie weit die vorliegende Ausformung dieses Ansatzes ihr Profil durch die Überlieferung in prophetisch bestimmten Kreisen erhalten hat, ist im einzelnen nicht zu entscheiden; daß es geschehen ist, ist mit Sicherheit anzunehmen. Spuren deuteronomistischer Bearbeitung finden sich jedenfalls nicht.

Damit ist es gegeben, daß dieses Kapitel, literarisch angesehen, im wesentlichen einheitlich ist. Die Schonung Agags und des Beuteviehs gehören organisch zusammen, so daß nicht auf zwei Motivreihen und eine ursprünglich selbständige Agaggeschichte[35] geschlossen werden darf. Aussonderung einzelner Stücke ist verschiedentlich vorgeschlagen worden[36]; sie verzichtet jeweils auf wichtige, zum Gesamtbild gehörige Züge der Darstellung. Da die Spannungen, die sich feststellen lassen, schon in der geschichtlichen Situation als solcher vorgezeichnet sind, ist Spannungslosigkeit hier kein unbedingtes Erfordernis. Nicht einmal dazu, V. 24–31 als Vorbereitung auf Kap. 16ff. auszuklammern[37], besteht zureichender

32. Vgl. zur Sache de Vaux: Lebensordnungen II, S. 75; Noth: Geschichte, S. 162; auch schon Alt II, S. 119.

33. So Seebaß: ZAW 1966, S. 149ff.

34. Zum Charakter der Problemerzählung von Rad: Krieg, S. 51.

35. Hylander: Komplex, S. 185ff.

36. Z. B. V. 17–25.27–31 (Greßmann); 17–21.24–26.29 (Jepsen: Nabi, S. 105); 9–11.15–19. 30–31 (Dhorme).

37. Z. B. Smith, de Vaux, van den Born; auch Weiser: ZAW 1936, S. 4..

Grund[38], denn der, der das Werk vollenden und dessen Werk Bestand haben wird, ist als Hintergrund unentbehrlicher Bestand der Darstellung. Es ist unvorstellbar, daß hier eine Drohrede so allgemein gehalten war, daß man darüber später dann auch an David denken konnte[39].

38. So ausdrücklich Budde.
39. So Caspari.

15,1–9 *Sauls Sieg über Amalek*

1 Da sprach Samuel zu Saul: »Ich war es[a], den Jahwe gesandt hat, dich zum König [b]über sein Volk [über Israel][b] zu salben[c]. Darum höre jetzt [d]auf die Stimme [die Worte][d] Jahwes. 2 So spricht Jahwe Zebaoth: »Ich habe angesehen[a], was Amalek[b] an Israel getan hat, daß[c] es sich ihm in den Weg stellte[d], als es aus Ägypten heraufzog[e]. 3 So ziehe nun hin[a] und schlage Amalek und vollstreckt[b] den Bann an allem, was ihm gehört; habe kein Erbarmen mit ihm, töte (alles), Mann ⟨wie⟩[c] Weib, Kind wie Säugling, Rind wie Schaf, Kamel wie Esel.« 4 Also bot[a] Saul den Volksbann auf und musterte sie ⟨zu Teləm⟩[b], (es waren) zweihunderttausend[c] Mann zu Fuß[d] [dazu die Mannschaft aus Juda[d], zehntausend[e] Mann][f]. 5 (Damit) rückte Saul vor bis zur Stadt[a] Amaleks und legte einen Hinterhalt[b] im Bachtal. 6 Den Kenitern[a] jedoch ließ er Botschaft zukommen: »Auf! Fort! Zieht ab[b] aus der Mitte der Amalekiter[c], damit ich dich nicht mit ihm zusammen hinmache[d]. Hast du dich doch gegen alle[e] Israeliten freundlich gezeigt[f], als sie aus Ägypten heraufwanderten[g].« Da zogen die Keniter[h] aus der Mitte von Amalek ab. 7 So schlug Saul Amalek von Hewila[a] bis in das Gebiet von Schur[b], das östlich[c] von Ägypten liegt. 8 (Dabei) nahm er Agag[a], den König von Amalek, lebendig gefangen, alle seine Untertanen aber bannte er[b] mit der Schärfe des Schwertes. 9 Den Agag aber schonten Saul und das Volk[a], ebenso die besten Stücke des Kleinviehs und der Rinder, [das ist ⟨das Mastvieh und⟩ die Lämmer][b] und alles Wertvolle, daran wollten sie den Bann nicht vollstrecken. Aber alles[c], was ⟨wertlos⟩[d] und ⟨gering⟩[e] war, bannten sie.

1 a) Nachdrücklich betontes Objekt GK § 142f. b) 𝔊[B] nur ἐπὶ Ἰσραήλ, 𝔊[L] beides, aber umgestellt, was auf ursprüngliche Alternativlesart weist (Boström: Alternative Readings, S. 33); in 𝔐 wohl um der nachdrücklichen Feierlichkeit willen vereinigt. c) GK § 9v. d) Vgl. Dan 10,9 (Dt 4,12; 5,25 liegen anders); דִּבְרֵי fehlt 𝔊[B]𝔙, auch hier ursprüngliche Alternativlesart (z. B. Boström, a. a. O.; Budde, Hertzberg); vielleicht soll die Vereinigung gegen anthropomorphes Mißverständnis sichern (Smith, ähnlich Caspari). Zu einer Streichung (Wellhausen, Nowack, Schulz u. a.) besteht jedenfalls kein zwingender Grund.
2 a) 𝔊 νῦν (!) ἐκδικήσω, danach zumeist als Ankündigung einer Strafabsicht übersetzt (GK § 106m; vgl. auch Frank R. Blake: A resurvey of Hebrew tenses. Rom 1951, S. 17); doch liegt das Verständnis als Perf. näher (𝔗𝔙 'A; so auch Hertzberg, van den Born; früher schon Keil, Klostermann). פָּקַד ist hier im eigentlichen Wortsinn gebraucht. b) Nomadenstamm,

nach Gn 36,12 Unterabteilung der Edomiter, zwischen dem Sinai und dem Südwesten Palästinas. Gegner Israels Jdc 3,13; 6,3; 7,12; 10,12; Kämpfe Davids mit ihnen 1 Sam 27,8; 30. Vgl. Abel: Géographie I, S. 270ff.; BHH I, Sp. 77. c) אֲשֶׁר = כִּי faktisches quod; מֵאֲשֶׁר (Klostermann) verflacht die Gottesstrafe zu einer politischen Notwendigkeit. d) Offenbar militärtechnischer Terminus (Wellhausen, Budde, S. R. Driver u. a.); Änderung in שָׂטַם / שָׂטָן (Klostermann, Tiktin) ist ebenso unnötig wie in צַר לוֹ (Smith). Vgl. 1 Reg 20,12; Ps 3,7; Jes 22,7 (שִׁית). e) Vgl. Ex 17,8ff. (Num 14,43.45) und Dt 25,17, offenbar zwei voneinander abweichende Überlieferungen (zu Ex 17 siehe besonders Martin Noth: Überlieferungsgeschichte des Pentateuch. Stuttgart 1948, S. 131f.). Dem Wortlaut nach steht unsere Stelle Dt 25 näher, zumal Ex 17 mit einem Sieg Israels endet (vgl. aber zum theologischen Gehalt von Ex 17 O. Eißfeldt: Die älteste Erzählung vom Sinaibund. ZAW 1961, S. 143).

3 a) 23 MSS 𝔊𝔗 וְעַתָּה; Änderung danach (Ehrlich) aber unnötig. b) 𝔗𝔖𝔙 Sg.; nach 𝔊 *ἀναθεματιεῖς αὐτὸν καὶ πάντα* (aber 𝔊 hat dreifache Wiedergabe, daneben auch *καὶ Ἰερεὶμ καὶ πάντα*) von Thenius bis Hertzberg allgemein in והחרמתו וְאֵת geändert; beachte aber, daß überall, wo es sich um Beute handelt, das Volk als Ganzes auftritt. Die Wurzel חרם bei Sam nur hier. c) Lies besser וְעַד.

4 a) Piel wie 23,8 (mit gleichem Objekt); gebräuchlicher ist das Hiphil (Budde u. a.). Unsicher die Annahme, daß hier zwei Lesarten (וַיְשַׁמַּע und וַיֶּאֱסֹף übereinander liegen (de Boer: OTS 6. 1949, S. 46). b) Als Pl. zu טְלִי vokalisiert (GK § 93x); die wörtliche Übersetzung »Lämmer« (so 𝔗𝔖𝔙) ist unmöglich, man erwartet einen Ortsnamen. 𝔊 *ἐν Γαλγάλοις* (Ant VI 134) aus dem Zusammenhang geraten, ungerechtfertigt darum Caspari »Gilo« (Jos 15,51). Vermutlich ist טְלָאִם zu vokalisieren und an טֶלֶם Jos 15,24 (so schon Keil und alle anderen) zu denken. Die Lage ist unbekannt, Vermutungen bei Abel: Géographie II, S. 478, vgl. auch Simons: Texts, § 317. c) 𝔊B *τετρακοσίας χιλιάδας* (vgl. 1 Sam 11,8; 2 Sam 6,1, den Berechnungsschlüssel bietet Ant VI 134), 𝔊A *δέκα χιλ* (auch hier ist die Überlegung durchsichtig). d) Klostermann, Greßmann wollen רַגְלִי und אֶת־אִישׁ יְהוּדָה streichen, die so gewonnene Zahl 210000 wäre ohne Analogie (vgl. auch Anm. f). e) 𝔊B *τριάκοντα χιλιάδας*, vgl. Anm. c. f) Das Argument, daß die Nennung Judas Anachronismus sei (de Vaux), setzt Historizität des Berichteten voraus; indessen stört der unscharfe Gegensatz (deswegen Löhr פָּרָשִׁים, Wutz: Wege, S. 197 gar לְהֵדֶה »Vortrupp«, beides inhaltlich unmöglich). Die Tilgung von אִישׁ יְהוּדָה allein (Klostermann, Greßmann, Ehrlich) bessert nichts (vgl. Anm. d); streiche deswegen von וַעֲשֶׂרֶת an als Nachbildung nach 11,8 (Wellhausen, Nowack, Budde und die meisten). Thenius wollte יִשְׂרָאֵל statt רַגְלִי lesen, in ähnlicher Richtung überlegt Hertzberg.

5 a) 𝔊 *πόλεων*, 𝔙 »civitatem«; die Änderung in עָרֵי (Budde u. a.; vgl. auch DelF § 53a) hilft ebensowenig wie in הַר (Ehrlich, Caspari), da es sich um eine Ortschaft handeln muß; 𝔐 ist also beizubehalten und weist in dieser Form vielleicht darauf, daß der Verfasser mit den geographischen Gegebenheiten nicht vertraut war (Smith). Anscheinend sind die Verhältnisse der Ammoniter (2 Sam 10f.) vorausgesetzt. b) Nach 𝔊 *ἐνήδρευσεν* 𝔙 »tetendit insidias« von den meisten von ארב abgeleitet (Hiphil וַיָּ(א)רֶב < וַיַּאֲרֵב, S. R. Driver; möglich auch וַיָּרֶב, GK § 68h, Budde; Qal וַיֵּרֹב < וַיֶּאֱרֹב), zur Form GK § 68i, BLe § 49v. Dem Zusammenhang entspricht besser 𝔗 »schlug sein Lager auf«, erwägenswert darum S. Grünberg: Exegetische Beiträge IV. Jahrbuch der Jüdisch-Literarischen Gesellschaft 1929, S. 301f., Ableitung von der Wz. רבב arab. »verweilen«, jedenfalls besser als וַיָּגָר (Caspari). Willkürlich וַיַּעֲרֹךְ מִלְחָמָה (Thenius), וַיֵּרֶד (Ehrlich) und anderes.

6 a) Halbnomadischer Stamm im Süden des judäischen Berglandes (Jdc 4,11), der erst spät seßhaft geworden ist (Num 24,21); er wird 1 Sam 27,10; 30,29 zu Juda gerechnet. Aus dem Abstammungshinweis Gn 4,22 macht Caspari auch hier aus ihnen Schmiede. Zur Sache N. Glueck: Ḳenites and Ḳennizites. PEQ 1940, S. 22–24; H. H. Rowley: From Joseph to Joshua. London 1952, S. 152ff.; NothGI, S. 57f. b) Fehlt 𝔊 und wird deswegen, aber zu Unrecht, von manchen (z. B. Budde, Caspari, de Vaux) als Dittogr zu סוּרוּ gestrichen. Es ist freilich nicht als Zeichen geographischer Genauigkeit (Löhr, Nowack, Hertzberg), sondern der Dringlichkeit des Auftrages zu verstehen (GK § 154a). c) Ungewöhnlich; man erwartet entweder עֲמָלֵק oder הָעֲמָלֵקִי; die Änderung (Budde, Driver u. a.) ist indessen im Blick auf קֵינִי V. b übereilt. Es erinnert an פְּלִשְׁתִּי und könnte Zeichen dafür sein, daß das Stück überlieferungsmäßig nachgebildet ist. d) Nach 𝔗 אֲשֵׁיצִנָּךְ wird von vielen (Budde, Smith,

Caspari u. a.) אֶסְפְּךָ Wz. ספה vokalisiert, was möglich, aber nicht nötig ist. Nach 𝔊 *προσθῶ σε μετ' αὐτοῦ*; (*'Α συσσύρω σε*) liegt Qal Impf. von אסף näher (GK § 68 h; BLe § 53 u auch DelF § 74), das im Gedanken unserem Slangausdruck »jemanden einkassieren« entspricht (vgl. S. R. Driver und besonders Hertzberg). e) Fehlt 𝔊, Tilgung danach (Budde, Smith) verwischt, daß hier das Verständnis für die Totalität des Ausdrucks verlorengegangen ist (so richtig de Boer: Research, S. 51). f) Zu חֶסֶד im Sinne einer vorbehaltlosen Freundlichkeit s. Stoebe: VT 1952, S. 248; anders Nelson Glueck: Das Wort Ḥesed im alttestamentlichen Sprachgebrauch als menschliche und göttliche gemeinschaftsgemäße Verhaltensweise. 1927 (BZAW 47). Jetzt auch A. Jepsen: Gnade und Barmherzigkeit im Alten Testament. Kerygma und Dogma 1961, S. 261–271. g) Sonst unbekannte Überlieferung. h) Wie bei Anm. c ist weder Änderung in קַיִן (Wellhausen, Budde u.a.) noch in הַקֵּינִי (Tiktin) zwingend notwendig.

7 a) Nach Gn 25,18 (מֵחֲוִילָה עַד־שׁוּר) zum Gebiete Ismaels gehörend, unbekannter Ort im Nordosten Arabiens (vgl. auch Gn 2,11; 10,29). Die hier überraschende Nennung erklärt sich wohl aus einer gewissen Stereotypie des Ausdrucks, dann aber auch daher, daß der Verfasser keine klare Vorstellung von den geographischen Gegebenheiten hatte (Smith, de Vaux). Vielleicht paßt die Beschreibung auch zu einer ursprünglich weiterreichenden Sammlung von Stämmen, die den Namen Amalek trug (so Simons: Texts, § 684). Jedenfalls besteht kein Grund zur Änderung in טֶלָאִם (Wellhausen, S. R. Driver, Budde nach 27,8) oder עֵילָה (Horst Seebaß: Der Ort Elam in der südlichen Wüste. VT 1965, S. 391); ausdrücklich dagegen Löhr, Schulz, Dhorme u. a. b) Vgl. Gn 16,7; Ex 15,22 מִדְבַּר שׁוּר und 1 Sam 27,8. Bei dem Gleichklang mit שׁוּר »Mauer« ist an eine der bereits aus dem Sinuhebericht (AOT, S. 56; ANET, S. 19) bekannten Befestigungsanlagen, wohl die äußerste ägyptische Grenzstadt *Ṯa-ru* zu denken (schon W. Max Müller: Asien und Europa nach altägyptischen Darstellungen. Leipzig 1893, S. 102). Zur mutmaßlichen Lage vgl. Abel: Géographie I, S. 434; Simons: Texts, § 684; Two Notes on the Problem of Pentapolis. OTS 5. 1948, S. 99. Auf jeden Fall ist der Rahmen für eine Operation und einen Erfolg Sauls unverhältnismäßig weit gespannt. c) In geographischen Beschreibungen gewöhnlich »östlich von« (vgl. S. R. Driver).

8 a) Vgl. Num 24,7 (הָאֲגָגִי Est 3,1 wohl nachträglich hergestellter Bezug). Ob אֲגַג ein Titel ist, ist nicht zu entscheiden, angesichts des Vorkommens sonst (CIS I 3196; vgl. auch Dhorme, de Groot) nicht recht wahrscheinlich. Trotzdem versteht unter dieser Voraussetzung Caspari מֶלֶךְ als Erklärungsbeitrag; wahrscheinlich hat mit dem Königstitel der Verfasser die Vorstellungen seiner Zeit eingetragen. Überraschend sieht Schultze, S. 65 in אֲגַג einen Vergleich mit dem Namen Sauls. b) 𝔊 auch hier Doppelwiedergabe *Ιερεὶμ ἀπέκτεινεν*.

9 a) Klostermann, Schlögl tilgen שָׁאוּל וְ und עַל־אֲגַג וְ, Greßmann wenigstens אֲגַג וְ; van den Born dagegen וְהָעָם, was sicher unnötig, trotzdem richtig beobachtet ist. עָם hinkt jetzt nach, ist auch insofern auffallend, als das Volk über Agag nicht zu entscheiden hat, auch sonst nur im Zusammenhang mit der Beute genannt ist, von der erst V. b redet. b) Das Sätzchen ist als erläuternder Zusatz zu verstehen, deswegen ist entweder vor הַמִּשְׁנִים, wenigstens dem Sinne nach, ein עַל zu ergänzen (Tiktin) oder, wohl richtiger, das על vor כרים zu streichen (Wellhausen, S. R. Driver). הַמִּשְׁנִים selbst ist ein Wort von unsicherer Bedeutung. 𝔅 »vestibus« denkt an Josua 7, 𝔊 *τῶν ἐδεσμάτων* assoziiert in Vorverständnis mit מַטְעַמִּים (?), was aber nie ursprüngliche Textform gewesen sein kann. 𝔐 könnte als »aus zweitem Wurf stammende Tiere« verstanden werden (so nach Qimchi, Keil, de Groot, Gutbrod, KBL; vgl. auch Joüon; MUB 5/2. 1912, S. 468, unter Verweis auf Gn 15,9). Näher liegt aber die Annahme einer Verschreibung aus שְׁמֵנִים (𝔗, Wellhausen, S. R. Driver, Budde und die meisten; vgl. DelF § 95 a) oder aus מַשְׁמַנִּים (Thenius, was 𝔊 *ἐδεσμάτων* verständlich machen könnte). – כָּרִים gibt 𝔊 auf Grund eines formalen und sachlichen Mißverständnisses mit *τῶν ἀμπελώνων* wieder; 𝔗𝔖 ziehen es ohne וְעַל als attributive Bestimmung zum Vorhergehenden, was in dieser Bedeutung aber im Hebräischen nicht zu belegen ist. כַּר als Leckerbissen Dt 32,14; Am 6,4. Unmöglich die Konjektur נָשִׁים וָטַף (Klostermann). c) מְלָאכָה als Viehbesitz auch Gn 33,14. Schulz will den Artikel streichen, eher ist er beim Folgenden zu ergänzen (BroS § 59 c, Haplogr) oder das ganze Wort zu streichen. d) Ist schwerlich als Mischform (aus Niphal und Hophal GK § 75 y; aus בְּזָה und מֻזָה Boström: Alternative Readings, S. 34; aus נִבְזָה und נָמֵם Perles I, S. 82), sondern als einfache Verschreibung zu erklären (dittographiertes מ unter Einfluß des Folgenden נָמֵס (DelF § 98a, BLe § 57t"; so auch die meisten Ausle-

gungen). e) Ist nach allen Vers von מאס abzuleiten (Beibehaltung von 𝔐 führt zu Künsteleien – »räudiges Vieh«, Keil). Zur Maskulinform vgl. GK § 132d. Besser ist es aber, נְמִאָסָה oder (unter Einbeziehung des folgenden אֹתָהּ) נְמִאֶסֶת zu lesen (Wellhausen, S. R. Driver, Budde, DelfF § 14b und die meisten).

15,1–9 *Sauls Sieg über Amalek* enthält den geschichtlichen Anlaß für die Entfaltung der eigentlichen Fragen; er hat im Grunde nur untergeordnete Bedeutung und wird deshalb nur andeutend ausgeführt. Die Angaben über den Verlauf des Kampfes sind konventionell[1] und überzeichnen auch die tatächlichen Verhältnisse[2]. Wie V. 33 und auch 14,48 vermuten lassen, wird der Anlaß viel bescheidener gewesen sein und in der Abwehr von Übergriffen der Amalekiter bestanden haben; in den gleichen Dimensionen wird dann auch der Erfolg Sauls gewesen sein.

Wirklich entscheidend ist aber die theologische Akzentuierung des Ganzen. Sie liegt einmal darin, wie V. 2 die Forderung grundsätzlich aus der Heilsgeschichte begründet wird. Zum andern hat der Gesalbte kraft seiner Salbung die Verpflichtung, das verheißene Land zu verteidigen und seinen Besitz gegen Feinde zu sichern; zu denen gehören auch die Amalekiter. In diesen Vorstellungsbereich verweisten auch der Gottesname יְהוָה צְבָאוֹת V. 2 (vgl. zu Kap. 4) und vor allem das Verlangen des Bannes. Damit, daß alles das so ausdrücklich an die Salbung geknüpft ist, zeigt sich zugleich ein Abstand von der Grundkonzeption in 9,1–10,16 (vgl. dort). Die Aussage אֹתִי שָׁלַח לִמְשָׁחֲךָ knüpft zwar an 10,1 an, ist aber keine exakte Fortsetzung, sondern zusammenfassender Ausdruck eines anderen Verständnisses. Grund zu Quellenspekulationen oder auch zur Tilgung dieses Verses[3] besteht jedenfalls nicht.

Der Bann (חֵרֶם) ist auch außerhalb des AT bekannt[4]; anscheinend begegnet in ihm eine Haltung, die in der Struktur nomadischen Lebens begründet ist. Er bedeutet, daß eine Beute durch Tötung oder sonstige Vernichtung rückhaltlos der Gottheit übereignet wird und jeder menschliche Anspruch auf sie ausgeschlossen bleibt[5]. Damit ist es gegeben, daß der Bann seiner Herkunft nach in erster Linie ein Kriegsheiligtum ist; seine Durchführung macht ein Unternehmen zu einem Heiligen Krieg. Der Unterschied zwischen dem Gelübde eines Bannes und seiner Forderung scheint mir nicht so grundlegend zu sein, daß der Schluß zwingend wäre, das Angeloben des Bannes (Num 21,2) stelle bereits eine jüngere Form dar, ursprünglich gehöre der Bann automatisch zum Heiligen Krieg[6]. Auch die Zusage, den Bann zu vollziehen, setzt eine Notlage voraus, die in irgendeiner Weise als verpflichtend anerkannt wird. Die deuteronomische Formulierung der Bannvorschrift geht in ihrer Beschränkung auf die menschliche Beute von dem Gedanken aus, das Volk vor fremder Verführung zu sichern (so ausdrücklich Dt 20,17f), und ist

1. Vgl. Anm. b zu V. 5; Caspari will עִיר אֲמָלֵק als Fluchtburgen retten. Auch der Hinterhalt (Anm. c zu V. 5) wirkt unanschaulich; er ist eher bei einem Verteidigungskrieg verständlich (zur Sache vgl. Jos 8,2; Jdc 9,25ff.; 20,29).

2. Vgl. Anm. a zu V. 7; es braucht deswegen aber nicht notwendig Eintrag aus Gn 25,18 (von Rad: Krieg, S. 51) zu sein.

3. Nowack, Budde, Dhorme u. a.

4. Denkstein des Königs Meša (Kurt Galling: Textbuch zur Geschichte Israels. Tübingen 1950, S. 49, Zeile 17; 2. Aufl. 1968, S. 53); andere Beispiele Schwally: Kriegsaltertümer, S. 35.

5. Zur Sache vgl. auch E. Stave: Israel i helg och söcken II. 1928, S. 79ff.

6. So von Rad: Krieg, S. 13; anders Brekelmans: Ḥerem, S. 187f.

darin schon eine spätere Weiterentwicklung[7]. Der Ursprung dieses Theologumenons ist nicht in einem gegen das Räuberideal des Beduinen gerichteten Gebot des Jahwismus zu sehen[8]. Pedersen[9] sucht die Wurzel in animistischen Vorstellungen, nämlich der Furcht vor fremden Seelenkräften, gegen die man sich abschirmen will (was in gewisser Weise an Dt erinnert). Wahrscheinlicher handelt es sich hierbei um einen Verzicht als Zeichen der Dankbarkeit für erbetene oder empfangene Unterstützung, also um eine Tabuierung, die das Verfügungsrecht der hilfreichen Gottheit gegenüber allen menschlichen Ansprüchen sicherstellen soll[10]. Vergegenwärtigt man sich das Schwebende zwischen Gelübde und Gebot, wird die innere Verbindung zum Enthaltungsgelübde in Kap. 14 noch deutlicher.

Auf derselben Linie liegt schließlich auch die Warnung an die Keniter (vgl. Anm. a zu V. 6); bereits Jdc 1,16 setzt freundschaftliche Beziehungen zu ihnen voraus. Sie werden also nicht erst auf die Zeit Sauls zurückgehen[11]. Daß freilich ein direktes Bundesverhältnis zwischen ihnen und Israel bestanden habe, ist aus Ex 18 schwerlich zu erweisen[12]. Auch inhaltlich ist der Zug unerfindbar; es handelt sich vielmehr um einen durchaus geübten Brauch, der mit der Ideologie des Heiligen Krieges im Zusammenhang stehen dürfte[13].

Der Bann wird nicht vollständig durchgeführt (V. 8f.). Eine Unsicherheit darüber, wie und in welchem Umfang eine Beute in den Besitz ihres Eroberers übergeht, scheint schon sehr früh vorhanden gewesen zu sein[14]. Hier werden die besten Beutestücke und der fremde Häuptling geschont. Zu V. 9 ist die andere und in sich widerspruchsvolle Formulierung[15] רֵאשִׁית הַחֵרֶם V. 21 zu beachten, die ein Zeichen der weitergehenden Bemühung um diese Fragen ist. Ein Grund für das Verhalten gegenüber Agag wird nicht angegeben, doch ist die Unterstellung eigensüchtiger Motive[16] sicher ein ungerechtfertigter Eintrag. Die Maßnahme ließe sich in der Linie politischer Klugheit verstehen und wäre darin der Schonung Benhadads durch Ahab verwandt (1 Reg 20,27ff.), wobei auch dort in V. 35ff. die prophetische Reaktion zu beachten ist. Mit der Begründung, daß der Bann nicht an den besten Beutetieren vollzogen wurde (V. 9; vgl. V. 21), kommt ein fremder Gesichtspunkt hinein. Das Verhalten erinnert (und soll erinnern?) an geizige und selbstische Praktiken bei der Darbringung des Zehnten (Lev 27,33ff.). Dieser Gedanke wird im Folgenden nicht wieder aufgenommen; daß er überhaupt da ist, könnte ebenfalls für das tastende Bemühen um ein Verständnis charakteristisch sein.

7. Brekelmans: Ḥerem, S. 70f.
8. So Nyström: Beduinentum und Jahwismus. 1946, S. 114.
9. Israel III/IV, S. 28f.
10. Schwally: Altertümer, S. 40; vgl. auch Brekelmans: Ḥerem, S. 188; Eichrodt: Theologie I, S. 82.
11. So Greßmann.
12. F. Charles Fensham: Did a treaty between the Israelites and the Kenites exist? BASOR 175. 1964, S. 51ff.
13. Robert Bach: Die Aufforderung zur Flucht und zum Kampf im alttestamentlichen Prophetenspruch. 1962 (WMANT 9), S. 48ff.
14. Vgl. dazu Stoebe, in: Baumgartner-Festschrift. VTS XVI. 1968, S. 394f.
15. Vgl. dazu Seebaß: ZAW 1966, S. 150.
16. So vor allem die älteren Ausleger.

15,10–35 *Sauls Verwerfung*

10 Deshalb erging das Wort Jahwes an Samuel also: 11 »Es ist mir leid, daß ich Saul zum König gemacht habe[a], denn er ist aus meiner Nachfolge gewichen und hat meine Befehle nicht ausgeführt.« Da wurde dem Samuel ganz heiß[b], und er schrie zu Jahwe die ganze Nacht. 12 Am Morgen machte Samuel sich dann auf den Weg, Saul[a] entgegen. Samuel[b] wurde mitgeteilt: »Saul[b] ist nach Karmel[c] marschiert und ⟨hat sich (sogar) ein Denkmal[d] errichtet⟩[e], dann wandte er um[f], zog weiter[g] und marschierte herab nach Gilgal[h].« 13 So kam also Samuel zu Saul; Saul grüßte ihn: »Gesegnet seist du Jahwe[a], ich habe den Befehl Jahwes[b] ausgeführt[c].« 14 Aber Samuel erwiderte: »Und was bedeutet[a] dieses Blöken in meinen Ohren und das Rindergebrüll, das ich hören muß?« 15 Saul gab zur Antwort: »Von Amalek haben sie[a] es mitgebracht, darum[b] daß das Volk das Beste an Schafen und Rindern verschont hat, um es Jahwe, deinem Gott[c], als Opfer darzubringen; an dem, was dann noch übrig war, haben wir[d] den Bann vollstreckt.« 16 Samuel aber schnitt Saul das Wort ab: »Hör auf! Ich will dir verkünden, was Jahwe heute nacht zu mir geredet hat.« ⟨Er sagte⟩[a]: »Rede.« 17 Da sprach Samuel: »Magst du noch so gering in deinen eigenen Augen sein, bist du nicht doch das Haupt der Stämme Israels[a]? Denn Jahwe hat dich zum König über Israel gesalbt[b]. 18 Jahwe selbst[a] hat dich auf den Weg gesandt und befohlen[b]: Geh hin und vollstrecke den Bann an dem Schandvolk[c], den Amalekitern, und führe Krieg mit ihnen, ⟨bis du sie endgültig vernichtet hast⟩[d]. 19 Warum hast du nicht der Weisung Jahwes gehorcht, sondern dich auf die Beute gestürzt[a] und das verübt, was Jahwe verurteilt[b]?« 20 Saul gab Samuel zur Antwort: »Ich bin doch der Weisung Jahwes gehorsam gewesen[a], ich habe ja den Weg beschritten, den Jahwe mich gesandt hat; den Amalekiterkönig Agag brachte ich her, an den Amalekitern selbst habe ich den Bann vollstreckt. 21 Das Volk aber nahm von der Beute Schafe und Rinder die besten Stücke[a] vom Banngut, um damit Jahwe, deinem Gott, im Gilgal[b] zu opfern.« 22 Doch Samuel sagte:

> »Hat Jahwe Gefallen an Brandopfern und Schlachtopfern[a]
> Gleichwie[b] am Gehorsam gegen Jahwes Geheiß?
> Merke, Gehorsam ist besser[c] als Opfer,
> Aufmerken[d] besser als Fettes von Widdern.
> 23 Denn wie sündliches Zaubern[a] gilt Trotz,
> Wie Verschuldung mit Bildern[b] ist Widerspenstigkeit[c].
> Weil du das Wort Jahwes verworfen hast,
> Hat er dich verworfen[d], weiter König zu sein[e].«

24 Da bekannte Saul dem Samuel: »Ich habe gesündigt damit, daß ich das

Gebot des Herrn und ⟨dein Wort⟩[a] übertreten habe; wahr ist's, ich fürchtete das Volk und lieh seiner Stimme mein Ohr. 25 Nun nimm doch meine Sünde fort und kehre mit mir um, daß ich Jahwe anbeten kann.« 26 Doch Samuel schlug (es) Saul ab: »Ich kann nicht mit dir umkehren, denn du hast Jahwes Wort verworfen, darum hat Jahwe nun dich verworfen, daß du nicht mehr König über Israel sein kannst.« 27 Drauf wandte sich Samuel zum Gehen; er[a] aber packte den Zipfel seines Mantels[b], doch der riß ab[c]. 28 Samuel sagte zu ihm: »So entreißt Jahwe dir heute das Königtum[a] über Israel und gibt es deinem Gefährten[b], der würdiger ist als du. 29 Der Ewige Israels[a] ist ja auch kein Lügner, noch läßt er sich etwas gereuen, denn er ist ja nicht Mensch, daß ihm etwas leid sein müßte[b].« 30 Er bat ihn: »Ja, ich habe gesündigt. Aber nun erweise mir doch die Ehre vor den Ältesten meines Volkes und vor Israel[a], daß du mit mir umkehrst, damit ich Jahwe, deinen Gott, anbete.« 31 Drauf kehrte Samuel mit Saul um, und Saul[a] betete Jahwe an. 32 Dann befahl Samuel: »Schafft mir Agag, den König von Amalek, herbei.« Agag schritt auf ihn zu, in Fesseln[a], und Agag sagte: »Wahrlich, gewichen ist die Bitternis des Todes[b].« 33 Samuel sagte:

»Wie dein Schwert die Weiber um ihre Kinder gebracht,
sei kinderlos unter den Weibern[a] (jetzt) deine Mutter gemacht.«

Damit hieb Samuel den Agag vor Jahwe im Gilgal[b] in Stücke[c]. 34 Dann ging Samuel seines Weges nach Rama; Saul aber zog herauf zu seinem Hause nach Gibea Sauls. 35 Und Samuel sah fürderhin Saul nicht mehr bis zum Tage seines Todes[a], denn Samuel war traurig über Saul; Jahwe aber war es leid, daß er Saul zum König über Israel gemacht hatte[b].

11 a) *Σ ἔχρισα* bezeichnender Ausgleich mit 9,16; 10,1 (von Caspari übernommen). b) 𝔊 *ἠθύμησεν*, Verwechslung mit dem für חרה gebräuchlicheren *θυμοῦν*? *Σ ἐλυπήθη*, 𝔙 »contristatus est«. Änderung in וַיֵּצֶר (Kittel, Caspari) oder וַיֵּמַר (S. R. Driver?) unnötig, vgl. 2 Sam 6,8; ebenso die Annahme Ehrlichs, daß der Grund die Versündigung Sauls war.

12 a) 𝔊 *'Ισραήλ*. b) 𝔊[B] Umstellung der beiden Namen, wohl nur mechanisches Versehen. c) Vgl. Jos 15,55; 1 Sam 25,2.5.7; kalibbitische Stadt im Süden Judas, heute *ḫirbet el karmil*, 12 km südlich von Hebron (Abel: Géographie II, S. 296; Simons: Texts, § 685); es befindet sich also auf der Route Sauls vom Negeb ins Gilgal und wird zu Unrecht angezweifelt (Caspari). d) S. 2 Sam 18,18; Jes 56,5 und vgl. B. D. Eerdmans: Sojourn in the tent of Jahu. OTS 1. 1942, S. 8. e) Sonderbarerweise denkt 𝔗 hier an einen Ort zur Beuteverteilung. מַצִּיב in überlieferter Form würde Gleichzeitigkeit bedeuten; Samuel hätte Saul in Karmel getroffen (so Budde unter Tilgung der auf Gilgal bezüglichen Angaben [vgl. Anm. h]; auch die Wiedergabe des 𝔗 könnte darauf weisen). Indessen setzen 𝔊𝔙 הִצִּיב voraus (DelF § 129a), und so wird der Text zu ändern sein (Wellhausen, S. R. Driver, Hertzberg, überhaupt die meisten). Mit richtiger Frage, wenn auch sonst unmöglich, will Bruno: Bücher, S. 285 diese Worte an das Ende von V. 12 stellen, also die Denkmalserrichtung auch nach Gilgal verlegen. f) Auffallend, da schwer aus dem Zusammenhang zu verstehen (so schon richtig Klostermann); Smith will aus gleichen Erwägungen וַיִּסֹּב וַיַּעֲבֹר überhaupt tilgen, doch könnte die Schwierigkeit auf den Mangel an klarer Ortsvorstellung zurückzuführen sein. g) Fehlt 𝔊, stattdessen *ἅρμα* als Objekt zu *ἐπέστρεψεν* (וַיִּסֹּב), trägt der Majestät des Königs Rechnung (Wellhausen). h) Die Nennung von Gilgal in diesem Zusammenhang beanstandet

Ernst Sellin: Gilgal. Leipzig 1917, S. 16; ebenso Budde, Tiktin, Caspari; quellenkritische Überlegungen (Budde) haben freilich kein Gewicht, entscheidender wäre מַצִּיב (Anm. e). Gekünstelt de Groot: ein anderes Gilgal als das in der Jordanebene. Für primäre Zugehörigkeit von Gilgal zum Bericht auch K. Galling: Bethel und Gilgal. ZDPV 1943, S. 147. 𝔊 + πρὸς Σαούλ (durch die Subjektsumstellung in V. 12 bedingt, vgl. Anm. b) καὶ ἰδοὺ αὐτὸς ἀνέφερεν ὁλοκαυτώσιν τῷ κυρίῳ (auch 𝔙) kann nicht zur Rekonstruktion von 𝔐 benutzt werden (Klostermann, Budde), dürfte aber auf einen hebräischen Wortlaut zurückgehen und mag als früher Versuch einer Harmonisierung im Ausgleich mit Kap. 13 (so Schulz) oder als Folgerung aus 15,21 (so Hertzberg) angesehen werden. Als solcher weist er auf die in der jetzigen Darstellung vorhandenen Spannungen (vgl. auch 𝔗 zu V. 12, Anm. e). Die Erklärung als nur verdeutlichender exegetischer Versuch (Weiser: ZAW 1936, S. 8) reicht nicht aus.

13 a) Zur Grußformel vgl. Lande: Wendungen, S. 10. Siehe auch GK § 121f. 𝔖 nur בָּרוּךְ יְהוָה b) 𝔊 abschwächend ὅσα ἐλάλησεν. c) 𝔖 »Jahwe hat ausgeführt«, danach Caspari.

14 a) Unterdrückung des Vordersatzes (𝔗 schiebt »und wenn du ausgeführt hast« ein) ist Zeichen zorniger Erregung (GK § 37f., 154b).

15 a) 𝔊 einebnend ἤνεγκα, danach Smith 1. Sg.; Klostermann 1. Pl., was nicht nur unnötig, sondern falsch ist, da immer vom Volk die Rede ist, wenn es sich um die Beute handelt. b) מֵאֲשֶׁר (Klostermann) unnötig (vgl. Kö § 389a; BroS § 161a). c) Nicht Zeichen eines Unglaubens Sauls; der König redet den Propheten an, wie sonst der Untertan den König (Caspari). d) 𝔊 auch hier Sg.

16 a) Qere וַיֹּאמֶר, von den Vers bestätigt, Ketib in irrtümlicher (?) Angleichung an die vorhergehenden Plurale.

17 a) Deutlicher Bezug auf 9,21, der hier von objektiver Kleinheit, nicht von demütiger Gesinnung spricht (als sei sie die Voraussetzung des Königtums, Keil). 𝔊 ἐνώπιον αὐτοῦ (לְפָנָיו?) verlegt den theologischen Akzent. In ähnliche Richtung weist der (unhaltbare) Vorschlag Casparis בְּעֵינֵי רָאשֶׁי, ähnlich Ehrlich בעמיך »deine Angehörigen«. b) Nicht mehr Nachsatz zum Bedingungssatz, sondern neuer Einsatz, der sich V. 18 fortsetzt.

18 a) Das Subjekt muß hier besonderen Nachdruck haben, da es sonst nach V. 17 unnötig wäre (Wellhausen). b) 𝔊 + σοι, Ergänzung (BH^3, Schulz, Tiktin, de Vaux) nicht nur unnötig, sondern abschwächend. c) 𝔊 + εἰς ἐμέ partizipiale Auffassung. d) Lies entweder mit 𝔊𝔗𝔖 כַּלּוֹתְךָ אֹתָם (Abirren auf das Folgende DelF § 97a; Perles II, S. 53; Budde, Schulz, Rehm u. a.) oder tilge mit 𝔙 אֹתָם als Dittogr (Wellhausen, Smith, S. R. Driver u. v. a.). Erklärung aus עַד כַּלּוֹתָה אֹתָם Krauss, Samuel: Textkritik auf Grund des Wechsels von ה und ם. ZAW 1930, S. 323. Boström: Alternative Readings, S. 34; Hertzberg nehmen Wahllesarten an.

19 a) Vgl. 14,32 (BLe § 56u″; GK § 72ff.). 𝔗𝔖𝔙 scheinen es von נָטָה abgeleitet zu haben; sicherlich falsch Caspari עטה »verheimlichen« (unverständlich 𝔊 + τοῦ θέσθαι, vielleicht Verschreibung für θύεσθαι, Dhorme). b) Deuteronomistische Formel.

20 a) 𝔙 »immo«, vgl. GK § 157c. Änderungen (אָכֵן Budde, אָנֹכִי de Groot) oder Streichung (Caspari) sind unnötig.

21 a) Zum Problem vgl. Lev 27,29 und, obwohl nicht genau entsprechend, Dt 13,16ff. רֵאשִׁית hier allgemein »die Auslese« als Parallele zu מֵיטָב (1 Sam 2,29; Num 24,20; Am 6,6), jedenfalls nicht kultisch zu verstehen (𝔗 scheint, vielleicht um diesen Bezug zu vermeiden, es zeitlich aufgefaßt zu haben). b) Auffallende Betonung, die für nachträgliche Einfügung sprechen könnte (Budde, Caspari streichen es; vgl. Anm. h zu V. 12).

22 a) Weiser: ZAW 1936, S. 11 macht זְבָחִים zum Subjekt eines zweiten Fragesatzes (ebenso Caspari; de Boer: Research, S. 86), Greßmann streicht עלות als Auffüllung aus rhythmischen Gründen, vermutlich deswegen, weil es nicht zu einem vorgefaßten Bilde paßt. Zum Nebeneinander von עוֹלָה und זֶבַח vgl. L. Rost: Erwägungen zum israelitischen Brandopfer. In: Eißfeldt-Festschrift. 1958 (BZAW 77), S. 181 (zu 𝔊 εἰ θελητὸν siehe H. H. Rowley: A Note on the Septuagint Text of 1 Sam XV 22a. VT 1951, S. 67). b) Ablehnung des Opfers wie Jes 1,11; Hos 6,6; Am 5,22; Mi 6,8. 𝔗 löst die Frage durch ein הֵא = הִנֵּה ab und verflacht zu »Gehorsam ist so wichtig wie Opfer«. Ähnlich auch H. Kruse: Dialektische Negation als semitisches Idiom. VT 1954, S. 394. c) טוֹב gehört zu beiden Gliedern, daraus erklärt sich wohl die ungewöhnliche Stellung; es ist schwerlich als Attribut mit זֶבַח zu verbinden (𝔊

Budde, de Vaux, Hertzberg). Caspari zieht es als Prädikat zum zweiten, muß dann aber vorher נִשְׁמַע lesen, was einen fremden Gedanken einführt. d) BroS § 15g.

23 a) Mantische Praktiken zur Erlangung einer Wahrsage oder eines Gottesentscheides (Ez 21,26); vgl. dazu Johannes Pedersen: Der Eid bei den Semiten. Straßburg 1914, S. 12; Israel III/IV, S. 124f. Im Alten Testament besonders Kennzeichen heidnischen Wesens (Dt 18,10.14; davon abhängend 2 Reg 17,17, vgl. auch Jos 13,22). In Verbindung mit israelitischer Prophetie gebraucht, kennzeichnet es die das Volk verführenden Lügenpropheten (Jer 27,9; Ez 13,6; Mi 3,5ff.). Caspari faßt (unter unzulässigen Textänderungen) nach Prv 16,10 קֶסֶם als Gottesentscheid; sachlich richtig 𝔊 οἰώνισμα. S. hierzu auch 28,8. b) Ebenfalls in Beziehung zum Orakelwesen stehend; näheres s. zu 19,13. Die Verbindung אָוֶן וּתְרָפִים gibt 𝔊B wörtlich, aber hilflos durch (ὀδύνη καὶ) πόνος θεραπείαν (𝔊A θεραφειν) ἐπάγουσιν wieder (besser 𝔊Lnc ὀδύνην καὶ πόνους), was wenigstens 𝔐 bestätigt; sonst wird nach 𝔙 »quasi scelus idolatriae« (ähnlich Σ) meist עֲוֹן ת״ angenommen (Klostermann, S. R. Driver, Budde, de Vaux und die meisten), doch würde schon einfache Streichung des ו vor תְּרָפִים genügen (Schulz, Hertzberg). Weiter geht der Vorschlag von Perles II, S. 38, אוב statt אָוֶן zu lesen. Vgl. auch Sigmund Mowinckel: Psalmenstudien I. Oslo 1921, S. 13 (אָוֶן »Zauberei«). c) Zur Form GK § 29q; BLe § 46h'; Nebenform zu פרץ (DelF § 95a). Bedeutung im Qal »in jemanden dringen« (Gn 19,3.9 u. ö.). Die Bedeutung »Widerspenstigkeit« muß aus dem Parallelismus zu מֶרִי erschlossen werden (𝔙 »nolle acquiescere«; die anderen Vers bieten Paraphrasen). Smith fordert deswegen ein Derivat von der Wz. סרר. Der Vorschlag חֵפֶץ רַע (Klostermann, Budde, Kittel) scheint nicht stark genug, ebenso die Deutung »nötigen lassen« im Sinne eines passiven Widerstandes (Hertzberg). Weiser: ZAW 1936, S. 12 vokalisiert הִפָּצֵר und denkt noch weiter abschwächend an Sauls ängstliche Nachgiebigkeit gegen das Volk. Naor jetzt: ועון תרפים הפר צו (Bet Miqra' 1966/67, Heft 3, S. 56–64). d) GK § 111h; BroS § 176a. e) BroS § 111f.; die Vokalisierung מִמְּלֹךְ (Budde) erübrigt sich. 𝔊 + ἐπὶ τὸν Ἰσραήλ.

24 a) 𝔊 τὸ ῥῆμά σου = דְּבָרְךָ, was angemessener erscheint; zu einer Streichung (Caspari) besteht kein Grund. Beachte die in der Unterscheidung פִּי יְהוָה und דְּבַר שְׁמוּאֵל liegende Sicherung gegen anthropomorphes Mißverständnis.

27 a) Natürlich Saul, wie 𝔊𝔖 ausdrücklich anmerken, wodurch allerdings die symbolische Bedeutung des Zuges verwischt wird (so auch Tiktin). Löhr denkt folgerichtig, aber gegen den Text, an den Mantel Sauls. Zur Sache vergleiche 1 Reg 11,30. Der Unterschied zu dieser Stelle liegt nicht darin, daß Samuel nicht als Prophet angesehen werden könne (so G. Fohrer: Die Gattung der Berichte über symbolische Handlungen der Propheten. ZAW 1952, S. 103), sondern darin, daß es sich um ein zufälliges Geschehen handelt (anders A. Jirku: Zur magischen Bedeutung der Kleidung in Israel. ZAW 1918, S. 117), das Samuel deutet. An Nachwirkungen alter »sisiktu« Vorstellungen (Ferris J. Stephens: The ancient significance of ṣiṣith. JBL 1931, S. 59–70) wird nicht zu denken sein. Vgl. jetzt auch D. Conrad: Samuel und die Mari-»Propheten«. ZDMG Suppl. I 1969, S. 273–280; obwohl die dort gesehenen Analogien nicht zwingend scheinen. b) Vgl. 28,14. c) 𝔊𝔖 mit Suffix, was nicht an einen Trauerbrauch denken läßt (Caspari), sondern von 1 Reg 11,30 her zu verstehen ist.

28 a) Geläufige Zusammenziehung aus מַלְכוּת und מַמְלָכָה (28,17 מַמְלָכָה [vgl. Jos 13 pass; 2 Sam 16,3; Hos 1,4; Jer 26,1]); damit erübrigt sich die Änderung in מַמְלֶכֶת (Wellhausen, Budde), מַמְלַכְתְּךָ (𝔊, Smith) oder die Annahme einer Alternativlesart (Tiktin). b) Vgl. 1 Sam 28,17.

29 a) נֵצַח sowohl Glanz wie Dauer, also etwa der beständige Ruhm (Rehm, Hertzberg), 𝔙 »triumphator«. Zur Bedeutungsentwicklung im nachbiblischen Hebräisch und in Qumran vgl. D. W. Thomas: The Use of נֵצַח as a superlative in Hebrew. JSS 1956, S. 109. Alle Konjekturen (נֹצֵר Ehrlich, נֹחֶה Budde) verwischen den Sinn. 𝔊 καὶ διαιρεθήσεται Ἰσραὴλ εἰς δύο kann falsch übersetzt haben (Ableitung von הצה, so Wellhausen), indessen findet sich der Bezug auf die Reichstrennung auch sonst, wo 𝔐 ihn nicht verlangt (vgl. 𝔊 zu Ps 35,15), so daß abweichende Textvorlage denkbar ist, die exegesierend die spätere Entwicklung vorwegnimmt. b) Fast wörtliches Zitat aus Num 23,19 und in Spannung mit V. 11. Vielleicht Einfügung eines späteren Lesers aus theologischer Bedenklichkeit (Schulz, de Vaux).

30 a) 𝔊B stellt עַמִּי und יִשְׂרָאֵל um, was Budde aus inhaltlichen Gründen für besser hält, während Caspari in beiden Alternativlesarten sieht.

31 a) Fehlt 𝔊B, so daß Samuel der Anbetende ist, wohl in Konsequenz des vorher Berichteten.
32 a) Unklarer Ausdruck, über den schon bei den Vers keine eindeutige Klarheit bestand. Nach 𝔗 מְפַנְקָא (was etwa »freimütig«, auch »anmaßend« bedeutet, *Σ ἅβρος*) wird es als »zuversichtlich, frohen Mutes« verstanden (Keil, Wellhausen, Löhr, Budde, Rehm u. a.) doch ist die zugrundeliegende Ableitung von der Wz. עדן (*'A ἀπὸ τρυφερίας*) sehr bedenklich. 𝔊 *τρέμων* (𝔅 »pinguissimus et tremens« verbindet beides), danach de Lagarde מְעַדְּנִית, Wz. מעד wankend (so S. R. Driver, Dhorme, Smith, Hertzberg, überhaupt die meisten). Schließlich wird eine Metathesis angenommen und nach Hi 38,31 (vgl. BH³ zur Stelle) מַעֲנַדּוֹת »in Fesseln« vorgeschlagen (Qimchi, Klostermann; de Boer: Research, S. 86). Da nach 1 Reg 20,33 das Holenlassen des gefangenen Königs seine Begnadigung einleitet, scheint die letzte Bedeutung am nächsten zu liegen; an zweiter Stelle steht die als erste genannte, während die zweite wohl ausscheidet. Zur Sache vgl. jetzt auch S. Talmon: 1. Sam. xv 32b – a case of conflated readings. VT 1961, S. 456f. b) 𝔊 (𝔖) *εἰ οὕτως πικρὸς ὁ θάνατος*, was freilich eine Plattheit ist (S. R. Driver), sich aber aus dem *τρέμων* zwangsläufig ergibt. Darum zu Unrecht סר als Dittogr zu מר von vielen (Smith, Greßmann, de Vaux u. a.) getilgt. De Fraine: Est. Ecles. 1960, S. 540 konjiziert אנכי סר מורה מות »ich werde zeigen, wie ein König stirbt«.
33 a) Vgl. Jdc 5,24 und siehe GK § 119w. b) Nach dem Vorhergehenden auffallende Betonung des Ortes, vgl. Anm. b zu V. 21. Von Budde, Caspari auch hier getilgt. c) Hap leg, allgemein von den Vers als »in Stücke hauen«, auch »foltern« angenommen (*Θ ἐβασάνισεν. 'A Σ διέσπασεν* 𝔊 *ἔσφαξεν* gehen von einem falschen Verständnis der Situation aus); vielleicht für ursprüngliches וַיְשַׁסַּע (Driver). G. J. Thierrey: Some Remarks to the Psalms. OTS 13. 1963, S. 88 sieht darin eine Šaphelform von סוף mit der Bedeutung »zu Ende bringen«.
35 a) Direkte Hinführung zu 1 Sam 28 unter Übergehung von 1 Sam 19,22–24, ohne daß deswegen von einer besonderen Tradition zu reden wäre. b) Überleitung zur Davidgeschichte Kap. 16ff.

15,10–35 *Sauls Verwerfung*. Mit V. 10 beginnt das zentrale Thema, die Verwerfungsgeschichte; schon im vorlaufenden Gesprächsgang Jahwes mit dem Propheten (V. 11) und in dessen Reaktion kommt die starke prophetische Stilisierung zum Ausdruck[1]. Das נִחַמְתִּי Jahwes leitet wie Gn 6,7 die Zurücknahme einer Setzung ein; es ist weniger Ausdruck anthropomorphen Denkens als einer souveränen Freiheit Gottes, die aber nicht willkürlich ist. Darum erfolgt das Urteil über Saul, dessen Anerkennung, aus dem Vorhergehenden noch nicht unbedingt von selbst erhellend, Glaubenssatz ist. שָׁב מֵאַחֲרַי ist Ausdruck prophetischen Denkens[2], nicht ausgesprochen priesterlich[3]. Das Erschrecken Samuels (vgl. Anm. b zu V. 11), mehr als bloße Stilisierung, läßt noch etwas von der Ratlosigkeit über das Schicksal Sauls erkennen. Entsprechend der Wichtigkeit dieses Heiligtums muß die Verwerfung Sauls, also auch seine Begegnung mit Samuel, im Gilgal erfolgen (vgl. o. S. 251f.). Daß das nicht glatt aufgeht, zeigen die verschiedenen Unanschaulichkeiten im Ausdruck (vgl. Anm. f u. h zu V. 12)[4], wozu wohl auch gehört, daß man בָּקָר nicht auf so weite Entfernungen treiben kann. Diese Unanschaulichkeiten haben z. T. ihren Grund auch mit darin, daß mit der Nennung der יָד in Karmel eine Sonderüberlieferung eingefügt wurde, der zwar

1. Vgl. Am 3,7.
2. Vgl. Hos 1,2; Jer 3,19; Zeph 1,6; vgl. auch 1 Sam 12,20.
3. So Budde.
4. Daß hier aber einmal an das Waldgebirge im Norden gedacht war (Smith), ist unwahrscheinlich.

im Kontext eine im Verhältnis zu ihrer Wichtigkeit stehende Weiterführung fehlt – was 𝔗 offenbar empfunden hat (vgl. Anm. d zu V. 12) –, die aber auf der gleichen Linie liegt. Darstellungen dieser Art sind auch archäologisch bekannt[5], dienen allerdings wohl meist der Erinnerung an Verstorbene. Hier muß ein Siegeszeichen gemeint sein, durch das Saul nicht nur die Beute, sondern auch die Ehre für sich in Anspruch nimmt. Man kann vermuten, daß ein entsprechender Stein Anlaß der Überlieferungsbildung war[6]. Entsprechend der Wichtigkeit des Themas ist das Gespräch Sauls mit Samuel in zwei Gesprächsgängen dargestellt, die, verschieden stilisiert, die Frage von verschiedenen Seiten beleuchten.

13–19 Die Spannung dieser Verse liegt darin, daß Saul und Samuel zunächst auf zwei verschiedenen Ebenen sprechen. Saul macht, vom Standpunkt militärischen Erfolges aus durchaus mit Recht, Vollzugsmeldung. Von einer Beschönigung der Situation oder schlechtem Gewissen[7] ist nichts zu merken, das ist auch sicher nicht beabsichtigt. Erst die Gegenfrage Samuels nach dem Brüllen der Tiere leitet auf das eigentliche Gebiet hinüber. Es ist eine Verkennung der Stilisierung als prophetische Diskussionsrede[8], die bereits hier beginnt, wenn daraus gehört wird, daß Saul gerade beim Opfer war[9], obwohl schon 𝔊 das getan hat (vgl. Anm. h zu V. 12). Auffallend ist, daß hier die Gestalt Agags gänzlich zurücktritt[10], offenbar liegt auf ihr nicht derselbe grundsätzliche Nachdruck wie auf der Beute[11]. V. 15 ist der Hinweis auf den Willen des Volkes nicht lahme Entschuldigung; er verbindet sich organisch mit der Nennung des Opfers. An זְבָחִים als Gemeinschaftsopfern ist auch der Opfernde beteiligt[12], das Interesse daran liegt also auf Seiten des Volkes, das sich an der Beute sättigen kann (wie in Kap. 14), nicht so sehr auf der Seite des Königs. Ebensowenig ist das Opfer ein aus der Verlegenheit des ertappten Sünders geborener Entschluß. Die erste Antwort Samuels zielt auf die Problematik Sauls, der für seine Geltung als Charismatiker nur einen begrenzten Raum beanspruchen kann und der für seine eigentliche Stellung als König auf die freie Anerkennung des Volkes angewiesen ist, dem er entgegenkommen muß[13]. Die Frage der Beute und Beuteverteilung spielt ja auch

5. Vgl. etwa Y. Yadin und Y. Aharoni: Hazor I. 1958, S. 89, dazu Kurt Galling: Erwägungen zum Stelenheiligtum von Hazor. ZDPV 1959, S. 1–13; auch Schottroff: Gedenken, S. 47. Dazu Delcor, M.: Two Special Meanings of the Word יד in Biblical Hebrew. JSS 1967, S. 230f.

6. Hertzberg.

7. So etwa Schulz; Preß: ZAW 1938, S. 207f; vor allem auch Klopfenstein: Lüge, S. 345; ähnlich anscheinend aber auch Caspari.

8. Von Rad: Krieg, S. 51.

9. Preß: ZAW 1938, S. 209.

10. Hertzberg: Samuel habe erst durch das unbedachte Wort Sauls davon erfahren.

11. So mit Recht Weiser: ZAW 1936, S. 6f.

12. Vgl. de Vaux: Lebensordnungen II, S. 262; auch Leonhard Rost: Erwägungen zum israelitischen Brandopfer. In: Eißfeld-Festschrift. 1957, S. 182.

13. Jedenfalls werden solche, mehr profan wirtschaftlichen Probleme auch eine bedeutsame Rolle gespielt haben neben den Fragen, die sich aus der Spannung zwischen der Freiheit amphiktyonischer Stammesverbände und der neuen Jahwestrenge ergeben haben (vgl. dazu Noth: System, S. 113; Alt II, S. 27; auch Weiser: ZAW 1936, S. 23).

für David eine entscheidende Rolle (vgl. zu 30,21ff.). Die Antwort spiegelt also, wenn auch prophetisch formuliert, die Probleme wieder, die nach der Entstehung des Königtums brennend werden mußten[14]. Daß Saul sich der tatsächlichen Kleinheit bewußt bleibt, ist nicht Demut; wahre Demut dürfte die durch Erwählung, Salbung und Auftrag zustehende Vollmacht nicht außer acht lassen. Der einzige Vorwurf eigensüchtiger Habgier könnte in וַתַּעַט liegen, der Ausdruck übernimmt aber eine andere Situation (vgl. Anm. a zu V. 19).

20–23 שָׁמַעְתָּ (V. 19) liefert das Stichwort für das Thema des zweiten Redeganges. Inhaltlich unterscheidet sich die neue Argumentation Sauls (V. 20f.) nicht von der ersten. Dagegen ist die Antwort Samuels inhaltlich wie formal von der vorigen unterschieden. Zunächst ist sie länger, auch kunstvoller im metrischen Aufbau[15]; außerdem ist sie grundsätzlicher auf den Gegensatz Gehorsam–Opfer, also auf ein prophetisches Thema ausgerichtet[16]. Dennoch gehört auch sie zum alten Traditionsgut[17]. Es ist durchaus fraglich, ob hier dieser Gegensatz in seiner eigentlichen theologischen Bedeutung – Opfer, ein vom Menschen eigenmächtig, unter möglichen Vorbehalten ins Werk gesetztes Unternehmen[18] – gesehen ist oder das Opfer grundsätzlich abgelehnt werden soll; eher geht es hier, wenigstens dem ursprünglichen Gedankengang nach, um die konkrete Situation[19]. Der Vergleich mit קֶסֶם[20] und תְּרָפִים muß wohl so verstanden werden, daß Saul, an dessen Bereitschaft, kanaanäische Mantik auszurotten (28,3; auch 2 Sam 21,1), nicht gezweifelt werden kann, dadurch doch nicht der Mann »nach dem Herzen Gottes« blieb[21], sondern daß dies in besonderer Situation bewiesene Nichthören auf derselben Linie liegt wie heidnisches Wesen und unweigerlich wieder dahin zurückführen muß. Im Vergleich mit Kap. 28 ist dazu die innere Folgerichtigkeit des Aufbaus, zugleich der den beiden Kapiteln gemeinsame tragische Zug zu beachten. So enthält der Spruch, wenn seine Formulierung auch jünger ist als z. B. Kap. 19 (תְּרָפִים), doch nichts, was notwendig über die ältere Königszeit hinunterreichen müßte[22]. Eher ist umgekehrt zu fragen, ob die Kultpolemik der Propheten, bis hin zur deuteronomischen Forderung vorbehaltloser Herzenshingabe – ohne auf diese Fragen hier in extenso eingehen zu wollen[23] –, ihren Ansatzpunkt nicht in dem selbstverständlichen Verlangen des sakralen Krieges nach kompromißlosem Gehorsam hat[24], wie ja auch eine Wurzel alttestamentlicher Prophetie im

14. Aus Gründen innerer Wahrscheinlichkeit muß man wohl ein Amalekiterunternehmen in der eigentlichen Königszeit Sauls annehmen.
15. Vgl. Hans Kosmala: Form and Structure in ancient Hebrew poetry. VT 1964, S. 437.
16. Anm. b zu V. 22.
17. Was Preß: ZAW 1938, S. 210 aus einem Vergleich mit 13,7bff. überzeugend nachweist.
18. Weiser: ZAW 1936, S. 12, ähnlich Hertzberg.
19. Ähnlich Preß: ZAW 1938, S. 208.
20. Dazu Klopfenstein: Lüge, S. 93.
21. Formulierung von Hertzberg.
22. Weiser: ZAW 1936, S. 12; vgl. auch Jepsen: Nabi, S. 188.
23. Aus der Fülle der Literatur Robert Hentschke: Die Stellung der vorisraelitischen Schriftpropheten zum Kultus. 1957 (BZAW 75), oder auch Hans Wilhelm Hertzberg: Die prophetische Kritik am Kult. ThLZ 1950, Sp. 219ff.
24. Beachte auch die Vertrautheit noch Jesajas mit diesen Vorstellungen; dazu Hans Walter Wolff: Immanuel. 1959 (BStN 23).

Kriegsnasiräat zu liegen scheint[25]. V. 23b ist an dieser Stelle ursprünglich, keineswegs eine angesichts V. 26 überflüssige Erweiterung[26], denn die Darstellung hat in dem Gegensatz Gehorsam–Verachtung ihre Spitze. Auch hier geht es nicht um eine prinzipielle Stellungnahme gegen das Königtum, sondern um die Person Sauls[27].

24–33 Der Inhalt von V. 24–31 ist zwar in sich spannungsreich, aber deswegen sind die Verse nicht auszuklammern[28], zumal dann die Agagepisode V. 32f. in der Luft hinge; sie muß aber, wie die Formulierung des Spruches V. 33 im Unterschied zur Einleitung des Kapitels zeigt[29], zum ursprünglichen Bestand gehören. Das Schuldbekenntnis Sauls erinnert an 2 Sam 12; doch sind auch Unterschiede vorhanden, so daß daraus nicht auf Entstehung von gleicher Hand geschlossen zu werden braucht[30]. Saul erkennt und anerkennt seine Versündigung doch wohl in vollgültiger Weise[31]. Der Hinweis auf seine Furcht vor dem Volk ist die Quintessenz der ganzen Erzählung. Samuels Weigerung, mit ihm umzukehren (V. 26), ist weder Einschub aus einem anderen Quellenzusammenhang[32] noch Ausdruck einer unversöhnlichen Haltung Samuels, die im Gegensatz zu V. 11b oder V. 35[33] stehen müßte. Sein Abwenden ist für die Schilderung der Situation unerläßlich; das Abreißen des Mantels[34] kennzeichnet zunächst das verzweifelte Anklammern Sauls an Samuel (vgl. 28,11), wird dann aber von Samuel symbolisch gedeutet[35]; das Ereignis sagt also nichts Neues, sondern unterstreicht nur das bereits Verkündete.

Fraglich kann die Ursprünglichkeit von V. 29b sein (vgl. Anm. b). Doch könnte der Widerspruch zu V. 11 scheinbar sein, die Spannung als ein Bemühen darum verstanden werden, in dieser besonderen Situation den souveränen Ratschluß Gottes gegen menschliches Deuteln zu sichern[36]. Diese Auffassung würde

25. Am 2,11; vgl. zur Sache auch Rolf Rendtorff: Erwägungen zur Frühgeschichte des Prophetentums. ZThK 1962, S. 152ff.

26. Preß: ZAW 1938, S. 211; Caspari will den Gedanken an beiden Stellen ausscheiden.

27. Daß die Familie implizit mit eingeschlossen ist (so Josef Scharbert: Die Solidarität in Segen und Fluch im Alten Testament und seiner Umwelt. 1958 [BBB 14], S. 195), erfährt man nicht aus dem Wortlaut, sondern weiß es aus der Geschichte.

28. Vgl. S. 282, Anm. 37.

29. Preß: ZAW 1938, S. 206.

30. Tiktin.

31. Hertzberg folgert aus dem עָבַר fehlende Einsicht in die Schwere seiner Schuld; ähnlich sieht Budde in הִשְׁתַּחֲוָה eine Umschreibung für den üblichen Opferkult.

32. Tiktin.

33. Schulz.

34. Anm. a zu V. 27.

35. Zur Sache Hönig: Bekleidung, S. 153; vgl. auch Keller: Oth, S. 98.

36. Ähnlich auch Hertzberg; die alte Unterscheidung von ἀνθρωποπαθῶς und θεοπρεπῶς (Clericus, S. 226), die zwar von der neueren Auslegung meist abgelehnt wird (anders Löhr), sieht sicher Richtiges; weniger gut ist die Unterscheidung Ehrlichs zwischen vollendeter Tatsache (V. 11) und Drohung für die Zukunft (V. 29). Der ausschließende Widerspruch besteht jedenfalls nicht, aus dem Seebaß (ZAW 1966, S. 153) zu dem Urteil kommt, daß V. 29 zeige, daß die jetzigen Verse 24–28 eine Frage Sauls nach einer möglichen Umstimmung Jahwes verdrängt hätten. Durch Textänderung gewinnt Caspari den entgegengesetzten Gedanken.

gestützt, wenn man in נֵצַח (vgl. Anm. a) eine Verwandtschaft mit der Wurzel אמן im Sinne gleichbleibender Zuverlässigkeit sehen dürfte[37]. Damit ist es auch gegen jegliches Mißverständnis gesichert, wenn Samuel schließlich doch mit Saul umkehrt, um ihm vor dem Volk die Ehre zu erweisen, die er für sein Ansehen nötig hat; dies, obwohl Saul nichts vorgebracht hat, was sein Verhalten in anderem Licht erscheinen lassen könnte. Aber de facto besteht die Herrschaft Sauls noch, auch wenn sie bereits zum Scheitern verurteilt ist[38]. Samuel hat einen Ratschluß Gottes verkündet, keine eigene Entscheidung gefällt, schon gar nicht einem geheimen Wunsche des Volkes entsprochen, das sich Jonathan zugewandt hätte[39]. Da sieht Caspari richtig, daß Samuel keine politische Schädigung betreibt. Auch daß er dann den Bann an Agag vollstreckt[40], wird so zu verstehen sein, daß er das, was Saul versäumte, in Ordnung bringt[41].

34–35 Der Abschluß aber ist derselbe wie 13,14; Samuel geht fort, nicht nach Gibea, sondern nach Rama, denn der Bruch ist endgültig; er ist mit dem Begriff »religiöses Schisma«[42] nicht genügend gekennzeichnet. Fortan muß Saul auf den Rat und die Leitung Samuels verzichten (vgl. 10,8)[43]. Noch einmal, schon in der Blickrichtung auf David, leuchtet die Tragik auf; Samuel selbst trägt Leid um den, der erwählt und mit dem Geist begabt, auch gesalbt wurde, der groß begann und doch verworfen wurde.

37. L. Kopf: Arabische Etymologien und Parallelen zum Bibelwörterbuch. VT 1958, S. 184f.

38. Daß damit das reuige Bekenntnis Sauls berücksichtigt werden solle (de Vaux), ist wenig wahrscheinlich.

39. Preß: ZAW 1938, S. 211.

40. Es zielt jedenfalls nicht auf das Opfer eines Kriegsgefangenen. Obwohl der Spruch auch an Strafvollzug denken lassen könnte, ist hier sicher der Bann gemeint (zur Sache Brekelmans: Ḥerem, S. 109).

41. Daß es eine politische Ehrung bedeutete, die Saul verlangen, Samuel gewähren konnte, wenn dieser Agag niederstieß (so Seebaß: ZAW 1966, S. 154), ist von vornherein unglaubhaft.

42. Caspari.

43. Beachte auch hier die Gemeinsamkeiten im Tenor, die mit Kap. 28 bestehen.

IV. Sauls Niedergang. Davids Aufstieg

Wie schon angedeutet[1], beginnt mit 1 Sam 16 ein bis Kap. 31, eigentlich bis 2 Sam 1 reichender Zusammenhang, der das Aufkommen Davids zum Gegenstand hat, soweit es sich in der Auseinandersetzung mit Saul und seinem Schicksal vollzieht. Die durch die Gegnerschaft Sauls geschaffene Situation steht auch da im Hintergrund, wo von ihm nicht explizit die Rede ist (Kap. 25; 30). Vom historischen Ablauf her wäre es berechtigt, diesen Abschnitt bis 2 Sam 5[2], schwerlich freilich bis 2 Sam 12[3] zu rechnen, doch scheint damit die formgeschichtliche

1. Vgl. o. S. 278. Noth: Studien, S. 62; ähnlich, doch etwas weitergehend, jetzt Amsler: David, S. 24.

2. Weiser: VT 1966, S. 325 rechnet den Zusammenhang bis 2 Sam 8.

3. So der Aufriß Nübels.

Eigenart der Berichte nicht genügend berücksichtigt, die in 1 Sam 16 bis 2 Sam 1 vereinigt sind; sie sind sehr verschiedenartig, enthalten z. T. ausgesprochen legendarische, wenigstens primär von theologischer Absicht her gestaltete Überlieferung, wogegen die Darstellung von 2 Sam 2 ab viel pragmatischer wirkt. Diese Ineinanderschau der Lebenswege Sauls und Davids entspricht zunächst einmal dem tatsächlichen Verlauf der Geschichte. Es ist eine durch nichts zu rechtfertigende Skepsis, David als Mann des Südens, Saul als Mann des Nordens anzusehen, die zu Sauls Lebzeiten nichts miteinander zu tun hatten[4]. Ebenso läßt sie die konstitutive, über das Episodische hinausgehende Bedeutung des Königtums Sauls erkennen. Zugleich ist damit ein Gesichtspunkt für das Verständnis der theologischen Zielsetzung dieses ganzen Komplexes gegeben[5].

Spannungen[6], Doppelerzählungen[7], auch verschiedene Akzentsetzungen[8] machen deutlich, daß es sich hier nicht um einen geschlossenen Erzählungszusammenhang im Sinne eines historischen Berichtes handelt, sondern wie in Kap. 9–15 um die redaktionelle Aneinanderreihung einzelner Überlieferungsstücke, die noch ihre verschiedene Herkunft und Zielsetzung erkennen lassen, auch wenn sie eine zusammenfassende Überarbeitung erfahren haben. Von den Vertretern einer Quellenscheidung[9] werden die für Kap. 9–15 postulierten Quellenstränge auch hier weiterverfolgt. Doch erscheint es hier noch weniger möglich, zwei (oder gar drei) voneinander zu trennende Erzählungszusammenhänge herauszupräparieren, ohne daß in einem von ihnen etwas fehlt, was für das Ganze eben entscheidende Bedeutung hat[10]. Eine vordergründig historische Fakten referierende Berichterstattung im Sinne der Eißfeldtschen Schicht I[11] hat es hier kaum gegeben, weil das äußere Geschehen ein solches Gewicht gar nicht hatte. Das gleiche gilt auch für die Versuche, eine Grundschrift (Gr) – die statt grundsätzlicher Erörterungen in starken Konturen und aus unmittelbarer zeitlicher Nähe[12] (also objektiv[13]) erzählt – von einer durchlaufenden, unter gleichbleibendem Gesichtspunkt stehenden Bearbeitung (B) zu trennen, die die theologischen Akzente gesetzt hätte[14], die vorher höchstens implizit vorhanden waren. Abgesehen davon, daß diese Konzeption mit weitgehenden Textumstellungen und ungeschickten Zusätzen rechnen muß, leidet sie daran, daß sie den Spannungsreichtum der einzelnen Darstellungen gerade in den zu Gr gerechneten Stücken verflacht; denn

4. Vgl. KAT[3], S. 228; Cook: JQR 1907, S. 370ff.

5. Es ist also nicht eine Biographie Davids, die auf Saul nur soweit Bezug nimmt, als damit der Wechsel im Schicksal Davids erklärt werden kann (Smith: HThR 1951, S. 167). Vgl. dazu u. S. 354 u. ö.

6. Vgl. z. B. 16,14ff. mit 17,13ff. oder 17,31 mit 17,55.

7. Kap. 24 u. 26; 21,11ff. u. 27.

8. Vgl. 21,7 u. 22,13.

9. Vgl. o. S. 176.

10. Worauf für diesen Abschnitt schon SteuE, S. 316 hingewiesen hat trotz grundsätzlich positiver Einstellung zur Möglichkeit einer Quellenaufgliederung.

11. Sie würde umfassen 14,52; 16,18.21; 18,5–9.20.29; 19,8.11–17.

12. Nübel: Aufstieg, S. 26 zu 1 Sam 17.

13. So auch die berechtigte Kritik von Amsler: David, S. 26.

14. Worin Nübel, Aufstieg (S. 150, Anm. 5), bereits einen Vorgänger in H. Graf gehabt hat.

wenn als Absicht dieser Grundschrift herausgestellt wird, in der Darstellung der Ereignisse Jahwes Hilfe zu bezeugen und eine solche auch für die Zukunft zu erwarten[15], erscheint das in dieser Allgemeinheit blaß, denn das ist das Ziel jeder biblischen Darstellung. Sieht man weiter das Gewicht der Bearbeitung (B) darin, Davids dauernde Bewährungsprobe aufzuweisen, so ist das gerade auf dem Hintergrund der Saulsgeschichte ein notwendiger Bestandteil ursprünglicher Überlieferung. Das יְהוָה עִמּוֹ (16,18; 17,37; 18,12.14.28; 20,13; 2 Sam 5,10; 7,9) kann nicht erst eine Wendung sein, die B für den göttlichen Beistand geprägt hat, den David erfährt[16], denn es findet sich, wenn auch mit אֱלֹהִים als Subjekt, bereits 10,7 von Saul, weist dort aber deutlich in die Richtung charismatischen Führertums (Stoebe: VT 1957, S. 365f.). Dieser ganze Erzählungskomplex steht vielmehr unter dem übergreifenden Gesichtspunkt einer Rechtfertigung; zwar nicht Davids im Sinne einer Ehrenrettung des Königs oder eines Preises seiner Gerechtigkeit[17], wohl aber geht es um den Nachweis dessen, daß das Neue, das nun wieder mit David beginnt, die Fortsetzung des alten Weges ist, die durch Jahwes Treue führend und bewahrend gestaltet wird[18]. Es ist dasselbe theologische Interesse, das an der Darstellung des Aufkommens Sauls festzustellen war; darum greifen auch hier die beiden Linien: gesalbter König, charismatischer Führer ineinander[19] und sind nicht erst Niederschlag verschiedener Standpunkte. Insofern klingt zweifellos vordergründig eine Rechtfertigung Davids und seiner Maßnahmen gegen mögliche Verdächtigung und Ablehnung mit an, doch greift das Bemühen darüber weit hinaus in Bezirke des glaubenden Verstehens der Wege Gottes. Damit ist es gegeben, daß wichtige Entscheidungen und Ereignisse, bei denen in besonderem Maße die Gefahr bestand, daß Jahwes Plan mit David zunichte wurde, eine ihrer Bedeutung entsprechende starke Unterstreichung fanden. Das geschah durch die Aufnahme verschiedener Überlieferungen zu diesem Gegenstand[20]. Aber auch darin ist die Darstellung der von Kap. 1–12 verwandt, daß wohl nachgewiesen werden soll, wie nach Jahwes Ratschluß der oder das Neue schon da ist, wenn ein bisheriger Weg zu Ende gegangen ist[21]. Alle diese Fragen sind mit dem Königtum Davids von Anfang an gegeben; insofern wird man die Entstehung und Ausformung der einzelnen Überlieferungsstücke ebenso wie ihre Zusammenfassung, wenigstens zum Kern des gegenwärtigen Bestandes, nicht allzuweit von den geschichtlichen Ereignissen abrücken dürfen, die ihren Hintergrund bilden. Andererseits weisen einzelne Stücke eine so starke Ausge-

15. Nübel: Aufstieg, S. 142.
16. Nübel: Aufstieg, S. 108.
17. Das hat auch Nübel völlig richtig erkannt.
18. Vgl. dazu T. C. G. Thornton: Charismatic Kingship in Israel and Judah. JThS 1963, S. 1–11; seine Kritik an Alt und seine Betonung, daß die Auffassung vom Königtum im Norden und im Süden nicht grundsätzlich verschieden war, die Besonderheiten der Entwicklung sich aus geschichtlichen Voraussetzungen erklären.
19. Stoebe: VT 1957, S. 368ff; in dieselbe Richtung gehen jetzt die Überlegungen von Amsler: David, S. 28.
20. 1 Sam 24 u. 26; 21,11–17 u. 27.
21. Zum Gedanken der Treue Jahwes Edmond Jacob: Histoire et Historiens dans l'Ancien Testament. RHPhR 1955, S. 26–35.

staltung auf, die unter dem Vorzeichen theologischer Gedanken und Erwartungen steht und bereits in der Überlieferungsbildung dagewesen sein muß[22], daß eine genauere Zuweisung, etwa dezidiert in den Anfang der Regierung Davids, nicht möglich ist[23]. Hierhin zielende Versuche verkennen ebenso die besondere Aussageabsicht dieser Stücke, wie sie in der Gefahr stehen, die historische Tragfähigkeit einzelner Angaben unzulässig zu überlasten. Fragt man nach den Kreisen, in denen eine solche Überlieferung gesammelt wurde und ihre letzte Ausformung erhielt, wird man an die Gruppe nationaler Propheten zu denken haben, die ebenso dem nationalen Wollen des Hofes wie den religiösen Erwartungen und Vorstellungen des frommen Volkes verbunden waren[24]. Wichtig ist, daß sich keine mit Sicherheit feststellbaren Züge deuteronomistischer Bearbeitung finden[25], bis auf geringfügige, nichts besagende Ausnahmen.

22. Vgl. zu Kap. 18 u. 19.

23. Nübel: Aufstieg, S. 124: »Die Grundschrift ist niedergeschrieben, ehe der Schwung, in dem David sein Großreich aufrichtete, zu verebben begann«. Das ist schon vom Ansatz her schwer vorstellbar. Zu den Namen, die im Zusammenhang mit der Verfasserfrage konkret genannt werden, vgl. o. S. 52.

24. Eine Überlegung, die zweifellos auch für die Wesensbestimmung dieser Prophetie Bedeutung hat.

25. Vgl. zur Sache Noth: Studien, S. 62. Grundsätzlich anders jetzt Carlson: David.

16,1–13 Die Salbung Davids

1 Jahwe sprach zu Samuel: »Wie lange willst du noch in der Trauer um Saul verharren[a]? Habe doch ich ihn verworfen, daß er nicht mehr König über Israel sein kann[b]. Nun fülle dein Horn[c] mit Öl; geh nur[d], ich sende dich zu Isai[e], dem Bethlehemiten[f], denn unter seinen Söhnen habe ich mir einen König ersehen[g].« 2 Aber Samuel wandte ein: »Wie kann ich denn hingehen? Kommt das Saul zu Ohren[a], bringt er mich um.« Jahwe erwiderte ihm: »Ein Färsenkalb[b] nimm dir zur Hand, dann kannst du sagen, dem Herrn zu opfern bin ich gekommen. 3 Und lade auch den Isai aus Anlaß des Opfers[a] ein; ich selbst werde es dir zu erkennen geben, was du tun sollst; du salbe mir dann den, von dem ich es dir sage.« 4 Samuel tat so[a], wie ihm Jahwe geboten hatte. Als er hinkam nach Bethlehem, kamen ihm die Ältesten der Stadt eilig[b] entgegen und fragten[c]: »Dein Kommen bedeutet doch (hoffentlich)[d] Gutes[e]?« 5 Er erwiderte: »Jawohl, Gutes[a]; bin ich doch gekommen, um Jahwe ein Opfer darzubringen. Heiligt euch[b], und dann kommt mit mir zur Opfermahlzeit[c].« Drauf heiligte er[d] den Isai und seine Söhne und lud sie zur Opfermahlzeit ein[e]. 6 Als sie nun hinkamen[a], ward er (zuerst) des Eliab[b] gewahr, da dachte er: »Gewiß[c] will Jahwe den als seinen Gesalbten haben[d].« 7 Doch Jahwe wies Samuel zurecht: »Blicke nicht auf sein Aussehen und seine hohe Gestalt[a], denn ihn

habe ich verworfen[b]. Denn nicht [c]⟨sieht Jahwe an⟩, was der Mensch ansieht[c]. Denn[d] der Mensch sieht nach den Augen[e], Jahwe aber sieht auf das Herz.« 8 Drauf rief Isai den Abinadab[a] und ließ ihn an Samuel vorbeigehen; der aber sagte[b]: »Auch diesen[c] hat Jahwe nicht erwählt.« 9 Darauf ließ Isai den Schamma[a] vorübergehen, doch er sagte abermals: »Auch diesen hat Jahwe nicht erwählt.« 10 So ließ Isai seine sieben Söhne[a] an Samuel vorbeigehen, aber Samuel sagte zu Isai[b]: »Diese (alle) hat Jahwe nicht erwählt.« 11 Drum fragte Samuel den Isai: »Sind das alle jungen Leute[a]?« Der gab zur Antwort: »Nein, der Jüngste ist noch übrig[b], aber der ist als Hirte bei den Schafen.« Doch Samuel wies Isai an: »Ihn laß herholen[c], denn wir werden nicht ...[d], bis er hierher[e] gekommen ist.« 12 Also schickte er und ließ ihn holen. Und er war rötlich ...[a], hatte schöne Augen[b] und ein schmuckes Aussehen[c]. Und Jahwe sprach: »Auf, salbe ihn[d], denn der ist es[e].« 13 Da ergriff Samuel das Ölhorn und salbte ihn inmitten seiner Brüder[a]; darauf kam der Geist Jahwes über David[b] von jenem Tage an und immerfort[c]. Samuel aber brach auf und kehrte nach Rama zurück.

1 a) Vgl. 15,35. b) Vgl. 15,23.26; beachte aber die abweichende Formulierung. c) קֶרֶן 1 Reg 1,39; 1 Sam 10,1 פַּךְ. d) Ungewöhnliche, aber nicht unmögliche Verbindung; vgl. Num 23,27; 24,14. e) 1 Chr 2,13 אִישַׁי, Kurzform für אִישׁ יְהוָה »Mann Gottes« (NothPers, S. 138); andere Ableitungen (H. Bauer: Die hebräischen Eigennamen als sprachliche Erkenntnisquelle. ZAW 1930, S. 77, aus יֵשׁ; oder Wellhausen, Abkürzung von אֲבִישַׁי) sind wenig wahrscheinlich; vgl. auch zu 14,49. f) Zur Form GK § 127d. 𝔊 *ἕως εἰς Βηθλεεμ*, so Caspari. Bethlehem, Jos 15,39 zu Juda gerechnet, gehörte in der Amarnazeit wohl zu Jerusalem (J. A. Knudtzon: Die El-Amarna-Tafeln. Leipzig 1915, Nr. 290: 16; dazu O. Schroeder: Zu Berliner Amarna-Texten. OLZ 1915, Sp. 295); der Name bedeutet wahrscheinlich »Sitz des Gottes *Laḥmu*« (bzw. *Laḥ*, so jedenfalls van A. Selms: A forgotten God: Laḥ. In: Studia Biblica et Semitica. Vriezen-Festschrift. Wageningen 1966, S. 318–326). Heute *beitlaḥm*, 7 km südlich von Jerusalem (Abel: Géographie II, S. 276; Simons: Texts, § 686; BHH I, Sp. 233). g) Gn 22,8; auch 1 Sam 16,17. Beachte den Unterschied zu 1 Sam 9,16 נָגִיד.

2 a) GK § 159g. b) Vgl. Gn 15,9; Dt 21,3f.

3 a) קָרָא בְּ ist zwar ungewöhnlich, dennoch ist es nicht berechtigt, mit S. R. Driver, Budde, Smith, Dhorme und den meisten in לְ zu ändern (nach 𝔊 *εἰς τὴν θυσίαν*). בְּ erklärt sich auch nicht als ungeschickte Retusche, durch die die Alleinzuständigkeit Samuels betont werden soll (so Böklen: ZAW 1929, S. 328), sondern ist eher daher zu verstehen, daß das Motiv des Opfers ja nachher nicht weiter ausgeführt ist.

4 a) 𝔊 + *πάντα*. b) Vgl. 21,2. 𝔗 neutral ואתכנישו; an sich braucht חָרַד nicht notwendig ein Moment der Furcht zu enthalten, doch liegt das hier wohl am nächsten; Ehrlich denkt an ein freudiges Entgegeneilen. c) Zum Sg. in unpersönlicher Bedeutung vgl. GK § 144d (anders § 145u), BroS § 36d (S. R. Driver הָאֹמֵר). Seb וַיֹּאמְרוּ, wonach zumeist geändert wird. d) Seb 𝔊 הֲשָׁלוֹם (wie 1 Reg 2,13), danach z. B. Budde, Smith, Dhorme u. a.; indessen kann die Frage sehr wohl im Ton liegen (GK § 150a, S. R. Driver), bekommt dadurch sogar einen besonderen Nachdruck. e) 𝔊 + *ὁ βλέπων*, so auch 4 QSam[b] (Cross: JBL 1955, S. 166).

5 a) Form der Bejahung, GK § 150n; Lande: Wendungen, S. 62. b) Zum Zwecke der Teilnahme an einer Opfermahlzeit, vgl. Num 11,18. In dieser Hinsicht Parallelwort zum Folgenden (𝔗 neutral אִזְדַּמְּנוּ), braucht aber deswegen nicht gestrichen zu werden (Ehrlich). c) 𝔊 *καὶ εὐφράνθητε μετ' ἐμοῦ σήμερον*, eine andere Rezension (nach Dt 12,12.18); als besserer Text von Wellhausen, Budde, Smith, Dhorme u. a. übernommen (vgl. auch Cross: JBL 1955, S. 166). Schwerlich ist 𝔊 nachträgliche Korrektur, um das Fehlen der Bewohner beim

Opfer zu begründen (Hertzberg). d) Vgl. 1 Sam 7,1; hier hat קָדַשׁ eine speziellere Bedeutung. e) Nach dem Vorhergehenden eigentlich überflüssig; hier beginnt die Heraushebung der Familie Isais.

6 a) Unklare Beziehung des Suffixes. Gemeint sind Isai und seine Söhne. b) Zur Bedeutung des Namens und dem Hintergrund seiner Entstehung NothPers, S. 141 f. c) Zu אַךְ als nachdrücklicher Unterstreichung einer Überzeugung (Gn 44,28; Jdc 3,24; 1 Sam 25,21 u. a.) N. H. Snaith: The Meaning of the Hebrew אַךְ. VT 1964, S. 221 ff. Eine Notwendigkeit, אָכֵן zu lesen (Dhorme), besteht nicht. d) Wörtl. »steht vor Jahwe sein Gesalbter«; ein zwar ungewöhnlicher, aber aus der vorausgesetzten Situation verständlicher Ausdruck; die Änderung נְגִיד יהוה (Perles I, S. 64) ist trotz mancher Zustimmung (zuletzt wenigstens dem Inhalt nach J. J. Glück: Nagid-Shepherd. VT 1963, S. 149) unmöglich, weil נָגִיד sonst immer in Beziehung zum Volk erscheint. Unwahrscheinlich auch die Annahme der falschen Auflösung eines Personalsuffixes נֶגְדִּי (Bruno: Epos, S. 74). Unnötig, wenn auch dem Sinne nach richtig, ist die Änderung הִגִּיד (Dhorme). Die Erklärung »zu Jahwe paßt sein Gesalbter« (Ehrlich, Greßmann, Schulz) trägt einen fremden Gedanken ein. Caspari hilft sich durch Streichung.

7 a) Entweder als Adjektiv (vgl. GK § 132c; BroS § 15a) oder auch als Inf. cstr. (Ehrlich) verstanden. Vgl. jetzt aber auch dazu B. Jongeling: Les formes QTWL dans l'Hébreu des manuscripts de Qumran. RQum 1958/59, S. 494. Die Vokalisierung גֹּבַהּ (S. R. Driver, vgl. auch BH³) erübrigt sich auf jeden Fall. b) Auffallend starker Ausdruck, im Blick auf Kap. 15 verständlich; vgl. dazu die Schilderung Sauls 10,23. c) 𝔊 ὡς = כַּאֲשֶׁר (auch von 𝔗𝔖𝔙 vorausgesetzt), dann ὄψεται ὁ θεός (𝔙 »ego judico«, wohl freie Paraphrase nach 𝔐), was auch 4 QSam[b] gehabt zu haben scheint (Cross: JBL 1955, S. 166). Das Fehlen der Apodosis in 𝔐 ist nicht als Anakoluth, sondern als Homoioarkton zu erklären und wird mit Recht von den meisten, z. B. Wellhausen, S. R. Driver, Budde bis Hertzberg (dieser nach 𝔙), ergänzt. Unwahrscheinlich, weil auf falscher Einschätzung der zweiten Begründung beruhend, der Vorschlag יָשָׁר für אֲשֶׁר (Ehrlich) oder die »Textsäuberung« כַּאֲשֶׁר לֹא יִרְאֵנִי Bruno: Epos, S. 74. d) Ungeschickte Einführung durch ein zweites כִּי könnte Zeichen späterer Auffüllung sein, zumal es den ersten Gedanken reichlich umbiegt; es darf jedenfalls nicht zur Voraussetzung von Textrekonstruktionen gemacht werden (vgl. Anm. c). e) Zur Form GK § 35g; BLe § 31g. 𝔊 εἰς πρόσωπον führt weder auf פָּנִים (Smith, Tiktin) noch מַרְאֵה עֵינַיִם (Budde, Kittel) oder לְפִי עֵינַיִם (Klostermann). Zu עֵינַיִם »Aussehen« vgl. Lev 13,55; Num 11,7, dort allerdings Sg., deswegen S. R. Driver auch hier לְעֵינוֹ. Unter der Voraussetzung nachträglicher Erweiterung könnte auch ausdrücklich Korrektur zu V. 12 beabsichtigt gewesen sein. Gemeint ist jedenfalls das Auge des Objekts, nicht des Subjekts (so z. B. 𝔗: »die Menschen sehen mit ihren Augen, aber Gott sind die Gedanken des Herzens offenbar« [ähnliche Auffassung bei Klostermann, Ehrlich, Caspari]).

8 a) 𝔊 'Αμειναδάβ (so auch zu 7,1; anscheinend häufiger Name. Bedeutung: »freigebig hat sich die Gottheit [אָב theophores Element] gezeigt« [NothPers, S. 70.193]). b) Unklares Subjekt, aber wahrscheinlich ist doch Samuel gemeint (anders Klostermann). c) GK § 102g.

9 a) 2 Sam 13,3.32; 21,21 (Qere) שִׁמְעָה (Ketib שִׁמְעִי) = 1 Chr 2,13; 20,7 שִׁמְעָא zum Namen NothPers, S. 38.185.

10 a) Danach ist David der achte Sohn (wie 17,12), während 1 Chr 1,13–15 nur sieben Söhne mit Einschluß Davids nennt. Budde denkt deswegen auch hier an alle Söhne unter Einschluß Davids. Aber dem Namen nach bekannt werden in Sam immer nur vier Söhne, so daß überhaupt mit nachträglicher Ausweitung der Zahl zu rechnen ist (de Vaux). Zur Sache vgl. auch Cyrus H. Gordon: JBL 1951, S. 161. b) Fehlt 𝔊𝔖 (danach von manchen, z. B. Schulz, Caspari u. a., getilgt), womit eine Entscheidung darüber getroffen wird, ob die Salbung hier als heimliche Salbung zu verstehen ist.

11 a) Vgl. Dt 31,24.30; Ergänzungen erübrigen sich. b) שָׁאַר im Qal ungewöhnlich, scheint auch 𝔊 (ἔτι ὁ μικρός) zu fehlen, was aber nicht zur Streichung berechtigt (Wellhausen, Budde, Dhorme, Caspari; Ehrlich עוֹד אַךְ), da שאר als Erzählungsmotiv Bedeutung gehabt zu haben scheint (vgl. das schwierige נִשְׁאָר 9,24, dazu Stoebe: VT 1957, S. 366). c) Beispiel eines Energieimp. BLe § 48c'. d) 𝔊 κατακλιθῶμεν führt nicht auf נָשֵׁב (Löhr, Nowack, Gutbrodt; vgl. auch bei S. R. Driver), sondern kann gut נסב voraussetzen. סבב Hiphil hat im jüngeren Hebräisch die Bedeutung »zu Tische liegen« (vgl. Cant 1,12, der zeitliche Ansatz dieser Stelle

ist allerdings unsicher); danach wird es zumeist auch hier verstanden (Kittel, Dhorme, de Vaux, unter Änderung in נָסֵב Greßmann), wobei Budde, Ehrlich hierin ein Kennzeichen später Entstehung sehen; indessen würde das dem Wesen des Stückes schlecht entsprechen. Andere (z. B. Caspari, de Groot, ähnlich Smith, Hertzberg) denken nach Gn 37,7; Jos 6,3ff. an einen kultischen Umgang; dagegen spricht aber wohl, daß der Opfergedanke hier schon gänzlich zurückgetreten ist. 𝔖 unter Änderung der Person »ich will nicht umkehren« scheint das Richtige getroffen zu haben (vgl. 15,12.27). Am wahrscheinlichsten also die Übersetzung »wir wollen nicht eher weggehen«. Vgl. dazu auch Stoebe: VT 1957, S. 366. e) Fehlen in 𝔊 begründet nicht Streichung (Budde, Schulz, Kittel), sondern erklärt sich aus deren Situationsverständnis.

12 a) Zu אַדְמֹנִי im Sinne von »schön« siehe Edw. Ullendorf: Contribution of South Semitics to Hebrew lexicography. VT 1956, S. 192. עִם in der Bedeutung »mit« ist vor יְפֵה schwierig (Budde, S. R. Driver), es sei denn, man verstünde יְפֵה als abstractum, wofür man sich allerdings nicht auf גְּבֹהַּ V. 7 berufen dürfte (s. dort). So wird es schon von 𝔊 *μετὰ κάλλους ὀφθαλμῶν* aufgefaßt, während 𝔗𝔙 עִם ausgelassen bzw. paraphrasiert haben. BroS § 113 versteht es adverbial als »dazu«, ebenso Hertzberg, van den Born (aber auch schon Keil); damit bekäme allerdings eine Hauptaussage den Charakter eines begleitenden Nebenumstandes. Daß 17,42 eine fast gleichlautende Beschreibung Davids vorliegt, warnt vor Textänderungen (עֶלֶם z. B. Smith, Dhorme, de Vaux. אָדֹם וְנָעִים z. B. Budde, Ehrlich, Greßmann, was zwar graphisch möglich wäre, aber einen dem Zusammenhang fremden Gedanken eintrüge. שֵׂעָר Joüon, P.: Notes de critique textuelle. MUB 5/2. 1912, S. 469, auch schon Klostermann; in gleiche Richtung weist das von Wutz: Systematische Wege, S. 721 willkürlich angenommene יֶמַע), ebenso vor Streichung als Dittogr zu עֵינַיִם (Caspari, de Groot, vgl. auch 𝔗). Wahrscheinlich handelt es sich um einen sonst nicht bekannten Ausdruck und ist unerklärbar. b) 17,42 יְפֵה מַרְאֶה, vgl. auch V. 7. c) Zur Pausaform BLe § 72 j'. 𝔊 + *τῷ κυρίῳ*, theologisierende Erweiterung in Richtung von V. 7. d) 𝔊 *τὸν Δαυὶδ*, aus der Erwägung, daß der Name noch nicht genannt war. e) G + *ἀγαθός*, Erweiterung aus demselben Geist wie c.

13 a) Trotz offenbaren Widerspruchs zu 17,28 darf es nicht harmonisierend als »aus dem Kreise seiner Brüder heraus« (Schulz, Hertzberg), darf es auf der anderen Seite aber auch nicht als beabsichtigter Gegensatz zur geheimen Salbung Sauls (so Ehrlich) aufgefaßt werden. b) Der Name begegnet an dieser Stelle zum erstenmal. Zur Bedeutung Exkurs S. 306. c) Fehlt 𝔖; zum Ausdruck vgl. 10,23.

16,1–13 DIE SALBUNG DAVIDS[1] bildet, wie schon Wellhausen[1a] richtig erkannte und wie auch von anderen Vertretern der Quellenscheidung zugestanden wird[2], ein vergleichsweise junges Überlieferungsstück[3], das aus dem Verlangen entstanden ist, die Legitimierung des Königtums Davids in seine Jugend, d. h. also noch in die Regierungszeit Sauls zu verlegen, diese Legitimität auch dadurch zu unterstreichen, daß er seine Weihe durch denselben Gottesmann empfängt, der Saul gesalbt hat[4]. Das bedeutet aber noch nicht, daß es sich hierbei um einen späten Midrasch handeln müsse[5], denn das Interesse an der Jugend eines Helden, die Frage danach, ob in ihr seine spätere Würde bereits vorgezeichnet war, ist eine durchaus urtümliche Erscheinung. Der Sprachgebrauch dieses Abschnittes ent-

1. Zum Stil dieser Perikope siehe jetzt Kessler, M.: CBQ 1970, S. 543–554.

1a. Composition, S. 247.

2. Z. B. Budde, Dhorme.

3. So zuletzt wieder Schunk: Benjamin, S. 84f.

4. Greßmann, de Vaux. Vgl. hierzu und zum Folgenden überhaupt jetzt auch Weiser: VT 1966, S. 325–354 (327).

5. Z. B. Budde.

hält schließlich nichts, was zwingend (vgl. Anm. d zu V. 11) auf sehr späte Entstehung weist[6]. Auch hat die Überlegung kein entscheidendes Gewicht, daß Beziehungen zwischen David und Samuel notwendig ungeschichtlich sein müßten, weil sie nur hier und 19,18 erwähnt werden[7], denn das müßte auch eine Verbindung zwischen Saul und David in Frage stellen[8]. Wenn freilich auf der anderen Seite Nübel[9] in V. 1–13 (mit Ausnahme von V. 13a) einen historischen Kern und den gegenüber V. 14ff. älteren Überlieferungsbestand finden will, nach dem Samuel im Auftrag eines mit Saul unzufriedenen amphiktyonischen Kreises den David heimlich gesalbt habe, so gelingt das nur um den Preis, daß er die exegetischen Feinheiten des Textes nicht ausdeutet, außerdem konsequent auf die Frage verzichtet, warum dann nach dem Tode Sauls David nicht sofort Anerkennung im Norden fand und auf die schon geschehene Salbung später überhaupt nicht Bezug genommen wird. Ebensowenig ist es wahrscheinlich, daß diese Verse einmal den Abschluß der alten Saultradition gebildet haben[10], an die sich mit V. 14ff. die Geschichte vom Aufstieg Davids anschloß[11]. Für eine solche Annahme erscheint der Charakter der Salbung doch zu bedeutsam, dazu das hier ausgesprochene Verwerfungsurteil zu unbeteiligt. In der gegenwärtigen Form stellen die Verse eine redaktionelle Überleitung von der Vita Sauls zu der Davids dar; es könnte sogar sein, daß das Stück als Ganzes dieser Absicht seine Entstehung verdankt, also literarischen Ursprungs ist[12]. Dann wird es jünger als der Grundbestand von Kap. 15, aber ungefähr gleichzeitig mit der anzunehmenden ausformenden und unterstreichenden Bearbeitung dieser Überlieferung sein. Von einer Zugehörigkeit zum Kreis der Gilgalüberlieferungen[13] läßt sich nichts feststellen.

V. 1 ist in der Wortwahl auf die Überleitung zu Kap. 15 abgestimmt. Das Moment der Furcht Samuels vor Saul, nach Kap. 15 überraschend, setzt die Kenntnis von Sauls Rache an den Priestern von Nob Kap. 22 voraus und bereitet zugleich die Opfermahlzeit in Bethlehem vor. Die Darstellung ist in ihren Elementen dem Bericht von der Salbung Sauls 9,1–10,16 verwandt[14], hat also dieselbe Funktion im Ganzen der Davidgeschichte, doch weist sie in der Durchführung der einzelnen Züge eine weiterentwickelte, zugleich verschliffene Form auf. Die zweifellos im Text vorhandenen Unklarheiten[15] sind geradezu ein Hinweis darauf, daß hier weniger alte Überlieferung als theologische Absicht vorliegt[16]. Das Verständnis dafür, welche Bedeutung die Ältesten und eine zum Vollzug der Opfermahlzeit

6. Budde, schon ZAW 1892, S. 46f.; Pfeiffer: Introduction, S. 361.
7. Etwa Greßmann, S. 63.
8. Vgl. o. S. 297.
9. Aufstieg, S. 128; ähnlich schon Jirku: Geschichte, S. 124.
10. Noth: Studien, S. 62.
11. Die freilich der Deuteronomist schon vereinigt vorgefunden hätte.
12. Darauf kommen auch Budde, Wellhausen, Greßmann u. a. hinaus; beachte aber die oben gemachte zeitliche Einschränkung.
13. So Hertzberg.
14. Vgl. dazu Stoebe: VT 1957, S. 365.
15. Vgl. zur Sache etwa Budde.
16. Stoebe: ThZ 1962, S. 385ff.

versammelte Gemeinschaft (2 Sam 5,3; 1 Reg 1,9) im Zusammenhang einer Königsproklamation hatten, ist hier verloren; deswegen kann, anders als Kap. 9, diese Linie auch einfach fallengelassen werden, weil sie für das Geschehen selbst keine Bedeutung mehr hatte. Jedenfalls besteht kein Anhalt für die Vermutung, daß diese Opferhandlung einmal Ziel der Darstellung war, weil die Willensmitteilung Jahwes beim Opfer erfolgte, daß der Zug dann aber spiritualisierend aufgegeben wurde[17], mag auch die schriftgelehrte Auslegung in diese Linie weisen. Das ist schon deswegen unmöglich, weil das Schwergewicht bei den Söhnen Isais liegt und damit der Gedanke an die Ältesten überlagert ist, was Breiten (vgl. Anm. c zu V. 5) und Unklarheiten (vgl. Anm. a zu V. 6) zur Folge hatte. Das kennzeichnet zugleich den Bereich, aus dem dieser Überlieferungszug stammt, bzw. in dem er sich gebildet hat.

In der Kontrastierung Davids mit seinen Brüdern kommt ein Zug hinein, für den die Josephsgeschichte Vorbild gewesen ist und der sich ähnlich auch in 17,12ff. findet. Damit bleibt auch die Frage, ob die Salbung heimlich gewesen sei, in der Schwebe (vgl. Anm. a zu V. 13); das בְּקֶרֶב אֶחָיו darf jedenfalls nicht von 10,1 her interpretiert werden. Auf der anderen Seite kann hieran eine Grundüberzeugung exemplifiziert werden, die aus den charismatischen Beauftragungsgeschichten geläufig ist (Jdc 6,15; 1 Sam 9,21). Der, der noch nicht einmal kultfähig ist und deswegen nicht zum Opfer hinzugezogen wird[18], ist der, den Gott zu großen Taten bestimmt hat. Das רֹעֶה בַּצֹּאן (vgl. Gn 37,2) unterstreicht diese Geringheit, darf aber nicht dahin gepreßt werden, daß David in Vertretung seiner abgerufenen Brüder draußen bleiben mußte, was Caspari dann dazu verleitet, in der Salbung eine Art Großjährigkeitserklärung zu sehen, die in der Gegenwart der Brüder vollzogen und von ihnen anerkannt wird. In dieser Linie liegt es weiterhin, daß der Name nicht genannt ist, was sich ebenso in dem gleichfalls zu volkstümlicher Erweiterung gehörenden Stück 17,55ff. angedeutet findet. Wiesmann[19] hat gerade mit dieser Beobachtung seine Annahme begründen wollen, daß der Salbung einmal die Besiegung des Philisters vorausgegangen sein müsse, hat indessen dabei übersehen, daß Salbung und Geistbegabung hier eine Einheit bilden. Durch die Sentenz V. 7b, die wohl aus dem Weisheitsdenken stammt[20] und direkt auf der Ebene volkstümlicher Sprichwörter liegt, wird nicht nur die Überzeugung von der freien Wahl Jahwes, die sich vor menschlichem Urteil nicht zu rechtfertigen hat, verflacht (vgl. Anm. d zu V. 7), sondern darüber hinaus ein deutlicher Widerspruch zu V. 12 hergestellt. Die Aussage dort von Davids Schönheit (vgl. V. 12a) dürfte am ehesten den Eindruck wiedergeben, den David auf seine Zeitgenossen gemacht hat[21], und nicht konventionelles Königsprädikat sein[22], denn 17,42 wird damit die Verachtung Goliaths für den »Milchbart« begründet,

17. Boeklen: ZAW 1929, S. 327f.
18. So richtig Caspari.
19. ZKTh 1914, S. 404.
20. Vgl. z. B. Prv 10,21; 11,10; 14,30; 15,7.11; 16,5.
21. Caspari denkt daran, daß David im Unterschied zu Saul von kleinerer Statur war, was durchaus möglich ist.
22. Von Rad: Theologie I, S. 320.

und da handelt es sich schwerlich um einen ungeschickten Einschub. Ebensowenig ist an die Schönheit des dem Knabenalter Entronnenen als Kennzeichen rechter innerer Haltung zu Gott im Gegensatz zu äußerer Gestalt und körperlicher Größe zu denken[23].

Die Einführung Davids als eines von der Herde weggeholten Hirtenknaben – nicht auf einer Ebene mit 9,1 ff. liegend – kann zunächst als Ausweitung eines in 17,34ff. anklingenden Gedankens angesehen werden; inhaltlich könnte man auch hier an die Verbindung eines gemeinorientalischen Königsprädikats[24] mit dem israelitischen Theologumenon von der äußerlichen Unauffälligkeit des charismatischen Führers denken, doch ist bei all solchen Überlegungen Vorsicht geboten. Auch die Siebenzahl der Brüder Davids erklärt sich am einfachsten aus dem Charakter der Sieben als vollkommener Zahl, der Acht als herausgehobener Glückszahl[25], ohne daß von daher auf die Einwirkung eines pattern auf die Ausformung der Davidsgeschichte[26] geschlossen werden müßte[27].

Den deutlichsten Unterschied zu 1 Sam 9,1 ff. zeigt der Bericht von der Salbung selbst. Das Königtum ist bereits eine feste Größe. Salbung[28] und Geistbegabung stehen nicht mehr selbständig und im letzten noch unausgeglichen nebeneinander, sondern das zweite ist dem ersten unter- und eingeordnet. Die Verleihung des Geistes leitet einen Zustand der Geistbegabung[29] ein (vgl. dazu 2 Sam 23,2; Jes 61,1; vielleicht auch Jes 11,2) und ist die selbstverständliche Folge der Salbung[30]. Der Unterschied zu Kap. 9 darf nicht durch die Erwägung bagatellisiert werden, daß die Trennung von Salbung und Geistempfang bei Saul sich so erkläre, daß vom Augenblick der Salbung an der Geist in ihm latent vorhanden war und nur noch eines äußeren Anstoßes zu seiner Manifestation bedurfte[31]. Ebenso trifft die Frage, ob man vom Geistbesitz Davids ohne vorhergehende Salbung[32] sprechen könne, nicht eigentlich die Sache. Es war doch eine durchaus richtige Beobachtung Wellhausens[33], wenn er anmerkte, wie wirkungslos hier die Salbung, auch in psychologischer Hinsicht, auf David bleibt. Dabei ist aber der theologische

23. Willy Staerk: Zum alttestamentlichen Erwählungsglauben. ZAW 1937, S. 6.

24. Vgl. zur Sache Bernhardt: Königsideologie, S. 84; sonst noch einerseits Engnell: Kingship, S. 194, andererseits Vincent Hamp: Das Hirtenmotiv im Alten Testament. In: Faulhaber-Festschrift. 1949, S. 7–20 f. Vgl. dazu jetzt auch Gottlieb: DTT 1966, S. 11–21, der dieses Motiv direkt aus 2 Sam 7,8 aβ herleiten will.

25. Vgl. zur Sache ATAO, S. 822; RGG VI. 3. Aufl. 1962, Sp. 1862.

26. John Gray: The legacy of Canaan. VTS 5. 1957, S. 215 (2. Aufl. 1965, S. 309); zur Sache jetzt auch Carlson: David, S. 191.

27. Zur Wahl eines Königs aus der Zahl seiner Brüder verweisen Greßmann, Caspari (Thronbesteigung, S. 151) auf ein spätägyptisches Beispiel (AOT, S. 101), ohne daß das hier aber eine Relevanz hätte.

28. Zur Salbung s. o. S. 208 f. und zu 24,7.

29. Vgl. dazu Robert Koch: Geist und Messias. 1950, S. 29; Lys: EThR 1954, S. 31; auch Rûach, S. 89. Auf diese Entwicklung weist schon Caspari hin.

30. מֵהַיּוֹם הַהוּא וָמָעְלָה V. 13.

31. So North: ZAW 1932, S. 16.

32. Nübel: Aufstieg, S. 20.

33. Composition, S. 250.

Hintergrund der hier zutage tretenden Entwicklung übersehen. Die Kap. 9 vorliegende Überlieferung ist unter dem Gesichtspunkt zusammengewachsen, zu zeigen, daß ein Charismatiker rechtens König wird. Hier geht es darum, daß der, der de facto König ist, natürlich auch Charismatiker und geistbegabt ist. Dabei ist der Unterschied in der Wortwahl zwischen מֶלֶךְ und נָגִיד wohl zu beachten; er liegt in der Sache; beide Begriffe sind nicht als synonym aufzufassen[34].

Der Name David, der hier zum erstenmal begegnet, ist wahrscheinlich Ausdruck elterlicher Zärtlichkeit und bedeutet »Liebling[35]«. Er ist entweder als Part. Pass. der Wz. דוד[36], vielleicht auch als ein nach מָשִׁיחַ[37] bzw. נָשִׂיא[38] umvokalisiertes דּוֹד aufzufassen oder unter Trennung von דָּד und דּוֹד von der Wz. דוד, Nebenform zu ידד arab. *wadda* »lieben«, abzuleiten[39]. Eine andere Deutung[40] sucht darin einen Ersatznamen, durch den die Erinnerung an einen verstorbenen Verwandten lebendig erhalten werden soll. Für jede dieser Erklärungen handelt es sich dabei um einen konkret-individuellen Personennamen. Das ist nicht unbestritten. Eine verbreitete Annahme sieht in דָּוִד, das als theophores Element eines Kurznamens aufgefaßt ist, den Namen einer in Jerusalem verehrten Gottheit[41], die im Zusammenhang mit dem Vegetationskult steht. In dieser Linie liegt es, wenn Engnell[42] an ein Appellativum für den im König verkörperten Vegetationsgott denkt und darin auch Nachfolger gefunden hat[43]. Allerdings ist die Schwäche dieser Anschauung, daß für sie der unbestreitbar sichere Beleg aus dem Alten Testament nicht beizubringen ist, der hier gefordert werden muß. Auf der anderen Seite glaubte man, wenigstens eine Zeitlang[44], aus dem in den Maritexten begegnenden *dawidum*[45] auf einen militärischen oder sonstigen Führertitel als Grundbedeutung schließen zu können[46]. Allerdings hat sich diese Annahme als nicht tragfähig erwiesen, weil der in Frage stehende Ausdruck in seinem Kontext die allgemeinere Bedeutung »eine Niederlage beibringen« hat[47]. Es spricht also nichts dafür, daß דָּוִד als appellative Bezeichnung einen eigentlichen Personennamen verdrängt[48] hat, entweder nach der Eroberung Jerusalems durch die Übertragung des Namens des dortigen Stadtgottes[49] oder in der Zeit des Söldnerführertums Davids und seiner militärischen Erfolge[50].

34. So wieder Thornton: JThS 1963, S. 1ff. Vgl. Anm. b, auch zu 2 Sam 5,2.
35. NothPers, S. 223.
36. Wilhelm Gesenius: Hebräisches und Chaldäisches Handwörterbuch über das Alte Testament. 4. Aufl. 1834, Sp. 425.
37. Greßmann: Messias, S. 104.
38. W. Wittekindt: Das Hohe Lied und seine Beziehungen zum Istarkult. 1926, S. 83.
39. NothPers, S. 183, Anm. 4; vollständige Bibliographie Stamm: VTS 7. 1959, S. 166, Anm. 4.
40. Stamm: a. a. O.
41. KAT³, S. 227; Greßmann: Messias, S. 103; zuletzt noch G. W. Ahlström: Psalm 89. Eine Liturgie aus dem Ritual des leidenden Königs. 1959, S. 163; er zieht eine Verbindung zum Vegetationsgott Mot, als dessen Sohn der König in kultideologischer Funktion vorgestellt worden sein soll.
42. Studies in Divine Kingship in Ancient Near East. 1943, S. 176f.
43. Weitere Belege hierzu und zum Folgenden VTS 7. 1959, S. 169ff.
44. Das findet sich freilich noch bei John Gray: Archaeology and the Old Testament World. 1962, S. 137.
45. Belege bei Jean Robert Kupper: Les nomades en Mésopotamie au temps des rois de Mari. 1957, S. 58ff.
46. So z. B. Walter v. Soden: Das altbabylonische Briefarchiv von Mari. WO 1947/52, S. 197.
47. Vgl. dazu J. R. Kupper: Les nomades en Mésopotamie au temps des rois de Mari. 1957, S. 61f.; vor allem Hayim Tadmor: The Campaigns of Sargon II of Assur. JCS 1958, S. 22–40; Historical implications of the correct rendering of Akkadian Dâku. JNES 1958, S. 129ff.
48. Vgl. dazu zu Kap. 17 u. S. 314; auch zu 2 Sam 21,19.
49. So z. B. Stanley Artur Cook, in: CAH II, S. 393.
50. So z. B. Noth: Geschichte, S. 165, Anm. 2; v. Pákozdy: ZAW 1956, S. 257f.; James Muilenburg: The birth of Benjamin. JBL 1956, S. 201.

16,14–23 David kommt zu Saul

14 Der Geist Jahwes war von Saul gewichen, und ein böser Geist von Jahwe[a] überfiel ihn immer häufiger[b]. 15 Sauls Knechte redeten ihm zu: »Das sieht jeder, ein böser[a] Gottesgeist überfällt dich[b]. 16 Wollte doch unser Herr einen Befehl geben[a], deine Knechte sind ja deines Winks gewärtig, daß deine Knechte einen Mann suchen sollen[b], der sich aufs Saitenspiel versteht[c]; wenn dich dann ein böser Gottesgeist[d] überfällt, soll seine Hand[e] die Saiten rühren, und es wird dir wieder wohl werden[f].« 17 Also gab Saul seinen Knechten den Auftrag: »So schaut euch für mich nach einem Mann um, der (auch) ein kunstfertiger[a] Spielmann ist, und bringt ihn dann zu mir.« 18 Einer aus der Schar seiner Knappen hatte eine Antwort und sagte: »Da habe ich doch einen Sohn des Isai aus Bethlehem gesehen, der versteht zu spielen, ist aus angesehener Familie[a], ein tüchtiger Soldat[b], der ein verständiges Wort zu sagen vermag[c], eine gute Erscheinung, und – Jahwe ist mit ihm[d].« 19 Darauf sandte Saul Boten zu Isai und ließ sagen: »Schicke doch den David[a], deinen Sohn, zu mir, [der bei der Herde ist][b].« 20 Isai nahm einen Esel[a], ⟨dazu Brot⟩[b], einen Schlauch Wein und ein Ziegenböckchen und sandte es mit David, seinem Sohn, Saul zu. 21 So kam David zu Saul und stand in seinem persönlichen Dienst[a]; und er gewann ihn sehr lieb, so daß er (sogar) sein Waffenträger wurde[b]. 22 Darum schickte Saul zu Isai mit der Bitte: »Der David soll doch in meine Dienste treten[a], denn er hat mein Wohlwollen gefunden[b].« 23 Und jedesmal[a], wenn ein Gottesgeist[b] über Saul kam, nahm David die Leier, und seine Hand rührte die Saiten; dann bekam Saul Erleichterung[c], es wurde ihm wieder wohl, und der böse Geist[d] wich von ihm.

14 a) Beachte den im Sprachgebrauch bestehenden Unterschied zwischen רוּחַ יְהוָה und רוּחַ רָעָה מֵאֵת יְהוָה (Ausnahme 19,19 s. dort). Zur Sache vgl. Eichrodt: Theologie II/III, S. 30; auch Lys: Rûach, S. 56; zum Vorliegen ähnlicher Vorstellungen vom Wesen der Krankheit im alten Orient vgl. Joh. Hehn: Zum Problem des Geistes im Alten Orient und im Alten Testament. ZAW 1925, S. 221. Die hinter Jdc 9,23; Num 5,14 stehenden Vorstellungen liegen wohl etwas anders. b) Perf. cons. nach Perf. in iterativer Bedeutung, GK § 112h.

15 a) 𝔊 *κυρίου* statt אֱלֹהִים, nur Ungenauigkeit (vgl. V. 16, auch 19,9) und kein Grund zu Änderungen (Bruno: Epos, Streichung von אֱלֹהִים, Smith von רָעָה). b) Zur Form GK § 80g; BLe § 77d'.

16 a) 𝔊 *εἰπάτωσαν οἱ δοῦλοί σου ἐνώπιόν σου*, Erleichterung unter Umstellung des אֲדֹנֵנוּ nach יְבַקְשׁוּ von vielen (z. B. Wellhausen, Smith, Dhorme, Caspari) übernommen, wobei אֲדֹנֵנוּ entweder getilgt oder als Vokativ verstanden wird; 𝔖 fehlt es ganz (so Klostermann). Beachtenswert die Erwägung S. R. Drivers, daß יֹאמַר einen direkten Befehl voraussetzt. b) Zwei verschiedene Gedanken ineinandergeschoben: »deine Knechte sollen suchen«, von יֹאמַר abhängig, und die Versicherung der Ergebenheit »deine Knechte sind zu einem Dienst bereit«. Daraus ergibt sich die sprachlich schwierige Häufung der Begriffe sowie die fließende Bedeutung von אמר (S. R. Driver). וַעֲבָדֶיךָ (Tiktin) beseitigt nicht die Härte des Ausdrucks עֲבָ״ לְפָנֶיךָ. c) Zum Nebeneinander zweier Partizipien vgl. Pr. Wernberg-Møller: Observations on the Hebrew participle. ZAW 1959, S. 65; vgl. auch BroS § 103a, auch schon S. R.

Driver unter Verweis auf 3,2. Damit erübrigt sich die Annahme einer Alternativlesart (Boström: Alternative Readings, S. 34; GK § 120b; vgl. Wellhausen, Hertzberg u. a.) oder die zumeist vorgenommene Änderung in einen Inf. (𝔊𝔗 Inf; 𝔖 Part sind Erleichterungen). d) אלהים fehlt 𝔊 (vgl. Anm. a zu V. 15). Zur Konstruktion וְהָיָה בִּהְיוֹת siehe M. Johannessohn: Die biblische Einführungsformel *καὶ ἔσται*. ZAW 1942/3, S. 135. e) Wörtl. »mit seiner Hand«; Fehlen in 𝔊 (dafür aber *ἐν κινύρᾳ αὐτοῦ*) charakterisiert anderes Sprachdenken. Zu כִּנּוֹר »die Kastenleier« s. BRL, Sp. 390f. f) Zur Sache A. Machabey: Notes sur les rapports de la musique et de la médecine dans l'antiquité Hébraique. Revue de l'Histoire de la Médecine Hébraique (Paris) 1952, S. 117–135.

17 a) Jes 23,16; Ez 33,32; Ps 33,3.

18 a) Vgl. zu 9,1h. 𝔊 *συνετός* aus *δυνατός* verschrieben (so Wellhausen). b) Allgemeine Kennzeichnung militärischer Tüchtigkeit und Qualifizierung (von Rad: Krieg, S. 41, Schilderung der Kallokagathia des jungen israelitischen Mannes), nicht notwendig Hinweis darauf, daß David bereits im Kampf erprobt war. c) Nicht schlagfertig (Löhr) oder redegewandt (von Rad: Krieg, S. 41), sondern einer, der ein gutes Wort zu sagen weiß, einen guten Rat geben kann (zur Bedeutung dessen vgl. 2 Sam 16,23). Zum Ausdruck vgl. Jes 3,3. d) Ist für das Bild der menschlichen und militärischen Tüchtigkeit Davids nicht unbedingt erforderlich, dennoch integrierender Bestandteil der Darstellung, vgl. 17,37. Im übrigen ist die Charakterisierung folgerichtig aufgebaut und nicht auf den nachträglichen Eintrag später Erfahrungen zurückzuführen (vgl. etwa Tiktin, Caspari; Nowack will es als aus 14,52 gekommen ganz tilgen).

19 a) Die Nennung des Namens ist nicht verfrüht (so Caspari), sondern für die Kenntnis des Gesuchten notwendig. Sie kennzeichnet aber den Charakter der Darstellung in ihrer theologischen Ausrichtung. b) Nicht durch die Erzählung vorbereitet, die auf Hirtentum überhaupt nicht abzielt, harmonisierender Ausgleich.

20 a) Die Verbindung חֲמוֹר mit לֶחֶם in der vorauszusetzenden Bedeutung »Esel mit Brot« (Rehm) ist hart. Für den Wortlaut, der zu erwarten ist, vgl. 1 Sam 25,18; 2 Sam 16,1; 𝔗 führt ausdrücklich טעון »beladen« ein). 𝔊^{BA} *γόμορ* führt weder auf עֹמֶר, was ein zu niedriges, noch auf חֹמֶר, was ein zu hohes Maß wäre (trotz Ehrlich, der hierin eine Überhöhung Davids sehen möchte), sondern ist als Transkription zu verstehen (so wohl richtig de Boer: Research, S. 68). 𝔊^{L} *καὶ ἐπέθηκεν αὐτῷ γόμον* ist naheliegender Deutungsversuch und deswegen keine Grundlage für Verbesserungen. Dennoch wird von daher meist eine verschriebene Zahlangabe angenommen (entweder חֲמִשָּׁה, z. B. Greßmann, Schulz, de Vaux aus graphischen Erwägungen, oder, in Anlehnung an 17,17, עֲשָׂרָה, z. B. Wellhausen, Dhorme, S. R. Driver, Budde, Smith u. d. meisten) oder aber Wiedergabe durch eine allgemeine Mengenbezeichnung ohne besondere Erklärung vorgeschlagen (de Groot, van den Born). Budde denkt auch an וַיָּשֶׂם עָלָיו מַשָּׂא לֶחֶם Hertzberg nur an וַיָּשֶׂם עָלָיו. Dennoch scheint 𝔐 beizubehalten zu sein. Vgl. die Auslegung. b) Ergänze ein וְ (Stoebe: VT 1954, S. 183).

21 a) Siehe auch V. 16. Ausdruck für einen besonders vertrauten Umgang (1 Reg 12,8), vgl. de Vaux: Lebensordnungen I, S. 196; Budde »und wurde vorgelassen« (ähnlich S. R. Driver) ist nicht stark genug. b) Besondere militärische Qualifizierung innerhalb der Vertrauten; vgl. 14,1; auch 31,4.

22 a) Kein Widerspruch zu V. 21 (und deswegen als Variante zu tilgen, Greßmann, Tiktin; umgekehrt Caspari). Die scheinbare Spannung erklärt sich aus der fließenden Bedeutung der Formel עָמַד לִפְנֵי פ״, worin sich vielleicht schon die geschichtliche Entwicklung des Königsdienstes widerspiegelt (vgl. dazu Stoebe: VT 1954, S. 184). b) Zu מָצָא חֵן als Anerkennung der Leistung, Qualifizierung usw. durch einen Höhergestellten vgl. Stoebe: VT 1952, S. 245.

23 a) GK § 112ee. b) 𝔊 + *πόνηρον* (= 𝔅), pedantisch verdeutlichender Zusatz, um Mißverständnisse zu vermeiden. c) Vgl. Hi 32,20; in weiterem Sinne Jer 22,14. d) Vgl. GK § 126x; BroS § 60a. Smith erwägt nicht ohne Grund die Möglichkeit eines explizierenden Zusatzes.

16,14–23 DAVID KOMMT ZU SAUL ist der Einsatzpunkt für die Geschichte von Davids Aufstieg in weiterem Sinne. Daß V. 14–23 mit V. 1–13 keine ursprüngliche

Einheit bilden kann, weil sie die Salbung und Geistbegabung in keiner Weise voraussetzen, ist fast allgemein zugestanden. Soweit man durchlaufende Quellen postuliert[1], werden diese Verse über Kap. 15 hinweg unmittelbar an Kap. 14 angeschlossen; aber auch Caspari hält die Abtrennung unseres Abschnittes von 14,52 erst für nachträglich[2]. Lediglich Eißfeldt[3] rechnet beide Stücke seiner Quelle III zu und sieht in 16,14–23 die von vornherein beabsichtigte Folge von 16,1–13, weil hier der Wille Jahwes sich zu verwirklichen beginnt. Nun ist es sehr wohl möglich, ja wahrscheinlich, daß beide Einheiten unter dem Stichwort Geist zusammengestellt sind, ja, daß 16,14–23 die Voraussetzung für 16,1–13 gebildet hat – allerdings niemals umgekehrt[4]. Gegen eine ursprüngliche Zusammengehörigkeit spricht aber, daß die Auffassungen vom Wesen des Geistes und der Geistbegabung völlig verschieden sind, was Beyerlin durchaus richtig empfunden hat[5]. Diese Beobachtung entzieht auch der These Nübels, daß das וַתִּצְלַח רוּחַ יְהוָה אֶל־דָּוִד מֵהַיּוֹם הַהוּא וָמָעְלָה V. 13 der Salbungsgeschichte ursprünglich fremd und erst unter Einfluß von V. 14–23 eingefügt sei, jeden Boden. Im übrigen muß selbst Eißfeldt V. 18 u. 21 als aus dem Rahmen herausfallend an 14,52 anschließen, aber auch dann ist die Verbindung nicht einleuchtend. Was in V. 14–23 berichtet wird, hat nur einen äußerlichen Anklang an 14,52, steht sonst aber unter anderem Vorzeichen als Kap. 14. Wenn Kap. 13 u. 14 auch unter dem Wissen um den tragischen Ausgang stehen (vgl. o. S. 251. 275), so bilden sie doch eine in sich geschlossene Heldengeschichte, was die redaktionelle Zusammenfassung 14,47–51 (52) noch unterstreicht. Die Verse 16, 14–23 markieren also einen neuen, nicht vorbereiteten Einsatz, den Beginn der Davidbiographie[6].

14–18 David wird, wenn auch mittelbar, nach Abkunft und Wohnort eingeführt und in seinem Wesen charakterisiert. Die Umstände seines Eintritts in den Kreis Sauls sind so zu verstehen, daß damit sein späteres Königtum als legitime Nachfolge Sauls im Sinne der Fortsetzung des charismatischen Führertums erwiesen werden soll. Die Darstellung ist darum ganz nach vorne ausgerichtet und hat ihre direkte Fortsetzung in Kap. 17, ist sogar die Voraussetzung dafür und nicht ein vorweggenommenes Resumee der dort geschilderten Ereignisse[7]. Das Gefälle des Ganzen schließt die Annahme aus, daß diesem Bericht etwas vorangegangen und weggebrochen sei, was den Zustand Sauls begründet hätte[8], ganz

1. Vgl. zu dieser Frage jetzt auch Robert North: Referat Genf 1965.
2. 16,14:14,52a; 16,15:14,52b.
3. Komposition, S. 12.
4. So nämlich Nübel: Aufstieg, S. 92.
5. ZAW 1961, S. 194; seine Folgerung, daß der Redaktor hier den Verlust eines an sich unverlierbaren Königscharismas Sauls ausgleichend erklären wollte, ist freilich nicht zutreffend. Das gleiche gilt von der Auffassung Bernhardts (Königsideologie, S. 86), V. 14 solle erhärten, daß es immer nur einen Träger des Charismas geben konnte.
6. So wohl schon Greßmann, ursprünglich auch Kittel: Geschichte der Hebräer II. 1892, S. 41 f., obwohl er später (Geschichte des Volkes Israel II. 7. Aufl. 1925, S. 185) sehr viel zurückhaltender urteilt. Vgl. vor allem Noth: Studien, S. 62, auch van den Born.
7. Fraine: l'Aspect, S. 209.
8. Etwa Löhr, Kittel.

besonders in der Form, daß militärische Enttäuschungen, fehlerhafte Strategie usw. das Verlangen geweckt hätten, bei Saul wieder bessere Erfolge hervorzurufen[9]. Die Geschichte ist aus dem Milieu des Hofes heraus gestaltet und scheint Kenntnis interner Vorgänge in der Umgebung Sauls zu haben, an deren geschichtlichem Kern nicht notwendig zu zweifeln ist[10]. Die Tatsache, daß David auch ein geschickter Saitenspieler war, kann angesichts der sonstigen Überlieferung von ihm nicht fraglich sein[11]; das ist wohl ein Teil seiner anziehenden Persönlichkeit überhaupt[12]. Man könnte mit gutem Recht an die ritterlichen Tugenden des Mittelalters erinnern. Jedenfalls besteht zwischen diesem Zug und den anderen, die deutlich höfischen Idealen entsprechen (vgl. Anm. b zu V. 18)[13], keine unausgeglichene Spannung[14]. Das darüber hinausgehende וַיהוָה עִמּוֹ ist das Schlüsselwort für alles Folgende.

Trotz dieses unbestreitbar historischen Milieukolorits handelt es sich aber doch nicht um eine Hofgeschichte schlechthin; sie ist vielmehr unüberhörbar Ausdruck der Bemühung darum, die Katastrophe Sauls glaubend zu verstehen. Darin ist sie in gewisser Weise Kap. 13; 14 u. Kap. 15 (inhaltlich, nicht literarisch) verwandt[15], doch wieder darin unterschieden, daß hier die Antwort viel entschlossener theologisch gegeben wird. Der Grund für das Versagen Sauls, zugleich der Grund für den neuen Weg, den Jahwe führt, wird damit angegeben, daß der Geist Jahwes von Saul gewichen ist – was sein Königtum an sich nicht sogleich in Frage stellt[16]. Das ist von der Geistbegabung des charismatischen Führers her zu verstehen, der nur durch sie zu Taten und Erfolgen ermächtigt wird[17]. Damit korrespondiert das Überfallenwerden durch einen bösen Geist[18]. Das ist mehr als zeitbedingter Ausdruck für einen klinisch diagnostizierbaren paranoiden Zustand[18a]. Gewiß ist es das auch, denn an einer Erkrankung Sauls, die seine Persönlichkeit verändert hat, ist nicht zu zweifeln, und es ist müßig, zu überlegen, in welchen Enttäuschungen und Mißerfolgen sie ihren Ursprung gehabt haben könnte[19]. Aber auch die רוּחַ רָעָה kommt von Jahwe (beachte den Unterschied zwischen der Formulierung der Diener V. 15.16 und der von V. 23) und ist so Ausdruck seiner

9. So Caspari.

10. Vgl. etwa die Skepsis Greßmanns.

11. Albright: Religion, S. 141; auch Robert North: The Cain Music. JBL 1964, S. 373–389 (387).

12. Interessant ist freilich, daß der Talmud nicht an künstlerische, sondern intellektuelle Fähigkeiten denkt (Gertner, M.: The Masorah and the Levites. VT 1960, S. 265).

13. Verfehlt Caspari: wer nur liebhabermäßig spielt, befriedigt die Bedürfnisse eines Königs nicht.

14. Gegen Nübel: Aufstieg, S. 92.

15. Kittel sucht in Kap. 15 geradezu die Vorgschichte; ähnlich Wellhausen: Composition, S. 248.

16. Etwas anders anscheinend Alt: VT 1951, S. 6.

17. Das hat im Prinzip richtig Greßmann erkannt, wenn er trotz der Unterschiede auf 9–10,16 als nächsten Zusammenhang verweist.

18. Man ist trotz der Unterschiede an das Bild Luthers in »De servo arbitrio« von dem Menschen als Reittier und seinen beiden Reitern erinnert.

18a. Zu diesen Fragen vgl. Rosen: Is Saul among the Prophets? Gesnerus 1966, S. 132ff.

19. Vgl. etwa Noth: Geschichte, S. 162.

Souveränität, die nicht vorschnell mit einer Strafabsicht erklärt werden kann[20]; sie ist auch nicht Kennzeichen für einen dämonischen Zug im Bilde Jahwes, auf den man alles Störende im Menschenleben zurückführt[21] und der an spätjüdischen Dämonenglauben erinnert[22], sondern Ausdruck eines Glaubens, der es wagt, auch im Unbegreiflichen die Führung und den Plan Jahwes zu erkennen[23]; in dieser Haltung und diesem Mut ist er 1 Reg 22,22 dem רוּחַ שֶׁקֶר verwandt[24]. Es ist Jahwes Plan, der in dem Vorschlag der Knechte wirkt und David in diese Linie eintreten läßt. Davids Charismatikertum ist nicht an dem abzulesen, was man geschichtlich von ihm wußte, es ist ein Theologumenon, von dem aus man sich diese Geschichte deutete[25]. Zugleich läßt sich darin eine positivere Haltung Saul gegenüber erkennen. Wenn die Tragik seines Lebens auch nicht ohne Schuld ist, so ist der Tenor eben doch ein anderer als in Kap. 15 – zumal dort das Gewicht auf der Salbung liegt – und schließlich auch in Kap. 13; 14[26].

19–23 Saul sendet um David nach Bethlehem. Die harmonisierende Klammer אֲשֶׁר בַּצֹּאן (vgl. Anm. b zu V. 19) ist ein bedeutsamer Hinweis darauf, daß man im Bilde des jungen David die Diskrepanz zwischen dem Hirtenknaben und dem hoffnungsvollen Krieger früh empfand und daß das Bild sich immer stärker auf das »halb ein Kind noch« verschob. Daß Isai dem Wunsche Sauls so selbstverständlich entspricht, zeigt wohl, daß der Süden vom Norden durch das dazwischenliegende Jerusalem nicht so gänzlich abgeschnürt gewesen sein kann[27]. In der Art der Gaben, die Isai David mitgibt, hat man ein Kennzeichen der bescheidenen Verhältnisse der frühen Königszeit sehen wollen[28]; aber so bescheiden werden die Verhältnisse wohl doch nicht gewesen sein[29], außerdem ist die Geschichte nun wirklich kein solches Idyll. Ohne die sehr problematischen Konjekturen (s. Anm. a zu V. 20), mit höchstens einer geringfügigen Änderung (s. Anm. b zu V. 20), weist dieser Zug in die Linie des Charismatischen. Da der Krieger, der zum Heiligen Kriege verpflichtet war, sich selbst zu verpflegen hatte[30], liegt der

20. So etwa Hermann Schultz: Alttestamentliche Theologie. 5. Aufl. 1896, S. 463; dagegen mit Recht Robert Koch: Geist und Messias. 1950, S. 37f.

21. Volz, Paul: Das Dämonische in Jahwe. 1924 (SgV 110), S. 8.

22. Antti Filemon Puukko: Ekstatische Propheten mit besonderer Berücksichtigung der finnisch- ugrischen Parallelen. ZAW 1935, S. 25.

23. Deswegen darf auch V. 14 nicht einfach als Redaktorenwerk eliminiert werden (so Friedrich Giesebrecht: Berufsbegabung der alttestamentlichen Propheten. 1897, S. 132f.).

24. Beachte allerdings den Unterschied im Artikel; zur Sache Lys: Rûach, S. 32; überhaupt passim zum Folgenden.

25. Was m. E. Soggin: ThZ 1959, S. 412 nicht in seiner vollen Bedeutung erkennt.

26. Z. B. von Wellhausen: Composition, S. 249 richtig erkannt, von Caspari indessen überlastet.

27. Es könnte natürlich auch so sein, daß Sauls Truppe über Stammesangehörige hinaus auch »Ausländer im weiteren Sinne« aufnahm (Alt II, S. 27; vgl. dagegen aber Buccelati: BeO 1959, S. 118). Vgl. zu dieser Frage jetzt auch Smend, Rudolf: Gehörte Juda zum vorstaatlichen Israel? Fourth World Congress of Jewish Studies. Vol. I. Jerusalem 1967, S. 57–62.

28. Bernhardt: Königsideologie, S. 159; de Vaux: Lebensordnungen I, S. 122. 225.

29. Dies gegen die Überlegungen Hertzbergs.

30. Von Rad: Krieg, S. 35, Anm. 60.

Gedanke nahe, daß Isai seinen Sohn zu Saul gehen läßt, ausgerüstet wie ein Jüngling gehobenen Standes, der sich zum Heiligen Krieg einstellt[31]. Die Perspektive ist nur insofern etwas verändert, als das, was früher Gott unmittelbar dargeboten wurde, jetzt zuerst dem König gegeben wird, also den Charakter eines Geschenkes oder einer Huldigung annimmt[32]. Das könnte auch andere Schwierigkeiten des Textes erklären (vgl. Anm. a zu V. 22). Dem widerspricht nicht, daß David als Spielmann an den Hof kommt[33], da er von vornherein als wehrtüchtig eingeführt ist, schwerlich deswegen, um Saul für diesen Vorschlag zu interessieren[34]. In diesem Zusammenhang muß wohl auch an 2 Reg 3,15 erinnert werden, auch hier muß der Spielmann ja beim Heer gestanden haben. Die dahinter stehenden Vorstellungen könnten die unvollständige, im Zusammenhang aber unmißverständliche Formulierung רוּחַ אֱלֹהִים (vgl. Anm. b, auch d zu V. 23) mitbewirkt haben.

31. Vgl. 18,17 (מִלְחֲמוֹת יְהוָה) und auch 21,6ff.

32. Stoebe: VT 1954, S. 182f.

33. Dies der Einwand von Hertzberg.

34. So etwa Schulz, auch Hertzberg u. a.

17,1–58 David und Goliath

Die Beurteilung des literarischen Zusammenhanges, in dem die Goliathperikope steht, muß davon ausgehen, daß 𝔊^B gegen 𝔐 einen um die Verse 17,12–31.41.48b. 50. (51). 55–58 und auch um 18,1–5 kürzeren Text bietet[1]. Der 𝔐 entsprechende Wortlaut in 𝔊^A weist sich durch abweichenden Sprachgebrauch, auch durch die falsche Einfügung des *καὶ εἶπεν Δαυειδ* vor V. 12 statt V. 32, als Nachtrag aus[2]. Der Grund dieser Verschiedenheit der Textgestalt wird einmal darin gesucht, daß 𝔊 konsequent gekürzt habe, um zu harmonisieren, vor allem, um V. 32 mit V. 55–58 auszugleichen[3]. Dahinter steht, z. T. wenigstens, die ausdrückliche Überzeugung, daß 17,1–18,5 eine literarische Einheit darstellen[4], die natürlich nicht an Kap. 16, vor allem nicht an 16,16–23, anschließen könne, weil hier David als junger Krieger bzw. Spielmann, dort als halbwüchsiger Hirtenknabe eingeführt wird[5]. Dieses Argument wird nicht nur gegen einen Zusammenhang mit Kap. 17 als Ganzem, sondern auch mit der kürzeren Form der 𝔊 vorgebracht[6] (vgl. aber

1. Hierzu und zum Folgenden Stoebe: VT 1956, S. 397–413, dort vollständigere Literaturangaben. In ähnlicher Richtung geht jetzt Rinaldi: BeO 1966, S. 11–29.

2. Wellhausen: Text, S. 104; jetzt auch Johnson: Rezension, S. 119.

3. So z. B. Wellhausen: Composition, S. 247; Eißfeldt: OLZ 1927, Sp. 658; zuletzt de Vaux.

4. So z. B. Budde, Dhorme; Hölscher: Geschichtsschreibung (Quelle E); Pfeiffer: Introduction, S. 261 (Later Source), jetzt auch Goslinga. In anderer Weise versteht jetzt Grønbaek: DTT 1965, S. 65–79 die Einheit; sie ist aus der Kombination mündlicher Traditionen entstanden und zwar einer Saultradition von einem siegreich durchgeführten Philisterkampf (was mir unwahrscheinlich ist) und einer von Elhanan auf David übertragenen Zweikampftradition mit Goliath. Die so entstandene David-Goliath-Legende wurde in Jerusalem weiter ausgeformt und überliefert.

5. So die meisten Älteren, aber auch Robert-Feuillet: Einleitung, S. 416.

6. Etwa Driver; Smend: ZAW 1921, S. 201; Kittel: Geschichte des Volkes Israel. II. 7. Aufl. 1925, S. 88; zuletzt jetzt Galling: VTS 15. 1966, S. 152.

dazu u. S. 335). Nun wäre das allein noch nicht ausschlaggebend. Aber auch wenn man bisweilen – schwerlich mit Recht – in dem David von 16,14–23 nur einen noch nicht erwachsenen Bauernburschen sehen wollte[7], bleibt die doppelte Einführung Davids in den Kreis Sauls bestehen. Von daher schien manchen Forschern eine direkte Anknüpfung des Kap. 17 an Kap. 15 naheliegend[8]. Aber in diesem Kapitel steht die Gestalt Samuels so sehr im Mittelpunkt, daß 16,1ff. die wenn auch nicht literarisch (vgl. dazu o. S. 278), so doch redaktionell gegebene Fortsetzung dazu ist; weswegen manche auch eine Verbindung von 16,1–13 mit Kap. 17 erwägen[9] (zur Unmöglichkeit s. u. S. 325). Grundsätzlich wäre zu diesen Erwägungen zu sagen, daß eine so weitgehende Kürzung angesichts der sonstigen Praxis der 𝔊 zu den Samuelisbüchern von vornherein unwahrscheinlich ist[10], zumal damit Züge unterdrückt werden, die für das auch von 𝔊 geteilte Gesamtverständnis (vgl. zu V. 33.39.40) durchaus wichtig gewesen wären. War nur eine Harmonisierung beabsichtigt, hätte die Ausscheidung von V. 55–58 vollauf genügt. Es ist darum allein richtig, in der knapperen Textform eine in sich geschlossene, selbständige und wohl auch ursprüngliche Überlieferung zu sehen, die in dem Text, auf den 𝔊 zurückgeht, besser bewahrt wurde, und von der 𝔐 in der uns vorliegenden Form eine Erweiterung ist[11]. Das heißt zunächst, daß hier verschiedene Rezensionen vorliegen, die schon im Hebräischen nebeneinander bestanden[12].

Damit erhebt sich die Frage, ob diese Erweiterung Stück eines eigenen Erzählungsstranges darstellt, also quellenhaft ist in dem Sinne, daß hier der Anfang einer Davidbiographie[13] vorliegt, der man entweder eine jüngere Entstehungszeit als dem übrigen zuspricht[14], oder die man als die ältere, wenn auch erst nachträglich eingearbeitete Überlieferung ansieht[15] – was freilich die Eigenart dieser Überlieferung durchaus verkennt, denn Fehlen theologischer Dichtigkeit[16] ist sicher kein Kriterium hohen Alters. Die Entscheidung dieser Frage hängt nun davon ab, ob die in 𝔊 ausgelassenen Stellen untereinander einen so guten Zusammenhang ergeben, wie es meist stillschweigend vorausgesetzt oder ausdrücklich erklärt wird[17]. Dagegen sprechen nun erhebliche Bedenken; es ist noch nicht

7. Vgl. zu 16,18 Anm. b.

8. Budde, Dhorme, Hölscher; Sellin: Einleitung, S. 84. Diese Verbindung wird von Cornill: Einleitung, S. 111 nur für die von 𝔊 gebotenen Stücke angenommen, was zu der unhaltbaren Konsequenz führt, daß dann zwischen 15 und 17 etwas ausgefallen sein müsse, was parallel zu 16 das Kommen Davids zu Saul beschrieb.

9. De Fraine: L'aspect, S. 209; nur für 17,12–31 nimmt das auch Smith an.

10. Worauf schon Smith mit Recht hinwies.

11. So zuletzt Caspari, Rehm, Hertzberg, van den Born.

12. In der Form, daß die »Amputation« schon im Hebräischen vorgenommen wurde, auch Budde.

13. So W. R. Smith: Das Alte Testament, seine Entstehung und Überlieferung. 1894, S. 112.

14. Caspari, Tiktin u. v. a.

15. Z. B. Klostermann, Greßmann; Eißfeldt: Komposition, S. 57; soweit damit der Versuch einer Aufteilung auf bekannte Quellen verbunden ist (EißfE³, S. 366f., diametral anders Kittel), wird die ganze Problematik deutlich.

16. Von Rad: Krieg, S. 47.

17. So zuletzt besonders nachdrücklich Hertzberg.

einmal entscheidend, daß sich ohne Zwang keine Verbindung nach vorn oder rückwärts herstellen läßt[18]. Aber diese für sich genommenen Stücke verlieren sich auch in Nebenepisoden und enthalten nichts, was das Geschehen vorantreibt. Wo es sich um diesen Fortgang handelt, fällt alles auf die Hauptdarstellung zurück. Die Auskunft, daß der Höhepunkt des Kampfes in dieser Fassung eben nicht erhalten sei[19], kann angesichts der Tatsache nicht überzeugen, daß die in V. 12–31 enthaltenen gefühlsmäßigen Momente das Verständnis des Vorganges nicht nur bei 𝔐 – das ist selbstverständlich -, sondern auch bei 𝔊 bestimmen (vgl. zu V. 32.38.39); 𝔊 weist in der Schilderung der Vorbereitung des Kampfes Textabweichungen gegenüber 𝔐 auf, die so unter sich zusammenhängen, daß sie nicht einfach Fehlübersetzungen sein können, und die in einer über 𝔐 hinausgehenden Weise auf der Linie von V. 12–31 liegen[20] (Versuch einer Erklärung siehe u. S. 327), so daß damit das Nachwirken dieser Gedanken unterstrichen, die Annahme aber ziemlich ausgeschlossen wird, daß ein entsprechender Kampfbericht einfach fortfallen konnte. Es handelt sich hier also um ein völlig selbständiges Stück, und zwar um Ausspinnungen der Davidgeschichte, Erweiterungen aus frommem Interesse, in denen sehr Weltliches mit starken Akzenten der Volksfrömmigkeit zu einer Einheit verwoben ist[21]. Gerade diese Akzente sind es, die den Eindruck der Einheitlichkeit machen. Die Erweiterungen brauchen zeitlich nicht allzuweit von der Entstehung des Kernes abgerückt zu werden[22]; mit Sicherheit sind sie vor der Entstehung der 𝔊 und nicht erst danach anzusetzen. Ich hätte überhaupt Bedenken, hier von einem späten Midrasch zu sprechen[23]. Die bisher angestellten Überlegungen berechtigen jedenfalls dazu, die Frage des Textzusammenhanges für jedes Stück gesondert zu prüfen. Einen anderen Versuch der Textzuteilung macht Nübel[24], der der von ihm angenommenen Grundschrift folgende Stücke zuweist: 13.14a. 17–23; Einfügung von 4b.5a.8a.cc–9.23b–26a. 27–30.40–42a.aa.48b.49.50a.51–52.55–58. 34a. bb–35.38a.aa; 16,21b.22. Doch dagegen spricht von vornherein, daß die getrennte Textüberlieferung nicht berücksichtigt, sondern als Streichung durch 𝔊 erklärt wird und außerdem erhebliche und nicht überzeugende Textumstellungen vorgenommen werden müssen.

Die zweite, auch für die Klärung des literarischen Zusammenhanges wichtige Vorfrage ist die nach der Historizität des hier geschilderten Ereignisses. Zunächst besteht eine Spannung zu 2 Sam 21,19, wo אֶלְחָנָן בֶּן־יַעְרֵי als Bezwinger Goliaths genannt wird. Diese durch ihre Stellung in einer Liste gut verbürgte Notiz kann nicht durch die willkürliche Annahme einer Verschreibung[25], ebensowenig

18. Vgl. dazu SteuE, S. 316f.
19. Von Rad: Krieg, S. 47; ähnlich Greßmann.
20. Dazu vor allem Stoebe: VT 1956, S. 410f.
21. Stoebe: a. a. O.; SteuE, S. 316: volkstümlicher Midrasch; vielleicht schon Peters: Davids Jugend, S. 44.
22. So auch von Rad: Krieg, S. 47.
23. Steuernagel; Pfeiffer: Quantulacumque, S. 308; Wellhausen: Text, S. 105 spricht von einem selbständigen Flugblatt.
24. Er berührt sich bei aller Verschiedenheit mit Greßmann.
25. De Groot: der Bruder Goliaths wie 1 Chr 20,5; vgl. zu 2 Sam 21,19.

durch die Erklärung des אֶלְחָנָן als des Jugendnamens Davids entkräftet werden (vgl. o. S. 306). Das schließt für Kap. 17 die Historizität in vordergründigem Sinne[26] aus[27], fordert aber nicht zwingend, daß es sich bei der ganzen Goliathgeschichte um eine legendäre[28] Bildung mit kerygmatischem Charakter handelt, die spät[29] und so sicher unhistorisch ist, wie 16,14–23 historisch ist[30]. In dieser rein literarischen Abzweckung ist die Frage nach der Historizität einseitig gestellt. Der Hintergrund ist auf jeden Fall der Kampf der Israeliten mit den Philistern. Es kann sich hier nur um eine Episode dieses Kampfes handeln[31], denn bei dem mit vollem Aufgebot geführten Zusammenstoß unterliegt Saul. Diese Episode ist zwar, wie anderes auch, in gesamtisraelitischen Rahmen emporgehoben, sie ist aber darum nicht grundsätzlich anders zu beurteilen als etwa das Kap. 13 u. 14 Berichtete[32]. Haftpunkt der Überlieferungsbildung ist eine Heldentat Davids; sie mag – wie die Parallelen 2 Sam 21,8ff.; 23,8ff. nahelegen könnten – in die Zeit fallen, als David bereits von Saul getrennt war[33], was ihren Charakter als Rettungstat nicht ändern würde. Doch sicher zu erweisen ist das nicht (vgl. zu 21,8ff.); jedenfalls hindert nichts die Annahme, daß David diese Tat noch als Gefolgsmann Sauls vollbracht hat (zur Übertragung der Tat eines anderen vgl. die Auslegung). Von hier aus fällt noch einmal Licht auf die Frage des literarischen Zusammenhanges. Wenn tatsächlich, wie oft angenommen ist[34], erst 18,6ff. die Fortsetzung von 16,14–23 ist, müßten dazwischen Berichte unterdrückt sein, die die Weiterführung in 18,6 rechtfertigten[35]. Mindestens inhaltlich könnte das aber nichts anderes gewesen sein, als was in Kap. 17 enthalten ist.

26. Vgl. Segal: JQR 55, 1965, S. 318ff.
27. Löhr, Budde, Greßmann und die meisten.
28. EißfE³, S. 55 spricht richtiger von einer Heldensage.
29. Galling: VT S 15. 1966, S. 151, setzt sie ins 8. bis 7. Jh.; von Rad spricht von nachsalomonischer Novellistik; der zeitliche Ansatz ist aber nicht so entscheidend, da die Ausformung auf keinen Fall zeitgenössisch gewesen sein kann. Übrigens wird der Goliathsieg schon früh vorausgesetzt (1 Sam 21,10; 22,10; vgl. dort).
30. Formulierung Nowacks.
31. Noth: Geschichte, S. 161; auch Hertzberg.
32. Dazu Stoebe: ThZ 1965, S. 269ff. Interessant sind Gemeinsamkeiten in der Schilderung des Auftretens Davids mit dem Jonathans.
33. Keineswegs aber in der Regierungszeit Davids (so Greßmann).
34. So auch Wiener: Composition, S. 19 (Quelle N).
35. Ausdrücklich Wellhausen, Nowack.

17,1–11 *Goliath fordert Israel heraus*

1 Und wieder zogen die Philister ihre Heeresmacht zum Kampf zusammen und sammelten sich nach Socho[a], das in Juda[b] liegt; sie hatten ihr Lager zwischen Socho und Aseka[c] in Ephes-Dammim[d]. 2 Saul und die Mannschaft von Israel hatten sich ebenfalls gesammelt und lagerten im Terebinthental[a], (dort) rüsteten sie zum Kampf gegen die Philister. 3 Die Philister standen auf der einen Seite am Berg[a], Israel auf der anderen[a], so daß die Talsohle[b]

zwischen ihnen lag. 4 Da trat ein Vorkämpfer[a] aus dem Lager[b] der Philister heraus – Goliath[c] war sein Name, aus Gath stammte er her –, des Größe maß sechs[d] Ellen und eine Spanne[ef]. 5 Auf dem Kopf trug er einen Helm[a] aus Erz und mit einem Schuppenpanzer[b] war er gewappnet; das Gewicht des Panzers betrug fünftausend Schekel[c] Erz[d]. 6 Erzene ⟨Schienen⟩[a] (hatte er) an seinen Beinen; und ein Krummschwert[b] aus Erz hing zwischen seinen Schultern. 7 ⟨Der Schaft⟩[a] seines Speeres war (dick) wie ein Weberbaum[b], und die Speerspitze wog sechshundert Schekel, reines Eisen[c]; sein Schildträger[d] ging vor ihm her. 8 Der trat hin und rief die Schlachtreihen[a] Israels an und sagte zu ihnen: »Warum stellt ihr euch denn zur Schlacht auf? Stehe ich nicht (hier) als der Philister[b] (vor euch)? Ihr aber seid Sauls Knechte[c]. Wählt euch doch einen Mann aus[d], daß er zu mir herabkomme[e]. 9 Kann er den Kampf mit mir bestehen und erschlägt mich, so wollen wir eure Knechte werden; zeige ich mich ihm aber überlegen und erschlage ihn, so müßt ihr unsere Knechte werden und uns dienen.« 10 Und der Philister sagte (weiter): »Ja[a], ich habe heute die Reihen Israels gehöhnt[b]; darum stellt mir einen Mann, daß wir mit einander[c] kämpfen.« 11 Saul und ganz Israel hörten diese Worte des Philisters; (darob) entsetzten sie sich und fürchteten sich sehr.

1 a) Vgl. Jos 15,35; nach 2 Chr 11,7 zu den von Rehabeam befestigten Städten gehörend. Heute *ḫirbet ʿabbād*, 2½ km südwestlich von *beit nettīf* (Abel: Géographie II, S. 467; Simons: Texts, § 687). Zur Sache, vor allem zu den Besonderheiten der strategischen Lage, vgl. auch A. Alt: PJ 1928, S. 26f. b) Unterscheidet die Ortschaft zwar deutlich von dem 1 Reg 4,10 genannten Socho (dazu Alt II, S. 77f.), nicht aber von dem Jos 15,48 genannten, zum judäischen Bergland gehörenden S. Auch Euseb: Onomastikon 293, 18–20 weiß von zwei *Σοκχώ*, von denen das eine *Σοκχώϑ* genannt wird (diese Schreibung auch 𝔊[B]); 𝔊[B] *Ἰδουμαίας*. c) 𝔖 *ʾarakaʿ*, welche Form de Boer: OTS 1. 1942, S. 80 aus einer Bedeutungsgleichheit beider Namen (»umschlossener Platz«) erklärt; wahrscheinlicher ist aber die Ableitung von der Wz. עזק »umgraben« (Borée: Ortsnamen, S. 39). Zur Lage vgl. Jos 15,35; 2 Chr 11,9; heute *tell zakarīya* am *wādi es-sanṭ* (Abel: Géographie II, S. 257; Simons: Texts, § 688). d) 1 Chr 11,13 פַּס דַּמִּים, s. auch zu 2 Sam 23,9. Auch sonst ist die Namensüberlieferung ungenau (𝔊[B] *Εφερμεμ*, 𝔖 אפרסמין). *ʾΑ ἐν πέρατι Δομειμ* (𝔙 »in finibus Dommim«) stimmt mit 𝔐 überein. Es erscheint möglich, daß der Name in symbolischer Absicht geändert wurde: »der Ort, wo kein (israelitisches) Blut floß« (de Boer: OTS 1. 1942, S. 80). Nicht zu bestimmender Ort auf der Linie Socho-Aseka (Abel: Géographie II, S. 318). Zur strategischen Bedeutung Eißfeldt: ZDPV 1943, S. 120.

2 a) Nur noch V. 19; 21,10, ohne daß indessen hier Auffüllung von dort angenommen werden muß (so Klostermann, Nübel). Es muß das *wādi es-sanṭ*, 20 km südwestlich Bethlehem, gemeint sein. 𝔊 mißverstehend *αὐτοί*.

3 a) S. 14,4; עֹמְדִים אֶל nicht »sie standen auf dem Berg« (S. R. Driver, Schulz u. a.), sondern »sie standen in Richtung auf ihn, lehnten sich in ihrer Aufstellung an ihn an«. b) גַּיְא ist von עֵמֶק offenbar so unterschieden, daß dieses die niedriger gelegenen Talabhänge mit einschließt, jenes die eigentliche Talsohle ist. Vgl. L. Krinetzki: Tal und Ebene im Alten Testament. BZ 1961, S. 204–220.

4 a) 𝔊 *ἀνὴρ δυνατός* (𝔊[A] zu V. 23 *ἀμεσσαιος*), entsprechend 𝔖, ist eine naheliegende Paraphrase (der Budde zu Unrecht Gewicht beimißt). 𝔙 »spurius« folgt einer besonderen jüdischen

Tradition (siehe bei Klostermann). 𝔗 מְבֵינֵיהוֹן leitet das Wort richtig von בֵּין ab, der Einspruch dagegen wegen der defektiven Schreibung (z. B. Budde, aber auch noch de Boer: OTS 1. 1942, S. 82) ist wohl überholt (vgl. jetzt dazu R. de Vaux: Les combats singuliers dans l'Ancient Testament. Bibl 1959, S. 495). 𝔗 trennt aber אִישׁ und בֵּנַיִם (so auch Ehrlich, Schulz; Dhorme will es wegen V. 3 Ende streichen). Die Annahme einer besonderen philistäischen militärischen Bezeichnung (de Boer: OTS 1. 1942, S. 82; Klostermann änderte in חֲמִשִׁי) ist durch das Vorkommen eines *bnš bnny* in der Bedeutung »Mittelsmann, Agent« im Ugar. unnötig (W. F. Albright: Specimens of late Ugaritic Prose. BASOR 150. 1958, S. 38; zustimmend auch O. Eißfeldt: The alphabetical cuneiform texts from Ras Shamra published in »Le Palais Royal d'Ugarit« Vol II 1957. JSS 1960, S. 40). In gleiche Richtung geht de Vaux, a. a. O., der auf Parallelen zu solchen Zweikämpfen im orientalischen Raum hinweist (vgl. dazu auch Donner: ZÄS 1956, S. 61f.; auch, wenngleich mit unmöglichen Folgerungen, Lanczkowski: Mitteilungen des Deutschen Archäologischen Institutes Abt. Kairo. 1958, S. 214–218). In der Kriegsrolle von Qumran erscheint das Wort als übernommener archaischer Begriff in der Bedeutung »Leichte Infanterie, Plänkler« (zur Sache vgl. J. Carmignac: Précisions apportées au Vocabulaire de l'Hébreu Biblique par la guerre des fils de Lumière contre les fils de Ténèbres. VT 1955, S. 354; auch van der Ploeg: La règle de la guerre. VT 1955, S. 396). b) 𝔊 *παρατάξεως* nötigt trotz 17,23 nicht zur Änderung in מַעַרְכוֹת (Wellhausen, Budde, Dhorme u. a.). מערכות hat hier offenbar religiösen Wert und wird von Israel gebraucht. V. 23 gehört zu einem anderen Überlieferungsstück. c) Zur sprachlichen Herkunft des Namens s. F. Bork: Philistäische Namen und Vokabeln. AfO 1940, S. 227f. (zur Verbindung mit Alyattes vgl. schon Caspari). Anders (lydisch *κοαλδειν*) H. Bossert: Zur Atlantisfrage. OLZ 1927, S. 652, doch zweifelhaft. Letztlich im Blick auf 2 Sam 21,19 schließen Tiktin, auch andere, aus der Stellung auf nachträglichen Eintrag des Namens (vgl. dazu auch Sellers, in: Festschrift für G. L. Robinson, S. 242–250); ähnlich rechnet de Vaux mit sehr früher Einschaltung des Namens an dieser Stelle. Das Argument, daß er sonst nur »der Philister« genannt wird, verkennt den theologischen Hintergrund des Berichtes. d) 𝔊 *τεσσάρων* folgt einer rationalisierenderen Rezension. e) אַמָּה etwa 44–45 cm, זֶרֶת die Hälfte davon (BRL, Sp. 367; vgl. auch Scott: BA 1959, S. 27). f) Vgl. dazu auch Hoffner, H. A.: A Hittite Analogue to the David and Goliath Contest of Champions. CBQ 1968, S. 220–225; Marinatos, S.: The Giant Warrior in the Early Iron Age. *᾿Αρχαιολογικὰ ᾿Ανάλεκτα ἐξ ᾿Αθηνῶν* 1, 3 (1963), S. 276f.

5 a) Dazu, daß es sich bei diesen Rüstungsstücken um Herkunft aus fremdem Kulturbereich handelt, E. A. Speiser: On some articles of armour and their names. JAOS 1950, S. 47. כּוֹבַע, V. 38 קוֹבַע, vermutlich hethitisches Lehnwort (KBL, S. 425; Hönig: Bekleidung, S. 95; vgl. dazu E. Sapir: Hebrew helmet, a loanword and its bearing on Indo-European Phonology. JAOS 1937, S. 73–77. Er ist aber nicht philistäische Ausrüstung [Galling; VTS XV. 1966, S. 155]). b) Ein mit Metallschuppen (קַשְׂקֶשֶׂת »die Schuppe«) besetzter Lederkoller (BRL, S. 416f.; jetzt auch Galling: VTS 15. 1966, S. 161; Johannes Friedrich: Hethitisches Wörterbuch. Heidelberg 1952, S. 324 nimmt hethitische Herkunft an [churritisch *šariịani*]; ähnlich C. G. v. Brandenstein: Zum churrischen Lexikon. ZA 1940, S. 103–105. Auf babylonischen Bereich verweist Bayley: Ariana. Nybergfestschrift 1954, S. 14 [babyl. *ẓariam*, hebr. *sirjon* = »coat of mail«], doch dürfte es auch dort Lehnwort sein [F. R. Kraus: VT 1958, S. 108], sonst kommt es noch im Äg. vor [W. F. Albright: The Vocalisation of the Egyptian Syllabic Orthography. AOS 1934, S. 36]). Zur Etymologie – »der Glänzende« – H. Bauer: Al-muštari. OLZ 1935, S. 477. c) BRL, Sp. 187; Scott: BA 1959, S. 37. Bei Annahme eines mittleren Wertes von 11,5 g ein Gewicht von 57,5 kg. d) 𝔊 *χαλκοῦν καὶ σιδήρου* könnte vielleicht in Unverständnis der Situation an eine Legierung denken (so de Boer: OTS 1. 1942, S. 83), vgl. aber Anm. c zu V. 7.

6 a) Lies mit den Vers מִצְחוֹת (DelF § 63a); eine wenig wahrscheinliche Erklärung der Lesung bei Wellhausen; zum zeitlichen Vorkommen der Beinschienen Galling: VTS 15. 1966, S. 163f. b) Vgl. Jos 8,18.26; Hi 41,21; gewöhnlich als kurzer Wurfspieß und Nahkampfwaffe aufgefaßt. 𝔊 *ἀσπίς* ist durch die Angabe des Platzes bestimmt (Bonnet: Waffen, S. 188); darauf fußende Konjekturen (Klostermann כִּיּוֹן; Perles II, S. 73 כֹּדֶן von der Wz. = »bedecken«) erübrigen sich. כִּידוֹן in der Kriegsrolle von Qumran (5,7–14) faßt H. Bardtke: Die Kriegs-

rolle von Qumran übersetzt. ThLZ 1955, Sp. 406f. ebenfalls als Wurfspieß auf. G. Kuhn: Beiträge zum Verständnis der Kriegsrolle von Qumran. ThLZ 1956, Sp. 29f. denkt hingegen an ein Sichelschwert, ebenso G. Molin: What is a Kidon? JSS 1956, S. 334ff.; jetzt auch Galling: VTS 15. 1966, S. 165ff. In dieser Richtung auch Jean van der Ploeg: Le rouleau de la guerre. Leiden 1959 (épée); de Vaux: Lebensordnungen II, S. 49. Nach der Beschreibung hier ist das die wahrscheinlichste Deutung; sie schließt allerdings Herkunft aus dem ägäischen Raum aus. Daß hier zugleich an eine symbolische Königswaffe gedacht ist, möchte ich nicht annehmen. Auffallend ist die Wiedergabe durch 𝔗; neben der wörtlichen Übersetzung von 𝔐 steht die Erklärung מְסַחֲפָה נָפִּיק מִן קוֹלְמָא, was einem Visier entsprechen dürfte, wohl freie Weiterentwicklung aus zeitgenössischer Anschauung.

7 a) Vgl. 2 Sam 21,19 und lies mit den Vers und Qere עֵץ (DelF § 97a). b) Zur Sache BRL, Sp. 537; AuS V, S. 113: der Ketten- oder Tuchbaum eines stehenden Webstuhles, der eine beträchtliche Dicke haben mußte (auch Hönig: Bekleidung, S. 138). Eine grundsätzlich andere Erklärung versucht Yadin: PEQ 1955, S. 58–69, Spieß mit einer Lederschlaufe, in die der Werfer zwei oder drei Finger steckte; so auch Galling: VTS 15. 1966, S. 159f.; wobei freilich zu fragen wäre, worin dann das besonders Erwähnenswerte bestanden hätte. c) Übergang zweier Kulturepochen; die Angriffswaffe ist aus dem härteren Eisen. Von hier aus kann 𝔊 zu V. 5 entstanden sein. d) Der Standschild im Gegensatz zum Rundschild מָגֵן (BRL, Sp. 457; Bonnet: Waffen, S. 190f.). 𝔊 *ὅπλα*, weil sie den Schild vorher nannte.

8 a) 𝔊 Sg. verkennt die theologische Bedeutung des Ausdrucks. b) Der Artikel, der 𝔊 fehlt (so Caspari), ist zwar angesichts des folgenden עֲבָדִים לְשָׁאוּל auffallend (einige Targumtexte begründen ihn durch die Erweiterung »der Chophni und Pinchas erschlagen hat«), ist aber nicht vom Standpunkt eines späteren Erzählers her zu verstehen (Wellhausen). c) 𝔊 *'Εβραῖοι καὶ Σαουλ* (z. T. von Caspari übernommen), falsches Verständnis des beabsichtigten Gegensatzes (vgl. auch 13,3). d) 𝔊 *ἐκλέξασθε*, 𝔗 בְּחַרוּ; danach ändern Budde, S. R. Driver, Smith, Dhorme, de Vaux u. v. a. in בַּחֲרוּ (was dem Wort im Zusammenhang aber ein zu starkes religiöses Gewicht gäbe) oder vokalisieren Ehrlich und DelF § 74 בְּרוּ (was zu junges Hebräisch wäre). Zur Berechtigung der überlieferten Form vgl. Johannes Pedersen: Der Eid bei den Semiten. Straßburg 1914, S. 44f. »schließt einen Bund mit einem Mann, d. h. gebt ihm den Auftrag, in eurem Namen aufzutreten«. Das allein entspricht dem Zusammenhang. e) Die Israeliten stehen also höher.

10 a) 𝔊 *ἰδοὺ ἐγώ* deutet das emphatische Pronomen richtig, führt aber nicht auf הִנֵּה (so Budde, Dhorme u. a.). b) חֵרֵף (חֶרְפָּה) integrierender Bestandteil dieser Art von Kampferzählungen (11,2; 17,25.26.45; 2 Sam 21,21 [23,9]?; vgl. auch 2 Reg 19,4.16). Es ist darum keine nach V. 8 überflüssige Erklärung (z. B. Nowack). c) Nach M. D. Goldman: Lexicographical Notes on the Hebrew Text of the Bible. Australian Biblical Review 1951, S. 61 soll יַחַד ausdrücklich »allein« bedeuten können, was sicher den Text überlastet.

17,1–11 *Goliath fordert Israel heraus.* Das Stück bereitet den Schauplatz der Tat Davids vor. Eine Anknüpfung an Kap. 15 und dann mittelbar an Kap. 7, so daß der Wiederbeginn des Philisterkrieges Strafe für Sauls Ungehorsam bedeutet hätte[1], übersieht das Formelhafte der Einleitung. אסף mit מִלְחָמָה erscheint auch Num 21,23; Jdc 11,20; 1 Sam 13,5; 28,1 (mit קבץ); 2 Sam 10, 17; 12,29 und vor allem 23,9. Diese Formel ist dem bei kleineren Anlässen gebrauchten וַתְּהִי עוֹד מִלְחָמָה verwandt. Durch die Nennung des אִישׁ יִשְׂרָאֵל wird der Rahmen des Geschehens erweiternd überhöht. Der Unterscheidung Nübels[2] von verschiedenen Bedeutungsnuancen bei יִשְׂרָאֵל in der »Grundschrift« und der »Bearbeitung« kann ich mich nicht anschließen. Mit Saul und Israel zieht auch David zu Feld. Daß er nicht ausdrücklich genannt wird, schließt einen Zusammenhang mit 16,14–23

1. So Budde.
2. Aufstieg, S. 109–111.

nicht aus[3], sondern erklärt sich damit, daß auch nach dieser Rezension die Rettung durch ihn das schlechthin Unerwartete ist.

Mit den topographischen Angaben wird der Kampf in den Raum südwestlich von Jerusalem in das Grenzgebiet verlegt[4]. Der Ansatzpunkt der Überlieferung dürfte auch hier vermutlich ein Grenzwischenfall durch einen Plünderungstrupp sein[5]. Daß das von Saul kontrollierte Gebiet so weit südwestlich reichte, ist angesichts der Amalekiterüberlieferung Kap. 15 nicht ausgeschlossen; es ist aber auch denkbar, daß eine spätere Situation aus dem Leben Davids dem Bericht, der zweifellos Vertrautheit mit der Örtlichkeit verrät, seine Farbe verliehen hat[6]. Das an sich indifferente עֲרַךְ מִלְחָמָה[7] wird hier nur von Israel gebraucht und bekommt sein Gewicht von den מַעַרְכֹת יִשְׂרָאֵל V. 8.10, die die מַעַרְכֹת אֱלֹהִים חַיִּים V. 36 sind (abweichend davon wird im Einschub מַעֲרָכָה sgl. und neutral gebraucht; 17,21.22, auch wohl 23).

Das ganze Geschehnis gehört in den sakralen Bereich, und damit wird auch das Auftreten Goliaths charakterisiert. Das auffallende Zurücktreten seines Namens (vgl. Anm. c zu V. 4) kann einen Grund mit darin haben, daß das Geschilderte über das konkret Einmalige in das Paradigmatische emporgehoben werden soll. Auch Goliath ist als Unbeschnittener Philister schlechthin[8]. 2 Sam 21 rechnet ihn zu den vier יְלִדֵי רְפָאִים; sie sind durch ungewöhnliche Größe (20), ungewöhnliche Bewaffnung (16.19) oder sonstige Merkwürdigkeiten (20) furchterregend. Alle diese Einzelzüge zusammengezogen finden sich hier. Die Diskrepanz zu 2 Sam 21,19 erklärt sich unschwer aus der immer wieder feststellbaren Gleichsetzung der Tat eines Gefolgsmannes mit einer (vielleicht anonymen) Tat seines Führers[9]. Sie nötigt nicht einmal dazu, an die Überlagerung zweier Motive, nämlich des Vertreterkampfes und der Einzelheldentat zu denken[10]. Überhaupt sollte man mit der Bezeichnung Vertreterkampf vorsichtig sein; er wird V. 52 jedenfalls nicht vorausgesetzt, was nicht literarisch auf die zwei Motive zurückzuführen sein wird. Auflösung eines Kampfes in die Schilderung von Einzelkämpfen liegt überhaupt in der Linie früher Darstellung. Die hier zweifellos vorhandenen Anklänge an einen Vertreterkampf resultieren aus der theologischen Interpretation des Geschehens. Angesichts des sonstigen Vorkommens solcher Kampfbeschreibungen[11] ist es nicht erlaubt, darin einen Hinweis auf die Eigenart philistäischer Kampfweise[12] zu sehen[13]. Das gilt auch von der Bewaffnung Goliaths. Galling[14] hat sehr

3. Wie auch de Vaux die Einheit von 16,14–17,11 rechnet.
4. In diesem Raum wird wohl auch Gob zu suchen sein; zur Sache Procksch: Der Schauplatz der Geschichte Davids. PJ 5. 1909, S. 61f.
5. Wie 23,1ff.; vgl. Jdc 15,9–19.
6. Vgl. 2 Sam 23,9.
7. 2 Sam 10,8 (1 Chr 19,9) von den Ammonitern.
8. Insofern scheint der Begriff Novellistik (von Rad: Krieg, S. 33) nicht eigentlich zutreffend.
9. Die bis in die moderne Praxis der Ordensverleihung zu verfolgen ist.
10. So Galling: VTS 15. 1966, S. 153.
11. Anm. a zu V. 4; für die moderne Zeit vgl. auch Alois Musil: Arabia Petraea. III, S. 369ff.
12. So etwa Otto Eißfeldt: Philister und Phönizier. AO 1936, S. 28.
13. G. A. Wainwright: Early Philistine History. VT 1959, S. 79.
14. VTS 15. 1966, S. 156ff.

überzeugend nachgewiesen, daß die Rüstungsstücke ganz allgemein dem Vorderen Orient zuzuweisen und auch zu verschiedenen Zeiten denkbar sind. Das wird durch die allgemeine Überlegung bekräftigt, daß ein so schwer bewaffneter Mann im Ernstfall durch die Vielzahl der Waffen nur behindert sein konnte. Auch müßte der Träger der צִנָּה ja ebenfalls ein Riese gewesen sein, wenn er Schutz gewähren sollte. Das weist nun allerdings noch nicht notwendig in das 8. bzw. 7. Jh. für die Entstehung der Goliathgeschichte als Ganzem[15]. Daß sie – bis heute übrigens, und das ist sicher in Israel nicht anders gewesen – Gegenstand regen Interesses war, zeigen V. 12–31; daß ein solches ausgestaltendes Interesse auch gerade bei der Bewaffnung des Riesen ansetzte, nimmt nicht wunder. Das hat Hertzberg nicht genügend berücksichtigt, wenn er in der Nennung der Waffen ein besonderes Charakteristikum dieses Teils der Überlieferung sieht und seine Tradierung in dem Heiligtum, wo sie niedergelegt waren (Mizpa), annimmt. Die Rüstung selbst, Helm und Panzer, werden wohl zum eigentlichen Erzählungsbestand gehört haben.

Nübel[16] hat von seinem Standpunkt aus konsequent darauf hingewiesen, daß nach V. 5 Bronzehelm und Schuppenpanzer Grauen erregen sollten, daß aber nach V. 38 Saul selber über solche verfügte, darum anderes hinzukommen mußte. Aber das Grauenerregende liegt nicht in der Rüstung und den Waffen an sich, sondern der Größe. Die חֶרְפָּה (vgl. Anm. b zu V. 10) kann doppelte Bedeutung haben. 2 Sam 21,21; 23,9 darf man wohl an Beschimpfung, Beleidigung denken; aber hier ist es von 1 Sam 11 her zu verstehen. Die Leute von Jabesch in Gilead bitten um Aufschub, damit sie einen suchen können, der ihnen hilft; finden sie ihn nicht, wollen sie die Knechte des Nahasch werden. Hinter der Herausforderung des Goliath soll man die Überzeugung hören, daß doch keiner da ist, der sie annimmt. Ihr seid Knechte Sauls, schließt den Gedanken ein: des Mannes, der nicht mehr in der Lage ist zu helfen[17], denn obwohl er der nächste dazu wäre, wendet sich Goliath doch nicht an ihn. Die Worte Goliaths sind also nicht als eine zum Angriff zwingende Beleidigung[18], ebensowenig als ungeduldige Aufforderung, den Kampf endlich zu beginnen[19], aufzufassen, denn der Sinn liegt hier hinter diesen Worten[20]. Es ist darum auch unmöglich, in V. 10 gegenüber V. 8 den Anfang eines neuen Gesprächsganges zu sehen[21]. Damit wird das Versagen Sauls aufs nachdrücklichste unterstrichen. Während 11,4 das Volk weint, Saul ergrimmt, sind hier beide ratlos.

15. So Galling.
16. Aufstieg, S. 21.
17. Daß darin der Hohn der republikanisch oder wenigstens demokratisch verfaßten Philister zum Ausdruck käme (so Greßmann), ist ungerechtfertigter Eintrag.
18. Budde.
19. Löhr, Schulz.
20. Freilich nicht so, wie O. Eißfeldt: Das Lied Moses Deuteronomium 32,1–43. 1958 (BAL 104/5), S. 23f., annimmt, daß hier noch der Kampf Israels mit den Philistern als der Kampf ihrer Götter betrachtet wurde.
21. Nübel: Aufstieg, S. 21.

17,12–31 *David kommt ins Feld*

12 *David war ja*[a] *der Sohn eines Ephratiters*[b], *der stammte ja*[a] *aus Bethlehem in Juda; er hieß Isai und hatte acht*[c] *Söhne. Der Mann war in den Tagen Sauls schon alt (und) in die Reihe der gesetzten Männer(?) gekommen*[d]. 13 *Dagegen waren die drei ältesten Söhne Isais fort*[a], *sie waren Saul nach in den Krieg gezogen. Die Söhne, die in den Krieg gezogen waren, hießen Eliab, der war der Älteste, der nach ihm kam*[b] *Abinadab und der dritte Schamma*[c]. 14 *David aber war der jüngste; die drei Ältesten also waren Saul nach ins Feld gezogen*[a]. 15 [*David ging regelmäßig von Saul hin und her, um die Schafe seines Vaters in Bethlehem*[b] *zu weiden*][a]. 16 *Und der Philister kam immer wieder morgens und abends heran und stellte sich dar – das ging so vierzig Tage*[a] *lang.* 17 *Da gab nun einmal Isai seinem Sohn David den Auftrag: »Nimm doch für deine Brüder dieses Epha*[a] *Röstkorn*[b] *und diese zehn Brot(laibe)*[c] *und bring sie rasch ins Lager zu deinen Brüdern.* 18 *Und diese zehn Stücke Käse*[a] *bringst du dem Hauptmann*[b] *und dann schaust du nach deinen Brüdern, ob es ihnen gut geht*[c], *und läßt dir ein Pfand von ihnen geben*[d].« 19 *Saul aber und sie selber und die ganze Mannschaft Israels standen im Terebinthental im Kampf gegen die Philister*[a]. 20 *Da übergab David früh am Morgen seine Herde in die Obhut eines (anderen) Wächters, packte sich (seine Last) auf*[a] *und machte sich auf den Weg, wie ihm Isai geboten hatte. Just als er zur Wagenburg*[b] *kam, fand er die Streitmacht, wie sie gerade in die Kampfstellung vorrückte*[c] *und das Schlachtgeschrei anstimmte*[d], 21 *und Israel und die Philister sich in Reihen gegeneinander aufstellten*[a]. 22 *Da warf David sein Gepäck*[a] *von sich (und ließ es) in der Obhut des Troßwächters*[b], *stürmte vor zur Kampffront, kam hin und begrüßte seine Brüder*[c]. 23 *Während er sich gerade noch mit ihnen besprach, schritt wieder der Vorkämpfer herauf*[a] *– Goliath, der Philister, war sein Name, aus Gath stammte er – ⟨aus der Front⟩*[b] *der Philister und redete die bekannten Worte*[c], *so daß es auch David hören konnte.* 24 *Als sie aber des Mannes ansichtig wurde, floh die ganze israelitische Mannschaft vor ihm und fürchtete sich sehr.* 25 *Und die Mannschaft Israels*[a] *raunte (sich zu): »Habt ihr den Mann gesehen*[b], *der da herzukommt? Jawohl, Israel Schmach anzutun, darum kommt er. Aber wer den erschlägt, den wird der König (zum Dank) überaus reich machen*[c]; *seine Tochter wird er ihm geben, und die Familie seines Vaters wird er frei*[d] *machen in Israel.«* 26 *Da fragte David die Männer, die bei ihm standen: »Was soll mit dem Mann geschehen, der diesen*[a] *Philister erschlägt und die Schmach von Israel nimmt? Ja, wer ist denn dieser unbeschnittene Philister, daß er (es gewagt und) die Reihen des lebendigen Gottes*[b] *geschmäht hat*[c]?« 27 *Das Volk antwortete ihm mit denselben Worten: »So und so wird es dem Manne ergehen, der ihn erschlägt.«* 28 *Nun hörte Eliab, sein ältester Bruder, wie er so die Männer befragte, und der Zorn Eliabs auf David flammte jäh auf, und er fuhr ihn an: »Was soll das eigentlich bedeuten, daß du hergekommen bist, und wem hast du denn diese*[a] *dürftigen paar Schafe dagelassen in der Wüste? Ich*

kenne doch deine Frechheit und die Niedertracht[b] *deines Herzens; denn du bist doch nur hergekommen, um auch einmal den Krieg zu sehen«.* 29 *David erwiederte: »Was habe ich jetzt bloß getan? Verhält es sich denn nicht so*[a]*?«* 30 *Damit wandte er sich von seinem Nachbarn ab einem anderen gegenüber zu und fragte dasselbe, und das Volk antwortete ihm genauso wie beim erstenmal.* 31 *So wurde man auf die Worte aufmerksam, die David geredet hatte, und auch vor Saul berichtete man davon, und er ließ ihn holen.*

12 a) הַזֶּה (so auch wörtlich 𝔗) erscheint zunächst unmöglich. Die notwendig freie Wiedergabe der Vers kann keine Grundlage für Textänderungen sein (in הָיָה Driver; הוּא »das heißt«, Greßmann, Smith, Ehrlich). Wie allgemein zugestanden ist, erklärt sich הַזֶּה als harmonisierendes Element (𝔙 »de quo supra dictum est«), was nicht heißt, daß es als Glosse zu streichen wäre (so Budde, Rehm, de Groot u. a.); es könnte vielmehr literarisch und formal die Eigenart des Textes kennzeichnen. Zu der Folgerung Klostermanns, Kittels, Casparis u. a., daß der ursprünglich selbständige Text mit den Worten begonnen habe וַיְהִי אִישׁ מִבֵּית לֶחֶם, vgl. die Auslegung. b) Name einer Landschaft in Juda, in deren Gebiet Bethlehem lag (Ru 1,2; 4,11; Mi 5,1; 1 Chr 2,24; 4,4). Zu unterscheiden von dem ephraimitischen Ort (1 Sam 1,1; Jdc 12,5; 1 Reg 11,26). c) Vgl. Anm. a zu 16,10. d) Ungewöhnlicher Ausdruck; gegen eine Änderung (nach 𝔊L ἔτεσιν, ebenso 𝔖) in בַּשָּׁנִים (Wellhausen, Dhorme, DelF § 95 a, de Vaux u. a.) spricht wohl am meisten, daß dafür בַּיָּמִים gebräuchlich wäre. Leichter erschiene die Tilgung des בָּא als Dittogr (Ehrlich, Greßmann, Caspari u. a.), doch unterliegt sie inhaltlichen Schwierigkeiten (Wellhausen). Die Konjektur Klostermanns, מִבֹּא בַאֲנָשִׁים bzw. אַנְשֵׁי מִלְחָמָה ist sachlich sicher richtig (ihr folgen S. R. Driver, Budde, Hertzberg); es muß gedacht sein, daß Isai nicht mehr Kriegsdienst leisten konnte; sie geht aber doch ziemlich weit. Anscheinend meint אֲנָשִׁים hier im Gegensatz zu בַּחוּרִים den nicht mehr wehrfähigen Mann (vgl. Ez 9,6); אִישׁ יִשְׂרָאֵל ist schon formelhaft geworden. 𝔗 geht in ähnliche Richtung, rechnet allerdings Isai noch zu den kriegstüchtigen Männern. De Boer nimmt eine Glosse von הַזֶּה bis זָקֵן an, so daß David Subjekt des בָּא בַאֲנָשִׁים würde, was den Gedanken freilich auf den Kopf stellt.

13 a) 𝔗𝔊A = 𝔐, fehlt 𝔖; הָלְכוּ ist nicht grammatisch als Aufnahme eines Impf. cons. durch Perf. zum Ausdruck der Vorvergangenheit anzusehen (so noch Wellhausen nach älteren Grammatikern) oder als aus 14 geflossener Schreiberirrtum zu tilgen (S. R. Driver, Smith, Dhorme). Eher schiene וַיֵּלְכוּ überflüssig (getilgt von Budde, Greßmann, Caspari, de Groot), doch könnte auch seine Entstehung nur schwer, jedenfalls nicht als Alternativlesart zum Zeichen des Ausgleichs einer selbständigen Erzählung mit einem größeren Zusammenhang (Boström: Alternative Readings, S. 35) erklärt werden. Es handelt sich bei dieser Häufung eher um eine Eigentümlichkeit des hier vorliegenden Erzählungsstils. In ähnliche Richtung weist die Annahme eines verschriebenen Inf. absol. הָלוֹךְ (Ehrlich), doch wäre dafür die Nachstellung oder aber auch die Verbindung mit so viel Näherbestimmungen ungewöhnlich. Am Rande sei der unmögliche Vorschlag Brunos: Epos erwähnt, וַיֵּלְכוּ in מֶלֶךְ zu ändern und zum Vorhergehenden zu ziehen. b) Eigentlich: sein Stellvertreter. c) Vgl. zu 16,9.

14 a) Fehlt bei 𝔖; ist aber keineswegs eine »unerträgliche Tautologie« (Smith), die deswegen als Auffüllung aus V. 13 a oder harmonisierender Zusatz (Wellhausen, Dhorme, Budde, Caspari, überhaupt die meisten) gestrichen werden müßte. Es handelt sich eher um volkstümlichen Erzählungsstil (siehe auch 13 b).

15 a) Der Satz ist als Ganzes harmonisierende nachträgliche Einfügung, die die Verbindung zu 16,14–23 herstellt. Damit entfallen die verschiedenen Rekonstruktionsversuche eines ursprünglichen Textes (z. B. Budde וְדָוִד יָשַׁב לרעות, was sprachlich wenig überzeugend ist; Dhorme Tilgung von וְשָׁב מֵעַל שָׁאוּל; noch weitergehend Tiktin והוא הקטן היה רעה). Die Versionen fassen הֹלֵךְ וָשָׁב anscheinend im Sinne »er war wieder zurückgekehrt« (𝔖 stellt die Verben um), vgl. dazu Kö § 361 q: Voranstellung des Modalverbs. An sich wenig wahrscheinlich, man sollte dann הָלַךְ וַיָּשָׁב erwarten. b) GK § 118 b.g.

16 a) Zur Zahl Vierzig vgl. Gn 7,4; Ex 16,35; Num 14,34 u. a. Jdc 13,1.

17 a) Ein Hohlmaß (= בַּת), 39,31. BRL, Sp. 367; vgl. zu 1 v. 24. b) Unzerkleinerte, geröstete Getreidekörner, sowohl eine besondere Delikatesse als auch für Marschverpflegung gut geeignet; noch jetzt gebräuchlich (AuS III, S. 265). Zur Form BLe § 71x. c) Zum Fehlen des Artikels vgl. GK § 126x; Kö § 334t (innerliche Determiniertheit der Zahlgrößen). Andere Abteilung (Ehrlich ועשר הלחים, was aber wegen des Genus Schwierigkeiten macht) ist ebenso unnötig wie die Annahme einer Haplogr (עֲשָׂרָה הַלֶּחֶם BH³, vgl. S. R. Driver). Es könnte sich um eine der Ungenauigkeiten handeln, die die Umgangssprache charakterisieren.

18 a) Vgl. AuS VI, S. 312. b) »Oberst« hier nicht als Vorsteher eines Geschlechterverbandes (so z. B. Nowack), sondern Hauptmann im militärischen Sinne (vgl. 8,12; dazu de Vaux: Lebensordnungen II, S. 29); es wird also eine weiterentwickelte Form des Heerwesens vorausgesetzt. c) Eine in den Sam-Büchern auch sonst begegnende Breviloquenz, die in die Umgangssprache weist (V. 22, wo das פָּקַד bereits vollzogen ist, ganz korrekt שָׁאַל לְשָׁלוֹם). d) Vgl. Prv 17,18; die allgemeine Übersetzung »Pfand« (Budde, Hertzberg u. a.) ist wohl am besten. Ein Ausdruck aus kommerziellem Bereich, der vermutlich eine Gegengabe als Anerkennung einer empfangenen Leistung bedeutet (vgl. de Boer: OTS 1. 1942, S. 89; Herman M. Weil: Gage et cautionnement dans la Bible. Archives d'Histoire du Droit Oriental 1938, S. 213); freilich nicht in dem Sinne, daß die richtige Ausführung des Auftrages bestätigt werden soll (z. B. Hertzberg, Tiktin, de Vaux, KBL). Die Vers gehen, soweit sie nicht transkribieren (Rahlfs), in der Auffassung auseinander. 𝔊A *ὅσα ἂν χρήζωσιν* (danach Rehm) führt nicht notwendig auf einen anderen Text (Cappellus צרכתם), sondern eher auf die Wz. ערב III (KBL); vgl. dazu das mißverstandene »cum quibus ordinati sunt« der 𝔙 (עכרתם), Σ *μισθοφορία* (danach »Sold« Dhorme, Schulz, Caspari) setzt zu sehr die Löhnungsverhältnisse späterer Zeit voraus, um hier passend zu sein. 𝔗 טִיבֵיהוֹן תַּיְתֵי (so auch 𝔖); 𝔊OL dies und 𝔐 vereinigend (vgl. Rahlfs), denkt an ein Unterpfand für das Wohlbefinden, Lebenszeichen, was viele innere Wahrscheinlichkeit hat (so z. B. Wellhausen, S. R. Driver, Ehrlich u. a.).

19 a) Trotz des הֵמָּה (das 𝔖𝔊A fehlt) nicht mehr, wie allgemein von Wellhausen bis de Vaux, Hertzberg angenommen, Rede Isais, sondern Fortführung der Erzählung in epischer Breite. Der Ort des Kampfes war übrigens in diesem Sonderstück vorher nicht genannt.

20 a) Ohne Objekt ungewöhnlich; die Änderung in וַיִּסַּע (Smith) dennoch aus inhaltlichen Gründen unmöglich. Bei der häufig im Zusammenhang zu beobachtenden Breviloquenz liegt der Bezug auf die vorher genannten Lebensmittel am nächsten und wird von den meisten angenommen. Anders (Ergänzung eines gedachten רַגְלָיו) G. R. Driver: Studies in the Vocabulary of the OT. IV. JThS 1931/32, S. 41f. (ähnlich schon Budde). Doch würde auch damit diesem Aufbruch ein Gewicht gegeben, das er im ganzen Ablauf nicht hat. b) מַעְגָּלָה, die Wagenburg, nicht das Lagerrund schlechthin (𝔊A *στρογγύλωσιν*, alii *καμπήν*), läßt deutlich die Anschauungen späterer Zeit erkennen (Budde, Hertzberg). c) Syntaktisch ungewöhnlich; wenn man im Partz. das Prädikat zu sehen hat, müßte man wohl mit der Mehrzahl der Ausleger den Artikel (als Homoioarkton zu הַחַיִל, Caspari) streichen; weniger wahrscheinlich wäre יָצָא (nach 𝔗 נָפְקִין BH³, Tiktin). Dagegen will de Boer: OTS 1. 1942, S. 90 die Schwierigkeit als lebhafte Darstellungsform erklären: »and the army, see, it is going forth to the battle array, hear, they shout in the war«. Es scheint, als habe der Erzähler, um das genaue Zusammen treffen der Ankunft Davids mit den Ereignissen zum Ausdruck zu bringen, den an sich selbständigen Satz gleichzeitig als Objekt zu וַיָּבֹא gezogen. d) Ungewöhnliche Bildung von רוע, nicht רעע (BLe § 56u''; DelF § 66b); sachlich vgl. zu 4,5; 10,24. Ebenfalls vom Üblichen weicht die Anknüpfung ab (GK § 112rr), vgl. aber Anm. c. Jedenfalls ist die Änderung in וַיָּרִיעוּ (BH³, Tiktin) oder וּמְרִיעִים (Budde) nicht erforderlich. Erwägenswert bleibt die Tilgung des ו (Klostermann) oder noch einleuchtender die Lesung הָרֵעַ הֵרִיעוּ (Hertzberg).

21 a) Zum Fem. GK § 122h.i; BroS § 50b. Israel ist gleichsam als Land, damit als Mutter des Volkes verstanden; vgl. dazu auch S. R. Driver, dort weitere Belege.

22 a) Wie 9,7; 10,22. Außerhalb von V. 12–31 bedeutet כֵּלִים »die Waffen« (auch V. 40.49). b) שׁוֹמֵר fehlt 𝔖. מֵעָלָיו neben עַל־יַד verleiht נטש zwei Aspekte und ist Breviloquenz, auf keinen Fall ist der Text aber deswegen zu kürzen (Caspari). c) Vgl. V. 18, was hier die Tilgung von לְשָׁלוֹם (so etwa Klostermann, Caspari; Bruno: Epos, S. 75) verbietet, auch wenn es nicht gut in den Zusammenhang paßt.

23 a) עלה (vgl. ירד V. 8) paßt hier nicht zur Situationsschilderung, sondern denkt an das Herkunftsland und ist damit Zeichen des inneren Abstandes der Schilderung vom Gegenstand. Die Beschreibung Goliaths beschränkt sich auf das episch Notwendige und ist nicht so, als sei er zuvor nicht erwähnt. b) 𝔗𝔊 Qere und so auch alle Ausleger מַעַרְכוֹת, aber schwerlich richtig. 𝔐 ist keine durch עלה מִן nahegelegte Änderung oder Kennzeichen des überraschenden Auftretens (de Boer?), auch keine falsch aufgelöste Abkürzung (Perles I, S. 34), sondern Verlesung von ו und כ (DelF § 120a), also מַעַרְכֹת. c) Vgl. V. 4–10.

25 a) Gegen V. 24 viel eingeschränkter gebraucht (vgl. Anm. d zu V. 12); dennoch ist die übliche Übersetzung »ein Israelit« sachlich wie grammatisch unrichtig (vgl. Hertzberg). b) GK § 22s; BLe § 8a'; 80hβ (auch § 24s). c) Hiphilform, GK § 53n, 60g; BLe § 49v. d) Vgl. Ex 21,5.26.27; Dt 15,12.13.18. Von den 17 Stellen seines Vorkommens im AT wird der Ausdruck an 16 im Gegensatz zum Sklaven gebraucht (vgl. Stoebe: VT 1956, S. 404); das ist auch hier wohl am nächstliegenden. Die meist gegebene Deutung »frei von Abgaben« (z. B. Budde, Dhorme, Hertzberg, vgl. auch de Vaux: Lebensordnungen I, S. 265) ist eine aus dem Zusammenhang erschlossene, im AT sonst nicht zu belegende Bedeutungsnuance (vgl. dazu schon J. Pedersen: Note on Hebrew Ḥofšî. JPOS 1926, S. 105; W. F. Albright: Canaanite Ḫapši and Hebrew Ḥofšî again. JPOS 1926, S. 107). Es gibt zwar Analogien dazu in den feudalrechtlichen Verhältnissen von Ugarit, es ist aber fraglich, ob man hier hinter die im AT geläufigen Vorstellungen zurückgehen darf (vgl. dazu I. Mendelsohn: The Canaanite term for »free proletarian«. BASOR 83. 1941, S. 36–39; J. Gray: Feudalism in Ugarit and Early Israel. ZAW 1952, S. 52f.; A. Alt: Eine syrische Bevölkerungsklasse im ramassidischen Ägypten. ZÄS 1939, S. 16–20; K. H. Henry: Land Tenure in the OT. PEQ 1954, S. 5–15. Grundsätzlich zu diesem ganzen Komplex Stoebe: VT 1956, S. 404.

26 a) Verstärkte Demonstrationskraft GK § 34f. b) Ebenso V. 36; vgl. GK § 132h; BroS § 19c. c) Es handelt sich um die Höhnung Jahwes in seinem Volk, und damit ist ein objektiver Tatbestand geschaffen. Eine Änderung in יְחָרֵף (BH^3, Ehrlich, Tiktin, Caspari) nivelliert die beabsichtigte Aussage.

28 a) BroS § 59b. b) רֹעַ ist von den Vers bestätigt und beizubehalten, wenn sonst רֹעַ לֵבָב auch in anderer Bedeutung gebraucht wird. Zur Änderung in רֵעַ »Gedanke« (Ehrlich, Greßmann, Schulz, Caspari) vgl. P. Joüon: Notes philologiques sur le texte Hébreu de l'Ancien Testament. Bibl 1928, S. 166. Nicht besser ist רוּם לְבַבְכֶם.

29 a) Das auf 𝔗 zurückgehende Verständnis »war es denn nicht nur ein Wort«, »darf ich denn nicht auch reden« (S. R. Driver, Greßmann, de Vaux, Hertzberg u. v. a.; ähnlich Budde mit Änderung in הֲלֹא אֲדַבְּרָה) widerspricht wohl der alten Auffassung von der Kraft des Wortes. Besser »trifft es denn nicht zu« (vgl. Am 6,13; S. Schmidt »nonne res vera istud«); andere »ist es nicht eine Sache von Wichtigkeit«, was auch möglich ist (z. B. Klostermann, Smith, Dhorme; mit Textänderung Caspari). Es bezieht sich dann auf V. 26b.

17,12–31 *David kommt ins Feld.* Dieses Stück ist eine sehr komplexe Größe; es enthält wohl in den Ausdrücken חָרֵף V. 25.26, מַעַרְכֹת אֱלֹהִים חַיִּים V. 26 Anklänge an die Vorstellungswelt des sakralen Krieges, weist zu gleicher Zeit aber im Verständnis der Sache so weiten Abstand davon auf, daß schon von da aus nicht an eine selbständige Überlieferungsbildung zu denken ist. Vielmehr ist das, was hier erzählt wird, nicht ohne die vorgegebene Größe eines bereits formulierten Textes zu denken[1]. Es soll zwar damit das Wunderbare des Auftretens Davids, seines Kampfes und Sieges noch unterstrichen werden, aber diese Unterstreichung ist eben auf einen Punkt zugeschnitten. Die Sprache zeigt charakteristische Merkmale unscharfen, mehr volkstümlichen Redens, so daß es wohl berechtigt ist,

1. Ähnlich schon Peters: Davids Jugend, S. 57.

diese Tatsache zur Deutung schwerer syntaktischer Zusammenhänge mit heranzuziehen.

12 Die schwerfällige, grammatisch unmögliche Einführung kennzeichnet ein Nahtstück. Sie läßt sich aber nicht auf einen ursprünglich selbständigen Erzählungsanfang im Sinne Klostermanns, Casparis u. v. a. (vgl. Anm. b zu V. 12) zurückführen. Einmal ist, wie die Formulierung V. 14 zeigt, diese Geschichte von vornherein auf David zugeschnitten, דָּוִד kann also nicht erst harmonisierender Ausgleich sein. Weiterhin berücksichtigt der Hinweis auf die Analogie 9,1 nicht genügend, daß dort die Einführung anders aufgebaut ist, nämlich Namen, Stammeszugehörigkeit und Genealogie angibt, aber nicht den Herkunftsort; das ist nicht Zufall, sondern gehört zum Stil solcher Einführungen[2]. Eine Genealogie Davids, die hier fehlt, war einer späteren Zeit weder unwichtig noch unbekannt (1 Chr 2,10–17). Desgleichen ist es nicht wahrscheinlich, daß die Zahl der Söhne oder die Namen der drei Ältesten erst aus 16,3–9 nachgetragen sind[3], denn sie spielen nachher keineswegs nur eine Rolle am Rande, und der Älteste wird mit Namen genannt. Dann ist die ungewohnte und fehlerhafte Form und Stellung des הַזֶּה schwerlich als ungelenke redaktionelle Glosse zu erklären (Anm. b); doch könnte eine verkürzte, damit unscharfe Redeweise vorliegen: dieser David, dieser Ephrataer. Die Sache bleibt unklar, die Übersetzung versucht es durch »ja« wiederzugeben. Von dem Vater wird lediglich die negative Feststellung getroffen, daß er alt war; das ist kein wesenhafter Zug, wird aber als Motiv der Darstellung verstanden werden können.

13–14 Die Tatsache, daß die Ältesten nicht mehr beim Vater sind, wird fast monoton, V. 14 zudem in einer stilistisch nicht schönen, wenn auch nicht unmöglichen Weise wiederholt. Der Nachdruck liegt so sehr darauf, daß die mögliche Diskrepanz mit V. 28b gar nicht zum Bewußtsein kommt[4]; denn eigentlich ist die Frage Eliabs nach dem Verbleib der Herde unbegründet, wenn noch andere Söhne zu Hause sind. Schulz hat daraus, daß V. 13a und 14b inhaltlich gleich sind, für V. 13b.14a auf eine an sich Bekanntes enthaltende Beischrift, in V. 14b auf eine Wiederaufnahme geschlossen – aber Beischriften sind keine unnützen Schreibübungen. Nübel sieht in V. 14b die Hand des Bearbeiters, der ein in V. 14a störendes Moment – aber welches? – zudecken wollte. Diese Wiederholung ist wohl ebenso als einfaches Kunstmittel der Darstellung zu beurteilen wie die namentliche Vorführung der drei Brüder 16,6ff.; das unterstreicht wirkungsvoll den Gegensatz: von denen war etwas zu erwarten, von David nicht. Daß dieses Stück nicht die Fortsetzung von 16,14–23 sein kann, ist völlig klar. Es kann aber auch nicht eine natürliche Weiterführung von 16,1–13 sein[5]. Nicht so sehr deswegen, weil eine vorausgegangene Salbung die Schroffheit der Brüder hätte ausschließen müssen – ob die Salbung heimlich war, blieb, wenn es auch nicht wahrscheinlich ist, doch in der Schwebe –, wohl aber darum, weil alle von dort

2. Stoebe: VT 1956, S. 400f.; vgl. auch zu 1,1.
3. Etwa Budde, aber auch Schulz.
4. Sie fällt auch nur einem Kommentator auf.
5. So Smith, vgl. o. S. 313.

bekannten Nebenumstände nicht hätten erwähnt zu werden brauchen, geschweige denn eingefügt werden müssen (vgl. o. S. 325). Doch zeigt es starke gedankliche Berührungspunkte – der Hirtenknabe, die großen Brüder – und ist unbeschadet aller Unterschiede im Skopus aus verwandten Anschauungen gestaltet.

15–16 Beide Verse[6] sind wohl harmonisierende Aussagen, die aber deswegen nicht nachträglich sein müssen, sondern von vornherein mit der Ausweitung gegeben sind, ja, sie überhaupt erst möglich machen. Die vierzig Tage sollen sicherlich nicht nur einen Zeitraum schaffen, der das Auftreten Davids erlaubt; dann ständen sie in der Tat an denkbar ungünstiger Stelle[7]. Sie sind zugleich Zeit des Unglücks, der Rat- und Rettungslosigkeit Israels (vgl. Anm. a zu V. 16), während der, der zum Retter ersehen ist, noch unerkannt hin und hergeht.

17–31 Die Absendung Davids, um seinen Brüdern Verpflegung ins Feld zu bringen, könnte für sich noch in der Linie alter Kriegsvorstellungen liegen, nach denen der, der sich zum Heiligen Kriege seines Volkes stellt, sich selbst zu verpflegen hat (vgl. zu 16,20); aber schon die Gabe an den Hauptmann als Vorgesetzten, den man günstig stimmen muß, steht in einem sehr klaren Gegensatz dazu. Budde rechnet V. 17ff. zu den unerfindbaren Zügen; sicher richtig, aber die dahinterstehende Anschauung ist die einer späteren Zeit, wie die Wagenburg מַעְגָּלָה und vielleicht auch der שׁוֹמֵר הַכֵּלִים, dessen Stellung und Beuteanteil nach einer interessanten Notiz 30, 24 (vgl. dort) durch David festgesetzt wurde[8]. In diese Richtung aufgelöster oder nicht mehr verstandener Form weist auch das הֵרֵעוּ, das von seiner ursprünglichen Bedeutung im Heiligen Krieg[9] zu einer neutralen militärischen Maßnahme abgesunken ist, ebenso wie מַעֲרָכָה allgemein »Front« bedeutet (vgl. o. S. 319), in der, hier jedenfalls, nichts geschieht. Daß David schnell in die Front laufen kann, seine Brüder zu begrüßen, unterstreicht noch die Stilisierung der Darstellung.

V. 23 bereitet manche Schwierigkeiten. Nübel vermißt die Angabe über die Rüstung[10]. Andere sehen in dem כַּדְּבָרִים הָאֵלֶּה einen Hinweis darauf, daß entweder die eigentliche Rede weggebrochen[11] oder diese Rückverweisung nachträglich eingefügt wurde[12], so daß der ursprüngliche Text nur gewesen wäre: »der Riese kam, und sie flohen«. Natürlich, beides wäre möglich, aber näherliegend ist doch der Schluß, daß hier eine Erweiterung zu einem Grundbestand gemacht wurde, der das enthielt, was man vermißt. (Zur Namensnennung vgl. Anm. a zu V. 23). Völlig aus dem Rahmen der Welt des Heiligen Krieges fallen die Versprechen. Sie stehen in keiner Beziehung zu den Lebensumständen Davids, denn wir haben anzunehmen, daß David aus den Reihen der freien Grundsassen stammt (vgl.

6. Vgl. Anm. a zu V. 15.
7. Greßmann hätte dann damit recht, daß er sie schon nach V. 11 erwartet.
8. Σ geht mit seiner Übersetzung von ערבה durch μισθοφορία noch ein gutes Stück weiter im zeitbedingten Verständnis.
9. Dazu Paul Humbert: La »Terouʿa«. Analyse d'un rite Biblique. 1946, S. 30.35.
10. Und behilft sich durch entsprechende Umstellung (vgl. o. S. 320).
11. Smith, Nowack.
12. Budde, Schulz, Caspari, ähnlich Dhorme.

Anm. d zu V. 25). Das gleiche gilt für das Versprechen der Hand der Königstochter, denn nach dem Kontext ist David einfach noch zu jung dafür. Man mag darin kulturgeschichtlich eine Sonderform der Kaufheirat sehen können[13]; aber die Geschichte Jos 15,16ff.; Jdc 1,12ff. (Kaleb verspricht seine Tochter Achsa dem, der Kirjath-Sepher einnimmt) ist keine wirkliche Analogie, weil diese Landnahmeerzählung durchaus im Rahmen alter Vorstellungen bleibt. Natürlich hat das Wissen um die spätere Ehe mit einer Tochter Sauls hier überlieferungsbildend gewirkt (vgl. zu 18,17ff., aber gerade dort wird offenbar auf ein derartiges Versprechen nicht Bezug genommen[14]).

V. 26 wird der Gegensatz zwischen Sakralem Krieg – die Beleidigung Jahwes wird hier noch verstärkt durch den Hinweis auf das Unbeschnittensein des Philisters – und der Belohnung besonders deutlich. Die Frage, die V. 27 vergewissernd gestellt und anscheinend V. 29 wiederholt wird, ist als wirkliche Frage und nicht exklamatorisch[15] zu verstehen, als meine David, in einem solchen Fall sei jede Belohnung unnötig und unangebracht[16]. Im übrigen ist gerade diese Szene mit großer Plastik geschildert: das Poltern des Bruders über den vorwitzigen Kleinen, die Allerweltsfrage des Jüngeren: Was habe ich denn schon wieder getan[17]? Es handelt sich hier um Elemente volkstümlicher Erzählung und Ausschmückung, die Freude am vielleicht nebensächlichen Detail. Freilich ist das mit der Charakterisierung »Märchenzüge«[18], wenigstens an dieser Stelle, nicht sachgemäß gekennzeichnet. Berührungen unseres Kapitels mit der Josephsgeschichte[19] sind verschiedentlich festgestellt worden[20]. Aber hier hat über gelegentliche Anklänge hinaus das Vorbild der Josephgeschichte die Gedanken geprägt, in der Art, daß man einen im wesentlichen geschichtlichen Tatbestand unter diesem Vorzeichen verstanden und gedeutet hat. Wie David wurde auch Joseph gesandt, nach seinen Brüdern zu sehen[21], nur stehen sie hier im Felde. Deswegen hat die Angabe über das Alter Isais Gewicht. Wie Joseph wird auch David von seinen Brüdern verachtet und befeindet. Das im Zusammenhang nicht recht motivierte זָדוֹן erinnert an die Reaktion der Brüder Josephs auf seine Träume[22]; und schließlich mußte auch Joseph in Ägypten aus Sklaverei zu seiner hohen Stellung befreit werden (zu חָפְשִׁי vgl. Anm. d zu V. 18). Am Rande mag erwähnt werden, obwohl das angesichts der geschichtlichen Wirklichkeit dieser Ehe nur

13. Plautz: ZAW 1964, S. 303.
14. Anders jetzt wieder Nübel: Aufstieg, S. 22f. und auch Plautz: a. a. O.
15. So Ehrlich mit feinem Gefühl für die Spannung des Textes.
16. Hertzberg, Gutbrod.
17. Es leuchtet nicht recht ein, darin eine Redeform vor der Gerichtsverhandlung zu sehen (Boecker: Redeformen, S. 32).
18. Hermann Gunkel: Das Märchen im Alten Testament. 1917, S. 122; vor allem Greßmann; vgl. auch ATAO, S. 449.
19. Vgl. dazu allerdings Hermann Gunkel: Joseph. ZDMG 1922, S. 55ff.; aber auch dann wäre ein Märcheneinfluß hier nur mittelbar anzunehmen.
20. Z. B. Budde, Greßmann, Hertzberg; auch de Boer: OTS 1. 1942, S. 89.
21. Gn 37,14ff.
22. Gn 37,2ff.

geringes Gewicht hat, daß die Erhöhung Josephs auch darin ihren Ausdruck findet, daß Pharao ihm die Tochter Potipheras, des Priesters von On, zur Frau gibt[23].

Diese Ausformung ist nicht ein verspieltes Fabulieren; es drückt sich darin eine doppelte theologische Absicht aus. Es war der verachtete, in die Fremde verkaufte Joseph – und auch David mußte in die Fremde zu den Philistern weichen –, durch den Gott seinem Volk Leben und Rettung gab[24]. So sieht der Glaube das, was in der Vätergeschichte angelegt war, in David und seinem Werk von neuem Wirklichkeit geworden. Zugleich wird das Wunderbare des Goliathsieges überhöht. Ein Hirtenknabe kommt, scheinbar durch Zufall, aber doch nach Gottes Plan, als Verpflegungsträger an die Front, und er erringt den Sieg.

Mit V. 31 lenkt die Erweiterung auf den Erzählungskern zurück, den sie wie überall auch hier voraussetzt; insofern gehört dieser Vers noch zu dem Abschnitt V. 12–30 und nicht zu V. 32ff.[25]. Damit erklären sich die gedrängte Kürze und die abrupte Form, auch das oft bemängelte וַיִּקָּחֵהוּ, für das wohl וַיִּשְׁלַח וַיִּקָּחֵהוּ üblicher wäre[26]. Es wäre möglich, die Form pluralisch zu vokalisieren, doch erforderte das einen Zusatz der Art, wie ihn 𝔊^Luc mit den Worten *καὶ παρέλαβον αὐτὸν καὶ εἰσήγαγον πρὸς Σαουλ* hat, was zu Unrecht[27] zur Grundlage einer Textänderung gemacht wird[28]. Dann müßten schon mehr Worte ausgefallen sein[29], was bei der Annahme einer verbindenden Klammer[30] nicht wahrscheinlich ist. Von V. 55ff. her läge es nahe, an einen Erzählungsstrang zu denken, der das ganze Gespräch Sauls mit David hier nicht kennt und erst nach dem Sieg über Goliath die Begegnung herbeiführt[31]. Aber ein so breit angelegter Gesprächsgang über die Belohnung verlangt doch wohl, wenn er irgend Bedeutung haben soll, daß er zu den Ohren dessen kommt, der sie ausgesetzt hat.

23. Gn 41,45.
24. Gn 45,5; 50,20.
25. So Greßmann, der aber dafür einen langen ausgefallenen Bericht postulieren muß, wie David auch hier mit Saul zusammenkam und was er sagte.
26. Löhr.
27. So sehr eingehend Schulz.
28. Löhr, auch Dhorme.
29. So Hertzberg, aber auch Budde.
30. Tiktin: der Interpolator hat eben hier, wo er zum anderen Bericht überleitet, gekürzt, oder der ganze Vers ist nichts weiter als eine jämmerliche Klammer.
31. Z. B. Schlögl, Greßmann, Dhorme u. a.

17,32–58 *Goliath wird von David überwunden*

32[a] (Doch) David sagte zu Saul: »Nicht entsinke ⟨meinem Herrn⟩[b] um seinetwillen der Mut; dein Knecht[c] wird hingehen und gegen diesen Philister kämpfen.« 33 Saul erwiderte David: »Du kannst doch nicht hingehen und mit dem Philister kämpfen, denn du bist ja noch ein junger Mensch[a], er aber ist Kriegsmann von Jugend auf.« 34 David aber gab Saul zur Antwort: »Hirte war[a] dein Knecht seinem Vater[b]; einmal kam der

Löwe[c] [und der Bär][d] und wollte ein Schaf von der Herde wegschleppen; 35 da sprang ich hinter ihm her[a], schlug auf ihn ein[a] und rettete es aus seinem Maul; [und als er sich dann gegen mich aufrichtete][b], packte ich ihn an der Mähne[c] und schlug ihn tot[d]. 36 [Den Löwen und][a] auch den Bären hat dein Knecht erschlagen; dieser unbeschnittene Philister soll werden wie einer von ihnen[b], weil er die Reihen des lebendigen Gottes geschmäht hat.« 37 Und David sagte weiter[a]: »Jahwe, der mich aus den Klauen des Löwen und des Bären rettete, der wird mich auch aus der Hand dieses Philisters erretten.« Da sagte Saul zu David: »So geh, denn Jahwe wird mit dir sein.« 38 Also bekleidete Saul David mit seinem Kriegskleid[a], (das heißt) er setzte[b] ihm einen Helm von Erz auf das Haupt und wappnete ihn mit einem Panzer[c]. 39 Schließlich gürtete David[a] sein Schwert über sein Gewand und machte sich daran[b], damit zu gehen, denn darin war er nicht geübt[c]. So sagte (endlich) David zu Saul: »Darin kann ich nicht gehen, denn ich bin es nicht geübt.« Darum legte David es wieder von sich ab[d]. 40 Dafür nahm er seinen Stab[a] zur Hand und wählte sich fünf glatte Steine aus dem Bachgrund und tat sie in seinen [Hirtensack][b], ...[c], seine Schleuder[d] lag in seiner Hand; so schritt er auf den Philister los. 41[a] *(Aber auch) der Philister kam näher und immer näher*[b] *auf David zu, und sein Schildhalter war vor ihm her.* 42 Als der Philister nun hinschaute und David erblickte, war er voll Verachtung für ihn, denn er war ein Jüngling, rötlich[a] und von schmuckem Aussehen[b]. 43 Und der Philister rief David zu: »Bin ich denn ein Hund[a], daß du mit Stöcken[b] zu mir kommst[c]?« Und darauf verfluchte der Philister David bei seinen Göttern. 44 Weiter prahlte der Philister vor David: »Komm nur heran zu mir, ich will mit deinem Fleisch die Vögel des Himmels und das Getier des Feldes füttern.« 45 Doch David gab dem Philister zur Antwort: »Du kommst zu mir mit Schwert, Lanze und Krummschwert; ich aber komme zu dir mit dem Namen[a] Jahwe Zebaoths, des Gottes der Schlachtreihen Israels[b], den du geschmäht hast[c]. 46 Heute beschließt dich[a] Jahwe in meine Hand; ich will dich erschlagen und dir das Haupt vom Leibe trennen, auch werde ich [b]die Leichen [das Lager][b] der Philister heute den Vögeln des Himmels und dem Getier des Feldes zu fressen geben, und alle Welt soll es inne werden, daß es einen Gott für[c] Israel gibt. 47 Auch diese ganze (Volks)gemeinde[a] soll es inne werden, daß Jahwe nicht Schwert und Spieß braucht, um Rettung zu schaffen[b], denn Jahwes ist der Krieg[c], und er hat euch in unsere Hand gegeben. 48 Als der Philister nun losging[a] und David immer näherkam, *lief (auch) David*[b] *[auf die Schlachtreihe zu,] dem Philister entgegen*[b c], 49 faßte David mit der Hand in die Tasche, griff einen Stein heraus, schleuderte ihn und traf den Philister vor die Stirn, daß der Stein in die Stirn eindrang[a] und er auf sein Angesicht zu Boden fiel.

50[a] *Also überwand David den Philister mit Schleuder und Stein; er traf den Philister und tötete ihn, und war doch kein Schwert in seiner Hand.*

51 Dann lief David herzu, trat ⟨über⟩[a] den Philister, ergriff sein Schwert[b], *zog es aus der Scheide*[c] und machte ihm so den Garaus[d], daß er ihm den Kopf abschlug. Die Philister nun, da sie sahen, daß ihr bester Mann gefallen war, flohen. 52 Doch die Männer von Israel und Juda[a] standen auf, erhoben den Schlachtruf und verfolgten die Philister bis hin nach ⟨Gath⟩[b] und den Toren von Ekron[c]. Und die Erschlagenen der Philister lagen am Wege nach Schaarajim[d] bis hin nach Gath und Ekron. 53 Da (erst) lösten sie sich von den Philistern, kehrten um und plünderten ihr Lager. 54 David aber nahm das Haupt des Philisters und brachte es nach Jerusalem[a], doch seine Waffen stellte er in sein Zelt[b].

55[a] *Als Saul sah*[b]*, wie David dem Philister entgegenschritt, fragte er Abner, den Feldobersten: »Wessen Sohn ist der Jüngling eigentlich*[c]*, Abner?« Abner erwiderte: »Bei deinem Leben*[d]*, mein königlicher Herr, ich weiß es auch nicht.«* 56 *Der König wies ihn an: »Dann frage du, wessen Sohn der junge Bursche*[a] *ist.«* 57 *(Darum) als David von seinem Sieg über den Philister zurückkam, nahm ihn Abner und führte ihn vor Saul – das Haupt des Philisters hatte er noch in der Hand.* 58 *Saul fragte ihn: »Wessen Sohn bist du eigentlich, junger Held?« David erwiderte: »Deines Knechtes, des Bethlehemiten Isai Sohn bin ich.«*

32 a) Eigentlicher Anschluß an V. 11. b) 𝔊 *κυρίου μου* ist mit Wellhausen, S. R. Driver, Budde u. a. als ursprünglicher Text anzusehen (anders: de Boer: OTS 1. 1942, S 93; Hertzberg, Rehm, auch de Vaux); 𝔐 אָדָם »irgendeinem« ist nicht als falsche Auflösung von אד (Perles II, S. 34 zu erklären, sondern ist durch die Einschaltung V. 12–31 bedingt. c) Beachte den höfischen Stil.

33 a) נַעַר für einen kriegstüchtigen Waffenträger z. B. 14,1; auch Jdc 7,10; 8,20 (dort etwas anders). 𝔗 יַנִּיק 𝔅 »puer« überzeichnen 𝔐; 𝔊 *παιδάριον* besagt nicht viel, da 𝔊 191 Vorkommen in Gn – 2 Reg 141mal so übersetzt, auch da, wo es sich zweifellos um einen erwachsenen jungen Mann handelt (z. B. 2 Sam 18,15; 1 Reg 11,28). Zum Fließen in der Bedeutung von נַעַר vgl. etwa W. F. Albright: The seal of Eliakim and the latest preexilic history of Judah with some observations on Ezechiel. JBL 1932, S. 82; Mitannian maryannū = »Chariot-warrior« and the Canaanite and Egyptian Equivalents. AFO 1930, S. 217–221.

34 a) הָיָה erklärt sich nicht als ein bis auf die Gegenwart reichendes Perf. praesens (Budde), sondern als Rückverweis auf eine entferntere Vergangenheit (Smith; Stoebe: VT 1956, S. 406). b) 𝔖 und compl MSS לְאָבִי gleichen an die Verbformen an. c) Der Artikel ist hier nicht Hinweis auf wiederholte Handlung (BroS § 21 b*γ*), sondern die folgende Konkretisierung vorwegnehmende Determination (GK § 126q, r). Ebenso besteht keine Notwendigkeit, die ו-Perf. frequentativ zu verstehen (GK § 112kk), wie alle Ausleger es wollen. Die an sich ungewöhnliche Form scheint stilistische Eigenart zu sein (vgl. auch V. 48), so daß hier an ein Ereignis der Vergangenheit zu denken ist (Stoebe: VT 1956, S. 406; auch Fr. R. A. Blake: Resurvey of Hebrew tenses. Rom 1951, § 37*α*′. d) Das auffallende וְאֶת ist nicht als seltene Nominativdetermination zu erklären (so P. P. Saydon: Meaning and use of the particle את. VT 1964, S. 206; vgl. jetzt auch die sorgfältige Untersuchung von J. Hoftijzer: Remarks concerning the use of the particle 'T in classical Hebrew. OTS 14. 1965, S. 19), auch nicht mit 𝔗 in וְאַף zu ändern (Budde, Smith) oder sonst als Ausdruck der Begleitung aufzufassen (so schon GK § 154, Anm. b; auch J. Blau: Zum angeblichen Gebrauch von את vor dem Nominativ. VT 1954, S. 17; jetzt auch J. Macdonald: The particle את in the classical Hebrew.

VT 1964, S. 270); richtiger wäre dann אוֹ (de Vaux). Es ist auch kein verschriebenes וְאַתָּה (Perles I, S. 27; Caspari). Da die folgenden Verben nur ein Tier voraussetzen (Schulz), reicht die Annahme nicht aus, daß V. 34 und 36 nur gegeneinander verschrieben sind (S. R. Driver, auch Hertzberg). Das וְאֶת־הַדּוֹב ist vielmehr unsorgfältiger glossatorischer Zusatz wie in V. 36 (so auch Dhorme, Ehrlich, Greßmann). Dieser Zusatz hat das frequentative Verständnis gestützt.

35 a) Zu dem durch die Akzentsetzung ausgedrückten, nicht frequentativen Verständnis der Punktatoren vgl. S. R. Driver. b) וַיָּקָם führt hier nicht einen Sonderfall ein (etwa Budde, Smith, Dhorme), ist aber auch nicht harmonisierend in וְקָם zu ändern (z. B. Tiktin, Greßmann, Caspari, de Groot). Da nicht der Löwe, wohl aber der Bär gegen seinen Feind aufsteht, ist es eine aus der Konstruktion fallende Erweiterung, zusammen mit וְאֶת־הַדּוֹב. c) Kann nur vom Löwen, nicht aber vom Bären gesagt werden, ist deswegen aber nicht allgemeiner Ausdruck für Kinn (Klostermann, Tiktin; vgl. 𝔙 »mentum«). 𝔗 בְּלוֹעֵיהּ führt ebenfalls auf בִּזְקָנוֹ (I. Aharoni: ʿAr, le Gypaëte barbu et ʿAr-Moab. RB 1939, S. 241). 𝔊 *φάρυγγος* ist Angleichung an den Zusammenhang, und zu Unrecht ändert Budde in בִּגְרֹנוֹ. d) Zur Form (späte Pleneschreibung) BLe § 56u''; DelF § 30b.

36 a) Mit der Nachstellung von *καὶ τὸν λέοντα* scheint 𝔊 auf גַּם־הַדּוֹב als ursprünglichen Text zu weisen; הָאֲרִי ist mit der gleichen Akkusativpartikel wie הַדּוֹב V. 34 nachgetragen (Dhorme, Schulz, Caspari). b) 𝔊 indikativisches Verständnis des Nominalsatzes + *οὐχὶ πορεύσομαι καὶ πατάξω αὐτὸν καὶ ἀφελῶ σήμερον ὄνειδος ἐξ Ἰσραηλ*, vgl. V. 26; eine Erweiterung, die zu Unrecht als ursprünglich und nur durch Homoeotel fortgefallen angesehen wird (Thenius, Budde, Dhorme). Andere sehen ebenso unnötig die Erweiterung bereits in 𝔐 V. bβ beginnen (Smith, Schulz, Tiktin).

37 a) Fehlt 𝔊; es ist vielleicht nicht nur als Einleitung eines Redeabschlusses durch Zusammenfassung der Vorhergehenden zu erklären (Wellhausen, S. R. Driver, Budde, u. d. meisten), sondern könnte auch Hinweis auf das Wachsen des Textes sein.

38 a) Sehr allgemeiner Ausdruck (AuS V, S. 208), nicht das Kleidungsstück an sich, sondern das der Gelegenheit angepaßte Kleidungsstück (so richtig Budde, auch Nowack), hier also das kriegerische oder auch königliche Gewand; vgl. dazu 18,4; 2 Sam 10,4. Natürlich handelt es sich um Sauls מַדִּים; das bloße *μανδύαν* bei 𝔊 (Transkription aus מַדּוֹ?) ändert die Sache, könnte also auch Absicht sein. b) וְנָתַן (𝔊 nur *ἐνέδυσεν* für beides); zwar ungewöhnliches Tempus, auch nicht dem an sich möglichen Promiscuegebrauch entsprechend (GBe § 6i), deswegen aber nicht in וַיִּתֵּן (GK § 112tt, Dhorme, BH[3]) oder gar יוֹנָתָן (Klostermann) zu ändern, auch nicht (mit 𝔊) zu streichen (Budde, Smith u. a.). Anscheinend dient es der Erläuterung des vorhergehenden מַדָּיו (Hertzberg), kann dann nachträgliche, freilich durchaus sachgemäße Ergänzung sein. c) Fehlt 𝔊, deswegen nicht zu tilgen; es gehört zu der mit וְנָתַן beginnenden Erläuterung, steht deswegen auch nicht im Gegensatz (so z. B. Nübel: David, S. 24) zu dem מֵעַל־לְמַדָּיו V. 39.

39 a) דָּוִד ist Subjekt, das Schwert sein eigenes (so mit Recht Nowack, Tiktin, Greßmann u. a.; vgl. vor allem Smith). 𝔊[B] *καὶ ἔζωσεν τὸν Δαυιδ* setzt die durch V. 12–31 vermittelte Anschauung voraus, doch ist 𝔐 durch 𝔗 u. 𝔖 bestätigt, darf also weder geändert (zu חגר mit persönlichem Objekt vgl. Ehrlich) noch in dieser Richtung verstanden werden (Budde, Schulz, Caspari, Hertzberg u. v. a). b) 𝔐 gibt einen durchaus befriedigenden Sinn; 𝔊, auch sonst abweichend, *ἐκοπίασεν*, was entweder auf וַיֵּלֶא (Wellhausen, S. R. Driver, Budde, Caspari u. v. a., auch Rehm) oder auf וַיִּלְאֶ (nach Gn 19,11 Ehrlich, Schulz) als ursprünglicher Text gedeutet wird. In gleicher Richtung auch G. R. Driver: Studies in the vocabulary of the Old Testament V. JThS 1933, S. 33 (Hiphil von אלה nach dem Arab. = »zaudern, Abstand von etwas nehmen«) oder de Groot (Wz. אלל »schwach sein, nichts können«). Das paraphrasierende »er wollte nicht« (𝔗𝔖) steht 𝔐 näher als 𝔊. c) Bedeutet nur, daß David mit einer *ungewohnten* Bewaffnung nicht vertraut war; so auch Eißfeldt: VT 1955, S. 237. 𝔊 stattdessen *περιπατήσας ἅπαξ καὶ δὶς*, bei ihrem Verständnis von וַיֹּאֶל naheliegende Paraphrase. d) Subjekt David, der hier die Initiative hat, in 𝔊 *καὶ ἀφαιροῦσιν* dagegen eine durchaus passive Rolle spielt. Zu Unrecht wird danach וַיְסִרֻם vokalisiert (Budde, Dhorme, Smith u. v. a.), z. T. dabei דָּוִד als falsches Explicitum gestrichen (Wellhausen, S. R. Driver).

40 a) Zur Sache vgl. AuS VI, S. 238; andererseits E. Power: The shepherd's two rods in modern

Palestine. Bibl 1928, S. 437f.: David habe wohl den Knüppel genommen, aber den Stab weggelassen (vgl. dazu auch Stoebe: ZDPV 1964, S. 38). Diese Deutung beruht freilich auf falscher Beurteilung des Charakters dieser Stelle, wie übrigens auch die anderen historischen Erklärungsversuche (Budde: zum Zweck der Täuschung; Ehrlich: allgemeiner Ausdruck der Bedeutungslosigkeit. Tiktin will sogar, daß David den Stein mit dem Stabe schnellt!). Daß es hier מַקֵּל heißt, hängt wohl mit יְקַלֵּל V. 43 zusammen. b) Eine Erklärung, deren Richtigkeit zweifelhaft ist (vgl. Wellhausen, de Boer), für das später unverständlich gewordene יַלְקוּט, keineswegs umgekehrt (so z. B. Ehrlich, Greßmann, Caspari, Hertzberg), denn es wäre ungebräuchlich, ein bekanntes durch ein unklares Wort zu erläutern; die Stellung vor dem zu erklärenden Wort, an sich ungewöhnlich, kennzeichnet das Schwergewicht, das das Hirtenmotiv annimmt. c) 𝔊 *εἰς συλλογήν*, Versuch einer Exegese, der nicht eine Änderung in לְיַלְקוּט (Budde, Smith, Dhorme) rechtfertigt; vielmehr ist בְּיַלְקוּט (bzw. בְּיַלְקוּטוֹ, Ehrlich) zu lesen (Dittogr). Altes Wort unklarer Bedeutung; zur Form Jacob Barth: Die Nominalbildung in den semitischen Sprachen. Leipzig 1894, § 156b. Die meist angenommene Bedeutung »Hirtentasche« (KBL) ist aus dem Zusammenhang erschlossen; besser wäre »Steinköcher« oder ähnlich (Hertzberg, de Vaux, GB; vgl. auch de Boer). Die Erklärung als »Bausch des Gewandes« scheint nicht stark genug. d) Riemen mit einer breiten Lasche in der Mitte zum Einlegen des Schleudersteines; zur Sache vgl. Benzinger: Archäologie, S. 300; AuS VI, S. 223, Abb. 37.

41 a) Das Fehlen in 𝔊 ist nicht durch Homoeotel (Dhorme; Peters: Beiträge, S. 15) oder bewußte Auslassung (Smith, Schulz) begründet, sondern stellt eine andere, hier vielleicht bessere Rezension dar, da sich V. 42 glatter an V. 40 anschließt (Wellhausen). Der Vers dient dazu, dramatisch die Spannung zu steigern, braucht also in 𝔐 nicht als nachträglich getilgt zu werden (Nowack, Caspari u. a.) und schon gar nicht das אֶל־דָּוִד allein (Budde). b) Zur Konstruktion Pr. Wernberg-Møller: Observations on the Hebrew Participle. ZAW 1959, S. 60.

42 a) Vgl. 16,12; stehende Charakterisierung Davids, die hier nicht recht paßt, da das gute Aussehen kein Grund der Verachtung sein kann. Budde, Smith, Greßmann und die meisten nehmen Ergänzung nach dort an; auf jeden Fall kennzeichnet es die Angleichung des Davidbildes an 16,1–13. b) 16,12 עִם יְפֵה עֵינַיִם. (𝔊 auch hier *ὀφθαλμῶν*). Gleiche Wortwahl bei wechselndem Nomen spricht gegen präpositionale Auffassung des עִם.

43 a) Zu כֶּלֶב als Ausdruck der Geringheit vgl. D. W. Thomas: Kelebh »Dog«: its origin and some usages of it in the Old Testament. VT 1960, S. 414ff. Zugleich ist der drohende Unterton unüberhörbar, den 𝔗 durch שְׁמֵי unterstreicht. b) Sofern nicht mit 𝔊𝔙𝔖 מַקֶּלֶת vokalisiert wird (Smith, Caspari), müßte es als genereller Pl., eigentlich »etwas wie Stöcken« (GK § 124o; Kö § 264c) aufgefaßt werden; doch sollte man dann wohl בְּמ״ erwarten (Klostermann). Die Determination könnte darauf verweisen, daß hier tatsächlich an zwei Stöcke gedacht ist. c) 𝔊 größere Erweiterung *καὶ λίθοις; καὶ εἶπεν Δαυὶδ οὐχὶ ἀλλ' ἢ χείρω κυνός*, das erste ein unschöner Vorgriff, der die Spannung mindert, das zweite Eintrag eines Gedankens, der dem Text ebenso fremd ist, wie er unhebräisch empfunden ist (Ausweitung der Vorlage nach dem Vorbild der Streitgespräche griechischer Helden). Beides von Peters: Beiträge, S. 15, das zweite von Dhorme für ursprünglich gehalten.

45 a) Vgl. Ps 20,8; nach dem Parallelismus ist בְּ nicht als »im Namen« zu übersetzen (so die meisten), sondern instrumental aufzufassen und zum Verständnis an die Schemtheologie des Deuteronomiums zu erinnern (vgl. Gerhard von Rad: Deuteronomiumstudien. 2. Aufl. 1948 [FRLANT 58], S. 25ff.); שֵׁם ist hier ebensowenig das ursprünglich magisch wirkende Mittel der Einwirkung auf Jahwe (Oskar Grether: Name und Wort Gottes. 1934 [BZAW 64], S. 51) wie überhaupt Gegenstand eines Schlachtrufes (etwa Friedrich Giesebrecht: Die alttestamentliche Schätzung des Gottesnamens und ihre religionsgeschichtliche Grundlage. 1901, S. 139); zu dem darin enthaltenen Gedanken der Stärke vgl. Ps 54,3. Zur Sache sonst H. A. Brongers: Die Wendung b[e]šēm jhwh im Alten Testament. ZAW 1965, S. 2f. b) Vgl. Anm. d zu 1,3, auch S. 95, Anm. 39; die einzige Stelle in den Sam-Büchern, in der ein direkter Bezug auf die Lade fehlt; dieser Unterschied zum Kontext darf nicht durch den Hinweis auf das sich in מַעַרְכוֹת ausdrückende Verständnis von צְבָאוֹת als Heerscharen Israels abgeschwächt werden (vgl. Eichrodt: Theologie I, S. 120). c) 𝔊 + *σήμερον*, was vermutlich

in der Textform der 𝔊 begründet ist, darum nicht hier aus v. 46 eingetragen werden sollte (so z. B. Budde, Smith, Caspari u. a.).

46 a) Wie נָתַן בְּיָדֵנוּ V. 47 zur Ideologie des Heiligen Krieges gehörend (von Rad: Krieg, S. 7f.). b) 𝔊 τὰ κῶλά σου καὶ τὰ κῶλα παρεμβολῆς, danach von vielen (auch Hertzberg, de Vaux; ausdrücklich anders Schulz) geändert, doch wird kollektives Verständnis (wie Am 8,3; Nah 3,3) durch 𝔗 (פִּגּוּל) bestätigt; dennoch bleibt der Text ungewöhnlich (Wellhausen), wahrscheinlich liegt Alternativlesart vor. c) 𝔊𝔗𝔖𝔙 ב (wie Ps 58,12) ist weniger prägnant als 𝔐, darum nicht bessere Lesart (Budde, Dhorme).

47 a) Zum Wort Leonhard Rost: Die Vorstufen von Kirche und Synagoge. 1938 (BWANT IV/24). Gemeint sind nicht die Philister (Schulz), was zwar im Gebrauch von קָהָל Jer 50,9; Ez 32,22; 38,4 Analogien hätte, aber nach כָּל־הָאָרֶץ V. 46 unwahrscheinlich ist. Wenn das Wort in der vordeuteronomischen Literatur auch nicht gänzlich fehlt, so ist der hier vorauszusetzende Bedeutungsumfang: Gemeinde als kultische Versammlung (vgl. Hertzberg), deuteronomisch (vgl. von Rad: Das Gottesvolk im Deuteronomium. 1929 [BWANT III/11], S. 39) oder noch jünger. b) Zur Form GK § 53q; BLe § 55c′; im allgemeinen handelt es sich dabei um jüngere Formen; der Vorschlag הַיְשׁוּעָה (Klostermann, Budde, auch S. R. Driver) ist keine Erleichterung, sondern Verwischung; ebenso die Annahme einer nur bedingten Verneinung (H. Kruse: Die dialektische Negation als semitisches Idiom. VT 1954, S. 393). c) Vgl. Ex 15,3; warum die Übersetzung »von ihm kommt der Streit« (O. Loretz: Schriftverständnis mit Hilfe des Ugaritischen. BZ 1958, S. 288) besser sein soll, ist schwer einzusehen.

48 a) Von den Älteren vielfach in וַיְהִי geändert (z. B. Dhorme) oder gestrichen (z. B. Budde, Smith, die den Satz mit וַיָּקָם beginnen); eher handelt es sich, wie V. 34, um ein Kennzeichen lebhaft bewegten Sprechens. Zu interessanten Parallelen in der Literatur von Qumran vgl. A. Rubinstein: Singularities in consecutive-tense constructions in the Isaiah Scroll. VT 1955, S. 182. b) המערכה wirkt neben "לקראת הפל überflüssig (weswegen es Dhorme, Caspari überhaupt tilgen), wird aber durch 𝔗𝔙, auch 𝔖 bestätigt. An ein Hinundherwogen des Kampfes zu denken (Klostermann, Smith mit frequentativem Verständnis des וְהָיָה), verbietet der Tenor der Darstellung. Die Konjektur מֵהַמַּעֲרָכָה (BH³, auch Hertzberg, de Vaux) erleichtert nichts, denn David ist schon vorher (V. 40) dem Philister entgegengegangen. Die Vorstellung, daß er erst von hinten in die eigenen Reihen hineingelaufen sei, wird auch durch die Annahme divergierender Überlieferung nicht verständlich (Eißfeldt: Komposition, S. 12); ebenso ist meine frühere Anschauung, er sei auf die eigenen Reihen zurückgelaufen, um Abstand zum Schleudern zu bekommen (VT 1956, S. 408f.), zu künstlich. Am nächsten liegt die Annahme einer Alternativlesart; vielleicht kann man aber auch an eine die Anschauung verlierende konventionelle Ausmalung der Situation denken. c) V. b fehlt in 𝔊B.

49 a) 𝔊 + διὰ τῆς περικεφαλαίας (danach ergänzen Wellhausen, Budde, Dhorme בְּעַד הַכּוֹבַע) ist naheliegende Ausgestaltung der Situation wie 𝔗 בְּבֵית עֵינוֹהִי.

50 a) Fehlt 𝔊B; eine theologische Quintessenz, die V. 51 vorwegnimmt; ihre Stellung erklärt sich aus der Nennung des Schwertes, die nach V. 51 nicht mehr passend war; damit erweist es sich, daß dieser Satz nicht der organische Abschluß eines Erzählungszusammenhanges ist (so Budde, Smith), sondern eine nachträgliche Ausgestaltung und Unterstreichung (Wellhausen, Dhorme, Schulz, Caspari).

51 a) Lies עַל. b) Unklar; es ist durchaus möglich, ja wahrscheinlich, daß ursprünglich Davids Schwert gemeint war (Smith; Peters: Beiträge, S. 17); die meisten Ausleger denken hier freilich an Goliaths Schwert, und das ist auch die Anschauung von V. 50, doch scheint gerade dieser Einschub ein anderes Verständnis ausschalten zu sollen. Die Tötung mit eigener Waffe gilt als besonders schimpflich (Ehrlich; vgl. 1 Sam 26,8; 2 Sam 23,21, auch Jdc 9,54). c) Fehlt bezeichnenderweise in 𝔊, denn diese Angabe unterstreicht, daß es sich um Goliaths Schwert handeln muß. d) Zu dieser Bedeutung des Polel Jdc 9,54; 1 Sam 14,13; 2 Sam 1,9.16.

52 a) Muß nicht, wie sonst meistens, die Verhältnisse nach der Reichstrennung voraussetzen (Budde), demnach also getilgt werden (Klostermann, Dhorme, Caspari), da der Schlachtort ohnedies in Juda liegt (Smith); es handelt sich zunächst aber einfach darum, wie etwa 11,8 das Episodenhafte des Geschehens in einen gesamtisraelitischen Rahmen zu stellen (so jetzt auch Galling: VTS 15. 1966, S. 167). b) גַּיְא könnte nach V. 3 nur das zwischen den Fronten liegen-

de Tal, nicht aber die Küstenebene (so Bruno: Epos, S. 77) bedeuten, was indessen durch das עַד־בּוֹאֲךָ ausgeschlossen ist. Lies darum trotz der Bezeugung von 𝔐 durch 𝔗 und 𝔙 mit 𝔊B (Γεθ) גַּת und vgl. dazu DelF § 117; so auch alle Ausleger, selbst Keil. Alle auf גַּיְא aufbauenden Konjekturen (Caspari: »der Tempel Dagons«) sind willkürlich. Zur Lage vgl. zu 5,8. c) 𝔊 Ἀσκαλῶνος wie 5,10; zur Lage vgl. dort. d) 𝔊 ἐν τῇ ὁδῷ τῶν πυλῶν; danach lesen Wellhausen, Löhr, Nowack דֶּרֶךְ הַשְּׁעָרִים und denken an den Zwischenraum zwischen äußerem und innerem Tor zum Kennzeichen der israelitischen Überlegenheit; ähnlich noch Bruno: Epos, S.78 (mit Änderung in רֶבֶד = »Pflaster«). 𝔗𝔙𝔖 haben es wohl richtig als Ortsnamen verstanden; dann ist an שַׁעֲרַיִם Jos 15,36 zu denken, eine unbekannte Ortslage im *wadi es-sanṭ*, nahe Aseka und Socho (Abel: Géographie II, S. 439). Darauf, daß dies hinsichtlich der Entfernung zu den beiden anderen Orten in keinem rechten Verhältnis steht, gründet der unmögliche Vorschlag Casparis, statt dessen *ṣārûḥæn* (nach 𝔖, unter Kombinierung von Jos 19,6 mit 1 Chr 4,31) zu lesen. Ebenso ist die Erklärung nicht einleuchtend, daß die Philister erst nach שַׁעֲרַיִם geflohen wären und sich von dort verteilt hätten (Simons: Texts, § 691), denn dafür liegt jetzt auf Ekron und Gath ein zu starkes Gewicht. Gewöhnlich wird entweder בְּדֶרֶךְ מִשַּׁעֲרַיִם (so nach Smith die meisten, auch BH3) oder מִדֶּרֶךְ שערים (Klostermann) gelesen. Auch dann bleibt das Nebeneinander auffallend.

54 a) Vgl. 2 Sam 5,7; Zeichen einer jüngeren Hand oder eher der Endredaktion (Löhr, Smith), nicht eine nachträgliche Einfügung in einen schon festen Text (Budde, Dhorme, Ehrlich u. a.). Klostermann denkt, wohl richtig, an einen proleptischen Bericht über den späteren Verbleib der Trophäe, was Hertzberg: ZAW 1929, S. 178 mit der Vermutung aufnimmt, daß später ein Fels in Jerusalem die Bezeichnung »Schädel Goliaths« getragen habe. Jedenfalls bieten textkritische Maßnahmen keine Hilfe, etwa לְשָׁאוּל (Cheyne, dem Caspari; Bruno: Epos, S. 78 zustimmen) oder, ganz abwegig, לְרשִׁים »zu den Abfällen« (Wutz: BZ 1935/36, S. 136). Die Erklärung de Groots (BZAW 65. 1935, S. 194), David habe das Haupt über die Mauern des von den Philistern besetzten Jerusalem geworfen, macht nicht nur historische Schwierigkeiten, sondern paßt auch schlecht zu dem Tenor der Erzählung; sie hat jüngst durch R. A. Carlson: David, the chosen king. Uppsala 1964, S. 97 Unterstützung bekommen, ohne dadurch einleuchtender zu werden. Zu der Annahme de Boers (OTS 1. 1942, S. 102), daß die Nennung Jerusalems später tendentiös an die Stelle eines ursprünglichen Nob getreten sei (ähnlich schon Peters: Beiträge, S. 18: Jerusalem ist für Nob gesagt, weil beides eng beieinander liegt), siehe Anm. b. b) Von den Vers allgemein auf das Zelt Davids gedeutet, was sicher auch die Absicht des Textes ist (vgl. etwa Budde, Dhorme, Caspari, de Vaux). Angesichts der vorhergehenden Nennung Jerusalems hat der Vorschlag wenig Wahrscheinlichkeit, das ו als Dittogr zu tilgen und בָּאֹהֶל auf das Heiligtum (in Nob) zu beziehen (Klostermann, Ehrlich; de Boer, a. a. O.; Schulz; Hertzberg in der Form, daß er Verschreibung des ו aus י annimmt, das wiederum falsch verstandene Abkürzung für יהוה ist). Bei der literarischen Eigenart dieses mehr redaktionellen Stückes braucht nach dem Verhältnis zu 21,10f. nicht gefragt zu werden, auch nicht danach, ob ein junger Krieger im Heerlager ein eigenes Zelt hatte (vgl. Alt III, S. 233ff.). Jedenfalls ist die Vorstellung vom Hirtenknaben hier durchbrochen.

55 a) V. 55–58 fehlen 𝔊B. b) Ohne וַיְהִי vorangestellter Infinitiv mit כְּ ist ungewöhnlich, nötigt aber weder zur Ergänzung (Dhorme nach 𝔊L ἐγένετο) noch zu willkürlicher Umstellung von Satzgliedern (Tiktin), sondern ist Kennzeichen jüngeren Hebräisch (S. R. Driver). c) Apposition zu dem selbständigen Demonstrativpronomen »wer ist das, der Jüngling?« (GK § 126aa; anders GK § 136c, enklitische Verstärkung des Fragewortes; so auch S. R. Driver); vermutlich Eigenart volkstümlich salopper Sprache. d) Zum Wort (St. cstr. eines substantivierten Adjektivs) G. J. Thierry: Notes on Hebrew Grammar and Etymology. OTS 9. 1950, S. 16; auch M. Greenberg: The Hebrew Oath particle ḤAY/ḤĒ. JBL 1957, S. 34ff.

56 a) Scheint stärker die Jugendlichkeit zu betonen; derselbe Wechsel begegnet auch 20,21f. Es besteht also kein Grund, durch andere Satzstellung Abner noch zum Redenden, Saul zum Subjekt der Frage zu machen (so Ehrlich).

17,32–58 *Goliath wird von David überwunden.* Mit V. 32 geht die Haupterzählung weiter und schließt unmittelbar an V. 11 an[1]. Im Augenblick der allgemeinen Ratlosigkeit tritt David auf den Plan. 𝔊 hat durch die direkte Anrede des Königs den Zusammenhang besser bewahrt[2], während 𝔐 jetzt eher V. 24 aufnimmt. Wenn für die Ursprünglichkeit von אָדָם geltend gemacht wird, daß es respektlos wäre, wenn der junge David den König auf seine Mutlosigkeit anspräche[3], ist die theologische Stilisierung der Darstellung übersehen. Dann kann David aber auch der junge, zwar gut empfohlene, doch nicht bewährte Waffenträger in der Umgebung Sauls sein; d. h. entgegen der üblichen Anschauung[4] kann V. 32ff. über V. 1–11 hinweg unmittelbar an 16,14–23 anschließen[5]. Das Urteil darüber hängt davon ab, ob die Angaben dieses Stückes zwingend darauf führen, daß David der Hirtenknabe ist. Nun ist von vornherein anzunehmen, daß eine so bildhaft plastische, ebenso das Gemüt wie das fromme Gefühl anregende Darstellung wie die von V. 12–31 auf das Verständnis des Ganzen stark eingewirkt haben muß. Um so stärker sind die Züge in 𝔐 zu bewerten, die tatsächlich Älteres erkennen lassen. Natürlich muß man sich grundsätzlich darüber klar sein, daß es sich auch bei diesem älteren Bericht nicht profan um die Heldentat eines jungen Leutnants handelt; auch sie ist nur durch das »Gott war mit ihm« (16,18) zu begreifen. Die Erkenntnis dieses Zusammenhanges wird dann erschwert, wenn man 16,14–23 nur als einen historischen Bericht beurteilt und seine theologische Komponente übersieht. Jedenfalls steht es nicht in Widerspruch zu 16,14ff., wenn V. 33 Saul den David als נַעַר anredet[6]; Übereinstimmung mit der Auffassung von V. 12–31 besteht streng genommen nur für die Versionen (vgl. Anm. a zu V. 33). Der Gegensatz, den die Antwort Sauls klar herausstellt, ist nicht Knabe – Mann, sondern Anfänger – altgewohnter Krieger, dazu Riese.

34–37 Die Entgegnung Davids weist in dieselbe Richtung: ich bin ja bewährt. Damit, daß Hirte und Herde durch wilde Tiere gefährdet sind, rechnet auch die Rechtsvorschrift Ex 22,12 (Gn 31,39); sie redet aber nur von dem auf verschiedene Art zu führenden Nachweis des Gerissenen; anders liegt es schon Am 3,12. An sich ist die Bekämpfung eines wilden Tieres nicht die Aufgabe eines knabenhaften Hirten. Freilich hat diese Frage kein großes Gewicht, weil die Tat, auf die angespielt wird, in jedem Fall zurückliegt. Man kann hier aber vielleicht doch den Weg der Ausformung verfolgen. Da ist zunächst eine ungewöhnliche Tapferkeit verratende Tat, die David zugeschrieben wird, wie man sie 2 Sam 23,20 auch von einem seiner Getreuen berichtet. Diese Tat weist über sich selber hinaus, denn das נצל meint nicht die Sicherstellung eines Beweisstückes (Am 3,12), sondern

1. Die Szene zwischen Saul und David hält Nübel: Aufstieg, S. 23 im Blick auf V. 55–58 nicht für ursprünglich, verliert damit aber gerade wesentliche Momente des Textes.

2. Anm. b. zu V. 32, übrigens ließe sich die Entstehung von אָדָם auch leicht graphisch erklären.

3. So Hertzberg.

4. Dazu o. S. 312f.

5. So etwa Smith; Peters: Davids Jugend, S. 92; Eißfeldt: Komposition, S. 12; van den Born und, vielleicht nicht ganz konsequent durchgeführt, anscheinend auch Caspari.

6. Was indessen Budde ausdrücklich behauptet, andere mit der Übersetzung »Knabe« (de Vaux »enfant«) wenigstens stillschweigend postulieren.

dient der Lebenserhaltung eines gefährdeten Tieres (vgl. Mi 5,7). Insofern ist die Rettung eines lebendigen Tieres aus dem Rachen eines angreifenden Löwen etwas einmalig Herausgehobenes[7]. Die Zufügung des den ursprünglichen Textbestand bildenden וְגַם הַדּוֹב הִכִּיתִי (V. 36a) hat demgegenüber untergeordnete Bedeutung. Dieser Gedanke wird durch die nachträgliche Einfügung des אֶת־הַדּוֹב V. 34, אֶת־הָאֲרִי V. 36 als Regelfall verstärkt und unterstrichen; Bär und Löwe nebeneinander sind Am 5,19 ja Kennzeichen einer fast unausweichlichen Bedrohung[8]. Diese Unterstreichung verflacht, wenn auch unbewußt, das ursprünglich Gemeinte, denn jetzt hört man mehr die ungewöhnliche Tapferkeit. Mit V. 37 verschiebt sich der Gedanke um ein Geringes; wie Jahwe David vor Löwe und Bär gerettet hat, wird er ihn auch vor dem Philister erretten. Es kann sein, daß das Zeichen eines Anwachsens des Textes ist[9], zwingend ist es nicht, denn dieser Unterschied ist nur formal, nicht inhaltlich; er darf nicht so interpretiert werden, daß einmal von David, dem Sieger, dann von Jahwe, dem Rächer, die Rede ist (Nübel) und daß das bereits eine theologische Vertiefung bedeutet[10]. Schon von 16,14ff. her liegt der Nachdruck auf dem וַיהוָה עִמּוֹ[11], woraus sich die Entfaltung der in נָצַל liegenden Möglichkeiten zureichend erklärt. 16,18 wird zum Abschluß dieses Gesprächsganges durch das von Saul ausgesprochene לֵךְ וַיהוָה יִהְיֶה עִמָּךְ aufgenommen[12]. Eine beabsichtigte Feinheit der Darstellung könnte darin liegen, daß Saul damit das selber anerkennen muß, was sonst immer unausgesprochen zwischen ihm und David steht.

38–39 Das ist wohl auch der geheime Hintergrund, wenn Saul David mit seinen königlichen Kleidern bekleidet[13]. Den Gedanken des Schutzes, der auch darin liegt, hat 𝔊 durch ihre Übersetzung von מַדָּיו überhöht, aber auch 𝔐 in seiner Letztgestalt weist durch seine Ergänzung zu V. 38 (s. Anm. b) stärker in diese Richtung. Auf jeden Fall zwingen diese Angaben nicht dazu, in David etwas anderes zu sehen als den Waffenträger des Königs, denn die Vorstellung, daß ein Knabe die Kleidung eines Mannes trägt, wäre auf jeden Fall abstrus[14]. Das Schwert, das David umgürtet, ist nach 𝔐 sein eigenes (vgl. Anm. a zu V.39), und

7. Im Zusammenhang dieser Fragen sandte mir Prof. Galling einen Zeitungsausschnitt, nach dem ein dreizehnjähriger Afrikaner einen angreifenden Leoparden mit dem Stock erschlagen habe und entsprechend öffentlich belobt wurde.

8. Die Gedanken sind zu allgemein, als daß darin ein Kriterium für den zeitlichen Ansatz liegen könnte; auf jeden Fall zeigt es aber die Weiterbildung der Textüberlieferung.

9. Nübel, S. 24, hat zweifellos hier Richtiges gefühlt, nur darf er diese Einzelzüge nicht zu Gliedern einer durchgehend geplanten Bearbeitung machen. Er schwächte es dadurch selber wieder ab, daß er 34aβ, 35, 38aα an eine unmögliche Stelle (18,1.3) versetzt (vgl. u. S. 347).

10. Mir scheinen diese Erweiterungen Vergröberung, damit manchmal Verflachung zu bedeuten.

11. Wie Heldentaten der Nachwelt festgehalten werden, zeigt 2 Sam 21;23.

12. Weiterhin 18,12 b. 14; 20,13; in beiden Fällen von David als Kriegsmann und Heerführer Sauls gesagt.

13. So schon Smith; auch Hertzberg merkt an, daß dieser Zug die Wichtigkeit des Ereignisses unterstreiche. Doch klingt hier sicher mit, daß Saul königliche Pflichten an David delegiert.

14. Vielleicht geht die Kürzung bei 𝔊 (vgl. Anm. c zu V. 38) auf diese Erwägung zurück.

der Waffenträger hatte ein Schwert[15]. Wenn 𝔊 hier und auch sonst einer Vorlage folgt, die stärker als unser 𝔐 durch das Bild des halbwüchsigen Hirtenbuben bestimmt ist (vgl. Anm. a–d zu V. 39), obwohl sie den darauf zielenden Abschnitt 17,12–31 gar nicht enthält, so zeigt das, wie gefühlsmäßig diese Anschauung wirkte und die andere verdrängte[16]. Dann macht David sich daran, in dieser Rüstung zu gehen. Auch hier zeigt 𝔊 abweichenden Text und ein nicht durch 𝔐 gefordertes Verständnis. Nach 𝔊 ist David schon nach zweimaligem Hin- und Hergehen so erschöpft, daß er aufhören muß. Es ist aber auch nicht verwunderlich, wenn selbst ein junger Krieger sich in einer Rüstung nicht richtig bewegen kann, denn die Beuteliste Tutmosis' III. aus Megiddo läßt erkennen, daß ein Panzer nicht zur normalen Ausrüstung eines jeden Kriegers gehört hat[17]. Schließlich ist David mit den Erfordernissen des Kampfes so vertraut, daß, wenigstens nach 𝔐, die Initiative dazu, die Waffen abzulegen, von ihm ausgeht[18], denn für sein Unternehmen ist schnelle Beweglichkeit erforderlich.

40 Der Stock, den David in die Hand nimmt, paßt nicht eigentlich zu dem dargestellten Vorgang, denn mindestens um den Schleuderstein einlegen zu können, muß er beide Hände frei haben. Auch hier darf wohl an einen Zug der Heldengeschichte erinnert werden; derselbe Benaja, der den Löwen erlegte, schlug, selber nur mit einem Stock bewaffnet[19], einen Ägypter, dem er seine חֲנִית entreißt (2 Sam 23,21)[20]. Natürlich bedeutet das nicht, daß es sich hierbei um einen Zusatz handelt, denn Goliath nimmt gerade darauf Bezug (V. 43); die höhnische Frage aber, »bin ich denn ein Hund?«, schließt den Gedanken an 2 Sam 23,21 nicht aus. Wohl aber könnte die durch V. 40 nicht vorbereitete Pluralform בַּמַּקְלוֹת (Anm. b zu V. 43) darauf weisen, daß man später tatsächlich an Hirtenstöcke gedacht hat (vgl. Anm. a zu V. 40)[21]. Ebenso ist die Schleuder, wiewohl auch Werkzeug der Hirten, nicht auf diese beschränkt, sondern gefürchtete Waffe einer benjaminitischen Elitetruppe (Jdc 20,16; vgl. auch 1 Chr 12,2). Die Anwendung einer dem Gegner unerwarteten Waffe oder einer Kriegslist liegt durchaus in der Linie des Heiligen Krieges (Jdc 7) und schließt das Wunderhafte der Hilfe Gottes und des Sieges nicht aus.

41–51 Die leidenschaftliche Anteilnahme der Zuhörer am Kampfverlauf hat sich in mancherlei Zusätzen zum Text niedergeschlagen, die offenbar nicht ganz feste Überlieferung waren (vgl. Anm. a zu V. 41 u. Anm. c zu V. 48); sie haben

15. Was Budde zwar ablehnt, aber indirekt durch die Frage bestätigt »Wo gäbe es einen Schleuderer, der kein Schwert gehabt hätte?«.

16. Die Unterschiede der von 𝔊 gebotenen Rezension gegenüber 𝔐 lassen sich geradezu so erklären, daß das Fehlen des Stückes V. 12–31 es nötig machte, diese Anschauung auf andere Weise herauszuarbeiten (etwas anders Stoebe: VT 1956, S. 412); auf jeden Fall erweist sich damit, daß sie nicht die ursprüngliche Meinung war.

17. AOT, S. 86; ähnlich Tiktin.

18. Auch de Vaux spricht vorsichtig von dem möglichen Einfluß einer anderen Überlieferung.

19. Dort allerdings שֵׁבֶט; zum Wort מַקֵּל s. Anm. a zu V. 40; an mythische Motive (Gn 32,11; ATAO, S. 506) zu denken, verbietet sich von selbst.

20. Worauf bereits Smith hingewiesen hat.

21. Wie ja auch 𝔙 durch ihr: »quem semper habebat« frei erweitert.

vielleicht die Anschaulichkeit der Darstellung vermindert[22], dafür zweifellos die Spannung erhöht. Am stärksten wird diese Absicht der Steigerung durch das Streitgespräch zwischen Goliath und David erreicht, das dem Kampfe vorhergeht. Es ist in der Auslegung weithin üblich geworden, auf die Analogie der Streitgespräche homerischer Helden hinzuweisen[23]. Das ist nicht ganz konsequent und vielleicht Nachwirkung humanistischer Bildung, denn auf der anderen Seite läßt gerade dieser Wortwechsel das theologische Anliegen besonders deutlich hervortreten[24], er kann also keineswegs nur aus der Freude an der Schilderung entstanden sein. Es sind aber gerade diese Theologumena gewesen, die für die Zuteilung dieses Kapitels zu einer elohistischen Schicht[25] bzw. für seine Spätansetzung[26] maßgebliche Bedeutung gehabt haben. Auf der anderen Seite hat M. H. Segal[27] V. 42–47 als besondere religiöse Partien ausklammern wollen, um so einen im wesentlichen historischen Bericht zu bekommen. In derselben Linie liegt es, wenn Nübel diese Verse seinem Bearbeiter zuweist, der einen profan verständlichen Text theologisiert hätte[28]. Zweifellos ist aber dieses Gespräch, wenigstens im Kern, integrierender Bestandteil der Darstellung, ohne den ihr Wesentliches fehlen würde. Allerdings ist zu beachten, daß dieser Gesprächsgang sich gleichsam auf zwei Ebenen vollzieht. Die Schmährede Goliaths zeigt im Ansatz überraschende Ähnlichkeit mit den Worten des philistäischen Postens (1 Sam 14,11.12). Die Stilmittel sind Verachtung (14,11 »die Hebräer kommen aus ihren Löchern«), höhnische Einladung (»kommt nur heran«), Drohung (»wir werden euch schon etwas erzählen«). Während dort aber sofort die Gottestat erfolgt, die die Prahler vernichtet, steht hier zunächst, breit ausgeführt, die Antwort Davids. Nun sind es gerade diese Worte, die in Ausdrücken und Gedankenführung den Eindruck jüngerer Entstehung machen (vgl. Anm. a u. b zu V. 45; Anm. a u. b zu V. 47). Sie enthalten zwar durchaus Anklänge an die Vorstellungswelt des Heiligen Krieges (חֵרַפְתָּ V. 45; vgl. auch Anm. a zu V. 46), zeigen zugleich aber einen ebenso starken Abstand davon[29], denn im Grunde rechnen sie nicht mit einem Kampfgeschehen, obwohl dann die Israeliten die fliehenden Philister verfolgen und niederschlagen (V. 52; vgl. 14,20ff.). Jedenfalls muß V. 45 und auch V. 47 als ausdrücklicher Verzicht auf menschliche Bewaffnung als irgendwie wichtig für den Austrag des Kampfes verstanden werden. Genau das ist der Gedanke von 1 Sam 7, nur ist er dort klarer durchgeführt, weil dieser Komposition der Zwang einer vorgegebenen Überlieferung fehlt[30]. Dasselbe findet sich V. 50

22. Sie wird auch nicht durch den Anschluß von V. 48 an 42b verbessert, als habe hier ein Berichterstatter den Vorgang schriftlich niedergelegt, der sich diesen Sieg technisch klar vorstellen konnte (Nübel: Aufstieg, S. 24).

23. Vgl. dazu und zu den damit zusammenhängenden Fragen z. B. Cyrus Gordon: Homer and the Bible; the origin and character of the East Mediterranean Literature. HUCA 1955, S. 82ff.

24. Hertzberg legt mit Recht Nachdruck auf diese Spannung.

25. Z. B. Budde, Dhorme; Hölscher: Geschichtsschreibung, S. 142.

26. Zuletzt noch Galling: VTS 15. 1966, S. 151.

27. JQR 1965, S. 329.

28. Aufstieg, S. 24.

29. Von Rad: Krieg, S. 48.

30. Vgl. dazu o. S. 170.

in der in 𝔊 fehlenden (vgl. Anm. a zu V. 50) abschließenden Würdigung des Geschehens, die, wenn sie mit dem וְחֶרֶב אֵין בְּיַד דָּוִד nicht überhaupt im Widerspruch zur eigentlichen Meinung von V. 51 (vgl. Anm. b; auch Anm. a zu V. 39) steht, mindestens übersieht, daß auch die Schleuder eine wirksame Waffe ist, selbst wenn sie das Kriegsmittel eines an Rüstung unterlegenen Volkes ist. Die unbezweifelbare Tatsache, daß die Zuhörer hier keinen Gegensatz gesehen haben werden[31], weil David im Augenblick der Entscheidung sich nicht auf ein Schwert verließ, löst die Spannung nicht. Da sich nun an verschiedenen Stellen und unabhängig voneinander in beiden Rezensionen die Spuren ausschmückender Erweiterungen finden, die das Wunderhafte des Geschehens stärker herausarbeiten wollen, hindert nichts daran, solche auch hier anzunehmen. Nur muß noch einmal betont werden, daß auch der so herausgestellte ursprüngliche Bericht nicht von einer bloßen Heldentat erzählt, sondern von einem über Menschenvermögen hinausgehenden Sieg in der Kraft Gottes, also bereits kerygmatischen Charakter hat. Das Kampfgeschehen selbst ist eindeutig. David schleudert, der Philister fällt; David schlägt ihm den Kopf ab, und die Philister fliehen.

52–54 Der örtliche Rahmen, in dem sich die Verfolgung abspielt, ist mit der Nennung von Ekron und Gath über die historische Wahrscheinlichkeit hinaus weit gespannt; mit ihm soll der Sieg Davids als ein umfassender Erfolg gekennzeichnet werden (s. Anm. a zu V. 52[32]). Auch 7,14 ist die Wiedergewinnung der an die Philister verlorenen Städte von Ekron bis Gath die Folge der durch Samuels Gebet vermittelten Rettungstat Jahwes. Das ist trotz mancher Berührungspunkte der Unterschied zu 1 Sam 14; dort kommt es nicht zu einem vollen Erfolg, und hinter der Darstellung steht das Bedauern um eine verpaßte Gelegenheit. Als äußerster Punkt der Verfolgung wird da אַיָּלֹן (14,31) genannt; es mag sein, daß auch das שַׁעֲרַיִם (vgl. Anm. d zu V. 52) die Erinnerung an eine ursprünglich begrenztere Verfolgung enthält. Der an dieser Stelle überladene und brüchige Text läßt ja von vornherein mit einer Erweiterung rechnen[33]. In dieser Ausweitung ist die spätere geschichtliche Rolle Davids vorgezeichnet, der tatsächlich der Philisterbedrohung ein Ende machte. Von hier aus beurteilt ist die Nennung Jerusalems (vgl. Anm. a zu V. 54), wenngleich anachronistisch, organisch mit der Letztgestalt verbunden, wird auf der anderen Seite eine Beziehung auf Nob[34] ausgeschlossen. Und wenn bei dem Zelt wirklich an das Zelt Jahwes, nicht Davids, gedacht werden sollte (vgl. Anm. b zu V. 54), liegt der Gedanke, wie die Auslegungen zeigen, so nahe, daß eine Verschreibung oder Flüchtigkeit unverständlich wären[35].

31. So richtig Hertzberg.

32. Vgl. dazu auch o. S. 319 zu הַפְּלִשְׁתִּי.

33. Wenn es richtig ist, daß עַד־בּוֹאֲךָ die allgemeine Richtung, עַד den tatsächlich erreichten Punkt angibt (J. Simons: Two Notes on the Problem of the Pentapolis. OTS 5. 1948, S. 100), würde das noch unterstrichen. Es scheint mir aber für diese Stelle nicht sicher.

34. Sie geht, soweit ich sehe, schon auf Qimchi zurück.

35. Darum bezieht Keil es auf das Zelt Davids in Bethlehem, was in dieser Form natürlich auch nicht paßt; richtiger sind wohl die Auslegungen, die an archaisierende Bezeichnung des Palastes denken.

55–58 Nach diesen Versen ist David ebenso Saul wie Abner unbekannt; sie erfahren seinen Namen erst in dem Augenblick, als er siegreich zurückkommt. Formal wäre dieser nachholende Stil[36], der die Übersetzung des אָמַר durch ein Plusquamperfekt nahelegt, nichts Auffallendes; schwerer wiegt die syntaktisch ungewöhnliche Gestalt der Einleitung (vgl. Anm. b zu V. 55). Entscheidend aber ist, daß der Inhalt nicht zu Kap. 17 als Ganzem, auch nicht zu dem Sonderstück V. 12–31 paßt. Die Annahme, daß dieses in den V. 55–58 seinen eigentlichen Abschluß gehabt habe, der erst durch die Klammer V. 31 von seiner ursprünglichen Stelle verrückt wurde[37], vermag nicht die auffallende Beiläufigkeit, auch nicht die Kürze der Angabe V. 57b zu erklären[38]. Diese schließt übrigens auch Harmonisierungsversuche[39] aus, etwa der Art, Saul habe David wohl gekannt, erkundige sich jetzt nur nach seinen näheren Familienverhältnissen. Gerade die Beiläufigkeit weist diesen Zug als eine nicht quellenhafte, in sich selbständige Ausgestaltung des Berichtes aus; zu beachten ist auch die Freude am sinnenfälligen Detail: David hat das Haupt des Philisters noch in der Hand – was zum Bilde des Hirtenknaben wirklich nicht gut paßt[40]. Ihre Absicht ist, den Gedanken, daß der der Retter wird, an den keiner gedacht hat, noch dadurch zu unterstreichen, daß keiner ihn kennt, und damit das Wunderhafte noch um einen weiteren Zug zu überhöhen (Stoebe: VT 1956, S. 403).

Die exegetische Untersuchung hat das Bild eines weit gespannten Überlieferungsganges zu zeichnen versucht und verschiedene Phasen bis zur kanonisch gewordenen Ausformung des Textes festgestellt. In dieser Letztgestalt begegnet die Überlieferung schon in der hymnischen Literatur des Alten Testamentes[41], in ihr ist sie Eigentum der christlichen Gemeinde. Damit erhebt sich die Frage nach der Bedeutung, vielleicht sogar der Berechtigung dieser Methoden und ihrer Ergebnisse für die Arbeit in der Gemeinde. Klaus Koch hat in dankenswerter Weise diese Frage bereits aufgegriffen[42]. Es ist ihm ohne Vorbehalt darin zuzustimmen, daß sie nicht generell beantwortet werden kann, sondern von dem Maß und auch der Sicherheit (!) exegetischer Einsicht und den Erfordernissen für eine Gemeinde abhängig ist. Nun liegt es hier zweifellos leichter als bei anderen Texten insofern, als man hier schnell dem zustimmen kann, daß nicht nur der vorliegende Text, »sondern auch seine überlieferungsgeschichtlichen Vorstufen vom Geiste Gottes durchwaltet, mithin kanonisch sind[43]«. Dennoch würde ich es selbst hier nicht für richtig halten, in Bibelstunde oder gar Predigt in die Bewegtheit dieser Textgeschichte einzuführen. Einmal liegt es in der Natur der Sache, daß die hier gewonnenen Ergebnisse etwas Hypothe-

36. So Hertzberg.

37. Greßmann; vgl. dazu das o. S. 335f. über die innere Logik des Berichtes Gesagte.

38. Was Nübel (Aufstieg, S. 25) richtig gefühlt hat, wenn er erwartet, daß David sich hier in wohlgesetzten Worten über seinen Sieg geäußert habe.

39. Diese Versuche, für die ältere Auslegung eigentlich selbstverständlich (vgl. bei Seb. Schmidt), finden sich noch bei Keil, Goslinga, Kettler. Wenigstens weist Keil zurück, daß es sich um krankheitsbedingte Vergeßlichkeit Sauls gehandelt habe. Gutbrodt spricht wenigstens von einem hintergründigen Sinn derart, daß Saul den David nicht in Wahrheit gekannt habe (warum dann aber לֵךְ וַיהוָה עִמָּךְ?).

40. Vgl. dazu Jdc 8,20 (übrigens auch נַעַר).

41. Ps 78,70; beachte zur Nachwirkung in der frommen Beschäftigung 𝔊 Ps 151 und die jetzt gefundenen hebräischen Entsprechungen 11 QPs[a] 151 (J. A. Sanders: The Psalms Scroll of Qumran Cave 11.1965, S. 54ff.).

42. Was ist Formgeschichte? 1964, S. 110ff.

43. Koch: a. a. O., S. 112.

tisches haben; zum anderen sind sie rein handwerklich gewonnen und haben darum ihre Bedeutung zunächst für den, der das Handwerk ausübt. Da können sie den Prediger zuerst einmal davor bewahren, das Gewicht dessen, was er sagt, dahin zu verlegen, wo trotz vordergründiger Erbaulichkeit eben doch noch der Ausdruck zeitgebundener oder allgemein menschlicher Frömmigkeitssprache und Erwartung liegt, wie sie hier in der liebevollen, gefühlsbetonten Ausmalung der Situation des Hirtenknaben begegnet. Die Versuchung dazu – das zeigt schon die Geschichte dieser Überlieferung – ist groß, ebenso groß die Gefahr, daß sich dann das Interesse auf das Menschliche, das Gottvertrauen Davids, seine Lebhaftigkeit, seinen Mut, seine Klugheit, kurz auf seine Vorzüge legt. Die Folge ist, daß diese Vorzüge auf der anderen Seite auch in Frage gestellt werden können und etwa der Sieg mit der Schleuder sehr verschieden beurteilt wird, nicht nur in der kirchenfeindlichen Polemik des Nationalsozialismus[44]. Diese Geschichte, bei allem Legendenhaften der Darstellung, ist Geschichte des Planes Gottes, der seinen Weg geht und, wo er ein Werkzeug aufgibt, das neue schon in der Hand hält, auch wenn dieses den Augen der Menschen noch unerkannt ist. Er kann den Streit als Gottes Streit führen und vermag mit den Waffen zu siegen und Rettung zu schaffen, die nach den Maßstäben der Zeit und gemessen an dem, was man damals für bedrohlich und sicherheitsgewährend hielt, gering und verachtet, nicht der Rede wert sind.

44. Vgl. dazu etwa Sellers, in: From the Pyramids to Paul. 1934, S. 242–250.

18,1–30 Sauls Eifersucht auf David

1[a] *Kaum hatte er mit seiner Antwort an Saul geendet*[b], *fühlte sich Jonathan David herzlich verbunden*[c], *und er gewann ihn lieb wie sein eigenes Leben*[d]. 2 *Saul nahm ihn noch am gleichen Tage zu sich*[a] *und gab es nicht zu, daß er (noch einmal) in das Haus seines Vaters zurückkehrte.* 3 *Jonathan aber schloß mit David*[a] *einen Bund darauf*[b], *daß er ihn liebte wie sein eigenes Leben.* 4 *(Deswegen) zog Jonathan den Mantel aus, den er trug, und gab ihn David, auch seine Gewandung*[a], [b]*dazu sein Schwert, seinen Bogen und seine Gürtung*[b]. 5 *Und David ⟨zog⟩*[a] *zu Feld, überall, wohin ihn Saul nur schickte, (und überall, wohin Saul ihn schickte)*[b], *war er erfolgreich*[c], *so daß Saul ihn schließlich an die Spitze seiner Kriegsleute stellte. Dem Volk schien das wohlgetan*[d] *und ebenso den Knechten Sauls.* 6 *Bei ihrem feierlichen Einzug geschah es, als David zurückkam*[a], *nachdem er den Philister geschlagen hatte*[b],

da zogen die Frauen aus allen Städten Israels zu Gesang und Reigentanz[c] Saul, dem König[d], entgegen, mit Trommeln[e], mit Jubelgetön[f] und mit Harfen[g]; 7 und *die Frauen im Tanzspiel*[a] sangen die Antwort[b] und jauchzten:

»Saul hat wohl ⟨seine Tausend⟩[c] geschlagen,
Doch Zehntausende[d] waren's, die David(s Hand) schlug.«

8 *Darob stieg es Saul glühend heiß auf*[a], und übel dünkte ihn das Wort, und er sagte sich: »Dem David haben sie Zehntausende[b] gegeben, mir aber gaben sie nur die Tausend; *nun fehlt*[c] *ihm*[d] *ja nur noch die Königskrone*[e].« 9 Von jenem Tage an war es, daß Saul mit quälender Spannung auf David blickte[a], und das blieb weiterhin so.

10[a] *Am Tage darauf*[b] *(schon) geschah es, daß ein böser Gottesgeist*[c] *Saul überfiel und er im Innern seines Hauses*[d] *raste*[e]*; David spielte die Leier, wie alle Tage sonst*[f]*, Saul aber hatte seinen Speer in der Hand.* 11 *Da schleuderte*[a] *Saul seinen Speer und dachte*[c]*: Jetzt will ich David an die Wand nageln*[b]*; doch David wich ihm zu zwei Malen aus.*

12 Über dem fürchtete Saul sich (immer mehr) vor David[a], *denn (deutlich) war Jahwe mit ihm, indes er von Saul gewichen war*[b]. 13 Darum entfernte ihn Saul aus seiner Umgebung und machte ihn zum Hauptmann einer Tausendschaft[a], und vor dem Volke her zog er aus und kam wieder ein[b]. 14 Wohin David auch gehen mußte[a], (überall) war er erfolgreich geschickt, denn Jahwe war mit ihm. 15 Saul aber graute[a] es vor ihm, wie er sah, daß ihm alles so gut gelang. 16 Doch ganz Israel und Juda[a] liebte David, denn vor ihnen her zog er aus und kam wieder ein.

17[a] *Nun sagte Saul zu David: »Du kennst meine älteste Tochter Merab*[b]*; die will ich dir zum Weibe geben, nur (die Bedingung ist dabei) sei mir ein wackerer Streiter*[c] *und kämpfe die Kämpfe Jahwes*[d]*.« Dabei dachte Saul aber: »Nicht meine Hand, sondern die Hand der Philister soll an ihn kommen.«* 18 *David gab Saul drauf zur Antwort: »Wer bin ich und wer ist ⟨meine Sippe⟩*[a] *[die Familie meines Vaters]*[b]*, daß ich ein Schwiegersohn des Königs werden könnte.«* 19 *Doch zu der Zeit, da man Merab, die Tochter Sauls, dem David hätte geben sollen*[a]*, wurde sie dem Adriël*[b]*, dem Meholatiter*[c]*, zum Weibe gegeben.*

20 Hingegen gewann Sauls Tochter Michal[a] David lieb; das sagte man Saul an, und dem war es sehr recht. 21 Saul sagte sich nämlich: »Ich will sie ihm geben, daß sie ihm zum Fallstrick[a] werde und so die Hand der Philister an ihn komme[b].« [c]*Saul sagte zu David: »Um zwei*[d] *kannst du heute mein Schwiegersohn werden*[e]*.«*[c] 22 Saul gab ⟨seinen Knechten⟩[a] Weisung: »Redet David unauffällig[b] zu: Es ist ja bekannt, der König hat Gefallen an dir gefunden, alle seine Leute haben dich lieb; da kannst du doch des Königs Schwiegersohn werden.« 23 Also sorgten die Knechte Sauls dafür, daß David diese Worte zu hören bekam[a]; David gab zur Antwort: »Scheint euch denn das etwas so Geringes[b], des Königs Schwiegersohn zu werden? Ich bin doch nur ein armer, ganz geringer Mensch.« 24 Das hinterbrachten seine Knechte wieder Saul: »So hat David geantwortet.« 25 Saul wies sie weiter an: »Dann sollt ihr David so zureden: Den König verlangt nach keinem anderen Brautpreis[a] als[b] nach hundert Philistervorhäuten, um an den Feinden des Königs seine Rache zu haben[c].« Denn[d] Saul sann darauf, den David durch Philisterhand zu Fall zu bringen[e]. 26 Seine Knechte sagten diese Worte David weiter, und es dünkte David recht, auf diese Weise des Königs Schwiegersohn zu werden. *Und die Tage waren noch nicht zu Ende*[a]; 27 David brach auf und zog mit seinen Männern[a] hin und erschlug unter den Philistern zweihundert[b] Mann

und brachte ihre Vorhäute; *man zählte sie in voller Zahl dem König vor*[c], daß er des Königs Schwiegersohn werden konnte. Darauf gab Saul ihm seine Tochter Michal zum Weibe. 28 Saul sah *und erkannte*[a] aber, daß Jahwe mit David war und daß auch Michal, Sauls Tochter, ihn aufrichtig liebte[b]. 29 Darob fürchtete[a] sich Saul nur immer mehr vor David.

So wurde Saul dem David feind für alle Zeit. 30 *Die Hauptleute der Philister*[a] *zogen (weiter) zu Feld; sooft sie aber ausrückten, hatte David mehr Erfolg*[b] *als alle anderen Knechte Sauls, und sein Name bekam sehr guten Klang*[c].

1 a) 1–6aα fehlen 𝔊β. b) Mit Umstellung, die V. 2 direkt an 1aα anschließt und durch eingeschobenes וַיֶּאֱהָבֵהוּ Saul zum Subjekt macht (Dhorme, ähnlich Klostermann), wird der Schwerpunkt verkannt. c) Vgl. Gn 44,30; Niphal zur Kennzeichnung des Inchoativen (Ehrlich). נֶפֶשׁ ist des Nachdrucks wegen vorangestellt (GK § 142a) und leitet keinen Zustandssatz ein (Nowack, Smith; vgl. auch Kö § 117), der dann nur störende Interpolation wäre (vgl. Anm. b). d) Zu Ketib vgl. GK § 60d; BLe § 48n. Unbegründet ist die Annahme einer Alternativlesart zwischen יֶאֱהָבוֹ und יֶאֱהַב mit Jonathan als Objekt (Boström: Alternative Readings, S. 36).

2 a) Nach Eißfeldt: Komposition, S. 12 ist שָׁאוּל falsches Explicitum und Jonathan der Lehnsherr Davids, was eindeutig den Skopus verkennt.

3 a) Zur Formulierung vgl. 20,8 und 23,18. Hier schließen nicht Jonathan und David den Bund (so Dhorme, Kittel, BroS § 132), sondern Jonathan ist Subjekt des Bundes. Wenn auch das Fehlen des zu erwartenden לְ auffällt (zur Sache J. Begrich: Berit, ein Beitrag zur Erfassung einer alttestamentlichen Denkform. ZAW 1944, S. 6), sollte es nicht konjiziert (z. B. Smith, Budde, DelF § 119a) oder durch ein angenommenes אֵת ersetzt werden (S. R. Driver, Ehrlich). Das ו, auch als ו concomitantiae (GK § 154a) nicht zureichend erklärt, ist erweichte Form, als solche Zeichen jüngerer Entstehung. 𝔊L Δαυὶδ ὁ βασιλεύς ist eine explizierende Vorwegnahme (vgl. die Auslegung); der Schluß von hier aus auf ursprüngliches בְּרִית מֶלַח (nach Lev 2,13; Num 18,19, Klostermann, Budde, anscheinend auch Hertzberg) ist nicht nur unnötig, sondern falsch. b) בְּ als Einführung der Bundesgrundlage auch 11,2. Da der Bundschluß hier eine Zusage Jonathans an David enthält (A. Jepsen: Berith, ein Beitrag zur Theologie der Exilszeit. In: Rudolph-Festschrift. Tübingen 1961, S. 163), könnte בְּ geradezu den Inhalt der Zusage angeben. Seltsam denkt Caspari statt eines Bundschlusses an ein Zerteilen des Gewandes.

4 a) מַדִּים bedeutet hier nicht das Unterkleid (AuS V, S. 208), aber auch nicht Rüstung im eigentlichen Sinne (so z. B. Greßmann), sondern das täglich getragene Kleidungsstück (so auch Hönig: Kleidung, S. 18). Durch das Fehlen des מִן (vgl. Lev 11,42; Num 8,4) wird מַדִּים als selbständiges Kleidungsstück neben מְעִיל eingeführt. Die Ergänzung zu מִמַּדָּיו (z. B. Ehrlich, Tiktin, Greßmann) verschiebt den Sinn und erübrigt sich. b) Zu עַד BroS § 115b; ein »ja selbst« (Budde) wäre zu stark.

5 a) Da das Folgende frequentatives Verständnis fordert, vokalisiere וְיָצָא (Budde, Caspari, de Groot), vielleicht auch וְיֵצֵא. Die Vokalisierung als Impf. cons. ist durch gedankenlose Angleichung an den Kontext entstanden; in ihrer Konsequenz liegt die phantastische Deutung Klostermanns: »David kam heraus, angetan mit den Kleidern, und ging so zu den Männern«. b) Breviloquenz; בְּכֹל אֲשֶׁר יִשְׁלָחֶנּוּ gehört zu beiden Aussagen, die Einfügung eines erleichternden בְּכָל עֵת עִם־הָעָם (Tiktin, Greßmann) ist ebenso unnötig wie unmöglich. c) יַשְׂכִּיל leitet dann den Nachsatz ein und braucht weder in וַיַּשְׂכִּיל geändert (Wellhausen, Budde, Smith) noch als Glosse getilgt zu werden (Caspari). Mit שכל verläßt die Darstellung die charismatische Linie, denn in השכיל liegt im Gegensatz zu הצלח (𝔗 auch hier מַצְלַח) der Gedanke menschlicher Tüchtigkeit und Lebensklugheit und der daraus resultierende Erfolg im Vordergrund (Gn 3,6); vgl. Pedersen: Israel I/II, S. 198; auch H. S. Nyberg: Smärtornas man. SEA 1942, S. 41f. d) Nicht: »er wurde beliebt« (Greßmann, Schulz, de Groot u. v. a.).

6 a) Vgl. 17,57; neben בְּבוֹאָם nicht Zeichen verschiedener Quellen oder Überlieferungen

(Dhorme, Budde u. a.), sondern Anschluß eines ehemals selbständigen Stückes (zu dem בְּבוֹאָם gehört haben dürfte) an die Goliathgeschichte (s. auch Anm. e). b) Der Ausdruck könnte eine Philisterschlacht schlechthin bedeuten (vgl. bei Caspari), gehört hier aber zur Anknüpfung an 17,1–54. c) לָשׁוּר (Qere לָשִׁיר) fehlt 𝔊; הַמְּחֹלוֹת wird von den einen nach 𝔊 *αἱ χορεύουσαι* als attributives Part. aufgefaßt und הַמְּחֹלְלוֹת oder ähnlich gelesen (Dhorme, Smith, Caspari; Schulz unter Tilgung von הַנָּשִׁים), von den anderen nach 𝔗 (בְּחִנְגַּיָא) in בַּמְּחֹלוֹת geändert (Budde, S. R. Driver und die meisten). Beides ist möglich (Wellhausen), doch läßt sich auch 𝔐 als unvollständiger Satz rechtfertigen (GK § 147a). d) 𝔊 *εἰς συνάντησιν Δαυειδ*, wiederum Anknüpfung an V. 54 (vgl. Anm. a) und nicht Überbleibsel eines nur hier bewahrten Quellenstranges (Budde, Dhorme); der Text von 𝔐 darf danach weder geändert (Nowack) noch ergänzt (Schulz) werden. Auch die Annahme späterer Auflösung von לִקְרָאתָם zu לִקְרַאת שָׁאוּל (Greßmann, Caspari) ist unbegründet, selbst wenn שָׁאוּל הַמֶּלֶךְ jüngere Formulierung sein sollte (so S. R. Driver). e) Die kleine Rahmentrommel (vgl. Max Wegner: Die Musikinstrumente des Alten Orients. 1950, S. 41). f) 𝔊 *ἐν χαρμοσύνῃ*, 𝔙 »tympanis laetitiae«; auf jeden Fall ist es zwischen der Nennung musikalischer Instrumente auffallend; Greßmann übersetzt in Analogie zu 1 Chr 13,8 »Triller«, was aber fraglich bleibt. Doch ist es deswegen weder zu streichen (Caspari, als Beischrift zum vorhergehenden Wort; auch A. Schulz: Eden. ZAW 1933, S. 223) noch auf verschiedene Quellen oder Kontamination verschiedener Lesarten (van den Born) zurückzuführen. Vermutlich liegt abstractum pro concreto vor. g) Nur hier; 𝔗 בְּצֶלְצְלִין 𝔊 *κύμβαλον* (vgl. zu Ps 150,5); Ehrlich deswegen auch hier בְּצֶלְצְלִים; sicher meint es ein Musikinstrument (nicht »Kreuzweg«, Bruno: Epos, S. 78), wahrscheinlich eine dreisaitige Laute (BRL, Sp. 391; anders Wegner; a. a. O., dreiteiliges Sistrum).

7 a) Zur Sache vgl. 2 Sam 6,5; Jer 30,19. Das Fehlen in 𝔊 begründet nicht die häufig vorgenommene Streichung (z. B. Wellhausen, Caspari, van den Born). b) Vgl. Ex 15,21; das Lied ist Kehrvers der Frauen auf den Ruf eines Vorsängers (daher עָנָה). c) Qere בַּאֲלָפָיו ist wegen V. 8 vorzuziehen. d) Carlson: David, S. 64 verweist auf das Verhältnis 1 Sam 13,2; 24,3 (die dreitausend Mann Sauls) zu 2 Sam 6,1 (die dreißigtausend Mann, die David versammelt), doch ist die Situation so verschieden, daß ein beabsichtigtes Schema nicht vorliegen kann.

8 a) Fehlt 𝔊[AB] deswegen auch dann *ἐν ὀφθαλμοῖς Σαουλ* statt בְּעֵינָיו, ohne daß sich daraus ein anderer Sinn ergibt. b) Nach 𝔊 wird הָרְבָבוֹת vorgeschlagen (Wellhausen, Budde, S. R. Driver und die meisten), doch könnte im Fehlen des Artikels eine beabsichtigte Feinheit liegen, als die Verherrlichung Davids noch schrankenloser erscheint. c) עוֹד schließt die Bedeutung des Fehlens in sich ein (»bleibt ihm nur noch zu wünschen«); so auch das Verständnis von 𝔗; vgl. 16,11; Ex 17,4. d) Anderes Verständnis durch Ersetzung von לוֹ durch לִי »nun bleibt mir nur noch das Königtum«, d. h. Titel ohne Macht (Klostermann, auch Budde), was mit Recht als zu modern empfunden abgelehnt wird. e) V. b fehlt 𝔊[B].

9 a) Qere עֹוֵין; ein von עין abgeleiteter Verbalstamm ist im Ugar. zu belegen (UgMan, S. 304); zum darin liegenden Gedanken der mißtrauischen Wachsamkeit vgl. Aubrey R. Johnson: The Vitality of the Individual in the Thought of Ancient Israel. Cardiff 1949, S. 49; hier scheint der Gedanke der Mühe mit eingeschlossen (»es wurde Saul schwer, ihn zu sehen«). Damit hat die Annahme einer Alternativlesart zwischen עֹוֵין und עָוֹן (עָוֹן war mit David, scl. in den Augen Sauls, so de Boer: OTS VI. 1949, S. 10) eine gewisse Berechtigung. Die in den Auslegungen meist übernommene Erklärung als verkürztes Part. Polel (מְעוֹיֵן BH[3]) ist nicht sicher (KBL), die Auffassung: »mit bösem Blick zu treffen suchen« (GK § 55c) ein nicht notwendiger Eintrag. Textäbderungen (שׂנֵא Ehrlich; עוֹד = »noch längere Zeit«, Caspari) sind unbegründet. Vgl. auch zu 2,29.32.

10 a) V. 10f. fehlen in 𝔊[B]. b) 𝔖 »nach Verlauf einiger Tage« läßt exegetische Reflexion erkennen. c) Vgl. 16,15.16.23; die Annahme nachträglicher Einfügung (Löhr, Nowack, auch Caspari) wird durch Paseq nicht gerechtfertigt (BLe § 9s'). d) »Inmitten« BroS § 106i; doch könnte hier tatsächlich der Gedanke enthalten sein, daß der Vorfall zunächst im geheimen blieb (vgl. 2 Sam 4,6; 1 Reg 11,20). e) Vgl. 19,23ff., auch 10,5 (dazu besonders Hertzberg); zum absonderlichen Gebaren der Propheten 2 Reg 9,11. Unnötig ist jedenfalls die Änderung in וַיִּתְחַבֵּא (Ehrlich). f) GK § 118u; BroS § 129c.

11 a) 𝔖𝔙 = 𝔐; 𝔗 וַאֲרִים, 𝔊[AL] *ἦρεν* (auch zu 20,33), wohl aus Gründen innerer Wahrscheinlichkeit; danach wird von den meisten (Ausnahme Schulz, de Vaux, van den Born) וַיִּטֹּל vokali-

siert, freilich damit der Überlieferungshintergrund verwischt; vgl. 19,10. b) אַכֶּה (nach 𝔗 Smith, BH³) ist wohl möglich, aber doch wohl pedantisch (vgl. Dt 15,17).

12 a) Hier noch in voller Bildhaftigkeit des Ausdrucks (»er konnte den Anblick nicht mehr ertragen«) und nicht Zeichen späterer Entstehung (S. R. Driver; vgl. sonst noch BroS § 111i). b) V. b fehlt 𝔊B.

13 a) Parallelüberlieferung zu V. 5; vgl. dazu 8,12, hier allgemeiner militärischer Einteilungsbegriff (de Vaux: Lebensordnungen II, S. 17). b) Zum Ausdruck P. Boccaccio: I termini contrari come espressioni della totalità in Ebraico. Bibl. 1952, S. 173ff.

14 a) לְ = »in Bezug auf« (Driver, Ehrlich); eine Änderung in בְּ (Seb 𝔊𝔖, auch Budde, Dhorme, Smith) ist nicht erforderlich.

15 a) Unheimlicher, undurchsichtiger als יָרֵא, als Ausdruck eines numinösen Grundgefühls des Grauens; vgl. Dt 18,22; Num 22,3; dazu Gottfried Quell: Wahre und falsche Propheten. Gütersloh 1952 (BFChTh 46), S. 152.

16 a) Vgl. zu 17,52; Caspari streicht hier wie dort.

17 a) V. 17–19 fehlen in 𝔊B. b) Vgl. 14,49. c) Vgl. 10,26 (𝔊); 14,52; 2 Sam 2,7; 17,10. d) Vgl. 25,28; Num 21,14.

18 a) Von den Vers in Übereinstimmung mit 𝔐 als »mein Leben« wiedergegeben, wohl weil die eigentliche Bedeutung von חַי, »die Sippe«, (James A. Montgomery: Arabia and the Bible. Philadelphia 1934, S. 13; KBL³) nicht mehr geläufig war; vokalisiere dann חַיִּי, womit die Änderungsvorschläge der Älteren (z.B. אַחַי Klostermann; Bruno: Epos, S. 79; חֵוִי = Ansehen, Wutz: Systematische Wege, S. 225) sich ebenso erübrigen wie die Annahme einer verkürzten Schwurpartikel (de Boer: OTS 6. 1949, S. 12f.). b) Tilge dann מִשְׁפַּחַת אָבִי (Wellhausen, Budde und die meisten) oder wenigstens מִשְׁפַּחַת (Smith, Dhorme, Schulz) als erklärende Beischrift. Epexegetisch ist auch das »was habe ich geleistet« bei 𝔖. Zur Sache jetzt Coats, G. W.: Self-Abasement and Insult Formulas. JBL 1970, S. 14ff.

19 a) Zur Konstruktion GK § 115e; zur Sache vgl. zu V. 21 + 26. Der Ausdruck bedeutet schwerlich, daß die Zeit der Reife (der Merab [Caspari]; Davids [Budde]; das schon wegen des בֶּן־חַיִל V. 17 unwahrscheinlich) abgewartet werden mußte. Der Versuch Klostermanns, durch Umstellung (V. 21b.26b.19) einen glatten Gedankenfortschritt zu erreichen, ist geistvoll, aber unzulässig. Trotz Unklarheiten besteht kein Grund zur Streichung (Caspari) oder Textänderung (תַּחַת Ehrlich, de Groot); der dabei zugrundeliegende Gedanke, David habe die Merab nicht gemocht (Ehrlich), verkennt die Absicht ebenso wie der Zusatz 𝔊L *καὶ ἐφοβήθη τὸν Δαυίδ* (übernommen von Dhorme). b) Aram. Form für עַזְרִיאֵל (so 5 MSS hier; Jer 36,26; 1 Chr 5,24; 27,19). Zum außeralttestamentlichen Vorkommen vgl. KBL; auch E. Ullendorf: Contribution of South Semitics to Hebrew. VT 1956, S. 196). Bedeutung: »Meine Hilfe ist Gott« (NothPers, S. 154). Zur Sache vgl. 2 Sam 21,8 und die Auslegung. c) Entweder Sippenname (𝔊L, unsicher 𝔊A 𝔙) oder – weitaus wahrscheinlicher – Bezeichnung der Herkunft (𝔗𝔖, auch die meisten Ausleger), dann mit אָבֵל מְחוֹלָה Jdc 7,22; 1 Reg 4,12; 19,16 gleichzusetzen. Zur Bedeutung des Namens vgl. W. F. Albright: BASOR 89. 1943, S. 15; 90. 1943, S. 11; 91. 1943, S. 16. Zur Lage jetzt vor allem H.-J. Zobel: Abel Mehōla. ZDPV 1966, S. 83–108. Die dort diskutierte Ansetzung auf dem *tell abū ṣūṣ* dürfte alle Bedingungen erfüllen und größere Wahrscheinlichkeit haben als die bis jetzt zumeist dafür in Anspruch genommene Ortslage auf dem *tell abū sifri* südlich von Beth Sean (Abel: Géographie II, S. 234; W. F. Albright: The Jordan Valley in the Bronce Age. AASOR 1924/25, S. 44; auch A. Alt: PJ 1932, S. 39f.). Diese neue Lokalisierung würde in gewisser Weise auch den Überlegungen gerecht, die N. Glueck: Explorations in Eastern Palestine IV. AASOR 1945/49, S. 210–231 veranlaßten, אָבֵל מְחוֹלָה im Ostjordanland und direkt im *wādi el yābis* zu suchen; sie bleiben erwägenswert, wenn man auch seiner Gleichsetzung mit dem *tell el-maqlūb* nicht zustimmen kann (s. dazu auch Anm. d zu 11,1). Vgl. zur ganzen Frage Stoebe, in: Eißfeldt-Festschrift. 1958, S. 230; anders Simons: Texts, § 567/68.

20 a) Vgl. Anm. d zu 14,49.

21 a) Hier noch profan mataphorisch und vor dem theologischen Gebrauch liegend; vgl. dazu Ex 10,7; 23,33; 34,12; Dt 7,16 u. ö. b) 𝔊 *καὶ ἦν ἐπὶ Σαοὺλ χεὶρ ἀλλοφύλων*, weniger Mißverständnis als bewußte Vermeidung einer Peinlichkeit (schon in der Vorlage?); zur Sache vgl. I. L. Seeligmann: Indications of editorial alteration and adaption in the Masoretic

Text and the Septuagint. VT 1961, S. 217. c) V b. fehlt wie V. 17–19 𝔊B, hängt also inhaltlich damit zusammen; es sieht aber dennoch nicht wie eine Glosse aus, sondern wie ein abgerissenes Bruchstück aus anderer Darstellung (so Budde, anders Smith). d) Zu dem nächstliegenden Verständnis »um zwei, scl. Töchter« (so wohl 𝔖; vgl. auch 𝔗 בַּחֲדָא מִתְּרֵין) s. die Auslegung. 𝔊OL ἐν ταῖς δυσίν (schlechtere Lesart δυνάμεσιν), 𝔅 »in duabus rebus« wird von Nowack, Budde, Smith als »unter zwei Bedingungen« verstanden. Andere Auffassungen: »zweimal sagte« (de Groot, Schulz, de Vaux); »zum zweitenmal« (Löhr, S. R. Driver, Dhorme, van den Born; de Boer: OTS 6. 1949, S. 13). Sie scheitern daran, daß einmal hier keine zwei Bedingungen gestellt sind, zum anderen ein ironisches Verständnis vorläge, das an dieser Stelle nicht zu erwarten ist. Dann wäre schon eher ein בַּשֵּׁנִית zu verstehen, was aber sprachlich ebenfalls nicht überzeugt (vgl. de Boer zur Sache). Die Konjektur בִּשְׁנָתַיִם (Klostermann, Greßmann u. a.; Hertzberg mit Umstellung von V. 21b nach V. 19, vgl. dort) wird wohl durch הַיּוֹם ausgeschlossen. Andere Änderungen (בִּפְלִשְׁתִּים Ehrlich; בְּצֵאתָם Caspari) sind willkürlich. e) Möglicherweise eine Formel, die die Gültigkeit einer Verlobung bestätigte (so de Vaux: Lebensordnungen I, S. 65).

22 a) Lies Qere עֲבָדָיו. b) Grundbedeutung »geheim«; hier: »so, daß man nicht an einen Auftrag denkt« (Ehrlich, Caspari. Beachte die Spannung zu V. 21b).

23 a) Wörtl. »sie redeten es in seiner Gegenwart, so daß er es hören mußte«. b) Gewöhnlich als Inf. mit Fem.-Endung angesehen (GK § 114a; BroS § 16e; vgl. auch Frank R. Blake: A Resurvey of Hebrew Tenses. Rom 1951, § 13,5a). Näher liegt aber vielleicht die Erklärung als Part. (Caspari, vgl. auch BLe § 58v).

25 a) Durch das erlegte Brautgeld wird ein Rechtsanspruch erworben (vgl. etwa de Vaux: Lebensordnungen I, S. 65). Zu מֹהַר überhaupt R. Dussaud: Le »mohar« israélite. CRAI 1935, S. 142–151; jetzt auch W. Plautz: Die Form der Eheschließung im Alten Testament. ZAW 1964, S. 299ff., vor allem S. 303f., Ersatz der Geldzahlung durch Dienstleistung. b) KetibOR, 9 MSS כִּי אִם, was der geläufigere Ausdruck ist. c) Vgl. 1 Sam 14,24; das Fehlen 𝔊A erklärt sich durch Homoeotel, nicht als absichtliche Kürzung (so Budde). d) GK § 158a; BroS § 133c. e) So Greßmann, Kittel; vgl. dazu auch D. Daube: Direct and Indirect Causation in Biblical Law. VT 1961, S. 247. Grammatisch möglich wäre auch die Auffassung »um in die Hände fallen zu lassen« (𝔊𝔅𝔗, anscheinend auch 𝔖; so Dhorme, de Vaux, Hertzberg u. v. a.); unmöglich dagegen Caspari: »um die Übermacht der Philister zu stürzen«.

26 a) Fehlt 𝔊B; es ist an sich ohne Beziehung und wird zumeist als Interpolation angesehen, die den Eifer Davids verherrlichen soll (Wellhausen, Smith, Caspari, Hertzberg u. v. a.), doch fehlt eben eine Fristangabe, die das verständlich machte; sie kann auch schwerlich durch einen Schlußredaktor unterdrückt worden sein (so de Vaux). Ehrlich liest מָלֵא הַיּוֹם und zieht es zu V. 27; Klostermann, Dhorme setzen eine zweijährige Dienstzeit voraus und denken an die Zeit bis zur Heirat. Vgl. die analogen Ausdrücke Gn 29,21.27.28 und s. dazu die Auslegung.

27 a) So sonst erst ab Kap. 23; hier noch nicht recht zur Darstellung passend. b) 𝔗𝔖𝔅 = 𝔐; 𝔊 ἑκατόν, vgl. auch 2 Sam 3,14, wonach, z. T. unter Annahme einer Verschreibung, der Text in מֵאָה geändert wird (Wellhausen, Smith, S. R. Driver, Caspari), während andere (z. B. Budde, Dhorme, de Vaux, Hertzberg) einen Hinweis darauf sehen, daß David als Held die Aufgabe überreichlich erfüllt habe; doch gilt das wohl erst von den sechshundert Köpfen als Siegestrophäe (Ant VI 197). Vgl. hierzu die Auslegung. c) Fehlt 𝔊B; die Vers haben sonst übereinstimmend Sg., weshalb von den meisten יְמַלְאֵם gelesen wird (Budde: יְמַלְאוּם solle David entlasten), was sicher unnötig ist (Hertzberg). Der Pl. erklärt sich aus וַאֲנָשָׁיו. Zu Dhorme וַיִּמָּלְאוּ הַיָּמִים s. Anm. a zu V. 26.

28 a) Fehlt 𝔊B, ist aber deswegen weder als überflüssig zu streichen (Caspari, Smith, Dhorme u. a.) noch als Kennzeichen verschiedener Quellen aufzufassen (Budde), sondern hebt den existentiellen Charakter der Wahrnehmung hervor (vgl. z. B. 1 Reg 20,7; Jes 6,9; 41,20; 44,9). b) 𝔊B καὶ πᾶς Ἰσραὴλ ἠγάπα αὐτόν (𝔊Luc = 𝔐 + 𝔊), wonach von den meisten geändert wird, indessen paßt 𝔐 hier besser zum Tenor der Gesamterzählung (Budde) und ist beizubehalten (richtig Greßmann, Rehm, Hertzberg u. a.). Zu fragen bleibt indessen, ob es sich bei 𝔊 – was durchaus möglich wäre – um eine Ableitung aus dem Gesamtdrama handelt (so de Boer: OTS 6. 1949, S. 15) oder ob sie diesen Text bereits in ihrer Vorlage vor-

fand, so daß eine Überlieferung nachwirkte, in der auch die Michalepisode als nachträglich eingearbeitet eine sehr untergeordnete Rolle gespielt hätte.

29 a) Zu וַיֹּאסֶף GK § 68 h; zur Fehlpunktierung לֵרֹא GK § 69n; BLe § 59i.

30 a) Der Text ist durch die Vers gestützt; zu dem Angriff von seiten der Philister vgl. 𝔊 zu V. 21. Textänderungen, die die Israeliten zu Angreifern machen (Ehrlich, Greßmann: שְׂדֵה statt שָׂרֵי, unbestimmtes Subjekt; Klostermann: לִקְרַאת שָׂרֵי הָאֲלָפִים mit Umstellung des Verses, zustimmend Budde), haben keinen Anhalt in der Überlieferung. b) Da שָׂכַל sonst nicht im Qal vorkommt, wäre מַשְׂכִּיל (Haplogr, so Ehrlich) denkbar. Vergl. aber Kö § 370b. Zur Syntax auch K. Schlesinger: Zur Wortfolge im hebräischen Verbalsatz. VT 1953, S. 389. c) V. 29b und 30 fehlen in 𝔊B.

18,1–30 SAULS EIFERSUCHT AUF DAVID. V. 1–5 werden von der Auslegung gewöhnlich aus formalen Gründen mit 17,55–58 zu einer Einheit zusammengefaßt, weil sie wie diese in 𝔊 fehlen. Inhaltlich gesehen stehen sie freilich in keinem klaren Erzählungszusammenhang damit, sondern gehören zum Folgenden. Die Verklammerung mit 17, 55–58 durch וַיְהִי כְּכַלֹּתוֹ לְדַבֵּר ist nur sehr locker[1] und wirkt daher nachträglich (eine ähnliche Klammer findet sich auch in V. 6; vgl. dort). Nübel[2] versucht, V. 1.3.4 für die von ihm angenommene Grundschrift zu reklamieren, allerdings wiederum um den Preis einer starken Textumstellung und den Eintrag des Gedankens, daß hier ursprünglich nicht von Jonathans Gewand, sondern von dem Sauls im Sinne einer Belohnung die Rede war[3]. Daß das hier Gebotene nicht in alle kodifizierten Rezensionen Eingang gefunden hat, charakterisiert seinen Inhalt und seine Art. Ich hätte deswegen Bedenken, von Entlehnung aus einem anderen Kontext zu sprechen[4], sondern würde auch hier Erweiterungen sehen, die sich im Tradieren der Stoffe gebildet haben, die auch nichts wesentlich Neues enthalten, sondern in einer Linie mit dem sonst in Kap. 18 Erzählten liegen. Unter dem Gesichtspunkt Abstoßung und Anziehung (Saul auf der einen, sein Haus und seine Leute auf der anderen Seite) wird das, was sich im Gange der Ereignisse herausgebildet hat, thematisch an den Anfang gestellt; doch so, daß der endliche Bruch mit Saul immer den Hintergrund bildet. Das wird verkannt, wenn man hier die Reste einer im besonderen auf Jonathan ausgerichteten Eigentradition finden will (vgl. Anm. a zu V. 2). Die Freundschaft Davids mit Jonathan ist ein Zug, der fest im Bewußtsein des Volkes verankert war (Kap. 19; 20; 23,16; 2 Sam 1,21)[5]. Es entspricht dem, was schon zu 17,12–31 beobachtet werden konnte, daß hier das Spontane der plötzlich aufbrechenden Liebe Jonathans besonders nachdrücklich unterstrichen ist, das also, was das Gemüt stark anspricht. Auch die sprachliche Art, wie von dieser Liebe als Grundlage eines Bundes geredet wird, läßt spätere Ausformung und einen gewissen Abstand von dem eigentlichen Inhalt des Gedankens erkennen (vgl. Anm. b zu

1. Van den Born; vgl. auch o. S. 340.
2. Aufstieg, S. 26f.
3. Aufstieg, S. 27: »Stellt man nun 16,21b. 22 in Gr. statt 18,2 ein, so verschwindet der Hauptanstoß in V. 2. Nun ist gesagt, daß zu Jonathans Begeisterung für den Helden auch eine herzliche Zuneigung des Königs trat«.
4. So zuletzt wieder van den Born; vgl. besonders Peters: Davids Jugend, S. 55.
5. Zu den geschichtlichen Fragen, die sich daraus ergeben, s. zu Kap. 20.

V. 3). Daß die Einstellung der Umwelt zu David unter dem Begriff אהב dargestellt wird, ist übrigens charakteristisches Merkmal des ganzen Überlieferungskomplexes und wohl etwas Besonderes (16,21; 18,16; 20,17)[6]. Das Wort hat seine Grundlage in dem schicksalhaften Zug der Geschlechter zueinander[7] (in ursprünglichem Sinn 18,20.28; auch 2 Sam 1,26); es meint darum hier auch mehr als bloße Freundschaft, sondern kennzeichnet die durch den Segen Jahwes gewirkte persönliche Anziehungskraft Davids, der man sich öffnen[8] oder die man in anderem Fall mit Feindschaft zurückweisen mußte. Die Bemerkung V. 2, daß Saul David nun endgültig an seinen Hof gezogen habe[9], ist angesichts der starken Betonung von אהב im Kontext keine Fortsetzung von 17,55–58, sondern schafft nur noch einmal die Voraussetzungen für das, was dann erzählt wird. Im übrigen verrät die Ausmalung der Situation sonst durchaus Vertrautheit mit dem Alltagsleben (wie schon Kap. 17, 12–32). Das Fortschenken von persönlichem Eigentum, auch Waffen, kann man, wenngleich in beschränktem Umfang, noch heute gelegentlich erleben. Es ist fast ein Wegschenken seiner selbst, als solches Zeichen vorbehaltloser Verbundenheit und äußersten Vertrauens[10]. Daß Jonathan damit David als den kommenden König anerkannt habe[11], daß dieser Zug also ein Seitenstück zu 17,38ff. darstelle, ist angesichts der Eigenart dieser nachträglichen Überlieferung nicht wahrscheinlich. Das aber ist wohl nicht zu bezweifeln, daß die Ausprägung mit durch die Vorstellung vom Hirtenknaben bestimmt ist, der noch keine Waffen hat (vgl. Anm. b zu V. 4), wenn auch, was hier erzählt wird, natürlich schon im Ansatz weit darüber hinausgeht[12]. Die Einseitigkeit der Gabe könnte – aber mit Sicherheit läßt sich das natürlich nicht sagen – darauf zurückzuführen sein. Dieser Gedanke ist dann auch sehr widersprüchlich durchgeführt, denn schon das Wegschenken der Kleider und Waffen eines jungen Mannes an einen Knaben wäre in sich sinnlos; das gilt in noch stärkerem Maße von V. 5[13] mit seiner rückhaltlosen Anerkennung der Lebenstüchtigkeit Davids (vgl. Anm. c zu V. 5), die die freundliche Zustimmung des Kriegsvolkes zur Führerstellung Davids zur Folge hat (vgl. Anm. d zu V. 5).

6–9 Der Abschnitt leitet zu dem Zerwürfnis, also der haßvollen Ablehnung der strahlenden Eigenschaften Davids durch Saul über. Auch der kürzere Text von 𝔊 schließt die feierliche Huldigung der Frauen unmittelbar an den Sieg

6. Zur Sache Nübel: Aufstieg, S. 26. 101; obwohl hier an sich richtige Beobachtungen überlastet sind.

7. Eichrodt: Theologie I, S. 162.

8. Die hinter der Bemerkung Hertzbergs »die Freundschaft ist auf Jonathans Seite ganz uneigennützig, wie sich das von David aus verhielt, wird wenigstens hier nicht gesagt« stehende Frage scheint im Ansatz falsch gestellt.

9. S. o. Anm. 3.

10. Vgl. Anton Jirku: Zur magischen Bedeutung der Kleidung in Israel. ZAW 1917/18, S. 111; vgl. auch Greßmann z. St.

11. Morgenstern: JBL 1959, S. 322.

12. So Hertzberg.

13. Den auch Budde trotz unübersehbarer Kontextverflechtung nicht seiner Quelle E zusprechen kann.

Davids über Goliath an, steht inhaltlich also auf derselben Stufe wie 𝔐, die das noch nachdrücklich unterstreicht (vgl. Anm. a, b, auch e zu V. 6). Das Siegeslied der Frauen aus allen Städten Israels ist nicht nur eine Überhöhung der Situation in gesamtisraelitischen Rahmen, sondern auch Vorwegnahme späterer Ereignisse. Es ist sogar sehr wahrscheinlich, daß die Entstehung dieses Liedes, wie überhaupt das Fest, bei dem es gesungen wurde, in die Königszeit Davids fällt[14]. Dann aber läßt es wohl erkennen, wie die Gestalt Sauls und seine Taten trotz des unglücklichen Ausganges noch eine feste Stellung im Bewußtsein des Volkes einnahmen, denn eine Geringschätzung Sauls liegt gewiß nicht darin. Auf der anderen Seite wird dieses Lied, auf den Goliathsieg gedeutet, auch in anderen Erzählungen zur Charakterisierung Davids herangezogen (21,12; 29,5). Da es sich dabei jeweils um den Aufenthalt Davids bei den Philistern handelt, konnte durch dieses Lied wohl der innere Abstand und die innere Freiheit Davids vom Erbfeind deutlich gemacht werden. Zugleich aber wird hierdurch nachdrücklich unterstrichen, daß alle anderen Siege Davids, obwohl sie geschichtlich greifbar sind und auch in ganz anderem Umfang geschichtlich gewirkt haben, in diesem legendären Goliathsieg vorgebildet gesehen wurden und anscheinend für das gläubige Miterleben an diesen nicht heranreichten. Und das wohl deswegen, weil hier David als Charismatiker handelt und von hier aus sein Königtum als charismatisches Führertum verstanden werden konnte[15].

Fortan fürchtet Saul David und haßt ihn. Die Worte, mit denen diese Furcht begründet und ihre Folgen dargestellt werden, liegen auf durchaus verschiedenen Ebenen. Auch hier lassen die Erweiterungen von 𝔐 gegenüber 𝔊 das Ringen um ein Verständnis erkennen. Der klarste Ausdruck gekränkter Eitelkeit und rein menschlicher Verärgerung liegt in V. 8b: »Nun fehlt ihm nur noch die Königskrone«. Dieser Vers, der bezeichnenderweise nicht allgemein anerkannte Textüberlieferung ist, versucht eine Erklärung von späterer Entwicklung her, wird aber der Tragödie Sauls nicht gerecht[16]. Er ist deswegen natürlich nicht als nachträglich, schon gar nicht als eine Saul unpassend in den Mund gelegte Prophezeiung[17] einfach zu streichen[18]. Ebensowenig darf man daraus schließen, daß solche Befürchtungen Sauls im Verhalten Davids einen Anhalt hatten[19]. Es soll ja hiermit die Maßnahme V. 13 vorbereitet werden, und die wäre dann denkbar unmöglich. Objektiver, der eigentlichen Aussageabsicht näherstehend, ist der Gedanke, daß Saul עֹוֵן אֶת דָּוִד war, David die offensichtliche Gnade Gottes neidete[20] und ihn darum nicht zu ertragen vermochte (vgl. Anm. a zu V. 9), wenn-

14. Cornill, Löhr, Nowack u. a.
15. Vgl. dazu o. S. 298.
16. Mit richtigem Gefühl dafür urteilt Wellhausen: Text, S. 111: eine Retuschierung, die wohl besser unausgesprochen bleibt.
17. Caspari.
18. Dhorme, ähnlich Schulz.
19. Siehe darüber zu Kap. 20.
20. Es wäre zu überlegen, ob das Vorbild des Neides Kains auf Abel hier den Blick für das Verständnis der letzten Hintergründe geschärft hat. Das könnte mit ein Grund dafür sein, daß bereits hier ein erster Bericht über einen Mordversuch Sauls anschließt (vgl. dazu u. S. 350).

gleich er auch hier bereits durch die Reflexion V. 8a, überhaupt durch den Anschluß an das Siegeslied der Frauen vulgarisiert wird.

10–16 Die wiederum $\mathfrak{G}^B$ fehlende Überlieferung V. 10+11 findet sich fast wörtlich noch einmal 19,9+10. Das braucht nicht von vornherein zu bedeuten, daß es sich um parallele Darstellungen desselben Ereignisses handelt, denn daß die Spannung wuchs und daß es zu verschiedenen Ausbrüchen des Hasses Sauls kam, ist von vornherein wahrscheinlich[21]. Im Gegenteil, daß Saul in den verschiedensten Zusammenhängen als Mann mit dem Speer vorgestellt wird (22,6; 26,7; 2 Sam 1,6), läßt vielleicht erkennen, wie tief sich dieser Zug der Erinnerung eingeprägt hat; jedenfalls scheint die Erklärung, es handle sich bei der Waffe um ein Symbol königlicher Würde[22], allein nicht ausreichend. Dennoch muß es sich dabei um die thematische Vorwegnahme späterer Ereignisse handeln, die hier zu früh kommen, denn die Furcht V. 12a ist die Voraussetzung, nicht die Folge des Ausbruches (vgl. auch Anm. a zu V. 10). Ebenso werden von da aus V. 13–16, Davids Einsetzung in eine militärische Führerstellung, unverständlich, selbst wenn man das Zeitrafferhafte der Darstellung berücksichtigt. Gewiß handelt es sich dabei nicht um eine ausgesprochene Beförderung[23], ebensowenig übrigens um eine Degradierung[24], sondern einfach darum, daß Saul die unmittelbare Gegenwart des Mannes nicht ertragen kann, mit dem jetzt Gott ist, ohne doch auf seine Hilfe verzichten zu wollen. Aber auch das wäre nach offenem Ausbruch der Feindschaft nicht denkbar (vgl. Anm. a zu V. 11). Die Vorstellung, die, nicht klar ausgesprochen, im Hintergrund steht, ist die, daß Saul selbst zum Werkzeug wird, mit dem Gott die gegen ihn gerichteten Pläne zur Ausführung bringt. An seinem Platz bewährt sich David immer mehr und festigt seine Stellung im Herzen des Volkes. Mit יוֹצֵא וָבָא לִפְנֵיהֶם klingt auch hier die Gedankenwelt des Heiligen Krieges an, wird also der charismatische Charakter des Führertums Davids unterstrichen; zugleich kündigt sich aber auch die Auflösung dieser Gedanken an, die neue Zeit (vgl. auch Anm. b zu V. 5), denn konsequent wäre es, wenn Jahwe selber seinem Volke voranzöge[25].

17–19 Die Verse berichten, wiederum nur im masoretischen Text, daß Saul David seine älteste Tochter Merab zur Frau anbietet, auch hier mit dem Gedanken, sich die militärische Tüchtigkeit des jungen Kriegers zu sichern. Die Verbindung mit dem Vorhergehenden, dem ersten Mordanschlag, ist nur locker, redaktionell. Ebensowenig läßt sich aber ein Anschluß an 17, 12–31 im Sinne einer organischen Fortsetzung herstellen[26]. Das emphatisch vorangestellte אַתָּה nötigt in keiner Weise dazu, hier die Anerkennung und Einlösung eines 17,25 gegebenen Versprechens zu sehen[27]. Das Angebot wird vielmehr als etwas ganz Neues einge-

21. Vgl. Hertzberg.

22. So auch von Rad: Theologie I, S. 50; Ehrlich beobachtet hier richtig, wenngleich seine Erklärung, die ständige Erwähnung der Waffe in der Hand Sauls sei ein Zeichen beginnenden Verfolgungswahnes, nicht ausreicht.

23. Schulz, Hertzberg. 24. Budde.

25. Von Rad: Krieg, S. 9.

26. Dazu Stoebe, in: Eißfeldt-Festschrift, S. 224, Anm. 6; jetzt auch Plautz: ZAW 1964, S. 304.

27. Z. B. Budde, Smith, Schulz.

führt; David soll Merab für etwas bekommen, was er noch zu leisten hat, und die Antwort Davids, der mit seinen Bedenken große Bescheidenheit zeigt, paßt wenig zu der unbefangenen Art, in der er sich 17,25 nach der ausgesetzten Belohnung erkundigt. Übrigens ist das Demutsmotiv an dieser Stelle rein konventionell, hat jedenfalls, anders als V. 23ff., für den Ablauf keine Bedeutung, denn die Forderung einer Dienstleistung, die daraus begründet werden könnte, wird unabhängig davon und auch nur ganz beiläufig erwähnt (vgl. V. 17; auch Anm. a zu V. 19). Das spricht nur scheinbar dafür, daß Saul mit diesem Angebot eine Verpflichtung einlösen will, erklärt sich in Wirklichkeit aber damit, daß der Skopus der Darstellung so ausschließlich darauf zielt, wie David um den Lohn seiner Mühe betrogen wurde, daß dabei gar nicht ins Gewicht fällt, daß etwas vorausgesetzt werden muß, dessen Erzählung unterlassen ist[28]. Bereits dieses nicht aus der Geschichte selbst entwickelte, sondern von außen herangetragene Motiv erinnert an den Dienst, den Jakob bei Laban um zwei Töchter zu leisten hatte. Die Art des Betruges mußte natürlich anders sein als Gn 29,21f., da das Faktum nicht übersehen werden konnte, daß David mit Merab eben nicht verheiratet war; dafür spielte es gar keine Rolle, wann diese besondere Form der Überlieferung sich ausgebildet hat[29]. Eigenartig ist auch, daß Adriël, dem Merab dann zum Weibe gegeben wird, 2 Sam 21,8 als (zweiter) Mann ihrer Schwester Michal genannt wird[30]. Das zeigt mindestens, daß die hinter der Merabepisode stehende Überlieferung nicht eigentlich selbständige Bedeutung hatte, sondern sekundär war[31]. Freilich, auch wenn kein quellenhafter Zusammenhang mit 17,12–31 besteht, ist die Gemeinsamkeit der Vorstellungswelt nicht in Abrede zu stellen, sogar in dem, was den inneren Abstand der Darstellung vom eigentlichen Wesen des Dargestellten anlangt[32]. Wenn V. 17 von den מִלְחֲמוֹת יְהוָה gesprochen wird, die David führen soll, so paßt das zwar gut in die Situation der Philisterkriege; wenn aber dabei Saul der geheime Plan unterstellt wird, sich so Davids auf elegante Art zu entledigen, dann ist doch das Wissen darum verloren gegangen, was diese Kriege bedeuten; zum mindesten ist Saul in einer Weise hinterhältig gezeichnet, die seinem sonstigen Bilde nicht entspricht[33].

20–30 Es besteht keine Diskussion darüber, daß dieser und der vorhergehende Abschnitt einander ausschließen. Formal ist diese Erzählung lebendiger, breiter ausgeführt, und ihre einzelnen Teile stehen in einem festeren inneren Zusam-

28. Zum Grundsätzlichen vgl. Stoebe: ThZ 1962, S. 385ff.

29. Stoebe, in: Eißfeldt-Festschrift, S. 242. Der Einwand Hertzbergs (2. Aufl.) gegen die dort vorgetragene Anschauung, die erste Niederschrift müssen den dargestellten Verhältnissen so nahe gestanden haben, daß Fakten nicht ignoriert werden konnten, trifft nicht den Kern der Sache.

30. In einem Rahmen, der einen Zweifel an der historischen Zuverlässigkeit dieses Zuges verbietet; vgl. dort.

31. Siehe auch zu 1 Sam 25,44; 2 Sam 3,14.

32. Vgl. dazu o. S. 324 zu 17,25.

33. Mit Recht urteilt Hertzberg (S. 128): »Die Hinweise auf Sauls Hintergedanken laufen neben dem sonstigen Stoff her, ohne ihn eigentlich zu durchdringen. Läßt man V. 17b.21a.25b aus, ergibt sich eine in sich geschlossene Erzählung, die dem Saul sogar z. T. mit Wohlwollen gegenübersteht«.

menhang. Das bescheidene Zögern Davids ist für den Fortgang entscheidend. Damit wird diese Darstellung, die auch in die kürzere Rezension Aufnahme gefunden hat (𝔊), als die Grundlage für die weitere Ausgestaltung V. 17–19 charakterisiert. Inhaltlich liegt sie in derselben Linie wie V. 17–19 und damit auch 17,12–31. Auch hier sind die Überlegungen Sauls arglistig, also Ausdruck einer Betrugsabsicht, was nachdrücklich hervorgehoben wird (V. 21 und noch einmal V. 25), wenn sie auch nicht durch die Nennung der מִלְחֲמוֹת יְהוָה noch weiter belastet werden. Das religiöse Motiv von 17,26, auch 36, klingt in der Forderung der Philistervorhäute wieder an[34]. Die mittelbare Kundgabe der Absicht Sauls durch vertrauliche Gespräche der Knechte in Gegenwart Davids (V. 22) erinnert an 17,25 ff., wennschon hier noch stärker als bei der Merabepisode herausgestellt ist, daß es sich nicht um einen bereits vorbereiteten, sondern durch die Situation ausgelösten Entschluß Sauls handelt. Das gemüthafte Motiv der Liebe Michals, ebenfalls dem Tenor von 17,12–31 nahestehend, ist hier in den übergreifenden Zusammenhang hineingestellt, daß die Liebe aller derer, die mit David umgehen, sich ihm zu- und damit von Saul abwendet und daß sich daran auch die Abkehr Jahwes von Saul manifestiert; V. 28 liegt auf derselben Linie wie V. 12 (𝔐), der das noch klarer ausspricht[35]. Hier werden diese inneren Zusammenhänge durch das Nebeneinander von V. 28b u. 29a und die Herausarbeitung des Gegensatzes וַיְהִי שָׁאוּל אֹיֵב אֶת־דָּוִד V. 29b unterstrichen.

Während Merab ganz aus der Überlieferung verschwindet, findet Davids Ehe mit Michal in den verschiedensten Zusammenhängen Erwähnung[36], so daß man von da aus den Eindruck haben kann, man stehe bei diesen Berichten auf dem Boden verbürgter geschichtlicher Tatsachen, zu denen die Merabepisode nur ein blasses und wenig originelles Seitenstück darstelle[37]. Da Michal offenbar nicht in die Sippe ihres Mannes überging, hat man versucht, diese Ehe nach israelitischem Eherecht als eine beena-Ehe zu bestimmen[38]. Freilich ist gerade da zu fragen, ob mit dieser rechtsgeschichtlichen Ausweitung nicht eben doch die historische Grundlage überlastet, wenigstens die Besonderheit der Lage Davids als Schwiegersohn und Offizier des Königs übersehen ist[39]. Nun ist die Ehe Davids mit der Saultochter Michal ein unbezweifelbares Faktum; die Frage bleibt aber offen, ob diese Ehe, wie die hier vorliegende Überlieferung behauptet, noch zu Lebzeiten Sauls und mit David als dessen Gefolgsmann geschlossen wurde, oder

34. Was mit der Beurteilung »ekelhafter, aber sicherer Beleg« (Budde) nicht richtig beachtet ist.

35. Wenn Bernhardt: Königsideologie, S. 86 hieraus schließt, daß grundsätzlich nur ein Mann Träger des Charismas sein konnte, verkennt er das Wesen der Aussage, die eine erlebte Wirklichkeit zur Grundlage hat.

36. 19,10ff., 22,14 (ohne Namensnennung); 25,44; 2 Sam 3,14ff.; 6,20ff.

37. Vgl. etwa Greßmann, Schulz.

38. J. Morgenstern: Beena Marriage (Matriarchat) in Ancient Israel and its Historical Implications. ZAW 1929, S. 93; Additional Notes on »Beena Marriage (Matriarchat) in Ancient Israel«. ZAW 1931, S. 54f.

39. Vgl. zum Grundsätzlichen die letzte Stellungnahme Werner Plautz: Zur Frage des Mutterrechts im Alten Testament. ZAW 1962, S. 9ff. Mit Recht bezieht Plautz diese Stelle nicht in den Kreis der Betrachtungen ein.

erst zu der Zeit, als David als König in Hebron residierte und bemüht sein mußte, diesem Königtum durch die Verbindung mit der Familie Sauls eine breitere Basis zu geben[40]. Sicher ist es richtig, daß bloße Wahrscheinlichkeitserwägungen ebensowenig dazu berechtigen, die Geschichtlichkeit dieser Darstellung anzuzweifeln[41], wie es möglich ist, in der Gestalt der Michal den Niederschlag mythischer Motive (Ischtar)[42] oder im Verhältnis Davids zu Saul allgemein orientalisches Erzählungsgut zu sehen[43]. Wenn aber das, was man vom Erzvater Jakob erzählte, prägende Bedeutung für die Ausgestaltung der Merabepisode hatte, ist zu bedenken, ob dieser Einfluß noch weiter reicht. Im Rahmen dieses Kapitels sei zunächst an den auffälligen V. 21 erinnert. Von den Harmonisierungsversuchen (vgl. Anm. c) ist 𝔗 deswegen bemerkenswert, weil er, wie auch sonst[44], den vorliegenden Text nicht ändert, sondern ihm durch eine Paraphrase den gewünschten Sinn abgewinnt, also indirekt seine Ursprünglichkeit bestätigt. Das Verständnis »um zwei Töchter« scheitert nur scheinbar daran, daß David die Merab ja nicht zur Frau bekam, denn auch hier steht die Betrugsabsicht Sauls im Vordergrund. Im Zusammenhang damit steht das מָאתַ֫יִם V. 27 (s. auch Anm. b), hinter dem die Vorstellung steht, daß David um den Ertrag einer doppelten Leistung getäuscht wurde. Und schließlich ist auch וְלֹא מָלְאוּ הַיָּמִים V. 26 (s. auch Anm. a) heranzuziehen[45]. Es könnte auch hiermit ein Zug der Ehegeschichte Jakobs wenigstens dem Anklang nach übernommen sein, ohne sich aber reibungslos in den Kontext einzufügen[46].

Wenn diese Züge auch Erweiterungen darstellen, die nur in einen Teil der textlichen Überlieferung Eingang gefunden haben, so sind solche Erweiterungen doch nur möglich, wenn Ansatzpunkte dafür bereits vorhanden waren. Sie können also als Zeichen dafür angesehen werden, daß das Vorbild der Jakobgeschichte auch dafür Bedeutung hatte, daß die Verheiratung mit Michal in die Jugendzeit Davids verlegt wurde. Darin liegt freilich mehr als naive Freude am Erzählen und Ausgestalten; es handelt sich vielmehr um eine im Theologischen begründete Beurteilung der Gestalt und des Werkes Davids (vgl. dazu u. S. 362 f.).

40. Vgl. Stoebe, in: Eißfeldt-Festschrift, S. 228.

41. So geschieht es z. B. bei Marquardt: Fundamente, S. 24; Cook: JQR 1907, S. 369f.; Winckler: Geschichte II, S. 179; Baentsch: David, S. 109; ATAO, S. 510; aber auch Noth: Geschichte, S. 170, Anm. 1; Seeligmann: ThZ 1962, S. 321. Dazu den grundsätzlichen Einwand bei Kittel: Geschichte des Volkes Israel II. 7. Aufl. 1925, S. 109, bes. Anm. 5.

42. So Baentsch: David, S. 52; ATAO, S. 501.

43. Winckler: Geschichte II, S. 170f.; auch Greßmann z. St. (obwohl Greßmann den Bericht selbst für historisch zuverlässig hält).

44. Vgl. zu 2 Sam 21,8.

45. Hierzu und zum Vorhergehenden Stoebe in: Eißfeldt-Festschrift, S. 242.

46. Vgl. die Versuche, die Diskrepanz zwischen V. 26b und dem וַיָּקָם דָּוִד V. 27 durch Quellenverschiedenheit zu erklären (so etwa Klostermann und Budde).

19,1–21,1 Davids Flucht wird unausweichlich

Kap. 19 u. 20 bestehen aus verschiedenen Stücken: a) 19,1–7.(8); b) 19,9–10; c) 19,11–17; d) 19,18–24; e) 20,1–21,1. Sie bilden ihrem gedanklichen Gehalt nach eine Einheit, denn an all den geschilderten Ereignissen soll aufgewiesen werden, daß der Bruch zwischen Saul und David unvermeidlich war, David keine andere Möglichkeit als die Flucht blieb, so daß er ohne Schuld an der späteren Entwicklung ist. Das die Darstellung fast gleichmäßig zäsierende נָס bzw. ברח (19,10.12.18; 20,1) leitet zum Thema von Kap. 21ff. über[1]. Gleichzeitig unterstreicht die Zuordnung des וַיִּמָּלֵט (19,10.12.18), daß diese Flucht nicht Gericht oder Strafe für Versündigung war, sondern unter der Führung Jahwes stand[2]. Das wird auch daran deutlich, daß es Sauls eigene Kinder sind, dazu in der Prophetengenossenschaft die geistlichen Repräsentanten des Volkes, die sich schützend vor David stellen. Literarisch hängen die einzelnen Geschichten aber nicht so zusammen, daß sie einen Erzählungsfortschritt bilden; ja, sie schließen einander sogar aus[3]. Eine Verbindung der Einzelstücke zum Vorhergehenden ist, z. T. wenigstens, auch nicht mit Sicherheit festzustellen. Mindestens 19,9–17[4] und 19,18–24 sperren sich gegen solche Einordnungsversuche[5] und können nur einem Prinzip zuliebe einem Erzählungszusammenhang quellenhaft zugeteilt werden[6]; und 19,1–8 stellt gegenüber dem breit ausgeführten Kap. 20 eine nicht selbständige Ausgestaltung des dort enthaltenen Überlieferungsgutes unter einer besonderen Akzentsetzung dar[7]. Es liegt nun in der Natur der Vorgänge, die hier dargestellt werden, daß sie das Interesse der verschiedensten Kreise ansprachen, daß auch sehr weit auseinanderliegende Bedürfnisse und Fragen Befriedigung verlangten. Daher findet sich in dieser Zusammenfassung von Einzelüberlieferungen die Darstellung aus dem Bereich volkstümlichen Denkens und Erzählens, in der die befreite Freude anklingt, wenn der Held durch Klugheit und List einer drohenden Gefahr entgangen ist (11–17)[8]; daneben steht die unter streng theologischem Gesichtspunkt gestaltete Schilderung, die unterstreicht, wie ausschließlich alle Schuld bei Saul lag. Das ist nicht sekundäres Bemühen darum, David gegenüber einem latent vorhandenen, wenn auch nicht klar ausgesprochenen Vorwurf zu rechtfertigen[9]. Es ist vielmehr auch hier ein Ringen darum, die Entwicklung in all ihrem Unbegreiflichen zu verstehen. Das kommt schon in der Anordnung der

1. Zum literarischen Charakter gleichlautender Ein- und Ausleitungen (und auch Einteilungsformeln) vgl. Seeligmann: ThZ 1962, S. 315ff.
2. Vgl. dazu die Überlegungen bei Carlson: David, S. 46ff.
3. Greßmann, S. 81; auch de Vaux, van den Born u. a.
4. Budde sieht es zwar mit dem Vorhergehenden als Einheit, die er E zuweist.
5. Beachte das zurückhaltende Urteil über Quellenzugehörigkeit bei Kittel.
6. Etwa Hölscher (Geschichtsschreibung, S. 371f.): 1–10ab E[1]; 11–17 J; 18–24 (wie 16,1–13) E[2].
7. Besonders konsequent verfolgt Nübel diesen Gedanken.
8. An humorvolle Betrachtungsweise scheint hier weniger zu denken zu sein; eine Entspannung nach Art der Narren in den Dramen Shakespeares (Schulz: Erzählungskunst, S. 35) gibt es hier schwerlich.
9. Vgl. u. zu Kap. 20.

aufgenommenen Überlieferungsstücke zum Ausdruck, vor allem in der Kunstfertigkeit, mit der durch den Aufbau Retardieren[10] und Steigerung bewirkt, damit das Unausweichliche des Geschehens herausgearbeitet wird.

10. Vgl. dazu etwa Hertzberg; soweit man diese Züge in den Geschichten selbst findet (Schulz: Erzählungskunst, S. 31 f.), bleibt es im Bereich unreflektiert lebendigen Erzählens.

19,1–17 *Sauls Kinder retten David*

1 Saul sprach zu seinem Sohn Jonathan[a] und allen seinen Knechten (von seiner Absicht)[b], David umzubringen. Sauls Sohn Jonathan aber hatte herzliches Wohlgefallen an David gefunden. 2 Darum gab Jonathan David Nachricht: »Mein Vater Saul[a] sinnt darauf, dich umzubringen. Also[b] gib morgen früh[c] gut acht, bleib im Verborgenen und halte dich versteckt[d]. 3 Ich meinerseits will hinausgehen[a] und will mich auf dem Felde, wo du dann auch sein wirst[b], an die Seite meines Vaters stellen[c]; da werde ich dann mit meinem Vater über dich reden[d], und wenn ich erfahren habe, wie es aussieht[e], gebe ich dir Bescheid.« 4 Also redete Jonathan mit seinem Vater Saul gut über David und mahnte ihn: »Der König wolle sich doch nicht an seinem Knechte[a] David versündigen; er hat sich doch auch nicht an dir versündigt, hat dir vielmehr[b] sehr guten Dienst[c] geleistet. 5 In seiner Hand bot er sein Leben dar[a], er schlug den Philister[b] [c]und Jahwe schenkte ganz Israel[c] siegreiches Heil[d]. Du selbst[e] hast es gesehen und deine Freude daran gehabt; warum willst du dich nun an unschuldigem Blut[f] damit versündigen, daß du David ohne alle Ursache umbringen läßt?« 6 Endlich hörte Saul auf die Worte Jonathans, und Saul schwor: »So wahr Jahwe lebt, er soll nicht umgebracht werden.« 7 Danach rief Jonathan[a] David, und Jonathan[a] teilte ihm alles mit, was geredet worden war, dann brachte Jonathan David zu Saul, und er tat wieder Dienst vor ihm[b], gerad wie zuvor. 8 Aber der Krieg dauerte an[a]; David rückte[b] zum Kampf gegen die Philister aus und fügte ihnen eine schwere Niederlage zu, daß sie vor ihm fliehen mußten. 9 Ein böser ⟨Gottesgeist⟩[a] kam aber über Saul – er saß[b] gerade in seinem Hause und hatte seinen Speer zur Hand, indes David mit seiner Hand[c] die Leier rührte. 10 Da versuchte Saul, mit seinem Speer David an der Wand[a] aufzuspießen; der aber konnte Saul ausweichen[b], so daß er mit dem Speer nur in die Wand traf[c]. David entfloh und brachte sich in Sicherheit. ⟨Noch in derselben Nacht⟩[d] 11 schickte Saul eine Abordnung zum Hause Davids mit dem Befehl, ihn zu bewachen[a] und dann am Morgen[b] umzubringen[c]. Doch sein Weib Michal warnte David also: »Wenn du nicht noch heute nacht dein Leben retten kannst, bist du morgen früh ein toter Mann[d].« 12 Damit ließ Michal David durch das Fenster[a] hinunter, daß er auf und davon gehen und sich in Sicherheit bringen konnte. 13 Indes

nahm Michal den Terafim[a] und legte ihn auf[b] das Bett, ein Stück Ziegenfell[c] legte sie ihm zu Häupten[d] und deckte es mit seiner Decke[e] zu. 14 Als Saul nun seine Boten schickte, um David zu holen, sagte sie[a]: »Er ist krank.« 15 Drauf sandte Saul seine Boten[a] (wiederum), daß sie sich David ansehen sollten mit dem Befehl: »Bringt ihn herauf zu mir, (auch) mit dem Bett, daß man ihn töten kann.« 16 Als die Boten (wieder) hinkamen, da fanden sie nur den Terafim und das Stück Ziegenfell an seinem Kopfende. 17 Als Saul Michal darum schalt: »Warum hast du mich so getäuscht[a] und meinen Todfeind davongelassen, daß er sich in Sicherheit bringen konnte[b]«, gab Michal Saul zur Antwort: »Er hat mich[c] bedroht, laß mich fort[d], sonst muß ich dich töten[e].«

1 a) Abweichende Schreibung rechtfertigt noch nicht die Annahme einer späteren Einfügung (so Budde, Dhorme, Caspari). b) Zu dieser Bedeutung von דִּבֵּר mit Inf. vgl. 2 Reg 14,27; die auch mögliche Auffassung »er befahl zu töten« (Luther, Klostermann, Smith, Greßmann) scheitert wohl an der Nennung Jonathans.

2 a) אָבִי fehlt 𝔊B (danach Caspari); andere (Smith, Budde) streichen שָׁאוּל, beides ohne Grund. b) Dazu H. A. Brongers: Bemerkungen zum Gebrauch des adverbialen w[e]'attāh im Alten Testament. VT 1965, S. 294. c) 𝔊 *αὔριον πρωὶ*; *αὔριον* in 𝔊 sonst Wiedergabe von מָחָר (V. 11; 20,18); hier handelt es sich nicht um Verschmelzung zweiter Traditionen (so de Boer: OTS 6. 1949, S. 16), sondern um eine aus dem Situationsverständnis geflossene freie Paraphrase (vgl. Wellhausen); 𝔖 läßt בַּבֹּקֶר aus. Unsicherheit der Textwiedergabe kennzeichnet die fehlende Anschaulichkeit der Vorlage (s. die Auslegung). Ehrlich rechnet mit Textverlust, Caspari mit entstelltem Ortsnamen (in בַּבֹּקֶר); beides verkennt ebenso den literarischen Charakter dieser Überlieferung wie Klostermanns Textänderung מֵאֶחָז בַּקְּרָב. d) Häufung der Ausdrücke fordert nicht die Annahme einer Wahllesart (so Caspari); 𝔊 Umstellung *κρύβηθι καὶ κάθισον κρυβῇ* scheint zwar logischer (Wellhausen), ist deswegen aber nicht ursprünglicher.

3 a) Vgl. 20,35. b) Im Textzusammenhang nicht vorbereitet, deswegen tilgt Dhorme, ersetzen Caspari, de Groot אֲשֶׁר durch שֵׁב, beides unzulässige Textänderungen. c) Klostermann, Caspari überlasten das Verständnis mit der Annahme, daß Jonathan Davids Stelle bei Saul vertreten will. d) Zum Ausdruck vgl. Dt 6,7; Ps 87,3; dazu GK § 119l; BroS § 106d. e) Vgl. 2 Sam 18,22 u. ö.; wohl Ausdruck der Umgangssprache; der Fragecharakter ist noch deutlich (vgl. GK § 137c; BroS § 24a, 143d). Die Annahme eines Schreibfehlers (Klostermann יִהְיֶה, o. ä.) ist willkürlich.

4 a) 𝔊B *δοῦλόν σου* (von Caspari übernommen) verkennt den höfischen Stil. b) Vgl. BroS § 134a; 𝔊 läßt vereinfachend כִּי und לְךָ aus. c) Gegen pluralisches Verständnis (𝔊 *ποιήματα*, 𝔅 »opera«; auch Smith, Dhorme; vgl. BLe § 73 j) spricht nicht der Sg. טוֹב (so Budde: man müßte טוֹבִים erwarten); zur Kongruenz BroS § 28aγ; dennoch muß es hier als Singular verstanden werden (GK § 93ss; so S. R. Driver, Budde und die Mehrzahl), denn durch den Zusammenhang wird die Nennung der herausragenden Einzeltat gefordert.

5 a) Vgl. 28,21; Jdc 12,3; Hi 13,14, dazu unser »sein Leben aufs Spiel setzen«. Zu den möglichen Hintergründen des in seiner bildhaften Plastik wohl von allein verständlichen Ausdruckes vgl. A. Lods: L'Ange de Yahvé et »l' âme extérieure«. In: Wellhausen-Festschrift. Gießen 1914 (BZAW 27), S. 274. b) Nämlich Goliath, so fast alle Vers und Ausleger (van den Born). c) 𝔖 + *b'îdæ* (übernommen von Budde, Smith, Dhorme, Hertzberg u. a.), »durch seine Hand«, was sachlich richtig, aber nicht notwendig ist; abzulehnen ist dagegen die aus gleicher Überlegung erfolgte Tilgung des יהוה (z. B. Ehrlich, Schulz, Caspari; in dieser Richtung auch Seeligmann: ThZ 1963, S. 403). d) Dazu zuletzt J. Sawyer: What was a mošia? VT 1965, S. 484. e) 𝔊 macht mit Auslassung des לְ *πᾶς Ισραηλ* zum Subjekt, was Caspari übernimmt, was aber sicher nicht ursprünglich ist. f) Zum Ausdruck vgl. Dt 19,10;

21,8; 27,25; 2 Reg 21,16; 24,4; Jer 7,6; 22,3; 26,15; Jes 59,7; indessen ist das kein Argument für den zeitlichen Ansatz dieser Stelle.

7 a) Zur Häufung der Namensangaben, die von den Vers verwischt wird (𝔊𝔙 fehlt 2, 𝔖 2 +3), vgl. 2 Sam 6,14; 12,19. Daß damit besonderer Nachdruck auf den Namen gelegt werden soll, haben schon Klostermann, Smith, richtig beobachtet. b) Vielleicht stärker als עָמַד לִפְנֵי 16,21 (Caspari). Zur Sache Carl Heinz Ratschow: Werden und Wirken. 1941 (BZAW 70), S. 22.

8 a) Oder: »der Krieg brach wieder aus« (𝔊𝔙), je nachdem man im Verbum stärker die Bedeutung des Werdens oder des Seins hört (Ratschow, a. a. O.). Wegen der ungewöhnlichen Form ergänzen 𝔊B *πρὸς Δαυὶδ*, 𝔊V *πρὸς Σαουλ*, 𝔊L *ἔτι ἐπὶ τοὺς ἀλλοφύλους* (vgl. auch Ant VI 213); bereits diese Verschiedenheiten kennzeichnen ihr Mehr als freie Ergänzung (so schon Wellhausen). b) 𝔊 *κατίσχυσεν* durch die Erweiterung (Anm. a) nahegelegtes Verständnis, das nicht zu Änderung des durch 18,5.13.16 gestützten וַיֵּצֵא in וַיָּאָץ (Caspari) berechtigt.

9 a) 𝔊B *πνεῦμα θεοῦ*, 𝔗 מִן קֳדָם יְיָ (vgl. 16,14), 𝔖𝔙 = 𝔐. Wegen des undeterminierten Adjektivs ist wahrscheinlich רוח אלהים als ursprüngliche Lesart anzunehmen (Wellhausen, S. R. Driver, Budde und die meisten; vgl. auch Robert Koch: Geist und Messias. Wien 1950, S. 39; ausdrücklich anders Kittel, Hertzberg) oder יהוה gänzlich zu streichen (Klostermann, Caspari; Bruno: Epos, S. 79. b) 𝔊 *καθεύδων* (𝔊Luc *ἐκάθητο* führt nicht auf ישן oder ישכב, ist auch nicht notwendig Verschreibung aus *καθίζων* (Klostermann), sondern könnte bereits ältere Paraphrase auf Grund des Zusammenhanges sein. שָׁב statt יוֹשֵׁב (weil dies zu ruhig klingt, Caspari) ist unzulässiges Psychologisieren. Zur Syntax GK § 141e. c) Lies mit 𝔊𝔙 und allen Auslegern בְּיָדוֹ Haplogr DelF § 8b. Budde erwägt בנגדו.

10 a) Vgl. 18,11. 𝔊B fehlt וּבַקִּיר, was Dhorme, Caspari übernehmen. b) Intransitiv nur hier (𝔗 deswegen ואתפטר). Da im nachbiblischen Hebräisch das Niphal häufig begegnet, ist vielleicht וַיִּפָּטֵר zu vokalisieren (BH³), was freilich nicht »er verabschiedete sich« bedeutet (so Ehrlich). c) Saul ist Subjekt; anders (אֶת־הַחֲנִית) P. P. Saydon: Meaning and use of the particle את. VT 1964, S. 195, wobei er für את mit der Möglichkeit einer Verschreibung rechnet. d) Von 𝔊 in der Form *καὶ ἐγενήθη ἐν τῇ νυκτὶ ἐκείνῃ* an den Anfang von V. 11 gestellt, worin die meisten Ausleger, z. T. unter Einfügung eines וַיְהִי, folgen (Tiktin, Greßmann hinter שָׁאוּל V. 11). Wenn es sich bei diesen Worten auch eher um ein Verbindungsstück handelt (de Boer: OTS 6. 1949, S. 18), entspricht das mehr dem Sinn des Ganzen. Lies mit Seb בַּלַּיְלָה הַהוּא (Tiktin, Caspari בַּלֵּיל הַהוּא).

11 a) Driver, Ehrlich beziehen das Suffix unter Berufung auf Ps 59,1 auf בַּיִת, was angesichts ולהמיתו (vgl. Anm. b) weder nötig noch wahrscheinlich ist. b) Zur »Heiligkeit des Schlafes« wird auf Jdc 16,2 verwiesen, doch erklärt sie sich an beiden Stellen wohl aus der besonderen Situation des Helden; deswegen ist auch Jdc 4,21 keine wirkliche Parallele. Zur Sache vgl. auch Julius Wellhausen: Reste arabischen Heidentums. 2. Aufl. Berlin 1927, S. 163f., auch L. Köhler: Archäologisches. ZAW 1916, S. 22. c) Die Auslassung des ו durch 𝔊 (von den meisten Auslegern unter Hinweis auf V. 16 und Annahme einer Dittogr übernommen) bedeutet, daß nicht Saul, sondern die Boten Subjekt des לַהֲמִיתוֹ sind. Mit Recht bleibt Hertzberg beim überlieferten Text. d) GK § 159v; es könnte Ausdruck lebendiger Umgangssprache sein.

12 a) Vgl. Jos 2,15; Act 9,25; zur Sache Baba bathra III/VI.

13 a) Vgl. 15,23; gewöhnlich ein einzelner Kultgegenstand (Exkurs S. 363f.) und so auch hier gemeint. Die auf Grund unsicherer Etymologie für diese Stelle angenommene allgemeine Bedeutung »alte Kleider, Lumpen« (Albright: Religion, S. 231) scheitert schon an der unübersehbaren Analogie zur Jakobsgeschichte (vgl. Auslegung). Auch die Vers weisen in diese Richtung (𝔗 [𝔖] צַלְמָנַיָּא, 𝔊 *κενοτάφια*, *'Α μορφώματα*, *Σ εἴδωλα*, 𝔙 »statuam«); die Pluralendung dürfte übrigens nur scheinbar sein (A. Jirku: Die Mimation in den nordisraelitischen Sprachen und einige Bezeichnungen der altisraelitischen Mantik. Bibl 1953, S. 78–80. b) Häufig für עַל; jedenfalls kein Grund zu der Annahme, daß mehrere wunderwirkende Figuren von der Tür zum Bett hin aufgestellt waren (Barnes: JThS 1929, S. 177f., vgl. Exkurs). c) Unsicher; Hap leg von der Wz. כבר, was wegen der Bedeutungsvielfalt dieses Stammes nicht viel hilft). (*'Α τὸ πᾶν πλῆθος* = כבר I Hiphil-KBL). In Anlehnung an 2 Reg

8,15 wird dafür zumeist ein »dicht gewebtes Fliegennetz« (z. B. KBL, Budde, Rehm u. a.), »ein Kissen« bzw. »Polster« (z. B. Smith, Caspari u. a), »eine Perücke« (Klostermann, Greßmann, de Vaux), auch »Haube« (Dussaud: Syria 1927, S. 367) angenommen. Am richtigsten ist unter Verzicht auf eine spezielle Erklärung (Ehrlich, Hertzberg) an ein Stück Ziegenfell zu denken (𝔗 נוֹדָא, was sachlich dasselbe ist; 𝔖𝔅 = »Fell«). 𝔊 ἧπαρ hat vielleicht irrtümlich כָּבֵד verstanden (wenig wahrscheinlich denkt Klostermann an transkribiertes כְּבִיר, Θ χοβερ); zum Nebeneinander von תְּרָפִים und כָּבֵד vgl. allerdings auch Ez 21,26. Ant VI 217 macht daraus eine zuckende, einen atmenden Menschen vortäuschende Ziegenleber; Albright: Religion S. 231 denkt in Verfolg seines Verständnisses von תְּרָפִים an ein Ziegenböckchen. d) Entweder das obere Ende des Bettes (Caspari) oder das Kopfende eines auf dem Bette liegend vorgestellten Mannes; dies ist wohl beabsichtigt und wird von den meisten angenommen (vgl. Gn 28,18). e) Vgl. Ex 22,25 f (dazu Benzinger: Archäologie, S. 81), aber auch 1 Reg 1,1. Wenn es also auch nicht nötig ist, an den Mantel Davids zu denken (so auch Hönig: Kleidung, S. 12), so meint der Artikel doch etwas, was David eignet, also die Täuschung vollständig macht (vgl. sonst noch GK § 126q).

14 a) 𝔊 *καὶ λέγουσιν*, was vielleicht den Verlauf folgerichtiger darstellt, aber die Tat der Michal abschwächt und darum nicht ursprünglich sein kann; (zu Unrecht von Wellhausen in der Form »sie sagten es Saul«, von Budde, Smith als »sie sagten sich« übernommen). Noch mehr verzeichnet Caspari mit וַיִּצְלְחוּ »sie drangen ein« die Situation.

15 a) 𝔊B + *ἐπὶ τὸν Δαυὶδ*, was wohl nicht als Haplogr (Dhorme), sondern im Zusammenhang mit *λέγουσιν* V. 14a verstanden werden muß. Ist es hebr. לִקְרַאת? Smith, Nowack vermuten wenig überzeugend ursprüngliches לְבֵיתוֹ.

17 a) Vgl. 28,12; auch Gn 29,25. b) GK § 111l. c) אֱלַי fehlt 𝔊. d) Einige MSS: שַׁלְּחֵנִי mechanische Vokalisierung. e) Zum affirmativen Charakter der Frage GK § 150e; zu schwach BroS § 173: negativer Absichtssatz.

19,1–17 *Sauls Kinder retten David.* In den Versen 19,1–7 erscheint die Bedrohung Davids durch Saul nicht mehr als spontaner Ausdruck seelischer Spannung, sondern als klarer Mordvorsatz. Damit steht die Darstellung Saul negativer gegenüber als andere[1]. Darüber hinaus ist sie so wenig folgerichtig, daß hier von vornherein mit einer jüngeren, nicht eigentlich erzählenden, sondern eher theologisierenden Traditionsbildung zu rechnen ist. Nachdem vorher nicht nur von der Freundschaft Jonathans für David, sondern auch von der Anhänglichkeit der Kriegsleute an ihren jungen Führer berichtet wurde, ist Sauls offen ausgesprochene Tötungsabsicht auf jeden Fall unverständlich[2]. Textkritische Maßnahmen (vgl. Anm. a zu V. 1) helfen ebensowenig wie die Annahme eines Quellenstranges, der von dieser Freundschaft bisher nichts berichtet hätte[3]. Damit ist das Gewicht nicht genügend berücksichtigt, das auf der theologischen Aussage V. 5 וַיַּעַשׂ יְהוָה תְּשׁוּעָה גְדוֹלָה לְכָל־יִשְׂרָאֵל (vgl. Anm. c) liegt. Damit, daß Saul selbst das anerkennen muß und David Lebenssicherung zuschwört, richtet er sich selbst[4]. Man kann hier also nicht sagen, daß Saul auf die Apologie Jonathans nicht eingehe[5].

1. Vgl. o. S. 311.
2. Man muß dagegen den Geheimbefehl Davids an Joab in Sachen Uria vergleichen (2 Sam 11,14ff.).
3. Z. B. EißfE, S. 366; Smith u. a.; er dürfte dann strenggenommen auch nichts von der Zuneigung der Krieger berichtet haben.
4. Hinsichtlich der Einstellung zu Jonathan vgl. Anm. a zu V. 7.
5. Nübel: Aufstieg, S. 31, der deswegen V. 2b.4–5 als zum alten Kern gehörig in Kap. 20

Hinter diesem Skopus tritt die Anschaulichkeit eines konkret vorgestellten Ablaufes zurück[6]. Die Verumständlichung, das Gespräch auf dem Felde, hat keine konstruktive Bedeutung, sondern ist Beiwerk, das dem Ganzen Farbe geben soll. Das heißt nicht, daß V. 2f. erst sekundäre Einfügung nach Kap. 20, darum zu tilgen seien, der ursprüngliche Text V. 4 also direkt an V. 1 angeschlossen hätte[7]. Da, wie fast allgemein anerkannt ist, für die Ausformung hier das Vorbild oder die Analogie einer in Kap. 20 ausgeführten Überlieferung maßgeblich war, muß sie den Zug des Versteckens von vornherein mitenthalten haben[8]. Hertzberg findet hier die Spuren verschiedener Traditionen, von denen die eine nur den Rat Jonathans, David möge sich verstecken, gekannt habe; sie habe zum Ganzen des jetzigen Berichtes gehört, während von der anderen mit der Szene auf dem Felde nur das in Parenthese zu stellende Sätzchen אֲשֶׁר אַתָּה שָׁם aufgenommen sei. Einerseits macht aber der ganze Komplex zu sehr den Eindruck nachträglicher Entstehung, als daß ein doppelter Überlieferungsstrang wahrscheinlich wäre. Außerdem müßte er ein Pyramus-und Thisbe-Motiv enthalten haben[9], was in der Literatur des vorderen Orients nicht ohne Beispiel wäre[10], im Alten Testament selbst aber keine Analogie hätte. Abgesehen davon wäre dieser Zug bildhaft so wirksam gewesen, daß seine Reduzierung auf ein unverständliches Minimum schwer einsichtig zu machen ist. Ich sehe darum in dem ganzen בַּשָּׂדֶה אֲשֶׁר אַתָּה שָׁם[11] ein der Darstellung aufgesetztes Licht, bei dem die Ungereimtheit nicht wahrgenommen wurde, daß Jonathan nicht wissen konnte, wo David sich versteckte und wohin sein Vater gehen werde. Die Versuche einer historischen Einordnung sind aus der Luft gegriffen, etwa der, daß es sich um die Zeit der Hochzeitsvorbereitungen handele und Saul – jetzt von Jonathan unterstützt – bei Arbeiten auf seinem eigenen Acker zu denken sei[12].

8–10 Der Form nach ist V. 8 zwar ungewöhnlich, inhaltlich aber konventionell, ohne profilierte eigene Aussage; er erweist sich damit als verbindende Klammer zum zweiten Speerwurf Sauls (V. 9–10). Damit wird, wie auch 18,11, der militärische Erfolg Davids als Anlaß der Eifersucht und des Insuffizienzgefühls Sauls angegeben; der Grund dafür dürfte tiefer als nur im Formalen liegen. Zu beachten ist, daß David hier keineswegs als Charismatiker dargestellt wird[13]. Da das Stück gegenüber V. 1–7 ursprünglich selbständig war, ist nicht an eine schon in der Überlieferung liegende Steigerung der Art zu denken, daß das, was zuerst Versuch blieb, jetzt zur Ausführung kommt; wenngleich das das Verständnis der Versionen (vgl. Anm. c zu V. 18), vielleicht schon die Absicht redak-

einordnen will, wo sie gewiß nicht hingehören, wenngleich Nübel den sekundären Charakter dieser Überlieferungsbildung richtig erkennt.

6. Stoebe: ThZ 1962, S. 385ff.
7. Z. B. Löhr, Budde, Schulz u. a.; de Vaux rechnet wenigstens mit Umgestaltung von V. 3.
8. So richtig schon Smith, Dhorme.
9. So auch Hertzberg.
10. Gilgamesch-Epos, Tafel 11, Z. 20ff. (AOT S. 176).
11. Vgl. Anm. b u. c zu V. 3.
12. So etwa Caspari.
13. Vgl. dazu o. S. 309; auch Soggin: Königtum, S. 60.

tioneller Zusammenfassung gleicher Überlieferungen war. Die tatsächlichen Unterschiede zwischen 18,10f. und 19,9f. erklären sich aus verschiedenen Fassungen dieser Überlieferung, diese wiederum sind Kennzeichen ihrer Einprägsamkeit und der Grund für die zweimalige Aufnahme in den Erzählungszusammenhang.

11–18 Die Verse haben zwar den gleichen Überlieferungshintergrund wie Kap. 18, sind aber darum nicht geradlinige Fortsetzung, aus der auf einen Erzählungsstrang geschlossen werden könnte[14]. Der Bericht steht isoliert im Zusammenhang und stellt eine Paralleltradition zu Kap. 20 dar, die hier zur Abrundung des Bildes (vgl. o. S. 350f.) aufgenommen wurde. Die Flucht nach erfolgtem Mordanschlag in das eigene Haus und der Aufenthalt dort, obwohl die Lebensgefahr weiterbesteht, sind nicht nur unwahrscheinlich[15], sondern durch das V. 10 abschließende וַיִּמָּלֵט[16] wird diese Verbindung überhaupt unmöglich gemacht. Damit entfallen auch alle Harmonisierungsversuche, David habe nur an vorübergehende Geistesgestörtheit bei Saul gedacht, den Vorgang also nicht so ernst genommen[17]. Ist die Situation aber durch den Zusammenhang nicht geklärt[18], liegt es nahe, hier an Überlieferungen zu denken, die sich um den Kern »Gestörte Brautnacht« gebildet haben[19], was durch das בַּלַּיְלָה הוּא, für das 𝔊 vielleicht noch den ursprünglichen Zusammenhang weiß (vgl. Anm. a zu V. 10), unterstützt wird. Das wäre ein Thema, das sich mit einer gewissen Notwendigkeit aus den Traditionen über David und Michal ergibt und das eines volkstümlichen Interesses von vornherein gewiß sein kann.

Die Möglichkeit, daß die Ehe der beiden erst nach dem Tode Sauls, nicht aber schon zu seinen Lebzeiten geschlossen wurde[20], scheint nun dadurch in Frage gestellt, daß die plastische Art des Erzählens hier einen zuverlässigen historischen Hintergrund vermuten läßt[21]. Die Plastizität ist aber nur scheinbar; in Wirklichkeit handelt es sich um Verwendung alttestamentlicher Motive, die übersehen lassen, daß die Situation keineswegs bildhaft deutlich ist. Woher war Michal von den Absichten Sauls unterrichtet? Wußte sie als Königstochter davon[22], läge das in der Linie von 19,1ff., paßte aber nicht zum Kontext; dann hätte auch David eher davon wissen müssen und wäre nicht mehr in sein Haus zurückgekehrt oder hätte es mindestens auf dem üblichen Wege verlassen können. Nimmt man aber an, daß Michal zufällig schon die Wächter vor der Haustür stehen sah[23], so

14. So etwa de Vaux, Anschluß an 18,27.
15. So schon Wellhausen: Prolegomena, S. 261; Löhr, Greßmann u. v. a. Das Gewicht der Beobachtung wird von Bruno: Epos, S. 79 mit unzureichenden metrischen Gründen in Frage gestellt.
16. Das bezeichnenderweise 18,10f. fehlt.
17. So z. B. Budde, Dhorme, Schulz.
18. Was auch van den Born ausdrücklich feststellt.
19. Schon Smith, Caspari; Pfeiffer: Iliad, S. 53; jetzt auch de Vaux.
20. Vgl. o. S. 352, auch zu 2 Sam 3,13ff. Zum Ganzen Stoebe, in: Eißfeldt-Festschrift, S. 224ff.
21. So etwa Hertzberg (2. Aufl.) gegen Stoebe.
22. So z. B. Ketter.
23. Budde, Schulz u. a.

hat das einmal keinen Anhalt im Text selbst; zum anderen konnte das Herunterlassen aus dem Fenster nicht viel helfen, denn das Entscheidende war, daß David aus der Stadt, und nicht, daß er aus dem Hause kam. Die Maßnahme wäre nur dann sinnvoll, wenn das Haus so an der Mauer stand, daß Rettung aus ihm die Rettung aus der Stadt einschloß. Nun ist schon immer die Ähnlichkeit aufgefallen, die hier bis in den Wortlaut hinein mit der Kundschaftergeschichte Jos. 2 besteht[24]. Sie ist so groß, daß man nicht sagen kann, die Berührungen umfaßten nur Selbstverständliches[25]. Jos 2,15 wird aber die Begründung, daß das Haus der Rahab an der Mauer von Jericho stand, ausdrücklich gegeben; sie darf darum hier nicht stillschweigend vorausgesetzt werden[26]. Gewiß gibt es Beispiele dafür, daß Paläste an oder in der Nähe der Stadtmauer gelegen haben[27], aber damit ist die Frage nicht beantwortet. Daß diese Erklärung, gleich aus welchem Grunde, hier unterblieb, ist nur von daher zu verstehen, daß diese Episode der Jugendgeschichte Davids keine ganz alte Überlieferung war, sondern daß sie nach dem Vorbild der Kundschaftergeschichte ausgestaltet und ein Zug von der Hure Rahab auf Michal übertragen wurde[28], wobei zu beachten ist, daß Rahab durchaus als Heldin angesehen wird und die Rettung der Kundschafter in enger Verbindung mit der Landnahme steht.

Als David geflohen ist, bereitet Michal eine weitere List vor dadurch, daß sie mit Hilfe des Terafim den Eindruck erweckt, David befinde sich noch im Hause. Nach dem jetzigen Zusammenhang soll David damit auf seiner Flucht ein Vorsprung ermöglicht werden. Dennoch hat der Zug eine gewisse Eigenständigkeit – wenn auch wohl nicht ursprüngliche Selbständigkeit. Jedenfalls wird noch einmal, und anscheinend doch als etwas Neues, berichtet, daß Boten gegen David abgesandt wurden. Neben der List Michals spielt also der Terafim die entscheidende Rolle (V. 13.16). Dahinter tritt die Lüge der Michal zurück, auch die zweite Lüge ihrem Vater gegenüber (V. 17), denn die ist zur Rettung ihres eigenen Lebens nötig (vgl. 20,33); »die moralische Kategorie spielt keine Rolle, wir sehen zunächst nur in die schwere Situation der Flucht hinein[29]«. Die erste Frage für die Beurteilung der Historizität des Berichteten wäre wohl die, ob Michal mit Selbstverständlichkeit über einen Terafim (vgl. Anm. a zu V. 13) verfügen konnte, dieser also ein gewöhnliches Stück religiösen Hausrates, eine Art Laren[30] darstellte, deren Verwendung entweder als legitim[31] oder doch für die Zeit Davids wenigstens als unanstößig[32] angesehen wurde. Sie ist aber nicht

24. Budde, Dhorme, Smith und die meisten.

25. Caspari.

26. Hertzberg, aber auch schon Greßmann u. a.

27. Vgl. BRL, Sp. 163f. 267ff. 440ff.

28. Mt 1,5 erscheint *Ῥαχάβ* unter den Stammüttern Davids. Wenn wir diese Überlieferung auch nur aus jüngeren jüdischen Schriften kennen (Bill I, S. 20ff.), ist sie nicht ad hoc gebildet, sondern wird wie die Ruthtradition wesentlich älter sein.

29. Hertzberg; vgl. auch Klopfenstein: Lüge, S. 340f.

30. Schon Klostermann erklärte die Endung analog zu אֱלֹהִים und schloß daraus auf eine Hausgottheit (vgl. aber dazu Anm. a zu V. 13).

31. Um diesen Nachweis bemüht sich die alte Auslegung mit Fleiß (vgl. Seb. Schmidt z. St.).

32. Löhr, Nowack, Greßmann, Tiktin u. v. a.

mit Zuverlässigkeit zu beantworten, weil Aussehen und Verwendungszweck dieses Gegenstandes nicht eindeutig genug bestimmt sind (s. u. S. 370). Sicher ist, daß er schon relativ früh als fremd empfunden[33] und als mit wahrem Jahweglauben unvereinbar angesehen wurde[34]. Angesichts dessen ist es dann aber auffallend, daß dieser Zug, wenn er nur Mittel ist und keinen Eigenwert hat, alle Redaktionen überdauerte[35]. Die Annahme, man habe die hier vorliegende Anstößigkeit schon dadurch für beseitigt gehalten, daß seine Verwendung Frauen-Aberglaube und Heimlichkeit war, daß es sich zudem um die Tochter des verhaßten Saul handelte[36], verkennt, daß die Tat der Michal hier höchste Anerkennung findet[37], aber auch, daß die Benutzung des Terafim eben nicht nur einen leicht auswechselbaren Nebenzug dargestellt hat.

Es bestehen unübersehbare Berührungspunkte mit der Jakob-Rahelgeschichte (Gn 31, 19; vgl. auch Anm. a zu V. 13). Die tatsächlich vorhandenen Unterschiede sind in der Verschiedenheit der Situation begründet, die zur Darstellung gebracht werden soll[38]; sie sind kein Argument dagegen, daß diese Überlieferung nach dem Vorbild der Jakobsgeschichte ausgeformt oder sogar gebildet wurde. Schließlich stehen ihnen sehr starke Gemeinsamkeiten gegenüber. In beiden Fällen handelt es sich um die jüngere Tochter, ist das gemüthafte Moment der geliebten, hier der liebenden Frau stark betont; hier wie dort wird der Vater durch die Täuschung daran gehindert, selber arglistig am Schwiegersohn zu handeln und diesen um die verheißungsvolle Zukunft zu betrügen. Diese Berührungen sind eine geradlinige Fortsetzung dessen, was bereits zu Kap. 18 (vgl. o. S. 353) herausgestellt wurde. Vielleicht klingt etwas davon bereits 17,25, wenn auch nur schwach, als Motiv an. Welche Rolle gerade dieser Zug der Jakobsüberlieferung anscheinend im breiten Volksbewußtsein gespielt hat, wird Hos 12,13 deutlich[39], wo dieselbe Sache erscheint, allerdings genau entgegengesetzt beurteilt wird[40]. Mag hier in erster Linie auch auf die Kultpraktiken der Sexualriten angespielt sein (Hans Walter Wolff: Hosea. 2. Aufl. 1965 [BK XIV/1] z. St.), so ist es doch dieselbe Vorstellungswelt, und der Gegensatz Jakob–Propheten könnte von unserer Stelle aus ein neues Licht bekommen.

Bei alldem darf nicht übersehen werden, daß diese stark im volkstümlichen Lebens- und Erzählungsbereich verwurzelte Darstellung ihrerseits nachdrücklicher Ausdruck einer Glaubensinterpretation ist. L. Waterman[41] hat die These vertreten, daß die Verhältnisse der Davidzeit sich in der Jakob-Esau-Überlieferung

33. Ez 21,26.
34. 1 Sam 15,23; 2 Reg 23,24; Sach 10,2 und wohl auch Hos 3,4.
35. So Budde mit vollem Recht, von den meisten zustimmend übernommen.
36. So im Ansatz schon Keil; dann vor allem Budde.
37. So auch Schulz.
38. An der Goliathperikope (vgl. o. S. 327f.) läßt sich ja ebenfalls beobachten, daß solche Übernahmen von Formungen und Motiven niemals in sklavischer Abhängigkeit, sei es des Ausdrucks, sei es der konkreten Vergegenständlichung, übernommen wurde.
39. Dazu Theodorus C. Vriezen: La Tradition de Jacob dans Osée XII. OTS 1. 1942, S. 64–78.
40. Anders jetzt Peter R. Ackroyd: Hosea and Jacob. VT 1963, S. 245–259.
41. Jacob, the forgotten supplanter. AJSL 1938, S. 25–43.

spiegeln. Es wird richtig sein, daß da Wechselwirkungen bestanden haben. Wichtiger aber ist das andere, daß hier ein Stück erlebter oder doch nur kurz zurückliegender Gegenwart als Verwirklichung des Planes Jahwes erkannt ist, der in der Vätergeschichte am Werk war[42]. Damit ist das vordergründig Zufällige, scheinbar Schwankhafte Enthüllung des Willens Jahwes. Da in Davids Reich die Einheit der Stämme hergestellt, der Landbesitz in einem Umfang gesichert war wie niemals zuvor, ist es verständlich, daß auch das fromme Volksbewußtsein im Leben Davids, gerade soweit es noch nicht geschichtsnotorisch war, Wiederholungen der Schicksale Jakobs gefunden hat. Auch das ist Ausdruck eines erwachenden Geschichtsbewußtseins, für das die Erfahrungen der Davidszeit in besonderer Weise einen kräftigen Anstoß gegeben zu haben scheinen[43]. In engem Zusammenhang damit mag es stehen, daß das Gottesprädikat אֱלֹהֵי יַעֲקֹב, das selten vorkommt, vor allem im Gottesdienst des Jerusalemer Tempels begegnet. Dabei dürfte es nicht nebensächlich sein, daß dieser Ausdruck zwar in Liedern erscheint, deren Gedankengut den Thronbesteigungshymnen nahestehen, aber eben doch nicht in denen, die für diese Gruppe typisch sind[44].

Der Terafim (zum Sg. vgl. Anm. a zu V. 13): Die Etymologie ist ungewiß; die Ableitung von der Wz. תרף mhebr. »schändlich, verderblich handeln[45]« würde die Deutung des Wortes als Kakophonie für אֱלֹהִים einschließen[46], was zwar nach Gn 31,31.32 möglich, für Jdc 17,4.5 (nicht unbestritten Jdc 18,17.18) aber doch recht unwahrscheinlich ist; wenngleich nicht in Abrede gestellt werden soll, daß eine spätere Zeit es so verstanden haben mag[47]. Ebensogut wäre dann der Versuch möglich, es mit arab. *tarifa* »bonis commodisque vitae affluxit[48]« zusammenzustellen. Auch die von Älteren [49] vorgenommene Verbindung mit רְפָאִים »Totengeister« verdient noch genannt zu werden; durch sie würden die Terafim in den Bereich der Ahnenverehrung eingereiht. Nicht überzeugend ist von vornherein die Ableitung von רפא »heilen[50]«; die verschiedenen Versuche, die in 1 Sam 19 einen im Charakter des Gegenstandes liegenden Zusammenhang zwischen Terafim und vorgetäuschter Krankheit sehen[51], überschätzen den historischen Charakter der Darstellung.

Angesichts dieser Unsicherheit ist der gegebene Ausgangspunkt die Tatsache, daß der Terafim, wenn auch nicht ausschließlich, so doch an einigen Stellen (Jdc 17,5; 18,14–20; Hos 3,4) im Zusammenhang mit dem Ephod genannt wird. Das läßt eine Beziehung zum Losorakel ver-

42. Vgl. dazu die Überlegungen bei Schultze: Großreich, S. 60.

43. Zur Sache vgl. die Überlegungen zu Gn 49,8–12 bei Hans-Peter Müller: Zur Frage nach dem Ursprung der biblischen Eschatologie. VT 1964, S. 276ff.

44. Hans Wildberger: Die Völkerwallfahrt zum Zion. VT 1957, S. 67.

45. KBL; vgl. auch William F. Albright: Are the Ephod and the Teraphim mentioned in the Ugaritic Literature? BASOR 83. 1941, S. 39–42.

46. Z. B. Ernst Sellin: Ephod and Teraphim. JPOS 1934, S. 185–193 (186).

47. Schon Budde: Richter. 1897 (KHC 7) zu Jdc 17,4.5; vgl. auch William F. Albright: From the Stone Age to the Christianity. 2. Aufl. 1946, S. 238 (deutsch S. 309).

48. KöW, S. 558.

49. Z. B. Friedrich Schwally: Das Leben nach dem Tode. 1892, S. 35ff.

50. Sidney Smith: What were the Teraphim? JThS 33/1932, S. 33. Nicht besser ist die Annahme einer Entstellung aus פתרים = Traumdeuter (C. J. Labuschagne: Teraphim, a new Proposal for its etymology. VT 1966, S. 115); die Annahme einer Metathesis und ihre Erklärung als Namenstabu ist ganz willkürlich.

51. Z. B. Caspari; auch William Emery Barnes: Theraphim. JThS 1929, S. 177–179; Peter R. Ackroyd: Theraphim. ET 1950/51, S. 378f.

muten[52], die freilich nicht die Deutung auf die in der Lade liegenden Lose selbst[53] rechtfertigt. Da es sich hier nach dem Kontext um einen größeren Gegenstand gehandelt haben muß, der den Eindruck eines ruhenden Menschen vermitteln konnte, ist für 1 Sam 19 wahrscheinlich nicht an kleine Götterstatuetten zu denken, wie sie auch bei der Orakelerteilung verwendet werden mochten[54], möglicherweise aber an Gesichtsmasken[55]. Der Fund einer Töpferwerkstatt mit zwei solchen kultischen Masken in Hazor[56] scheint diese Deutung zu bestätigen. Nun setzt die mantische Technik einer Orakelerteilung eine dazu ausgebildete Kultperson voraus, wie etwa den Leviten von Jdc 17,7, der einen mit gleichem Auftrag betrauten, anscheinend aber nicht ausreichend qualifizierten Haussohn abzulösen hat. Dann bleibt hier die Unanschaulichkeit, mindestens die nicht durchdachte Frage, wie Michal so schnell diesen in den kultischen Bereich gehörenden Terafim zur Hand hatte. Sie wird auch durch die interessante Feststellung einer auffälligen Verbindung der Terafim mit Benjamin und seinen Sippen[57] nicht beantwortet.

Gn 31 liegt es anders; zunächst sind die Angaben hier besser motiviert, die Flucht ist nicht spontan, sondern geplant, Rahel kann den Terafim stehlen, während der Vater abwesend ist. Unsicher bleibt die Größe des Gegenstandes. Das Urteil darüber hängt von der Deutung des כַּר הַגָּמָל 31,34 ab. Gegenüber der Wiedergabe durch »Sänfte, Palankin[58]«, was die Größe des Terafim zu erklären geeignet wäre, kann man auch mit einer Satteltasche[59] und dann einem entsprechend kleineren Gegenstand rechnen; an sich entspräche das wohl mehr der inneren Logik der Geschichte, denn Rahel will das ganze Versteck verbergen dadurch, daß sie sich darauf setzt. Freilich ist damit das Verständnis als Orakelmaske noch nicht grundsätzlich ausgeschlossen[60]; indessen läßt das Nebeneinander von תְּרָפִים und אֱלֹהִים nun eben doch an kleine Götterfigurinen denken, wie sie zwar nicht im eigentlichen Israel, aber doch für die Umwelt bezeugt sind[61]. Dabei mag es offen bleiben, ob es sich um eine speziell aus dem aramäischen Raum stammende Erscheinung handelt[62]. Vermutlich werden sie als Hausgötter aufzufassen[63] sein; ihr Diebstahl wird dem Brauch entsprechen, die Hausgötter beim Wegzug in ein fremdes Land mitzunehmen[64].

Die Annahme, daß mit dem Terafim die Übernahme der Erstgeburtsrechte verbunden gewesen sei[65] – womit der Zug hier ein Gewicht um seiner selbst willen bekommen könnte –, hat sich nicht bestätigt[66]. Angesichts der Unterschiede zwischen Gn 31 und 1 Sam 19 darf man die beiden Stellen nicht eine von der anderen her[67], sondern muß jede für sich erklären, denn offen-

52. So zuletzt Lindblom: VT 1962, S. 170.

53. Etwa William Arnold: Ark and Ephod. 1917, S. 136; auch schon Julius August Bewer: The Composition of Judges Chaps. 17.18. AJSL 1913, S. 265.

54. Sellin: JPOS 1934, S. 188; J. Morgenstern: The Ark, the Ephod, and the »Tent of Meeting«. HUCA 1943/44, S. (117) 3.

55. Georg Hoffmann und Hugo Greßmann: Theraphim, Masken und Winkorakel in Ägypten und in Vorderasien. ZAW 1922, S. 97 ff.; Anton Jirku: Die Gesichtsmaske des Mose. ZDPV 1945, S. 43–45; jetzt Karl Elliger: RGG VI. 1962, Sp. 690.

56. Yigael Yadin: Further Light on Biblical Hazor. BA 1957, S. 43 f.

57. Schunk: Benjamin, S. 11.

58. GB; Heinrich Holzinger: Genesis. 1898 (KHC 1); Otto Procksch: Genesis. 2. und 3. Aufl. 1924 (KAT 1).

59. KBL.

60. Elliger: RGG VI. 3. Aufl. 1962, Sp. 691.

61. William F. Albright: Die Religion im Lichte der archäologischen Ausgrabungen. 1956, S. 129; G. Ernest Wright: Biblische Archäologie. 1958, S. 36.

62. Carl Steuernagel: Jahwe und die Vatergötter. In: Beer-Festschrift. 1935, S. 65f.

63. Z. B. Herbert Gordon May: The Patriarchial Idea of God. JBL 1941, S. 127; Albert Vincent: L'Ancien Testament et l'Histoire des Religions. OTS 8. 1950, S. 285.

64. Moshe Greenberg: Another Look at Rachels Teft of the Theraphim. JBL 1962, S. 239–248.

65. Cyrus Gordon: Parallèles nouziens aux lois et coutumes de l'Ancien Testament. RB 1935, S. 35–36.

66. Greenberg: Another Look at Rachels Theft of the Teraphim. JBL 1962, S. 239–248.

67. Zur Sache Stoebe, in: Eißfeldt-Festschrift, S. 240.

bar verbinden beide ganz verschiedene Vorstellungen mit dem gleichen Wort. Das scheint durchaus geeignet, die Vermutung zu stützen, daß man in das so Berichtete Züge der Jakobüberlieferung aufgenommen hat, die dabei nach den gegebenen Verhältnissen umgestaltet wurden. Da sie nun keine organisch erzählerische Funktion mehr hatten, ist darüber in mancher Hinsicht die Anschaulichkeit verlorengegangen und muß manches ungesagt bleiben, was eigentlich in der inneren Logik läge (Diebstahl des Terafim beim Vater, Verwendung dazu, den Vater zu täuschen).

19,18–24 *David unter dem Schutze Samuels*

18 So war David entkommen und hatte sich in Sicherheit gebracht. Er kam zu Samuel nach Rama[a] und berichtete ihm, was Saul ihm alles angetan hatte, dann gingen er und Samuel und nahmen Aufenthalt in …[b]. 19 Als Saul das angezeigt wurde: »Merk auf, David ist in … in Rama[a]«, 20 sandte Saul Boten hin, um David zu greifen. Jedoch, als diese die Führerschaft(?)[a] der Propheten in prophetischer Begeisterung[b] ⟨sahen⟩[c] und wie Samuel als ihr Vorsteher bei ihnen stand[d], da ergriff ein Gottesgeist auch die Boten Sauls, daß sie sich wie Rasende gebärdeten[b]. 21 Als man das nun Saul meldete, sandte er andere Boten hin, aber auch sie gerieten in Raserei. Doch Saul ließ nicht ab und sandte zum dritten Mal Boten, aber auch sie gerieten in Raserei. 22[a] Da machte er sich selbst auf den Weg nach Rama und gelangte bis an das große Wasserloch[b] bei Sechu[c]; da zog er Erkundigungen ein und fragte: »Wo sind Samuel und David?« Einer gab Antwort[d]: »Also, die sind in … in Rama.« 23 Auf dem Wege dorthin[a] nach … in Rama überfiel auch ihn[b] ein Gottesgeist, und er zog daher und war als von Sinnen[c] bis er in … in Rama ankam. 24 Selbst[a] seine Kleider riß er sich ab, und auch er befand sich in Raserei vor Samuel[b]; er warf sich hin und lag den ganzen Tag und die ganze Nacht nackt da. Daher stammt die Redensart: »Ist auch Saul unter den Propheten[c]?«

18 a) 𝔊 *Ἀρμαθάιμ* für Locativ (auch V. 22), sonst *Ῥαμά*. b) Unsicher; die Aussprache war schon früh nicht klar: Ketib נָוַית (𝔊[V] *ναυαθ*, 𝔊[BL] *αυαθ*, 𝔖 *jaunat*), Qere נָיוֹת (𝔊[A] *ναυιωθ*); J. Lindblom: Zur Frage des kanaanäischen Ursprungs des altisraelitischen Prophetismus. In: Eißfeldt-Festschrift. 1958 (BZAW 77), S. 102 schließt auf ein Lehnwort aus dem Kanaanäischen. Da es sonst immer ausdrücklich mit בָּרָמָה verbunden wird (𝔊𝔖 auch hier), ist trotz fehlenden Artikels die Deutung als Ortsname (S. R. Driver, Greßmann; Ant VI 221 *Γαλβουὰθ*; vgl. allerdings auch de Vaux) schon von da aus unwahrscheinlich (dazu A. Malamat: Mari and the Bible. JAOS 1962, S. 146). Vermutlich soll es eine der aus 2 Reg 2,5 bekannten Prophetenniederlassungen kennzeichnen (vgl. die zwar jüngere Verhältnisse widerspiegelnde Paraphrase von 𝔗 בֵּית אוּלְפָנָא; ähnlich *Σ* zu V. 22 *ἐν ταῖς οἰκήσεσιν*). So wird es auch von den meisten gedeutet (Kloster, Niederlassung, cellules; zur ganzen Frage vgl. Sigmund Mowinckel: Psalmenstudien III. Oslo 1922, S. 19) und mit נָוֶה zusammengestellt (*Σ* hier *ἐνδιαιτώμενος*, vgl. dazu 𝔊 zu Hi 5,3; 8,6). Schon Dhorme erinnerte an assyr. *nawū*, *namū* »unbebautes Land, Trift«; näheres dazu jetzt Jean Robert Kupper: Les nomades en Mésopotamie au temps des rois de Mari. Paris 1957, S. 12 und D. O. Etzard: Altbabylonisches *nawum*. ZA 1959, S. 168–173. Abzulehnen ist jedenfalls die Erklärung von Wutz: נָוִית von נָוִי arab. »Gesinnungsgenosse, Genossenschaft«; ebenso die Verbindung, die Smith zu בָּמָה 10,5 zieht.

19 a) Streichungen (בָּרָמָה Budde, Caspari; בְּנָוית Bruno: Epos, S. 80) sind willkürlich.

20 a) Hap leg, verwandt mit der im Südarab. bekannten Wz. *lhq* »alt sein« (so schon G. R. Driver: JThS 1927/28, S. 394; jetzt Edw. Ullendorf: The contribution of South Semitics to Hebrew lexicography. VT 1956, S. 194; auch W. Müller: Äthiopisches zur semitisch-ägyptischen Wortvergleichung. Muséon 1961, S. 199–205). Die Vers haben das ihnen nicht mehr geläufige Wort anscheinend als קְהִלַּת übersetzt, und so wird auch vielfach unter Annahme eines Schreibfehlers (Hertzberg: palindromatische Überlieferung) gelesen. Andere (z. B. Budde, Dhorme, Caspari) streichen es als Dittogr zum vorhergehenden לָקַחַת (vgl. dazu DelF § 146 b). Beides ist unnötig. b) Fehlen in 𝔊 erklärt sich als Haplogr; vgl. zu 10,11. Der Wechsel der Konjugation beabsichtigt offenbar Nuancierung der Aussage; Niphal als Kennzeichen der eigentlich prophetischen Tätigkeit könnte Hinweis auf jüngere Entstehung sein. Zur Begriffsentwicklung des Verbums siehe Alfred Jepsen: Nabi. München 1934, S. 8; auch R. Rendtorff: ThW VI, S. 797. Weniger überzeugend die Unterscheidung Bubers: VT 1956, S. 139, das in früheren Texten seltene Niphal entspräche mehr der Perspektive des Zuschauers, das Hithpael mehr der des Handelnden. c) Lies mit den Versionen וַיִּרְאוּ (DelF § 19c). d) Zu נִצָּב im Sinne von »Vorgesetzter« vgl. 1 Reg 4,7; Ru 2,5.6; in weiterem Sinne auch Gn 28,13. Das doppelte Part. wird von 𝔊 bestätigt, ebenso von 𝔗, wenn auch sein מַלִּיף »lehrend« (wie seine Übersetzung von נִבְּאִים durch מְשַׁבְּחִין »preisend«) die Anschauungen einer späteren Zeit wiedergibt (vgl. M. Gertner: The Masorah and the Levites. VT 1960, S. 251). Die Konjektur מְנַצֵּחַ (Klostermann, Budde) ist ebenso unnötig wie die Annahme einer Alternativlesart (Boström: Alternative Readings, S. 36) oder die Tilgung, meist des עֹמֵד (z. B. Smith, Caspari, de Vaux u. a.); נִצָּב ist nicht Korrektiv, sondern Apposition (so richtig Dhorme, de Groot, Hertzberg u. a.).

22 a) Nach 𝔊 *καὶ ἐθυμώθη ὀργῇ Σαούλ* wird von manchen (z. B. Budde) hier וַיִּחַר אַף שָׁאוּל ergänzt, zu Unrecht, denn 𝔐 ist nicht durch Textverlust entstanden, sondern 𝔊 folgt einer anderen Rezension. Wenn die Worte in 𝔐 ursprünglich gewesen wären, ist nicht zu verstehen, wie sie verlorengehen konnten (so schon Wellhausen). b) Von 𝔗𝔖𝔙𝔊^A übereinstimmend als »großer Brunnen« wiedergegeben, doch bleibt das undeterminierte בּוֹר auffallend; vgl. freilich GK § 126w; BroS § 60a (obwohl GK § 126x mit Textverderbnis oder unkorrekter Redeweise rechnet). Wenn es auch leicht ist, den Artikel ausdrücklich zu ergänzen (Schulz, de Groot) oder doch stillschweigend vorauszusetzen (so die meisten), könnte die ungewöhnliche Textform doch Zeichen eines Zusatzes oder einer Überlieferungsspannung sein (wozu an das קבורת bzw. תבור im analogen Bericht 10,1 ff. erinnert werden darf). 𝔊^B *φρέατος τοῦ ἅλω*, wonach von vielen (Wellhausen, S. R. Driver, Dhorme, Budde bis de Vaux) גֹּרֶן gelesen wird, was den St. cstr. בּוֹר erklärte, aber als Ortsbestimmung unklar und gesucht bleibt. Ebensowenig überzeugen הַגּוֹרָל Caspari oder הַגְּדוֹר »Umzäunung, Vorstadt«, Wutz: Systematische Wege, S. 657. c) Ortsname (Wz. שכה »schauen«? So Borée: Ortsnamen, S. 30) zwar nicht zu identifizieren, aber für die Charakterisierung der Situation unerläßlich. 𝔊^A 𝔙 שׁוֹכֹה Angleichung an einen bekannten Ort (17,1); 𝔊^B *Σεφεί* ähnlich 𝔖, wonach von vielen, auch KBL, auf שְׁפִי als ursprünglichen Text geschlossen wird (vgl. dazu, auch zu den Bedenken, Anm. b). d) Seb. 𝔖 Pl.; vgl. GK § 144d; BroS § 36d; es scheint aber doch, als bekomme die Antwort damit etwas Beiläufiges.

23 a) שָׁם ist mit 𝔗𝔖 als Richtungsakkusativ aufzufassen; 𝔊 *ἐκεῖθεν* braucht nicht מִשָּׁם vorgefunden zu haben, wie fast allgemein verbessert wird, sondern hat nach ihrem Verständnis übersetzt. Zu 𝔐 vgl. 10,5; mit 𝔙 läßt es de Groot als überflüssig überhaupt fort. b) GK § 135g; BroS § 67b. c) 𝔗𝔖 (anscheinend auch 𝔊 mit Partizipialkonstruktion) scheinen Inf. abs. וְהִתְנַבֵּא vorauszusetzen, was nur geringe Textänderung bedeutet und von vielen (z. B. Ehrlich, Budde, Dhorme u. a.) angenommen wird. Für die Möglichkeit von 𝔐 vgl. aber auch 2 Sam 13,19; 16,13 (S. R. Driver; GK § 113t; BroS § 93g).

24 a) Von 𝔊 ausgelassen, wohl, weil ähnliches von den Boten nicht berichtet war. Doch darf vermutlich die Bedeutung des hervorhebenden גַּם הוּא nicht so eng gefaßt werden. b) 𝔊 *ἐνώπιον αὐτῶν*, mit Rücksicht auf 15,35? c) Vgl. dazu 10, 11.12.

19,18–24 *David unter dem Schutze Samuels.* Nachdem die eigene Familie Sauls in jeder Weise für David bei und auch gegen ihren Vater eingetreten ist, wird seine

Unschuld an den Nachstellungen noch einmal dadurch legitimiert, daß auch Samuel und die prophetischen Kreise sich schützend vor ihn stellen. Eine Rechtfertigung Davids liegt zuerst in dem וַיַּגֶּד לוֹ אֵת כָּל־אֲשֶׁר עָשָׂה־לוֹ V. 18[1]. Darüber wird zugleich deutlich, daß die Situation konstruiert ist und nicht eigentlich den Erfordernissen einer eiligen Flucht Rechnung trägt. Wie die folgenden Berichte sehr einleuchtend erkennen lassen, bestand für David im Süden, wo er sich auf seine Sippe stützen konnte, die einzige Aussicht, sich zu behaupten. Darum ist ein Ausweichen nach Norden, zudem so wenig weit, daß David im Bereich der Gefahr bleibt, wenig wahrscheinlich[2]; es entspricht mindestens nicht dem וַיִּמָּלֵט V. 12b. Darum kann das V. 18 einleitende וְדָוִד בָּרַח וַיִּמָּלֵט nur eine redaktionelle Überleitung[3], keine direkte Fortsetzung[4] oder sonst organischer Anschluß an V. 12[5] sein. Noch viel weniger darf eine ursprüngliche Verbindung mit V. 1–7 angenommen werden[6]. Durch die Überleitung wird andererseits dieses Stück in den Kreis der Erzählungen eingeschlossen, die in immer neuem Einsatz das Wunder der Rettung Davids vor allen Nachstellungen berichten. Dabei macht es keinen Unterschied, daß diese Hilfe hier unvermittelt durch menschliches Eingreifen auf Gott selbst zurückgeht, denn es unterliegt keinem Zweifel, daß es immer das »Gott war mit David« bewirkte, daß er menschliche Liebe und Hilfe fand.

Verschiedentlich wird die Anschauung vertreten, daß dieses Stück ganz auf dem Boden von 16,1–13 stehe[7], oder doch, daß das Auftreten Samuels die Hauptlinie der Darstellung erkennen lasse, zu der diese Geschichte gerechnet werden müsse[8], schließlich auch, daß hier wenigstens die zuvor heimlich erfolgte Salbung bekannt war[9]. Der Beurteilung von 16,1–13 entspricht dann zumeist der zeitliche Ansatz auch dieses Stückes[10]. Im wesentlichen besteht weiter bei den Vertretern der Quellentheorie Übereinstimmung darin, daß es sich um eine nachträgliche Ausformung handelt[11], die quellenmäßig nicht einzuordnen ist[12]. Allerdings

1. Selbstverständlich David; de Groot denkt, nicht recht verständlich, u. U. auch an Samuel als Subjekt.

2. So schon Wellhausen: Prolegomena, S. 265; mit vollem Recht von Budde u. v. a. zustimmend übernommen.

3. So die meisten; vgl. besonders Hertzberg. 4. Etwa Nübel: Aufstieg, z. St.

5. Auch nicht eine Wiederaufnahme im Sinne Kuhls (ZAW 1952, S. 1–11; vgl. auch Seeligmann: ThZ 1962, S. 320f.); zu Unrecht ventiliert Schulz die Frage, ob V. 13–17 dadurch als Einschub erwiesen werden könne. Näher kommt dem Tatbestand die allerdings formalistische Überlegung bei Bruno: Epos, S. 80, V. 18–24 zerreiße die Doppelstrophe 19,17 und 20,1.

6. Caspari (S. 139) mit der jeden literarischen wie geschichtlichen Grundes entbehrenden Annahme, David habe wieder an die »Front« gehen wollen, sei daran aber von Samuel gehindert worden.

7. Z. B. Wellhausen, Budde, u. v. a. bis van den Born, Nübel.

8. Smith. 9. Hertzberg.

10. Wellhausen: Prolegomena, S. 265: auf der tiefsten Stufe der Korruption stehen die beiden Stücke, in denen Samuel in das Leben David hineinreicht; dagegen Nübel: Aufstieg, S. 32f.: »Der Fluchtbericht der Grundschrift setzt sich in V. 18–24 fort. Eine Zutat von späterer Hand ist bei dem strengen Schnitt des Berichtes ausgeschlossen.«

11. Z. B. Dhorme, Smith, Greßmann.

12. So auch Hölscher: Geschichtsschreibung, S. 372 (eventuell aber E[II]); anders Eißfeldt:

scheint bei diesen auf Kap. 16 gerichteten Überlegungen übersehen, daß hier einmal die Gestalt Davids stark zurücktritt, zum andern Samuel eine ganz andere Funktion hat als Kap. 16.

Ungleich stärker sind die Berührungen mit dem ganzen Komplex 9,1–10,17. Sie beschränken sich nicht auf den Anlaß der Erklärung einer Redensart (10,10–12; 19,24)[13]; diese ist vielmehr in einen größeren Zusammenhang eingebettet. Dabei liegt es so, daß die beiden in 9,1–10,17 zu einer Einheit zusammengeschmolzenen Erzählungsmotive hier auseinandergezogen und in verschiedener Weise umakzentuiert sind[14]. Wie Saul kommt auch David zu Samuel; nach einem Gespräch geht Samuel mit ihm nun nicht auf die בָּמָה, sondern nach den נָוית, wo Samuel Vorsteher (zu עֹמֵד נִצָּב vgl. Anm. d zu V. 20) nicht einer zur Opfermahlzeit versammelten Kultgemeinde, sondern einer Prophetenschar ist. Dann freilich ist es Saul, nicht David, der durch die Begegnung mit den Propheten vom Geist ergriffen wird. Auch hier ein Weg, eine Lokalisierung, ein Überfallenwerden vom Geist. Der Vorgang wird – wohl aus erzählungstechnischen Gründen[15] – aufgeteilt; die Geistergriffenheit setzt vor der eigentlichen Begegnung, schon auf dem Wege ein, aber auch das kommt dem Bild von 10,1f. recht nahe. Die Wirkung ist indessen genau entgegengesetzt. Der vom Geist ergriffene Saul wird nicht zu Taten ermächtigt (10,7), sondern völlig entmächtigt. Das ist der eigentliche Skopus, dem der Gedanke der Rettung Davids völlig untergeordnet ist (vgl. das oben zur Flucht in den Norden Gesagte[16]). Die Kleider, die hier abgerissen werden, sind die Kleider eines Königs, der nun nicht nur in schimpflicher Nacktheit, sondern zugleich entblößt von Macht[17], unfähig zur Tat[18] am Boden liegt. Damit ist es gegeben, daß bestimmte Fragen keine Beachtung finden; einmal die, daß Saul und seine Boten verschieden stark reagieren[19]; oder die wichtigere, daß Samuel hier offenbar nicht selber vom Geist ergriffen wird[20]. Das liegt wohl in der Linie der Analogie zu 9,1–10,12, wo Samuel ja auch von dem ekstatisch prophetischen Geschehen abgesetzt wird[21]. Deswegen ist man auch nicht

Komposition, S. 14 (Schicht III), womit sich in gewisser Weise Caspari berührt, der hier eine andere Fortsetzung von V. 1–7 (8) sieht. Zur Sache vgl. die Formulierung bei de Vaux: bloc erratique.

13. Smith: late adaption of 10,10–12; vgl. jetzt etwa auch van den Born, Hertzberg.

14. Die Möglichkeit dieser Auseinanderfaltung unterstreicht ihrerseits die gedankliche Eigenständigkeit beider Stücke (vgl. dazu o. S. 200f.).

15. Bei den vorher abgesandten Boten werden diese Unterschiede nicht gemacht, aber da liegt nicht die Spannung der Erzählung.

16. Das hat Wellhausen: Prolegomena, S. 265 richtig empfunden, allerdings falsche Folgerungen daraus gezogen mit der Feststellung, es sei ungewöhnlich, den Geist der Prophetie fremden Zwecken dienstbar zu machen.

17. So bereits Ephraem der Syrer; zur Deutung dieses Zuges in der früheren Auslegung vgl. etwa Schmidt, S. 654.

18. Es könnte sein, daß hier vordeutend auf das שָׁבָץ 2 Sam 1,9 hingewiesen werden soll. Josephus hat mit seinem *Γαλβουάθ* (vgl. Anm. b zu V. 18) anscheinend Ähnliches empfunden.

19. Was Hertzberg mit seiner Bemerkung, daß Saul durch das Heilige stärker affiziert war, überlastet.

20. Vgl. z. B. Schulz, Hertzberg.

21. Was de Groot verkennt, wenn er hieraus schließt, daß Samuel »eine Bewegung, der er sich kaum verwandt fühlen konnte und deren Gefahren er sah, in ein ruhigeres Bett zu leiten trachtete«.

berechtigt, von Samuel da als dem regens eines geistlichen Kollegiums zu sprechen[22]. Damit, daß die Gestalt Samuels nun in gewisser Weise doch auf die Seite tritt[23], wird auch der Widerspruch zu 15,35 unerheblich, wonach Samuel Saul bis zu seinem Tode nicht mehr gesehen habe. Er braucht weder hinwegharmonisiert zu werden[24], noch gibt er mit der Überlegung, 15,35 könne 19,18–24 noch nicht gekannt haben[25], ein zwingendes Argument für den zeitlichen Ansatz.

Es handelt sich hier also um eine Überlieferung, die, mit starken theologischen Akzenten arbeitend, eine bewußte Umdeutung, besser Umorientierung der Geschichten von der charismatischen Ausrüstung Sauls bietet. Wie weit man darin den Ton einer Satire auf Saul mitgehört hat[26], ja ob man ihn überhaupt hören darf, ist schwer zu entscheiden; im Vordergrund steht das gewiß nicht, und auf keinen Fall kann man sagen, daß David und Samuel sich hier am Anblick des nackten Saul weiden[27]. Es ist darum wohl kaum berechtigt, von einer selbständigen, ortsgebundenen Legende[28] zu sprechen. Wenn der ungeschichtliche, sekundäre Charakter des Berichtes auch allgemein anerkannt ist, braucht er deswegen noch kein junger Midrasch[29] zu sein, auch nicht Merkmal einer sekundär deuteronomistischen Bearbeitung[30]. Mindestens ist er sehr reich an altertümlichen Elementen[31]. Den Hintergrund bilden die Verhältnisse der mittleren Königszeit[32], wie sie aus der Elisageschichte bekannt sind. Das Stilelement der dreimaligen erfolglosen Sendung ist aus 2 Reg 1,5 zu belegen[33]. An prophetische Kreise als Ort dieser Bearbeitung älterer Überlieferung läßt auch die Differenzierung der Konjugation von נבא (vgl. Anm. b zu V. 20) und die in ihr liegende Kritik an Saul denken. Jedenfalls ist die Darstellung aber nicht so, daß man von hier aus Schlüsse auf Herkunft und Wesen ekstatischen Prophetentums ziehen[34] oder gar eine Beziehung zu ekstatischen Riten im Zusammenhang mit einer Prozession in die Unterwelt[35] feststellen kann. Die Redensart schließlich wird ganz aus dem

22. Budde nach dem Vorgang von Cornill.

23. Was gerade de Groot richtig empfunden hat, wenn er hier von einer Saul-David-Geschichte im eigentlichen Sinne spricht.

24. Etwa, daß man bei diesem elenden Zustand Sauls nicht von einem Wiedersehen sprechen konnte (Schulz).

25. Wie oft argumentiert wird (vgl. Wellhausen, Nowack, Budde u. a.).

26. Z. B. Nowack, Dhorme.

27. Wellhausen: Prolegomena, S. 265.

28. Hertzberg.

29. So vor allem Budde.

30. Schunk: Benjamin, S. 108.

31. Mit Recht weist Buber: VT 1956, S. 140 darauf hin.

32. Vgl. etwa A. Jepsen: Nabi. 1934, S. 108ff. oder jetzt die eingehende Besprechung bei Nunez: Prophetas, S. 134ff.

33. Was allerdings angesichts der dreifachen Begegnung auch 1 Sam 10,1ff. nicht überlastet werden darf.

34. Vgl. dazu zuletzt J. Lindblom: Zur Frage des kanaanäischen Ursprungs des altisraelitischen Prophetismus. In: Eißfeldt-Festschrift. 1958 (BZAW 77), S. 102; auch Rolf Rendtorff: Erwägungen zur Frühgeschichte des Prophetentums in Israel. ZThK 1962, S. 145ff.

35. Alfred Haldar: Associations of Cult Prophets among the Ancient Semites. 1945, S. 142, Anm. 1.

Rahmen erklärt, wie in Kap. 10, nur, daß das הִתְנַבֵּא Sauls nun ein negatives Kriterium geworden ist. Diese Erklärung könnte hier fast als überflüssig erscheinen, ist aber darum doch nicht das angeklebte Erzeugnis dürftiger Bosheit eines übereifrigen Höflings[36], sondern erklärt sich aus der Anlehnung an das Vorbild, in dem sie auch enthalten war.

36. Buber: VT 1956, S. 140.

20,1–21,1 *Der endgültige Bruch*

1 David floh von …[a] in Rama; er kam und klagte vor Jonathan[b]: »Was habe ich nur getan? Wo liegt meine Schuld, wo mein Verfehlen nach Meinung deines Vaters[c], daß er mir nach dem Leben trachtet[d]?« 2 Der gab zur Antwort: »Davon kann keine Rede sein[a], du stirbst nicht. ⟨Noch nie hat mein Vater irgend etwas unternommen⟩[b], war es nun wichtig oder unwichtig[c], ohne[d] mich ins Vertrauen zu ziehen. Warum sollte mein Vater mir gerade diese Sache verheimlichen? (Glaub mir), es ist nichts daran[e].« 3 David verschwor sich[a]: »Dein Vater weiß doch gut, daß ich wohlwollende Beachtung[b] bei dir gefunden habe; da hat er eben gedacht, Jonathan braucht das nicht zu wissen bekommen, damit er sich nicht grämt[c]. Trotzdem, so wahr Jahwe lebt und so wahr du selber lebst[d], für mich ist es nur noch ein kleiner Schritt[e] zum Tod.« 4 Da fragte Jonathan David: »Was[a] meinst du selber[b], daß ich für dich tun kann?« 5 David gab Jonathan zur Antwort: »Du weißt doch, morgen ist Neumondstag[a], da sollte ich an der Tafel des Königs sitzen[b]; gib du mir Urlaub, dann will ich mich auf freiem Feld verstecken bis zum …[c] Abend. 6 Wenn dein Vater ausdrücklich nach mir forscht[a], magst du ihm sagen: David hat sich die Erlaubnis erbeten[b], schnell nach Bethlehem, in seine Vaterstadt, laufen zu dürfen, denn dort hält man das Jahresopfer für die ganze Sippe[c]. 7 Sagt er dann, es ist gut, dann hat es keine Not für deinen Knecht. Wenn er aber in zornige Erregung über ihn gerät[a], dann erkenne[b] (du selbst), daß von seiner Seite das Unheil unabwendbar beschlossen ist. 8 Dann mache deine Großherzigkeit[a] völlig über deinen Knecht[b] – du hast ja deinen Knecht in den Jahwebund mit dir treten lassen[c]. – Wenn an mir (wirklich) Schuld ist, sollst du es sein[d], der mich tötet. Aber zu deinem Vater[e] bring mich auf keinen Fall[f].« 9 Jonathan gab zur Antwort: »Das wirst du nicht erleben[a], (auch das nicht)[b], daß[c] – ist es (wirklich) von meinem Vater fest beschlossen, Unheil soll über dich kommen[d] – ich es dir dann nicht mitteile[e].« 10 David fragte Jonathan: »Wer wird mir aber Bescheid geben, was dein Vater – – ob er dir eine harte Antwort erteilt[a].« 11 Jonathan sagte zu David: »Komm, wir wollen hinaus aufs Feld gehen.« So gingen sie beide miteinander aufs Feld. 12 Da versicherte Jonathan David: »Bei Jahwe, dem Gotte Israels[a], morgen

um diese Zeit ...[b] werde ich die Meinung meines Vaters erforschen; gewiß[c] steht es gut für David. ⟨Wenn nicht⟩[d], dann werde ich zu dir schicken und dir (seine Pläne) enthüllen. 13 Jahwe tue Jonathan dieses und jenes[a], ja[b], wenn[c] bei meinem Vater Unheil für dich fest beschlossen ist[d], dann will ich dich in Kenntnis davon setzen und dich freigeben, daß du sicher davonziehen kannst, und dann möge Jahwe mit dir sein, wie er mit meinem Vater gewesen ist. 14 ⟨Und, nicht wahr⟩[a], wenn ich dann noch am Leben bin, ⟨nicht wahr⟩[a], wirst du um der Liebe Jahwes willen[b] an mir handeln, daß ich nicht zu sterben brauche[c]. 15 Auch wirst du deine freundliche Gesinnung gegen mein Haus in Ewigkeit nicht auslöschen[a], auch dann nicht[b], wenn Jahwe Davids Feinde Mann um Mann vom Erdboden ausrotten wird.« 16 So schloß Jonathan mit Davids Haus einen Bund[a] ...[b]. 17 Jonathan setzte noch einmal an[a] und ließ David schwören[b] bei seiner Liebe zu ihm[c], denn er liebte ihn wie sein eigenes Leben[d]. 18 Jonathan sagte zu ihm: »Morgen ist Neumondfest[a]; da wirst du vermißt werden, denn man wird nach deinem Platze schauen. 19 Du steig dann zum dritten Mal[a] herab[b] ...[c] und komm[d] an den Platz, wo du dich am Tage der Tat[e] verborgen hast, und halte dich dort neben dem Stein ...[f] auf. 20 Ich werde dann drei Pfeile[a] ⟨nach dieser Seite⟩[b] schießen, so, als ob ich für mich nach einem Ziele schösse[c]. 21 Und dann paß auf, ich schicke meinen Knappen los: Marsch[a], such die Pfeile[b]. Sage ich dann ausdrücklich zu ihm, da liegen doch die Pfeile[b], zwischen hier und wo du stehst, [bring es schon her;][c] dann kannst du kommen[d], dann hat es keine Not für dich, es besteht keine Gefahr, so wahr Jahwe lebt. 22 Wenn ich aber dem Jungen zurufe, da liegen doch die Pfeile[a], noch über die Stelle hinaus, wo du stehst; dann geh, denn dann schickt Jahwe dich fort[b]. 23 Die Abrede aber, die wir untereinander getroffen haben, du und ich, du weißt, Jahwe ist zwischen mir und dir in alle Ewigkeit[a].« 24 Also verbarg sich David auf dem Feld. Als nun der Neumondtag kam, setzte[a] der König sich zur Mahlzeit[b], zu schmausen. 25 Der König saß wie immer[a] an seinem Platz, dem Platz an der Wand gegenüber[b], Jonathan ⟨war vor ihm⟩[c] und Abner saß an Sauls Seite; jedoch der Platz Davids blieb leer. 26 An jenem Tage verlor Saul darüber kein Wort, denn er dachte: »Es ist ihm gewiß etwas widerfahren[a], was ihn nicht rein sein läßt[b]; ⟨ja sicher, (das wird es sein), er ist nicht rein⟩[c].« 27 Als am nächsten [zweiten[a]] ⟨Tag⟩ des Neumondfestes der Platz Davids aber auch leer blieb, fragte Saul seinen Sohn Jonathan: »Warum ist dieser Isaisohn[b] weder gestern noch heute zur Mahlzeit gekommen?« 28 Jonathan gab Saul zur Antwort: »David hat von mir dringend Urlaub nach Behtlehem erbeten[a]. 29 Er sagte, gib mir frei, wir haben nämlich ein Sippenopfer[a] in unserer Stadt; mein Bruder[b] selber[c] hat es mir anbefohlen. Wenn ich nach deiner Meinung eine Gunst verdient habe, dann möchte ich mich frei machen[d], daß ich meine Brüder besuchen kann. Darum ist er nicht zur Tafel des Königs gekommen!« 30 Aber da fuhr Saul zornig gegen Jonathan auf und beschimpfte ihn: »Du Bastard eines zuchtvergessenen Weibes[a], (glaubst du denn) ich wüßte nicht, daß du dich für diesen Isaisohn entschieden hast[b], dir selbst und dem Schoß deiner Mutter zur Schande[c]. 31 (Ich sage dir), die ganze Zeit, solange dieser Isaisohn noch lebend auf der Erde herumläuft, wirst weder du gesichert dastehen[a] noch deine Königswürde[b]. Darum (keine Widerrede), schick hin und laß ihn zu mir bringen, denn er ist ein Kind des Todes[c].« 32 Jonathan widersprach Saul, seinem Vater und fragte ihn: »Warum muß David umgebracht werden? Was hat er denn verbrochen?« 33 Da schwang Saul seinen Speer gegen ihn[a] und wollte ihn erstechen. So mußte Jonathan erkennen, ⟨daß der Entschluß seines Vaters unabänderlich fest stand⟩[b], David umzubringen. 34 Deshalb stand Jonathan in loderndem Zorn von der Tafel auf; er konnte an diesem zweiten Tage des Neumondfestes[a] keinen Bissen mehr essen, denn es war ihm weh um Davids willen[b], daß sein Vater ihn[c] in Schimpf und Schande gestoßen hatte[d]. 35 Am nächsten Morgen ging Jonathan dann aufs Feld hinaus zur Verabredung[a] mit David; nur einen jungen Knappen hatte er bei sich. 36 Diesen Knappen wies er an: »Lauf, such die Pfeile[a], die ich abschießen werde.« Während der Junge nun lief, schoß er den (ersten) Pfeil[b] über ihn hinaus[c]. 37 Als der Junge nun an die Stelle kam, wo der Pfeil lag, den Jonathan abgeschossen hatte, rief Jonathan hinter ihm her[a] und fragte: »Liegt der Pfeil nicht[b] von dir aus noch weiter weg?« 38 Und (weiter) rief Jonathan dem Burschen nach: »Rasch[a], mach schnell, halte dich nicht auf.« Jonathans Knappe ergriff den Pfeil[b] und kam[c] (damit) wieder zu seinem Herrn. 39 Der Bursche ahnte aber nicht das mindeste, nur Jonathan und David wußten Bescheid um die Sache[a]. 40 Drauf übergab Jonathan sein Schießgerät dem Knappen, den er mitgenommen hatte[a] und wies ihn an: »Geh, bring's[b] in die Stadt.« 41 Als der Knappe gegangen war, erhob sich David (aus seinem Versteck) neben …[a], warf sich auf sein Angesicht zu Boden und beugte sich dreimal ehrfurchtsvoll, dann küßten sie einander und weinten miteinander ⟨bitterlich um David⟩[b]. 42 (Schließlich) verabschiedete Jonathan den David: »Nun geh in Frieden; (und) was[a] wir beide[b] einander zugeschworen haben im Namen Jahwes[c], da wir gelobten[d], Jahwe sei zwischen mir und dir, zwischen meinen Nachkommen und deinen Nachkommen in alle Ewigkeit[e], (daran halte nun fest)[f]«. 21,1 Dann brach er[a] auf und eilte davon. Jonathan aber ging (zurück) zur Stadt.

1 a) Zur vermutlichen Bedeutung des Wortes vgl. Anm. b zu 19,18. b) Ausdruck höfischer Ehrerbietung. $\mathfrak{G}^B$ *καὶ ἔρχεται ἐνώπιον* Angleichung an den üblichen Sprachgebrauch. c) Nicht »gegen deinen Vater« (Ehrlich, Hertzberg); zur Sache vgl. Knierim: Sünde, S. 186f. d) Zum fehlenden Subjekt vgl. GK § 116s.

2 a) 𝔊 + σοι versteht die Aussage als Wunsch und verschiebt damit den Tenor. b) Ketib לוֹ עָשָׂה, Qere und Vers לֹא־יַעֲשֶׂה, und so von allen Auslegern angenommen, sicher auch wegen וְלֹא יִגְלֶה richtig; עשׂה (Klostermann עָשָׂה) wäre an sich möglich, vgl. Ps 1,1 (dazu Diethelm Michel: Tempora und Satzstellung in den Psalmen. Bonn 1960 [AevTh 1], S. 110: Perfekt bezeichnet ein Faktum, das eine Person tut, theoretisch aber auch lassen kann). Nicht befriedigen kann die Annahme einer Alternativlesart, wonach Ketib eine irreale Bedingung ohne Apodosis darstellte (Boström: Alternative Readings, S. 36). c) 𝔊B ῥῆμα μικρόν ist nicht, wie meist angenommen, mechanisches Versehen, sondern führt auf הַדָּבָר הַקָּטֹן, was den Gedanken noch stärker herausarbeitet »er tut nicht das geringste«. d) GK § 156f. e) Scl. an den Todesahnungen Davids. Andere Möglichkeit der Auffassung: »das kommt nicht vor« (Caspari, de Vaux, van den Born).

3 a) 𝔊 καὶ ἀποκρίθη (𝔗𝔖𝔙 = 𝔐), wonach meistens in ע eine Dittogr des folgenden עוֹד angenommen und וַיָּשֶׁב (Wellhausen, Budde, Smith und die meisten, auch Hertzberg) bzw. וַיָּשָׁב »sprach wiederum« (so Ehrlich, da וַיָּשֶׁב in dieser Verbindung zu junges Hebräisch sei) gelesen wird. Indessen ist 𝔐 durch V. b gesichert und dann eher das עוֹד als Dittogr (mit 𝔊𝔖 z. B. Nowack, S. R. Driver, Dhorme u. v. a.) zu tilgen. Doch könnte das Ungewöhnliche des überlieferten Textes auch Kennzeichen volkstümlicher Rede sein. b) Dazu Stoebe: VT 1952, S. 245; in ähnlicher Richtung jetzt auch K. W. Neubauer: Der Stamm *ch n n* im Sprachgebrauch des Alten Testaments. Berlin 1964 (Diss.). c) 𝔊 μὴ οὐ βούληται ist freie Übersetzung und führt weder auf ursprüngliches συμβουλεύηται (so Klostermann) noch auf hebr. יעץ (Wellhausen, Caspari). d) Zum Nebeneinander von Gott und Mensch in der Schwuranrufung vgl. Johannes Pedersen: Der Eid bei den Semiten. Straßburg 1914, S. 141. Ein Bezug auf die Kronprinzenwürde Jonathans ist darin nicht zu sehen (anscheinend anders P. A. H. de Boer: Vive le roi. VT 1955, S. 228). e) Zum Wort vgl. Jes 27,4; wohl sprichwörtliche Redensart ohne Bezug zum Speerwurf (so z. B. Budde). 𝔊B ἐμπέπλησται ἀνὰ μέσον μου καὶ τοῦ θανάτου wählt nur ein anderes Bild.

4 a) Die an sich mögliche Auffassung als generelles Relativpronomen (BLe § 32f.; vgl. 𝔙𝔖) verwischt die Lebendigkeit der Darstellung. b) 𝔊 ἐπιθυμεῖ (zu 𝔗 רְעוּא vgl. de Boer: OTS 6. 1949, S. 22) ist eine aus einem zu engen Verständnis von נֶפֶשׁ gewonnene freie Übersetzung, kein ursprüngliches תְּאַוֶּה, wie Budde, Dhorme, Smith, Schulz u. v. a. annehmen. Zu נֶפֶשׁ als pathetischer Umschreibung des Personalpronomens vgl. Aubrey R. Johnson: The Vitality of the Individual in the Thought of Ancient Israel. Cardiff 1949, S. 21; zum Bedeutungsumfang des Wortes auch Pedersen: Israel I/II, S. 102ff.

5 a) Als altisraelitisches Fest und Ruhetag schon 2 Reg 4,23; Am 8,5; Hos 2,13; Jes 1,13 genannt, offenbar bis in die nachexilische Zeit in Geltung (Esr 3,5; Neh 10,34); Opferbestimmungen finden sich Num 28,11–15; vgl. Ez 46,6f. Zur Sache siehe de Vaux: Lebensordnungen II, S. 324, sonst auch Ismar Elbogen: Der jüdische Gottesdienst in seiner geschichtlichen Entwicklung. 4. Aufl. Hildesheim 1962, S. 122–126. b) 𝔊 + οὐ, was von Wellhausen, S. R. Driver, Dhorme, Smith u. v. a. aus inhaltlichen Überlegungen übernommen wird, aber doch wohl ebenso wegen des folgenden Perf. cons. (so Ehrlich) wie wegen des Inf. abs. nicht ursprünglich sein kann. c) 𝔊O δείλης τῆς τρίτης, ähnlich 𝔖; diese an sich naheliegende Beziehung auf עֶרֶב ist grammatisch unmöglich. »Am Abend des dritten Tages« (𝔗𝔙) hieße wohl הַיּוֹם הַשְּׁלִישִׁי (𝔗). Da שְׁלִישִׁית zudem 𝔊BL fehlt, wird es mit wenigen Ausnahmen als späterer Zusatz nach dem Zusammenhang, der die wirkliche Wartezeit angeben soll, getilgt. Vielleicht darf man aber auch an ein ungewöhnlich ausgedrücktes »zum drittenmal« denken (fehlendes פַּעַם; zum adv. Akk. statt בְּ vgl. BroS § 88). S. die Auslegung.

6 a) GK § 113n; der Inf. abs. könnte auch im Sinne von »sofort« verstanden werden (J. de Fraine: Jeux de mots dans le récit de la chute. In: Mélanges Bibliques. Festschrift für André Robert. Paris 1957, S. 56). b) Niphal nur hier und Neh 13,6; zur reflexiven Bedeutung GK § 51e. c) Vgl. 1,21; 2,19. Die Sippe מִשְׁפָּחָה setzt sich aus verschiedenen Familien zusammen und bildet offenbar auch eine kultische Gemeinschaft, die sich an einem Ort zu gemeinsamer Opfermahlzeit trifft (de Vaux: Lebensordnungen I, S. 25; auch Pedersen: Israel I/II, S. 46ff.). Im Unterschied zu hier ist 1,21; 2,19 das Opfer auf eine Familie beschränkt, findet auch nicht am Wohnort, sondern am Heiligtum statt, was die jüngere Form

der Darstellung erkennen läßt (vgl. zu 1,21). Vgl. zur Sache Antoine Causse: Du groupe ethnique à la communauté religieuse. Paris 1937, S. 17ff. S. auch 18,18.

7 a) 𝔊 σκληρῶς ἀποκριθῇ; Angleichung an V. 10. b) Caspari will statt יחרה לו einen Inf. לָדַעַת; Ehrlich וְיָדַעְתָּ, in beiden Fällen soll der Nachsatz erst mit V. 8 beginnen. Die Überlegung, daß aus חָרָה die Gesinnung nicht klar genug hervorgehe, ist wohl zu subtil.

8 a) Zu dieser Bedeutung von חֶסֶד vgl. Stoebe: VT 1952, S. 248. Ähnliches Verständnis (guter Wille) jetzt auch bei A. Jepsen: Gnade und Barmherzigkeit im Alten Testament. Kerygma und Dogma 1961, S. 261–271. b) עַל kommt bei נטה חֶסֶד vor, ist aber bei עשׂה חֶסֶד ungewöhnlich. 𝔊 σύν, 𝔗𝔖 Seb עִם sind indessen kein eindeutiger Beweis für die Ursprünglichkeit eines עִם, in das allgemein von den Auslegern hier geändert wird. Im Gegenteil verbietet es das häufige Vorkommen von עָשָׂה חֶסֶד עִם, an eine bloße Verschreibung zu denken. עשׂה עַל kann beabsichtigter (alter?) Sprachgebrauch sein, um Größe und Spontaneität des חֶסֶד-Erweises zu kennzeichnen. c) בְּרִית יהוה stellt den Bund als besonders heilig und unverbrüchlich hin (Richard Kraetzschmar: Die Bundesvorstellung im Alten Testament. Marburg 1896, S. 48). Deutlich ist, daß ein Bezug auf 18,3 beabsichtigt ist (Dhorme, Budde, S. R. Driver u. a.; anders Caspari: »und lasse treten«); wahrscheinlich die Einfügung eines Späteren, der eine Rückbeziehung auf 18,3 herstellen wollte (Budde, Schulz?), wofür schon die ungewöhnliche Form בְּרִית יהוה sprechen könnte. Auffallend ist, daß diese Erwähnung sich auch in 𝔊[B] findet, obwohl 18,3 dort fehlt. Zu der dahinterstehenden ברית-Vorstellung vgl. A. Jepsen: Berit. In: Rudolph-Festschrift. Tübingen 1961, S. 163. d) Emphatisches Subjekt. e) Zur emphatischen Vorausstellung des Objekts GK § 142g. f) Beachte den Anakoluth erregter Rede; er kann durch die Negationspartikel (𝔖𝔙) nur unvollkommen wiedergegeben werden.

9 a) Weniger nominaler Wunschsatz (BroS § 7a) als eine Feststellung. לְךָ, von den Vers bestätigt, bezieht sich noch mit auf die folgende Zusicherung Jonathans. Die Änderung in לִי (Joüon: MUB 5/2. 1912, S. 469; ebenso Caspari) verwischt den Sinn. b) Versuch, die im Text vorliegende Breviloquenz wiederzugeben (Anm. a). c) Faktisches quod wie bei Schwurverben; die Auffassung als Affirmativpartikel »vielmehr« (so Wellhausen, Budde und die meisten) ist durch den Zusammenhang ebensowenig gefordert wie die Annahme eines Anakoluths (ausgefallene Selbstverfluchung Wellhausen, Löhr u. a.), deren Auslassung hier unerklärlich wäre (richtig Smith); in gleiche Richtung geht der ungerechtfertigte Vorschlag Ehrlichs, חַי יהוה und dann אִם לֹא zu lesen. d) Qal durch 𝔊𝔗 bestätigt, Änderung in לָבִיא (Greßmann, BH[3]) also unbegründet. 𝔖 übersetzt als verbum finitum (»werde ich kommen«); das charakterisiert die Unsicherheit des Textverständnisses ebenso wie die Erweiterung bei 𝔊 καὶ ἐὰν μὴ ᾖ εἰς τὰς πόλεις σου... e) Wird meist als Fragesatz aufgefaßt (etwa Nowack, Budde, Dhorme, vgl. GK § 150a), z. T. in הֲלֹא geändert (S. R. Driver, de Groot). Eher ist וְ Wiederaufnahme des כִּי. Damit erübrigt sich die Erklärung des לֹא als emphatischer Partikel (schon Smith; Wutz: Systematische Wege, S. 761 וְלֹא אַתָּה = »so will ich kommen«; vor allem F. Nötscher: Zum emphatischen Lamed. VT 1953, S. 375).

10 a) Die Vers umgehen das schwierige אוֹ מַה oder übernehmen es wörtlich (𝔗). Die Auffassung von אוֹ als »wenn etwa« (z. B. Hertzberg unter Verweis auf Ewald) oder »wenn vielleicht« (Wellhausen, GK § 150i) erklärt nicht das מַה. Nach 𝔊, die hier aber auch nur erleichtert, wird von vielen (z. B. Budde, Dhorme, Smith, Caspari, aber auch de Groot, de Vaux) Dehnung aus ursprünglichem אִם angenommen. Ich vermute eine Art Alternativlesart, richtiger die Breviloquenz erregter Rede, die ein מַה־יַּעַנְךָ und הַטּוֹבָה אוֹ קָשָׁה יַעַנְךָ zusammenzieht, wovon das erste Glied unterdrückt wurde, da David ja nicht damit rechnet. In ähnlicher Richtung liegt die Vermutung Hertzbergs מָה יַעַנְךָ אָבִיךָ טוֹבָה אוֹ קָשָׁה; Annahme einer Wahllesart auch bei Schulz zwischen אוֹ יַעַנְךָ קָשָׁה und מַה יַעַנְךָ. Ehrlich, Greßmann denken an verschriebenes אָז, von dem sich noch eine Spur in den Vers finden soll. Vgl. auch L. Delekat: Zum hebräischen Wörterbuch. VT 1964, S. 38, der, von ענה III ausgehend, hier vorschlägt: »Wer könnte mir Nachricht hinterbringen, ohne daß dann dein Vater womöglich gegen ihn Hartes im Auge hat?« Aber dafür ist das Interesse daran, wie Saul antworten wird, doch zu stark.

12 a) 𝔊 (οἶδεν) (𝔖 נִסְהַד = »testis est«), wonach meist (Wellhausen, S. R. Driver, Budde bis de Vaux, Hertzberg), indes unnötig, חַי oder עֵד ergänzt wird; zu der hier vorliegenden verkürzten Redeweise (so auch Ehrlich) vgl. etwa 2 Sam 15,20. b) Zu 𝔐 הַשְּׁלִישִׁית vgl. Anm. c zu V. 5; es wird auch hier von den Vers vorausgesetzt, aber verschieden gedeutet. 𝔊 τρισσῶς kommt

הַשְּׁלִישִׁית am nächsten. 𝔖 »morgen um die dritte Stunde«; 𝔗𝔙 erleichtern durch die Einfügung eines »oder« (so auch Keil, Rehm); von den meisten wird es wie V. 5 als ausgleichender Zusatz getilgt (Wellhausen, Budde, S. R. Driver bis de Vaux, Hertzberg); vgl. die Auslegung. Wellhausen vokalisiert כְּעֵת מָחָר. c) Gegen die Auffassung als Konditionalpartikel (GK § 159l.w; S. R. Driver, Budde, Smith u. v. a.) besteht der Einwand zu Recht, daß das nur für הֵן gelte (Schhultz). Jonathan ist eben der Überzeugung, daß die Befürchtungen Davids unbegründet sind. d) וְלֹא soll entweder gestrichen oder durch ein bejahendes Wort ersetzt werden (Budde, auch de Groot, Rehm); Smith denkt an affirmatives *lā*. Nowack, Dhorme, de Vaux u. a. fassen es als Frage auf; Hertzberg sucht Klärung durch Umstellung וְאָז לֹא. Zu weit abliegend sind jedenfalls die Versuche, die bei אָז einsetzen, אַז »heftig lärmend« (Wutz: Systematische Wege, S. 762), Verschreibung aus לְאָז »dieses« (J. M. Allegro: Uses of the Semitic demonstrative Element Z in Hebrew. VT 1955, S. 309). Da die Schwurpartikel V. 13 an etwas bereits Gesagtes anzuknüpfen scheint, ist es am einleuchtendsten, וְלֹא »wo nicht« zu vokalisieren (Ehrlich, van den Born). Der Einwand, daß David auf jeden Fall Bescheid erwarte (Schulz), ist kein Argument dagegen.

13 a) Für Ru Sam Reg charakteristische Schwurformel, die aber anscheinend immer an den Anfang einer beschworenen Aussage tritt. Da ein wesentlicher Teil des Schwures die Zusage ist, David ziehen zu lassen, kann V. 13 grammatisch nicht als Nachsatz zu V. 12 aufgefaßt werden (so nach 𝔙 Keil, aber auch de Vaux). 𝔊 ὁ θεός. b) כי faktisches quod nach dem in der Selbstverwünschung immer mitklingenden Gedanken des Schwörens. c) ייטב leitet einen hier nur im Tone liegenden Bedingungssatz ein wie V. 9. d) So mit 𝔗; die Vers sonst weichen von 𝔐 ab. Das unbestimmte Subjekt von יֵיטַב müßte Jahwe sein; es hätte dann aber doch genannt werden sollen. Darum wird gewöhnlich (Wellhausen, Budde, Dhorme, überhaupt die meisten) eine fehlerhafte Vokalisierung für יִיטַב angenommen, die sich aus der Einführung des logischen Subjekts הָרָעָה durch אֶת begreifen ließe (GK § 117l; vgl. auch 2 Sam 11,25; dazu J. Blau: Zum Gebrauch von אֶת vor dem Nominativ. VT 1954, S. 15, auch J. Hoftijzer: Remarks concerning the use of the particle 't in classical Hebrew. OTS 14. 1965, S. 17). Freilich wäre bei ייטב doch wohl בְּעֵינֵי אָבִי zu erwarten (S. R. Driver, Ehrlich, Tiktin), so daß mit der Möglichkeit einer größeren Textverderbnis zu rechnen ist. Versuche, die Aussage auf Jonathan zu beziehen, sind willkürlich (Ehrlich יֵיטַב אֵלַי, auch wenn es für mich vorteilhaft wäre«; Caspari: יֵמ לְבָבִי »wenn mein Vorsatz wankt« u. a.). BroS § 102: »die üble Meinung bei meinem Vater gegen dich möge sich bessern«; doch bestünde dann kein logischer Zusammenhang. 𝔊 nur *ἀνοίσω τὰ κακά* scheint אָבִי als Verbalform aufgefaßt zu haben, wonach einige (z. B. Dhorme, Smith; Perles II, S. 27 u. a.) לְהָבִיא einfügen, das nach אָבִי leicht ausfallen konnte, womit aber auch nichts gebessert ist. Peters: Beiträge, S. 210f. übernimmt 𝔊: »wenn ich Unglück über dich bringen muß«.

14 a) וְלֹא typischer Ausdruck in V. 14 u. 15, wohl Anakoluth einer bewegten Rede und als solcher unübersetzbar. Die Vers helfen sich durch Auslassung (𝔊𝔙; so z. B. auch de Vaux, ähnlich S. R. Driver) oder durch Auflösung in verschiedene Ausdrücke (𝔖). Fraglich ist vor allem, ob »jeweils Verneinungen, Wünsche oder Bedingungen vorliegen« (S. Grill: Die alten Versionen und die Partikeln lo', lô, lû, lî. BZ 1957, S. 279). Einen annehmbaren Sinn ergibt die Vokalisation des לא als לֻא im Sinne einer bekräftigenden Wunschpartikel, die in der Übersetzung durch das nichtinterrogative »nicht wahr« wiederzugeben versucht wird. So schon Geiger, auch Thenius, Wellhausen und die meisten; vgl. auch Grill, a. a. O. und F. Nötscher: Zum emphatischen Lamed. VT 1953, S. 374. Die Änderung in הֲלֹא (DelF § 116a) versteht es direkt interrogativ, ist aber unwahrscheinlich. b) Kennzeichnet diesen חֶסֶד als einen besonderen, menschliche Maßstäbe übersteigenden Erweis; יהוה sollte darum weder in אֱלֹהִים geändert noch mit 𝔊[B] gestrichen werden (Budde). Die Auffassung als einfacher Superlativ (Svi Rin: The מות of grandeur. VT 1959, S. 325) ist zu schwach. Zu beachten ist, daß dieser חֶסֶד nicht Folge, sondern Voraussetzung des Bundschlusses von V. 16 ist. c) GK § 166a; 𝔊𝔙 lesen וְאִם statt וְלֹא und ziehen es als Vordersatz zu V. 15 (danach Wellhausen, Budde, Smith, de Vaux u. v. a.), was zwar einen glatteren Gedankenablauf ergibt, dennoch nicht die ursprüngliche Absicht sein wird.

15 a) Ungewöhnliche Verbindung; zu מֵעִם vgl. das geläufige עשה חֶסֶד עִם. b) וְלֹא selbständige Einleitung einer neuen Aussage (so auch Ehrlich). Es wird zwar von der Mehrzahl der Aus-

leger mit 𝔊 zu V. 16 gezogen, was indessen weitere Textänderungen erfordert (vgl. Anm. a zu V. 16) und ebenso unnötig ist wie die Annahme eines ursprünglichen לְאַלָא (Budde) oder einfachen לֹא (Smith). Goslinga ändert in אַל.

16 a) 𝔊ᴮ εὑρεθῆναι (𝔊ᴬ ἐξαρθῆναι) τὸ ὄνομα τοῦ Ἰωναθαν ἀπὸ τοῦ οἴκου Δαυείδ, wonach von den meisten Auslegern (auch Hertzberg, van den Born) in (וְלֹא) יִכָּרֵת שֵׁם יְהוֹנָתָן מֵעִם geändert wird (ähnlich Caspari אִכָּרֵת). Dagegen sprechen nicht nur die anderen Vers (𝔗𝔙, indirekt auch 𝔖), sondern auch der Vergleich mit 24,22 (מִבֵּית אָבִי), wie die Überlegung, daß von einem solchen Bunde mit dem Hause Davids bisher nicht die Rede war. Für die Beibehaltung von 𝔐 vgl. jetzt auch NothGS, S. 146. b) Unübersetzbar; auch 𝔊 ist in der Wiedergabe unsicher (𝔊ᴮ καὶ ἐκζητήσαι κύριος ἐχθροὺς τοῦ Δ, 𝔊ᴬ ἐκ χειρὸς ἐχθρῶν). Man kann das als nachträglich zugunsten Davids in die Strafandrohung eingeschobenen Euphemismus streichen (z. B. Smith, Dhorme, Caspari, de Vaux u. a.; vgl. auch Kl. Koch: Der Spruch »Sein Blut bleibe auf seinem Haupt«. VT 1962, S. 409); doch scheint es dann nicht recht zum Tenor der Darstellung zu passen. Ebenso möglich, wenn nicht wahrscheinlicher, ist die Auffassung »Jahwe möge sich an den Feinden Davids schadlos halten« (𝔗𝔖𝔙; so z. B. Budde, Kittel, Hertzberg u. a.). Auch da bleibt die Einbeziehung des Tuns Jahwes an Dritten in die Abmachung zwischen David und Jonathan auffallend. So liegt es nahe, hier eine erweiternde Beischrift aus der Rückschau späterer Zeit anzunehmen.

17 a) So ist vielleicht das וַיּוֹסֶף sinngemäß wiederzugeben (Hertzberg: »ließ nun auch David schwören«). b) 𝔊 ὀμόσαι τῷ Δαυείδ, 𝔙 »dejerare David«, wonach viele (z. B. Wellhausen, S. R. Driver, Budde, Dhorme), freilich ohne zwingenden Grund, in לְהִשָּׁבַע לְדָוִד ändern. Soweit für diese Änderung inhaltliche Überlegungen geltend gemacht werden (z. B. Budde: V. 14–16 nachträgliche Erweiterung), wird der Überlieferungszusammenhang zu formal beurteilt. c) Fehlt 𝔊ᴮ und wird darum zumeist, zugleich mit der Korrektur לְהִשָּׁבַע, getilgt. Dem Zusammenhang nach müßte die Liebe Davids zu Jonathan gemeint sein; so versteht es anscheinend auch 𝔊 ὅτι ἠγάπησεν ψυχὴν ἀγαπῶντος αὐτόν. Die Spannung hat ihren Grund darin, daß hier nicht schlicht erzählt, sondern aus der Reflektion eines größeren Abstandes berichtet wird. Es könnte also ein Eintrag aus 18,3 sein. b) Zur Form vgl. BroS § 93l.

18 a)Vgl. jetzt Driver, G. R.: ZAW 1968, 175f.

19 a) וְשִׁלַּשְׁתָּ vgl. V. 12, unsicher. Für die Auffassung »zum drittenmal etwas tun« sprächen 1 Reg 18,34, auch 𝔊 τρισσεύσεις, ᾿Α καὶ τρισσεύσας; man müßte darin einen Hinweis auf eine außerhalb der Darstellung liegende Überlieferung sehen (vgl. die Auslegung). Nach 𝔗𝔙 (»der dritte Tag«), 𝔖 (»die dritte Stunde«) verstehen es die meisten Ausleger temporal (übermorgen). Zur Sache vgl. Guillaume: PEQ 1954, S. 85ff. Ehrlich will auch hier הַשְּׁלִישִׁית lesen, Smith auch hier streichen. b) 𝔊 ἐπισκέψῃ (𝔗 תִּתְבָּעֵי, ähnlich 𝔖) haben wohl als Vorlage eine bestimmte Rezension des Textes gemeinsam, die indessen hier nicht zur Änderung von תֵּרֵד in תִּפָּקֵד berechtigt, wie fast ausnahmslos von Wellhausen, S. R. Driver bis Hertzberg, Rehm, de Vaux angenommen wird (zusammen mit שִׁלַּשְׁתָּ »am dritten Tag wirst du vermißt werden«). Einmal ist der graphische Unterschied doch ziemlich stark, zum andern ist nicht einzusehen, warum Davids Fehlen erst am dritten Tage auffallen sollte (zur Unsicherheit der Kalenderzählung vgl. de Vaux: Lebensordnungen I, S. 294). Das beizubehaltende תֵּרֵד (so richtig Budde, Smith, Schulz, dieser freilich in der Form »ziehe dich drei Tage lang weit zurück«) hat natürlich David zum Subjekt, nicht ein הַשְּׁלִישִׁית (Ehrlich; ähnlich Guillaume, a. a. O.). Auffallend bleibt die Wz. ירד, doch s. die Auslegung. c) Die Partikel paßt nicht zu תֵּרֵד, eher zu תִּפָּקֵד, wird aber gerade von 𝔊 nicht wiedergegeben. Guillaume (Langue et Traditions Arabes en Ancien Testament. Orientalia Biblica Lovaniensia 1957, S. 112) schlägt die Vokalisierung מָאוֹד vor und denkt dabei an den Zeitraum der Abenddämmerung; wenn das auch unsicher bleibt, leuchtet es mehr ein als die Übersetzung »weit« (Anm. b). d) Schulz, Caspari glätten unnötig durch בָּאתִי. e) 𝔊𝔗𝔙 (anders 𝔖) verstehen es als »Werktag«, was von manchen (z. B. Greßmann, Schulz, de Groot, Rehm) übernommen wird, aber trotz des Hinweises auf Ez 46,1 (so Ehrlich) nicht überzeugt. Näher liegt der Bezug auf ein besonderes Ereignis, das aber nicht 19,1–7 (so z. B. Wellhausen, Dhorme, Hertzberg) gewesen zu sein braucht. Wutz: Systematische Wege, S. 762 מִשְׁעָה. f) Unklar; 𝔊 wie auch V. 41 παρὰ τὸ ἐργὰβ ἐκεῖνο, wonach Wellhausen, Budde, Smith, Dhorme direkt in הָאַרְגָּב הַלָּאז (Wz. רגב »Erdscholle«), die meisten wenigstens in הַלָּאז = הַלָּז ändern (vgl. J. M. Allegro: Uses of

the Semitic Demonstrative Element Z in Hebrew. VT 1955, S. 309). Doch ist die dazu nötige Voraussetzung, daß Jonathan auf diesen Stein hinweisen konnte, aus V. 11 nicht zu erweisen, so daß die Annahme eines appositionell gebrauchten Eigennamens näherliegt; vgl. אֶבֶן הָעֵזֶר 7,12, סֶלַע הַמַּחְלְקוֹת 23,28, es könnte geradezu an den Stein des Fortgehens (אזל) gedacht sein. Hertzbergs Vermutung, daß dieser Stein noch später gezeigt wurde, hat viel Wahrscheinlichkeit. Caspari אֶשֶׁל »Tamariske«.

20 a) Zur Form GK § 127e. Wie 𝔐 bieten 𝔗𝔙𝔖 den Pl; da hernach nur von einem Pfeil geredet wird, denken manche hier an einen Pflanzennamen (Klostermann, Smith z. T., auch Budde: צֳרִי »Mastix«; Tiktin עֵצִים), was allerdings eine weitere Änderung von אֹרֶה in אֶרְאֶה »ich werde mir drei Bäume ersehen« erfordert, sich außerdem mit den landschaftlichen Gegebenheiten nicht recht vereinbaren läßt. Nach 𝔊 τρισσεύσω ταῖς σχίζαις wird von den meisten von Wellhausen bis de Vaux in אֲשַׁלֵּשׁ בַּחִצִּים (»am dritten Tage werde ich«) geändert, was sicherlich eine Erleichterung bedeutet, angesichts des folgenden חִצִּים aber ebenso zu einfach ist wie die Streichung des שְׁלֹשֶׁת (Greßmann, Schulz). b) Eine Locativendung (so Schulz) ist nach der Akzentsetzung nicht beabsichtigt, vokalisiere also צִדָּה auf אֶבֶן bezüglich (bzw., wenn man אַרְגָּב annimmt, צִדּוֹ [DelF § 81b]; DelF § 7a teilt מִצִּדָּה ab, gewinnt damit zwar den Singular für חִצִּים, wird aber nicht der vorauszusetzenden Situation gerecht). Die Streichung des Wortes als Dittogr (vor allem Caspari, aber auch Budde) ist mit dem Fehlen in 𝔊 nicht ausreichend begründet. c) Das vorgeschlagene כְּשַׁלַּח (Budde, BH³) erleichtert zwar, ist aber unnötig (Kö § 407a).

21 a) 𝔊 λέγων, wonach die einen (z. B. Budde, Dhorme, Schulz), als üblichem hebr. Sprachgebrauch entsprechend, לֵאמֹר ergänzen, während andere (z. B. Ehrlich, S. R. Driver, Smith) an לִמְצֹא denken; in beiden Fällen verlöre die Lebendigkeit der Darstellung. b) 𝔊 Sg., was bei ihrer Auffassung von V. 20 gut verständlich ist, hier aber trotz der grundsätzlichen Möglichkeit einer Dittogr nicht zur Änderung (so z. B. Wellhausen, S. R. Driver, Dhorme, de Vaux) berechtigt (ausdrücklich für 𝔐 DelF § 121). Allenfalls wäre diese Änderung wegen קָחֶנּוּ zu V. 21b oder auch zu V. 22 zu rechtfertigen (Budde, Löhr, Caspari, Hertzberg), ist aber auch da unwahrscheinlich. c) Zur Form des Energie-Imp. BLe § 48c'; 𝔙𝔖 Pl., wonach קָחֵם vorgeschlagen wird (DelF § 121, auch schon Klostermann). Bei der jetzigen Textgestalt müßte sich die Aufforderung an David richten (»bringe den Knappen mit«, vgl. S. R. Driver), was aber selbst dann inhaltliche Schwierigkeiten macht, wenn man das קָחֶנּוּ als »nimm es wahr« auffaßt (so Ehrlich). Man wird mit einer nachträglichen Erweiterung in Anlehnung an V. 38 rechnen dürfen. d) Ist wegen des parallelen לֵךְ V. 22 auf David zu beziehen; im gegenwärtigen Kontext (Anm. c) müßte man entweder das ו tilgen (z. B. S. R. Driver, Budde, Smith, Dhorme) oder וּבָאתָ lesen (DelF § 105a).

22 a) Vgl. Anm. b zu V. 21. b) GK § 106 o.

23 a) 𝔊 (ähnlich 𝔗) + μαρτύς ist nur verdeutlichender Zusatz und führt nicht auf עֵד עַד als ursprünglichen Text (E. Finkelstein: An ignored haplography in Samuel. JSS 1959, S. 356f.). Der Vorschlag, עַד עוֹלָם als Zusatz aus V. 42 zu tilgen (Schulz, auch Smith), verkennt den Tenor des Ganzen.

24 a) 𝔊 + ἔρχεται unterstreicht die Feierlichkeit und könnte in der hebräischen Vorlage gestanden haben. b) Qere אֶל (vgl. dazu Boström: Alternative Readings, S. 37); am Sinn wird damit nichts geändert. Das ἐπὶ τὴν τράπεζαν von 𝔊 führt hier nicht auf שֻׁלְחָן (so Smith, Dhorme, Ehrlich, Schulz), da 𝔐 selbst das Wort V. 29.34 hat. Nach 16,11 denken Klostermann, Caspari an וַיָּסֹב, wogegen schon der andere Charakter von Kap. 16 spricht.

25 a) BroS § 129c. b) Alle Vers deuten, wohl von der Annahme des Ehrenplatzes ausgehend, 𝔐 auf einen Platz an der Wand, weswegen entweder das zweite מושב getilgt (z. B. Smith, Dhorme) oder אֶל in עַל geändert wird (Budde), was natürlich möglich ist (vgl. BroS § 108c). Indessen gibt der Text in seiner überlieferten Form einen guten Sinn (vgl. die Auslegung). c) 𝔐 וַיָּקָם wird zwar von 𝔗𝔖𝔙 gestützt, könnte aber höchstens dahin verstanden werden, daß Jonathan aufsteht, um Abner den Ehrenplatz an der Seite seines Vaters einzuräumen (Keil); de Boer: OTS 6. 1949, S. 28f. denkt an eine, dann freilich wenig deutliche Verbindung mit der vorhergehenden Szene auf dem Felde. Nach 𝔊 προέφθασεν wird ziemlich allgemein in וַיְקַדֵּם geändert (DelF § 90b); der dafür angenommene, wenngleich nicht völlig sichere Sinn »er setzte sich gegenüber« ist auch in der Übersetzung vorausgesetzt. Auf keinen Fall

ist es eine Dittogr zu קִיר (so Caspari); Hertzberg denkt recht einleuchtend an Verschreibung aus ursprünglichem וּלְפָנָיו מְקוֹם.

26 a) Zu מִקְרֶה vgl. Dt 23,11. Krankhafte, aber auch natürliche Ausflüsse (Lev 15, vor allem V. 16ff.) machen unrein und schließen von den mit Opfern verbundenen Mahlzeiten aus (Lev 7,20). b) לְבִלְתִּי zur Verneinung eines Adj. findet sich nur hier; zur Sache vgl. P. Wernberg-Møller: Observations on Hebrew Participle. ZAW 1959, S. 56. c) כִּי לֹא טָהוֹר ist nicht als Variante (Klostermann, de Vaux) oder Interpretament einer ungewöhnlichen Form (Caspari, Hertzberg) zu erklären, auch nicht nach 𝔊 *οὐ κεκαθάρισται* als Pual טֹהַר zu vokalisieren (Wellhausen, S. R. Driver, Budde und die meisten; ausdrücklich anders Ehrlich). כִּי dürfte vielmehr afformativ aufzufassen, das dann zu erwartende הוּא nach dem vorhergehenden הוּא ausgefallen sein. Zur Verneinung eines Nominalsatzes durch לֹא vgl. GK § 152d.

27 a) Die Beziehung des הַשֵּׁנִי auf הַחֹדֶשׁ ist grammatisch einwandfrei, inhaltlich aber unmöglich; nach 𝔊 *τῇ ἡμέρᾳ τῇ δευτέρᾳ* wird mit Recht entweder הַיּוֹם eingefügt (Wellhausen, S. R. Driver, Budde und die meisten anderen) oder wenigstens in Gedanken ergänzt. Dabei wird entweder מִמָּחֳרַת (so Budde) oder הַשֵּׁנִי (so Wellhausen; letzteres wahrscheinlicher) Wahllesart sein. Weitergehende Änderungen, soweit sie ein Modalverb zu וַיִּפָּקֵד herstellen wollen (וַיִּשָּׁנֶה Tiktin, וַיֵּשֶׁב Ehrlich), sind willkürlich. 𝔖 hat מִמָּחֳרַת anscheinend als אַחֵר aufgefaßt. b) Vgl. V. 30.31; weiter Kap. 22; es ist deutlicher Ausdruck der Verachtung, nicht nur im Munde Sauls (2 Sam 20,1); vgl. aber auch 2 Sam 23,1.

28 a) Eine für diese Darstellung charakteristische Breviloquenz, die naturgemäß von 𝔊𝔗𝔅 verdeutlichend aufgelöst wird; ein לָרוּץ wird danach von Smith zu Unrecht eingefügt.

29 a) Vgl. zu זֶבַח הַיָּמִים V. 6. b) אָחִי ist Subjekt, nicht Anrede Davids an Jonathan (so 𝔖, auch Löhr, Gutbrod). Nach 𝔊 *ἐνετείλαντο πρός με οἱ ἀδελφοί μου* lesen viele צִוּוּ לִי אַחַי (Ehrlich יִצְפּוּ), wobei הוּא in הֵא (Wellhausen, S. R. Driver, Budde, Greßmann; vgl. auch DelF § 13d, 33d) oder הִנֵּה (Tiktin) geändert, von manchen (Dhorme, Kittel, de Vaux) überhaupt fortgelassen wird. Klostermann kombiniert beides zu הוּא צִוָּה לְאַחַי. אַחַי meinte dann natürlich die Sippenangehörigen (vgl. de Vaux: Lebensordnungen I, S. 20). Indessen besteht keine wirkliche Notwendigkeit zu dieser Änderung; andererseits ist es auch nicht berechtigt, aus der sgl. Form auf ein ausdrückliches Fratriarchat zu schließen (C. Gordon: Fratriarchy in the Old Testament. JBL 1935, S. 223–231). c) הוּא ist ebensowenig neutrales Objekt (Smith: »das ist es, was«), wie es auf בָּעִיר bezogen werden kann (so Dhorme); es ist vielmehr als emphatische Betonung von אָחִי zu verstehen. d) Der merkwürdig starke Ausdruck scheint um der tatsächlichen Situation Davids willen gewählt zu sein.

30 a) Die Bedeutung des schweren und anscheinend auch gewöhnlichen Schimpfwortes ist klar; zur Sache vgl. etwa J. Finkel: Filial Loyality as a Testimony of Legitimacy. JBL 1936, S. 133ff. Es liegt hier sicher ein Ausdruck der Umgangssprache vor; das macht, wenn der Text auch im wesentlichen in Ordnung zu sein scheint, die sprachliche Erklärung so schwierig. נַעֲוַת ist als Part. Niphal von עָוָה verständlich (vgl. Prv 12,8), paßt dann aber schlecht mit הַמַּרְדּוּת, Wz. מרר »Widerspenstigkeit«, zusammen, auch wenn der Artikel unbedenklich getilgt werden kann, denn die hier vorauszusetzende Genetivverbindung findet sich sonst bei »deskriptiven Adjektiven zum Zwecke näherer Bestimmung« (S. R. Driver; die Beispiele aus GK § 128x liegen auch in dieser Linie, auf die Hertzberg zur Stützung seiner Anschauung »entartet durch Empörung« hinweist). Smith und Dhorme tilgen deswegen מַרְדּוּת als erklärenden Zusatz zu נַעֲוַת überhaupt, verlieren damit aber wohl den Charakter erregter Beschimpfung. Das gilt noch stärker von den auf der Ebene der abschwächenden Paraphrase von 𝔗 liegenden Vorschlägen בְּנָעֲוַת הַמַּרְדּוּת (»im Herumtreiben liegt die Rebellion«: Peiser: OLZ 1921, Sp. 58) oder בְּנֵי נַעֲוָת (Bruno: Bücher, S. 287). Nach 𝔊 *κορασίων αὐτομολούντων* wird vielfach נַעֲרַת מַרְדּוּת oder מֹרֶדֶת (Wellhausen, Smith, S. R. Driver, Schulz u. a. [Klostermann נְעָרוֹת מֹרְדוֹת]) vorgeschlagen. Indessen ist die Verschreibung eines so bekannten Wortes trotz graphischer Gleichartigkeit (DelF § 109a) schwer einzusehen, außerdem erscheint die Bezeichnung der Mutter Sauls als נַעֲרָה wenig wahrscheinlich (Am 2,7, worauf Schulz verweist, kommt hierfür nicht in Frage); ist sie aber nicht ausdrücklich gemeint, wird das Schimpfwort beziehungslos; deswegen kann auch das sehr allgemeine נָעוֹת »Herumtreiberinnen« (de Boer: OTS 6. 1949, S. 29f., anscheinend mit Tilgung des מַרְדּוּת) nicht befriedigen. Der Hinweis auf syr. מַרְדּוּת »Zucht« (Paul de Lagarde: Mittheilungen I. 1884,

S. 237) würde dem gut entsprechen, was man hier erwartet; in gleicher Richtung sucht die Lösung P. Haupt: Heb. mardût, chastisement, chastity. JBL 1920, S. 156–158; vgl. auch Finkel, a. a. O. Es ist jedenfalls kein entscheidendes Argument gegen diese Möglichkeit, wenn darauf hingewiesen wird, daß diese Bedeutung der Wz. רדה im Hebr. nicht belegt sei (z. B. S. R. Driver, ebenso Caspari, dessen eigene Erklärung von נַעֲוַת als Kontamination von עֶרְוַת und נַעֲרַת auch nicht zu befriedigen vermag). b) בחר mit לְ statt mit בְּ ist ungewöhnlich, doch gerade darum ist es nicht zu ändern, sondern im Wortsinn zu verstehen; außerdem steht es hier im Zusammenhang nicht ohne Gewicht. 𝔊 *μέτοχος* ist Verflachung, zu Unrecht wird danach fast allgemein (Ausnahme z. B. Hertzberg) in חֹבֵר oder חָבֵר geändert oder wenigstens eine Alternativlesart zwischen חבר לְ und בחר בְּ (Boström: Alternative Readings, S. 37) angenommen. c) Zu dem im Begriff liegenden, ebenso subjektiven wie objektiven Aspekt vgl. K. H. J. Fahlgren: Ṣedāqā, nahestehende und entgegengesetzte Begriffe im Alten Testament. Uppsala 1932 (Diss.), S. 37; damit ist aber die Tilgung von עֶרְוַת als Nebenlesart zu בֹּשֶׁת (BH³, Caspari mit weiterer Änderung von לְבָשְׁתְּךָ in לְבָשְׁתִּי) unbegründet.

31 a) תִּכּוֹן hier als 2. M. und 3. Fem. verwendet (vgl. Kö § 376k). Mit ihrer Auslassung von אַתָּה (von Smith, Budde, Dhorme übernommen) verkennt 𝔊 wohl nur diese Möglichkeit. b) Zur stillschweigenden Voraussetzung einer Dynastie siehe die Auslegung. c) Vgl. 26,16; 2 Sam 12,5; 19,29; 1 Reg 2,26 (auch Ps 79,11; 102,21).

33 a) Siehe zu 18,11. b) 𝔐 wörtl. »daß es Vernichtung bedeute« ist vor לְהָמִית unmöglich; lies also mit den Vers כָּלְתָה wie V. 9; 𝔊 auch hier *κακία αὕτη*.

34 a) Hier ist die Zeitangabe korrekt formuliert; vgl. zu V. 27. b) Fehlt 𝔊ᴮ, ist deswegen aber nicht als nachträgliche Glosse auszuscheiden (so z. B. Smith, Budde, auch de Vaux, Hertzberg wegen des folgenden הִכְלִימוֹ). Das Fehlen des Sätzchens in 𝔊 erklärt sich unschwer als Homoeotel. c) Das Suffix bezieht sich auf jeden Fall auf David, nicht auf Jonathan (so Peters: Beiträge, S. 109f.; Budde, Ehrlich, Smith u. a.), denn angesichts des Schicksals Davids wiegt die Beschimpfung Jonathans wenig (anders Hertzberg). d) Zu dieser in הִכְלִים stark mitklingenden objektiven Seite vgl. KBL; auch Pedersen: Israel I/II, S. 520. 𝔊 *ὅτι συνετέλεσεν ἐπ' αὐτόν* ist vermutlich unter dem Einfluß des vorhergehenden כָּלְתָה entstanden und verlangt nicht hebr. כִּלָּה עָלָיו (Wellhausen, Budde, Dhorme).

35 a) Umfaßt beides, Ort und Zeit (Smith), nicht die Zeit allein (𝔗 זְמָנָא; so auch Tiktin), bedeutet also die verabredete Zusammenkunft (𝔖𝔙). 𝔊 *καθὼς ἐτάξατο εἰς τὸ μαρτύριον* ist Doppelübersetzung und führt nicht auf ursprüngliches Zeitverständnis und Einfügung eines אֲשֶׁר יָעַד (Tiktin, BH³) oder אֲשֶׁר שָׁם (Klostermann).

36 a) Wie V. 21; vgl. dort. Änderung in הַחֵצִי (Smith, Nowack, BH³) auch hier unbegründet. b) Anscheinend Nebenform ל״ה zu חֵץ (vgl. S. R. Driver, andererseits auch Perles I, S. 29; die Möglichkeit wird ausdrücklich von Ehrlich bestritten). Die Vers (𝔙 »aliam sagittam«; 𝔊 *τῇ σχίζῃ*) zeigen Unsicherheit; vgl. dazu die Auslegung. c) Nicht deutlich, ob das Suffix, das Ehrlich als Dittogr zum Folgenden tilgen will, auf חֵץ oder נַעַר zu beziehen ist; das letztere ist das Wahrscheinlichere und wird von den meisten angenommen, darf aber nicht dahin verstanden werden, daß Jonathan damit den Knappen ablenken wollte (so Caspari).

37 a) Die Auslassung von V. b durch 𝔊ᴬ könnte auf mechanisches Versehen, aber auch auf die Vorstellung von mehreren abgeschossenen Pfeilen zurückgehen. b) 𝔊 *ἐκεῖ ἡ σχίζα* versteht irrtümlich הֲלֹם für הֲלֹא.

38 a) Vorangestelltes Adv. auch 2 Reg 1,11; Jes 8,1.3; die Änderung in מַהֵרָה (Ehrlich, BH³) ist unnötig. b) Hier haben Qere und die Vers den Pl. was die Spannung in der Überlieferung kennzeichnet; Löhr, Smith, Budde u. a. ändern danach. c) 𝔊𝔙𝔖 setzen וַיָּבֵא voraus (so z. B. auch Wellhausen, Budde, Smith, Dhorme), offenbar im Zusammenhang mit dem vorhergehenden Pl. (Anm. b); zum Sg. hier paßt וַיָּבֹא besser.

39 a) Die größere Auslassung in V. 39.40 durch 𝔊ᴬ ist rein mechanischen Ursprungs.

40 a) Die Wiederholung gehört zum Erzählungsstil; sie ist weder Grund zur Streichung von אֲשֶׁר לוֹ (Dhorme) noch zur Umstellung hinter כֵּלָיו (Klostermann). b) Späte Pleneschreibung (BLe 59p).

41 a) Gemeint ist dieselbe Örtlichkeit wie V. 19; während 𝔊ᴬ hier anders als zu V. 19 *ἀπὸ ὕπνου* hat, übersetzen 𝔊ᴮ (*ἀπὸ τοῦ ἔργαβ*), 𝔗 (אֶבֶן אָתָא) 𝔖 beide Stellen gleich; das ist aber nachträglich und rechtfertigt nicht, für beide Stellen dasselbe Wort zu lesen: אֶרְגַּב (Wellhausen,

Budde, Dhorme, de Vaux, Hertzberg, überhaupt die meisten), הָאֶבֶן (Schulz; de Groot מֵצֶל הָאֶבֶן) oder אֵשֶׁל (Caspari). 𝔐 הַנֶּגֶב wird von 𝔙 durch »locus, qui veigebat ad austrum«, 'A *νοτίου* bestätigt, gibt aber keinen Sinn, ist jedenfalls nicht als Hinweis auf die Fluchtrichtung (so Caspari) zu verstehen. Der Textzusammenhang ist zu eng, als daß die Verschiedenheit von 𝔐 zu V. 19 u. 41 als Verschreibung eines unbekannten Wortes (so z. B. Budde, Hertzberg) erklärt werden könnte. Sie wird aus einer verschiedenen Namensüberlieferung herrühren, wobei auch נֶגֶב als, vielleicht verschriebener, Eigenname zu verstehen ist. Vielleicht begegnet die dem נֶגֶב zugrunde liegende Form auch in dem *ἔργαβ* von 𝔊. Damit erübrigt sich die an sich ansprechende Vermutung, daß נֶגֶב aus גֶּנֶב »Versteck« verschrieben sein könnte (so Rehm). b) In der überlieferten Form, meist als »bis David überlaut anfing«, übersetzt, ist es unverständlich; auch 𝔗 und 𝔖 helfen durch ihre wortgetreue Wiedergabe nicht zum Verständnis. Mit: »bis oder während er David pries« faßt de Boer: OTS 6. 1949, S. 33 es als Hinweis auf das Hauptmotiv der David-Jonathan-Geschichte, die Herausstellung Davids als des kommenden Mannes, auf, doch erscheint das angesichts des וַיִּבְכּוּ אִישׁ אֶת־ רֵעֵהוּ nicht recht einleuchtend, ebensowenig wie die an sich mit geringer Textänderung arbeitende Konjektur עוֹד וְדָוִד הִגְדִּיל »sie weinten lange und David am meisten« (so Ehrlich, Schulz). Der Vorschlag Klostermanns עַד יוֹם גָּדוֹל »bis es heller Tag wurde« (aufgenommen von Dhorme, Tiktin, vgl. auch Kö § 136b) gäbe einen erträglichen Sinn (vgl. Gn 29,7), ändert aber den Text sehr stark (Caspari übrigens עַד הַלַּיִל). Nach 𝔊 *ἕως συντελείας μεγάλης* (Doppelübersetzung von הִגְדִּיל?) tilgt Wellhausen דָּוִד und liest dann עַד הַגָּדֵל (ebenso Budde, Kittel, de Groot, de Vaux; Hertzberg עַד תַּכְלִית גְּדוֹלָה »bis zum Übermaß«), was aber hebr. für die angenommene Bedeutung »sehr lange Zeit« wegen des von einer Präposition abhängenden Inf. abs. nicht völlig befriedigt (S. R. Driver u. v. a.). Die oben versuchte Übersetzung sucht den Fehler bei עַד und liest בַּעַד und nimmt eine frühe Haplogr an, nachdem, was in alter Schrift möglich ist, ו und ב verwechselt worden waren. Das könnte dann tatsächlich die Verschreibung eines ursprünglichen, zu וַיִּבְכּוּ gehörenden הַגָּדֵל in הִגְדִּיל, vielleicht auch seine Umstellung zur Folge gehabt haben. Das Weinen als Gestus der Trauer über die Notlage Davids schließt die Bitte für ihn ein. Natürlich muß die Sache unsicher bleiben.

42 a) Lockere Anknüpfung, BroS § 161a; 𝔊 *καὶ ὡς*. b) Nachdrückliche Betonung der Gegenseitigkeit der Verpflichtung, keineswegs in שְׁנֵינוּ (BH^3) zu ändern. c) Zur Sache vgl. H. A. Brongers: Die Wendung b^{e}šēm jhwh im Alten Testament. ZAW 1965, S. 11. d) לֵאמֹר kennzeichnet das Folgende als zum Inhalt des Schwures gehörend; es wird von Wellhausen, Budde, Smith, Dhorme u. v. a. gestrichen, um eine glatte Konstruktion mit V. bβ als Nachsatz zu bekommen. Trotz ähnlichen Verständnisses (*καὶ ὡς*) wird es aber auch von 𝔊 *λέγοντες* vorausgesetzt, ist also beizubehalten. e) Vgl. zu V. 23; die Erweiterung ist das Zeichen erzählerischer Ausgestaltung. f) אֲשֶׁר leitet einen Anakoluth ein, dessen Nachsatz in Gedanken zu ergänzen ist (so auch Hertzberg).

21,1 a) 𝔊 + *Δαυείδ* Verdeutlichung, die Wellhausen, Smith, Budde u. v. a. als unentbehrlich auch in 𝔐 einfügen, was freilich nicht berücksichtigt, daß 𝔊 לְדָוִד in V. 42a ausgelassen hat (vgl. de Boer: OTS 6. 1949, S. 33). Die Fortsetzung des לְדָוִד לֵךְ von V. 42a durch וַיָּקָם könnte Zeichen eines Textwachstums sein.

20,1–21,1 *Der endgültige Bruch.* Auch für die Vertreter einer Quellentheorie gilt dieses Kapitel im wesentlichen als literarische Einheit; es wird zumeist dem Jahwisten[1] bzw. einer diesem entsprechenden Schicht[2] zugeschrieben, sofern man nicht überhaupt auf eine Bestimmung der Quellenzugehörigkeit verzichtet[3] und in Kap. 20 nur eine sekundäre Ausführung des Themas von 19,2.3aβ.b sieht[4].

1. Z. B. Cornill, Budde; Hölscher: Geschichtsschreibung.
2. Baentsch (David, S. 59): Erzählungsfaden Nr. 1; Eißfeldt (Komposition, S. 15): II; Kittel: K.
3. Etwa SteuE, S. 319; Smith.
4. So Wellhausen: Composition, S. 253.

Nübel rechnet den ganzen Abschnitt mit geringen Ausnahmen seiner Grundschrift zu, nimmt allerdings weitgehende und durch nichts zu rechtfertigende Umstellungen vor[5]. Literarische Einheit bedeutet natürlich nicht einheitlichen Überlieferungsstand. Abgesehen von V. 40–42[6] gelten V. 4–17[7] oder doch V. 12–17[8] als eine im Widerspruch zum Kontext stehende Sonderüberlieferung, die, wenn sie auch nicht einer anderen Quelle zugeschrieben[9], doch mindestens als Dublette angesehen wird, so daß hier zwei Varianten über Davids Flucht ineinandergearbeitet wären[10]. Von vornherein ist anzumerken, daß der Hinweis auf zeitliche Widersprüche zwischen den einzelnen Episoden (5.35; auch 12. 18–25)[11] kein Gewicht hat, soweit er sich auf das Vorkommen der Wz. שלש gründet[12].

Daß V. 1 nur einen lockeren redaktionellen Anschluß an Kap. 19 herstellt, haben bereits Ewald und Thenius erkannt, und das ist allgemein zugestanden. Schon nach 19,11–17 ist der Bruch mit Saul so evident, daß ein Zweifel an seinen Absichten nicht mehr rechtens bestehen kann[13]. Der extrem konservative Versuch, hier einen fortlaufenden Erzählungszusammenhang damit zu postulieren, daß David die vorübergehende Ohnmacht seines Feindes dazu benutzt habe, um sich schnell noch einmal mit seinem Freunde zu besprechen[14], kann nur noch wissenschaftsgeschichtliches Interesse beanspruchen; und dafür, daß V. 1b.2 sich ursprünglich auf einen Besuch Davids bei einem fremden Seher bezogen habe[15], fehlt ebenfalls jeder Anhalt. Ein Anschluß an 19,1–7, der an und für sich naheläge[16], scheitert wohl daran, daß es sich hier offensichtlich um die Darstellung desselben Ereignisses unter verschiedener Akzentsetzung handelt. Mit dieser Feststellung erübrigt sich aber nicht die Frage danach, wie der Endverfasser sich den Übergang von Kap. 19 zu 20 vorgestellt hat[17]. Er ist wohl nur so zu verstehen, daß hier verschiedene Darstellungen zum Thema »Davids Bruch mit Saul« derart miteinander vereinigt sind, daß sie untereinander eine Klimax bilden[18]. Der Kristallisationspunkt liegt im Komplex selbst, denn auch eine direkte Fortsetzung von 18,6b–8[19] oder 18,10ff.[20] (damit in weiterem Sinne von 16,14ff.[21]) besteht nicht. Auch wenn man der allerdings sehr gekünstelten Er-

5. Aufstieg, S. 33. 6. Vgl. dazu u. S. 390.
7. Z. B. Nowack, Kittel; Cornill: zweifellos überarbeitet.
8. So Löhr, Budde, Dhorme, Smith, Greßmann, Schulz, de Vaux u. a.
9. Kittel: K^E.
10. Weiser: Einleitung, S. 148; vgl. auch Robert-Feuillet: Einleitung, S. 417.
11. Z. B. Budde, Nowack, Kittel.
12. Vgl. dazu u. S. 387.
13. Daß Jonathan nicht notwendig von dieser Angelegenheit gewußt haben müsse, ist eine zu verharmlosende Auskunft.
14. Keil, Ketter, vgl. auch Goslinga.
15. Caspari.
16. Schulz, vgl. auch Hertzberg.
17. Eine Frage, die Hertzberg mit vollem Recht stellt.
18. Vgl. dazu Stoebe: VTS XVII. 1969, S. 218.
19. Nowack; ähnlich auch ATAO, S. 511.
20. Etwa Budde.
21. Schon Thenius, Löhr, Cornill, Budde, überhaupt die meisten. Seinem Prinzip zuliebe sucht Nübel einen Anschluß nach 16,1–13.

klärung zustimmt, David habe dem Speerwurf 18,10 als vorübergehendem Ausdruck des Trübsinns Sauls noch keine besondere Bedeutung zugemessen[22], so haben doch alle diese Angaben in 18,13 einen eigentlichen Zielpunkt[23], an den sich ein im Grunde ähnlicher Bericht über dieselbe Sache nur schwer anschließen läßt.

Mit dieser Feststellung ist auch die Frage nach dem historischen Kern einer »Quellenschrift[24]« im Ansatz schon beantwortet. Zweifellos ist dieser historische Kern vorhanden; das gilt aber nur vom Gegenstand der Berichte, nicht in gleichem Maße von den Ausformungen selber. Da bedarf es vielmehr einer Besinnung darauf, wie das Verhältnis von Gegenstand und Darstellung zu bestimmen sei. Der Hinweis auf 16,14ff. ist insofern bedeutsam, als für das Verständnis des Aufstieges Davids die Frage darnach, wie er rechtens den Hofdienst verlassen konnte, nicht weniger Gewicht hatte als die frühere, wie er einmal in die für sein Schicksal entscheidende Nähe Sauls kam. Dieses Interesse ist nicht als geheime Besorgnis darum zu verstehen, daß der so hoffnungsvoll begonnene Weg unter dem Druck der Verhältnisse auch schon wieder zu Ende sein könne[25]. Da die hier vorliegenden Erinnerungen und Überlieferungen ihre Ausformungen sowieso frühestens in der Zeit Davids gefunden haben, wäre eine solche Besorgnis von vornherein nicht recht verständlich. Wohl aber besteht ein vitales Interesse daran, genau zu wissen, daß David an dieser schicksalhaften Verstrickung ohne Schuld war und auch weiterhin in ihr ohne Schuld blieb[26] (vgl. zu Kap. 21; 24; 25; 26; 29). Dazu kommt, daß das besondere innige Freundschaftsverhältnis Jonathans mit David, das alle Überlieferungen bezeugen und an dem zu zweifeln kein Anlaß besteht[27], naturgemäß ein sehr beliebter Gegenstand der Darstellung[28], mehr noch lebendig dramatischer Vergegenwärtigung sein mußte. Bestimmte Erscheinungen des Sprachgebrauchs in diesem Abschnitt, die in dieser Menge nicht aus schlechter Textüberlieferung erklärt werden können, werden ihren Grund in der Verwendung der Umgangssprache mit ihren Breviloquenzen haben (vgl. z. B. Anm. a zu V. 3.10.12.14.28.30; Anm. b zu V. 9). Diese Einzelberichte verwenden eine relativ kleine Anzahl von Motiven, die für die Erinnerung anscheinend als integrierende Elemente mit dem Geschehen verbunden waren; sie sind jeweils im engeren Zusammenhang einsichtig und plastisch, führen aber in größerem Kontext sofort zu Spannungen. Das kennzeichnet die literarische Eigenart des ganzen Kapitels. Es handelt sich um die redaktionelle Zusammenfassung verschiedener erzählender Ausgestaltungen des großen Themas Jonathan und David. Redaktionell ist dabei ebenso die chronologische Beziehung der Stücke

22. So Budde.

23. Vgl. o. S. 350.

24. Die Frage nach diesem historischen Kern findet sich seit Wellhausen fast regelmäßig (Löhr, Budde, Nowack).

25. So Hertzberg.

26. Vgl. dazu o. S. 298.

27. Etwa deswegen, weil eine Männerfreundschaft ein beliebtes Erzählungsmotiv gewesen sei; zum Wincklerschen Aufriß s. Geschichte II. 1900, S. 178; zur Sache auch Baentsch: David, S. 89.

28. Budde, Nowack u. a.

zueinander wie die Verwendung des Komplexes als Ganzem dazu, den endgültigen Abschluß des Hofdienstes Davids zu markieren.

Damit ist ein Weiteres gegeben, und es ist wichtig, das festzuhalten. Im Blickpunkt dieser Ausformungen stehen die Fragen, die durch das Königtum Davids gestellt werden. Man wird dabei nicht einmal von einer »Nachgeschichte« im eigentlichen Sinne sprechen können[29], muß sich aber dessen bewußt bleiben, daß die einzelnen Angaben nur mit Vorsicht dazu benutzt werden können, ein Bild der ursprünglichen Verhältnisse zu entwerfen[30]. Bereits Caspari hat einen interessanten Hinweis darauf gegeben, daß Kap. 20 eine Meistererzählung in den Ausmaßen von Kap. 14 sei, auch wenn sie nicht mehr einen Kampf zum Gegenstand habe. Buber[31] rechnet ebenfalls mit einer sonst unbekannten Geschichtsquelle, die sich auch in den Jonathanstücken 19,1–7; 20,1–7 wenigstens in Resten wiederfinden ließe: »Als Bewahrer der Jonathantradition wäre der Kreis Meribaals zu denken, dessen Kompromißpolitik Überlieferungsbelege gegen die tragisch enden sollende Beharrlichkeit der anderen Sauliden oder gegen Davids Vergeßlichkeit sammeln mochte«. Eißfeldt sieht ja in seiner Schicht II geradezu einen Strang, nach dem nicht Saul, sondern Jonathan der Lehnsherr Davids gewesen wäre[32]. Nun ist es zweifellos richtig, daß Kap. 20 in mancher Hinsicht mit Kap. 14 formale Berührungen zeigt; aber Kap. 14 ist die Tat Jonathans einem militärischen Geschehen untergeordnet, in dessen Mittelpunkt Saul steht, so daß man da schwerlich von einer eigentlichen Jonathanüberlieferung sprechen kann, deren Zielpunkt jedenfalls schwer einsichtig zu machen wäre. Und ebensowenig ist eine geschichtliche Situation vorstellbar, in der Jonathan Lehnsherr eines Offiziers seines Vaters sein konnte[33]. Wichtig aber ist, daß dieser Vergleich Gesichtspunkte darbietet, die das Freundschaftsverhältnis der beiden über das Subjektive persönlicher Zuneigung hinaus auch objektiv verständlich machen können. David wie Jonathan vollbringen entscheidende, als charismatisch anzusprechende Heldentaten, ohne eigentlich Charismatiker zu sein[34]. Beide haben anscheinend eine »modernere« Einstellung zu der im Kriege gemachten Beute und ihrer Verwendung[35], die von den durch Saul vertretenen altväterlichen Anschauungen abweicht[36]. Sicherlich Grund genug, um beide auch sachlich zueinander und in eine Front gegen Saul zu bringen[37].

1–10 Das Gespräch Davids mit Jonathan hat hier einen doppelten Skopus. An der völligen Arglosigkeit Jonathans, der an Mordpläne seines Vaters einfach nicht glauben kann – was nach allem, das schon geschehen ist, freilich schwer

29. So Hertzberg; zur Sache Wilhelm Hertzberg: Die Nachgeschichte alttestamentlicher Texte innerhalb des Alten Testaments. 1936 (BZAW 66), S. 110–121.
30. Vgl. besonders zu V. 30ff.
31. VT 1956, S. 163.
32. Komposition, S. 15.
33. Gegen Eißfeldt: a. a. O.
34. Zum nachträglichen Charakter von 16,1–13 vgl. o. S. 303.
35. Vgl. 14, 29ff. mit 30,24ff.
36. 14,24ff.
37. Vgl. dazu u. S. 428.

begreiflich ist[38] –, soll erkannt werden, daß Jonathan auch innerlich seinem Vater fern steht. Der ehrerbietige Ton Davids (vgl. Anm. b zu V. 1, Anm. d zu V. 3 [?], auch das שִׁלְּחַנִי V. 5, das die Vorzugsstellung des Sohnes Sauls gegenüber dem Untergebenen seines Vaters anerkennt[39]) unterstreicht Davids Loyalität, indirekt auch gegen Saul; wahrscheinlich schlagen sich auch darin die Anschauungen einer späteren Zeit nieder[40]. Wenigstens zum Teil im Zusammenhang damit steht eine Beobachtung, auf die Noth[41] hinwies, daß hier die Maßnahme Davids nicht mehr von einem Orakelentscheid abhängig gemacht wird[42], sondern zuletzt von einem zwischen David und Jonathan vereinbarten klugen Verfahren zur Willenserforschung Sauls[43]. Auf der anderen Seite macht alles zusammen das Verhalten Sauls ganz widersinnig. Es ist dasselbe Motiv, das schon am Anfang des Komplexes Kap. 19 begegnet[44], hier aber dadurch, daß Jonathan nichts weiß, fast gegensätzlich behandelt ist[45], was dem Zusammenhang nach mehr der inneren Wahrscheinlichkeit entspricht[46] und auch sonst an einer besseren Stelle steht.

Das Gespräch auf dem Feld, das auch hier in den verschiedensten Ausführungen begegnet, muß einen festen Grund im historischen Geschehen gehabt haben. Es war ebenso Kap. 19 beibehalten, obwohl es da gar keine tragende Bedeutung mehr hatte. Jetzt ist es zunächst dem anderen Zug ein- und untergeordnet, daß David am Neumondstag der königlichen Tafel fernbleiben, Jonathan ihn mit einem Sippenopfer in Bethlehem entschuldigen und aus der Reaktion des Königs die entsprechenden Schlüsse ziehen soll. Der Plan geht hier von David aus; V. 18 könnte es scheinen, als sei Jonathan der Initiator. In welcher Eigenschaft David offiziell an der Mahlzeit teilnehmen mußte, wird nicht gesagt; daß er als Schwiegersohn dazu verpflichtet war[47], ist nicht wahrscheinlich (vgl. o. S. 353). Auffallend ist ja, daß nur Abner und Jonathan, keiner der Söhne Sauls sonst, zum Fest hinzugezogen sind. Das läßt von vornherein auf eine Stilisierung schließen; denn es ist nicht ohne weiteres einzusehen, warum es ein gutes Zeichen sein soll, wenn Saul mit Stillschweigen darüber hinweggeht, daß David fernbleibt, um an einem Sippenanlaß teilzunehmen[48]. Es ist nicht von der Hand zu weisen, daß hier bereits die späteren Verhältnisse, der Gegensatz Benjamin–Juda, Abner–David (Joab)[49] die Gestaltung der Geschichte bestimmt haben. Jedenfalls liegt der

38. Anm. 13.
39. Smith.
40. Zur Sache vgl. Caspari.
41. Die Bewährung von Salomos göttlicher Weisheit. VTS 3. 1955, S. 236.
42. Zu Unrecht spricht Schulz hier von einem Gottesurteil.
43. Vgl. dazu Kap. 27;29 die geistige Überlegenheit Davids über Akisch.
44. Ein ähnliches Verhältnis findet sich bei den beiden Berichten vom Übertritt Davids in das Philisterland 21,11–15 und 27; vgl. dazu S. 401.
45. Selbstverständlich darf man darin nicht einen Hinweis auf besondere Verschwiegenheit Sauls sehen; so Caspari.
46. Vgl. o. S. 354.
47. Vgl. etwa Hertzberg.
48. Vgl. etwa Hertzberg: »In der Tat würde eine harmlose Auslegung seiner Abwesenheit durch Saul die Haltlosigkeit seiner Befürchtungen erweisen.«
49. Vgl. 2 Sam 2,12ff.

Nachdruck darauf, daß David nach Bethlehem will, und das ist mehr als eine zufällige Notlüge[50]. Es kann natürlich auch sein, daß sich hier Bezüge finden, die für uns nicht mehr ganz durchschaubar sind; dies um so eher, als die Spannungen in der Darstellung damit rechnen lassen, daß nur Ausschnitte aus einer an sich reicheren Überlieferung vorliegen.

Das schwierige הַשְּׁלִישִׁית (vgl. Anm. c zu V. 5) könnte ebenfalls im Zusammenhang damit stehen. Wird es als Zeitangabe verstanden, führt es nicht nur zu sachlichen, auch durch die Tilgung als späterer Ausgleich nicht behobenen Schwierigkeiten[51], sondern verleiht dann auch mit הָעֶרֶב dieser Bestimmung ein Gewicht, das sie eigentlich nicht haben kann. Caspari hat das im Prinzip richtig empfunden, wenn er עַד הָעֶרֶב auf וְנִסְתַּרְתִּי bezieht und darin nicht den von Jonathan gewählten Termin[52], sondern einen Hinweis darauf sieht, daß für einen, der sich versteckt halten muß, die Gefahr am Tage größer ist als am Abend, obwohl das wohl doch der Eintrag eines fremden Gedankens sein wird. Die Dreizahl faßt in ihrer symbolischen Bedeutung die verschiedenen Möglichkeiten zu Einheit und endgültigem Abschluß zusammen[53] und spielt in den verschiedensten Kulturen[54] wie Lebensbereichen[55] eine Rolle. Daß für Saul jetzt die letzte Gelegenheit gegeben ist, einzulenken und sich zu rehabilitieren[56], kommt auch in dieser Zahl zum Ausdruck[57]. Die Frage, an welche vorlaufenden Ereignisse dabei gedacht ist und ob sie überhaupt in dem uns bekannten Text enthalten sind, muß offen bleiben.

Ähnliches wird zur Berufung auf einen Bundesschluß V. 8 zu sagen sein. Sie wirkt an dieser Stelle nicht ganz organisch, denn die Aufforderung Davids an Jonathan, selber ihn zu töten, wenn er Schuld an ihm finde, paßt nicht eigentlich zur Bitte um חֶסֶד auf Grund eines Bundes; sie hat formal eine Entsprechung in 2 Sam 24,14, hat inhaltlich ihren Grund aber im Bewußtsein der eigenen Unschuld. Es ist bezeichnend, daß die Antwort Jonathans am Kern der Sache vorbeigeht (V. 9). Diese Spannungen könnten noch eine zureichende Erklärung in der Stilisierung erregter Rede und Widerrede finden; auffallend bliebe aber, daß im folgenden Abschnitt der Abschluß eines בְּרִית-Verhältnisses neu eingeführt wird (vgl. Anm. a zu V. 16). Wenn die Rückbeziehung von V. 8 auf 18,3 an sich auch das Nächstliegende bleibt, sind die, die sie bestreiten[58], doch insofern im Recht, als es sich hier um eine literarische Rückbeziehung, nicht aber um die Fixpunkte eines historischen Ablaufes handelt. Die Vorstellung von einem Bund als Ausdruck des zwischen beiden bestehenden Freundschafts- und Gemeinschaftsverhältnisses war sicher ein fester Überlieferungsinhalt, der an den verschiedensten Stellen Er-

50. Vgl. Klopfenstein: Lüge, S. 340.
51. Vgl. dazu die gekünstelten Überlegungen bei Caspari, S. 249.
52. So z. B. Budde, Kittel.
53. RGG VI. 3. Aufl. 1962, Sp. 1861.
54. ATAO, Motivregister, S. 820.
55. Vgl. unser Sprichwort: »Aller guten Dinge sind drei«.
56. Mit einer glücklichen Formulierung von Hertzberg.
57. Wobei natürlich nicht an die Drei als Glückszahl zu denken ist (ATAO, a. a. O.).
58. Anm. c.

wähnung finden bzw. immer vorausgesetzt werden konnte[59]. Dabei wäre zur sprachlichen Form von 18,3 noch anzumerken, daß das בְּאַהֲבָתוֹ V. 17 in inhaltlich gleichem Zusammenhang begegnet[60], aber nicht recht paßt, denn da Jonathan um seiner selbst willen bittet, kann man nicht von einem besonderen Zeichen seiner Liebe sprechen[61]. Mit der Frage Davids V. 10 findet dieser Passus einen organischen Abschluß.

11–17 Hatte der bisherige Ort genügend Sicherheit für die vertrauliche Unterredung geboten, so ist die Verlegung des weiteren Gesprächs auf das Feld durch seinen Inhalt nicht gefordert[62], denn dieser ist weder hochverräterisch[63], noch verlangt er stärker nach Geheimhaltung als das Vorhergehende[64]. Dennoch ist es keine sinnlose Aufforderung[65], die eine Einfügung verrät. Die Beurteilung von V. 12–17 als eines Einschubes[66] ist nur bedingt richtig, denn das Gespräch auf dem Feld umgreift auch V. 18–24. Wiederholende Breiten gehören zu der Art lebendigen epischen Erzählens, und das liegt auch hier vor (vgl. auch Anm. c zu V. 12 u. Anm. a zu V. 14). Die Zerdehnung dieser Erzählung, die durch die Aufnahme verschiedener Motive eingetreten ist, beginnt hier gewiß schon vor den redaktionellen Eingriffen. Daß die Verlegung der Begebenheit auf das Feld integrierender Bestandteil der ganzen Überlieferung ist, sahen wir schon zu 19,1–6. Damit berühren sich diese Verse insoweit, als hier das Fernbleiben Davids von der königlichen Tafel nicht vorausgesetzt sein muß; sie unterscheiden sich darin, als hier der letzte (הַשְּׁלִשִׁית V. 12), von vornherein zum Scheitern verurteilte Versuch gemacht wird, was Jonathan auch hier nicht glauben will (zur Stilisierung von V. 12 vgl. Anm. c). Während V. 1–10 Jonathan der Gewährende, David der Bittende ist, erscheint es hier umgekehrt[67]; David wird als der kommende König vorgestellt. Das ist noch kein Beweis für einen sekundären Einschub[68], denn von dem Augenblick an, wo David auftritt, sind alle Berichte über Saul auf ihn ausgerichtet (vgl. o. S. 296f.). Dieser Zug bleibt also auch dann unauffällig, wenn hier noch nicht, wie angenommen wird[69], auf ein früheres Jahweorakel zugunsten Davids zurückgegriffen ist. Auf die Situation der im Augenblick Sprechenden ist zwar insoweit Bezug genommen, als Jonathan mit seinem Tod noch nicht als mit einer unausweichlichen Tatsache rechnet; dennoch steht schon hier der Gedanke an das Schicksal seiner Nachkommen im Vordergrund[70]. Natürlich ist auch immer die Möglichkeit, daß gerade an dieser Stelle die nachschaffende

59. So Schulz.
60. Anm. c zu V. 17.
61. Driver.
62. Vgl. dazu Hertzberg.
63. So Ehrlich.
64. So Schulz.
65. Budde.
66. Vgl. Anm. 8.
67. Driver, Smith u. a.
68. Etwa Greßmann.
69. Fohrer: ZAW 1959, S. 2.
70. Vgl. 2 Sam 9.

Phantasie einen ursprünglich anderslautenden Text stärker an spätere Verhältnisse angeglichen hat, denn mindestens das וַיִּכְרֹת יְהוֹנָתָן עִם־בֵּית דָּוִד V. 16[71] läßt noch an Jonathan als den Überlegenen und Gewährenden denken[72].

18–24 Die Verse greifen zwar den Gedanken der Willenserforschung bei der Tafel am Neujahrsfest wieder auf, indessen nicht so, daß V. 18 die nur durch einen Einschub von V. 10ff. getrennte reibungslose Fortsetzung sein müßte[73]. Abgesehen davon, daß V. 18 Jonathan als Urheber des Plans erscheint (vgl. dazu o. S. 384), enthalten diese Verse auch neue wesentliche Gedanken, die über das hinausgehen, was in V. 1–9 vorbereitet ist. Zwar wird das וְשִׁלַּשְׁתָּ mit dem הַשְּׁלִשִׁית V. 5+12 zusammengehören und ebenso wie das בְּיוֹם הַמַּעֲשֶׂה (vgl. Anm. a u. e zu V. 19) noch allgemein als Hinweis auf vollere Überlieferung verstanden werden können. Anders liegt es bei dem תֵּרֵד מְאֹד וּבָאתָ (Anm. b u. d) und wohl auch bei הָאֶבֶן הָאָזֶל (Anm. f), denn hier ist deutlich die Vorstellung, daß das Versteck und der Ort des Zusammentreffens voneinander getrennt sind. Dabei läßt das תֵּרֵד bereits an eine Situation denken, die dem ähnelt, was aus dem späteren Flüchtlingsleben Davids bekannt ist, wenn er sich vermutlich im sicheren östlichen Bergland aufhält, und nur dann und wann in die Ebene hinabsteigt, wie es z. B. für 23,16 anzunehmen ist (vgl. auch zu Kap. 25).

In einer gewissen Spannung dazu steht wiederum die Verabredung mit den Pfeilen. Ihre Grundvoraussetzung ist eine besondere Gefahrensituation, die es nötig macht, David Nachricht zukommen zu lassen, ohne daß ein anderer es merkt. Die Erinnerung an ein solches Motiv deutete sich schon 19,2.3 an, wurde dort aber ebensowenig konsequent durchgeführt, wie es hier geschieht (vgl. zu V. 40f.). Die Darstellung ist in gewisser Weise überladen. Die Wahl von Bogen und Pfeil als Verständigungsmittel erklärt sich offenbar daher, daß der Bogen für Jonathan charakteristisch war wie der Speer für Saul[74]; das braucht auch bei ihm nicht unbedingt als königliches Emblem verstanden zu werden, selbst wenn es sich dabei um die Waffe der Anführer und Könige handelte[75]. Viel näher liegt es, hierbei an ein Charakteristikum der moderneren Gesinnung Jonathans zu denken[76]. Als verfehlt muß es dagegen erscheinen, darin das Nachwirken eines Astralmotivs (Sonne[77]) zu sehen. Die merkwürdige Unsicherheit in der Textüberlieferung darüber, wieviel Pfeile abgeschossen wurden, die hier und auch V. 35ff. besteht, könnte darin ihren Grund haben, daß das Pfeilzeichen sehr verschieden durchgeführt und auch erzählt werden konnte[78]. Überlegungen darüber anzustellen, ob es auch eine Form gab, die nichts von einem Knappen und dem Zuruf

71. Vgl. Anm. a zu V. 16.
72. Zu dem להשביע את דוד vgl. Anm. b zu V. 17.
73. Dhorme, Smith u. a.
74. Vgl. 18,4; vor allem aber zu 2 Sam 1,22.
75. De Vaux: Lebensordnungen II, S. 50.
76. Vgl. dazu o. S. 383 und auch zu 2 Sam 1,22.
77. Baentsch: David, S. 167; ATAO, S. 510.
78. Zur Möglichkeit mantischer Verwendung von Pfeilen zu Orakelzwecken, die hier auch mit im Hintergrund stehen könnte, vgl. jetzt S. Iwry: New Evidence for Belomancy in Ancient Palestine and Phoenicia. JAOS 1961, S. 27–34.

an ihn wußte, ist müßig. Jedenfalls hat dieser in der Überlieferung eine entscheidende Stellung[79]. Anzumerken ist noch, daß der Abschluß dieses Stückes mit der Berufung auf den Inhalt des Schwures den endgültigen Abschied vorwegnimmt, also mehr ist als eine bloße Verabredung.

24–34 Das entscheidende Gespräch am Neumondtage gipfelt darin, daß Saul nun den Speer auch gegen seinen Sohn wirft, doch richtet sich auch dieser Speerwurf im Grunde gegen David (vgl. Anm. c zu V. 34). Da die Speerszene in der Überlieferung fest geprägt war (vgl. oben S. 350), könnte die umständliche Schilderung V. 25 so zu verstehen sein, daß Saul seinen Platz nicht an der Wand[80], sondern der Wand gegenüber hatte (vgl. Anm. b). Die ganze Begebenheit ist sehr plastisch ausgemalt. Daß die Entscheidung am ersten Tage ausbleibt, weil Saul selbst noch eine unverfängliche Erklärung sucht (V. 26)[81], ist eine Feinheit, übrigens schon volkstümlichen Erzählens, die durch ein retardierendes Moment die Spannung schärft. Erst am zweiten Tag kommt es zum endgültigen Bruch. In der Frage Sauls nach David begegnet zum ersten Mal die Formulierung בֶּן־יִשַׁי, die sich fortan häufiger findet[82] und immer geringschätzige Bedeutung hat. Die sehr grobe Beschimpfung Jonathans trifft ihn in seiner Mutter, ist aber allgemeiner Redestil in solchen Fällen[83]. Deswegen darf das בֶּן־נַעֲוַת הַמַּרְדּוּת (vgl. Anm. c zu V. 30) auch nicht als Anspielung[84] auf einen wenigstens subjektiv berechtigten Verdacht[85] Sauls gegen Usurpationsabsichten Davids verstanden werden. Gewiß sind die hier wirksamen Kräfte zu komplex, als daß ein eindeutiges Urteil möglich wäre[86]. Für die an sich gar nicht fern liegende und auch von verschiedenen Seiten angestellte Vermutung, David habe schon sehr früh auf die Nachfolge Sauls hingearbeitet[87], dabei bewußt die Freundschaft mit Jonathan[88] oder auch die Ehe mit Michal[89] als Faktoren in diese Rechnung eingestellt, gibt es in den Texten selbst keine zureichende Begründung[90]. Vielleicht ist sogar das לֹא תִכּוֹן אַתָּה וּמַלְכוּתֶךָ, bei dem der Ton auf מַלְכוּתֶךָ liegt (vgl. Anm. a zu V. 31), mit der

79. Das Gespräch mit ihm bedeutet eine freilich unvollkommene Parallele zu 19,3.

80. Obwohl dieser wohl der sicherste war (Hertzberg).

81. Wenn die Kodifizierung der hier vorausgesetzten Reinheitsvorschriften auch relativ jung ist (Anm. a), hindert nichts die Annahme ihrer frühen Geltung.

82. 22,7.8.9.13; 25,10; auch 2 Sam 20,1.

83. Sich selbst mit der Frage nach seiner Herkunft herabzusetzen, ist Ausdruck höflicher Bescheidenheit (Lande, S. 102); dem entspricht auf der anderen Seite die Schwere der Beschimpfung. Üblicher ist sonst die Beschimpfung des Vaters; zur Sache vgl. Hertzberg.

84. Etwa Löhr, Driver, auch Hertzberg.

85. Vgl. hierzu besonders Schulz, der sich fast unbewußt in diese Gedanken verliert.

86. Vgl. Winckler: Geschichte II, S. 182f., in dem Sinne, daß David, als Lehnsmann der Philister von Ziklag ausgehend, nach und nach immer stärker in die Interessensphäre Sauls eingegriffen habe (vgl. auch Baentsch: David, S. 89). Andere denken daran, daß David von einer geistlichen Partei (Samuel) gegen Saul ausgespielt werden konnte (Jirku: Geschichte, S. 124); den Priestern (Auerbach: Wüste I, S. 190); zu dem hier zugrunde liegenden Verständnis der Gestalt Samuels vgl. etwa Weiser: Samuel, passim.

87. Stade: Geschichte I, S. 242f.

88. Kapelrud: ZAW 1955, S. 199; Studies in the History of Religions. IV. Leiden 1959, S. 296.

89. Morgenstern: JBL 1959, S. 324.

90. Vgl. die Darstellung der Geschichte Israels bei Kittel, Noth, Bright.

Annahme überlastet, daß hier ein Hinweis auf die im Orient nicht ungewöhnliche Ausmordung der Dynastie des Vorgängers durch den Usurpator zu sehen sei[91]. Es ist natürlich nicht abzustreiten, daß nach V. 31 Saul Jonathan als den gegebenen Erben seines Königtums ansieht. Das Wort Jonathans 23,17 scheint in dieselbe Richtung zu weisen. Nun darf diese Stelle freilich nicht dahin interpretiert werden, daß Jonathan sich selbst als präsumtiven Nachfolger seines Vaters ansieht, aber auf seine Rechte verzichtet, um sich von vornherein mit einer zweiten Stelle zu begnügen (vgl. u. S. 427).

In letzter Zeit wird gerade V. 31 als Beweis für die These mitherangezogen, daß dem Königtum Sauls von Anfang an so starke institutionelle Züge eignen[92] und es seinem Wesen nach bereits so weit vom charismatischen Führertum entfernt sei, daß es seine Wurzeln nicht in diesem gehabt haben könne[93], sondern als Fortsetzung eines festen Richteramtes zu verstehen sei[94]. Zur rechten geschichtlichen Einordnung unserer Stelle ist aber die Größe des Erfolges zu berücksichtigen, den Saul gegenüber einem äußerst bedrohlichen Gegner erzielt hatte; sie hatte ihm eine weit über den Bereich Benjamins hinausreichende Anerkennung seiner Herrschaft als eines Königtums durch einen großen Teil Israels gebracht[95], obwohl Saul die Wurzel seiner Herrschaft wohl immer in Benjamin gesehen hat (22,7) und dort seine getreueste Anhängerschaft fand (2 Sam 16,5 ff.). Es liegt in der Natur dieser Entwicklung, daß der Gedanke sich einstellte, diese Stellung damit zu festigen, daß die Herrschaft von dem Vater auf den Sohn überging; etwas Grundsätzliches über das Wesen dieser Herrschaft ist damit aber noch nicht ausgesagt[96]. Und weiter ist daran zu denken, daß auch hier das fernere Schicksal Davids die Perspektive der Darstellung abgibt, selbst dann, wenn gar nicht ausdrücklich vom Königtum geredet wird (V. 15). Die Tragödie Saul erklärt sich ja gerade daraus, daß ein im Charismatischen angelegtes Amt sich in unausweichlicher Entwicklung zum Institutionellen hin verfestigt, ohne die entsprechenden Grundlagen zu haben[97]. Es ist wohl von vornherein unwahrscheinlich[98], daß unter so ungeklärten Verhältnissen David dieses Königtum erstrebt haben sollte. Bei diesem Stand der Dinge sind andererseits Erfolge und die Ausstrahlung Davids ein wichtiger, wenn auch nicht der einzige Grund[99], Unsicherheit, Mißtrauen und Feindschaft Sauls zu wecken. Ein Licht fällt auf diese Zusammenhänge von daher, daß Saul nicht, wie später David, die Taten seiner Untergebenen zugerechnet wurden[100].

91. Etwa Löhr, Driver, Hertzberg.

92. Etwa Buccelati: BeO 1959, S. 108; Beyerlin: ZAW 1961, S. 197; so auch Kapelrud: ZAW 1955, S. 199; Morgenstern: JBL 1959, S. 324.

93. Was ausdrücklich gegen Alt II, S. 31 ff. gesagt wird. Vgl. o. zu Kap. 9 ff.

94. Vgl. o. S. 180.

95. Vgl. o. S. 216 zu 10,17 ff.

96. Vgl. Caspari: Thronbesteigung, S. 196.

97. Wenn die Überlieferung Saul auch den Königstitel zuerkennt, kommt seine Stellung doch nicht wesentlich über die eines Scheichs hinaus; vgl. dazu Samuel Nyström: Beduinentum und Jahwismus. 1946, S. 8 ff.

98. Und die spätere Politik macht das noch deutlicher.

99. Vgl. dazu o. S. 283.

100. Vgl. zu 13,3 o. S. 247, ebenso zu Kap. 17.

35–21,1 Die zwischen בַּבֹּקֶר V. 35 und dem עַד־הָעָרֶב V. 5, auch abgesehen von der Zahlenangabe (vgl. o.), bestehenden Unterschiede sind ein weiteres Merkmal dafür, daß es sich bei der äußeren Verumständlichung der Ereignisse nur um einen lockeren Rahmen handelt, in den die einzelnen Züge eingepaßt sind. Das Pfeilschießen auf dem Felde geht in der abgesprochenen Weise vor sich; V. 39 unterstreicht das Motiv der Geheimhaltung. Notwendig erscheint jetzt nur noch eine kurze Notiz darüber, daß David floh. Statt dessen schickt Jonathan den Knappen mit den Waffen zur Stadt und nimmt Abschied von David. Diese Verse werden zumeist als unvereinbar mit dem Kontext, darum gefühlsbetonte Erweiterung eines Späteren gestrichen[101]. Bereits Kap. 19 stand das Pyramus- und Thisbe-Motiv angedeutet neben anderen Möglichkeiten der Darstellung; ähnlich wird es hier liegen. Das Kommen zu einem verabredeten Versteck (vgl. o. zu V. 19) oder der Befehl Sauls, David zu holen (V. 31b), weisen bereits über die mittelbare Kundgabe hinaus. Außerdem verlangt eine Szene von solcher Bedeutung einen nachdrücklichen Abschluß, und das ist nicht erst Sache eines späteren Stilgefühls[102]. So gehört dieser Abschluß wohl schon zu den ursprünglichen Bestandteilen dieses an sich spannungsreichen Komplexes. Auch damit war das Motiv des Knappen zu vereinen, nur bekam es einen anderen Akzent und konnte dazu dienen, den Gang auf das Feld unauffällig zu machen. Sicher scheint vor allem, daß das Weinen Davids mit Jonathan mehr ist als sentimentale Ausmalung der Situation (vgl. Anm. b zu V. 41).

101. So mit Wellhausen, Budde die meisten.
102. Caspari.

21,1–22,33 Die ersten Stationen der Flucht

Kap. 21,2–10 ist mit Kap. 22,6–23 derart in einen Zusammenhang gebracht, daß Kap. 21 einen Vorgang berichtet, den Kap. 22, allerdings nur an einer kurzen Stelle (9 + 10), in der Wiedergabe des Doëg rekapituliert. Trotz dieses scheinbar nahtlosen Zusammenhanges bestehen in der Darstellung wesentliche Unterschiede (vgl. dazu auch zu Kap. 22), die zu fest in der Absicht des Stückes begründet sind, als daß man sie durch die Annahme der Bearbeitung einer Grundschrift[1] herauslösen könnte. Sie verbieten es, die beiden Kapitel als eine von vornherein bestehende Einheit anzusehen[2]. Ebensowenig kann es sich aber um Variationen desselben Themas gehandelt haben, die auf zwei verschiedene Quellenstränge verteilt waren – wobei es ziemlich unwesentlich ist, in welcher Art sigliert wird –, aus denen der Redaktor seinen Bericht kompiliert hätte[3]. Die Schwierig-

1. Nübel: Aufstieg, S. 36ff.
2. So z. B. Wellhausen: Composition, S. 251ff.; Löhr, Smith, Hertzberg; SteuE, §70.4a; auch Nübel.
3. Z. B. Cornill: Einleitung; Budde, Nowack; Hölscher: Geschichtsschreibung, S. 372 (E), Eißfeldt: Komposition (I/II); Kittel (K, K^{E}), wobei 21,1–10 E zugerechnet wird.

keit dieser Annahme wird an der dann zwar notwendigen, aber eben doch gekünstelten Folgerung deutlich, daß die Kap. 22 zu Worte kommende, dazu noch ältere Quelle den ganzen Zwischenfall in das Verhör Sauls zusammengefaßt habe[4]. Wenn dabei Kap. 21 nach rückwärts entweder an 19,10b[5] oder auch an 19,17[6] angeschlossen wird, so ist das formal möglich, da beide Abschnitte mit (בָּרַח) נָס וַיִּמָּלֵט enden; inhaltlich spricht jedoch gerade dagegen, daß in beiden Fällen das וַיִּמָּלֵט auf die Rettung aus einer konkreten Gefahr, noch nicht auf die lange Flucht weist (V. 11 וַיִּבְרַח allein). Die beginnt erst mit der endgültigen Entlassung durch Jonathan. Deswegen ist es ebenso wahrscheinlich, wenn nicht wahrscheinlicher, daß unser Stück direkt an Kap. 20 anschließt[7], zumal Kap. 19 + 20 sich als ein Komplex herausstellten, der seinen Kristallisationspunkt in sich selber hat[8]. Ebenso machen 21,2–10 und 22,6ff. je eine Aussage, die ihren Sinn für sich hat, ohne daß beide ein geschichtliches Kontinuum darstellen müssen, – wie könnten sie sonst auch durch 21,11–22,5 voneinander getrennt sein, denn die hier geschilderten Unternehmungen nehmen, geschichtlich geurteilt, einen nicht geringen Zeitraum in Anspruch. Sie haben aber nicht nur einen Sinn für sich, sondern werfen auch jeder Licht auf eine Seite der im Folgenden zusammengefaßten Berichte. Vermutlich handelt es sich also um eine Komposition aus verschiedenen Überlieferungsstücken und Ausformungen, die zuerst auf ihre besondere Absicht hin gehört werden müssen. Das heißt nicht, daß beide Überlieferungen gleichzeitig sind; 21,2–10 macht in der Tat in mancher Hinsicht einen jüngeren Eindruck[9], obwohl man andererseits den zeitlichen Abstand auch nicht als sehr erheblich annehmen darf. In gewisser Weise bestehen gedankliche Berührungen mit 16, 1–13[10], doch sind auch hier wieder die Unterschiede so stark, daß ein direkter Zusammenhang nicht bestehen kann. Von den Vertretern der Quellenscheidung werden gerade 21,11–16 damit in Verbindung gebracht[11], was in dieser Form freilich auch unbegründet ist.

4. Budde.
5. Cornill: Einleitung, S. 112; Kittel, Nowack.
6. Z. B. Budde, Smith; ATAO, S. 511.
7. Schulz, Hertzberg.
8. Vgl. dazu o. S. 354.
9. Das ist das relative Recht der Zuweisung zur Quelle E.
10. Die Nübel konsequent auch seiner Grundschrift zurechnet.
11. Cornill: Einleitung; Hölscher: Geschichtsschreibung, u. a.

21,2–10 *David in Nob*

2 (Auf seiner Flucht) kam David nach Nob[a] zum Priester Ahimelech[b]; Ahimelech eilte David gespannt[c] entgegen und fragte ihn: »Warum bist du allein und warum ist niemand bei dir[d]?« 3 David gab dem Priester Ahimelech zur Antwort: »Der König hat mir da eine Sache anbefohlen[a]; dabei hat er mir eingeschärft: Niemand darf auch nur das Geringste[b] von der Angelegenheit erfahren, zu der ich dich aussende und die[c] ich dir anbe-

fehle. Darum bestellte ich[d] meine Mannschaft an einen geheimen Platz irgendwo[e]. 4 Aber jetzt, was[a] hast du hier zur Hand? Fünf Brote vielleicht[b]? Dann stell mir die zur Verfügung; oder was sonst gerade da ist.« 5 Der Priester erwiderte David: »Gewöhnliches Brot ist mir nicht zur[a] Hand, nur heiliges Brot[b] ist da; ja, wenn sich die Leute vom Weibe enthalten haben[c], …[d].« 6 David fiel dem Priester ins Wort und sagte zu ihm[a]: »Ganz bestimmt, Frauen waren uns schon seit einigen Tagen versagt; wenn ich sonst ausrückte[b], waren die Waffen[c] der Leute geheiligt. Ist das nun auch ein gewöhnliches Unternehmen[d], so wird es doch heute durch die Waffen[e] geheiligt[f].« 7 So händigte ihm der Priester Geweihtes aus, denn es gab dort kein Brot außer dem Schaubrot[a], das (vom Altar) vor Jahwes Angesicht abgeräumt wird[b], wenn man ⟨frisches⟩[c] Brot auflegt, an dem Tage, da es fortgenommen wird. 8 Nun hielt sich dort an jenem Tage auch ein Mann aus der Dienerschaft Sauls in Klausur[a] vor Jahwe auf; er hieß Doëg[b], der Edomiter[c], und war der Stärkste[d] der Hirten[e], die Saul hatte. 9 Dann fragte David Ahimelech (noch): »Hast du hier nicht[a] einen Speer oder ein Schwert zur Verfügung? Weder mein Schwert noch meine anderen Waffen konnte ich mir holen, weil der Befehl des Königs so dringend war ⟨mich unterwegs antraf⟩[b].« 10 Der Priester gab zur Antwort: »(Gewiß,) das Schwert des Philisters Goliath, den du im Terebinthental erschlagen hast, ist ja hier, da hinter dem Ephod[a] in einen Mantel[b] eingewickelt. Wenn du das haben willst, dann nimm es dir, denn ein anderes außer ihm ist nicht da[c].« David antwortete: »So wie dieses ist keins, das gib mir[d].«

2 a) Zur Lokativendung vgl. GK § 90i; BLe § 65v. Nach Jes 10,32 (Neh 11,32) wird es zwischen Gibea und Jerusalem auf dem Ölberg in der Nähe des Auguste-Victoria-Hospitals zu suchen sein (E. Voigt: The site of Nob. JPOS 1923, S. 79–87; W. F. Albright: The Assyrian march on Jerusalem. AASOR 1922/23, S. 139). Vielleicht war es *rās umm eṭ-ṭalaʿ* (Abel: Géographie II, S. 400; Simons: Texts, § 696), ein anderer Vorschlag ist *el-quʿmé*, südlich von Gibea (A. Alt: PJ 1925, S. 12); doch ist über die genaue Lage keine Sicherheit zu erreichen. Vgl. dazu auch Arvid Bruno: Gibeon, S. 69ff., der für Jes 10,32 spätere Namenswanderung annimmt und dieses Nob bei Gibeon auf dem *nebi samwīl* sucht (so auch W. Hertzberg: Mizpa. ZAW 1929, S. 178). Zu den sich daraus ergebenden Gesichtspunkten für die Beurteilung der Überlieferungsfragen vgl. die Auslegung. Die Identifizierung mit *beit nūbā* bei Ajalon (so schon Hieronymus: Peregrinatio Paulae; vgl. G. Dalman: In das judäische Gebirge Seir. PJ 1921, S. 101; anders PJ 1909, S. 75) beruht nur auf äußerem Namensanklang und ist auch mit dem Hinweis auf die Lage am Weg nach Philistäa (Dhorme) nicht zu stützen. b) 𝔊[AB] *ʼΑβειμέλεχ* (vgl. aber 30,7; 2 Sam 8,17; auch 1 Chr 18,16). Zum Namen (אָח Subjekt und theophores Element) NothPers, S. 69f.; zur Person 14,3 (אֲחִיָּה wohl die ältere Namensform) und 22,9; er ist also der Urenkel Elis. c) Vgl. 16,4. d) Zur Stellung des אֵין GK § 152o.

3 a) Budde, Dhorme, Smith u. a. fügen הַיּוֹם nach 𝔊 *σήμερον* ein (Erweiterung nach V. 6?), was das Zeitverständnis erschwert und unnötig ist. b) Fehlt 𝔊; Tilgung (BH[3]) verkennt den steigernden Charakter dieser adv. Bestimmung und ist Verflachung. c) Erzählerische Breite ist Stileigentümlichkeit, rechtfertigt nicht die Tilgung des zweiten אֲשֶׁר (Caspari). d) Die alte Erklärung als Poel (vgl. S. R. Driver, GK § 55b; so z. B. Keil, Löhr) ist zwar nicht grundsätzlich unmöglich (BLe § 38j), bei פ״י jedoch äußerst unwahrscheinlich. Auf jeden Fall liegt eine Mischform zwischen Qal und Hiphil vor (DelF § 33c, Verschrei-

bung statt יִדַּעְתִּי). 𝔊 διαμαρτυρήσομαι könnte auf יעד führen, wie seit Thenius, Wellhausen (und schon früher) allgemein angenommen und wobei dann meist הוֹעַדְתִּי (S. R. Driver, Budde und die meisten) oder נוֹעַדְתִּי (Klostermann, Dhorme) gelesen wird. Ansprechend auch die Erklärung (Boström: Alternative Readings, S. 37f.) einer Alternativlesart zwischen יַעַדְתִּי אֶל und הוֹדַעְתִּי אֶת. Zur Sache vgl. noch D. W. Thomas: The root ידע in Hebrew. JThS 1934, S. 298–306 (wdʿ »sich verabschieden«). e) Auch Ru 4,1; 2 Reg 6,8; Zusammenziehung Dan 8,13. Zum Wort vgl. BLe § 34a. פְּלֹנִי Wz. פלה »ein anderer«, also Unbekannter, (L. Köhler: ThZ 1945, S. 303f.) ist einleuchtender als פלה »abgesondert, bestimmt« (S. R. Driver); אַלְמֹנִי »ein Verschwiegener« (Wz. אלם »stumm sein«; anders BLe § 34a). Es wird gebraucht, wo ein Name nicht genannt werden kann oder soll. Richtig 𝔗𝔖 »ein geheimer und verborgener Platz«; 𝔅 »in illum et illum locum«; 𝔊 Doppelwiedergabe θεοῦ πίστις (אַלְמֹנִי = אֵל אֱמֻנִי?) und Transkription.

4 a) 𝔊A εἰ [εἰσὶν] (fehlt 𝔊B durch Haplogr), 𝔅 »si«. Änderung danach in אִם (z. B. Smith, Budde, Dhorme, de Vaux) oder הֲ (Caspari) verkennt den Charakter der lebendigen Rede. מַה ist auch nicht interrogativer Relativsatz (BroS § 154, so etwa Schulz, Hertzberg), sondern direkte Frage (Rehm). b) Hingeworfene Bemerkung, keine direkte Zahl. Deswegen besteht kein Grund zu Änderungen (אִם יֵשׁ Ehrlich; מִשְׁחַת Klostermann nach Lev 7,35). Es ist auch zu bedenken, daß *fünf* allgemeine runde Zahl ist.

5 a) Vgl. 1 Reg 8,6; Jer 3,6; 38,11 u. a. Die zusammengesetzte Präposition unterstreicht die Bedeutung »es steht überhaupt nichts zur Verfügung«, »ist nicht nur zufällig ausgegangen« (vgl.auch GK § 119e). Deswegen ist ebensowenig אֶל־ als Dittogr zu חל (z. B. S. R. Driver, Budde, Smith, Dhorme) wie תַּחַת als Alternativlesart zu אֶל־ (Schulz) zu tilgen. b) Dasselbe wie לֶחֶם הַפָּנִים V. 7, s. dort. c) Geschlechtliche Askese als Erfordernis des sakralen Krieges auch 2 Sam 11,11f., dazu von Rad: Krieg, S. 7. An sich erschöpft sich darin nicht die Forderung kultischer Reinheit (vgl. Dt 23,11), doch ist sie besonders charakteristisch (vgl. *1QM VII, 3;* in weiterem Sinne auch 1 Sam 2,22). d) 𝔐 Anakoluth ohne Apodosis, durchaus möglich und in den Stil passend. 𝔊 + καὶ φάγεται (Subjekt παιδάρια) ist zwar als hebr. Rezension durch 4 QSamb ויאכלתם bestätigt (Cross: JBL 1955, S. 167), ist deswegen aber nicht besser.

6 a) Änderung in לֹא (Löhr, Budde) ist nicht durch כִּי אִם gefordert, das hier vielmehr die Kraft eines Eides hat (vgl. Jdc 15,7; 1 Sam 26,10 und s. S. R. Driver; KBL, S. 433. Nr. 3). b) Vgl. 18, 12ff. c) 𝔊 πάντα (auch Peters: Beiträge, S. 212) zwar nicht Verlesung, sondern durch 4QSamb als hebr., aber wohl schlechtere Rezension erwiesen. 𝔐 כְּלֵי wird durch alle anderen Vers gestützt, wobei 𝔅 (»vasa«) und wohl auch 𝔗 an die Behältnisse für das Brot denken (so auch Smith). כְּלֵי ist Sammelbegriff wie אִשָּׁה (GK § 123b). Nach dem Zusammenhang liegt die Bedeutung »Waffen« am nächsten (Keil, S. R. Driver, Nowack); möglich wäre auch »Kleider« (Peters: Beiträge, S. 212; Tiktin). Die verbreitete Auffassung als »membrum virile« (z. B. Budde, Dhorme, Greßmann, de Vaux, Hertzberg, auch de Boer: OTS 6. 1949, S. 35) legt dem Motiv der sexuellen Enthaltung, das nur Kennzeichen allgemeiner kultischer Reinheit ist, ein zu starkes Gewicht bei. Zur Sache vgl. auch Stoebe, in: Baumgärtel-Festschrift, S. 182. d) Vgl. Stoebe: a. a. O., S. 183. הוּא wird sich hier nicht auf frühere Wege (so die meisten, auch Rehm, Hertzberg), sondern auf das V. 3 genannte, vor ihm liegende Unternehmen (die Flucht) beziehen; so richtig schon Keil, auch Schulz, de Vaux, van den Born. Tilgung des וְהוּא דֶּרֶךְ חֹל als Glosse (Budde) oder Änderung in דָּבָר (Smith) verkennt das Gewicht, das דֶּרֶךְ hier hat. e) 𝔊 hier auch διὰ τὰ σκεύη μου; das Suffix spricht gegen das Verständnis von כְּלֵי als Euphemismus (trotz Budde und des Verweises auf GK § 118q). f) Subjekt ist דֶּרֶךְ; zwar wird seit Ewald ziemlich allgemein in יִקְדְּשׁוּ geändert (auch Rehm, Hertzberg, de Vaux, van den Born), doch ist das eine Verwischung des Textes. Ein völliges Mißverständnis der beabsichtigten Aussage ist die Auflösung des כלי in כָּל־יִשְׂרָאֵל und die Deutung »weil man sich heute im ganzen Israel heiligt« (so Arvid Bruno: Gibeon, S. 74).

7 a) Wörtl. »Brot des Angesichtes« vom Niederlegen vor dem Angesicht Gottes: Ex 25,30; 35,13 (Num 4,7 לֶחֶם הַתָּמִיד; 1 Chr 9,32 לֶחֶם הַמַּעֲרֶכֶת); sie gehören in die Reihe der Speiseopfer. Entsprechendes ist auch aus dem babyl. Kult bekannt (*akal mutqi*, dazu Édouard Dhorme: Les Religions de Babylonie et d'Assyrie. Paris 1949, S. 223.251). Zur ursprünglichen Vorstellung einer Speisung der Gottheit und ihrer Überwindung im AT vgl. Eichrodt:

Theologie I, S. 84f. Die Zwölfzahl der Brote (Lev 24,5 ff., auch im Babylonischen spielt die Zwölf als Einteilungsprinzip eine Rolle) wird im AT nicht auf die zwölf Monate des Jahres (bzw. die Sternbilder des Tierkreises) bezogen worden sein (Ant III 182), sondern auf den Bund Jahwes mit den zwölf Stämmen hinweisen. Vgl. zur Sache de Vaux: Lebensordnungen II, S. 268). b) Die Pluralendung könnte im Gedanken an die Zahl der Brote entstanden sein, doch liegt im Blick auf הֻלְּקָחוֹ die Annahme einer Dittogr näher (Wellhausen, S. R. Driver, Budde und die meisten); auch 4 QSam[b] hat מוּסָר. Caspari מוּסָד verschiebt die Situation (dazu L. Rost: Zu den Festopfervorschriften von Numeri 28 und 29. ThLZ 1958, Sp. 330). c) Vokalisiere besser חָם und vgl. Jos 9,12 (Ehrlich; DelF § 72a).

8 a) נֶעְצָר, Bedeutung unsicher; es kann auch nicht von עָצוּר (Jer 36,5; Neh 6,10, dazu Wilhelm Rudolph: Esra und Nehemia mit 3. Esra. 1949 [HAT I/20]) her erklärt werden (so S. R. Driver), da dann ein Tempelbesuch ausgeschlossen wäre. 𝔗𝔖, auch 𝔊 (Doppelwiedergabe *συνεχόμενος Νεεσσαρὰν*, Zeichen der Unsicherheit?) denken an ein Festgehaltensein; ob zum Zwecke eines Gelübdes, eines Inkubationsorakels (Sigmund Mowinckel: Psalmenstudien III. Oslo 1923, S. 24) oder einer Bußübung (so besonders Hertzberg), bleibt unsicher. Zum Wort vgl. noch E. Kutsch: Die Wurzel עצר im Hebräischen. VT 1952, S. 65 ff., obwohl die Deutung »einen freien Tag feiern« nicht befriedigt, auch das literarkritische Problem der Stellung des Verses nicht klärt. b) So die übliche Schreibung, auch Ps 52,1 (22,18 Ketib דּוֹיֵג), Bedeutung des Namens ist unbekannt, vermutlich fehlt ein theophores Element. c) 𝔊 *ὁ Σύρος* (𝔊[Luc] *Ἰδουμαῖος*) = אֲרַמִּי (danach Ant VI 254). Eine in einem Mißverständnis der geschichtlichen Situation begründete Angleichung an die Aramäerkriege Davids; eine ähnliche Verwechslung ist auch in den Text von 𝔐 zu 2 Reg 16,6 gedrungen. d) 𝔗 רַב, *Σ ἄρχων* denken an ein Vorgesetztenverhältnis; darin folgen viele Ausleger (z. B. Dhorme, Greßmann, de Vaux u. a.). Tsevat, in: Sepher Segal, S. 85, erinnert hierzu an hethitischen Hofstil. Das kann aber אַבִּיר nicht heißen (Wellhausen, S. R. Driver), was freilich kein Grund zur Änderung in אַדִּיר ist (so Ehrlich, Greßmann). Gemeint ist wohl »der Stärkste« mit dem Nebensinn der Gewalttätigkeit (vgl. Jes 10,13), womit auf das Folgende hingewiesen wird (Rehm, Hertzberg). e) Nach 𝔊 *νέμων τὰς ἡμιόνους* denken Budde, Smith nach dem Vorgang Lagardes an אֹבִיל הָעֲיָרִים (vgl. Eigennamen אוֹבִיל 1 Chr 27,30, dazu S. R. Driver); das scheitert schon daran, daß *νέμων* die Wiedergabe von רעה ist. In einer Überinterpretation von אַבִּיר wird seit Graetz vielfach רָצִים für רֹעִים vorgeschlagen (z. B. S. R. Driver, Dhorme, Greßmann, DelF § 108a, aber auch noch de Vaux, Gutbrodt), was weder zu den allgemeinen Verhältnissen der Zeit Sauls noch zu der untergeordneten Rolle in Kap. 22 paßt. Dasselbe gilt für die Vorschläge נְעָרִים (Caspari) oder רֵעִים (Bruno: Bücher, S. 282). Zur Sache vgl. Alfred Bertholet: Die Stellung der Israeliten und Juden zu den Fremden. Freiburg und Leipzig 1896, S. 19, obwohl dort auch an ein Vorgesetztenverhältnis gedacht ist.

9 a) Ketib müßte als אֵין vokalisiert (zur Konstruktion vgl. Ps 135,17) und als Frage aufgefaßt werden (Löhr, Greßmann, Schulz); אִין kommt im Aram. vor (אִין אִית »wenn es gibt« paßte gut in den Zusammenhang), doch erscheint ein solcher Aramaismus (anders G. R. Driver: Notes on Isaiah. In: Eißfeldt-Festschrift. 1958 [BZAW 77], S. 47) hier unmöglich, obwohl 𝔗 es durch אִלּוּ אִית übersetzt. Nach 𝔊 *ἰδὲ εἰ ἔστιν* wollen Wellhausen, DelF § 133e רְאֵה הֲיֵשׁ lesen, was indessen graphische Bedenken macht; leichter wäre וְאַי »und wo« (Klostermann, Smith, Dhorme, Caspari u. a.); es paßt indessen nicht zum Charakter einer informierenden Frage. Ehrlich: אוּלַי ist dem Sinne nach richtig, aber graphisch ebenfalls schwierig. Die Punktation von 𝔐 meint אִם (Budde, ein verstecktes Qere) und will die Lesung gegen אֵין sichern. Ansprechend ist die Annahme einer Alternativlesart zwischen אִם יֶשׁ פֹּה und אֵין יֶשׁ פֹּה (Boström: Alternative Readings, S. 38; auch Hertzberg). Zu אִם als Einleitung einer Frage vgl. GK § 150f. b) נָחוּץ nur hier: die Bedeutung »dringend, eilig« ist ungewiß. Nach den Versionen (𝔊[B] *κατὰ σπουδήν*, 𝔊[A] *κατασπεῦδον*. 𝔙 »urgebat«, 𝔗𝔖 ähnlich) liegt allerdings ein Ausdruck der Eile nahe. נחץ müßte dann als Nebenform zu לחץ aufgefaßt werden (GB, anders KöW), doch bleibt das Part. Pass. überraschend. Gegen die vorgeschlagenen Änderungen נָאוּץ oder נָחוּשׁ (S. R. Driver, Smith) spricht, daß weder von אוץ noch חוש ein Niphal belegt ist. נֶחֱרָשׁ (Klostermann »kategorisch«) ist auch nicht das, was man nach dem Zusammenhang erwartet. Könnte eine alte Verschreibung aus בַּחוּץ vorliegen?

10 a) Das Fehlen 𝔊[B] (𝔊[OL] *TΘ* + *ὀπίσω τῆς ἐπωμίδος, Σ ἐφουδ*) wird nicht auf eine tendenziöse

Auslassung zurückzuführen sein (so z. B. Wellhausen, Budde, Dhorme), sondern eine selbständige Textform darstellen (vgl. auch 𝔊 zu 14,18), gegenüber der 𝔐 eine an Kap. 22 angleichende Erweiterung ist; beachte auch, daß אֵפוֹד hier ohne תְּרָפִים genannt wird (vgl. allerdings Lindblom: VT 1962, S. 171), dazu die über 𝔐 hinausgehende Angleichung an 22 in 𝔗 בָּתַר דִּשְׁאֵל לֵיהּ בְּאֵפוֹדָא. Nicht ohne Grund, wenn auch unnötig, streicht es Caspari. Zu אֵפוֹד sonst s. Exkurs, S. 363. b) Genereller Artikel GK § 126q. c) 𝔏Lg + »acutior«, mißverstehende Einengung des Überlieferten. d) Zur Form (Energieimperativ) BLe § 48c'. 𝔊 + *καὶ ἔδωκεν αὐτῷ* überflüssig und störend.

21,2–10 *David in Nob.* Die in Nob amtierenden Priester sind Eliden (vgl. Anm. b zu V. 2); sie scheinen nach der Bedrohung Silos im eigentlichen Stammesgebiet Benjamins Zuflucht gefunden zu haben[1]. Diese Tatsache würde sich zur Genüge daraus erklären, daß dort auch schon vor der Zeit Sauls eine, wenn auch beschränkte Sicherheit gegenüber den Philistern erwartet wurde (vgl. zu 14,1ff.). Es wäre natürlich auch denkbar, daß diese Übersiedlung im Zusammenhang mit den Erfolgen Sauls stand. Damit war die Nachfolgerin Silos ein benjaminitisches Heiligtum[2], doch läßt sich deswegen nicht sagen, es sei das benjaminitische Zentralheiligtum gewesen, wie Silo das ephraimitische war[3], denn es hat mindestens in den Überlieferungen von der Entstehung des Königtums neben Gilgal und auch Mizpa keine Bedeutung gehabt[4]. Daß die Priester von Nob königliche Beamte Sauls gewesen seien[5], ist jedenfalls von vornherein unwahrscheinlich. Und auch das kann nicht erwiesen werden, daß die Priesterschaft David in hochverräterischen Plänen gegen seinen König unterstützt hat[6]. Was in diesem Zusammenhang berichtet wird, geht nicht über die Liebe und Zuneigung hinaus, die David auch sonst gefunden hat.

Bei der Lage von Nob (vgl. Anm. a zu V. 2) ist es, geschichtlich gesehen, unwahrscheinlich, daß David die Gefahr auf sich nimmt, sich dort zu verproviantieren, wenn er in weniger als zwei Stunden in seiner Heimat sein konnte. Wir haben also von vornherein mit einer stilisierten Darstellung zu rechnen. Das zeigt schon die Fünfzahl der geforderten Brote, die für einen Mann zuviel, für eine Mannschaft zuwenig wären[7]. Mit diesem Augenblick beginnt das Flüchtlingsleben Davids, also das Leben eines Kondottiere, außerhalb von Recht und

1. Wellhausen: Geschichte, S. 53; jetzt wieder Smend: Jahwekrieg, S. 63; vgl. auch Hans-Jürgen Zobel: Stammesspruch und Geschichte. 1965 (BZAW 95), S. 119. Anders z. B. Sellin: Geschichte, S. 144; auch Pedersen: Israel III/IV, S. 152. Ihr Hauptargument, daß die hohe Zahl der Priester eine lange Geschichte des Heiligtums erfordere, verkennt die überlieferungsmäßigen Zusammenhänge; vgl. u. S. 415. Vgl. jetzt auch A. H. J. Gunneweg: Leviten und Priester. 1965 (FRLANT 89), S. 104ff., der ebenfalls annimmt, daß die Nobpriesterschaft erst sekundär mit dem Hause Eli in Beziehung gebracht worden ist. Anders van Rossum, J.: Wanneer is Silo verwoest? NedThT 24, 1969/70, S. 321–332.

2. Ohne daß man daraus folgern darf, daß die Lade schon ein benjaminitisches Heiligtum gewesen sei (E. Nielsen: Some Reflections on the History of the Ark. VTS VII. 1960, S. 63; Schunck: Benjamin, S. 46; vgl. Exkurs S. 164ff).

3. Julius Morgenstern: The Ark, the Ephod, and the »Tent of Meeting«. HUCA 1943/44, S. 9.

4. Anders Hertzberg; vgl. Anm. a zu V. 2.

5. So Budde, dagegen mit Recht schon Caspari.

6. Auerbach: Wüste I, S. 199; vor allem aber Nübel: Aufstieg, S. 36f.; vgl. dazu o. S. 368.

7. Anm. b zu V. 4; vgl. auch Winckler: Israel II, S. 176.

frommer Gemeinschaft. Die Frage des Priesters nach dem Alleinsein Davids bringt diese Seite klar zum Ausdruck. David antwortet darauf mit der Lüge von dem Geheimauftrag Sauls. Soweit die Ausleger diese Tatsache nicht ohne ausdrückliche Stellungnahme anmerken[8], setzen sie sich auch hier[9] damit so auseinander, daß in dieser Lage ethische Kategorien keine Anwendung finden dürfen[10]. Wichtiger ist es aber wohl, daß auch in der Erzväterüberlieferung der Betrug Jakob nicht unfähig macht, Träger der Verheißung zu bleiben[11]. Nun ist an dieser Stelle der Zug zu allgemein, als daß man darin ein Nachwirken jener Überlieferung sehen dürfte, es wäre hier jedenfalls nur eine nicht mit Sicherheit zu erweisende Möglichkeit (vgl. dazu o. S. 363); unbestreitbar scheint aber, daß die Erinnerung daran diese Lüge unanstößig machte, außerdem tritt sie hinter dem, was mit ihr gesagt wird, ganz zurück. David will das Brot nicht für sich, sondern auch für seine Leute haben, zum mindesten spricht er ausdrücklich von ihnen, beantwortet sogar die Frage nach ihrer kultischen Reinheit. Dieser Zug hat entscheidende Bedeutung für das Verständnis des Ganzen. Das Leben eines Freibeuters ist ohne entsprechende Mannschaft nicht denkbar. Darüber, aus welchen Kreisen sie sich zusammensetzte, geben 22,2, noch drastischer Jdc 11,3 illusionslos Auskunft. In dem פְּלֹנִי אַלְמֹנִי (vgl. Anm e zu V. 3) »überall und nirgends«, vielleicht auch schon in dem freilich unsicheren יוֹעַדְתִּי (vgl. Anm. c), klingt bereits der Weg Davids mit diesen Leuten an. Das דֶּרֶךְ V. 6 hat nachdrückliches Gewicht[12]. Es ist ein דֶּרֶךְ חֹל, ein profanes Unternehmen auf eigene Rechnung und Gefahr[13], sicher weit entfernt davon, ein דֶּרֶךְ חֵיל zu sein, wie es Peters (Beiträge, S. 211) mit unerlaubter Konjektur erreichen will; mit den heiligen Kriegen (18,17) hat es nichts mehr zu tun (beachte das בְּצֵאתִי V. 6). Dahinter steht die Glaubensfrage der alttestamentlichen Gemeinde, wie diese Etappe auf dem Wege ihres Königs mit seinem geistlichen Führertum vereinbar sei. David selbst gibt auf diese Frage eine Antwort. Wurden sonst die Waffen (Anm. c) durch den Weg geheiligt, so sind jetzt sie es, die den Weg über das Profane herausheben (Anm. d)[14]. Es scheint mir eindeutig, daß die Auffassung von כְּלִי als membrum virile den ganzen Passus beziehungslos machte. Die Argumentation, deren Beweiskraft die damalige Zeit sicher anders ansah als wir, wird durch den Priester damit bestätigt, daß er für diesen Weg das heilige Brot gibt, dadurch ein Ja zu ihm sagt und damit die fromme Gemeinschaft auch mit dem Flüchtigen aufrecht erhält. Darauf liegt der Nachdruck. Soweit die Schaubrote eine Beziehung zu den Zwölf Stämmen Israels haben (vgl. Anm. a zu V. 7), könnte darin bereits ein Hinweis

8. Löhr, Schulz, de Groot, Ketter, Goslinga.
9. Vgl. o. zu 19,9ff.
10. Z. B. Budde, Greßmann, Caspari.
11. Vgl. vor allem Hertzberg.
12. Vgl. 9,8; vielleicht auch Gn 28,20.
13. Vgl. zuletzt Smend: Jahwekrieg, S. 62.
14. So schon E. D. Eerdmans: Alttestamentliche Studien IV. 1912, S. 104, wenngleich seine Erklärung, daß durch die Waffen der Krieger die Möglichkeit geschaffen war, Brot ohne Gefahr aus dem Tempel zu schaffen, zu eng ist. Ebensowenig reicht hier seine spätere Erklärung aus, daß Krieger durch ihren Beruf von vornherein ihrem Kriegsherren geheiligt waren (The Name Jahu. OTS 5. 1948, S. 27).

auf das spätere Königtum Davids über Gesamtisrael enthalten sein. Vermutlich hat das eine spätere Zeit auch so verstanden. Ob das aber die ursprüngliche Meinung war, darin also keine Überinterpretation liegt, muß fraglich bleiben, da keine Zahl genannt wird.

V. 7b macht mit seiner umständlichen Erklärung, die nicht recht zu der straffen, lebendigen Darstellung paßt, den Eindruck einer nachträglichen schriftgelehrten Einfügung[15], die einen Hinweis auf das aus Lev 24,5 (vgl. Anm. a) bekannte priesterliche Ritual gibt, zugleich gegen das Mißverständnis sichert, David habe das Brot erhalten, ehe es für den Gebrauch des Priesters freigegeben war[16]. Die Tatsache eines solchen Einschubes beweist indirekt das Alter und die Selbständigkeit der hier vorliegenden Überlieferung. Die Sache selbst ist ja alt und allgemein bekannt; sie findet sich auch in den Sprüchen des Amen(em)ope[17].

Mit V. 7a hat die Geschichte also einen klaren Abschluß erreicht. Daneben steht die Nennung des Doëg V. 8 beziehungslos zum Kontext, auch an einer so ungewöhnlichen Stelle, daß eine große Wahrscheinlichkeit dafür besteht, es handele sich dabei um ein Anwachsen des Textes und um einen Ausgleich mit 22,9.18f.[18]. Dagegen wird zwar geltend gemacht, daß die Gestalt des Doëg für den Zusammenhang unerläßlich sei[19] (aber das gilt nur für eine Seite des ganzen Zusammenhanges) und daß der Satz inhaltlich durchaus originell wirke[20]. Allerdings wird über Doëg hier nichts gesagt, was nicht freie Ausgestaltung der Kap. 22 vorliegenden Überlieferung sein oder was dem Bilde Doëgs etwas wesentlich Neues hinzufügen könnte (zu 22,9 vgl. u. S. 413). Freilich muß der Gedanke an einen Ausgleich dahin modifiziert werden, daß es sich dabei nicht um einen nachträglichen literarisch redaktionellen Vorgang gehandelt haben wird, sondern um einen Prozeß von Überlieferungsanreicherung, der schon vor dem Zeitpunkt der Komposition begonnen hat.

Das gleiche wird von der Nennung Goliaths und seines Schwertes (V. 9f.) gelten. Vielfach[21] wird der Abschluß des Berichtes, wenn nicht mit V. 7[22], so doch mit V. 8[23] gesetzt und entweder in V. 9f.[24] oder in 22,11 – wo die Erwähnung des Schwertes ja tatsächlich sehr nachhängt[25] – oder in beiden Stellen[26] nachträgliche Erweiterung gesehen. Gewiß wird das Schwert Goliaths nicht wieder erwähnt. Aber für das fromme Bewußtsein begann der Weg Davids mit dem Sieg über Goliath, und es ist wohl begreiflich[27], daß er auf diesen Weg, der ihn

15. Greßmann, Schulz.
16. Welches Gewicht noch die spätere Zeit dieser Seite des Berichtes beimaß, zeigt Mt 12,4.
17. AOT, S. 41 (dazu Etienne Drioton: Sur la sagesse d'Aménémopé. In: Mélanges Bibliques [Robert-Festschrift]. 1957, S. 277).
18. So z. B. Wellhausen: Composition, S. 253; Budde, Nowack, Schulz.
19. Smith, Greßmann, Caspari.
20. Hertzberg.
21. Ausdrücklich anders Budde, Nowack, auch Nübel.
22. So Wellhausen: Composition, S. 251.
23. Schulz, Hertzberg, in gewisser Weise auch Caspari.
24. Wellhausen: Composition, S. 251; Schulz.
25. Budde, Nowack, auch Schulz.
26. Greßmann.
27. Es ist nicht recht einzusehen, wie Nübel auch diese Verse seiner Grundschrift zurechnet,

so weit vom bestimmten Ziel abführt, dieses Schwert mitnimmt. Nicht etwa deswegen, weil er ohne Waffen auf die Flucht gegangen wäre – das wäre in der Tat sehr unbegreiflich –, auch nicht deswegen, weil das אֵין כָּמוֹהָ so zu verstehen wäre, daß es sich um ein besonderes (griechisches) Schwert gehandelt habe, wie es es sonst nicht gab[28]. Der Gesichtspunkt, daß nach 2 Sam 21,19 ja überhaupt kein Schwert Goliaths zu diesem Zeitpunkt vorhanden sein konnte[29], verkennt das Wesen dieser Überlieferung. Eine direkte Verbindung quellenhafter Art zu Kap. 17[30] besteht nicht; dazu sind die Angaben über den Aufbewahrungsort des Schwertes zu verschieden[31]. Aber das ist auch nicht zu erwarten, und was man von David und Goliath zu erzählen wußte, war sicher mehr, als was wir jetzt in 1 Sam 17 noch haben.

dann aber schreibt (Aufstieg, S. 131), daß nach ihr David sich in Wirklichkeit nicht so sehr auf der Flucht wie auf einem Rundgang bei seinen politischen Freunden befunden habe.

28. De Vaux: Lebensordnungen II, S. 48.

29. Greßmann.

30. Caspari: Einlage in Bezug auf I 17 (?).

31. Zu den verschiedenen Harmonisierungsversuchen vgl. o. 17,54 Anm. b; auch Morgenstern o. S. 395, Anm. 3.

21,11–16 *David bei Achis in Gath*

11 Also brach David auf, und mit jenem Tage wurde er flüchtig[a] vor Saul und ging hin zu Achis[b], dem Könige[c] von Gath[d]. 12 Des Achis Leute erinnerten ihn: »Ist das nicht David, der König des Landes[a]? Singen sie nicht ihm beim Reigen (in jubelnder Antwort) zu:

Saul hat wohl seine Tausend(e)[b] geschlagen,
doch Zehntausende[b] waren's, die David erschlug?«

13 Diese Worte nahm David sich so zu Herzen, daß er in große Furcht vor Achis, dem König von Gath, geriet. 14 Darum verstellte[a] er sein Gebaren[b] in ihren Augen[c], führte sich unter ihren Händen[d] auf wie von Sinnen, ›trommelte[e]‹ an die Torflügel[f] und ließ seinen Geifer in den Bart rinnen. 15 Drum sagte Achis zu seinen Leuten: »Da seht[a] ihr doch selbst, nur ein Verrückter. Warum bringt ihr gerade den zu mir? 16 Ich habe ja wohl Bedarf[a] an Wahnsinnigen, daß ihr mir den gebracht habt, damit er bei mir verrückt spielt. Soll so einer vielleicht in mein Haus kommen?«

11 a) Die Übersetzung sucht die Meinung im jetzigen Kontext zu berücksichtigen. b) 𝔊BA *Αγχους* führt auf *'Αγχίσης* den Vater des Äneas und König von Dardanos; die dardeni begegnen zur Zeit Ramses II. als Hilfsvölker der Hethiter (Max W. Müller: Asien und Europa nach altägyptischen Darstellungen. Leipzig 1893, S. 354; auch Schmökel, in: HO II/3. 1957, S. 133). In der Form Ikausu ist er Name eines Königs von Ekron in der Zeit Asarhaddons (AOT, S. 357; ANET, S. 291.294). Nach 1 Reg 2,39 heißt sein Vater מַעֲכָה (vgl. dazu F. Bork: Philistäische Namen und Vokabeln. AfO 1940, S. 228 und vor allem jetzt G. A. Wainwright: Some early Philistine history. VT 1959, S. 76f.). c) מֶלֶךְ als Bezeichnung eines Philisterherrschers nur hier und 27,2 statt des sonst üblichen סְרָנִים (Jos 13,3; Jdc 3,3; 16,5.23.27; 1 Sam 5,8.11; 6,4.12 u. ö.). Anscheinend war die Singularform dem Bewußtsein nicht so geläufig. d) Vgl. zu 5,7–10.

12 a) 𝔊𝔗 = 𝔐; 𝔖 verdeutlichend + יִשְׂרָאֵל, doch bleibt 𝔐 absichtlich in der Schwebe. Die vorgeschlagenen Änderungen (Ehrlich מַכֶּה; Klostermann, auch Greßmann עֶבֶד שָׁאוּל מֶלֶךְ [יִשְׂרָאֵל] הָאָרֶץ; Caspari הֲיִבְזֵהוּ מֶלֶךְ הָאָרֶץ, wobei "מ" הא" Anrede an Achis wäre) verkennen die Absicht. b) Vgl. zu 18,7 und lies hier mit Qere und Vers den Pl.

14 a) Zur Form vgl. 2 Sam 14,6 (וַיַּכּוּ dort dem Zusammenhang nach als volkstümliche Sprache charakterisiert). Zum für das Impf. ungewöhnlichen Bindevokal vgl. GK § 60d; BLe § 48n. Zur Vorwegnahme des Objekts durch ein hinweisendes Personalpronomen (GK § 131m) ist nicht erst auf das Aramäische zu verweisen (S. R. Driver), es findet sich auch auf dem Mesastein (Z 5, Z 6). Somit besteht kein wirklich zwingender Grund zur Änderung in וַיְשַׁנֶּה (BH³, S. R. Driver, Budde, Dhorme u. a.) oder וַיְשַׁן (GK § 75bb; BLe § 57t"; DelF § 37a). Die Annahme einer Vermischung von וַיְשַׁנֶּה und וַיְשַׁנּוּ (Subjekt die Knechte, so Boström: Alternative readings, S. 39) kann durch abweichende Wiedergaben von 𝔊𝔖 (vgl. Anm. c) nicht begründet werden. Auf die Erklärung des ו als Versuch, Jahwe zum Subjekt zu machen, verweist Caspari. b) Eigentlich Geschmack; zu dem hier vorliegenden Gedanken des Verhaltens vgl. 1 Sam 25,33; Ps 119,66; Hi 12,20. 𝔊ᴮ τόν πρόσωπον (𝔊ᴬ τρόπον) ist naheliegende Deutung und führt nicht auf פָּנָיו (Klostermann). c) 𝔊 (𝔖) ἐνώπιον αὐτοῦ beziehen es auf Achis, was das Verständnis der Situation erleichtert; vgl. auch Ps 34,1 לִפְנֵי אֲבִימֶלֶךְ statt אָכִישׁ. Danach ändern S. R. Driver, Ehrlich, Greßmann in לְעֵינֵיהֶם (בְּ irrtümliche Angleichung an das folgende בְּיָדָם). Das ist unnötig, da das für בְּעֵינֵי geforderte Moment eines Urteils über David hier tatsächlich vorhanden ist. d) Sie halten ihn also fest, was freilich im Zusammenhang nicht vorbereitet ist; Unanschaulichkeit der Situation veranlaßt 𝔖 zur Wiedergabe eines zweiten בעיניהם statt בְּיָדָם (vgl. dazu den hier nicht überzeugenden Hinweis von de Groot auf arab. *baina yadai*). In der Linie dieser Unsicherheiten liegt auch die von 𝔊 wiedergegebene starke Textwucherung. Caspari will es dagegen überhaupt streichen. e) Zur Form GK § 75bb; BLe 17z (orthographischer Fehler für וַיְתו). 𝔐 (Kritzeln als Zeichen stiller Verblödung) wird auch von 𝔗 bestätigt, dort allerdings durch die Übersetzung des יִתְהֹלֵל durch אִשְׁתְּמַם »geistesabwesend sein« vorbereitet. Der Hinweis auf Lakis Ostrakon IV (dazu M. Burrows: I have written on the door. JAOS 1936, S. 491–493) hilft hier nicht zur Klärung. Mit besonderer religionspolitischer Deutung (vgl. die Auslegung) hält M. Bič: RHPhR 1957, S. 157–162 am überlieferten וַיְתו fest. Nach 𝔊 (𝔙) ἐτυμπάνιζεν ἐπὶ ταῖς θύραις τῆς πόλεως (Ἀ προσέκρουεν; Σ, Θ ἐψόφει) wird allgemein, auch oben, in וַיְתֹף geändert, was besser in den Zusammenhang paßt; doch ist zu beachten, daß 𝔊 hier eine Doppelübersetzung hat, in der ἐπὶ τὰς θύρας τῆς πύλης = דַּלְתוֹת הַשַּׁעַר) mit ἔπιπτεν verbunden wird, was schon Thenius, Klostermann für eine innergriechische Verschreibung aus ἔτυπτεν ansahen und woraus Gehmann: JBL 1948, S. 241–243 auf eine Doppellesart וַיְתֹף und וַיְתו schließt. 𝔖 *wîteb* ist wohl nur Vereinfachung des schwierigen Textes, nicht ein Hörfehler (Schwartze). Joüon: MUB 5/2. 1912, S. 423 (וַיִּתְהַלֵּךְ) rechnet mit noch weitergehender Textverderbnis. f) Unanschaulich; es bleibt unklar, welches Tor gemeint ist (vgl. die Entscheidung bei 𝔊). Ehrlich, ihm folgend Greßmann, ändert den ganzen Zusammenhang in וַיָּחָף דַּלַּת ראשו (»er rieb das Haupthaar«), was freilich einen ganz sonderbaren Gedanken ergäbe.

15 a) Peters: Beiträge, S. 212f. findet darin ursprüngliches יָרֵא; Achis soll seine Leute verspotten, weil sie sich vor dem tobenden David fürchten.

16 a) Ergänzung der Fragepartikel הֲ (nach 𝔊ᴬ ἤ, fehlt bezeichnenderweise 𝔊ᴮ) ist nicht nur unnötig (BroS § 54a), sondern verflacht die Lebendigkeit der Rede. Vgl. auch GK § 150b, Fortfall der Fragepartikel vor Gutturalis.

21,11–16 *David bei Achis in Gath* hat keinen im Erzählungszusammenhang folgerichtig begründeten Anschluß an V. 10; er würde zwar nicht durch das וַיִּבְרַח מִפְּנֵי שָׁאוּל V. 11 ausgeschlossen[1], denn alle Fluchterzählungen handeln ja von der Flucht vor Saul[2], wohl aber dadurch, daß V. 10 David sich das Schwert Goliaths

1. So Löhr, Dhorme, Smith. 2. Richtig Caspari.

geben läßt – denn dies müßte ihn von vornherein bei den Philistern verdächtig machen[3] –, falls nicht gerade angenommen wird, daß die Nennung des Philisterschwertes hier eine Gedankenassoziation ausgelöst hat[4]. Die Fluchtsituation als solche erlaubte zwar, an eine unmittelbare Fortsetzung von 19,24[5], weniger von 19,10[6] zu denken, aber die Verschiedenheit zwischen der Lage des rasenden Saul und des sich wahnsinnig stellenden David ist trotz äußerer Anklänge (dazu u. S. 402)[7] doch sehr verschieden. Dazu kommt, daß dieser Abschnitt formal und stilistisch ein anderes Aussehen hat. Zunächst ist die Geschichte sehr unanschaulich erzählt[8]; es geht aus ihr nicht eindeutig hervor, in welcher Stellung David nach Gath kommt. Vielfach wird angenommen, daß er namenlos unterzutauchen beabsichtigt[9], aber erkannt und als Feind eingebracht wird[10] (Das ist jedenfalls die Meinung von Ps 56,1, doch ist sie dort im liturgischen Charakter des Psalms begründet[11]). Dafür sprechen zwar Überlegungen aus dem Kontext (vgl. u. S. 402), doch geht das nicht zwingend aus der Darstellung selbst hervor, und man kann ebensogut annehmen, daß V. 12 eine Anerkennung enthält[12] und daß darüber David erst die Tragweite seines Schrittes zu Bewußtsein kommt[13] – wenngleich diese letzte Folgerung von vornherein unwahrscheinlich ist[14]. Unklar bleibt, ob David vor Achis gelangt oder die Knechte von ihm berichten (vgl. Anm. c u. d zu V. 14), ob die Szene im Tor der Stadt oder am Palast spielt (vgl. Anm. f)[15]. Noch bedeutsamer scheint es zu sein, daß im Moment des gespielten Wahnsinns sehr verschiedene Motive anklingen und sich durchdringen (u. S. 402).

In der Forschung ist bisher stärker die Spannung zu dem Philisterbericht Kap. 27+29 betont worden, zu dem dieser Abschnitt »in einem offenen, durch keine Klammer vermittelten Widerspruch« steht[16]. Man sieht ihn vielfach auf einer Linie mit 16,1–13[17], auch 19,18ff. – was richtig ist, wenn man daraus keinen

3. So schon Calmet, Dhorme, Smith, Hertzberg u. v. a.; Bič: RHPhR 1957, S. 156–162 verkehrt das Argument in das Gegenteil.

4. Klostermann, auch van den Born.

5. Smith, Hertzberg; auch Hölscher u. a.

6. Van den Born.

7. Auf die besonders Caspari, S. 269 hinweist.

8. Was Budde mit Recht unterstreicht, sonst aber zu wenig beachtet wird.

9. Schulz u. a.

10. Caspari.

11. Zu Unrecht schließt Bič: RHPhR 1957, S. 156ff. auf den Inhalt von 21,11–16 zurück.

12. Die Anmerkung, daß auch schon die Philister von diesem Lied gehört haben müssen, ist insofern müßig, als dieser Kehrvers erst in der Königszeit Davids entstanden sein wird (vgl. o. S. 349).

13. So Klostermann.

14. Schon deswegen, weil sie das Verhalten Davids zu stark psychologisiert. Nach der anderen Seite tut es de Groot mit der Überlegung, daß das hier Berichtete mit Rücksicht auf den Mut und den Charakter Davids nicht unmöglich sei.

15. Zur Bedeutung dieser Beobachtungen für die Beurteilung des literarischen Charakters Stoebe: ThZ 1962, S. 385ff.

16. Budde.

17. Deswegen muß Nübel auch dieses Stück zu seiner Grundschrift rechnen (Aufstieg, S. 37), was zu der schwierigen Konsequenz führt, daß die ungleich dichtere Erzählung 27 und 29 Werk der Bearbeitung sein muß.

direkten Erzählungsstrang postuliert[18] –, und findet darin einen späten Midrasch[19] oder doch eine unabhängige junge Tradition[20]. Die Grenzen sind da natürlich fließend. Ihrem Inhalt nach gilt diese als Dublette, streng genommen zu 29,1 ff.[21], die den Inhalt von 27,1 ff. vorwegnimmt, ihrer Absicht nach als Ausdruck der Verlegenheit der späteren Israeliten, denen der Aufenthalt Davids bei den Philistern ein schwerer Anstoß sein mußte und die ihn darum auf einen fehlgeschlagenen Versuch[22] reduzierten, der notgedrungen erfolgte und keine Konsequenzen hatte[23]. Das ist allerdings wenig überzeugend. So angesehen ist die Entscheidung, die David trifft, nicht grundsätzlich genug. Sie ändert auch nichts daran, daß der beanstandete Übertritt eben doch erfolgte. Konsequent wäre es gewesen, den mißliebigen Bericht ganz zu unterdrücken. In dieser Richtung liegt die Annahme, daß 21,11 ff. dazu bestimmt war, Kap. 27 zu verdrängen[24], oder es tatsächlich verdrängt hat[25], so daß Kap. 27 erst nachträglich wieder eingefügt wurde. Bei der tragenden Bedeutung, die die da geschilderten Ereignisse haben, ist das schon im Ansatz unwahrscheinlich[26]. Schwierig bliebe dann auch die Stellung nach Kap. 20, denn sicher suchte David erst dann beim Feinde Zuflucht, als seine Lage im eigenen Land unhaltbar geworden war. Die Erklärung, man habe Kap. 21 möglichst weit von 27 abgerückt, um beide Berichte nicht zu hart zusammenstoßen zu lassen[27], bleibt im Äußerlichen. Indessen gibt es für diese Anordnung einen sehr einleuchtenden kompositionellen Grund. Es liegt ähnlich wie bei dem Komplex, der Kap. 19 u. 20 umfaßt. Obwohl über 19,1–6 schon die Schatten des endgültigen Bruches (20,1 ff.) liegen, wird in diesen Versen die Entscheidung noch einmal hinausgeschoben und zugleich damit Platz für verschiedene Einzelüberlieferungen gewonnen, die zu diesem Thema gehören. Ebenso haben wir hier einen Zusammenhang, der von 21,11 bis Kap. 27, also zur letzten, bittersten Folge des Flüchtlingsdaseins Davids reicht. Die Anfechtung, die tatsächlich darin lag, wurde dadurch gemildert, daß man von Anfang an und anhand der dazwischengeschalteten Verfolgungserzählungen miterlebte, wie es unausweichlich – und nicht nach Menschen-Wollen, sondern durch Gottes Führung – dazu kam.

Wenn die beabsichtigte Steigerung nicht immer so deutlich wird, liegt das wohl mit daran, daß in dieses Zwischenstück z. T. ortsgebundene, auch in sich schon stark durchgeformte Einheiten aufgenommen worden sind. 21,11–17 kann also nicht jünger als die Komposition, d. h. kein ausgesprochen später Midrasch

18. Eißfeldt (Komposition, S. 16): III; Hölscher (Geschichtsschreibung, S. 269): E^2.
19. Wellhausen: Composition, S. 253, und vor allem Budde.
20. Steuernagel, Dhorme, Kittel, Greßmann, de Vaux u. v. a.
21. ATAO, S. 513/14.
22. Den C. H. Gordon (Introduction to Old Testament Times. 1953, S. 150) anscheinend als geschichtlich ansieht (ähnlich Nübel: Aufstieg, S. 131); dazu Eißfeldt: OLZ 1954, Sp. 105.
23. Z. B. Cornill, Budde, Greßmann, van den Born.
24. Cornill.
25. Budde.
26. Das אֲבִימֶלֶךְ Ps 34,1 (vgl. Anm. c zu V. 14) könnte mit Caspari als Versuch verstanden werden, beide Ereignisse auseinanderzuhalten.
27. Baentsch: David, S. 63.

sein. Das ist zunächst nur eine relative Chronologie. Damit ist auch noch nichts über den ursprünglichen Tenor dieser Überlieferung gesagt, doch scheint, daß in der Beurteilung der Darstellung ebensowenig der Zug des Volkstümlichen[28] überbetont werden darf wie der des Komisch-Grotesken[29]. Jedenfalls treten sie, wenn sie vorhanden sind, jetzt sehr stark hinter der Tragik zurück, daß der, dem die Frauen zujubelten und der der König des Landes genannt wird, als Flüchtling beim Feind anklopft[30]. Insofern geht es hier wohl wirklich um Bedrängnis und drohende Gefangenschaft als Klagemotiv (vgl. o. S. 400), wie es schon 20,42 anklang. Aber das ist nur eine Seite; die Entscheidung wird noch einmal aufgeschoben, und sei es auch durch eine kluge Maßnahme Davids[31]. Diese Spannung zeigt sich überall. Die Bezeichnung מֶלֶךְ הָאָרֶץ (Anm. a zu V. 12) ist weder als Anachronismus[32] noch aus dem Denken des Märchens zu verstehen, das sich »einen Helden eben nur mit der Krone vorstellen kann[33]«. Dahinter steht doch wohl, daß der Plan Gottes nicht hingefallen ist, auch wenn er zur Zeit ganz aufgehoben zu sein scheint[34]. Ebenso ist es mit dem Wort des Achis הֲזֶה יָבוֹא אֶל־בֵּיתִי (V. 16). Wer es hörte, wußte ja, daß David der Philistersieger sein würde. Gerade damit rückt diese so jung anmutende Stelle in die Nähe des Textes 2 Sam 5,6ff., der nach Zusammenhang wie Inhalt als früh verbürgt ist. Achis schickt David also fort, weil er nichts von ihm erwartet, d.h. ihn verachtet[35], schwerlich deswegen, weil er in dem Verrückten nicht den hochberühmten David zu erkennen vermag[36].

Auch in dem vorgetäuschten Wahnsinn, der übrigens in der Art eines epileptischen Anfalls beschrieben wird, treffen verschiedene Vorstellungen zusammen, ohne einen eigentlichen Ausgleich zu finden. Zweifellos ist es einmal der Gedanke, der in der Literatur vor allem des griechischen Raumes bekannt, aber sicher nicht auf ihn beschränkt ist[37], daß der Held sich einer Aufgabe auf diese Weise entzieht. Darin kann die Scheu vor dem göttlichen Schutz für den eingeschlossen sein, der unter solcher Krankheit steht. Ob das hier vorliegt[38], kann aber zweifelhaft sein; die Worte und das Verhalten des Achis sprechen nicht dafür. Der Ausdruck מְשֻׁתַּגֵּעַ ist als profanes Urteil über prophetische Ekstase bekannt[39]. Bič, der auch gerade darauf hinweist[40], hat die Hintergründigkeit und Spannung dieses

28. Z. B. Dhorme; wie volkstümliche Überlieferungen aussehen, zeigen eher 17,12ff.; 18,12ff.
29. Z. B. Kittel, Schulz, Greßmann; Hölscher: Geschichtsschreibung, S. 372; de Vaux u. v. a.
30. Was vor allem Hertzberg mit vollem Recht betont.
31. Zu dem Moment menschlicher Klugheit in Unterordnung unter eine göttliche Führung vgl. o. S. 384 zu 20,5ff.
32. So Driver, Smith, Greßmann, de Vaux u. v. a.
33. Budde.
34. Hertzberg verfolgt diesen Gedanken durchaus mit exegetischem Recht.
35. Caspari hat das anscheinend ganz richtig empfunden, freilich unzulässige textkritische Konsequenzen daraus gezogen (vgl. Anm. a zu V. 12).
36. Etwa Hertzberg, Schulz.
37. ATAO, S. 514; dazu zuletzt Walter Baumgartner: Israelitisch-Griechische Sagenbeziehungen. Schweizerisches Archiv für Volkskunde 1944, S. 18.
38. Etwa Budde, Schulz, Hertzberg u. v. a.
39. 2 Reg 9,11; Hos 9,7; Jer 29,26.
40. RHPhR 1957, S. 160f.

Abschnittes, der zu unanschaulich ist, um einfache Erzählung sein zu können, wohl richtig empfunden. Wenn er dann allerdings, von וַיְתָו als ein »Kreuzeszeichen machen« ausgehend, den Wahnsinn theologisch dahin interpretiert, daß David als Vertreter des wahren Gottes im Philisterland erschienen sei und dabei geradezu von der Torheit des Kreuzes spricht, so ist das eine verfehlte Spiritualisierung. Viel näher kommt es wohl der eigentlichen Absicht, wenn man daran denkt, daß dieses Rasen auch eine Form der kriegerischen Ekstase ist[41], die den Kämpfer, der in der Kraft seines Gottes siegt, auszeichnet.

41. So schon Schwally: Kriegsaltertümer I, S. 104.

22,1–5 *David in Adullam und Mizpe*

1 So ging David von dort weg und entkam[a] zur Höhle[b] Adullam[c]. Als seine Brüder und seine ganze Sippe davon hörten, kamen sie hinab[d] dorthin (und stießen) zu ihm. 2 Auch sammelte sich um ihn jedweder, der in Bedrängnis war[a], der Schulden hatte[b] oder der sonst verbittert und unzufrieden war[c]. Deren Hauptmann[d] wurde er; so wurden es bei vierhundert Mann[e], die er bei sich hatte. 3 Von dort ging David weg nach Mizpe[a] in Moab und sagte zu dem König von Moab[b]: »(Erlaube doch, daß) mein Vater mit meiner Mutter herauskommt (und) bei euch[c] (bleibt)[d], bis ich weiß, was Gott[e] mit mir vorhat.« 4 So ⟨ließ⟩[a] er sie am Hofe[b] des Königs von Moab, und sie blieben bei ihm, solange David in Fluchtburgen[c] sein Leben verbrachte. 5 Doch der Prophet Gad[a] gab David Weisung: »Verbring dein Leben nicht in Fluchtburgen[b]; ziehe aus und komme wieder in (dein) Land Juda.« David tat so und kam nach Jaar-Hereth[c].

1 a) Vgl. 19,12.18; lockere Anknüpfung ohne notwendige Beziehung zum Vorhergehenden. b) Die Annahme einer Verschreibung oder tendenziösen Änderung (nach Kap. 24?) aus מְצוּדַת (Wellhausen, Smith, Budde u. a. wegen V. 4f. und des Folgenden; 𝔐 ausdrücklich beibehalten von Bruno: Gibeon, S. 30) ist unbegründet, 𝔐 wird durch die Vers. bestätigt. מְעָרָה und מְצוּדָה kommen auch 2 Sam 23,13.14; 1 Chr 11,15 f. nebeneinander vor, außerdem ist מְצוּדָה ein sehr allgemeiner Ausdruck. מְעָרָה ließe sich als Vertrautheit mit den topographischen Voraussetzungen von Adullam verstehen (so Hertzberg). c) 𝔊 Οδολλαμ, Bedeutung ist wohl »der abgeschlossene Ort« (assyrisch *edēlu* »verriegeln«, Borée: Ortsnamen, S. 56); ehemals Mittelpunkt eines kanaanäischen Stadtstaates (Jos 12,15), in dessen Bereich judäische Gruppen siedelten (Gn 38,1); nach Jos 15,35 Stadt Judas (dazu Alt II, S. 286), zur Zeit Sauls mindestens nicht unbestritten unter israelitischer Kontrolle (Simons: Texts, § 698; vgl. dazu vielleicht V. 5). Noch weitergehend und wohl richtig nehmen de Groot, van den Born an, daß die Stadt zur Zeit Sauls überhaupt nicht zu Juda gehört habe (vgl. die Auslegung). Nach Euseb: Onomasticon 24,21 ist es zehn Meilen östlich von Eleutheropolis (*beit ğibrīn*) gelegen; danach wird es allgemein mit *ḫirbet eš-šeiḫ madkūr* an der Westseite des *wādi eṣ-ṣūr* gleichgesetzt (zur Lage G. Dalman: PJ 9, 1913, S. 33). Der am Fuße der *ḫirbe* gelegene Quellbrunnen *bir ʿīd el-mīyā* bzw. die so benannte *ḫirbe* setzt die alte Namenstradition fort. Vgl. Abel: Géographie II, S. 239; BHH I, Sp. 28. d) Zur Lage in der Schefela durchaus passend; jedenfalls nicht vom Herabsteigen in eine Höhle (so Caspari) zu verstehen.

2 a) Vgl. Dt 28,53.55.57; Jer 19,9 zusammen mit מָצוֹר von der Bedrängung durch Feinde. 𝔗 mildert den starken Ausdruck, vielleicht unter Einfluß des folgenden נֶפֶשׁ durch die Zufügung

von רוח. b) Zur Form GK § 75 oo; BLe § 59c. Vgl. Ex 22,24; 2 Reg 4,1; Jes 24,2; dazu Friedrich Horst: Das Privilegrecht Jahwes. 1930 (FRLANT 45), S. 60f. c) Vgl. 1,10; 30,6; 2 Sam 17,8; Jdc 18,25. d) Wie Jephta Jdc 11; bezeichnenderweise fehlt hier die Charakterisierung der Anhänger als רֵיקִים (Jdc 9,4; 11,3). Unnötig schließt Caspari aus שַׂר auf ein bereits bestehendes Lehnsverhältnis e) 23,13; 27,2; 30,9 werden sechshundert genannt, doch darf das nicht als Zeichen des Anwachsens verstanden werden; die Zahl vierhundert ist vielmehr konventionell (Gn 32,7; Jdc 21,12; 1 Reg 22,6; vgl. auch 𝔊B zu 1 Sam 23,13; 27,2; 30,9 und weiterhin 25,13; 30,10). Die Auslassung der Zahl bei Caspari ist dagegen unbegründet.

3 a) Ort unbekannter Lage im Moabiterland; die Ansetzung in einem *ruǵm el-mešrefe* (Alois Musil: Arabia Petraea I. Wien 1907, S. 270) ist bei der für eine Königsstadt auffallenden, darum wohl beabsichtigten Allgemeinheit des Namens ungesichert. Die Maßnahme Davids läßt sich nicht daraus erklären, daß eine Erinnerung daran lebendig war, daß sich östlich des Jordan eine verwandte Gruppe, allerdings stark mit den Moabitern vermischt, gehalten hätte (so J. Mauchline: Gilead und Gilgal. VT 1956, S. 25f.); ebensowenig ist es gerechtfertigt, Mizpe außerhalb des moabitischen Gebietes anzunehmen (so schon Keil; auch Caspari in der Form: wo man nach Moab hineinspähen kann; oder Budde: Annahme einer Verschreibung von מִשָּׁם מִצְפֶּה aus מֵהַמְּצוּדָה). b) Zum König in Moab vgl. Jdc 3,12. c) 𝔊 παρὰ σοί ist wohl besser (Budde, Smith, Greßmann). d) Da אִתְּכֶם schlecht zu einem Verbum der Bewegung paßt, wird 𝔐 nur von 𝔗 geboten, suchen die Vers sonst Erleichterungen (𝔊 γινέσθωσαν, 𝔖 *neteb*, 𝔙 »maneat«); sie liegen zwar inhaltlich zu nahe, als daß sie mit Sicherheit auf einen ursprünglichen Text führen könnten, doch wird nach ihnen entweder אִתְּכֶם in אֲלֵיכֶם bzw. אֵלֶיךָ (Klostermann, Caspari; mit Rücksicht auf das folgende עַד ausdrücklich von Smith abgelehnt), יֵצֵא in יֵצֵג (S. R. Driver, Ehrlich, Schulz, de Vaux) oder in Anlehnung an 𝔖𝔙 in יֵשֵׁב (Budde, Dhorme, Smith) geändert. Die Annahme, יֵצֵא sei Apokopierung aus יצא und בוא (de Boer: OTS 6. 1949, S. 39), hat wohl gegen sich, daß diese Zusammensetzung mehr dem Bereich des Kriegswesens angehört. Die oben gebotene Übersetzung versteht 𝔐 als Breviloquenz (vgl. dazu auch Hertzberg), obwohl auch das nicht ohne Bedenken ist. e) אֱלֹהִים im Gespräch mit einem Nichtisraeliten; zu einer Streichung (Caspari) besteht kein Anlaß.

4 a) Die Ableitung des וַיַּנְחֵם von נחה (Hertzberg) verbietet sich durch das zu einem Ausdruck der Bewegung nicht passende אֶת־פְּנֵי; die Annahme eines Hiphil von נחם (𝔊 καὶ παρεκάλεσεν auch Caspari) wäre an sich möglich, scheiterte auch nicht an der ungewöhnlichen Hiphilform (man könnte auch וַיְנַחֵם vokalisieren), setzt aber eine Feindschaft voraus, die das Erzählte nur schwer verständlich machte. 𝔙 »reliquit«, ʼΑ καὶ ἔθετο αὐτούς, ähnlich 𝔗𝔖; danach wird es zumeist, auch oben, als וַיַּנִּחֵם vokalisiert (Wellhausen, S. R. Driver, Budde u. v. a.). b) Anscheinend ist an einen Aufenthalt in der persönlichen Umgebung des Königs gedacht. c) 𝔖 »Mizpa« präzisiert das nach V. 5 naheliegende Verständnis, daß David in Moab blieb. עִמּוֹ bedeutete dann »bei David«. So fassen es auch Klostermann, Schlögel, allerdings mit einer willkürlichen Konjektur כָּל־יְמֵיהֶם וְדָוִד בָּא מִצְפָּה. Ebenso unbegründet denkt Caspari an מָצוֹד und erklärt es vom Tierfang. Die Vers sonst verstehen es z. T. in freier Wiedergabe von der Fluchtsituation (𝔊 ἐν τῇ περιοχῇ, ʼΑ ἐν ὀχυρώματι, Θ εἰς καταφυγήν, Σ ἐν τῇ ἐπιβουλῇ). Für das von da gewonnene Verständnis von מְצוּדָה als eines Kollektivum (Budde) ist die Forderung einer Pluralform (Bruno: Gibeon, S. 30) unnötig; richtig wird daran sein, daß hier nicht ausdrücklich an Adullam, sondern allgemein an den Aufenthalt Davids als vogelfreier Flüchtling, also auch in Moab, gedacht ist. Das gleiche will die Änderung (Wutz: Systematische Wege, S. 516) in מְרוּצָה.

5 a) 2 Sam 24,11 (חֹזֶה), Hofprophet Davids in Jerusalem (vgl. auch 1 Chr 29,29; 2 Chr 29,25); sein Auftreten hier erscheint verfrüht (anders etwa Alfred Jepsen: Nabi. München 1934, S. 97; vgl. auch Löhr, de Groot), so daß eine gezielte Überlieferungsbildung vorliegen dürfte (vgl. die Auslegung). b) 𝔖 auch hier Mizpe (vgl. Anm. c zu V. 4), übernommen von S. R. Driver, Smith, Kittel, auch Budde, der darin den Rest eines jüngeren Midrasch sieht, der wenigstens von einem Aufenthalt Davids in Moab gewußt hätte. c) Die Gleichsetzung mit *ḫirbet ḫārās*, 4 km südöstlich von *tell qīlā* – s. zu 23,1 – (so Abel: Géographie II, S. 343; auch Simons: Texts, § 700; ihnen folgend de Vaux, Rehm, vgl. dazu aber auch A. Alt: PJ 1928, S. 25) würde zwar eine plausible Überleitung zu dem Bericht von Kap. 23 sein, beurteilt

aber die Überlieferungsfragen falsch und bleibt auch angesichts der Unsicherheit der Vers unwahrscheinlich (𝔊B ἐν πόλει σαρεικ. 𝔊L σαρ(ε)ιχ – also rechtsläufig gelesenes חֹרֶשׁ, 𝔗 חוּרְשָׁא für יַעַר, noch anders 𝔖). Eher liegt die aram. Schreibung zu חֹרְשָׁה 23,18 vor (so nach Ewald: Geschichte III, S. 116, Anm. 2; Wellhausen, Budde und die meisten, auch Hertzberg, van den Born; zur Sache vgl. noch Stoebe, in: Eißfeldt-Festschrift, S. 232).

22,1–5 *David in Adullam und Mizpe* ist von dem übrigen Kap. 22 so deutlich abgesetzt, daß man von einer Einheitlichkeit dieses Kapitels[1] nicht reden kann. V. 1–5 enthalten zwei ursprünglich voneinander unabhängige und selbständige Überlieferungsstücke[2], die jetzt einen gemeinsamen Abschluß in V. 5 erhalten haben. Dieser Vers ist nicht späterer Einschub aus einem Midrasch[3]; selbst wenn metrische Bedenken gegen ihn bestehen sollten[4], was nicht zwingend erscheint, enthält dieser Vers doch den Skopus des ganzen Stückes. Damit, daß David auf sein Stammland zurückverwiesen wird, wird die ganze Darstellung ein Gegenstück zu 21,11–16. Sie steht aber stärker unter theologischer Akzentsetzung[5]. Diese liegt schon in den Worten Davids V. 3bβ, denn bereits in ihnen wird, und zwar im Gespräch mit einem fremden Herrscher (Anm. d zu V. 3), auf jede Eigenmächtigkeit verzichtet; sie kommt dann weiter in der Weisung des Propheten Gad zum Ausdruck. Die Forderung, in die אֶרֶץ יְהוּדָה zurückzukehren, unterstreicht bei der Seltenheit dieser Verbindung[6], daß dort der von Gott bestimmte Boden für den Aufstieg Davids ist. Damit ist die Nennung Gads in diesem Zusammenhang gut begründet, mag sie sonst auch einen Anachronismus darstellen (vgl. Anm. a zu V. 5) und David tatsächlich erst als Herrscher von Jerusalem mit ihm zusammengekommen sein; mindestens der Bau eines Altars in Jerusalem ist ja eng mit seinem Auftreten verbunden (2 Sam 24). Die Anknüpfung mit וַיֵּלֶךְ מִשָּׁם V. 1,3 ist rein redaktionell; sie kann formal ebenso an 21,1b[7] wie an 21,10[8] oder auch an Kap. 20[9] anschließen. Jedenfalls sagt der Zusammenhang, in den die Stücke jetzt gebracht sind, nichts über die geschichtliche Abfolge der einzelnen Begebnisse aus.

Die Nennung des Aufenthaltes Davids in Adullam, der sich inhaltlich eng mit der Kegilaepisode berührt[10], ist an dieser Stelle durch das Vorhergehende veranlaßt. Wenn die Angaben auch spärlich sind, werden Operationen Davids in diesem Raum durch 2 Sam 23,13f. bestätigt, bezeichnenderweise im Zusammenhang mit Heldentaten der Getreuen Davids. Ebenso wird hier von seiner wachsenden Gefolgschaft berichtet. Sie kommt einmal aus der eigenen Familie; das mag sich aus wirklicher Gefährdung erklären. Wie Kap. 23ff. zeigen, hat minde-

1. So z. B. Kittel (KE); Cornill, Budde (J).
2. Eißfeldt (Komposition, S. 58) hat das besonders deutlich empfunden, wenn er V. 1 u. 2 seiner Quelle I (II), V. 3–5 III zuweist.
3. SteuE, S. 319, und vor allem Budde.
4. Bruno: Epos, S. 84.
5. Das wird nachdrücklich und mit vollem Recht von Hertzberg unterstrichen.
6. Van den Born.
7. Wellhausen, Smith.
8. Etwa Kittel, Löhr, van den Born.
9. Etwa Budde.
10. Sie ist davon getrennt, weil die Darstellung unter einer anderen Absicht steht, vgl. u. S. 420.

stens zeitweilig der Einfluß Sauls sich sehr weit nach Süden erstreckt[11]. Zum anderen aber rührt es wohl auch vom Solidaritätsgefühl der engeren Sippe her, die im Bewußtsein ihres Wertes sich in einem ihrer Angehörigen beleidigt wußte. Die Betonung, daß כָּל־בֵּית אָבִיו sich ihm angeschlossen habe, könnte dabei durchaus eine über das Tatsächliche hinausgehende Verallgemeinerung sein. Dazu kommen, wie üblich (vgl. Anm. a–c zu V. 3), die gestrandeten Existenzen[12], die sich um eine Führerpersönlichkeit (vgl. Anm. d) scharen. Zu diesem Zeitpunkt ist es wohl noch die Vorwegnahme endgültiger Ergebnisse, denn das Sammeln einer Gefolgschaft, gleichviel, wie hoch ihre Zahl war (vgl. Anm. e), setzt eine längere Flüchtlingszeit voraus[13]. Geschichtlich geurteilt, dürfte der Aufenthalt Davids in Adullam in der Zeit kurz vor dem Übertritt zu den Philistern anzusetzen sein. Ähnliche Verhältnisse, wie sie hier geschildert werden, sind auch sonst aus der Geschichte des Vorderen Orients bekannt[14], z. B. aus der Lebensgeschichte des Idrimi von Alalach[15]; doch darf darüber der Unterschied nicht übersehen werden, daß es sich dort um den Übertritt zu einer bereits festgefügten Gruppe (SA.GAZ) handelt, hier um die Ausbildung einer Notgemeinschaft, zunächst zum Zwecke der Existenzsicherung, die nicht von vornherein als unmittelbarer Widerstand gegen Saul verstanden zu werden brauchte, aber unfehlbar dazu werden mußte, wenn David im eigentlichen judäischen Gebiete blieb.

In V. 3–5 liegt eine selbständige Überlieferung vor, die von einem Aufenthalt Davids in Moab, mindestens aber von einem Versuch, dort Zuflucht zu finden, weiß. Das ist in gewisser Weise auffallend, weil sich sonst kein Hinweis auf ein freundschaftliches Verhältnis Davids zu den Moabitern findet. Die Überlegung, daß ein Gegner Sauls mit Notwendigkeit Freund seiner Feinde sein mußte[16], vermag nicht zu überzeugen. Andererseits zeigt die Ruthgeschichte, daß man von Beziehungen der Vorfahren Davids zu den Moabitern wußte, und schwerlich werden sie nachträglich dem berühmten König angedichtet worden sein. Das berechtigt ebensowenig zu der Annahme, daß diese Überlieferung die Grundlage der Ruthgeschichte gebildet habe[17], wie zu der, daß sie ihrerseits von daher beeinflußt worden sei[18]. Beide haben vielmehr unabhängig voneinander bestanden[19]. Demnach handelt es sich bei dem Aufenthalt Davids in Moab nicht um eine späte Tradition ohne eigentlichen historischen Wert[20], auch wenn sie jetzt durch ihre Stellung im Zusammenhang stark retuschiert ist (vgl. die ungenaue

11. Vgl. auch zu Kap. 15.
12. Zur geschichtlichen Entwicklung Alt III, S. 351.
13. So richtig auch Budde.
14. Vgl. Mazar: VT 1963, S. 311.
15. S. Smith: The statue of Idri-mi. 1949.
16. Etwa Budde.
17. Greßmann, Budde.
18. Etwa Schulz, van den Born u. a. Schwebte dem Erzähler eine solche Beziehung vor, dann hätte das wohl ausdrücklich gesagt werden sollen (Budde); andererseits besteht der Einwand von Smith zu Recht, daß das keine gute Empfehlung für David gewesen wäre. Die letzte Konsequenz wäre, daß es sich um eine nachträgliche Erweiterung handeln müßte.
19. Smith; vgl. auch Wilhelm Rudolph: Das Buch Ruth. 1962 (KAT XVII/1), S. 29f.
20. So z. B. Budde mit seiner Beurteilung von V. 5 als eines späteren Zusatzes.

Ortsangabe und die dazugehörige Anm. a zu V. 3 auf der einen, die direkte Wendung an den König auf der anderen Seite)[21]. Aber die Sache selbst bleibt unerfindlich, gerade im Blick auf die harte Behandlung, die den Moabitern später (2 Sam 8,2) zuteil wird[22]. Ein Versuch Davids, vor Saul nach Moab auszuweichen, ließe sich am ehesten am Anfang seiner Flucht zu einem Zeitpunkt verstehen, wo er noch keine starke Gefolgschaft um sich gesammelt hatte[23]. Jedenfalls hat das mehr innere Wahrscheinlichkeit, als daß David von Adullam nach Moab hinübergezogen und wieder nach dort zurückgekehrt sei. Die Tatsache, daß David mit seinen Eltern geht – in die Form eingekleidet, daß er sie sichern will[24] –, könnte, wofern sie nicht durch die Nennung von כָּל־בֵּית אָבִיו V. 2 veranlaßt ist, ebenfalls in diese Richtung weisen. Die Flüchtigkeit des Berichtes, auch 2 Sam 8,2, ließe sich mit daher erklären, daß dieser Versuch im letzten erfolglos blieb[25], doch hängen hier alle Vermutungen in der Luft. Was mit כָּל־יְמֵי הֱיוֹת דָּוִד בַּמְּצוּדָה V. 4 gemeint ist, bleibt durch die Zusammenarbeit mit V. 1+2 in der Schwebe; bei dem allgemeinen Charakter der damit gemachten Aussage ist nicht zwingend an eine Rückkehr Davids nach Adullam zu denken[26]. Wenn auch die Herrschaftsverhältnisse Adullams zu dieser Zeit nicht durchsichtig sind (vgl. Anm. c zu V. 2), so wird doch deutlich, daß es für die Darstellung als fremdes Gebiet gilt, in dem David nicht bleiben darf[27]. Der Befehl Gads schließt es mit Moab zusammen. Mit der Ankunft in יַעַר חָרֶת befindet sich David wieder in seinem eigentlichen Gebiet; damit aber auch in neuer Gefährdung durch Saul.

21. Es ist deswegen ungerechtfertigt, wenn alle Einzelzüge der Überlieferung als historische Fakten angesehen werden (so z. B. A. H. Zyl: The Moabites. 1960, S. 134).
22. So vor allem Hertzberg.
23. So auch Greßmann.
24. Zu der inneren Spannung, die darin liegt, vgl. etwa Bruno: Gibeon. Leipzig 1923, S. 30.
25. Diese Vermutung berührt sich in gewisser Weise mit einer späteren jüdischen Tradition, die allerdings jeder historischen Grundlage entbehrt, nach der der König von Moab die Eltern Davids heimtückisch ermordet habe (Bemidhbar Rabba XIV,1).
26. So fast alle älteren (zurückhaltend Nowack), aber auch de Groot, de Vaux, Hertzberg, van den Born; vgl. Anm. b zu V. 5.
27. Womit die Überlegungen, wie David aus dem zu Juda gehörenden Adullam nach Juda heimkehren kann (etwa de Vaux: Juda ist das judäische Bergland), hinfällig werden.

22,6–23 *Sauls Rache an den Priestern von Nob*

6 Als Saul nun hörte, daß David ⟨und die Männer⟩[a], die er bei sich hatte, (wieder) gesichtet worden waren[b] – Saul saß da gerade zu Gibea unter der Tamariske[c] auf der Höhe[d] und hatte seinen Speer[e] in der Hand, indes alle seine Knechte um ihn standen[f] –, 7 da beschimpfte Saul seine Knechte, die um ihn standen: »Hört her, ihr Benjaminiten[a], der Isaisohn wird wohl auch[b] euch allen Äcker und Weinberge verleihen ⟨und euch alle miteinander⟩[c] als Oberste und Hauptleute[d] einsetzen, 8 daß ihr euch alle gegen mich verschworen habt, daß nicht einer da war, der mich darauf aufmerksam gemacht hätte, daß mein eigener Sohn mit dem Isaisohn (den Freund-

schaftsbund) schloß[a], nicht einer von euch, den es gekränkt hätte[b] um meinetwillen, nicht einer, der mir die Augen[c] geöffnet hätte dafür, daß der eigene Sohn meinen Knecht bestellt hat, auf mich zu lauern[d], wie es heute der Fall ist.« 9 Da ergriff Doëg, der Edomiter, das Wort – er stand bei[a] den Knechten[b] Sauls – und sagte: »Ich habe den Isaisohn gesehen, wie er (gerade) zu Ahimelech, dem Sohn des Ahitub, nach Nob gekommen ist, 10 und der hat für ihn den Jahweentscheid gesucht[a], Verpflegung[b] hat er ihm gegeben – und das Schwert des Philisters Goliath gab er ihm auch[c].« 11 Darauf ließ der König den Priester Ahimelech, den Sohn des Ahitub, und seine ganze Familie, die Priester, die in Nob amteten, rufen; und sie kamen alle zum König. 12 Der König fuhr ihn an: »Hör her, du Sohn Ahitubs[a].« Der gab zur Antwort: »Ich bin zur Stelle, mein Herr[b].« 13 Saul drohte ihm[a]: »Warum habt ihr euch gegen mich verschworen, du und der Isaisohn, damit daß[b] du ihm Brot und Schwert gegeben hast – und Weisung für ihn bei Gott einholen (konntest du auch)[c], daß er gegen mich aufstand, (auf mich) zu lauern, wie es heute der Fall ist.« 14 Darauf antwortete Ahimelech dem König und sagte: »Aber wer ist unter allen deinen Leuten denn so bewährt wie David, ist des Königs Schwiegersohn, Befehlshaber deiner Leibwache[a] und hoch geehrt in deinem Hause. 15 Habe ich denn heute zum ersten Mal[a] Gott für ihn befragt[b]? Das trifft ja nicht zu für mich; der König unterstelle[c] doch da nicht etwas seinem Knecht, ja meiner ganzen Familie[d], denn dein Knecht hat ja von alledem nicht das geringste gewußt.« 16 Aber der König sagte: »(Da gibt es nichts)[a], sterben mußt du, Ahimelech, du und deine ganze Sippschaft.« 17 Damit befahl der König den Trabanten, die bei ihm standen: »Umzingelt[a] die Jahwepriester und schlagt sie tot, denn auch[b] sie haben gemeinsame Sache mit David gemacht und wußten, daß er flüchtig werden wollte, und haben ⟨mich⟩[c] nicht darauf aufmerksam gemacht.« Doch die Knechte des Königs wollten ihre Hand nicht dazu hergeben, die Priester Jahwes niederzustoßen. 18 So sagte der König zu Doëg[a], dem Edomiter: »Dann mach du dich daran und schlage die Priester nieder.« Da trat Doëg, der Edomiter, hinzu, und er war es, der die Priester niedermachte und selbigen Tagen fünfundachtzig Mann[b] tötete, die den priesterlichen[c] Ephod trugen. 19 Auch die Priesterstadt Nob schlug er[a] mit der Schärfe des Schwertes[b], Mann wie Weib, Kind wie Säugling, auch Stier, Esel, Schaf, mit der Schärfe des Schwertes[c]. 20 Nur ein Sohn Ahimelechs, des Sohnes Ahitubs, konnte sich retten, der hieß Abjathar[a]; der floh David nach. 21 Abjathar brachte David Kunde, daß Saul die Priester Jahwes niedergemetzelt hatte. 22 Da klagte sich David vor Abjathar an: »Ich wußte ja an jenem Tage, daß der Edomiter Doëg auch da war; (ich hätte es mir denken müssen), daß er es sicherlich Saul hinterbringen werde. Ich selbst bin es, der gegen das Leben deiner ganzen Familie angegangen ist[a]. 23 Nun bleibe bei mir, und fürchte dich nicht. Der mir[a] ans Leben will, will auch dir[a] ans Leben, du bist in Sicherheit bei mir[b].«

6 a) Die durch 𝔊𝔗 bezeugte determinierte Form wird auch durch das אֲשֶׁר עִמּוֹ gefordert (vgl. 2 Sam 1,11; 17,12), lies also הָאֲנָשִׁים (S. R. Driver, Smith, Dhorme und die meisten), besser als אֲנָשָׁיו (Budde; Bruno: Epos, S. 84 mit Tilgung des אֲשֶׁר עִמּוֹ). Die Wiedergabe von 𝔐 durch Hertzberg (»David und einige Leute«) verkennt das Gewicht geprägter Formeln. b) Wird durch die Vers bestätigt und durch Ex 2,14; Jdc 16,9; 2 Sam 17,19 gestützt. Das dazu vorgeschlagene נוֹעַד »David war zu seinen Leuten gestoßen« (Tiktin, Greßmann; auch Wutz: Systematische Wege, S. 166) ist nicht nur unnötig, sondern überzeichnet auch den geschichtlichen Charakter der Berichte. Eher könnte man an eine sehr alte Verschreibung aus נָע וָנָד (Gn 4,12) denken. c) Gn 21,33; 1 Sam 31,13. 𝔊 ἄρουρα. d) 𝔗𝔖 = 𝔐; 𝔊[BL] βαμα, was eine sachlich richtige Interpretation ist, aber für eine Textänderung in בָּמָה (S. R. Driver, Budde, Smith und die meisten; siehe auch W. F. Albright: AASOR 1922/23, S. 43) nicht ausreicht. Vgl. dazu 14,2. e) Charakteristikum der geschichtlichen Erscheinung Sauls (vgl. 18,10; 19,10; 2 Sam 1,6), nicht ein besonderes Zeichen königlicher Würde (so von Rad: Theologie I, S. 320; Hertzberg u. a.). f) Z. B. Gn 18,2 u. ö. In Erwartung von Befehlen Gn 45,1.

7 a) Vgl. Jdc 3,15; 19,16; 1 Sam 9,21; 2 Sam 16,11; 19,17. b) Das גַּם bezieht sich hier nicht auf den ganzen Satz (GK § 153, so z. B. Wellhausen, Nowack, Smith, Dhorme), sondern auf die Benjaminiten im Gegensatz zu den Judäern (Tiktin, Hertzberg, de Vaux und die meisten Neueren). 𝔊 εἰ ἀληθῶς nötigt nicht zu הֲגַם (Klostermann); im Gegenteil gibt das Fehlen der Partikel der im Ton liegenden Frage ihren ironisch zweifelnden Charakter (Smith; vgl. auch BroS § 54a). Zur Sache vgl. 8,14f. c) 𝔊 καὶ πάντας ὑμᾶς (idem 𝔙); lies וְכֻלְּכֶם (S. R. Driver, Budde, Smith, Dhorme und die meisten); לְכֻלְּכֶם erklärt sich als Angleichung an das Vorhergehende (Bruno: Epos will es sogar ganz streichen) und ist schwerlich Beispiel für die Akkusativrektion durch לְ (Wellhausen, Löhr, Schulz, vgl. aber GK § 117n), wie sie im Aramäischen üblich ist (vgl. 𝔗𝔖). d) Wörtlich »Oberste über tausend und hundert« (𝔊 Umstellung); vgl. 8,12, aber beachte den anderen Tenor.

8 a) בְּ ist hier instrumental (𝔊𝔖), nicht temporal aufzufassen (𝔗𝔙). Zu כרת ohne בְּרִית s. zu 20,16. b) 𝔊 πονῶν setzt, ebenso wie 𝔗 (𝔖) כָּאִיב, 𝔐 voraus. Vgl. zu dem starken Ausdruck Am 6,6. Eine Änderung in חֹמֵל (Budde, S. R. Driver, Dhorme und die meisten, auch de Vaux, Hertzberg) oder עָמֵל (Greßmann) erübrigt sich. Vgl. auch S. R. Driver: JThS 1927/28, S. 392 (Hinweis auf äthiopisch *ḥly* »bekümmert sein«). c) Wörtlich »das Ohr«; zum Bedeutungsumfang der durch »Ohr« vermittelten Wahrnehmung Aubrey R. Johnson: The vitality of the individual in the thought of ancient Israel. Cardiff 1949, S. 52. d) 𝔊 εἰς ἐχθρόν, 𝔗𝔖𝔙, Σ (ἐνεδρευτήν) = 𝔐; die Änderung in אֹיֵב (Ehrlich, Dhorme, Greßmann, de Vaux u. a.) erscheint blaß, für 𝔐 auch Löhr, Budde.

9 a) Alle Vers stimmen darin überein, daß Doëg in einem Vorgesetztenverhältnis zu den Knechten Sauls stand (נצב על wie Ru 2,5.6; 1 Reg 4,7; danach z. B. Keil, Löhr, Greßmann). Indessen ließe sich das schwer mit dem Selbstbewußtsein der Benjaminiten vereinen, stünde auch in Widerspruch zu dem Wortgebrauch V. 6. Es kann sich also nur darum handeln, daß er zufällig bei den Knechten Sauls stand (so die meisten) oder einen untergeordneten Dienst bei ihnen hatte. b) 𝔊 ἐπὶ τὰς ἡμιόνους, wohl eine Harmonisierung mit 21,8; jedenfalls kein Argument gegen die Zuverlässigkeit von 𝔐 (Klostermann פִּרְדֵי statt עַבְדֵי; Streichung des עַבְדֵי, Budde, Ehrlich u. a.).

10 a) Durch das Losorakel wie 23,9; der Zug fehlt Kap. 21. 𝔊 θεοῦ, vielleicht ursprünglicher, weil hier der Ausländer redet; jedenfalls kein Zeichen für Textunsicherheit, die zur Streichung des ביהוה (Caspari: »bis er ihm gab«) berechtigt. b) Emphatische Voranstellung des Objekts verbietet die Annahme, daß bei צֵידָה an das לֶחֶם קֹדֶשׁ von 20,5 zu denken sei (so Tiktin, anscheinend auch Greßmann, Caspari). c) Ungeschickte Wiederholung des נָתַן לוֹ spricht dafür, daß die Erwähnung des Schwertes Goliaths Eintrag aus Kap. 21 ist. Unmöglich ist jedenfalls die Tilgung des גָּלְיָת הַפְּלִשְׁתִּי (Smith וְצֵידָה וְחֶרֶב נָתַן לוֹ), allein 𝔖 fügt zu Wegzehrung noch Waffen hinzu.

12 a) 14,3; zur Form der Anrede vgl. das בֶּן־יִשָׁי. Die Anrede eines Menschen als Verwandten eines anderen ohne Nennung seines eigenen Namens hat schwer beleidigenden Charakter, vgl. Lande: Wendungen, S. 35. b) Beachte, daß der Priester hier in der Rolle eines königlichen Beamten dargestellt wird.

13 a) Boström: Alternative Readings, S. 39 nimmt Alternativlesart zwischen לוֹ und אֵלָיו an. b) Vgl. zu V. 10. c) Zur Syntax des Inf. abs. GK § 113e, aber auch 113z; BroS § 46c. Wahrscheinlich ist der Inf. hier aber nicht dem Vorhergehenden unterzuordnen, sondern steht selbständig als Zeichen der erregten Rede des Königs (vgl. Caspari).

14 a) מִשְׁמַעַת vgl. 2 Sam 23,23; 1 Chr 11,25; bei dem Wort ist an eine besondere Verfügungstruppe des Königs zu denken (de Vaux: Lebensordnungen II, S. 22). Nach Jes 11,14 scheidet die ältere Auffassung »Geheimer Rat« (so Keil; aber noch Joüon; MUB 5/2. 1912, S. 469) wohl aus. Mit den Vers ist dann סָר אֶל als שַׂר עַל (so die meisten; Joüon, a. a. O. שָׂם) zu verstehen. Weniger gut erscheint die Änderung von עַל in כָּל־ (nach 𝔊 παντός, Dhorme, Schulz, van den Born u. a.).

15 a) Zum Fehlen der Fragepartikel GK § 150a.b; zur Form הַחִלֹּתִי GK § 67w; BLe § 58p′. Die Form der Frage kennzeichnet gekränkte Unschuld. Platt Klostermann הַחִנָּם הָאֵלֹתִי. Zur Bedeutung von הֵחֵל P. Saydon: The inceptive imperfect in Hebrew and the verb הֵחֵל »to begin«. Bibl 1954, S. 43–50. b) Ketib לְשָׁאוֹל. c) שִׂים דָּבָר בְּ »jemandem etwas zur Last legen« als Terminus der Rechtssprache Dt 22,14.17. d) 𝔗𝔙 = 𝔐; nach 𝔊𝔖 (Anfügung durch Kopula) wird vielfach (S. R. Driver, Budde, Smith und die meisten) וּבְכָל־ angenommen, was möglich, aber nicht nötig ist, weil 𝔐 als Steigerung erregter Rede verstanden werden kann. Andererseits wird damit das Urteil in V. 16 vorbereitet, so daß die Annahme nachträglicher Einfügung aus V. 16 (z. B. Nowack, Dhorme, Caspari; de Boer: OTS 6. 1949, S. 42) unwahrscheinlich ist.

16 a) Die Unausweichlichkeit des Urteils liegt im Inf. abs., vgl. Gn 2,17.

17 a) סבב »hinzutreten«; hier liegt noch die ursprüngliche bildhafte Bedeutung vor, anders V. 18. Vgl. auch 2 Sam 18,15. b) Fehlt 𝔊, ist deswegen aber nicht überflüssig (Nowack); Saul denkt zuerst an Jonathan. c) Lies mit Qere אָזְנִי.

18 a) Zur Form, spätere Aussprache des Namens, vgl. GK § 93*a*. Doëg wird mit diesem Befehl nicht als Chef der רָצִים hingestellt (S. R. Driver, de Vaux), sondern tritt als skrupelloser Edomiter in Gegensatz zu deren Frömmigkeit. b) Zur Höhe der Zahl, durch die im jetzigen Zusammenhang wohl mit die Grausamkeit Sauls charakterisiert werden soll (Schulz), vgl. die Auslegung; sie ist jedenfalls unableitbar, der Versuch de Groots, sie aus den Zahlenwerten von כ ה נ י zu deuten, überzeugt nicht. 𝔊 τριακοσίους καὶ πέντε fußt auf selbständiger Überlieferung, geht nicht auf Verlesung von abgekürzten Zahlen (Peters: Beiträge, S. 230; schon Thenius) zurück. Beide vereinigend Ant VI 260 (dreihundertfünfundachtzig). 𝔗 דִּכְשָׁרִין לְמִלְבַּשׁ אֵפוֹד scheint schon erklärende Einschränkung zu sein. c) בַּד (dazu Hönig: Kleidung, S. 45) fehlt 𝔊 und ist auffallend, da אֵפוֹד בַּד sonst mit חגר (2,18; 2 Sam 6,14) und nicht mit נשא verbunden ist; dennoch wird בַּד nicht einfach als Dittogr (Ehrlich) oder Zusatz aus priesterlichem Denken (S. R. Driver, Budde, Dhorme, Greßmann u. v. a.) zu tilgen sein, da es neben der hohen Zahl unerläßlich erscheint (es wird auch von de Groot, Rehm, Hertzberg, de Vaux beibehalten).

19 a) Subjekt bleibt unbestimmt, doch ist sicher Saul gemeint; 𝔖 sucht Ausgleich damit, daß sie beide beteiligt (»er, Saul, gab ihm, Doëg, die Stadt«). Vgl. die Auslegung. b) Vornehmlich Terminus des Heiligen Krieges und zum Bann gehörig; vgl. zum Ausdruck Jos 10 pass; 11; Jdc 1,8.25 u. ö. Zum weiteren Zusammenhang auch 1 Sam 15,3. c) Eindrucksvolle Wiederholung (Wellhausen) unterstreicht die Schwere der Verfehlung Sauls; die Worte sind weder mit 𝔊 zu streichen (Budde, Dhorme u. v. a.) noch in לְפִי חָרֶב (Wutz: Systematische Wege, S. 197) zu ändern.

20 a) Bedeutung: »"אָב" (theophor) gibt Überfluß« (NothPers, S. 193); vielleicht aber auch Ersatzname (J. J. Stamm: Hebräische Ersatznamen. Assyriological Studies 1965, S. 417). Zur Vokalisierung BLe § 78a; vgl. auch 2 Sam 8,17.

22 a) Das emphatische אָנֹכִי bestätigt für סַבּוֹתִי dieselbe Bedeutung wie V. 17 (Ehrlich; de Boer: OTS 6. 1949, S. 43). 𝔊 (αἴτιος, ähnlich 𝔗𝔖) ist eine sinngemäße, wenn auch abschwächende Paraphrase, die nicht die Änderung in חַבְתִּי rechtfertigt, die seit Thenius fast ausnahmslos vor-

genommen wird, zumal חוב selten und nur im Piel belegt ist. Unnötig denkt Klostermann an das Umschließen der Fische durch das Netz.

23 a) Aus inhaltlichen Überlegungen werden meist die Suffixe umgestellt (vgl. BH[3]), doch wird 𝔐 durch die Vers gestützt, auch durch 𝔊 (deren *ἐὰν ζητῶ τῇ ψυχῇ μου τόπον* wohl auf einer falschen Auffassung von בִּקֵּשׁ beruht), ist also nicht zu ändern (so auch Ehrlich, Schulz, Rehm, Hertzberg; auch Caspari, freilich mit etwas anderer Auffassung). Gemeint ist »wir haben den gleichen Gegner«. b) Entweder »das, was behütet wird« (so 𝔗, auch 𝔊 *πεφύλαξαι σὺ παρ᾽ ἐμοί* נִשְׁמָר אַתָּה?), und das wird hier gemeint sein (unnötig Bruno: Epos, S. 84, כַּיּוֹם שָׁמַרְתִּי אֹתְךָ), oder »die Wache« (𝔖), was so verstanden werden müßte, daß Abjathar ein Amt bei David finden soll (Ehrlich: »ich werde dich noch brauchen«). Wenn dafür auch die Anordnung der Suffixe in 𝔐 geltend gemacht wird, ist das weniger wahrscheinlich.

22,6–23 *Sauls Rache an den Priestern von Nob.* Die Stellung des Abschnittes im Kontext ist überraschend; man erwartet das Strafgericht an den Priestern von Nob in unmittelbarem Anschluß an den Aufenthalt Davids dort. Ein solcher Ablauf wäre klar und in sich begründet, auch dann, wenn man ihn nicht dahin überinterpretiert, daß Saul hier die Initiative ergriffen und eine bestehende Verschwörung Davids mit der Priesterschaft mit harter Hand im Keime erstickt habe und David seinerseits nun den Weg der Bandensammlung und des bewaffneten Widerstandes gehen mußte[1]. Doch lassen sich dann keine formal literarischen Gründe dafür einsichtig machen, daß ein so klarer Zusammenhang durch eingeschaltete Zwischenberichte, die einen gewissen Zeitraum voraussetzen, auseinandergerissen wurde, um so mehr, als diese ihrem Inhalt nach bedeutsamer und gravierender waren als die Flucht selbst. Indes wird die Stellung sich aus der kompositionellen Anlage des Ganzen erklären lassen. Freilich nicht in der Weise, daß das Zusammenkommen von allerlei verzweifelten Leuten bei David die Berichte von dem Nebeneinander Sauls und Davids einleiten sollte[2]. Das würde ebenso gut und besser nach dem Strafgericht in Nob zu stehen kommen. Aber nachdem die Absicht Davids, im Ausland oder doch in den außerhalb der Reichweite Sauls liegenden Randgebieten Zuflucht zu finden, zunächst durch die Weisung Gottes vereitelt ist, muß er wieder als Flüchtling die unmittelbare Bedrohung durch die Verfolgungen Sauls ertragen, darf dabei zugleich Beistand und Rettung Jahwes erfahren. Die Kap. 23–26 wiedergegebenen Episoden stehen alle unter dem Vorzeichen: Gefährdung und Rettung auf der Flucht; das gilt, wenngleich mit leicht verschobener Akzentsetzung, auch von Kap. 25. Nun ist, gleichsam thematisch, an den Anfang der Bericht von der Untat Sauls an den Priestern von Nob gestellt, der am sinnenfälligsten den radikalen Vernichtungswillen Sauls gegenüber David zum Ausdruck bringt. Von vornherein muß dabei der wichtige Zug beachtet werden, daß in der Auseinandersetzung Sauls mit Ahimelech und den Priestern Flucht und Fluchthilfe die entscheidende Rolle spielen (V. 13.17). Damit ist die Eigenart dieses Erzählungsstückes gekennzeichnet. Es enthält zwar ohne Zweifel altes Überlieferungsgut, geht aber entsprechend seiner Zielsetzung so frei damit um, zweckt alles auf einen bestimmten Punkt ab[3], daß man in 21,2–10; 22,6–34 weder

1. Nübel: Aufstieg, S. 131.
2. Nübel: Aufstieg, S. 40.
3. Zur Sache Stoebe, in: Baumgärtel-Festschrift, S. 180f.

eine literarische Einheit noch die Wiedergabe eines gleichen Ereignisses in der Sicht verschiedener Quellen sehen darf[4]. Es ist im Gesamtzusammenhang durch das נוֹדַע דָּוִד וַאֲנָשִׁים (Anm. b zu V. 6) folgerichtig eingefügt, das darum auch nicht literarkritisch eliminiert werden darf[5]. Damit, daß David als Flüchtiger wieder in den Gesichtskreis Sauls tritt, gewinnt die Furcht von neuem Gewalt über ihn (18,29). Das Ganze ist mit großer Lebendigkeit, die Auseinandersetzung Sauls mit Ahimelech in novellistischer Ausfeilung erzählt. In der Auflösung der Handlung in bewegte Rede besteht Verwandtschaft mit Kap. 21.

Die erste Szene – Saul hofhaltend inmitten seiner Leute – ist konventionell. Die Erwähnung der Landdotationen und der bevorzugten Behandlung bei der Besetzung militärischer Führungsstellen erinnert an 8,10ff., wird hier aber nicht als unerträglich hybride Forderung, sondern als zu Recht bestehende Befugnis des Königtums angesehen, mit der zu rechnen für die Empfänger durchaus legitim ist[6]. Das wäre eine indirekte Bestätigung der Auffassung, daß wenigstens der Kern von 8,10ff. alte Wahlkapitularien enthalte[7]. Es ist natürlich schwer zu entscheiden, wie weit hier die Verhältnisse der Zeit Sauls zutreffend wiedergegeben, wie weit spätere Züge eingeflossen sind. Aber es liegt doch am nächsten, daß sich bei der ausgesprochenen Anrede an die Benjaminiten zuverlässige Erinnerungen an die Struktur der Herrschaft Sauls erhalten haben, die einfach ihrer Herkunft nach[8], trotz der Ausdehnung über einen beträchtlichen Teil Israels, zuletzt den Schritt über ein Stammeskönigtum hinaus nicht tat[9]; darin lag ihre Schwäche, zugleich der Grund dafür, daß sie schließlich keinen Bestand hatte[10]. Insofern könnte die Frage Sauls, wenn auch unbewußt, etwas vom Charakter des Gegensatzes Alt-Neu tragen[11]. Man darf diese Frage nicht dahin interpretieren, daß hier auf bereits gegebene Zusagen Davids, also Vorbereitung zum Hochverrat, angespielt wird. Es liegt in der angewendeten, den geistigen Zustand Sauls sehr plastisch charakterisierenden Redeform, daß ein nicht vorhandenes Versprechen als gegeben angenommen, zugleich in Frage gestellt wird[12]. Andererseits wird man sie auch nicht als eine irreale Frage verstehen dürfen, die Saul unter der Voraussetzung ausspricht, daß David niemals zu königlicher Stellung gelangen werde, und mit der er an seine Unabsetzbarkeit als an eine allgemein geteilte Anschauung appelliert[13]. Mit alledem wird die Absicht der Darstellung deutlich, den Zweifel Sauls an seinen eigenen Leuten (wie an seinemSohn) als Ausfluß krankhaften Mißtrauens des Mannes hinzustellen, der das Charisma

4. Vgl. dazu o. S. 391.
5. Z. B. Smith, Hölscher.
6. Dazu Alt III, S. 357.
7. Vgl. zu 8,10ff. o. S. 186f.
8. Zur Gilgaltradition vgl. o. S. 230.
9. Budde, Greßmann, Schulz u. a.
10. Diese Grenze wird zu Unrecht von Hertzberg bestritten, aber auch von denen nicht genügend berücksichtigt, die im Königtum Sauls eine von vornherein institutionell geprägte Größe erkennen wollen.
11. Vgl. dazu o. S. 383.
12. Meir Weiß: Einiges über die Bauformen der Erzählung in der Bibel. VT 1963, S. 471.
13. Caspari: Thronbesteigung, S. 199.

verlor, ohne daß sein Mißtrauen einen Grund in Usurpationsplänen Davids hatte. Alles, was darüber hinausgeht, sind müßige Vermutungen. Abgesehen von der Frage, welche Verlockung ein solches Königtum für David haben konnte[14], bliebe es auch unverständlich, wie ein Aufstandsversuch, der so viel Widerhall in allen entscheidenden Kreisen des Volkes gefunden haben soll, doch so ohne Erfolg blieb.

9–17 Die zweite und eigentlich entscheidende Szene, in der Doëg die ausschlaggebende Rolle spielt, ist gegenüber 6–8 relativ selbständig; wenn auch, reichlich konstruiert und nicht überzeugend, die Einheit von Raum und Zeit gewahrt bleiben soll. Das ganze Interesse konzentriert sich auf die Priester von Nob und ihre Hilfe bei der Flucht Davids; von Jonathan wird nicht mehr gesprochen. Die aus der preußischen Geschichte an sich naheliegende Analogie einer Kronprinzentragödie – der König schont den eigenen Sohn, straft dafür die Mitschuldigen um so unnachsichtiger[15] – kann diesen Tatbestand nicht erklären, denn auch die Benjaminiten, die eben noch so schwer beschimpft wurden, werden nicht mehr genannt. Die Antwort des Priesters V. 14, die durchaus ein in seiner Würde gekränktes Selbstbewußtsein verrät[16], läßt eine Auffassung vermuten, nach der Sauls Haß plötzlich aufgetreten wäre und bis dahin David als der beliebteste der Diener des Königs gegolten habe[17]; sie ist jedenfalls nicht als fadenscheinige und unglaubwürdige Ausrede zu verstehen[18]. Damit tritt diese Ahimelech- bzw. Nob-Geschichte nach ihrer erzählerischen Eigenart an die Seite der jähen Bedrohungen Davids (18,11; 19,10) und Jonathans (20,33), und es erscheint durchaus möglich, daß die Erwähnung des Speers V. 6 (vgl. Anm. e) im Zusammenhang damit steht. Es handelt sich also nicht um die Aufdeckung eines großangelegten Komplottes, sondern um die Ausdehnung des Hasses Sauls auf alle, die für David eintreten, wie es hier der Priester tut, der für ihn Jahwe befragt; womit diese Flucht unter dieselbe Weisung Jahwes gestellt wird, die Saul entzogen ist. Mit der Flucht des Abjathar zu David ist der letzte Zielpunkt dieser Erzählung erreicht (vgl. zu 23,6). Sie ist so sehr auf die Tatsache der Jahwebefragung ausgerichtet, daß ihr die naheliegende Überlegung gar nicht zu Bewußtsein kommt, Ahimelech müsse über der Frage Davids doch seine Situation erkannt haben. Die Gestalt Doëgs, des Edomiters, ist im Zusammenhang fester verankert als Kap. 21 (vgl. o. S. 397), obwohl seine Anwesenheit bei den Knechten Sauls auch hier etwas zufällig wirkt. Daß ein Edomiter in Sauls Diensten steht, wird als Faktum konstatiert. Für das Ganze ist es wichtig, daß es ein verhaßter Edomiter ist, dessen Skrupellosigkeit Saul benützt und der das tut, was selbst die רָצִים verweigern; seine Stellung ist gleichgültig; sicherlich ist sie aber nur untergeordnet (vgl. Anm. a zu V. 9). Die Unterschiede zwischen seinem Bericht und Kap. 21 dürfen nicht hinwegharmonisiert werden, etwa durch die Behauptung, Doëg habe es als für

14. Vgl. dazu o. S. 389.
15. Greßmann.
16. Was Caspari richtig erkannt hat.
17. Wellhausen: Prolegomena, S. 264.
18. Schulz u. a.

den Sachverhalt unerheblich übergangen, daß David geweihtes Brot erhalten habe[19] – das ist im Gegenteil für das Verständnis entscheidend (vgl. o. S. 396)[20]. Noch gekünstelter ist die andere Deutung, Doëg habe daraus, daß das Schwert hinter dem Ephod hervorgeholt werden mußte (21,10)[21], nur auf Verwendung des Ephods und Orakelerteilung geschlossen[22]; nicht ausreichend ist auch die andere, daß die Einführung eines neuen Zuges, der über das bereits Berichtete hinausgeht, zum Erzählungsstil gehöre[23]. Geweihtes Brot und Gottesbefragung sind vielmehr Parallelberichte, die das gleiche ausdrücken sollen, nämlich, daß der weitere Weg Davids von Jahwe sanktioniert war, auch wenn sie unter etwas verschiedenen Aspekten stehen[24]. Eine Parallelität, zugleich ein Hinweis auf den Abstand von den Ereignissen liegt auch darin, daß hier auf die Ehe mit der Saultochter (vgl. dazu o. 352 zu 18,20f.), 21,10 dagegen auf den Sieg über Goliath Bezug genommen ist (zur Nennung des Goliathschwertes 22,9 vgl. Anm. c).

Die Schilderung des Strafgerichts V. 18ff. ist sehr komplex. Schon die jüngere Schreibung des Namens (Anm. a) läßt an eine relativ selbständige und spätere Ausformung des Überlieferungsstückes denken, auf deren Rechnung auch das priesterliche Moment des בַּד (vgl. Anm. c zu V. 18) kommen könnte. Auffallend ist zunächst die Verlegung des Schauplatzes von Gibea nach Nob, ohne daß ein erkennbarer Wechsel des Subjekts vorliegt (vgl. Anm. a zu V. 19). Sie wird zumeist damit erklärt, daß V. 19 der Rest einer Sondertradition interpoliert sei[25], nach der Saul selbst sich unmittelbar auf die Denunzierung Doëgs hin gegen Nob gewandt habe. Aber die Erinnerung daran ist schon berechtigt, daß es mit Ausnahme von Jdc 20+21 keine Parallele für die Austilgung einer israelitischen Stadt durch Israeliten gibt[26] und verlangt Besinnung auf das Wesen dieser Sonderüberlieferung, denn sicher ist von ihr die hohe Zahl der in Gibea hingerichteten Priester nicht zu trennen. Einmal verrät schon das eine ausgesprochene Stilisierung, daß alle Priester von einem Mann hingerichtet worden sein sollen[27], zumal sie offenbar die stillschweigende Sympathie der רָצִים genossen[28]. Die Erklärung, daß Doëg Helfer und Freunde dabei gehabt haben müsse[29], hat einmal keinen Anhalt im Text, würde auch die Aussage verschieben; zudem bliebe die hohe

19. Tiktin.

20. Eine Inkonsequenz scheint hier Greßmann zu begehen, der zwar mit einer Konspiration der Priester rechnet, in der Erklärung, es sei nur geweihtes Brot vorhanden, aber einen Vorwand sieht.

21. In der in diesem Zusammenhang etwas unorganisch wirkenden Erwähnung des Ephod könnte jener Überlieferungszug freilich nachwirken.

22. Vor allem Klostermann.

23. Greßmann.

24. Zu ihrem zeitlichen Verhältnis vgl. o. S. 391.

25. So Budde (andere Quelle), Nowack, Smith, aber auch Schulz, Hetzberg.

26. Smith.

27. Worauf übrigens schon Baudissin (Geschichte des alttestamentlichen Priesterthums. 1889, S. 194) richtig hingewiesen hat.

28. Eine interessante Parallele böte die Problematik des »Sachsenmordes« Karls des Großen bei Verden.

29. Caspari, S. 279.

Zahl der Priester in Nob (Anm. b zu V. 18) auch dann schwierig. Die Annahme, daß Nob ein altes Heiligtum gewesen sein müsse (vgl. o. S. 395, Anm. 1), hilft auch nicht weiter, denn in dem sicher alten Heiligtum von Silo war die Priesterfamilie der Eliden klein[30]. Ebensowenig befriedigt die Auskunft, daß es sich nicht bei allen fünfundachtzig um Blutsverwandte Elis gehandelt haben müsse, sondern wohl auch Fremde in den Familienverband aufgenommen worden seien[31]. Am nächsten läge es natürlich, einfach an eine überhöhte Zahl zu denken[32], aber warum war es dann nicht eine runde Zahl? Hertzberg rechnet andererseits mit der Möglichkeit, daß an einer Örtlichkeit bei Gibea eine Erinnerung an die Zahl Fünfundachtzig haftete, aber auch das bleibt ungewiß. Nun hat Bruno[33] die Vermutung ausgesprochen, daß das נֹב V. 19 als falsche Glosse zu streichen (bzw. als עֲנָתֹת zu lesen) sei und daß die angeblich in Nob ermordete Priesterschaft die Gibeoniten von 2 Sam 21 gewesen seien (vgl. Anm. a zu 21,2). Auch wenn man Bruno nicht im ganzen zustimmt, enthalten seine Überlegungen einen wichtigen Hinweis. Es liegt im Wesen der Berichterstattung über ein Ereignis, das – sei es im Guten, sei es im Bösen – aus dem üblichen Rahmen herausfällt, daß sie andere Überlieferungen gleicher Art an sich zu ziehen vermag. So scheint auch hier die Darstellung einer jähen Tat Sauls an Ahimelech oder einem Teil der Priesterschaft von Nob zahlen- wie umfangmäßig mit den Zügen anderer, ähnlicher Begebnisse ausgestaltet worden zu sein. Dabei kann es sich tatsächlich um ein Unternehmen gegen die Gibeoniten gehandelt haben. Damit würde auch die oft beobachtete und sicherlich nicht zufällige Erscheinung ihre Erklärung finden, daß das Vorgehen gegen Nob in der Ausdrucksform der Heiligen Kriege geschildert wird (vgl. Anm. b zu V. 19). Caspari hat die darin liegenden Schwierigkeiten durchaus erkannt, sie mit seinen Andeutungen dazu noch unterstrichen, aber nicht gelöst (Saul habe sich im Kriege mit jemandem befunden, mit dem Nob noch nicht gebrochen hatte, oder: Saumseligkeit gegen Erwachsene wie Kap. 15 wollte Saul sich nicht wieder vorwerfen lassen). Auch seine Folgerung, daß der Saul abgeneigte Verfasser das Vorgehen des Königs doch nicht als gesetzlos hinstellen wollte, ist ebensowenig berechtigt wie die auf dem Postulat priesterlichen Hochverrats gründende Meinung Nübels[34], daß von einer Grausamkeit Sauls nicht die Rede sein könne[35].

Unberührt von diesen überlieferungsgeschichtlichen Überlegungen bleibt aber die Tatsache, daß im jetzigen Kontext das Verbrechen Sauls als besonders verwerflich charakterisiert werden soll. Er hat den Bann unterlassen, wo er ihn an den Feinden Jahwes und Israels vollstrecken sollte, er hat ihn an Jahwes Priestern vollzogen, wo es um die Befriedigung seiner persönlichen Rachegefühle ging[36].

30. Schulz.

31. Wellhausen: Prolegomena, S. 122.

32. Schon Baudissin: Geschichte des alttestamentlichen Priesterthums. 1889, S. 194; Nowack, Schulz.

33. Gibeon. Leipzig, 1923, S. 72ff.

34. Aufstieg, S. 38; die Überlegung, daß das Vorgehen Sauls altorientalischer Sippenhaftung entspreche, findet sich öfter (z. B. Baentsch: David, S. 66; Greßmann).

35. Mit der Stilisierung des Unternehmens als eines Heiligen Krieges wird auch der These

Natürlich muß für einen solchen Überlieferungszuwachs ein Kristallisationspunkt vorhanden sein, und der ist sicher in einer raschen Tat Sauls gegen Ahimelech allein oder einen größeren Teil seiner Familie zu sehen. Diese Tat liegt durchaus in der Linie dessen, was sonst von Saul berichtet wird (vgl. o. S. 310), zugleich ist sie Ausdruck seiner Zwiespältigkeit, denn sie widerspricht letztlich seiner altväterlichen Frömmigkeit. Das reicht völlig dafür aus, zu begründen, daß der (wohl letzte?) Priestersproß, von dessen Rettung Budde annimmt, daß er als Priester vom Dienst habe in Nob bleiben müssen, zu David flieht. Seine Verbindung mit der Familie Elis und dem alten Jahweheiligtum muß als sicher angenommen werden[37] und ist nicht nachträglich aus dem Bemühen eingetragen, Davids Priester als gut jahwistisch zu legitimieren. Damit ist Saul ein Stück weiter in die gottesferne Einsamkeit hinausgestoßen. David geht mit dem geweihten Ephodträger eine Schicksalsgenossenschaft ein (V. 23), die bis zum Tode Davids anhält. Die Weisung Gottes, die der Priester vermittelt, bestimmt nun seine Entschlüsse und leitet seinen Weg, den Weg endlich zur Macht.

Wincklers (Israel II, S. 182) jeder Boden entzogen, es könne sich bei der Zerstörung Nobs um Ereignisse im Verlauf kriegerischer Auseinandersetzungen zwischen Saul und David gehandelt haben.

36. So schon Keil; das ist das theologisch berechtigte Anliegen der Auslegungen auch von Hertzberg, Gutbrod, Kettler.

37. Anders jetzt A. H. J. Gunneweg: Leviten und Priester. 1965 (FRLANT 89), S. 105ff.

23,1–28 Davids Bewahrung in aller Gefahr

Die in den Kap. 23 (und 24–26) vereinigten Einzelerzählungen tragen anekdotischen Charakter. Die plastische Darstellung, die Freude am Detail kennzeichnen sie als Episoden, die einen Überblick über den chronologischen Ablauf der Ereignisse nicht bieten können[1]. Damit ist es von vornherein unwahrscheinlich, daß sie quellenhaft auf Erzählungsstränge zu verteilen sind[2]. Das einigende Band ist nicht nur die Bedrohung des flüchtigen David durch die Nachstellungen Sauls; darüber hinaus besteht auch, wenngleich verschieden akzentuiert, eine theologische Gemeinsamkeit; es geht letztlich um die Bewahrung, aber auch die Bewährung Davids in aller Gefahr.

In diesen Rahmen gehört nun auch 23,1–13[3]. Daß es sich hier um ein Unternehmen gegen die Philister, also außerhalb des eigentlichen Juda, handelt – was freilich die Form der Darstellung mitbestimmt –, darf nicht überbewertet werden.

1. So z. B. van den Born zu 23,14ff.; es gilt aber schon mit für 23,1–13.

2. Etwa Hölscher: Geschichtsschreibung, S. 373: J 23,1–13.19–28; 25,2–44; 24,1–13.15–23; E 23,14–18; 26,1–25 (ähnlich, wenn in der Beurteilung von 23,1–13 auch weitergehend Budde). Dhorme: E 23+24; J 25+26. Eißfeldt (Komposition, S. 58): I 23,1–13; 25,2–44; 26. II 23,14a. 19–28; 24. III 23,14b–18. Nicht berührt davon werden gelegentliche Einfügungen.

3. Trotz seiner Quellenscheidung rechnet auch Dhorme die Sinneinheit von 23–26; ähnlich schon Wellhausen: Prolegomena, S. 275.

Es liegt in der Natur der Sache, daß eine Streifschar, wie sie sich um David gesammelt hatte, nicht nur ihren Lebensunterhalt suchen mußte überall, wo sie ihn fand (Kap. 25), sondern daß sie darüber hinaus, wo es möglich war, Aufgaben angriff, durch die sie ihre Existenz einigermaßen rechtfertigen konnte. Es ist weiterhin eine aus allen Epochen der Geschichte bekannte Tatsache, daß Menschen am Rande einer gesicherten Existenz vielfach besonders empfindlich in nationalen Belangen reagieren. So ist der Philister ein gegebener Gegner, und die Episode von Kegila ist vom Inhalt her nicht grundsätzlich verschieden von den anderen zu beurteilen[4]. Von diesem Ansatzpunkt aus muß es auch keineswegs so liegen, daß David von vornherein als Sauls Herausforderer[5] mit seinem Auftreten weitgespannte politische Ziele verfolgte[6]; vielmehr wurde er durch die Ereignisse in diese Rolle gedrängt. Das ist jedenfalls die Meinung der alten Berichte, gerade dann, wenn sie in der Rückschau (23,17; 24,21; 25,28) die kommende Königswürde Davids früh erkennen lassen; und damit werden sie wohl auch recht haben.

4. Noth: Geschichte, S. 161.
5. So wieder Mazar: VT 1963, S. 312.
6. Etwa Baentsch: David, S. 67; Nübel: Aufstieg, S. 131.

23,1–13 *David in Kegila*

1 Man trug David die Nachricht zu: »Merk auf, die Philister[a] kriegen[b] gegen Kegila[c], sie sind dabei, die Tennen zu plündern[d].« 2 Darob suchte David Jahwes Weisung und fragte: »Soll ich hinziehen und diese Philister schlagen?« Jahwe gab David die Antwort: »Ziehe hin, schlage die Philister und rette[b] Kegila.« 3 Die Männer Davids hielten ihm aber vor: »Du weißt, wir haben schon hier in Juda[a] Furcht genug; wieviel schlimmer wird das noch werden, wenn wir nach Kegila gegen die Reihen[b] der Philister ziehen.« 4 David befragte deswegen noch einmal Jahwe[a]; (wieder) gab Jahwe die Antwort: »Frisch auf, zieh hin[b] nach Kegila, denn ich werde die Philister in deine Hand geben[c].« 5 Also zog David mit seinen Männern nach Kegila, er kämpfte gegen die Philister[a], trieb ihre Viehherden[b] weg und richtete unter ihnen ein großes Blutbad[c] an. So brachte David den Bewohnern von Kegila Befreiung. 6 Übrigens, als Abjathar, der Sohn Ahimelechs, zu David nach Kegila floh[a], hatte er ⟨den Ephod⟩[b] bei sich ⟨...⟩[c]. 7 Saul aber wurde es zugetragen: »David ist in Kegila eingezogen.« Darüber frohlockte Saul: »Nun hat ihn Gott aufgegeben[a], ja, in meine Hand[b] ist er geliefert[c] damit[d], daß er in eine feste Stadt mit Tor und Riegel eingezogen ist.« 8 Darum bot Saul das ganze Volk zum Feldzug auf[a], nach Kegila zu ziehen, um David und seine Mannschaft einzuschließen. 9 Als David erkannte, daß er es war[a], gegen den Saul Böses plante[b], befahl er[c] dem Priester Abjathar: »Schaff den Ephod[c] herbei.« 10 Und David sprach: »Jahwe, Gott Israels, dein Knecht hat es als sicher vernommen[a], daß

Saul vorhat, nach Kegila zu kommen, die Stadt[b] um meinetwillen zu vernichten. 11 Werden mich nun die Bürger[a] von Kegila ihm ausliefern[b]? Wird Saul wirklich herkommen[c], wie dein Knecht vernommen hat? Jahwe, du Gott Israels, darüber gib deinem Knechte Gewißheit.« Jahwe gab zur Antwort: »Er wird kommen.« 12 David fragte weiter: »Werden die Bürger von Kegila mich und meine Männer Saul ausliefern?« Jahwe gab zur Antwort: »Sie werden es tun[a].« 13 Drum machten sich David und seine Leute auf, bei sechshundert Mann[a], und räumten Kegila und führten ein unstetes Wanderleben, hier und dort, wie es sich ergab[b]. Saul aber wurde gemeldet: »David ist aus Kegila entronnen.« Darauf stand er von seinem Zuge ab.

1 a) Auch hier hat die indeterminierte Form wie üblich generelle Bedeutung (unbegründet anders Caspari); die wenigen Ausnahmen (z. B. 4,17; 7,13; 10,5; 13,20.23 u. a.) lassen keine besondere Absicht erkennen. b) Stehende Einleitung für Unternehmungen der Philister, auch 28,15; 31,3 (abweichend 17,1); vgl. auch das stereotype וַתְּהִי עוֹד מִלְחָמָה 2 Sam 21,15.19. 20. c) Zum Namen (= »Hügel«) jetzt A. Jirku: Zu einigen Orts- und Eigennamen Palästina Syriens. ZAW 1963, S. 87. Ehemals Mittelpunkt eines kanaanäischen Stadtstaates (Alt I, S. 107), das Kelti der Amarnatafeln (278–284). Nach Jos 15,44 zu Juda gehörig. Heute *tell qīla*, 12 km östlich von *beit ǧibrīn*, einige Kilometer südlich von Adullam (G. Dalman: PJ 1913, S. 33; A. Alt: PJ 1925, S. 21; vgl. auch Abel: Géographie II, S. 416; Simons: Texts, § 702). d) 𝔊 unverbundene Doppelübersetzung *διαρπάζουσιν καταπατοῦσιν*, wohl keine doppelte Tradition (de Boer: OTS 6. 1949, S. 44), sondern aus Unverständnis der Situation geflossene zusätzliche Deutung; zur Situation vgl. Jdc 6,3 ff.; 1 Sam 13,16 ff.

2 a) הָאֵלֶּה (das hier die Determination בַּפְּלִשְׁתִּים bedingt) hat verächtlichen Klang (vgl. 17,26.33.36) und ist mit der Erklärung, David wolle keinen generellen Krieg beginnen (Schulz), überinterpretiert. b) Zur charismatischen Gefülltheit dieses Begriffes vgl. O. Grether: Die Bezeichnung Richter für die charismatischen Helden der vorstaatlichen Zeit. ZAW 1939, S. 120ff.

3 a) יְהוּדָה ist aus der Situation zu begreifen (vgl. die Auslegung) und darf weder als ungeschickte Glosse zu פֹּה (Budde) noch als Hinweis auf kanaanäischen (Caspari) oder kalibbitischen (Smith) Charakter der Stadt verstanden werden. b) Vgl. 17,23; notwendiges Kennzeichen der Unterlegenheit Davids, das nicht gestrichen werden darf (etwa Greßmann). 𝔊 *εἰς τὰ σκῦλα* (*'A, Θ παρατάξεις* wie 𝔊 zu 17,8.10 u. ö.) ist nur ungenaue Wiedergabe (de Boer: OTS 6. 1949, S. 44). Es führt trotz des daneben vorkommenden *κοιλίας, κοιλάδας* (Field, S. 528) weder auf ursprüngliches מַעֲרוֹת (Klostermann) noch auf eine Nebenform zu *κεειλά* (Wellhausen), so daß 𝔊 מַעַרְכוֹת ursprünglich nicht gehabt hätte.

4 a) Zweimalige Befragung unterstreicht die Gefährlichkeit des aussichtslosen Unternehmens, vgl. Jdc 6,39 (1 Reg 22,16, worauf Caspari hinweist, liegt anders); Mißverständnis der Situation fand in der Doppelfrage ein quellenkritisches Kriterium (Budde). b) ירד hier nur Hinweis auf südliche Marschrichtung (vgl. G. R. Driver: On עלה »went up country« and ירד »went down country«. ZAW 1957, S. 74). Folgerungen auf einen Standort Davids in יַעַר חֶרֶת (22,5, so S. R. Driver, de Vaux) sind unbegründet. c) Vgl. 17,47 und überhaupt von Rad: Krieg, S. 7f.

5 a) 𝔊 + *καὶ ἔφυγον ἐκ προσώπου αὐτοῦ*, danach ergänzt Dhorme. b) Forttreiben der Herden setzt Verfolgung und Weilen auf feindlichem Boden voraus (so richtig Budde), was aber auch in der Form, daß David einen Entlastungsangriff für Kegila auf philistäisches Gebiet geführt habe (Löhr), undenkbar ist. Die Annahme Casparis, daß die Philister zuvor die Herden der Bevölkerung fortgetrieben hätten, hat über das Zulässige hinausgehende Textänderungen zur Voraussetzung. Harmonisierend, aber im Rahmen des Möglichen, denkt Hertzberg (ähnlich Schulz) an Lasttiere, Troß. Anscheinend ist die Aussage konventionell; vgl. die Auslegung.

c) Vgl. Jos 10,10; Jdc 11,33; 15,8; 1 Sam 6,19; 19,8 u. ö.

6 a) 𝔗𝔖 = 𝔐; 𝔊 *ἐν τῷ φυγεῖν Ἀβιαθὰρ … πρὸς Δαυεὶδ καὶ αὐτὸς μετὰ Δαυεὶδ εἰς Κεειλὰ κατέβη* stellt יָרָד um und gilt damit zumeist als ursprünglicher Text, nach dem 𝔐 geändert wird (Budde, Ehrlich, Smith, Dhorme bis van den Born, Hertzberg, de Vaux). Indessen ist 𝔊 selbst schon der Versuch eines Ausgleichs mit 22,20 (so richtig de Boer: OTS 6. 1949, S. 45). Andererseits darf man auch nicht קְעִילָה streichen (Wellhausen, Caspari, Greßmann; de Boer, a. a. O. u. a.), da gerade dieser Name den verbindenden Gedanken abgibt. b) Lies mit 𝔗𝔖 (und allen Auslegern) הָאֵפוֹד oder וְהָאֵפוֹד (Haplogr). c) 𝔗 ist mit אַחִית (= הוֹרִיד) wohl nur Vereinfachung des schwierigen Textes (de Boer, a. a. O.). Wahrscheinlich ist ירד zu tilgen, entweder als Dittogr oder Erweiterung eines Lesers, dem die Darstellung in diesem Zusammenhang unzureichend erschien. Andere sehen im ganzen Vers eine Beischrift.

7 a) Nach den Vers (𝔊 *πέπρακε*, Σ *ἐξέδωκεν*, 𝔗 מְסַר, 𝔖 אשלמה) wird von den meisten (Budde, Smith, Dhorme bis Caspari, Rehm, de Vaux, Hertzberg) מכר oder auch סכר (S. R. Driver) gelesen (nach Wellhausen ist נִכַּר aus נתן und מכר kontaminiert); doch ist das weder mit dem Hinweis auf Jdc 2,14; 3,8; 4,9 zu begründen noch überhaupt nötig. Zu נִכַּר in der Bedeutung »entfremden, aufgeben« vgl. G. R. Driver: JThS 1927/28, S. 395 f.; jetzt auch A. M. Honeyman: VT 1955, S. 222, Besprechung von KBL. J. Gray: The legacy of Canaan. VTS 5. 1957, S. 190; 2. Aufl. 1965, S. 141 nimmt auch für נִכַּר die von den Vers gebotene Bedeutung »verkaufen« an. b) Punktiere אֱלֹהִים und verbinde בְּיָדוֹ mit נִסְגַּר (vgl. V. 11+12); כִּי ist als affirmative Partikel zu verstehen. Die Verkennung der emphatischen Vorausnahme des zweiten Objekts, die ein besonders triumphierendes Sprechen kennzeichnet, hat die Abteilung in 𝔐 wie die paraphrasierenden Übersetzungen ausgelöst (so auch de Boer: OTS 6. 1949, S. 46). c) נִסְגַּר ist dann passivisch und nicht reflexiv zu verstehen (wie die meisten, vgl. zuletzt Rehm, de Vaux, Hertzberg); reflexives Verständnis ist konsequent in Klostermanns Vorschlag נִסְכַּל zu Ende gedacht. d) GK § 114o.

8 a) Vgl. zu 15,4.

9 a) Emphatische Vorausstellung: also nicht gegen die Philister, wie man hätte erwarten müssen. Zur Stellung des שָׁאוּל in 𝔐 und den Vers vgl. Cross: JBL 1955, S. 169. b) 𝔊 mißverstehend *παρασιωπᾷ*, muß dann natürlich (aus עָלָיו gewonnenes?) *οὐ* einfügen. Zum Ausdruck vgl. Prv 3,29; 6,14.18; 12,20; 14,22 – immer Qal (Budde deswegen auch hier חָרַשׁ). c) Die Erweiterungen in 𝔊, *Δαυιδ* und *ἐφοὺδ κυρίου*, sind vermutlich nicht Deutung, sondern gehen auf eine hebräische Rezension zurück (vgl. 4 QSam[b], dazu Cross: JBL 1955, S. 169).

10 a) Inf. abs. hier nicht nur des volleren Ausdrucks wegen (so GK § 113o) gewählt, aber auch nicht stark genug, um die Frage V. 11 auszuschließen. b) Zur Akkusativrektion mit לְ vgl. Num 32,15 und s. GK § 117n; BroS § 95; auch S. R. Driver, S. 185.

11 a) Vgl. dazu van der Ploeg: OTS 9. 1951, S. 57. b) Der erleichternde Versuch, הֲיַסְגִּרֻנִי als וְהִסְגִּרֻנִי oder וְיַסְגִּרֻנִי (»daß sie mich ausliefern«, Wutz: Systematische Wege, S. 237; »und sie werden mich ausliefern«, Bruno: Bücher, S. 288) an das Vorhergehende anzuschließen, scheitert an der einhelligen Wiedergabe durch die Vers als Frage. 𝔊 *ἀποκλεισθήσεται* unter Auslassung von בַּעֲלֵי קְעִילָה בְיָדוֹ bezieht die Frage auf das Schicksal der Stadt, ist damit aber ebensowenig als Glättung der Unsicherheit hebräischen Stils (de Boer: OTS 6. 1949, S. 46) wie als Auffüllung eines gegenüber 𝔐 durch Textverlust entstandenen kürzeren Wortlautes anzusehen (Wellhausen und die meisten andern), denn auch sie stellte das logisch zweite Glied vor das erste, wäre also so ungeschickt wie möglich. Auch sonst ist 𝔊[B] gegenüber 𝔐 erheblich knapper (V. 11 fehlt יֵרֵד וַיֹּאמֶר יְהוָה, V. 12 bleibt nur (וַיֹּאמֶר יְהוָה יַסְגִּיר(וּ)), was auch nicht auf das mechanische Versehen eines Homoioarkton zurückzuführen ist (Wellhausen, Smith, Dhorme u. v. a.; auch Cross: JBL 1955, S. 170), denn abgesehen davon, daß ein Homoioarkton hier nur schwer einsichtig zu machen wäre, wiche das *ἀποκλεισθήσεται* gedanklich noch immer stark von 𝔐 ab. 𝔊 folgt hier offenbar einer abweichenden Textrezension (vgl. dazu die Auslegung). Da der Spannungen bereitende V. 11aα auch 4 QSam[b] fehlt (Cross: a. a. O., S. 169), erschiene es als berechtigt, diese Worte überhaupt zu streichen (Wellhausen, Smith, S. R. Driver, Dhorme und die meisten). Doch spräche wohl dagegen, daß eine Erweiterung, die einen klaren Text verdunkelt, sich nur schwer begreifen ließe, eine einfache Übernahme aus V. 12 auf Grund eines mechanischen Versehens angesichts der verschiedenen Behandlung der Objekte auch kaum vorliegen kann. Ebensowenig ist eine Erweiterung hier

auf die Zusammenarbeit zweier Quellen (so Budde) zurückzuführen. c) Doppelfrage und falsches logisches Verhältnis ließe sich nach einem erwägenswerten Vorschlag Ehrlichs inhaltlich aus der »Verwirrung des bestürzten Fragestellers« erklären.

12 a) 𝔊 ἀποκλεισθήσεται, vgl. Anm. b zu V. 11. 𝔖 faßt 11 u. 12 zusammen und ergänzt durch den Befehl קום פוק מן קריתא.

13 a) 𝔊 τετρακόσιοι wahrscheinlich Harmonisierung mit 22,2 (so z. B. Wellhausen, Smith, Dhorme), die vielleicht schon die Vorlage enthielt. Die Zahlenangabe von 𝔐 ist jedenfalls nicht als Anwachsen der Gefolgschaft in historischem Sinne zu verstehen (so Ehrlich). Vgl. zu 𝔐 auch Jdc 18,11; 1 Sam 13,15. b) Vgl. 2 Sam 15,20; 2 Reg 8,1.

23,1–13 *David in Kegila.* Auseinandersetzungen Davids und seiner Gefolgschaft mit den Philistern werden vor allen Dingen in den Listen 2 Sam 21,15 ff. und 23,8 ff. erwähnt, wobei auch 23,13 Adullam genannt wird. Damit ist der Situationszusammenhang klar, über einen literarischen Anschluß (etwa an 22,1–5)[1] aber nichts ausgesagt. Verwicklungen dieser und ähnlicher Art machen den späteren Übertritt Davids zu den Philistern nicht nur nicht unmöglich[2], sie könnten geradezu ein Grund dafür gewesen sein, daß die Philister froh darüber sein mußten, einen unbequemen Mann unter ihre Kontrolle zu bekommen.

Die redaktionelle Einordnung in den jetzigen Kontext zeigt, daß der Zug der Verfolgung durch Saul integrierender Bestandteil dieses Überlieferungsstückes ist, und spricht von vornherein für seine Einheitlichkeit (vgl. u. S. 422). Unbeschadet einer judäischen Bevölkerung[3] liegt Kegila (vgl. Anm. c zu V. 1) ebenso wie Adullam so weit am Rande eines geschlossen judäisch-israelitischen Wohngebietes, daß es auch die relative Sicherung einer solchen Lage entbehren muß, schon gar nicht wirksam von dort her kontrolliert werden kann. Bereits von hier aus wird das פֹּה בִּיהוּדָה V. 3 (vgl. Anm. a) ausreichend begründet[4]. Dazu kommt, daß es sich hierbei ja um ein Unternehmen gegen die Philister handelt. Denn diese Aufsichtslosigkeit, die für David verlockend sein mußte, wird auch von den Philistern ausgenutzt. Daß es sich bei ihrem Vorgehen nicht eigentlich um Plünderungen, sondern das Eintreiben von Steuern gehandelt habe[5], ist möglich; bei der allgemeinen Beliebtheit solcher Abgaben sind die Grenzen ja sowieso fließend. Jedenfalls handelt es sich um Grenzzwischenfälle, die episodenhaften Charakter tragen und nur beschränkte Bedeutung haben[6]; auch seitens der Philister besteht schwerlich die Absicht, sich auf judäischem Gebiet festzusetzen[7].

Diese Situation hat ihre nächste Parallele in den Berichten von 1 Sam 13 u. 14. Die bestehenden Unterschiede[8] erklären sich aus dem Größenverhältnis des je-

1. So z. B. Caspari; Klostermann sieht dagegen wegen der Nennung des Ephod einen direkten Anschluß an 22,21–23.

2. Vgl. dazu Greßmann (1921): »Solche Grenzfehden finden, wie heute noch zwischen Persien und der Türkei, jedes Jahr statt, ohne daß es deswegen zu einem regelrechten Kriege käme.«

3. Alt II, S. 286.

4. Es braucht nicht einmal zu bedeuten, daß Kegila als außerhalb Judas liegend angesehen wurde (John Gray: Archaeology and the Old Testament. 1962, S. 97).

5. Alt II, S. 10; ähnlich auch Caspari.

6. Dazu besonders Greßmann. 7. So etwa Budde.

8. Die Caspari überlastet; sein Hinweis auf die Midianiternot Jdc 6 übersieht das eigentliche Problem (ähnlich übrigens auch Löhr).

weiligen Unternehmens, wohl auch daraus, daß Kap. 14 verschiedene Einzelbegebnisse zu einer Einheit zusammengefaßt worden sind (vgl. o. S. 240). Das Gegenüber des Philisters bestimmt die das Tatsächliche überhöhende Beurteilung des Erfolges (vgl. Anm. b zu V. 2, Anm. c zu V. 4 u. V. 5); auch der Zug des Wegtreibens des Viehs, der im Zusammenhang schwer, wenn auch nicht unmöglich zu erklären ist (vgl. Anm. b zu V. 5), gehört wohl dazu und hat eine Entsprechung in 14,32. Ebenso begegnen die stilistischen Mittel der Darstellung in den Geschichten charismatischer Heldentaten sonst. Die Furcht der Leute Davids angesichts der מַעַרְכוֹת פְּלִשְׁתִּים (Anm. b zu V. 3; vgl. 1 Sam 17,21.23) hat eine deutliche Parallele in 1 Sam 17,11; sie kommt auch in der zweimaligen Befragung Jahwes zum Ausdruck (vgl. Anm. a zu V. 4). Aber das sind nur noch aufgesetzte Farben; die Linien des Bildes werden von daher bestimmt, daß der Weisung durch den Ephodbescheid ausschlaggebende Bedeutung zukommt[8a]. Er hat hier eine weit über das Vorkommen 14,3 hinausgehende zentrale Stellung. Die Möglichkeit für David, über die Pläne Sauls und die mutmaßlichen Reaktionen der Bewohner von Kegila darauf unterrichtet zu sein, ist entscheidend. Daraus versteht sich vermutlich die überraschende Nennung Abjathars in diesem Zusammenhang. Daß Abjathar, wenn er sich bei David befand, mit nach Kegila ging, war selbstverständlich und brauchte nicht eigens erwähnt zu werden (vgl. Anm. a zu V. 6). Auch die Umstellung dieses Verses als einer an falscher Stelle in den Zusammenhang gekommenen Glosse[9] hilft nicht wirklich. Angesichts der stilistischen Eigenart dieser ganzen Geschichte ist anzunehmen, daß sie in ihrer vorauszusetzenden selbständigen Gestalt bereits eine nachdrückliche Erwähnung Abjathars und des Ephod enthalten hat, die dann Veränderungen erfuhr und ihren jetzigen komplizierten Wortlaut erhielt, als bei der Einfügung in einen größeren Zusammenhang darauf als auf etwas Bekanntes zurückverwiesen werden konnte[10].

Während der Hintergrund des Berichtes vom Entsatz Kegilas deutlich ist und die historische Zuverlässigkeit außer Zweifel steht, ist es schwer zu entscheiden, ob für Saul ein Operieren in einem so exponierten Gebiet überhaupt möglich war[11]. Die Anstalten, die er V. 8 trifft, sind zu groß für diese Situation und gelten für einen Kriegszug. Es wäre denkbar, daß das Ganze eine Einkleidung für Spannungen ist, die mit Zwangsläufigkeit zwischen Beschützer und Beschützten auftraten; doch wird man hier über unbeweisbare Vermutungen nicht hinauskommen, und unsere Kenntnisse sind zu lückenhaft, als daß man definitive Urteile fällen könnte. Die Nennung Sauls ist jedenfalls nicht eine unorganische Auffüllung des Zusammenhanges, vielmehr stimmen die ihm zugeschriebenen Überlegungen durchaus mit dem Aufriß der Gesamtanlage überein. Saul hofft, daß sein Feind, mit dem Jahwe ist (יְהוָה עִמּוֹ), den Jahwe eben noch durch Orakel angewiesen

8a. Anders anscheinend Schmidt, L.: Erfolg. 1970 (WMANT 38), S. 53ff.

9. Nach V. 2 Löhr, Budde, Nowack; nach 22,20–23 de Vaux, van den Born.

10. Inhaltlich würde sich das in gewisser Weise mit der Annahme Buddes berühren, daß die Nennung hier im Einsatz einer neuen Quelle begründet sei.

11. Vgl. dazu Greßmanns Überlegungen über die Historizität.

und mit Erfolg bestätigt hat, jetzt von Jahwe aufgegeben (vgl. Anm. a zu V. 7) und damit in seine Hand geliefert ist, einfach dadurch, daß er einen strategischen Fehler gemacht und Zuflucht an einem festen Ort gesucht hat. Die darin liegende Durchbrechung, besser Ausweitung des Themas charismatischer Sieg ist nicht erst das Ergebnis der Kontamination zweier voneinander abzugrenzenden Überlieferungen, von denen der einen die Absicht einer Festsetzung in Kegila noch unbekannt gewesen sei[12]. Beides ist weder sachlich noch literarisch voneinander zu trennen[13], die Deutung des Erfolges als eines großen Sieges ist Stilisierung, die nicht ausschließt, daß David mit seinen Taten die Sicherung seiner Existenz sucht[14]. Gerade daran wird er von Saul gehindert.

Von hier aus begreifen sich die Fragen an Jahwe V. 10f. Ganz unabhängig davon, wie man das literarkritische Problem V. 11a lösen will (vgl. Anm. b u. c), steht die Tatsache fest, daß das Hauptinteresse darauf liegt, ob die Leute von Kegila David Schutz gewähren werden. Die Überlegung, daß nach solchen Rettungstaten das Verhalten der Bewohner purer Undank war[15], verkennt ebenso die geschichtliche Situation, wie sie einen fremden Gedanken einträgt. Es ist freilich nicht zufällig, daß 𝔊, die darin vermutlich bereits einer anderen Rezension folgt (vgl. Anm. b zu V. 11), das Gewicht der Frage vom Ergehen Davids auf den Plan Sauls und das Schicksal der Stadt verlegt hat. Es liegt darin eine Retuschierung zugunsten Davids vor, die z. T. auch in die Auslegung übernommen ist, wenn es heißt, daß David hier in einem besonders sympathischen Licht erscheine und daß mit der Absicht erzählt werde, zu zeigen, wie er gehe, damit Kegila nicht seinetwegen in neues, größeres Unglück gerate[16]. War solche Maßnahme auch ein Akt militärischer Klugheit und nüchterner Beurteilung der Lage, so liegt doch aller Nachdruck der Darstellung darauf, daß es in Jahwes Führung geschah und daß es weiter gilt: יְהוָה עִמּוֹ.

12. So besonders van den Born.

13. Für Einheitlichkeit der Überlieferung auch Budde; sein Versuch einer Quellenscheidung rechnet mit zwei inhaltlich völlig gleichen Berichten.

14. Ebenso Greßmann wie de Vaux, überhaupt die meisten.

15. So vor allem Ketter; es zeigt aber doch, wie wenig das Motiv des charismatischen Sieges hier Gewicht hat.

16. Hertzberg.

23,14–28 *David in der Steppe Siph*

14 David fand Zuflucht in der Steppe auf den Bergfesten[a]; er fand Zuflucht auf dem Bergland[b] in der Steppe Siph[c]. Wohl suchte Saul die ganze Zeit nach ihm, aber Gott[d] gab ihn nicht in seine Hand. 15 David sah[a] wohl, daß Saul zu Felde gezogen war, sein Leben einzufordern, – David aber weilte zu der Zeit in der Steppe von Siph[b] in Horescha[c]. 16 Damals machte sich Jonathan, Sauls Sohn, auf den Weg und suchte David in Horescha auf; er stärkte seine Zuversicht[a] in Gott[b], 17 indem er ihm sagte: »Sei ohne Furcht, die Hand meines Vaters Saul wird nicht an dich reichen. Du wirst König über Israel sein, und ich werde an zweiter Stelle[a]

nach dir stehen; selbst mein Vater weiß das.« 18 So schlossen sie beide einen Bund vor Jahwe. Danach blieb David in Horescha, indes Jonathan nach Haus zurückkehrte[a]. 19 Nun zogen einige Siphiter[a] mit der Botschaft hinauf zu Saul nach Gibea: »(Du weißt ja)[b], David hält sich doch bei uns in den unzugänglichen Bergfesten von Horescha [...][c] verborgen. 20 Wenn[a] es dir irgend beliebt[b] herabzukommen, (Herr) König, dann komm; unsere Sache[c] wird es dann sein, ihn in die Hand des Königs zu liefern[d].« 21 Saul gab zur Antwort: »Dafür sollt ihr von Jahwe gesegnet sein, daß ihr Mitleid mit mir gefühlt habt[a]. 22 Geht nun, trefft weiter alle Vorbereitungen[a], erkundet und beobachtet die Stelle, wo sein Fuß weilt [...][b]. Man hat mir nämlich gesagt[c], daß er ungewöhnlich verschlagen sei[d]. 23 Beobachtet und erkundet[a] [b]alle in Frage kommenden Plätze[c], wo er sich versteckt halten könnte; dann kommt wieder zu mir mit bestimmten Angaben[d b]; ich komme dann mit euch, und wenn er dann noch im Lande ist[e], dann spüre ich ihn auf[f] unter allen Sippen[g] Judas.« 24 Damit brachen sie auf und zogen vor Saul her[a] nach Siph[b]. David und seine Männer waren zu der Zeit in der Steppe Maon[c] in der Wüstenniederung[d] südlich von der großen Öde[e]. 25 Saul und seine Männer machten sich auf die Suche[a]. Als man das David meldete, zog er sich weiter herunter zum Felsen[b] und nahm seinen Aufenthalt[c] in der Steppe von Maon. Als (wiederum) Saul das hörte, setzte er ihm nach bis in die Steppe Maon. 26 Dabei rückten Saul ⟨und seine Männer⟩[a] auf der einen Seite des Berges vor, David und seine Männer waren auf der anderen. David war hastig bemüht[b], vor Saul fortzukommen; doch waren Saul und seine Männer gerade daran, David und seine Männer einzuschließen[c] und zu fangen. 27 In diesem Augenblick kam ein Bote zu Saul mit der Nachricht: »Komm schnell, die Philister sind in das Land eingefallen und plündern.« 28 Deswegen stand Saul davon ab, David weiter zu verfolgen[a], und marschierte gegen die Philister. Darum nennt man jenen Platz »Fels der Trennung[b]«.

14 a) Vgl. Jdc 6,2; Jes 33,16; Jer 51,30; auf der anderen Seite 22,4.5 (מְצוּדָה neben מְצָד könnte auf ursprüngliche Einzelüberlieferungen hinweisen. 𝔊 faßt es mit *Μασερεμ* (𝔊[A] *Μασερεθ*) als Ortsname, übersetzt es zugleich mit *ἐν τοῖς στενοῖς* doppelt (ר statt ד auch 𝔖; dazu Wutz: Transkriptionen, S. 54). b) Der überladene Ausdruck erklärt sich aus dem Bestreben, eine verbindende Klammer für die verschiedenen hier berichteten Episoden zu finden. הר, parallel zu מְצָדוֹת, ist allgemeiner Ausdruck für das judäische Bergland. 𝔊[B] sucht durch Umstellung *ἐν τῇ ἐρήμῳ ἐν τῷ ὄρει* und die Zufügung eines paraphrasierenden *ἐν τῇ γῇ τῇ αὐχμώδει* den Nachdruck auf den Charakter der Landschaft zu legen und damit die Spannung auszugleichen; *αὐχμώδης* auch V. 15.19; 26,1, was zu regelmäßig ist, als daß es sich um bloße Übersetzungsfreiheit handeln könnte, zumal ein hebräisches Äquivalent unklar ist. c) Jos 15,55 (zu unterscheiden von Jos 15,24) zum Bergland Juda gerechnete Stadt, die ursprünglich zum Siedlungsgebiet der Keniter gehörte (A. Alt: PJ 1925, S. 114), jetzt *tell zīf*, 6 km südöstlich von Hebron (Abel: Géographie II, S. 490; Simons: Texts, § 703.977; A. Alt: PJ 1926, S. 77; 1927, S. 28). מִדְבַּר זִיף ist das östlich davon im Anfang des Gebirgsabfalls

liegende Weideland (Noth: Josua. 2. Aufl. 1953 [HAT I/7], S. 98); das westlich davon liegende Gebiet ist gut anbaufähig (Stoebe: ZDPV 1964, S. 9f.). d) 𝔊 4 QSam[b] *κύριος*, vgl. zu V. 18.

15 a) Die auf Ewald zurückgehende und von den meisten übernommene Änderung in וַיִּרָא (anders Rehm, Hertzberg) ist unnötig und verkennt die überlieferungsmäßige Eigenart von V. 16–18. b) Vgl. zu 14b; V. 15b bildet einen Zustandssatz, so daß weder die Auseinanderziehung des בְּמִדְבַּר in בָּא מִדְבַּר (Bruno: Bücher, S. 288) noch die Streichung von זִיף (Nowack, Caspari) gerechtfertigt ist. c) Zum Namen vgl. auch Jdc 4,2.13.16; von 𝔐 wird es durch die Determination als Gattungsbezeichnung gedeutet (*'A ἐν τῇ ὕλῃ, Σ ἐν τῷ δρυμῷ*; 𝔊 mit Verwechslung von ר und ד *ἐν τῇ καινῇ Ζίφ.*; auch Caspari »im Dickicht«), ist aber nach V. 16 wohl doch als nomen proprium locale anzusehen; es ist deswegen auch nicht notwendig, das ה als Locativendung zu erklären (so Dhorme; für ein Zusammentreffen von Locativendung und Präposition vgl. sonst GK § 90e). Üblicherweise wird es mit *ḫirbet ḫoreisa* zusammengebracht (Abel: Géographie II, S. 350; Simons: Texts, § 704; so auch die meisten Ausleger), was indessen auch mit dem Hinweis auf die Nähe zu *tell zīf* (3 km südlich davon) nicht bewiesen werden kann; vgl. Stoebe: ZDPV 1966, S. 17 und die Auslegung.

16 a) Zur Bedeutung vgl. Jdc 9,24; Jes 35,3; Jer 23,14 u. a. Vielleicht sollte man danach besser יָדָיו vokalisieren (𝔊𝔖, Ehrlich u. a.). Der Ausdruck bedeutet ebensowenig »Verstärkung« (Caspari), wie er das Zeichen eines Bundschlusses ist (Kraetzschmar: Die Bundesvorstellung im Alten Testament. Marburg 1896, S. 47). b) אֱלֹהִים früher vielfach als Quellencharakteristikum von E angesehen (Budde, Dhorme), ist integrierender Bestandteil des Berichtes, darf deswegen nicht als bloße Beischrift eines frommen Lesers (Ehrlich) erklärt werden. 𝔊𝔗, wahrscheinlich auch 4 QSam[b], folgen mit יהוה einer vermutlich besseren Rezension.

17 a) Zum Ausdruck vgl. 8,2; 17,13. 𝔖 verschiebt durch die Auslassung dieses Wortes den Gedanken und spricht nur vom Schutze Davids durch Jonathan.

18 a) Vgl. die Stilisierung eines Berichtabschlusses 21,1.

19 a) 𝔊[B] *οἱ Ζιφαῖοι ἐκ τῆς αὐχμώδους*, Änderung in הַזִּפִים nach 26,1 (S. R. Driver, Budde) ist unnötig; entweder ist זִפִים hier wie פְּלִשְׁתִּים gebraucht oder, wahrscheinlicher, die undeterminierte Form beabsichtigt (Caspari, Rehm, Hertzberg, de Vaux). b) GK § 150e; BroS § 54c. c) »In Gibea-Hachila, das südlich von Jeschimon liegt.« Diese genaue Ortsbezeichnung stünde im Widerspruch zu der Suche der folgenden Verse und überlastete die Aussage. Sie scheint aus dem Parallelbericht 26,1ff. hier ausgleichend eingefügt zu sein (z. B. Nowack, Kittel, Rehm). Das מִימִין הַיְשִׁימוֹן (gegenüber עַל־פְּנֵי הַיְשׁ׳ 26,1) beabsichtigt keine andere Angabe der Himmelsrichtung (Smith), sondern ist Anpassung an V. 24 (Wellhausen). Dagegen ist es wenig wahrscheinlich, daß auch schon בַּחֹרְשָׁה Angleichung an das Vorhergehende ist (so Budde, Dhorme, de Vaux, Hertzberg u. a.). Gänzlich unberechtigt ist die Streichung von מְצָדוֹת durch Sievers, Caspari.

20 a) Zum Ausdruck der Bedingung durch asyndetische Nebeneinanderstellung von Sätzen GK § 159b; BroS § 164a. b) לְ hier »in Gemäßheit« (vgl. GB, S. 336; KBL, S. 465). 𝔊 *πρὸς ψυχὴν τοῦ βασιλέως* beseitigt die direkte Anrede. c) Zu diesem Gebrauch von לְ vgl. Jer 10,23; Mi 3,1; auch 2 Sam 18,11 עָלַי. 𝔊 zieht לָנוּ ohne וְ zum Vorhergehenden (אֵלֵינוּ?), ähnlich auch 𝔖 (Klostermann). d) הַסְגִּירוֹ ist Subjektsinfinitiv (GK § 114a; Kö § 397d). Das durch die Fehlinterpretation von לָנוּ notwendige *κεκλείκασιν* von 𝔊 bestätigt 𝔐. 𝔗𝔖 lösen erleichternd durch verbum finitum (wir) auf, was indessen kein Grund zu Textänderungen (Klostermann) ist.

21 a) Durch 𝔗𝔖 *'A Θ (ἐφείσασθε) Σ (ἐσπλαγνίσθητε)* bestätigt; 𝔊 *ἐπονέσατε* fordert nicht Änderung in עֲמַלְתֶּם (Greßmann, BH[3]); zur Stärke des Ausdrucks vgl. 22,8.

22 a) Einige MSS, auch 𝔖 הָבִינוּ (danach z. B. Smith, Caspari, de Vaux); andere (z. B. de Wette, Budde) nehmen eine Ellipse an und ergänzen לֵב – Klostermann מוֹעֵד: setzt einen Zeitpunkt fest – was allerdings auch nicht das gewünschte »Achtgeben« bedeutet (S. R. Driver). 𝔊 *ἑτοιμάσατε*, 𝔗 אַתְקִינוּ haben es, wohl richtig, von militärischen Vorbereitungen verstanden (so auch S. R. Driver, Rehm, Hertzberg); vgl. dazu Jer 46,14; Ez 7,14; 38,7; Nah 2,14. Möglich wäre auch die Auffassung »sich vergewissern« (Dhorme) oder »aufs Korn nehmen« (Caspari). b) Wörtlich »Wer hat ihn dort gesehn?«, was zwar durch 𝔗𝔖𝔙 bestätigt wird, aber schwierig zu verstehen bleibt. Nach 𝔊 *ἐν τάχει* wird es vielfach geändert und auf רַגְלוֹ

bezogen, entweder als Attribut (הַמְּהֵרָה Wellhausen, Budde, Hertzberg; הַמְּהִירָה Ehrlich, Tiktin) oder als Prädikat (מְמַהֵרָה, Dhorme, de Vaux; מַרְגִּיעָה Smith). Doch ist dazu zu bedenken, daß 𝔊 auch sonst eine abweichende Textform bietet. Man könnte wohl unter Beibehaltung von 𝔐 entweder וּמִי רָאָה (Haplogr zu רַגְלוֹ) lesen (so Schulz, Rehm) oder den Anakoluth bewegter Rede annehmen; das שָׁם wäre dann sowohl zu אֲשֶׁר wie zu רָאָהוּ zu ziehen. Doch ist die Annahme einer für das Verständnis unwichtigen und darum zu tilgenden Nebenlesart das Wahrscheinlichste (so auch Caspari, de Groot, van den Born). Bruno: Epos, will beide Worte zu מָרְאָה zusammenziehen, was einen sehr geschraubten Ausdruck ergäbe. c) Nach überliefertem Text Mitteilung eines Dritten an Saul (so auch 𝔗𝔖); 𝔙 sieht anscheinend in David das Subjekt. Zur Syntax von אָמַר GK § 144e; BroS § 36d; 𝔊 εἴπετε hat es zum Vorhergehenden gezogen. Aus der sachlich berechtigten, aber doch zu subtilen Überlegung, daß Saul David am besten gekannt haben müsse (Smith), wollen manche (z. B. Budde, Dhorme, Greßmann) אֵלַי tilgen, oder nach 𝔊 μὴ πότε als אֻלַי vokalisieren, so daß Saul Subjekt würde (»er dachte aber«). Aus gleichem Grunde Schulz יֹאמַר לִי »der sage es mir«. Zur Situation, die nach 𝔐 vorausgesetzt werden muß, vgl. auch 2 Sam 17,4ff. d) Zur Form GK § 63n; BLe § 40b; siehe auch Prv 15,5; 19,25. Das Subjekt kann natürlich nur David sein, nicht die Ziphiter (so Dhorme, Greßmann mit willkürlicher Änderung des יערם הוא in יַעְרִמוּ; ähnlich Klostermann).

23 a) So auch Jer 5,1; Umstellung gegenüber V. 22. b) Das Fehlen in 𝔊B ist wohl nur Erleichterung (schon der Vorlage?), weil der Satz nach V. 22 gedeutet und in seiner Besonderheit nicht erkannt wurde, ist also kein Beweis für sekundären Charakter (ähnlich Budde; de Boer: OTS 6. 1949, S. 50). c) Zu dieser Bedeutung von מִן (auch 14,45) vgl. GK § 119w; BroS § 111a; auch Kö § 83 (unnötig Bruno: Bücher, S. 288 מִי מִכֹּל). Die Formulierung kennzeichnet die Verbissenheit Sauls und ist beabsichtigt, was bei Änderung in בְּכֹל (S. R. Driver; DelF § 114b) verlorenginge und auch von Caspari (direkte Anknüpfung des מִכֹּל an יַעְרִם הוּא unter Tilgung von רְאוּ וּדְעוּ) verkannt wird. d) Unsichere Übersetzung, vgl. zu 26,4. Die Auffassung »zu einem festgelegten Ort« (z. B. Hertzberg, ähnlich 𝔖 נָכוֹן = מָכוֹן) hat im Zusammenhang keinen Anhalt; näher liegt ein adverbiales Verständnis, wobei אֶל für עַל stehen könnte. (𝔗 בְּקֻשְׁטְ, Σ ἐπὶ βεβαιῷ, so schon Löhr, S. R. Driver, Smith und die meisten); Tilgung des אֶל und Erklärung als Objekt (Wellhausen, Budde, Schulz) setzt entweder transitives Verständnis von שַׁבְתֶּם oder Änderung in וַהֲשֵׁבֹתֶם (so besonders BH3) voraus, was ebenso Schwierigkeiten macht wie die Auffassung des נָכוֹן als Inf. abs. (Dhorme). e) Vgl. zu 14,39. f) Durch die Vers (𝔊 ἐξερευνήσω) bestätigt und nicht zu ändern (Ehrlich וְתָפַשְׂתִּי), auch wenn es nicht in den Zusammenhang zu passen scheint. g) Hier nicht die militärische Einheit, sondern die Sippe; zur Sache vgl. de Vaux: Lebensordnungen II, S. 17. Bruno will verdeutlichend אַלְּפֵי vokalisieren.

24 a) Temporales Verständnis (so Ehrlich) ist unwahrscheinlich. b) 𝔊 οἱ Ζιφαῖοι (Budde). c) Unklar 𝔊L ἐπηκόῳ (שמעון?). Vgl. Jos 15,55, ursprünglich zum Siedlungsgebiet der Keniter gehörende Stadt Judas (Alt II, S. 286); heute *tell ma ͑īn*, südlich von Hebron (12 km), Ziph (7 km) und Karmel (2 km); vgl. Abel: Géographie II, S. 377; Simons: Texts, § 706f.; auch H. J. Stoebe: ZDPV 1966, S. 17. Zu מִדְבַּר מָעוֹן vgl. zu 23,14c. d) עֲרָבָה (𝔊 mißverstehend καθ' ἑσπέραν), an sich Bezeichnung für die Senke des Jordantales und des Toten Meeres (NothWAT, S. 46), kann auch in direktem Parallelismus zu מִדְבָּר gebraucht werden (Abel: Géographie I, S. 432; vgl. auch בַּמִּדְבָּר בֵּית הָעֲרָבָה Jos 15,61) und wird hier so zu verstehen sein (s. die Auslegung). Es beweist weder, daß das Weidegebiet von מָעוֹן bis ins Jordantal gereicht hat (Smith, van den Born), noch ist es als ausgleichender Zusatz (Budde, Greßmann; entgegengesetzt Dhorme) zu tilgen, zumal es hier im Zusammenhang nicht mehr begegnet. e) הַיְשִׁימוֹן auch Num 21,20; 23,28. Als Kennzeichnung einer Bodenbeschaffenheit ist es allgemeiner Ausdruck für Wüste (Schwarzenbach: Terminologie, S. 112) und wird auch hier so zu verstehen sein (so die meisten; anders S. R. Driver, Hertzberg). Das von עַל פְּנֵי 26,1.3 (Num 21,20; 23,28) abzusetzende אֶל יְמִין spricht, anders als V. 19, gegen einfache Übernahme von dort (Budde, Greßmann; jetzt auch Simons: Texts, § 61), ebenso aber gegen eine klare topographische Vorstellung.

25 a) 𝔊𝔙 pronominales Objekt, 𝔖 + *ledawīd*. Die von den meisten vollzogene Änderung ist möglich, aber nicht nötig. b) Jdc 15,8; 20,45.47; 1 Sam 13,6 (Pl.), und wohl auch hier

allgemeine Bezeichnung eines Schlupfwinkels; es ist jedenfalls kein Eigenname (so schon Wellhausen), sondern Vorausweisung auf V. 28. c) 𝔊 τὴν ἐν τῇ ἐρήμῳ, wonach von Thenius bis Hertzberg fast ausnahmslos in אֲשֶׁר geändert wird; nur Bruno: Epos, S. 85 hält aus metrischen Gründen an וישב fest, aber vokalisiert וַיֵּשֶׁב, was inhaltlich unmöglich ist. Indessen bewirkt auch "אֲשֶׁר בְּמִדְבַּר keine wirkliche Näherbestimmung (vgl. die Appositionen Jdc 15,8; 20,45). Die scheinbare Spannung in 𝔐 erklärt sich aus dem Stil (vgl. Anm. b).

26 a) 𝔊 + καὶ οἱ ἄνδρες αὐτοῦ, wonach die meisten, wohl richtig, וַאֲנָשָׁיו ergänzen. b) Vgl. 2 Reg 7,15 (Ketib); Ps 48,6; 104,7; 2 Sam 4,4. Als Ausdruck ängstlicher Hast wird es auch von 𝔗𝔖 verstanden, während 𝔊 σκεπαζόμενος einer eigenen, auch von Σ Θ vertretenen Auffassung folgt. Änderungen aus inhaltlichen Erwägungen (Caspari נֶחְפָּשׂ oder auch נָאֵף) sind unbegründet. c) Als Ausdruck dichterischer Sprache geläufig, bedeutet es im Piel und Hiphil »krönen«, 𝔙 »in modum coronae cingebant«; vgl. auch das περιστεφανοῦντες bei Field. Nach 𝔊 παρενέβαλον werden vorgeschlagen: עָטִים (Budde, Smith, Dhorme, DelF § 119b), עָבְרִים, was vorzuziehen wäre, vielleicht aber auch einen trotz sonderlichen Ausdrucks klaren Gedanken verdunkelt. Für seine Konjektur אֹרְבִים könnte Caspari sich auf 𝔗 כָּמְנִין berufen.

28 a) Zur Form vgl. GK § 22c, 22s; BLe § 24s. b) Das Wort dürfte mit der Wz. חלק I »glatt sein« zusammenhängen und in ursprünglicher Bedeutung auf die Beschaffenheit des Felsens hinweisen (Budde, KBL), nicht auf seine eigentümliche Lage (Klostermann). Im jetzigen Kontext wird es von חלק II »teilen« verstanden. מַחֲלֹקֶת ist konkret die Abteilung (z. B. Jos 11,23; 12,7), woran hier im Blick auf die getrennt marschierenden Abteilungen gedacht sein könnte. Die Vers erinnern offenbar an die Trennung, die hier stattgefunden hat, auch 𝔊, deren πέτρα ἡ μερισθεῖσα weder auf ein הַמַּחֲלֹקֶת zurückzugehen (Nowack), noch als Ausdruck für Wandlung eines Geschickes (Klostermann) verstanden zu werden braucht. 𝔗 unterstreicht durch die Paraphrase »wo das Herz des Königs geteilt wurde«. Die von den Älteren bevorzugte Deutung »Fels des Entkommens« (vgl. bei S. R. Driver) ist aus sprachlichen wie sachlichen Gründen unmöglich, ebenso »Fels der Beute« (Bruno: Epos). Die von Conder: Survey of Western Palestine. 1884, S. 437 vorgenommene Gleichsetzung mit dem Hohlweg *el malāqi*, nordöstl. von Maon (vgl. auch de Vaux), überbewertet die Konkretheit der Überlieferung und hat wenig Wahrscheinlichkeit.

23,14–28 *David in der Steppe Siph.* V. 14 u. 15a sind redaktionell; ähnlich wie 13,2 (vgl. dort) wird der Ertrag einer Reihe von Einzelbegebnissen zusammengefaßt und gleichsam thematisch vorangestellt. Daraus erklärt sich die überfüllte Ortsangabe (vgl. Anm. b zu V. 14) im allgemeinen wie die Nennung von זִיף im besonderen. Wenn sie auch eine vorgreifende Anspielung auf die Ereignisse V. 19–28 enthält[1], steht sie doch in engem Zusammenhang mit der redaktionellen Absicht der Einleitung überhaupt und ist keine spätere, darum zu tilgende Wucherung des Textes[2]. Ebensowenig besteht ein Grund dafür, V. 14aβ vor V. 19 zu stellen[3]. Die feindselige Haltung, die die Siphiter gegen David einnehmen, ist tatsächlich die entscheidende Gefahr für ihn in diesem Raum und dieser Zeit, ohne sie hätte sein Flüchtlingsleben einigermaßen gesichert sein können; insofern gehört ein Hinweis auf זִיף unabdingbar zur Schilderung seines Ausgestoßenseins. Der Doppelbericht hier und 26,1ff., dazu die Überschrift Ps 54,2 zeigen deutlich, welches Gewicht die Erinnerungen daran hatten. Angesichts dieser starken Bezeugung kann an der Historizität wohl nicht

1. Driver.
2. Etwa Klostermann, Caspari; Bruno: Epos, S. 85.
3. Z. B. Budde, Smith; vgl. Schulz.

gezweifelt werden, schon deswegen nicht, weil es zu einer späteren Zeit keine Empfehlung sein konnte, dem König in seiner früheren Erniedrigung nicht jede erdenkliche Hilfe geleistet zu haben. Es ist auch sicher nicht zufällig, daß זִיף, das später königliches Krongut gewesen ist, Kap. 30 nicht mit unter den Städten erscheint, denen David nach seiner Strafexpedition gegen die Amalekiter Anteile an der Beute zusendet[4]. Eine Bemerkung darüber, daß David sich seiner gefährlichen Situation bewußt war (vgl. Anm. a zu V. 15), schließt die Einleitungsformel ab (vgl. dazu die parallele Formulierung 26,3)[5]. Unter Umständen enthält auch sie bereits einen besonderen Hinweis auf einen Zug der Verfolgungsgeschichte (vgl. u. S. 429).

16–18 Ein Zustandssatz (vgl. Anm. b zu V. 15) leitet zu der letzten Begegnung Jonathans mit David in חֹרְשָׁה über. Die Beziehung dieser Örtlichkeit zu מִדְבַּר זִיף scheint topographisch zuverlässig und läßt ihre Lage östlich von זִיף im Gebirgsabfall suchen (V. 14a). Deswegen kann die *ḫirbet ḫoresa* (Anm. c zu V. 15), deren Ruine[6] selbst spätbyzantinisch ist, nicht dafür in Frage kommen, weil dieser Platz im gut anbaufähigen, überdies leicht einzusehenden Gelände liegt, also einem Flüchtigen nur in sehr bedingtem Maße Schutz zu bieten vermochte[7]. Auch als Eigenname braucht חֹרְשָׁה keineswegs eine feste Siedlung zu bezeichnen. Die Namensform könnte dagegen mit dem 22,5 genannten יַעַר חֶרֶת identisch sein[8]. Dabei wäre auch die über den äußeren Rahmen hinausgehende Gemeinsamkeit in den Überlieferungsinhalten zu beachten. David kommt 22,5 dorthin auf die durch Gad vermittelte Weisung Gottes, wobei dieser letzten Endes ebenso Trost spendet wie hier Jonathan (בֵּאלֹהִים V. 16). Damit fällt ein Licht auf den Charakter dieses Überlieferungsstückes. Seine Eigenständigkeit ist unbestreitbar und anerkannt[9], doch läßt sich nicht sagen, daß es sich nur unvollkommen in den Text einfügt[10]. Wie auch sonst ist die Darstellung durch den Kontrast bestimmt. In dem Augenblick, wo die Lage Davids angesichts der ständigen Verfolgungen Sauls unhaltbar wird, erkennt der Sohn Sauls in ihm den kommenden König an – ja sogar der Verfolger tut es – und ordnet sich ihm unter. Mehr darf auch aus dem מִשְׁנֶה nicht herausgehört werden. Das hat im Prinzip Caspari schon richtig erkannt[11], wenn er darin nur einen allgemeinen, im militärischen Bereich gewachsenen Ausdruck, keineswegs eine unter David für Jonathan zu schaffende Stellung gesehen hat. Jonathan gibt damit einen persönlichen Eindruck[12], richtiger den Inhalt einer gottgewirkten Erkenntnis wieder, nicht die Grundlage eines Abkommens[13]. Der Bundschluß selbst ist eine

4. Ernst Sellin: Die palästinischen Krughenkel mit den Königsstempeln. ZDPV 1943, S. 222.
5. Klostermann sieht darin recht gekünstelt die vom Zusammenhang abgesprengte ursprüngliche Einleitung zu Kap. 27.
6. Buhl: Geographie, S. 97; vgl. die Zitierung bei Hertzberg.
7. Stoebe: ZDPV 1966, S. 17.
8. Anm. c zu 22,5.
9. Vgl. dazu zuletzt, wenn auch mit etwas anderer Beurteilung, Koch: Formgeschichte, S. 159.
10. So de Vaux, aber auch viele andere.
11. Thronbesteigung, S. 197.
12. So ausdrücklich Nowack.
13. R. Kraetzschmar: Die Bundesvorstellung im Alten Testament. 1896, S. 20f.

Parallele zu 18,7, eine Dublette zu 20,16. Da er, wie dort, in einer ausgesprochenen Notsituation Davids erfolgt, kann er auch hier nicht als Eingeständnis einer Konspiration Jonathans und weitgespannter, ehrgeiziger Pläne Davids verstanden werden[14]. Die dem Bericht zugrunde liegende Überlieferung ist, wie überall, das bekannte Freundschaftsverhältnis (vgl. o. S. 347), und die Auslegung, die hier diese Freundschaft bestätigt findet[15], kommt der Wirklichkeit näher als die, die darin den Ausdruck eigensüchtigen Sicherungsbestrebens[16] oder fehlendes Zutrauen Jonathans zur Vertragstreue Davids sieht[17].

Das eigentümlich Schillernde der Darstellung, das etwa in der Auffassung von 𝔖[18] zutage tritt, begreift sich daher, daß es nicht zuerst ihr Ziel war, die menschliche Zuneigung des Königssohns zu schildern, sondern die Bestätigung Davids und seines Weges durch Jahwe, die sich darin erweist. Wer das Ziel aber kennt, versteht auch den Weg von daher[19]. Der Bericht unterscheidet sich von 20,16 zwar darin, daß hier der Tod Jonathans noch außerhalb des Gesichtskreises zu liegen scheint; doch sind das geringe Unterschiede, die es nicht erlauben, aus einer theologisch geformten Überlieferung eine geheime Kommandosache zu machen. Wenngleich vieles offenbleibt, z. B. wie Jonathan nach חֹרְשָׁה gehen konnte, ohne daß Saul es erfuhr, scheint es mir doch nicht zweifelhaft zu sein, daß er auch nach dem Bruch die Möglichkeit fand, mit David zusammenzukommen, ohne daß man deswegen von Hochverrat zu reden hätte[20]. Und anscheinend kam auch חֹרְשָׁה eine Bedeutung dabei zu. V. 18 (vgl. Anm. a) ist der Abschluß dieser ursprünglichen Eigenüberlieferung, die aber schon vom Orte her eng mit der folgenden verbunden gewesen sein mag.

19–24 Die feindliche Haltung der Leute von Siph kann daher rühren, daß sie, durch die Lage ihrer Stadt von David her besonders bedroht, nicht Kraft genug hatten, sich selber zu schützen, andererseits aber doch zu stark waren, um sich seinen Schutz widerspruchslos gefallen zu lassen[21]. Zugleich ist sie aber kennzeichnend dafür, wie Leute außerhalb der Ordnungen auch damals eingeschätzt wurden. So hat die Darstellung des Auftretens der Siphiter über die Einzelsituation hinaus paradigmatische Bedeutung für die Bedrohung Davids schlechthin. Das kommt nicht nur in der Häufung der Ortsnamen V. 19 – wo sie sicher sekundär ist (vgl. Anm. c) –, sondern vor allem V. 24 zum Ausdruck. Das Nebeneinander der Begriffe מִדְבָּר, עֲרָבָה (vgl. Anm. c zu V. 24) und יְשִׁימוֹן (vgl. Anm. d)

14. Vgl. dazu o. S. 389.
15. Hertzberg: »ein Freundesdienst Jonathans«.
16. Ehrlich.
17. Kapelrud: ZAW 1955, S. 199.
18. Vgl. Anm. a zu V. 17; vgl. auch o. S. 386 zu 20,12ff.
19. Es ist also unnötig, in der Erwähnung des Königtums Davids einen späteren Midrasch zu sehen.
20. Das wird gut von Caspari herausgehoben.
21. Stoebe: ZDPV 1964, S. 10.
22. Zu Unrecht sieht Budde hier Überfüllung, die er darauf zurückführt, daß das 26,1 fehlende Gespräch Sauls mit den Siphitern hier vom Redaktor eingefügt sei. Smith rechnet wenigstens mit Abschreibererweiterung.

wirkt zwar überladen, ermöglicht auch keine klare topographische Vorstellung, macht aber das Ausgestoßensein Davids sehr eindrücklich. Dem korrespondiert auf der anderen Seite die Steigerung in der rücksichtslosen Vernichtungsabsicht Sauls, die im Vergleich von V. 23 mit V. 22 (vgl. Anm. b zu V. 23)[22] zutage tritt[23]. Die Schilderung, wie die Leute von Siph an Saul gelangen, zeigt in der Wahl der Schauplatzes (Gibea), in der Stilisierung (Auflösung der Darstellung in bewegte Rede) und auch in der Formulierung (vgl. Anm. a zu V. 22) Anklänge an 22,6ff., ist also nicht Eintrag der späteren Verhältnisse einer königlichen Residenz in Jerusalem[24], sondern gehört zu einem alten Rahmen solchen Erzählungsgutes[25]. Freilich ist es nicht mehr als ein Rahmen, denn nach der generellen Einleitung zielt die Darstellung auf ein besonderes, von der Einleitung her nur noch mittelbar bestimmtes Begebnis.

25–28 David ist in die Steppe von Maon ausgewichen; ob das, was durchaus möglich wäre, unter dem Eindruck der feindlichen Einstellung der Leute von Siph geschah oder von vornherein in der Linie seines unstet flüchtigen Lebens lag, ist nicht zu entscheiden; die Häufung der Ausdrücke (vgl. o. zu V. 24) spricht für das letztere. Der große Rahmen wird jedenfalls durch מִדְבַּר מָעוֹן gebildet; die Nennung von סֶלַע ist Klammer zu einer Überlieferung, die sich um einen topographischen Namen gebildet hat, der mit etwas in Zusammenhang gebracht ist, was sich dort ereignete. Die Geschichte wird erzählt, ohne daß die sonst übliche etymologische Erklärung geboten wird[26], sie legt dem Namen auch eine Bedeutung unter, die vermutlich nicht die ursprüngliche war (vgl. Anm. a zu V. 28); sie ist also nur locker mit diesem Haftpunkt verbunden. Dem entspricht eine gewisse Unanschaulichkeit in der Darstellung.

Die Situation ist wohl so zu verstehen, daß Saul und David die auf eine Vereinigung zulaufenden Seitenarme eines Wadis entlangmarschieren, Saul anscheinend, ohne von der Nähe seines Feindes zu wissen, David im Bewußtsein der Gefahr. Das ist freilich nicht ganz sicher, denn dann wäre eigentlich nicht zu begreifen, daß er keine Möglichkeit zur Flucht fand. Unabhängig davon wird eine ungeheure Spannung deutlich, die völlig verkannt wird, wenn man darin die Burleske eines Haschen-Spiels findet[27]. Diese Spannung charakterisiert die literarische Art des hier Berichteten. Es ist tatsächlich so, daß kein Ausweg mehr zu bestehen scheint. Ein Schritt weiter muß einmal zur Katastrophe führen, und bei der Verbissenheit Sauls wird dieser Schritt getan werden. Mir scheint eine gewisse Verwandtschaft mit Gn 22 festzustellen zu sein. Und ähnlich banal wie dort

23. Koch: Formgeschichte, S. 156 überlastet die Beobachtung einseitig, wenn er כָּל־אַלְפֵי יְהוּדָה mit dem Dominieren des Stammeszusammenhanges und des Volklichen in der Heldensage erklärt.

24. Vgl. Caspari zu 26,1: »Den geschichtlichen Saul traf man zu Hause nicht sicherer an als einen vielbeschäftigten Arzt heute in seiner Privatwohnung.« Was Koch übernimmt, was aber sicher an der Sache vorbeigeht.

25. Die Frage der Siphiter V. 19 korrespondiert dem נֹדַע דָּוִד 22,6.

26. Johannes Fichtner: Die etymologische Ätiologie in den Namengebungen der geschichtlichen Bücher des Alten Testaments. VT 1956, S. 374.

27. Wellhausen, Greßmann; vgl. dazu die treffende Kritik von Caspari.

kommt auch hier die Lösung der Spannung: Der Philister ist eingefallen. Anders als 13,17ff. ist diese Angabe hier aber ganz unbestimmt und allgemein, was von vornherein gegen den ursprünglichen Zusammenhang eines Philisterkriegsberichtes spricht[28]. Es geht wohl ausschließlich darum, die wunderbare Rettung Davids, zu der auch der Erbfeind helfen muß, aufs neue zu bestätigen. Insofern ist der Abmarsch Sauls gegen die Philister nicht etwas, was nachträglich hinzugekommen ist, um den Hinweis auf den »Fels der Glätte« unterzubringen[29], sondern gehört unabdingbar dazu, denn die Spannung verlangt nach einer Lösung.

28. Koch: Formgeschichte, S. 166.
29. Koch: Formgeschichte, S. 159.

24,1–26,25 Davids Bewährung trotz aller Gefahr

Innerhalb des großen Komplexes der Fluchtgeschichten bilden die Kap. 24–26 eine eigene Gruppe, die unter dem übergreifenden Gesichtspunkt der Bewährung Davids steht, der auch unter größter Gefährdung seinem noch verborgenen Auftrag treu bleibt. Dabei stellt Kap. 25 eine aus sich selbst zu verstehende und geschlossene Sonderüberlieferung dar. Anders liegt es bei den Berichten von Kap. 24 und 26, die beide von einer bemerkenswerten Loyalität des verfolgten David gegenüber seinem Verfolger erzählen. Koch (Formgeschichte, S. 148ff.) hat diese beiden Kapitel einer eingehenden Untersuchung unterzogen. Sie sind einander so deutlich parallel, daß nur eine extrem konservative Exegese darin zwei selbständige, voneinander unabhängige Begebnisse gesehen hat[1]. Auf der anderen Seite schien diese Parallelität es besonders nahezulegen, ihre Inhalte verschiedenen Quellen zuzuweisen, wobei entweder Kap. 24 auf J, Kap. 26 auf E (bzw. die diesen Quellen entsprechenden Stränge) verteilt wurden[2], oder aber man zum genau entgegengesetzten Ergebnis kam[3]. Die hier zutage tretende Divergenz kennzeichnet schon zur Genüge die Unsicherheit einer solchen Aufteilung. Sie vermag auch nicht zu erklären, wie entgegen der sonst von den Anhängern dieser Anschauung dem Redaktor unterstellten Technik zwei so vollständig ausgeführte Berichte eng nebeneinander zu stehen kamen. Es muß sich vielmehr um zwei selbständige Ausformungen desselben Überlieferungsinhaltes handeln, die ihre Wurzel darin haben, daß das fromme Bewußtsein des Volkes das Ereignis mit verschiedenen Orten in Zusammenhang brachte. Darum kann ihr Verhältnis zueinander auch nicht so bestimmt werden, daß eine ursprünglich einheitliche Grundschrift von einem Bearbeiter in die vorliegenden Rezensionen auseinanderkomponiert wurde[4]. Ein Grund dafür, daß dieser Bearbeiter den Wortlaut der

1. Z. B. Keil, Goslinga, Asmussen, Ketter; wesentlich zurückhaltender Gutbrod.
2. Etwa Budde, Kittel; Hölscher: Geschichtsschreibung, S. 373; ähnlich Baentsch: David, S. 81; Eißfeldt (Komposition, S. 19): 24:I; 26:II.
3. Cornill: Einleitung; Dhorme.
4. Nübel: Aufstieg, S. 40.

Verfolgungsgeschichte so zerpflückte, um daraus zwei nun doch in der Vergegenständlichung so stark voneinander abweichende Darstellungen zu bilden, ist schlechterdings nicht einzusehen.

Mit dieser Feststellung ist aber die Frage danach gestellt, warum beide Stücke nebeneinander aufgenommen wurden. Die Tatsache, daß beide Stoffe vorlagen und daß der Redaktor sich eben nicht für befugt hielt, einen von ihnen zu unterdrücken, reicht sicher zur Erklärung nicht aus[5], zumal nichts die Annahme hindert, daß ähnliches auch noch von anderen Orten erzählt wurde. Die Erklärung beider Kapitel als Glieder eines fortschreitenden Erzählungszusammenhanges würde auch dadurch erschwert, daß Kap. 24 mit einem Friedensschluß zwischen Saul und David endet, so daß man in Kap. 26 einen Bericht darüber erwarten müßte, wie es dennoch wieder zum Bruche kam. Koch postuliert dementsprechend auch nur für Kap. 24 die Zugehörigkeit zu einem von Davids Salbung bis zum Antritt seines Königtums durchlaufenden Erzählungsfaden und läßt die Frage nach der Herkunft und ursprünglichen Stellung von Kap. 26 offen. Aber so verstanden vermißt man doch einen Anknüpfungspunkt für die Fortsetzung.

Es liegt auch hier so, wie wir es bisher beobachten konnten[6], daß zu einem bestimmten Thema aus der Überlieferung drei (bzw. verschiedene) Episoden zusammengestellt wurden, wobei die Dreizahl das Thema als erschöpfend und abschließend behandelt darstellt[7]. Die beiden Begegnungen mit Saul, auf denen das eigentliche Gewicht liegt, bilden den Rahmen. Schon deswegen besteht kein Anlaß, Kap. 24 u. 25 gegeneinander auszutauschen[8]; die dafür geltend gemachte Gleichheit des Schauplatzes מִדְבַּר מָעוֹן verkennt die Allgemeinheit dieser Angaben. Das erste Zusammentreffen endet mit einem Friedensschluß; damit ist eine endgültige Entscheidung noch ausgesetzt[9] und wird Raum für die Nabalepisode geschaffen. Erst die zweite Begegnung Kap. 26 bereitet mit V. 19 (dazu u. S. 469) den Übertritt zu den Philistern vor. Diese Anordnung läßt vermuten, daß die Ausformung der Gesprächsgänge, wenigstens im Ansatz, schon zum ursprünglichen Überlieferungsgut gehörte. Damit verliert die Frage nach dem Alter der Berichte und ihrem Verhältnis zueinander an Bedeutung. Die hier gegebenen Antworten sind ja sowieso entweder durch die Zuteilung auf angenommene Quellenschriften oder sonst durch die Beurteilung des Erzählungszusammenhanges[10] präjudiziert. Aufs Ganze gesehen macht Kap. 26 den älteren, weil im Aufbau durchsichtigeren und geschlosseneren Eindruck[11]. Doch darf der Ab-

5. So richtig Hertzberg.

6. Vgl. o. S. 401.

7. Die Dreizahl ist sicherlich nicht erst, wie Carlson: David, S. 50, annimmt, deuteronomistisches Anordnungsprinzip.

8. So z. B. Budde; Hölscher: Geschichtsschreibung, S. 373.

9. Die Feststellung, daß zwischen den drei Erzählungen vom Aufenthalt Davids in Kegila, Maon und Engedi ein beabsichtigter Fortschritt der Art liege, daß zuerst Saul noch in der Ferne, dann von David nur noch durch einen Fels getrennt, schließlich ihm unmittelbar nahe ist (so im Ansatz schon Greßmann, dann vor allem Schulz), verkennt, daß hier die Gefahr für Saul ungleich größer ist. Vgl. zur Sache Stoebe: VTS XVII. 1969, S. 219.

10. Wie etwa bei Koch.

11. Vgl. etwa Wellhausen: Prolegomena, S. 262; Löhr, Smith, Greßmann.

stand deswegen nicht als allzu groß angenommen werden; wichtiger ist es, die jeweilige Akzentsetzung innerhalb des großen Rahmens zu beachten.

Das gleiche gilt für die Frage nach der historischen Zuverlässigkeit. Sie ist nicht so zu stellen, ob das Berichtete in dieser Form stattgefunden habe, aber ebensowenig ist sie grundsätzlich zu verneinen[12]. Der historische Haftpunkt liegt in der Situation, und zwar nicht nur und zuerst im »Gehäuse, im zeremoniellen Umgang mit dem Gesalbten Jahwes am Jerusalemer Hof oder in der aufrichtigen Begeisterung der Krieger Davids für ihren Feldherren[13]«. Er liegt schon in der nicht genügend berücksichtigten Tatsache, die zu allen Zeiten Geltung gehabt hat, daß es wohl verhältnismäßig leicht ist, zu entfliehen, aber ungleich schwerer, sich in der Lage eines Flüchtlings gegenüber einer überwiegend feindlichen Umwelt zu behaupten, ohne schuldig zu werden, selbst wenn man es vorher nicht war. Es ist allgemein menschlich, daß man in einer solchen Situation nicht stehenbleiben kann, daß man versagen oder in seinem Schicksal wachsen, sich bewähren muß. Da nach den uns vorliegenden übereinstimmenden Berichten kaum bezweifelt werden kann, daß Saul David auch nach dessen Flucht vom Hofe verfolgt hat, bestand wirklich eine Gefahr, daß David einmal die Vorteile seiner Vertrautheit mit dem Gelände zu entschlossener Ausschaltung einer ständigen Drohung benutzte. Der ganze Hintergrund ist also in keiner Weise konstruiert. Gewiß ist solche Bewährung zugleich immer Bewahrung, aber darauf liegt hier nicht zuerst der Nachdruck[14]. Damit ist nun wohl auch gegeben, daß diese Geschichten einmal nicht um ihrer selbst willen erzählt wurden. Wie weit dahinter noch eigentliche Heldensagen in ursprünglichem Sinne zu erkennen sind, ist nur von Fall zu Fall annähernd zu entscheiden.

12. Wie es z. B. Wellhausen; Baentsch: David, S. 71; Greßmann tun. Zurückhaltender spricht Kittel von einer frühen Haggada.

13. So etwa Koch: Formgeschichte, S. 161.

14. Der Gedanke der Bewahrung wird, wenn auch grundsätzlich richtig, hier von Hertzberg zu sehr überlastet.

24,1–23 *David und Saul in der Höhle En-Gedi*

1 Von dort zog David herauf und setzte sich in den unzugänglichen Berghöhen[a] von En-Gedi[b] fest. 2 Als Saul nun von seiner Verfolgung der Philister zurückgekommen war, hinterbrachte man[a] ihm: »Gib acht, David hält sich jetzt in der Steppe von En-Gedi auf.« 3 Darauf nahm Saul dreitausend Mann, ausgesuchte Leute aus ganz Israel[a], und zog aus, David und seine Männer, [b](die sich) östlich von den Steinbockfelsen[c] (befanden)[b], zu suchen. 4 So kam er zu den Schafhürden[a] am Weg; dort lag eine Höhle[b], in die trat Saul, um ein Bedürfnis zu verrichten[c]; indes befanden sich David und seine Männer drinnen im äußersten Winkel der Höhle. 5 Nun drangen Davids Männer in ihn: »Das ist sicher der Tag, von dem Jahwe dir verheißen hat[a] – denke doch daran –: Ich gebe deine Feinde[b] in deine Hand; jetzt gehe du um mit ihm nach deinem Belieben.« Da stand David auf und

schnitt heimlich den Zipfel[c] vom Mantel Sauls ab. 6 Danach aber schlug David doch das Herz[a] um deswillen, daß er den Zipfel (des Mantels)[b], der Saul gehörte, abgeschnitten hatte. 7 Und er sagte zu seinen Männern: »Davor soll mich Jahwe bewahren[a], daß ich so etwas meinem Herrn, dem Gesalbten Jahwes[b], antue, daß ich meine Hand gegen ihn ausstrecke[c]; er ist der Gesalbte Jahwes.« 8 Und mit (scharfen) Worten riß David seine Männer herunter[a] und ließ es nicht zu, daß sie sich gegen Saul erhoben[b]. Saul machte sich auf aus der Höhle[c] und setzte seinen Weg fort. 9 Danach[a] stand auch David auf, trat aus der Höhle[b] und rief hinter Saul her: »Mein königlicher Herr!« Da sah sich Saul um, und David verneigte sich tief zur Erde und erwies ihm untertänige Verehrung. 10 (Doch) dann warf David Saul vor: »Warum schenkst du dem Gerede von Leuten Gehör, die sagen, sieh zu, David will ja nur dein Verderben[a]? 11 Heute hast du es einmal mit eigenen Augen gesehen, wie[a] dich heute[b] in der Höhle Jahwe in meine Hand gegeben hat; und man hat mir auch zugesetzt[c], dich zu töten[d]; ⟨und doch habe ich dich geschont⟩[e], denn ich sagte, ich strecke meine Hand nicht gegen meinen Herrn aus, denn er ist ja der Gesalbte Jahwes[f]. 12 Mein Vater[a], sieh her, ja sieh[b] nur den Zipfel deines Mantels in meiner Hand; daran, daß ich den Zipfel deines Mantels abschneiden konnte und dich doch nicht getötet habe[c], mußt du doch erkennen, mußt du doch einsehen[d], daß nichts von Verrat oder Verbrechen[e] an meiner Hand ist und daß ich mich an dir nicht verfehlt habe. Und doch stellst du mir nach[f], mir das Leben zu nehmen. 13 Jahwe soll Richter zwischen mir und dir sein, Jahwe soll mich an dir rächen, aber meine Hand soll nicht wider dich sein. 14 Wie es im Sprichwort bei den Alten[a] heißt:

Von Unrechten kommt Unrecht, [aber meine Hand
wird nicht wider dich sein[b]].

15 Hinter wem her ist denn der König Israels ausgezogen, wem jagst du denn nach? Doch nur einem toten Hund[a], einem winzigen Floh[b]. 16 Jahwe soll Schiedsmann sein, er soll richten[a] zwischen mir und dir; er soll sich meiner Sache annehmen[b] und meinen Streit führen; er soll mir zum Rechte verhelfen vor dir[c].« 17 Als David mit den Worten, die er so zu Saul redete, zu Ende war, fragte Saul: »Das ist doch deine Stimme, mein Sohn David?« Und Saul fing an, laut zu weinen, 18 und sagte zu David: »Du bist mehr im Recht als ich[a], denn du hast Gutes an mir getan, wo ich doch nur Böses an dir getan habe. 19 Heute hast du es klar bewiesen[a], wie[b] du Gutes an mir getan hast, wo[c] Jahwe mich (hilflos) in deine Hand gegeben, du mich aber nicht getötet hast. 20 Wenn einer auf seinen Feind[a] trifft [b]und läßt ihn auf gutem Wege[c] davonziehen, …[b]; ja, so möge Jahwe auch dir mit Gutem lohnen [d][für diesen Tag], für das, was du an mir getan hast[d]. 21 Aber nun, ja[a], ich weiß selbst, daß du König werden wirst und daß in

deiner Hand das Königtum Israels[b] festen Bestand haben wird. 22 Darum schwöre mir nun bei Jahwe, daß du mein Geschlecht, das nach mir kommt, nicht ausrotten und daß du meinen Namen vom Hause meines Vaters nicht auslöschen willst.« 23 Das schwor David dem Saul zu; danach kehrte Saul in seine Heimat[a] zurück, indes David und seine Leute wieder zu ihrer Bergzuflucht hinaufstiegen.

1 a) Wie 23,14.19. 𝔗 auch hier Sg. b) Oase und Ortschaft an der Westküste des Toten Meeres; zur Lage Abel: Géographie II, S. 316; Simons: Texts, § 708; auch BHH I, Sp. 409. Die Jos 15,62 genannte Siedlung, die aber jünger ist als die Zeit Davids, wird auf dem *tell el-ğurn* im Tal selbst angenommen (dazu B. Maisler: Versuchsgrabung in Enged [hebr.]. BJPES 1949/50, S. 25–28). Von den archäologischen Feststellungen verdienen Beachtung eine chalkolithische Anlage an der Quelle selbst und dann vor allem eine große Höhle im *wādi es-sūdeir*, die durch einen verborgenen Kanal Wasser erhielt und offenbar Wohn- und Schutzzwecken diente; sie wird gern mit der hier genannten Höhle in Verbindung gebracht, zumal sie auch Spuren früheisenzeitlicher Keramik enthält (zur Sache J. Naveh: Chalcolithic remains at 'Ein-Gedi. BIES 1958, S. 46–48; Y. Aharoni: Archaeological Survey of 'Ein-Gedi. BIES 1958, S. 27–46). Zusammenfassender Bericht: B. Mazar, T. Dothan, I. Dunayevsky: En-Gedi. The first and second Seasons of Excavations 1961 and 1962. Jerusalem 1966.

2 a) Zur allgemeinen Einleitung mit unbestimmten Subjekt vgl. 23,1.

3 a) Wie 13,2; 26,2; eine konventionelle Zahl; zu der den Anlaß übersteigernden Formulierung vgl. auch 13,2. b) Schulz, ähnlich Hertzberg, verstehen אֶל: »in Richtung auf«. Budde, Dhorme, Greßmann sehen hier den Standpunkt der Leute Sauls während des nachfolgend geschilderten Begebnisses, doch sind sicher die Männer Davids gemeint (so richtig Caspari, de Groot, Hertzberg und die meisten). c) Zum Vorkommen von Steinböcken vgl. Fritz Bodenheimer: Animal and man in bible lands. Leiden 1960, S. 50. Die Lage ist für uns nicht mehr zu bestimmen, vielleicht schon absichtlich unbestimmt.

4 a) 𝔊 noch unbestimmter *ἀγέλας* »die Triften«. Simons: Texts, § 708 denkt an einen Ortsnamen (ähnlich Schulz), doch ist das wegen des folgenden צֹאן unwahrscheinlich. b) Vgl. Anm. b zu V. 1. c) Zum Euphemismus vgl. Jdc 3,24; 𝔖 denkt in Anlehnung an 26,5.7, wohl auch, um eine Derbheit zu vermeiden, an Schlafen Sauls (so auch Chrysostomos: Homilien). Es handelt sich um einen geläufigen Brauch, der noch heute lebendig ist (L. Bauer: Einige Stellen des AT bei Kautzsch, 4. Aufl. im Licht des Heiligen Landes. ThStKr 1927/28, S. 434).

5 a) So z. B. Caspari, Hertzberg, van den Born. Zum Fehlen des rückverweisenden Fürwortes vgl. GK § 138b; BroS § 152d. Budde, Greßmann, Dhorme, de Vaux u. v. a. verstehen es als »der Tag, an dem Jahwe zu dir spricht«. S. die Auslegung. b) 𝔊𝔗𝔖𝔙 Qere Sg. in Angleichung an die Situation; Pl. ist für ein Verheißungswort charakteristischer. c) Zur symbolischen Bedeutung der Handlung vgl. 15,27. Außeralttestamentliche Parallelen bei Anton Jirku: Altorientalischer Kommentar zum Alten Testament. Leipzig und Erlangen 1923, S. 149. Hinzuweisen ist neuerdings auf eine Analogie aus Mari (ARM VI, 45), wo Haar und Gewandzipfel einer Prophetin abgeschnitten werden, offenbar, um sie unter Kontrolle zu halten (in gewisser Hinsicht scheint sich das noch stärker mit 2 Sam 10,4ff. zu berühren). Hönig: Kleidung, S. 153 deutet es als magische Kraftberaubung. Zu den verschiedenen Möglichkeiten der Auffassung und den sich daraus ergebenden Spannungen s. die Auslegung. Vgl. jetzt auch Conrad: ZDMG Suppl I. 1969, S. 274ff.

6 a) Zum Ausdruck vgl. 2 Sam 24,10. Natürlich klopft Davids Herz nicht aus nachträglicher Furcht noch weniger deswegen, weil er durch sein Aufstehen unbeabsichtigt Saul in Gefahr von seiten seiner Kameraden gebracht hätte (Peters: Beiträge, S. 218). b) 𝔊 statt אֲשֶׁר לְשָׁאוּל *διπλοίδος αὐτοῦ* (𝔗 = 𝔐; 𝔖𝔙 vereinigen 𝔐+𝔊). Von der Mehrzahl der Ausleger wird deswegen, auch wegen der fehlenden Determination, כְּנַף מְעִיל אֲשֶׁר לְשָׁאוּל angenommen (besser

dann wohl Smith מְעִילוֹ). Indessen liegt die Ergänzung so nahe, unterstreicht andererseits der überlieferte Text das Eigentliche der Tat so nachdrücklich, daß die Verbesserung doch nicht zwingend ist. Zur Möglichkeit einer Determination durch Relativsatz vgl. GK § 117d. Unter der Voraussetzung dieser Ergänzung bestünde jedenfalls die Ablehnung dieses Satzes als überflüssiger Beischrift zu Recht (so z. B. Schulz, ähnlich Dhorme).

7 a) GK § 149. b) Die verschiedenen Versuche, durch Streichungen die Überfüllung des Satzes zu beseitigen (entweder לִמְשִׁיחַ יְהוָה [Sievers, Bruno], des ganzen Passus von לִמְשִׁיחַ bis יָדִי בּוֹ [Dhorme, Budde, Greßmann] oder auch des V. b [Schulz, Greßmann]), verkennen das Gewicht des Gedankens im Zusammenhang, vgl. dazu die Auslegung. Die Anstöße werden durch ein affirmatives Verständnis des כִּי verringert. c) Nur von Menschen und meist in feindlicher Absicht gebraucht (dazu P. Humbert: Etendre la main. VT 1962, S. 387f.).

8 a) Bezeichnenderweise wird der die Aussage unterstreichende starke Ausdruck nur von *'A* wörtlich (*συνέκλασεν*), von den anderen Vers stark abschwächend wiedergegeben (𝔊 *ἔπεισεν*, *Θ ἠπάτησεν*, 𝔗 פַּיֵּס). Das sonst meist in der Opfersprache begegnende Wort hat hier etwa die Bedeutung »jemandem die Möglichkeit zu etwas nehmen« (vgl. de Boer: OTS 6. 1949, S. 53) und gehört wahrscheinlich in die volkstümliche Umgangssprache. Ein Grund zur Änderung (וַיְשַׁקֵּט Smith, Caspari; וַיַּשְׁמַע Dhorme; weiteres bei S. R. Driver) besteht nicht. G. R. Driver: Two forgotten words in the Hebrew language. JThS 1927, S. 285f. verweist auf akkad. *šasū* »befehlend zurufen«, doch ist auch das wohl zu schwach. b) Wie 22,13; 𝔊[B] *θῦσαι*, 𝔊[A] *θανατῶσαι* ist verflachende Erklärung. c) 𝔊 ohne מֵהַמְּעָרָה *κατέβη* (danach Caspari וַיֵּרֶד, beides vereinend Dhorme), doch geht darüber der charakteristische Ausdruck der Hast verloren.

9 a) 𝔊 trägt durch die Auffassung *ὀπίσω αὐτοῦ* und die Auslassung von וַיֵּצֵא (so auch Budde, Dhorme, Smith, Caspari) hier das Moment der Eile ein; aber David ist Saul nicht auf dem Fuße gefolgt. b) Qere מֵהַמְּעָרָה.

10 a) 𝔊 *ψυχήν σου*, standardisierte Übersetzung.

11 a) GK § 157c; Kö § 384e »den Umstand, daß«. b) Vgl. BH³. c) 𝔗𝔖 stark verdeutlichend »die Männer sagten«; nach dieser wohl richtigen Erklärung ist zu וְאָמַר ein unpersönliches Subjekt anzunehmen (Kö § 324d*β*) und die Aussage an V. 5 anzuknüpfen. Der aus ihrer Auffassung von V. 7 folgende Vorschlag וַיֹּאמֶר »Gott selbst sagte« bei Klostermann, Budde ist ebenso unmöglich wie וְאֹמַר (𝔅), weil es das Eingeständnis einer Mordabsicht enthielte (Bruno: Epos, deswegen וָאֶעֱמֹד »ich stand so«, zwar unmöglich, aber doch mit grundsätzlich richtiger Überlegung); das gleiche gilt für Hertzberg »mir war damit gesagt worden«. Das Perf. cons. könnte frequentativ verstanden werden (GK § 112rr). 𝔊[B] *οὐκ ἐβουλήθην*, wonach häufig (Wellhausen, S. R. Driver, Dhorme bis de Vaux) וָאֲמָאֵן angenommen wird, ist wohl aus dem Zusammenhang genommene Deutung. De Boer: OTS 6. 1949, S. 55 sieht – bei der Stellung im Satz nicht recht einleuchtend – in וְאָמַר Dittogr zu וְאֹמַר, die erst die irrtümliche Ergänzung לַהֲרֹג nach sich gezogen hätte; Caspari tilgt es ebenfalls. d) GK § 9r; BLe § 49v. e) Lies entweder mit 𝔊𝔗𝔖 וַיָּחָס oder, besser, ergänze mit 𝔅 als unterdrücktes Subjekt עֵינִי (vgl. DelF § 92; GK § 144o), weniger wahrscheinlich יָדִי (de Groot). f) Nach 𝔊[L] ziehen BH³, Budde, Ehrlich, Greßmann u. a. das וְאָבִי von Anfang V. 12 hierher.

12 a) Vgl. dazu Lande: Wendungen, S. 21. Eine Beziehung auf das Schwiegersohnverhältnis (Ketter) ist keineswegs darin enthalten. b) Fehlt 𝔊[B] und wird deswegen entweder getilgt (z. B. Nowack) oder als רְאֵה רָאֹה vokalisiert (z. B. S. R. Driver, Ehrlich, Kö § 219b). 𝔐 in überlieferter Form hätte dieselbe Bedeutung; zum גַּם vgl. GK § 154a; Kö § 371a*β*. c) GK § 114r. d) 𝔊 + *σήμερον* (Dhorme). e) 𝔊 *οὐδὲ ἀσέβεια καὶ ἀθέτησις*, nachdrückliche Entfaltung von פֶּשַׁע. Zu רָעָה וָפֶשַׁע vgl. Knierim: Sünde, S. 149.182f.; auch 57. f) 𝔊 *δεσμεύεις* führt nicht auf צֹרֵר (S. R. Driver, Dhorme), sondern auf Bedeutungsverwischung von צוד und צָדָה; sachlich nicht unberechtigt ist daher der Vorschlag צָד (Caspari). *Σ θηρᾷς*. Fein weist de Boer: OTS 6. 1949, S. 51 darauf hin, wie צוד und צדה in מְצוּדָה und צָדָה das Thema der Erzählung angeben.

14 a) הַקַּדְמֹנִי ist entweder kollektiv als die »Vorfahren« zu verstehen (KBL) oder unter Annahme einer Haplogr als הַקַּדְמֹנִים zu lesen (Nowack, Smith, Dhorme, DelF § 8a ם). b) Wie V. 13b, was nicht »Zeichen der Gewissenhaftigkeit eines Glossators« sein muß (Budde), sondern als

Erweiterung eines ursprünglich monostichischen Sprichwortes angesehen werden kann, die die Funktion eines exegetischen Kontextes annimmt und die im Sprichwort angelegten Möglichkeiten für einen besonderen Fall auswertet (I. L. Seeligmann: Voraussetzungen der Midraschexegese. VTS 1. 1953, S. 163). Zur Form vgl. auch Jdc 14,14. Mit großer Wahrscheinlichkeit ist dieser Vers als nachträgliche Glosse auszuscheiden, wie es seit Wellhausen auch fast allgemein geschieht.

15 a) Vgl. 2 Sam 9,8; 16,9; auch 𝔊 zu 2 Reg 8,13, sowie Lakisch-Ostrakon 2. Z. 3/4 (zur Sache D. W. Thomas: Kelebh. VT 1960, S. 416f.). b) Wie 26,20 keine Anspielung auf die Schnelligkeit, sondern die Bedeutungslosigkeit; seine Existenz kann überhaupt nicht stören; אֶחָד ist natürlich Zahlwort, kein unbestimmter Artikel (so z. B. Ehrlich, Schulz). Smith verkennt den Stil und hält den Vers wegen der Devotheit der Sprache für sekundär.

16 a) Zur Konstruktion BroS § 8a; ein Grund zur Tilgung eines der Begriffe (וְשָׁפַט Bruno: Epos, וְ לְדַיָּן Budde) besteht nicht. b) Durch die Vers bestätigt und nicht zu streichen (so z. B. Ehrlich, Caspari, de Groot). Das Bild eines zwischen Saul und David schwebenden Prozesses wird in voller Konsequenz durchgeführt (B. Gemser: The Rîb or controversy-pattern in Hebrew mentality. VTS 3. 1955, S. 121). Zur Notwendigkeit eines Rechtsschutzes durch Gott vgl. Lev 19,15; Dt 16,19. c) Vgl. 25,39; 2 Sam 18,19.31; Ps 43,1. Zu den im Begriff liegenden Bedeutungsmöglichkeiten vgl. auch Buber, in: Lohmeyer-Gedenkschrift, S. 54.

18 a) »Streitbeendigungsformel« (F. Horst: Recht und Religion im Bereich des Alten Testaments. EvTh 1956, S. 51). Zur Sache auch Hans Jochen Boecker: Redeformen des Rechtslebens im Alten Testament. 1964 (WMANT 14), S. 128.

19 a) Durch alle Vers bestätigt und ebenso sprachlich wie sachlich möglich (anders Wellhausen). Die seit Klostermann fast ausnahmslos (Ausnahmen: Hertzberg, Rehm) durchgeführte Änderung in הִגְדַּלְתָּ (vgl. DelF § 8b ה) ist nicht nur unnötig, sondern auch unwahrscheinlich. Man sollte dann als Objekt הַחֶסֶד erwarten (wie Gn 19,19) und könnte auf טוֹבָה verzichten (so im Prinzip richtig, wenn auch mit unmöglicher textkritischer Konsequenz Tiktin). b) GK § 117c; BroS § 160b. c) Das zweite אֵת wird, wohl mit Recht, zumeist als Verschreibung und überflüssig gestrichen (Budde, Dhorme, S. R. Driver u. a., anders Kö § 385n).

20 a) 𝔊 + *ἐν θλίψει* ist vermutlich nicht einfache Konsequenz aus בְּדֶרֶךְ טוֹבָה, sondern folgt einer abweichenden Textvorlage (so Dhorme), die die ursprüngliche Meinung der selbständigen Sentenz besser wiedergibt. b) Es wird üblicherweise als im Ton liegende Frage aufgefaßt (S. R. Driver, Dhorme, Greßmann und die meisten, vgl. auch GK § 150a), wogegen Budde sprachliche Bedenken anmeldet; indessen ist das unter Tilgung des אִישׁ vorgeschlagene מִי (Budde, Smith, GK § 112hh) ebensowenig zwingend wie die Änderung in הֲכִי (Joüon: MUB 5/1. 1911, S. 410; auch Tiktin). Der inneren Logik des Satzes würde die Annahme eines Anakoluth entsprechen (ergänze: »dem wird Jahwe vergelten«), worauf das *κύριος ἀνταποτείσει αὐτῷ* bei 𝔊, das dem *ἐν θλίψει* korrespondiert, ein Hinweis sein könnte (so z. B. Smith; Wellhausen anders). c) בְּדֶרֶךְ טוֹבָה oder auch nur טוֹבָה wird vielfach (z. B. Ehrlich, Greßmann u. a.) gestrichen, sicher zu Unrecht, denn darauf liegt der Nachdruck. d) Vermutlich ist הַיּוֹם הַזֶּה Alternativlesart zu אֲשֶׁר עָשִׂיתָ, was freilich nicht zur Tilgung berechtigt (so Dhorme), sonst wäre es (mit 𝔊 ?) an das Ende zu stellen (S. R. Driver, Budde, Schulz u. a.); anders Ehrlich, der, wenig überzeugend, annimmt, daß die Zeitangabe um des Nachdrucks willen zwischen תַּחַת und das dazugehörige אֲשֶׁר gesetzt sei. Änderungen (הַטּוֹב הַזֶּה Smith; הַדָּבָר הַזֶּה Tiktin) sind unnötig. Vgl. auch Eduard König: Stilistik, Rhetorik, Poetik in Bezug auf die biblische Literatur. Leipzig 1900, S. 138.30, 192.25.

21 a) הִנֵּה ist hier nicht einfach Verbindungsglied zwischen dem als Subjekt zu verstehenden Zeitbegriff und dem als Prädikat dienenden Rest des Satzes (so J. Blau: Adverbia als psychologische und grammatische Subjekte/Prädikate im Bibelhebräisch. VT 1959, S. 132); es ist eher eine plerophore Redensart, bei der וְעַתָּה und הִנֵּה einander verstärken, der Ton aber auf הִנֵּה liegt (H. A. Brongers: Bemerkungen zum Gebrauch des adverbialen *weʿattah* im alten Testament. VT 1965, S. 293). b) Vgl. 13,14; dort allerdings mit Possessivsuffix, nur hier ist מַמְלֶכֶת mit יִשְׂרָאֵל verbunden. Da das Genitivobjekt bei מַמְלֶכֶת sonst immer ein genitivus subjectivus ist, vermutet H. Cazelles: Reviews. VT 1960, S. 93, daß auch hier an die Herrschaft des Stammvaters Jakob/Israel gedacht sei, die von Saul auf David übergehen soll.

Dazu, daß in gewisser Weise David als zweiter Jakob vorgestellt wurde, vgl. o. S. 362 f. zu 19,9ff.

23 a) 𝔊 εἰς τὸν τόπον αὐτοῦ.

24,1–23 *David und Saul in der Höhle En-Gedi.* Die Einleitung zeigt den üblichen Erzählungsstil, wobei das vom gebräuchlicheren וַיֵּלֶךְ (22,1.3) abweichende וַיַּעַל Kenntnis des Raumes vermuten läßt. David operiert in dem das Gebiet von מָעוֹן nach Osten abschließenden Bergrand, nicht eigentlich in der Oase selbst (vgl. Anm. b zu V. 1). Zu Unrecht sehen manche[1] hier nur einen ausgleichenden Zusatz. Dagegen ist V. 2a verbindende Klammer zum Vorhergehenden. Daß die Siphiter auch hier die Verräter gewesen seien (vgl. Anm. a zu V. 2)[2], ist schon deswegen nicht wahrscheinlich, weil sie sich von David nicht bedroht fühlen mußten, solange dieser im Gebiet von En-Gedi weilte. Die Darstellung läßt, was fast selbstverständlich ist, im großen Rahmen Vertrautheit mit der Landschaft erkennen, bleibt aber in der Schilderung des Begebnisses selbst allgemein. Plastisch wirkt nur der Vorgang als solcher, nicht seine räumliche Verumständlichung.

Die Stilisierung liegt nicht erst in der Zahl der von Saul eingesetzten Truppen (vgl. Anm. a zu V. 3), sondern ebenso in allen anderen Einzelheiten. Daß sich in dieser Gegend Zufluchtshöhlen befanden, war und ist auch heute (vgl. Anm. b zu V. 1) bekannt, ebenso, daß das Gelände durch die schon übereinander im Berge liegenden Quellen Lebensmöglichkeiten bot. Daß aber eine Fluchthöhle, um die es sich bei den Angaben von V. 4b handelt, so im Vorbeigehen von Saul für den angegebenen Zweck aufgesucht werden konnte, ist weniger wahrscheinlich. Eine einfache Höhle dagegen, wie sie, mit einem durch Steinsetzungen eingefriedeten Raum davor, zur Unterbringung des Viehs gebräuchlich war[3] und an die V. 4a denken läßt, ist als Schauplatz der Geschichte nicht recht verständlich. Die Auslegung bemüht sich zwar in verschiedener Weise darum, die Anschaulichkeit festzuhalten; z. B. so, es müsse nicht angenommen werden, daß David mit seiner ganzen Mannschaft in der Höhle gewesen sei[4] – aber es heißt וַאֲנָשָׁיו –, oder auch, daß Saul beim Eintritt aus der Sonne ins Dunkle geblendet war, so daß er David nicht sehen konnte[5]; doch damit sind die Unanschaulichkeiten noch nicht ausgeschaltet. Die Dauer des Aufenthaltes in der Höhle, die für verschiedene Gesprächsgänge und Hin und Her Zeit bietet, ist für die Verrichtung einer Notdurft reichlich bemessen[6]; und wie konnten diese Unterredungen, die zeitweilig sehr erregt gewesen sein müssen, Saul so völlig verborgen bleiben[7]?

1. Z. B. Budde, Dhorme, Klostermann.
2. So Budde, Dhorme u. v. a.; auch Koch: Formgeschichte, S. 159.
3. Verständlicherweise laufen die Beschreibungen der Ausleger darauf hinaus (vgl. z. B. Budde, Smith, ebenso de Vaux, van den Born). Hertzberg verbindet beides, hat also auch diese Spannung empfunden.
4. So z. B. Smith.
5. Etwa Schulz.
6. So mit Recht Caspari.
7. Schulz.

Hier ist sehr deutlich hinter dem Ziel der Darstellung ihre Folgerichtigkeit verlorengegangen[8].

Auch darin zeigt der Bericht eine Stilisierung, zugleich eine Verflachung der menschlichen Problematik, die im Verhältnis Sauls zu David liegt, daß nun Saul doch in einer Lage erscheint, die seine Hilflosigkeit und letzte Unterlegenheit vor David vergröbert und ins Lächerliche zieht[9], mag sie auch noch so natürlich[10] und das Ganze nicht ungewöhnlich sein (vgl. Anm. c zu V. 4). Diese Derbheit wie auch Spuren volkstümlichen Sprechens (vgl. Anm. a zu V. 8), dazu die Freude an eingeflochtenen Sprichworten, selbst wenn sie nicht eigentlich passen (V. 14.20), kennzeichnen den Kreis, in dem ungeachtet ihrer theologischen Absicht diese Überlieferung ausgebildet wurde. Dabei wird auch nicht mehr empfunden, daß, anders als Kap. 26, die Art, wie die Leute Davids ihm zur Ausnutzung der Situation zureden, sie doch in einem merkwürdigen Licht erscheinen läßt; ebenso, daß auch das Unternehmen Davids unter solchen Voraussetzungen keine Heldentat, eher ein Streich ist[11]. Der Hinweis auf einen Gottesspruch, nach dem Jahwe die Feinde Davids in seine Hand geben wird (V. 5), wirkt jedenfalls für diese Verhältnisse zu groß, so daß die oft vorgetragene Deutung (vgl. Anm. a zu V. 5), die sich darbietende Gelegenheit selbst sei diese Weisung[12], zunächst einleuchten möchte; offenbar war das auch die Auffassung der Versionen (Anm. b). Die Pluralform אֹיְבֶיךָ ist aber für eine Gottesweissagung charakteristisch, wobei es durchaus möglich ist, daß dabei auf eine erst aus der Königszeit Davids stammende Verheißung Bezug genommen ist. Ähnliches wird ja auch 20,15 vorausgesetzt. Daß damit auf eine bereits in Nob (22,10) empfangene Gotteszusage zurückverwiesen werden soll[13], ist dagegen nicht wahrscheinlich.

5–8 Ihrem gedanklichen Gehalt nach zerfällt die Darstellung in zwei voneinander abgesetzte Teile; das heißt nicht, daß jeder dieser Teile einmal selbständig für sich bestanden hat. Es handelt sich eher um die nicht völlig ausgeglichene Verbindung zweier Motive in der Manier volkstümlichen Erzählens. Die Spannung wird daran deutlich, daß David, anscheinend dem Zureden seiner Leute nachgebend, den Zipfel des Mantels Sauls abschneidet, dann Herzklopfen darüber bekommt und seine Gefolgschaft nachdrücklich von jedem Übergriff gegen den Gesalbten Jahwes zurückhält. Damit, daß es sich hierbei um den Erweis besonderer Feinfühligkeit und Gewissenhaftigkeit Davids handele[14], wird ein Gedanke eingetragen, der nicht unbedingt in den Zusammenhang paßt[15]. Die Spannung, die sich ergibt, liegt tiefer, als daß sie durch die literarkritische Maßnahme einer Umstellung von Versen zu beseitigen wäre, sei es, daß man V. 4a.6.7a.4b.5.7b[16]

8. Dazu wieder Stoebe: ThZ 1962, S. 385ff.

9. Was mit Recht von der überwiegenden Mehrzahl der Auslegung betont wird.

10. Was besonders Hertzberg, aber auch Gutbrod betont.

11. So etwa auch Schulz; zur Sache vgl. vor allem Stoebe, in: Rost-Festschrift, S. 208ff.

12. Fein formuliert Schulz: Vox diei vox dei. Caspari: »Das ist der Tag, den dir Jahwe in Aussicht gestellt hat.«

13. So Fohrer: ZAW 1959, S. 2.

14. Besonders Budde.

15. Vgl. dazu etwa die Einwände Casparis. Schulz bemerkt mit Recht, daß damit das Vorzeigen der Trophäe nicht vereinbar wäre.

16. Löhr.

oder einfacher 5 a. 7. 8 a. 5 b. 6 anordnet[17]. Abgesehen davon, daß damit die Schwierigkeit nicht behoben ist, kann auch die Entstehung eines solchen Fehlers nur schwer verständlich gemacht werden. Andere suchen, z. T. in Verbindung mit der Umstellung, dem Anstoß durch die Tilgung von V. 6[18] oder doch wenigstens von V. 6b[19] zu entgehen. Das ergibt zwar einen glatteren Text, ist aber doch eine sehr radikale Maßnahme, die zudem nicht von der Verpflichtung entbindet, die Entstehung dieser Einfügung zu erklären, die ja den Charakter einer zweiten Einleitung hat[20]. Am konsequentesten geht hier Smith mit seiner Ausschaltung von V. 5 b. 6 vor, womit V. 7 unmittelbar an V. 5 a anschließt und die Episode des Abschneidens des Gewandzipfels zur nachträglichen und eigentlich überflüssigen Ergänzung wird. Für den ersten Erzähler sei die Tatsache, daß David mit Saul zusammen in der Höhle war, als Erweis der friedlichen Gesinnung Davids ausreichend gewesen. Natürlich muß Smith damit auch V. 11 tilgen und fühlt sich dazu durch die Textunsicherheit dort (vgl. Anm. b) berechtigt.

Das Abschneiden des Gewandzipfels hat also für Smith – ebenso für die, die V. 6 allein streichen – die Bedeutung, ein Beweisstück für die Gesinnung Davids zu schaffen. Das ist auch sicher die eine Seite der Sache; die andere ist aber die im Gestus liegende symbolische Bedeutung (vgl. Anm. c zu V. 5), die Fortreißen der Herrschaft, mindestens aber Beeinträchtigung der persönlichen Lebenskraft bedeuten kann. Im Grunde liegt die Erklärung Casparis auf derselben Linie, auch wenn er sich mit ihr gegen Magie und Symbolismus sichern möchte, daß es nämlich ein günstiges Zeichen für kommende Erfolge sein soll, wenn David das Abschneiden gelingt. Die Frage ist nun, in welchem Verhältnis hier diese beiden Möglichkeiten zueinander stehen. Noth[21] hat, von einem Maritext (vgl. Anm. c zu V. 5) ausgehend, das Magische dieses Zuges als das Eigentliche und Ursprüngliche angesehen; David habe eine Macht über Saul bekommen, dann aber, durch sein Gewissen geplagt, auf die Ausübung dieser Macht verzichtet. Ein späterer Redaktor habe diesen eigentlichen Sinn nicht mehr verstanden und darum das Ganze als Erweis der Loyalität Davids gedeutet. Man muß wohl fortfahren, daß dieses Mißverständnis dann die Voraussetzung für die Aufnahme dieser Erzählung in die Komposition gebildet habe. Indessen scheint auch damit das Problem noch nicht gelöst. Das Vorweisen des abgeschnittenen Gewandzipfels müßte dann eine aus dieser Fehlinterpretation geflossene Erweiterung sein[22], was im Blick auf Kap. 26 nicht recht einleuchtet. Magische Praktiken, wie sie hierbei vorausgesetzt werden müssen, kommen im allgemeinen auch nur dann zur Anwendung, wenn ihr Objekt nicht gegenwärtig ist oder sonst nicht die Möglichkeit zu einer direkten Auseinandersetzung besteht[23]. Beides liegt hier nicht vor. Die angeführte

17. Cornill, S. 112; Driver, Budde, Nowack, Dhorme, Greßmann u. v. a.
18. Z. B. Dhorme.
19. So Schulz.
20. De Boer: OTS 6. 1949, S. 53.
21. Remarks on the sixth volume of Mari Studies. JSS 1956, S. 329f.
22. Was ja auch Smith von seiner Voraussetzung her annimmt.
23. Vgl. dazu die ägyptischen Ächtungstexte. Kurt Sethe: Die Ächtung feindlicher Fürsten, Völker und Dinge auf altägyptischen Tongefäßscherben des mittleren Reiches (AAB 1926, Nr. 5).

Analogie aus Mari spricht ja wohl auch mehr von einer vorbeugenden Maßnahme, die unter modernen Verhältnissen der Entziehung des Passes entsprechen könnte. Zudem war mindestens die symbolische (magische) Bedeutung dieses Zuges einer späteren Zeit noch sehr geläufig. Von einer solchen Voraussetzung aus müßte die Erzählung in ihrer ursprünglichen Absicht dann so verstanden werden, daß David tatsächlich in ernster Versuchung gewesen wäre, Saul zu erschlagen (vgl. Anm. b zu V. 11)[24]. Indessen stünde eine solche Absicht in absolutem Gegensatz zu aller sonstigen Überlieferung, und wichtiger, sie entbehrt auch innerer Wahrscheinlichkeit, denn das Eingeständnis einer Mordabsicht, auch wenn sie nicht ausgeführt wurde, hätte nur Greuelpropaganda in den Kreisen eines Simei (2 Sam 16,5 ff.) oder eines Scheba (2 Sam 20,1 ff.) sein können. Tatsächlich sind diese beiden Gedanken nicht durch Mißverständnis, sondern auf dem Wege der auch sonst zu beobachtenden Motivhäufung[25] zusammengekommen, bei der die innere Widersprüchlichkeit nicht zu Bewußtsein kommt oder wenigstens ertragen wird. Das Verhältnis dieser Motive zueinander scheint aber umgekehrt zu sein, als Noth es annimmt. Primär ist, daß das Abschneiden des Gewandzipfels, wie auch in Kap. 26, ein klarer Beweis dafür ist, daß David eine Situation nicht ausgenutzt hat, in der er Saul überlegen war[26]. Dieser zunächst unreflektiert, mit derber Freude an der Hilflosigkeit Sauls in seiner Verrichtung erzählte Zug bekommt aber nun ein besonderes Gewicht daher, daß Saul ja der Gesalbte Jahwes ist, die Tat Davids also als crimen laesi charismatis aufgefaßt werden kann[27]; zunächst hatte das ganz außerhalb des Gesichtskreises gestanden, tritt nun V. 7 in den Vordergrund, so sehr, daß dieser Vers jetzt als störend überfüllt empfunden wird (vgl. Anm. b). Die damit anzunehmende Gedankenentwicklung könnte mit ein Beweis dafür sein, daß die Salbung für die Vorstellung von Sauls Herrschaft nicht unbedingt und von Anfang an konstitutiv gewesen ist, vielleicht erst eine Übertragung der tatsächlichen Salbung Davids als König von Jerusalem auf seinen Vorgänger darstellt (vgl. dazu o. S. 210).

Nicht berührt von diesen Überlegungen wird die Schonung, die David Saul tatsächlich zuteil werden läßt; sie ist nicht einmal Merkmal einer besonders großherzigen und anständigen Gesinnung (so besonders Greßmann), denn auch die nichtkönigliche Führergestalt des נָשִׂיא (Ex 22,27) steht unter besonderem Jahwerecht, und David ist in dieser Zurückhaltung ein Kind seiner Zeit. Zugleich überwindet er mit der Anerkennung des Rechtes seines Gegners diesen am stärksten[28]. Am Rande mag man auch daran denken, daß die Anerkennung des cha-

Max Posener, in: Actes du XXe Congrès International des Orientalistes Bruxelles 1938. Löwen 1940, S. 82 f.

24. Wie es z. B. Schulz, Hertzberg wirklich annehmen.

25. Vgl. o. S. 200 f. zu 9,1 ff., aber auch zu 2 Sam 1,1 ff.

26. In diese Richtung weist auch die Deutung, die A. Malamat: Prophetic Revelations in Mari and Bible. VTS 15. 1966, S. 225 dem Maritext gibt.

27. Rehm hat das richtig erkannt, wenn er formuliert: »Es sei doch mehr als ...« Ähnlich de Vaux, Keil.

28. Man könnte mit einigem Recht auf die Analogie der Demütigung Heinrichs IV. vor Gregor VII. in Canossa hinweisen, die in Wirklichkeit die Überlegenheit Heinrichs zeigt. Ein Grund

racter indelebilis einer Salbung für die spätere Stellung Davids selbst von Bedeutung sein mußte. Es hat den Anschein, als stünde der Aufstand Absaloms, ungeachtet allen persönlichen Ehrgeizes, unter dem Anspruch, zu alten demokratischen Idealen zurückzukehren. Schon das spricht gegen die These, daß es sich in der vorliegenden Form der Darstellung um eine relativ späte Ausprägung handelt.

9–19 Nachdem Saul die Höhle verlassen und David sich ihm zu erkennen gegeben hat, verläuft das Gespräch zwischen beiden, in Rede und Gegenrede, ebenfalls auf zwei Ebenen. Was David sagt, geht ganz vom Zeichencharakter des Vorganges aus: Du siehst, ich habe nichts Böses getan. Diese in der Weise eines Rechtsverfahrens zwischen gleichwertigen Kontrahenten (vgl. Anm. b zu V. 16)[29] stilisierten Ausführungen[30] kreisen um den konstitutiven Begriff יָדִי[31]. In dieser Hinsicht zeigen sie Verwandtschaft mit der Gedankenführung von Kap. 26, die bis zur Wortwahl פַּרְעֹשׁ אֶחָד (15:26,20) und den Reden der Verleumder (10:26,19) reicht, und sind ganz auf den Erweis der untadeligen Gesinnung Davids ausgerichtet. Sie unterstreichen zugleich damit, wie tief eine solche Szene bis in Nebenumstände hinein ins Bewußtsein des Volkes eingegangen war. Eine Änderung tritt V. 13 mit der Anrufung Jahwes als Rächer ein, wo der Verzicht auf eigenes Rechtsuchen nun doch eine über die Unschuldsbeteuerung hinausgehende, unüberhörbare Drohung enthält. Daß hierin Erweiterung ursprünglichen Gutes vorliegt, macht auch die Anwendung eines Sprichwortes deutlich, dessen eigentlicher Sinngehalt nicht völlig klar ist und das für diese Situation schon zurechtgebogen ist (vgl. Anm. b zu V. 14)[32]. Der Sinn muß nicht der sein, daß, wer mit Übeltätern umgeht, sich die Folgen selber zuzuschreiben hat[33], noch weniger, daß des Übeltäters Verderben aus ihm selbst und nicht von außen kommt[34]. David will wohl damit einfach ausdrücken: Wäre ich ein Übeltäter, dann wärst du längst tot[35].

V. 15–17 fallen zunächst wieder hinter V. 13 zurück. Jahwe soll im Rechtsstreit Davids Unschuld erweisen und ihm Recht schaffen וְיִשְׁפְּטֵנִי מִיָּדֶךָ (vgl. Anm. b u. c zu V. 16); das entspricht 26,24. Damit erklärt sich auch die Frage Sauls V. 17, die 26,17 am Platz, hier nach V. 9 und auch, weil die Szene nicht bei Nacht spielt, aber unbegründet ist. Indessen verkennt die Annahme eines Einschubes von dort[36] das Wesen dieser komplexen Überlieferungsbildung. Das Weinen Sauls in

dafür, über dem beflissenen Eifer der Darstellung stutzig zu werden und das Gegenteil herauszuhören (Greßmann), ist nicht einzusehen.

29. Zur Sache vgl. noch H. A. Brongers: Die Rache- und Fluchpsalmen im Alten Testament. OTS 13. 1963, S. 39.

30. Was dagegen spricht, daß das dreimalige שפט V. 13a, 16.20b erst bei der Niederschrift hinzugesetzt ist (Koch: Formgeschichte, S. 165).

31. Dazu Knierim: Sünde, S. 149; aber auch schon Gutbrod.

32. De Groot. Es wäre auch denkbar, daß der ursprüngliche Wortlaut בָּם statt בָּךְ gewesen wäre und eine generelle Distanzierung von Übeltätern beabsichtigt war.

33. So etwa Dhorme, de Vaux, van den Born.

34. Smith, mit Änderung von: בָּךְ in בּוֹ (vgl. Anm. 32).

35. Löhr, Nowack, Schulz u. v. a.

36. Budde, Nowack, Dhorme und die meisten.

diesem Zusammenhang ist nur ein allgemeiner Zug der Heldengeschichte (20,41; 30,4; 2 Sam 3,32)[37] und nicht ein Merkmal besonderer psychischer Labilität Sauls oder auch einer bestimmten Erinnerung daran[38]. Mit der Anerkennung der Gerechtigkeit Davids durch Saul (vgl. Anm. a zu V. 18) findet dieser Gesprächsgang sein Ende. V. 19 umfaßt das Verhalten Davids bis zu diesem Augenblick. Wenngleich er dadurch schwerfällig wirkt, ist er doch nicht eigentlich überfüllt (vgl. Anm. c) oder für die mündliche Wiedergabe ungeeignet[39]. Festzuhalten ist allerdings, daß hier tatsächlich ein nachdrücklicher Abschluß erreicht ist.

20–23 Die Einfügung eines Sprichwortes zum Thema אֹיֵב (V. 20) wirkt danach matt, um so mehr, als dieser Begriff hier nicht klar präzisiert ist. Seiner Herkunft nach scheint dieses Sprichwort in die sozial-ethische Sphäre zu gehören (vgl. dazu 𝔊 u. Anm. a u. c) und Hilfeleistung gegenüber einem persönlichen Widersacher in bedrängter Lage zu fordern und sie unter besondere Gottesverheißung zu stellen (vgl. Ex 23,4.5; Prv 25,21). In einem Kampf, in dem es für den einen um das Leben geht, ist ein solcher Rat irreal. Die Irregularität des Satzbaus könnte damit zusammenhängen[40]. Hier ist אֹיֵב, die Situation ausdeutend, in einem direkteren Sinne verstanden, so daß das יְשַׁלֶּמְךָ die Anerkennung Davids als des künftigen Königs einleiten kann. Das klingt zwar schon 23,17 an, gehört aber nicht notwendig zum Wesen dieser Szene; Kap. 26 fehlt es jedenfalls. Der Schwur, den David für die Zukunft leisten soll, liegt auf der Ebene ähnlicher Abmachungen mit Jonathan[41].

Budde hat V. 21ff. als nachträgliche Erweiterung angesehen, weil das Anhören dieser Worte Sauls für David das Eingeständnis umstürzlerischer Pläne bedeutet hätte. Wenn das auch so nicht zutrifft, ist das doch daran richtig, daß dieser Zug zur Motiverweiterung gehört. Sie steht in engem Zusammenhang zu der starken Betonung der Salbung, ist gleichsam ihr Korrelat. Es ist also keine Erwähnung des Königtums an einer Flickstelle und als solche Kennzeichen eines späteren Geschichtsschreibers[42]. Mit dieser Zusammenziehung bekommt nun aber das Abschneiden des Gewandzipfels erst seine volle eigentliche Bedeutung. Es ist wohl Zeichen nicht einer Usurpationsabsicht Davids, sondern seines Gehorsams, aber es weist über sich selbst hinaus auf einen von Gott längst beschlossenen Tatbestand. Unmittelbare Folgen daraus ergeben sich aber noch nicht und sollen sich auch nicht ergeben[43]. V. 23 schließt mit bekannten Formulierungen diesen Bericht als Einheit für sich ab.

37. So richtig Caspari.
38. Vor allem Greßmann.
39. Koch: Formgeschichte, S. 165.
40. De Boer: OTS 6. 1949, S. 58.
41. Caspari.
42. Koch: Formgeschichte, S. 165.
43. Hertzberg, Rehm.

25,1–44 *Nabals Haß. Abigails Klugheit*

1 Zu dieser Zeit starb Samuel, und ganz Israel kam zusammen und hielt ihm die Totenklage. Dann begruben sie ihn in seiner Heimat[a], in Rama[b]. David aber brach auf und zog hinab in die Steppe Paran[c].
2 Es gab da einen Mann[a] in Maon[b], der hatte seine Wirtschaft[c] in Karmel[d]: Der Mann war über die Maßen reich[e], ihm gehörten zweitausend Stück Schafe[f], dazu tausend Ziegen; er weilte (gerade) aus Anlaß[g] der Schafschur in Karmel. 3 Der Name des Mannes war Nabal[a], der seiner Frau Abigail[b]; die Frau hatte einen klaren Verstand[c] und war von schöner Gestalt[d], der Mann indessen war ein grober Klotz und tat nicht gut[e]; er war übrigens ⟨ein Kalibbiter⟩[f]. 4 Nun erfuhr David in der Steppe, daß Nabal[a] daran war, seine Herde zu scheren. 5 Darum sandte David zehn Burschen ab, und (zwar) wies David die Burschen an: »Zieht hinauf nach Karmel und richtet Nabal meinen Friedensgruß aus[a] 6 und sagt so: Weiter alles Gute[a], Heil werde dir zuteil[b], Heil deiner Familie, Heil allem, was dir gehört. 7 Nun aber (der Grund meiner Botschaft)[a], ich habe gehört, daß du Scherer[b] da hast; also, deine Hirten sind mit uns zusammen gewesen[c], wir[d] haben ihnen nichts zuleide getan[e], es ist ihnen nichts abhanden gekommen[f] all die Zeit über, wo sie in Karmel waren. 8 Frage nur deine Leute, sie werden es dir bestätigen. Mögen darum meine Freunde deine geneigte Anerkennung[a] finden. An einem Freudentag[b] sind wir ja gekommen[c], darum gib (ohne kleinlich zu sein), was dir gerade zur Hand ist[d] für deine Knechte[e] und deinen Sohn David[f].« 9 Darauf zogen Davids Leute hin und richteten im Namen Davids genau ihren Auftrag an Nabal aus. Danach blieben sie ruhig[a] (stehen und warteten ab). 10 Doch Nabal fuhr die Knechte Davids an und sagte: »Wer ist denn dieser David? Wer ist denn der Isaisohn[a]? Übergenug gibt es heute Knechte[b], die ihren Herren weggelaufen sind[c]. 11 Soll ich etwa[a] mein Brot, ⟨meinen Wein⟩[b] und das Fleisch, das ich für meine Scherer geschlachtet habe[c], nehmen und Menschen geben, von denen ich nicht einmal weiß, wo sie her sind?« 12 Da kehrten die Leute Davids dahin um, von wo sie gekommen waren, gingen zurück, kamen an[a] und sagten ihm wieder, was (alles) sich zugetragen hatte. 13 Da gab David seinen Männern Befehl: »Gürtet ein jeder sein Schwert um.« [a]Jeder gürtete sein Schwert um, und auch David selbst gürtete sein Schwert um[a], und sie zogen hinauf hinter David her, vierhundert Mann stark – zweihundert waren bei dem Gepäck geblieben[b]. 14 Der Abigail, dem Weibe Nabals, hatte inzwischen einer [...][a] der Leute mitgeteilt: »Denk nur, David hat aus der Steppe Boten geschickt, um unserem Herrn seinen Gruß zu entbieten[b], aber der ist gleich auf sie losgefahren[c]. 15 Dabei haben die Männer sich

uns gegenüber wirklich gut benommen; wir sind nicht behelligt worden[a], wir haben auch nichts vermißt die ganze Zeit über, wo wir draußen auf dem Felde[b] mit ihnen herumzogen[c]. 16 Richtig eine Mauer[a] sind sie um uns gewesen bei Nacht wie bei Tag, die ganze Zeit über, wo wir in ihrer Nähe die Herden weideten. 17 Nun (kommt es auf dich an), überlege du und sieh zu, was du (noch) tun kannst, denn sicher ist das Unheil schon fest beschlossen gegen unseren Herrn[a], und über seine ganze Familie (wird es kommen); aber er ist ja viel zu nichtsnutzig[b], als daß[c] man mit ihm überhaupt reden könnte.« 18 Da nahm Abigail[a] schnell zweihundert Brote, zwei Schläuche Wein, fünf schon zurechtgemachte[b] Schafe, fünf Sea[c] Röstkorn[d], hundert Stück Rosinenkuchen[e] und zweihundert Feigenkuchen und lud (alles) auf die Esel 19 und wies ihre Knechte an: »Geht mir damit schon voraus, ich komme euch gleich nach«; – ihrem Manne Nabal[a] hatte sie nichts gesagt. 20 Als sie noch auf ihrem Esel saß[a] und, vom Berge verdeckt[b], abwärts ritt, kamen David und seine Männer schon heruntergestiegen, geradewegs auf sie zu[c], so daß sie auf sie traf. 21 (Eben noch) hatte David gesagt: »Es ist wirklich so[a], für nichts und wieder nichts[b] habe ich all das, was dem Kerl da gehört, in der Steppe behütet, nichts von alldem, was er hat, ist weggekommen[c], und das vergilt er mir mit Bösem für Gutes. 22 Gott tue ...[a] dem David dieses und jenes und immer mehr, wenn ich bis zum Morgen[b] auch nur einen übriglasse, der die Wand anpißt[c].« 23 Als Abigail David zu Gesicht bekam, stieg sie schnell von ihrem Esel, fiel vor David auf ihr Angesicht[a] und neigte sich ehrfurchtsvoll bis zur Erde[b]. 24 Sie fiel[a] ihm zu Füßen und sprach: »Bei mir ganz allein[b], mein Herr, liegt die Schuld[c]; (erlaube trotzdem), daß deine Magd[d] vor dir reden darf, und[e] mögest du die Worte deiner Magd (gnädig) anhören. 25 Mein Herr möge[a] doch keinen Gedanken verschwenden[b] an diesen nichtsnutzigen Kerl, den Nabal[c], er ist ja nur das, was sein Name sagt, [d]Schandnarr heißt er und Schändlichkeit[e] ist sein Wesen[d]. Aber ich, deine Magd, hatte die Knappen meines Herrn nicht gesehen, die du gesandt hattest. 26 Nun aber, mein Herr, beim Leben Jahwes, bei deinem eigenen Leben[a], ja[b], Jahwe hat dich daran gehindert, in schwere Blutschuld[c] damit zu kommen, daß deine eigene Hand dir Hilfe schaffte[d]. Nun aber soll es deinen Feinden so ergehen wie dem Nabal[e], und (all) denen, die auf das Verderben meines Herren aus sind. 27 Doch jetzt, die Ehrengabe[a] hier, die deine Dienerin[b] meinem Herrn mitgebracht hat[c], sie möge den Leuten gegeben werden[d], die (treulich) die Wege meines Herrn mitgehen. 28 Sieh deiner Magd ihre Vermessenheit[a] nach; Jahwe wird ja meinem Herrn ein Haus errichten, das fest für immer steht[b], denn mein Herr führt doch die Kriege Jahwes[c], und Böses[d] wird an dir nicht erfunden werden, all dein Leben lang[e]. 29 ⟨Und steht etwa⟩[a] ein Mensch auf, der dich verfolgt und dir ans Leben will, so wird das Leben meines Herren eingebunden sein in das Bündlein der Lebendigen[b] bei Jahwe, das Leben deiner Feinde aber wird er fortschleudern[c] mit der Schleuderpfanne[d]. 30 Wenn dann Jahwe all das Gute[a] meinem Herrn antun wird, wie er es über dich verheißen hat, und wenn er dich zum Herzog[b] über Israel bestellt, 31 dann braucht es dir kein Anstoß[a] zu sein und meinem Herrn keine Gewissensnot zu verursachen[b], daß er ohne Grund Blut vergossen hat[c], damit daß mein Herr sich ⟨selbst⟩[d] zum Recht geholfen hat. Doch wenn Jahwe meinem Herrn Gutes erweist, dann gedenke[e] deiner Magd[f].« 32 Drauf gab David der Abigail zur Antwort: »Dank sei Jahwe, dem Gotte Israels, daß er dich mir heute[a] in den Weg geführt hat, 33 Dank sei deinem Feingefühl[a], Dank dir selber, daß du mich davon zurückgehalten hast, damit in Blutschuld zu geraten, daß ich mir selber zum Rechte half. 34 Aber beim Leben Jahwes, des Gottes Israels, der mich daran gehindert hat, dir ein Leid zu tun, wärst du mir nicht so unverzüglich entgegengekommen[a], [b]bis zum Morgengrauen wäre dem Nabal auch nicht einer übrig geblieben, der an die Wand pißt.« 35 Drauf nahm David von ihr, was sie ihm mitgebracht hatte; zu ihr aber sagte er: »Zieh getrost hinauf in dein Haus; denn siehe, ich habe auf dich gehört und dein Angesicht (voll Huld) erhoben[a].« 36 Als Abigail zu Nabal kam, veranstaltete er gerade ein Zechgelage in seinem Haus[a], (reich) wie das Gelage des Königs; Nabals Herz war ihm[b] guter Dinge und er war unmäßig betrunken, darum erzählte sie ihm kein Sterbenswörtchen bis zum Morgen. 37 Als dann am Morgen der Weindunst von Nabal gewichen war, da berichtete ihm seine Frau, was sich (inzwischen) ereignet hatte. Darüber erstarb ihm das Herz im Leib[a] und er versteinte[b] (förmlich). 38 ⟨Und nach (weiteren) zehn Tagen⟩[a] schlug Jahwe den Nabal, daß er starb. 39 Als David hörte, [a]daß Nabal gestorben war[a], sprach er: »Dank sei Jahwe, der in der Schmach, die mir angetan wurde, meine Sache gegen Nabal geführt[b] und damit seinem Knechte böse, rasche Tat erspart hat damit, daß er die Schändlichkeit Nabals auf sein eigenes Haupt zurückfallen ließ.« Drauf sandte David hin und hielt um Abigail an, sie sich zum Weibe zu nehmen[c]. 40 Die Knechte Davids kamen zu Abigail nach Karmel[a], und also sprachen sie zu ihr: »David hat uns zu dir gesandt, dich ihm zum Weibe heimzuholen.« 41 Da stand sie auf, verneigte sich tief zur Erde und erwiderte: »Hier ist deine Magd, (zufrieden damit) als Dienerin den Knechten meines Herrn die Füße zu waschen.« 42 Und Abigail brach eilends auf, stieg auf ihren Esel – ihre fünf Mägde ⟨schlossen sich ihr an⟩[a] – und folgte den Boten Davids und wurde sein Weib.

43 Die Ahinoam[a] hatte David sich aus Jesreel[b] genommen; so wurden sie alle beide seine Frauen[c]. 44 Saul aber hatte seine Tochter Michal, Davids Weib, indessen dem Palti[a], dem Sohn des Lajisch[b] aus Gallim[c], zur Frau gegeben.

1 a) Trotz gelegentlicher Funde in Geser (R. A. S. Macalister: The excavations of Gezer II. London 1912, S. 427) und Jericho (Ernst Sellin und Carl Watzinger: Jericho. Leipzig 1913, S. 63) ist die Bestattung im Hause kein israelitischer Brauch (vgl. dagegen etwa Ugarit); es ist also an eine Beisetzung im Bereich des weiteren Besitzes zu denken (Budde, de Vaux; anders BRL, Sp. 237; auch Hertzberg). b) Wie 28,3, aber nicht Erklärungsbeitrag von dort (so Caspari), sondern Zeichen einer fest nach dem benjaminitischen Rama weisenden Überlieferung (Noth: VT 1963, S. 396). Die Grabtradition auf dem *en-nebi samwīl* (H. W. Hertzberg: Die Tradition in Palästina. PJ 1926, S. 103; auch ZAW 1929, S. 190) ist erst seit der Kreuzfahrerzeit nachzuweisen. c) 𝔊^A 𝔖𝔗𝔙 = 𝔐; 𝔊^B *Μαάν*, wonach mit wenigen Ausnahmen (Smith, Rehm, van den Born) in מָעוֹן geändert wird, weil von einem Aufenthalt dort sonst nichts bekannt, auch die Entfernung sehr groß wäre. Die Wüste P., nach Gn 21,21 Wohnsitz der Ismaeliten, umfaßt das Gebiet östlich das *wādi el-ʿarīš* (Abel: Géographie I, S. 434). Deswegen wird auch schon 𝔊^B hier nur mit dem Folgenden harmonisierend ausgleichen. Ebenso erübrigen sich andere Änderungsvorschläge (irrtümliche Ergänzung von פְּלֹנִי אַלְמֹנִי [Klostermann; פְּאֵרוֹ »sein Versteck«; Wutz: Systematische Wege, S. 497] oder auch die Streichung [de Groot]).

2 a) Einsatz wie 17,12; nach 𝔊 *καὶ ἦν ἄνθρωπος* wollen manche (z. B. Budde, Smith) in וַיְהִי אִישׁ ändern, was ebenso unnötig ist wie die Erklärung als vorweggenommenes Subjekt zu וַיְהִי בְּגֹזז (Dhorme). b) Vgl. zu 23,25. c) Wird Ex 23,16 von der Feldarbeit gebraucht, ist hier im Gesamtrahmen auf Viehbesitz zu deuten (𝔊 *ποίμνια*, 𝔗 נִכְסוֹהִי). d) S. zu 15,12; die Entfernung beider Orte zueinander (etwa 2 km) paßt gut für die hier geschilderte Szene, doch müßte es nach V. 7 Mittelpunkt eines größeren Weidegebietes gewesen sein (vgl. dazu auch A. Jepsen: Karmel, eine vergessene Landschaft. ZDPV 1959, S. 74f.). e) Zur Größe des Reichtums vgl. Hi 1,3; statistische Angaben über die Viehbestände neuerer Zeit finden sich bei Greßmann. f) Ungewöhnlich bedeutet צאן hier nur die Schafe; daß in die Nennung die tausend Ziegen mit eingeschlossen seien (so Caspari), ist unwahrscheinlich. g) Zur Sache vgl. AuS V, S. 9ff.; zur Form GK § 67cc. Leichter wäre וַיְהִי גֹּזֵז oder הוּא גֹּזֵז (S. R. Driver, Budde). Caspari will es mit Tilgung von וַיְהִי und בְּכַרְמֶל als Erläuterung der Zahlangabe verstehen.

3 a) Als ein eine negative geistige Eigenschaft bezeichnender Name ungewöhnlich, wenn auch nicht unmöglich (NothPers, S. 229); ob mit der Wahl des Namens der Gegensinn beabsichtigt wurde (Kittel), ist unsicher; eher könnte es sich um eine aus der Geschichte gewonnene Umformung eines anderen Namens handeln, doch ist die Zurückführung auf einen mit בַּעַל zusammengesetzten Namen (מתן בעל C. Niebuhr: Zur Glossierung im Alten Testament. OLZ 1915, Sp. 67) nicht mehr als ein interessanter, nicht einmal wahrscheinlicher Versuch. Vgl. auch W. Caspari: Über den biblischen Begriff der Torheit. NKZ 1928, S. 671 (Synonym von נבואל). b) So auch auf einem Siegel (LidzAST, S. 11,s); zu dem daneben vorkommenden אֲבִיגַל vgl. L. Kopf: Arabische Etymologien und Parallelen zum Bibelwörterbuch. VT 1959, S. 250 (Gleichsetzung mit אֲבִירָם). Die Deutung »der Vater jubelt« (BHH I, Sp. 12; auch H. Bauer: Die Gottheiten von Ras Schamra. ZAW 1933, S. 87) versteht den Namen als profane Bildung, ist aber unsicher; NothPers, S. 39 sieht in *-ajil* eine Karitativendung, Caspari: ThStKr 1915, S. 6 Entstellung aus אביבעל. c) Sonst nur in jüngerer und Weisheitsliteratur. d) 𝔊 + מְאֹד (so Budde, Dhorme). e) Sonst nur in der Poesie und der gehobenen Prosa des Dt (S. R. Driver). f) Ketib כְּלִבּוֹ »wie seine Gesinnung war« wird zwar von Klostermann, Perles II, S. 106 verteidigt, aber als Glosse hinter וְשֵׁם הָאִישׁ נָבָל gestellt; lies indes mit Qere 𝔗𝔙 und der Mehrzahl der Ausleger כָּלִבִּי. Ketib ist nicht ein Versuch, witzig zu sein (Smith), sondern ein vielleicht auf der Grundlage einer mechanischen Verschreibung von י in ו (DelF § 103a) entstandenes Mißverständnis, das den eigentlichen Sinn nicht mehr erkannte und ihn als »hündisch« deutete (Th. Nöldeke: Rezension. ZDMG 1886, S. 164), wie 𝔊 mit *κυνικός* und vermutlich auch 𝔖. Recht ansprechend übersetzt Hertzberg »ein rechter kalibbitischer Hund«. Die Kalibbiter gehörten zum Verband der Kenizziter; ihr Mittelpunkt war Hebron, was Num 14,6a–25; Dt 1,22–36; Jos 14,6–15 erklärt werden soll (NothGI, S. 57, auch RGG III. 3. Aufl. 1959, Sp. 1100). Zur Ausdehnung des Siedlungsgebietes nach Süden vgl. auch 30,1.

4a) 𝔊^B + *ὁ καρμήλιος* (Dhorme); Ergänzung nach 2 Sam 3,3?

5 a) Zur Vokalisierung GK § 64f.

6 a) Die Schwierigkeit kann nicht durch Tilgung des Wortes (Caspari, de Groot) beseitigt werden. 𝔙 »fratribus meis«; die darauf fußende Konjektur לְאֶחָי (Wellhausen) hat viel Zustimmung gefunden (Budde u. a.; zuletzt noch Rehm, Hertzberg, van den Born), ist aber ebenso Notlösung wie לוֹ וּלְחַיָּו (Smith, Nowack) oder לְהוֹ (Dhorme); gänzlich verfehlt ist לְאִיתִי (Kosters, ähnlich auch Klostermann). 𝔗𝔖 gehen von der Wz. חיה aus, danach teilt Ehrlich לְחַיָּו אַתָּה »ihm zum Gruße« ab. 𝔊 εἰς ὥρας (wie zu Gn 18,10.14 כָּעֵת חַיָּה) hat es als »nächstes Jahr« verstanden; so auch R. Yaron: Ka'eth ḥayyah and koh leḥay. VT 1962, S. 500f., der auf die entsprechende Bedeutungsspanne im Assyrischen *ana balaṭ* (»zum Leben« und »nächstes Jahr«) hinweist. In gleiche Richtung geht die Erklärung als volkstümliche Redensart für »möge es dir bei der Wiederkehr der jetzigen Jahreszeit so gut gehen wie jetzt« (G. R. Driver: JThS 1957, S. 272f.). b) Zum Wunsch in der Form einer Aussage BroS § 7b.

7 a) S. Anm. a zu 24,21. b) Auch die Übersetzung »Schur« wäre möglich (Pr. Wernberg-Møller: Observations on the Hebrew participle. ZAW 1959, S. 56). c) 𝔊 (𝔖) + ἐν τῷ ἐρήμῳ (so Budde, Dhorme); Harmonisierung mit V. 21. d) 𝔊𝔗𝔖 וְלֹא. e) GK § 53p. Zur Bedeutung vgl. L. Kopf: Arabische Etymologien und Parallelen zum Bibelwörterbuch. VT 1958, S. 179. f) 𝔊 ἐνετειλάμεθα mißversteht die unpersönliche Konstruktion und schwächt ab.

8 a) Vgl. Stoebe: VT 1952, S. 245. b) Est 8,17; 9,19.22 »der Feiertag«. Zum hier zu erwartenden Gedanken der überschäumenden Fröhlichkeit vgl. F. Rosenthal: Yôm Ṭôḇ. HUCA 1944, S. 163f. c) GK § 74k (720). d) Vgl. z. B. 10,7; Jdc 9,33. Die Auffassung »was deine Vermögensverhältnisse gestatten« (Ehrlich) verschiebt den Gedanken und ist schwerlich richtig. e) Fehlt 𝔊B, und wird darum von einigen (z. B. Nowack, Smith) gestrichen; andere (z. B. Greßmann, Caspari) lesen עֲבָדֶיךָ, doch scheint der überlieferte Text, nach dem David einen Unterschied zwischen sich und seinen Leuten macht, unanfechtbar. f) Zur Demutsformel vgl. L. Köhler: Archäologisches Nr. 19. ZAW 1922, S. 43f.

9 a) 𝔊 καὶ ἀνεπήδησεν eine antizipierende freie Übersetzung, kein ursprüngliches וַיָּקָם (Thenius, Smith). 𝔖 läßt es ganz aus.

10 a) Zur Beleidigung vgl. 20,27; es setzt hier für Nabal die Bekanntschaft mit David und seiner Geschichte voraus. b) Artikel beim Attribut (GK § 126w; BroS § 60a) zur nachträglichen Näherbestimmung eines zunächst unbestimmt gebliebenen Subjekts (so auch S. R. Driver); der Verfasser hat nur eine besondere Klasse von Sklaven im Auge. Damit erübrigt sich die Ergänzung eines הָ vor עֲבָדִים (Wellhausen, Budde, Smith). c) Vgl. dazu Jdc 11,3; 1 Sam 22,2. מִתְפָּרְצִים ist eigentlich stärker als »weglaufen« (Ehrlich: »sich als Freibeuter פָּרִיץ gebärden«).

11 a) Zum Ausdruck einer Frage durch Perf. cons. GK § 112cc. b) 𝔐 ist wohl weniger vom Wassermangel des Orients (Dhorme, Ehrlich, Hertzberg) oder gar von dem Eigentumsanspruch an einem Wasserbrunnen (Philippe Reymond: L'eau, sa vie et sa signification dans L'Ancien Testament. 1958 [VTS 6], S. 147) her zu verstehen, als von dem gewohnten Nebeneinander von Brot und Wasser (S. R. Driver). Gegen die Ursprünglichkeit von מֵימַי spricht bereits die unsichere Wiedergabe durch 𝔗 (מִשְׁתִּי). Nach 𝔊 οἶνόν μου wird, und wohl mit Recht, von der Mehrzahl der Ausleger in יֵינִי geändert (מַרְמִי »mein Rauschtrank«? Wutz: Systematische Wege, S. 455, paßte graphisch gut, ist aber sprachlich wie sachlich unmöglich). c) Auch heute ist die Schur oft noch ein Fest (AuS I, S. 422).

12 a) Durch die willkürliche Einfügung eines אֶל־דָּוִד (Tiktin) geht die Lebendigkeit und Spannung verloren; schlecht darum auch 𝔊 (𝔖) τῷ Δαυιδ statt לוֹ.

13 a) Das Fehlen in 𝔊B erklärt sich wohl durch Homoeotel, vielleicht schon der Vorlage (Dhorme; de Boer: OTS 6. 1949, S. 62), ist jedenfalls kein Grund zur Tilgung in 𝔐 (so Greßmann, Schulz u. a.). b) Zur Sache vgl. 30,24; 2 Reg 11,5ff.; zur Gesamtzahl 23,13; 27,2; 30,9. Damit scheint die Frage Casparis, ob die größere Zahl die kleinere mit einschließt (vgl. auch Anm. f zu V. 2), entschieden.

14 a) Tilge entweder אֶחָד oder, wahrscheinlicher, mit 𝔊𝔙 נַעַר (so die meisten); es ist jedenfalls besser als מֵהָרֹעִים (Smith, Budde, DelF § 99b). 𝔐 ist vielleicht als Kontamination zweier Lesarten zu verstehen (Boström: Alternative Readings, S. 40). b) A. Murtonen: The use and meaning of the words lebârek and berâkâh in the Old Testament. VT 1959, S. 167 sieht

darin die versteckte Zusage für weiteren Schutz. c) Vgl. 14,32; 15,19. Das Wort kann also trotz scheinbaren Germanismus (Nowack) beibehalten werden. Die Vers sind unsicher und geben es nach dem Zusammenhang, auf jeden Fall stark abschwächend wieder; »wegwenden« (𝔊𝔅 'A Σ), »verächtlich behandeln« (𝔗 Θ). Die danach vorgeschlagenen Konjekturen (וַיָּקָט Thenius; וַיְטַמְּאֵם Klostermann; Ableitung von einer Wz. עטם »verhöhnen« Grimme: BZ 1904, S. 44) befriedigen nicht. Das häufig erwogene יִבְעַט (z. B. Wellhausen, Nowack, Smith) kommt im AT nur zweimal vor.

15 a) 𝔊 aktivisch *ἐνετείλαντο ἡμῖν*. b) Als nähere Bestimmung zum Vorhergehenden sinnvoll und keine überflüssige Variante (Kittel, Greßmann, Caspari). c) Von 𝔊𝔖 wird es als Anfang zu V. 16 gezogen.

16 a) 𝔊 *ὡς τεῖχος* pedantische Verflachung. Das Bild überbewertend verweist Caird auf 23,1–5; 30,1–2.

17 a) Im Zusammenhang durch V. 13 vorbereitet; zur Verbindung mit אֶל vgl. auch L. Kopf: Arabische Etymologien und Parallelen zum Bibelwörterbuch. VT 1959, S. 284 (»das Unheil hat ihn erreicht«). Der Wechsel der Präposition weist nicht auf verschiedene Texttradition (Boström: Alternative Readings, S. 40), sondern differenziert fein die Art der Haftung (vgl. Josef Scharbert: Solidarität von Segen und Fluch im Alten Testament. 1958 [BBB 14], S. 115f). b) Vgl. 2,12; 10,27; 2 Sam 16,7; 20,1. c) GK § 133c. BroS § 111g; als Subjekt ist הַמְדַבֵּר impliziert.

18 a) Zu Ketib vgl. NothPers, S. 34. b) Qere עֲשׂוּיֹת; zur Form GK § 75v; BLe § 74h'. Eigenartigerweise will Caspari es zu נִבְלֵי יַיִן ziehen. c) 65,5 l. (BRL, Sp. 367); 𝔊 *πέντε οιφι* (אֵיפָה) = 196,5 l.; das kleinere Maß ist wahrscheinlicher. d) Wird als haltbarer Proviant auch 17,17; 2 Sam 17,28; Ru 2,14 genannt; vgl. AuS II, S. 245; III, S. 265. e) Auch 30,12; 2 Sam 16,1; nach 𝔗 אִתְכְּלִין דְעִנְבִין denkt man zumeist an Rosinentrauben; vgl. aber AuS IV, S. 352. 𝔊 *γόμορ ἓν σταφίδος* ist sekundär und nicht Wiedergabe eines aus מֵאָה verschriebenen מַשָּׂא (Wellhausen), denn das wird nie durch *γόμορ* übersetzt. Die Zählung nach Stücken scheint jedenfalls das Übliche gewesen zu sein.

19 a) Fehlt 𝔊 und ist tatsächlich überflüssig (Smith, de Vaux).

20 a) וְהָיָה, nicht Ausdruck für »längeres Verharren in einem vergangenen Zustand« (GK § 112ss), denn dann wäre וְיֹרֶדֶת unmotiviert (so richtig Budde). Es liegt ein zwar ungewöhnlicher, doch nicht beispielloser Sprachgebrauch für das geläufigere וַיְהִי vor (schon früher von S. R. Driver, Dhorme dahin geändert, während Budde, Smith u. a. überhaupt nur וְהִיא lesen wollten). Zur Sache vgl. A. Rubinstein: Singularities in consecutive tense in constructions in the Isaiah scroll. VT 1955, S. 181. b) Caspari denkt zu ausschließlich an die Geheimhaltung vor ihrem Mann und streicht deswegen הָהָר. c) Vgl. 23,26; auch hier wird die Situation nicht recht anschaulich.

21 a) Vgl. N. H. Snaith: The meaning of the Hebrew אַךְ. VT 1964, S. 224. b) Vgl. Lev 5,24; Jer 5,2; 7,9; 27,15; Sach 5,4; zur Sache Klopfenstein: Lüge, S. 171ff. c) 𝔊 wie V. 15 *οὐκ ἐνετειλάμεθα λαβεῖν*.

22 a) Zu אֹיְבֵי vgl. 2 Sam 12,14 (dazu Geiger: Urschrift, S. 267), ein deutsch nicht übersetzbarer Euphemismus. Das Wort fehlt 𝔊, braucht deswegen aber nicht nachträgliche Einfügung (so die meisten mit der Begründung, daß David den Schwur ja nicht gehalten habe), sondern kann als mundartliche Sprechweise durchaus ursprünglich sein (Ehrlich; vgl. auch Gustaf Dalman: Grammatik des jüdisch-palästinischen Aramäisch. 2. Aufl. Leipzig 1905, S. 109). Unbegründet ist die Annahme der falschen Entzifferung einer Randlesart לִי אֲדֹנָי (Klostermann) oder die Herleitung von arab. *'ājib* »Glück« (Wutz: Systematische Wege, S. 206). b) Einige MSS, auch z. T. 𝔗 + אור wie V. 34; E. Nestle: Miscellen. ZAW 1903, S. 338 erklärt es als Inf. c) Vgl. 1 Reg 14,10; 16,11; 21,21; 2 Reg 9,8; zur Form (Partizip des t-Reflexivs vom Qal שין) BLe § 56u". Ein volkstümlich derber Ausdruck für die Ausrottung alles Männlichen, den 𝔗 milder durch יָדַע מַדַּע wiedergibt, 𝔖 abschwächend paraphrasiert. In gleicher Linie geht die Deutung auf Hunde in der älteren jüdischen Auslegung (dazu schon Samuel Bochart: Hierozoicon sive historia animalium sanctae scripturae. I. London 1663, Sp. 675), die auch bei Ehrlich – Ausdruck für Unmännlichkeit – noch nachwirkt. Verfehlt ist die Erklärung als term. techn. für Kultfähigkeit (M. Bič: MAŠTÎN B^E^QÎR. VT 1954, S. 411ff.).

23 a) Offenbar Verwechslung geläufiger Ausdrücke (DelF § 96b), deswegen ausnahmslos geändert. b) Seb אַרְצָה wie 𝔊.

24 a) Fehlt 𝔊, ist aber als gesteigerter Ausdruck der Ehrerbietung verständlich und nicht als Randglosse zu tilgen (so Wellhausen, Nowack). b) GK § 135g; starke Betonung, nicht etwa אִין (Bruno: Bücher, S. 289) oder Dittogr zu אֲדֹנִי (Ehrlich, Tiktin). c) Oder »mich treffe die Strafe« (so 𝔅); allerdings ist dabei wohl an die Strafe Nabals zu denken, nicht an eine Benachteiligung Davids (so L. Köhler: Archäologisches 14. ZAW 1926, S. 27; auch K. Marti: Eine arabische Parallele zu בִּי אֲדֹנִי. ZAW 1916, S. 246). Knierim: Sünde, S. 187 sieht in עָוֹן den selbstverantwortlichen Eingriff in das Rechtsgebaren eines anderen; vgl. allerdings V. 28. Die Tilgung von עָוֹן durch Ehrlich beruht auf einer falschen Beurteilung von V. 25b. d) Zu dem in אָמָה mitschwingenden Hinweis auf Schutzbedürftigkeit vgl. A. Jepsen: Amah und Schiphchah. VT 1958, S. 295. e) Fehlt bis V. 25 Anfang bei 𝔖, doch ist der kürzere Text hier nicht das Ursprünglichere (Smith); 𝔖 verkennt den umständlichen Stil der Höflichkeitsrede und macht daraus ein familiäres Gespräch über den Mann.

25 a) GK § 107p. b) Siehe Anm. e zu V. 24. c) Fehlt 𝔊, doch ist die Annahme eines nachträglichen Zusatzes (Smith, Dhorme; de Boer: OTS 6. 1949, S. 65) angesichts des kürzeren, aber gerade dieses Wort enthaltenden Textes von 𝔖 unbegründet. d) Die Annahme einer handschriftlichen Variante (Greßmann) verkennt den Charakter des Satzes. e) Nicht Torheit im intellektuellen Sinn, aber auch stärker als die Haltung eines Mannes, der »sich um des Geldverdienens willen über die guten Sitten hinwegsetzt« (W. Caspari: Über den biblischen Begriff der Torheit. NKZ 1928, S. 671; Greßmann: »Geizhals«), obwohl in der Weisheitsliteratur auch diese Bedeutung mitklingt (A. Caquot: Sur une désignation vétéro-testamentaire de »l'insensé«. RHR 1959, S. 3ff.). Die Torheit ist ein schwerer Verstoß gegen das von Gott garantierte amphiktyonische Recht (Martin Noth: Das System der Zwölf Stämme Israels. 1930 [BWANT IV/1], S. 104). Daß David, Nabal hier im Verhältnis Lehnsherr, Lehnsträger (protector, protected) gesehen werden, so daß der Bruch eines Bundesverhältnisses vorliegt (W. M. W. Roth: N B L. VT 1960, S. 406), will allerdings weniger einleuchten. Zur Sache vgl. auch W. H. Gispen: De stam NBL. GThT 1955, S. 161–170.

26 a) Durch die Vers bestätigt, und da die ganze Geschichte auch sonst schon auf David als den kommenden König hinzielt, besteht auch inhaltlich kein Grund zur Streichung (so z. B. Smith, Dhorme, Nowack). b) אֲשֶׁר ist als faktisches quod (Budde) unübersetzbar, darum aber weder zu streichen (Klostermann, Smith) noch in כַּאֲשֶׁר (Schulz) zu ändern; es darf auch nicht als Relationspartikel an חַי יְהוָה (S. R. Driver, der das zweite יהוה als verdeutlichende Wiederholung ansieht) oder an דָּוִד (Kittel, Caspari) angeschlossen werden. c) Zur Bewahrung vor Blutschuld an dieser Stelle vgl. zuletzt K. Koch: Der Spruch »Sein Blut bleibe auf seinem Haupt« und die israelitische Auffassung vom vergossenen Blut. VT 1962, S. 406ff. d) GK § 113e.gg; zur hier in הוֹשִׁיעַ mitklingenden forensischen Bedeutung vgl. J. Sawyer: What was a mošiaᶜ? VT 1965, S. 484. e) Heißt natürlich nicht, daß die Feinde ebenfalls נְבָלִים werden sollen (Wellhausen, Budde, wohl auch BH[3] mit dem Vorschlag כְּאֹיְבֶיךָ), sondern greift vor und nimmt nicht einmal in »unwillkürlicher Prophezeiung« (Wellhausen) das Schicksal Nabals vorweg. Ganz willkürlich ist die Annahme einer versteckten Mordandrohung (Ehrlich, aber auch Gutbrod), ebenso die Auffassung, Abigail stelle sich mit diesen Worten als Abgesandte ihres Mannes hin (Caspari).

27 a) Die Übergabe des Geschenkes wird vom Aussprechen von Segensformeln begleitet (vgl. zur Sache F. Horst: Segen und Segenshandlungen in der Bibel. EvTh 1947/48, S. 24; zum Casus pendens GK § 143d). 𝔊 λαβέ (danach Klostermann, Dhorme קַח) ist nur Erleichterung, wie auch die Auslassung des אֲשֶׁר durch 𝔖. b) Zu שִׁפְחָה vgl. den in Anm. d zu V. 24 genannten Aufsatz von Jepsen. c) Vgl. zum maskulinen Verbum GK § 145 o; BroS § 28bα; indessen sollte man hier doch הֵבִיאָה lesen (S. R. Driver, Budde, Dhorme, vgl. auch DelF § 21a). d) 𝔊 καὶ δώσεις verkennt die Ehrerbietung für David, die in der unpersönlichen Formulierung liegt, führt jedenfalls nicht auf ursprüngliches וְנָתַתָּה.

28 a) Ist mehr als nur »Ungehörigkeit« (Ehrlich, Caspari). Die Stärke des Ausdrucks, auch wenn er hier nur formelhaft gebraucht ist (vgl. Knierim: Sünde, S. 115f.), erklärt sich daher, daß Abigail in David schon den König ehrt. b) Vgl. 2,35; 2 Sam 7,16; 1 Reg 11,38. c) Vgl. 18,17. d) Nicht Unheil (Keil, Caspari), sondern Unrecht. e) GK § 119w; BroS § 111e.

29 a) Die von 𝔐 וַיָּקָם »und doch stand auf« zweifellos beabsichtigte Beziehung auf Saul (so richtig Schulz, de Vaux u. a.) scheint nach den Vers sekundär zu sein; man erwartet auch eine allgemeinere Aussage. Lies also entweder וְיָקוּם, auch כִּי יָקוּם (Kittel, Tiktin, Rehm) oder besser וְקָם (Wellhausen, S. R. Driver, Budde und die meisten). b) Vgl. die verwandte Vorstellung vom Buche des Lebens Ex 32,32; Jes 4,3; Ps 69,29; Dan 12,1. Der Hintergrund des Bildes ist vermutlich die Zählung des Viehs mit Zählsteinen (ähnlich schon Budde), wie sie jetzt auch aus Nuzi bekannt ist (zur Sache vgl. Eißfeldt: Beutel). Damit ist einerseits die Deutung von חַיִּים als »Lebendige« (𝔙, Caspari, Buber) als richtig erwiesen, scheiden dagegen die Versuche magisch zauberhafter Erklärung aus (z. B. A. Marmorstein: 1 Sam 25,29. ZAW 1925, S. 119ff.; vgl. auch Sigmund Mowinckel: Religion und Kultus. Göttingen 1953, S. 33). c) Das Wort ist nicht aus dem Gegensatz zwischen Edelsteinen und Kieselsteinen zu verstehen (so Nowack, Kittel, Rehm; ähnlich schon Klostermann). Es liegt vielmehr ein Wechsel des Bildes in (unbewußter?) Anlehnung an die Goliathperikope vor, die von 𝔊 (*σφενδονήσεις*) noch stärker herausgearbeitet wird; das braucht nicht erst Übersetzerfreiheit zur Vermeidung eines Anthropomorphismus (Budde, Dhorme), sondern kann schon alte Vorlage gewesen sein. d) Zur Sache vgl. AuS VI, S. 240; damit erübrigt sich die Annahme einer Alternativlesart (Caspari: Faust und Schleuder); בְּתוֹךְ ist eine Breviloquenz (vgl. Ehrlich, Caspari), die weder in מִתּוֹךְ (Tiktin, Greßmann), noch יְקַלְּעֶנָּה in יְקַחֶנָּה (so Ehrlich) geändert zu werden braucht.

30 a) Vgl. 2 Sam 3,9; הַטּוֹבָה wirkt im Zusammenhang blaß, es könnte eine ungeschickte, freilich frühe Marginalglosse sein (S. R. Driver). b) Vgl. 9,16; 10,1; 13,14; dazu Alt II, S. 38.

31 a) *'Α Θ λυγμός* »das Schlucken« (was nach Thenius, Wellhausen auch die Grundlage von 𝔊 *βδέλυγμος* gebildet hat), ähnlich 𝔗𝔙; gemeint ist der Anstoß auf dem Weg, der einen sicheren Schritt unmöglich macht. b) 𝔊 übersetzt mit *σκάνδαλον*, muß dann natürlich לֵב auslassen, rechtfertigt also nicht dessen Tilgung in 𝔐 (vgl. Budde). Gedacht ist an die Reaktion bei einer späteren Erinnerung, was von Ehrlich, Caspari verkannt wird (David soll das Geschehene nicht für eine solche Kränkung halten, daß sie ihn zum Eingreifen zwänge). c) Tilge mit 𝔊𝔖𝔙 das וְ (so auch die meisten); es ist vielleicht aus einem Mißverständnis der beabsichtigten Aussage (Anm. b) entstanden. d) 𝔊 + *χεῖρα* wie V. 26 (vgl. dort Anm. d), ist nötig und wird mit Recht ergänzt. e) זכר zur Bezeichnung eines personalen Bezuges liegt im wesentlichen im Bereich der höfischen Sprache (Schottroff: Gedenken, S. 161). f) 𝔊 + *ἀγαθῶσαι αὐτῇ*, unnötige Ausdeutung einer Selbstverständlichkeit, die nicht auf ursprüngliches לְהֵיטִיב לָהּ (Dhorme) führt.

32 a) Fehlt 𝔊.

33 a) Vgl. Prv 11,22.

34 a) Qere וַתָּבֹאת, lies וַתָּבֹאִי. 𝔐 wird entweder als Verschreibung auf Grund des Folgenden (DelF § 98a; Wellhausen, S. R. Driver, Budde und die meisten) oder als Alternativlesart zwischen וּבָאת und וַתָּבֹאִי erklärt (GK § 76h; BLe § 59p; Boström: Alternative Readings, S. 40). Es könnte sich auch um eine mundartlich gebräuchliche Form handeln (so E. Vogt: Varia. Bibl 1952, S. 160). Vgl. dazu auch Krahmalkov, Ch. R.: The Enclitic Particle ta/i in Hebrew. JBL 1970, S. 218f. b) Zur Konstruktion, Wiederholung des כִּי vor אִם, vgl. GK § 149d.

35 a) Charakteristisch höfischer Stil, vgl. 2 Reg 5,1; Ausdruck für gnädige Erhörung einer Bitte Gn 19,21; 32,21.

36 a) Zur Inkongruenz, daß Nabal kaum in Karmel ein Haus haben wird (so richtig Caspari, wenngleich er es mit der Folgerung, בַּיִת bedeute hier Familie, überbewertet), vgl. V. 40. b) Ist auf נָבָל zu beziehen, vgl. 17,32, nicht auf מִשְׁתֶּה (so z. B. Hertzberg).

37 a) Die Deutung auf einen Schlaganfall (so Budde und die meisten) liegt zwar nahe, ist aber doch zu rationalistisch (vgl. besonders Schulz). S. die Auslegung. b) 𝔗𝔖 (𝔊𝔙) כְּאֶבֶן (danach Klostermann) bereits eine frühe rationalisierende Erleichterung.

38 a) Tilge den Artikel (Wellhausen, Budde, S. R. Driver, GK § 134m); andernfalls muß man annehmen, daß auf einen von vornherein bestimmten Zeitraum hingewiesen werden soll (so Smith, Caspari), was aber Schwierigkeiten macht.

39 a) Fehlt 𝔊. b) Hängt von מִיַּד, nicht von חֶרְפָּתִי (so z. B. Smith, Greßmann) ab; vgl. dazu "שפט מִיַּד" 24,16; 2 Sam 18,19.31. c) Notwendige Ergänzung des allgemeineren דִּבֶּר בְּ. (vgl

Cant 8,8 »um jemanden werben, Heiratsabsprache halten«), keinesfalls überflüssige Erweiterung (so Greßmann).

40 a) Auffallend; anscheinend hat der Verfasser die Unterscheidung zwischen Wohnort und Gut vergessen (vgl. auch Anm. a zu V. 36).

42 a) 𝔐 »ebenso die fünf Mägde ihrer Begleitung« (so Thenius, Kittel) ist unwahrscheinlich. Lies deshalb הֹלְכֹת und tilge den Artikel als Dittogr, die vielleicht sogar unter dem Einfluß von V. 19 entstanden ist (so 𝔊𝔙 und die meisten Ausleger).

43 a) Vgl. zu 14,50; NothPers, S. 166. b) Auch Jos 15,56; im süd(öst?)lichen Hügelland von Juda gelegen, die genaue Lage ist unbekannt. Die Gleichsetzung mit *ḫirbet terrāme*, 9 km südwestlich Hebron (Abel: Géographie II, S. 364f.), ist unwahrscheinlich; zur Sache vgl. Stoebe: ZDPV 1966, S. 18. c) Wie Dt 22,22; Ru 1,5; Prv 17,15; 20,10.12. Da hier die beiden Namen zu einem Begriff שְׁתֵּיהֶן zusammengezogen sind, steht es mundartlich für das sonst übliche גַּם־גַּם.

44 a) 2 Sam 3,15 פַּלְטִיאֵל (NothPers, S. 156: »El ist Hilfe«; vgl. dazu die Namensform עַדְרִיאֵל mit derselben Bedeutung 18,19; 2 Sam 21,8 und dazu Stoebe, in: Eißfeldt-Festschrift, S. 232). b) Auch 2 Sam 3,15 Qere (Ketib לוש; 2 Sam 21,8 בַּרְזִלַּי). Die Bedeutung des Namens ist wohl »der Löwe« (NothPers, S. 230); interessant, wenngleich weniger wahrscheinlich ist auch die Erklärung als Spottname »ein Nichts« (ATAO, auch de Groot); vgl. indessen auch Jes 10,30, wo לַיְשָׁה neben גַּלִּים genannt wird (dazu G. Dalman: Palästinische Wege und die Bedrohung Jerusalems nach Jesaja 10,30. PJ 1916, S. 53; auch Stoebe: a. a. O., S. 231 zu 2 Sam 3,15). c) Wahrscheinlich *ḫirbet kaʿkūl* zwischen *tell el-fūl* und *ʿanāta* (Dalman: a. a. O., S. 53, auch Abel: Géographie II, S. 325; zur Sache siehe auch W. F. Albright: The Assyrian march on Jerusalem. AASOR 1922/23, S. 139).

25,1–44 *Nabals Haß. Abigails Klugheit.* V. 1b stellt damit, daß er von einem Aufenthalt Davids in der Wüste פָּארָן (vgl. Anm. c) berichtet, den Restbestand einer Sonderüberlieferung dar, die nicht näher greifbar ist. An sich läge die Flucht in den äußersten Süden, in einen Raum, den Saul nicht mehr kontrollieren konnte, auf einer Linie mit dem ebenfalls nur kurz angedeuteten Versuch, in den Osten auszuweichen (22,3), und dem Übertritt zu den Philistern (Kap. 27; dieser ist naturgemäß breiter ausgeführt, weil er geschichtsnotorisch geworden ist). Zum Verständnis dessen, daß eine solche Überlieferung sich bilden konnte, deren Historizität zweifelhaft sein muß, könnte daran erinnert werden, daß nach Num 12,10; 13,3 – Stücken, die trotz der komplizierten literarischen Verhältnisse dieser Kapitel[1] altes Gut enthalten – die Kundschafter ins verheißene Land, die bis in den Raum von Hebron gelangten, von פָּארָן auszogen. Das ließe auch verstehen, warum eine solche Notiz hier Platz finden konnte.

Damit verbindet sich V. 1a die Angabe über Tod und Begräbnis Samuels. Die sich fast durchgängig findende Erklärung dieses Sätzchens als einer redaktionellen Einfügung (vgl. Anm. b)[2] läßt die Frage nach dem Zweck für einen solchen Zusatz an dieser Stelle offen. Die Begründung, daß damit Gesamtisrael und sein theokratischer Führer nicht aus dem Blick kommen sollten[3], scheint nicht genügend. Kap. 28 hat sie eine feste Stelle im Erzählungsablauf und bereitet die Befragung des Geistes Samuels durch Saul vor. So liegt es nahe, auch hier in dieser Notiz mehr als nur chronologisches Gitternetz[4] zu sehen und sie in einen

1. Vgl. dazu Martin Noth: Überlieferungsgeschichte des Pentateuch. Stuttgart 1948, S. 242ff.
2. So z. B. auch de Vaux, van den Born.
3. So Budde. 4. De Groot.

beabsichtigten Zusammenhang mit der Abwanderung Davids in den Süden zu bringen[5]; nicht unbedingt in der Art, daß diese Angabe einmal unmittelbar an 19,18–24 angeschlossen habe und Teil einer eigentlichen Samuelbiographie gewesen sei[6]. Das Stück könnte aber wenigstens im Zusammenhang mit Traditionen stehen, die wie 19,18–24 eine engere Verbindung zwischen David und Samuel annahmen[7], so daß mit dessen Tode für David tatsächlich ein Rückhalt fortgefallen wäre. Es hat schließlich wenig innere Wahrscheinlichkeit, daß V. 1a von jemand eingefügt wurde, der V. 1b vorfand und der Meinung war, daß David den für die Bestattung anzunehmenden Gottesfrieden ausgenutzt und an ihr pflichtschuldigst teilgenommen habe[8]. Jedenfalls erscheint die Angabe über das Begräbnis im Rama[9] auf der einen Seite so beiläufig erzählt, auf der anderen Seite so akzentuiert und im Kontext verwurzelt, daß man darin nur schwer das versprengte Bruchstück aus biographischen Angaben sehen kann, wie sie für die listenmäßigen Verzeichnisse der sogenannten »Kleinen Richter« charakteristisch sind[10].

Die Erzählung von V. 2 ab ist, wie schon die Einleitung zeigt (vgl. Anm. a), eine vom Vorhergehenden unabhängige, selbständige Größe. Der Raum um Maon ist einer der gegebenen Zufluchtsplätze Davids[11], so daß es nicht ausdrücklich begründet zu werden braucht, wie er dorthin kommt[12]. Es ist deswegen schwierig, schließlich aber auch unnötig, diese Erzählungseinheit in einen ursprünglichen Kontext einzubauen. Allgemein ist zugestanden, daß es sich um ein Überlieferungsstück altertümlichen Gepräges handelt, das ein anschauliches Kulturgemälde der Zeit[13], darüber hinaus ein Bild vom Leben und Treiben Davids in der Wüste Juda[14] vermittelt. Von der Voraussetzung der Quellenscheidung her wird demzufolge diese Erzählung der älterеren Quelle zugeschrieben – unabhängig davon, wie diese sigliert wird[15] – und dem entsprechend (und zwar meist an 23,14) angeschlossen. Sie ist aber auch inhaltlich nach der Dimension des in ihr Dargestellten so sehr eine Größe eigener Art, daß auf den ersten Blick ihr gegenüber die Frage berechtigt erscheint, wie es in der Aufeinanderfolge der Kap. 23–25 so unvermittelt zu einem Wechsel von abgründig tiefer zu leichtgeschürzter Erzählweise[16] kommen konnte. Als Mittelstück von Überlieferungen verschiedener

5. So auch Hertzberg.
6. Smith; ähnlich schon Thenius.
7. Charakteristischerweise schreibt Nübel diese Angaben seinem Bearbeiter zu.
8. So Budde.
9. Vgl. auch Anm. b zu V. 2.
10. So Wolfgang Richter: Zu den Richtern Israels. ZAW 1965, S. 47f.; ähnlich jetzt auch Schunck: VTS 15. 1966, S. 254.
11. Was ohne Not von Niebuhr: OLZ 1915, Sp. 67 (בֶּן־מָעוֹן) angezweifelt wird. Caspari macht daraus einen Zuwanderer von den מְעוּנִים 1 Chr 4,41.
12. Vgl. etwa Budde, Schulz u. a. zu 1b.
13. Alfred Bertholet: Kulturgeschichte Israels. 1919, S. 143; Baentsch: David, S. 76f.
14. Greßmann.
15. Z. B. J: Budde, Dhorme, Hölscher; K: Kittel; I: Eißfeldt: Komposition, S. 19.
16. So Gutbrod.

Herkunft, die um das zentrale Thema Bewährung kreisen[17], hat diese Episode hier aber eine gut einzusehende Stellung. Sie bietet gleichsam einen Ausschnitt aus dem Alltag eines Heldenlebens, ist Darstellung von sehr banalen Demütigungen, denen David ausgesetzt war. Es erscheint deswegen ebensowenig richtig, wenn von den allgemeinen Angaben dieses Kapitels her auf eine Zeit relativer Ruhe und geringerer Bedrängnisse für David zurückgeschlossen wird[18], wie wenn man aus der Schilderung Nabals, der »mehr im Essen und Trinken als im Nachdenken leistete[19]«, einen humoristischen Unterton heraushören will[20]. Die Tatsache, daß diese Geschichte sich aus einer sicherlich umfangreicheren Überlieferung erhalten hat und dann hier in den Zusammenhang eingefügt wurde, wird ihren Grund auch mit darin haben, daß man in der Gestalt Nabals eine Widerspiegelung der Gestalt Sauls gesehen hat (vgl. Anm. a zu V. 29); das muß aber schon in der Anlage des Ganzen vorbereitet sein (vgl. u. S. 457).

Die Situation ist, ebenso was den örtlichen Rahmen wie die Gestalt der Abigail, der nachmaligen Frau Davids, anlangt, konkret und historisch zuverlässig, so daß trotz der schweren Erklärbarkeit des Namens (vgl. Anm. a zu V. 3) Nabal ebenfalls eine geschichtliche Gestalt sein wird[21] und alle Versuche ausscheiden, als Hintergrund des hier Berichteten Spuren eines alten Mythus aus dem Ischtar-Orion-Kreis und kultpolitische Ereignisse aufzuweisen[22], so verlockend die Gleichung Orion (כְּסִיל) – נָבָל auch sein mag. Fragen könnte man höchstens, ob das פָּארָן von V. 1 auf die äußere Form der Darstellung insofern eingewirkt hat, als das עֲלוּ V. 5 an eine Bewegung in der Süd-Nordrichtung denken läßt, während für die hier geschilderten Begebnisse aus inneren Gründen ein Standpunkt Davids auf dem östlich der Linie Siph-Maon gelegenen Bergland am wahrscheinlichsten ist; von dort hatte man ebenso einen beherrschenden Blick über das ganze Gelände, wie man auch von dort schnell in die Ebene und gleich schnell zurückgelangen konnte (Stoebe: ZDPV 1966, S. 18), wie es der Ablauf der einzelnen Szenen erfordert. Doch schon das וַיָּנוּחוּ V. 9 (vgl. Anm. a) versteht sich nicht aus der Ermüdung nach einer langen Wanderung[23], sondern so, daß die Leute ihren Worten nichts mehr hinzufügten und die Antwort Nabals auf ihre Bitte abwarteten[24]. Eine Frage wäre dann noch, zu welchem Zeitpunkt der Flüchtlingssituation Davids man diese Episode anzusetzen hat, wenn bei der Art der Komposition aus ihr kein Hinweis auf eine chronologische Abfolge zu entnehmen ist. Caspari will sie in die Nähe des Aufenthaltes Davids in צִקְלַג (Kap. 27ff.) rücken. Doch ist es ebensogut möglich, wenn nicht wahrscheinlicher, den materiellen Kern dieser Geschichte an den Anfang des Fluchtweges Davids zu setzen, ehe seine Stellung sich gefestigt hatte, so daß die Anwürfe Nabals noch ein gewisses

17. Vgl. dazu o. S. 430f.
18. Hertzberg.
19. Greßmann.
20. Gutbrod.
21. Zweifel an der Historizität der Gestalt bei Baentsch: David, S. 78.
22. Winckler: Israel II, S. 188f.; ATAO, S. 514f.
23. So Smith.
24. So richtig Budde.

Recht beanspruchen konnten, die Ablehnung der Forderung Davids noch nicht unbedingt selbstmörderisch sein mußte. Indessen läßt sich hier keine Sicherheit erreichen.

V. 2–42 gelten als aus einem Guß und als Kabinettstück hebräischer Erzählkunst[25]. Das ist richtig, soweit es sich um den literarischen Aspekt handelt. Doch darf darüber nicht übersehen werden, daß die Absicht der Darstellung im Verlauf der Überlieferung umakzentuiert worden ist und sich daraus Spannungen ergeben. Das haben auch Niebuhr[26] und Nübel richtig empfunden. Indessen können sie nicht durch die Ausscheidung von vermeintlichen Glossen (Niebuhr) oder die Annahme einer durchgängigen Bearbeitung (Nübel) beseitigt werden; sie sind überhaupt nicht derart, daß sich Gedankenkomplexe isolieren ließen, dazu ist das Erzählungskorpus eine viel zu geschlossene Einheit. Es kann nur darum gehen, die einzelnen Motive, die sich hier abzeichnen, herauszustellen. Es handelt sich nicht eigentlich um eine Heldengeschichte wie etwa in Kap. 26, viel eher um ein Stück Familiengeschichte[27]. Ihr Gegenstand ist nicht, wenigstens nicht zuerst, die Verherrlichung Davids. Insofern ist es eine nicht textgemäße Erbaulichkeit, wenn man in der Frage Nabals — die doch nur seine Geisteshaltung charakterisieren soll – »Wer ist denn dieser Isaisohn« (V. 10) den Skopus des Ganzen sucht[28]. Es geht in dieser Familiengeschichte darum, zu zeigen, wie David eine Frau findet, wer und wie diese Frau ist[29], die eine ebenso für David wie für Nabal ausweglose Situation geistesgegenwärtig meistert. Wenn auch das Verhalten Nabals erst den Knoten schürzt, so ist er doch nur Kontrastfigur, vor der sich die Vorzüge Abigails um so deutlicher abzeichnen. Erst in dem Gesprächsgang bekommt er wieder eine, allerdings von außen abgeleitete, Bedeutung (vgl. unten).

2–11 Nabal wird als reicher Herdenbesitzer, als Mann auf der Grenze zwischen seßhaftem und nomadischem Leben vorgeführt. Die Größe seines Besitzes ist konventionell überhöht (vgl. Anm. e zu V. 2). Daß darin spezifisch kalibbitische, von den israelitischen verschiedene Wirtschaftsverhältnisse ihren Niederschlag gefunden haben[30], ist wenig wahrscheinlich; noch weniger, daß Nabal als zugewanderter und reich gewordener Emporkömmling hingestellt werden soll, der schon von daher allen Grund zu Leutseligkeit gehabt hätte[31]. Mit solchen Überlegungen ist die Situation überlastet. Die Angabe, daß er ein Kalibbiter gewesen sei (vgl. Anm. f zu V. 3), klappt nach, ist aber als Ausdruck judäischen Überlegenheitsgefühls[32] nicht spätere Glosse, sondern muß aus einer Zeit stammen, in der das Wissen um solche Gegensätze noch lebendig war[33].

25. Vgl. etwa Budde oder Greßmann.
26. OLZ 1915, Sp. 65 ff.
27. Falsch ist es dagegen, wenn Smith mit dieser an sich richtigen Erkenntnis einen quellenhaften Zusammenhang postuliert.
28. Gutbrod.
29. So de Groot, ähnlich Smith.
30. Alt III, S. 350.
31. Caspari.
32. Vgl. z. B. Hertzberg.
33. Vgl. auch zu 2 Sam 3,8.

Zu diesem reichen Mann sendet David anläßlich der Schafschur seine Boten. Wie vielfach noch heute (vgl. Anm. g zu V. 2), war die Schafschur ein besonderes Freudenfest (vgl. 2 Sam 13,23 ff.), was auch die von Nabal dafür getroffenen Vorbereitungen erkennen lassen (V. 11). Die Stärke des Kontingentes, das David zu dieser Zeit bei sich hat, wird zunächst nicht angegeben. Aus der Zehnzahl der נְעָרִים ist kein Schluß darauf zu ziehen. Der Ton, in dem David seine Bitte um einen Anteil an diesem Fest für sich und seine Leute vortragen läßt (V. 7–9), ist höflich, fast unterwürfig. Wenn das auch bis in die Ausdrücke hinein konventioneller Stil ist (vgl. Anm. f zu V. 8), so hat die Konvention doch ihre Grenze daran, daß Grundverhältnisse sich nicht umkehren lassen. Nabal wird mindestens als der wirtschaftlich Überlegene dargestellt, David als der Bittsteller, der seine Bitte mit der von seinen Leuten gegenüber den Hirten Nabals geübten Zurückhaltung begründet (V. 7f.), einer Zurückhaltung, die Nabals Hirten direkt als ihnen gewährten Schutz ansehen (V. 15 f). Gleichwohl ist die Nötigung unüberhörbar, die Rolle, die David spielt, zwielichtig. Gewiß sind die Grenzen zwischen dem Hauptmann einer bewaffneten Gruppe außerhalb von Recht und Ordnung und dem Führer einer Freischar, die gegenüber den Philistern nationale Belange vertritt, fließend; die Art des Einsatzes hängt von der eigenen Stärke und der Gelegenheit ab (vgl. o. S. 417). Die Lage Davids ist von der Situation Jephtas, auf die man zum Vergleich wohl hinweist[34], insofern verschieden, als Jephta keinen Rückhalt in seiner Sippe hatte, seine Anhängerschaft also wirklich lose Leute waren (Jdc 11,2f.), während das Rückgrat der Truppe Davids anscheinend Angehörige der eigenen Sippe bildeten, die sich mit ihrem Verwandten solidarisch erklärten (22,1). Dennoch ist das Auftreten Davids hier das eines räuberischen Bandenführers[35], durchaus verschieden von dem eines Beduinenscheichs, der die Gegebenheiten seines Wohn- und Lebensraumes dazu ausnutzt, einen Schutz zu gewähren und dafür eine indirekte Steuer zu erheben[36]. Von da aus ist es eine beschönigende Verzeichnung der Situation, wenn man von einem Nomadenleben Davids zu dieser Zeit spricht[37].

Alt hat gelegentlich die Sache so dargestellt[38], daß David mit seiner Truppe im regulären Dienst der Bauernschaften des Südens gestanden und ihre Herden gegen feindliche Angriffe geschützt habe; daß sich aber notwendig Spannungen ergaben, wenn die Angriffe einmal ausblieben, der Schützer sich nur auf sein Wohlverhalten berufen konnte und der geforderten Gebühr keine Leistung entsprach. Daß es zu einer solchen Festigung der Stellung Davids kommen konnte und mußte, liegt in der Linie dessen, was oben dargestellt wurde. Ob es für diese Geschichte gilt, ist zweifelhaft. Denn das ist das Ergebnis einer Entwicklung, die Zeit erfordert, die außerdem vermutlich ihre Frontstellung gegen den Westen hat. Daß je und dann im Raume Maon eine Gefährdung durch die Philister bestand, ist nicht auszu

34. Z. B. Greßmann.
35. Noth: Geschichte, S. 166.
36. Was noch in kurzer Vergangenheit Brauch war; vgl. u. a. G. Rindfleisch: Die Landschaft Hauran in römischer Zeit und in der Gegenwart. ZDPV 1898, S. 37.
37. Vgl. dazu besonders die Überlegungen bei Greßmann.
38. Nach einem Zitat bei Schottroff: Gedenken, S. 161, Anm. 1.

schließen, in Ansehung der Wegeverhältnisse aber nicht eigentlich wahrscheinlich. Eine Gefährdung vom Süden her wäre denkbar (vgl. Kap. 30 und auch zu 15,1 ff.), doch fehlt hier gerade jeder Hinweis darauf, obwohl dies durchaus in der Linie der Verherrlichung Davids gelegen hätte.

Jedenfalls aber merkt man dem Bericht das Unbehagen an, das jeder Israelit über diese nicht ganz durchsichtige Etappe im Leben des großen Königs empfunden hat, selbst dann, wenn man hier heraushören will, daß David mit politischem Weitblick auf die ihm kräftemäßig zustehende Möglichkeit der Plünderung verzichtet habe[39]. Damit berührt sich die Fragestellung dieses Kapitels eng mit der der Nobperikope Kap. 21, wenngleich die Ausformung dort jünger sein wird. Auch dort ging es bei der Aushändigung des geweihten Brotes darum, sicherzustellen, daß der Weg Davids und seiner Leute, äußerlich ein דֶּרֶךְ חֹל, doch unter dem Vorzeichen und den Bedingungen des Heiligen Krieges stand. Derselbe Gedanke begegnet hier V. 28 in dem Hinweis auf die מִלְחֲמוֹת יְהוָה, die David zu führen hat[40]. Er ist zwar jetzt mit der Verheißung des בַּיִת נֶאֱמָן verbunden, liegt aber doch auf einer andern Linie[41]; denn er enthält ein Urteil über die derzeitige Tätigkeit Davids, die im letzten nicht von dem 18,2 durch Saul erteilten Auftrag verschieden ist[42]. Dieselbe Verlegenheit findet sich auch darin, daß die Absicht unverkennbar ist, Nabals Verhalten als unentschuldbar zu charakterisieren, aber nicht ebenso deutlich ist, worin diese Schuld besteht. Daß Nabal in kurzsichtiger Verblendung des Geizes die tatsächliche Lage verkannt habe, scheint nahezuliegen, ist aber nicht die Meinung der Darstellung, die von נְבָלָה redet (vgl. Anm. e zu V. 25; auf dieser Ebene läge wohl auch die Auffassung Noths). Man könnte an die Verpflichtung zur Mildtätigkeit gegen Arme erinnern, die in der Spruchweisheit begegnet (Prv 22,9; 25,21), aber schon im Gottesrecht verankert ist (Dt 15,7; 23,25 ff.; 24,10f.19f.), doch würde auch das die Situation nicht treffen. Es ist in der Sache begründet, wenn die Frage in der Schwebe bleibt und man ebenso an die Verletzung der Pflichten des Gastrechtes[43] wie an fehlende Brüderlichkeit[44] oder Dankbarkeit[45] denken kann.

12–38 Die Reaktion Davids, meisterhaft gekennzeichnet mit der unheilvollen Kürze des Befehls und der lapidaren Schilderung der Ausführung (vgl. Anm. a zu V. 13; auch Anm. a zu V. 12), ist als Verlangen nach Rache verständlich und entspricht nomadischem Denken[46]. Das Dilemma, das hier besteht, haben wohl schon die Alten empfunden. David müßte sich selbst aufgeben, wenn er die Beleidigung auf sich sitzen ließe, aber eine Rache würde ihn mit Blutschuld belasten; die Heillosigkeit dieser Lage kommt wohl auch in dem dreimaligen הוֹשִׁיעַ

39. Etwa Greßmann.
40. Vgl. Stoebe, in: Baumgärtel-Festschrift, S. 183.
41. Vgl. Anm. 52.
42. Darauf hat auch Nübel: Aufstieg, S. 52, wenngleich von anderen Voraussetzungen aus und mit anderen Folgerungen, hingewiesen.
43. Löhr, Nowack.
44. Z. B. de Groot, de Vaux.
45. Dhorme, Hertzberg.
46. Vgl. das Lamechlied Gn 4,23–24.

(vgl. Anm. d zu V. 26; V. 31 u. 33) zum Ausdruck. Der Grund dafür, daß diese Geschichte überhaupt weitererzählt werden konnte, liegt darin, daß diese Spannung durch das Dazwischentreten der Abigail gelöst wird; das ist tatsächlich eine von außen kommende Hilfe, und der Dank Davids בָּרוּךְ יְהוָה (V. 32) ist damit so fest begründet, daß er nicht Glossierung oder Überarbeitung zu sein braucht[47]. Damit, daß Abigail hier die entscheidende Rolle spielt, ist die Ausgestaltung zunächst in der Richtung gemüthaften Erzählens gegeben; sie liegt darin, mit welcher Liebe ihre Schönheit und Klugheit auf dem Hintergrund der unsympathischen Erscheinung Nabals gezeichnet wird. Das wird nicht nur in der frühen jüdischen Darstellung aufgenommen[48], sondern wirkt auch in der modernen Exegese mit ihren verschiedenen Hinweisen darauf nach, daß die Bitten einer anmutigen Frau kräftig sind[49]. Es drückt sich weiterhin in der breiten Ausführung ihrer Rede aus, in der man entweder den Wortschwall weiblicher Geschwätzigkeit[50] oder das atemlose Sprechen der geängstigten Frau gesehen hat, in dem Kluges und Törichtes durcheinandergeht[51]. Abigail wird aber auch die Frau Davids, des späteren Königs; das ist eine geschichtliche Tatsache. Damit wird der Horizont der Darstellung nach einer anderen Seite erweitert. Jetzt ist sie es, die im geschmähten Mann den kommenden König erkennt und die ebenso von seinem בַּיִת נֶאֱמָן spricht, was, wie wir sahen, über die מִלְחֲמוֹת יְהוָה weit hinausgeht[52], wie sie ihn bittet, dann an sie zu denken (V. 31). Die Meinung wird mit dem Vorwurf, sie biete sich hier David förmlich an[53], völlig verkannt. Seiner Untertanen zu gedenken, ist Königshuld. Damit ist die entscheidende Akzentverschiebung eingetreten. Geht es anfangs um die aus dem Augenblick geborene geistesgegenwärtige Maßnahme einer klugen Frau, die den schweren Fehler ihres Mannes korrigieren und damit ihr Haus und auch ihn vor dem unausweichlichen Verderben retten will, kommt es immer mehr dazu, daß dieses Unheil vom König abgewendet werden muß, an dem kein Unrecht (רָעָה vgl. Anm. d zu V. 28) sein darf. Das wird dadurch unterstrichen, daß zu wiederholten Malen von דָּמִים bzw. שְׁפַּךְ דָּם חִנָּם geredet wird (V. 26.31.33).

Die hohe Schätzung des Königtums, die sich hier abzeichnet, ist nicht die des Erzählers allein[54], sondern entspricht dem israelitischen und gemeinorientalischen Königsideal überhaupt[55] (Ps 101,1; 18,21ff.; 2 Sam 22,21ff.). Zwar gehört Großherzigkeit gegenüber empfangenen Beleidigungen nicht eigentlich zu diesen Tugenden, indessen scheint zum Amtsantritt eines Königs doch eine Art Amnestie gehört zu haben. 2 Sam 19,23 verweigert David die Rä-

47. Niebuhr: OLZ 1915, Sp. 68; Nübel, Aufstieg, S. 52.
48. ATAO, S. 525.
49. Vgl. Schulz, Greßmann, Hertzberg u. v. a. Zur Sache auch Caspari: ThStKr 1915, S. 21.
50. Etwa Budde.
51. Gutbrod.
52. Budde (ähnlich Smith) sieht die Worte von כִּי עָשֹׂה bis בַּיִת נֶאֱמָן als Erweiterung an. De Fraine: L'Aspect, S. 136 will beides als Idealbild des Königtums zu einer Einheit zusammenfassen.
53. Ehrlich.
54. So etwa Kittel.
55. Zur Sache vgl. etwa Bernhardt: Königsideologie, S. 68.84.

chung an Simeï, weil er sich nach dem Zusammenbrechen des Aufstandes Absaloms wie ein neu installierter König vorkommt. Wenn damit auch das Verlangen nach Vergeltung nicht endgültig beseitigt ist, so ist schließlich der äußere Anlaß zur Bestrafung Simeïs ein anderer (2 Sam 2,36ff.). Das mag auch nachwirken, wenn Saul (1 Sam 11,13 – freilich nur in lockerer Verbindung mit der Einsetzung in die Königswürde) im Blick auf das Heil des Tages die Tötung seiner Beleidiger (der בְּנֵי בְלִיַּעַל von 10,27) verhindert. Die Segenswünsche V. 29, daß David in jeder Weise von seinen Feinden Rettung erfahren möge, erinnern wohl an die Worte Jonathans 20,15, gehen aber in der Dimension, die sie hier haben, darüber hinaus und klingen an entsprechende Wünsche der Königspsalmen an (2 Sam 22,4.18; Ps 18,4.18; 21,9; 45,6; 110,1+2). In dieser Linie liegt es auch, wenn Abigail von Jahwe, dem Gotte Davids, spricht (יְהוָה אֱלֹהֶיךָ V. 29)[56]. In gewisser Weise fällt das וְצִוְּךָ לְנָגִיד עַל־יִשְׂרָאֵל (vgl. Anm. b zu V. 30) heraus, denn es besteht eine Spannung zwischen der Verheißung einer Dynastie und dem an der Person Davids ausgerichteten נָגִיד–Prädikat[57]. Die Bezeichnung scheint im Zusammenhang mit den מִלְחֲמוֹת יְהוָה (V. 28) zu stehen[58] und ihrerseits die Ausweitung des theologischen Gedankenkreises dieser Erzählung zu kennzeichnen[59], denn nach einer ansprechenden Erklärung[60] scheint es sich dabei um die Übertragung eines für die charismatische Rettergestalt bestimmten Titels auf David zu handeln[61].

Im gleichen Maße, wie David im Reden Abigails in den Mittelpunkt rückt, verrät diese ihren Mann. De Groot hat diese Verschiebung empfunden, aber nicht richtig gedeutet, wenn er von einer Doppelsinnigkeit spricht. Ihr Angriff auf Nabal ist nicht mehr das »sicherste Mittel, ihn zu verteidigen[62]«, sondern rührt vor allem daher, daß seine Gestalt immer stärker in Analogie zu der Sauls gesehen wird[63]. Während sein eigenes Weib und seine Knechte die Bedeutung Davids oder doch wenigstens seine Macht richtig erkennen, bleibt er dumpf und stumpf. Das מִשְׁתֵּה הַמֶּלֶךְ (V. 36), das zunächst natürlich seinen unermeßlichen Reichtum unterstreichen soll, könnte auch mit in dieser Richtung gesehen werden. Ebenso läßt die Schilderung der Erkrankung und des raschen Todes Nabals, wenn sie auch zweifellos Züge trägt, die medizinisch diagnostizierbar erscheinen (vgl. Anm. a zu V. 37), mit an den hilflosen Zustand Sauls 19,24 denken[64]. Dieser Entwicklung korrespondiert die Art, wie das Auftreten Davids geschildert wird. Zuerst der leidenschaftliche, durch Not und Unsicherheit verbitterte Hauptmann einer Freischar, dann die königliche Gestalt, die eine jähzornige Regung als un-

56. De Fraine: L'Aspect, S. 113.
57. Was jetzt wieder Amsler: David, S. 30, Anm. 2 mit Recht herausgestellt hat.
58. Vgl. dazu Anm. 40.
59. De Fraine: 'Aspect, S. 113: »David passe petit à petit du statut charismatique à la dignité du roi«.
60. Richter: BZ 1965, S. 71–84.
61. Vgl. dazu die Darstellung der Probleme der Jugendgeschichte Davids, vor allem o. S. 306.
62. So Budde.
63. Dazu o. S. 453.
64. Es wäre möglich, daß von hier aus auch ein Licht auf das schwierige שָׁבָץ 2 Sam 1,9 fällt.

würdig ansieht und Huld gewährt (vgl. Anm. a zu V. 35). Wenn dahinter auch der lebendige Eindruck der Persönlichkeit Davids nicht abzustreiten sein wird[65], reicht dies allein zur Erklärung noch nicht aus. Die fließenden Übergänge in der Beurteilung Davids und seiner Stellung spielen hier eine entscheidende Rolle. Von daher wird man auch die Höhe des Kontingentes ansehen müssen, das nach dem Bericht David hier bei sich hat. Die Zahl von sechshundert Männern (vgl. Anm. b zu V. 13) stellt eine kriegsstarke Abteilung und eine taktische Einheit dar[66], mit der David sogar zu den Philistern übertreten kann. Auch die Teilung der Truppe in eine Kampfgruppe und rückwärtige Dienste mag als strategische Maßnahme klug sein[67], überzeichnet hier aber sehr merkbar die Situation und erklärt sich aus dem Gegensatz Feldhauptmann David und König Saul. Dieselbe schwebende Zwischenstellung läßt sich bei der Besänftigung Davids durch die mitgebrachten Lebensmittel feststellen. Sie sind, gemessen an sonst üblichen Verpflegungssätzen[68], für die angegebene Kopfzahl der Gefolgschaft sehr niedrig angesetzt[69], für ein Gastgeschenk aus Anlaß eines Festes wiederum sehr hoch. Anscheinend wird das Zahlenverhältnis überhaupt nicht reflektiert, sondern nur allgemein der Charakter der Huldigungsgabe an den König gesehen (בְּרָכָה). 2 Sam 16,1 bringt Ziba dem flüchtenden David ebenfalls Brot, Wein, Rosinen- und Feigenkuchen, und bei der Thronbesteigung Davids erhalten alle Krieger zum Genuß Wein, Öl, Schlachttiere, Mehlspeise, Rosinen- und Feigenkuchen (1 Chr 12,40f.)[70]. Klar ist aber nun das Schicksal Nabals entschieden. Freilich wäre es eine absolute Verzeichnung[71], wenn man deswegen der Abigail Mordabsichten unterstellt (vgl. Anm. e zu V. 31). Die Tatsache der plötzlichen Erkrankung Nabals, als er von der soeben überstandenen Gefahr erfährt, und sein plötzlicher Tod sind das Primäre; das ermöglicht die Ehe Davids mit Abigail. Das gehört mit Sicherheit zum eigentlichen Kern der Überlieferung und noch nicht zur weiterschaffenden Ausgestaltung.

39–42 Die Worte Davids, als er die Nachricht vom Ende seines Beleidigers erhält, lassen zunächst erkennen, welche Rolle im Denken des Hebräers die Kategorien des Rechtsstreites haben[72]. Aber gerade durch sie wird die ganze Begebenheit über das mehr Episodenhafte hinausgehoben und gewinnt grundsätzliche Bedeutung; damit tritt sie auf die Ebene der Auseinandersetzung mit Saul (Kap. 24). Durch die Ehe mit Abigail verschwägert sich David mit einer angesehenen kalibbitischen Familie. Doch sollte man diese Seite seines Schrittes nicht überbewerten[73]; eher hat es den Anschein, daß Abigail in der Ehe mit David auf

65. Caspari: »der Ritter einer Witwe«; vgl. auch Baentsch: David, S. 78; Greßmann u. v. a.
66. Mazar: VT 1963, S. 314.
67. So etwa Schulz: Zeichen von Umsicht.
68. Abraham Malamat: Military rationing in Papyrus Anastasi I and the Bible. In: Mélanges Bibliques (Festschrift für A. Robert). 1957, S. 118f.
69. Vgl. etwa Hertzberg.
70. AuS VI, S. 126.
71. Mit Recht nennt Greßmann das eine Versündigung am Geist der Geschichte.
72. Zur Sache vgl. Gemser: VTS III. 1955, S. 121 (24 V. 16 Anm. b).
73. Das betont auch Caspari mit gutem Grund. Die näheren Umstände der Verheiratung konnten durchaus belastend wirken; Vorteile ergaben sich erst, als David tatsächlich König war.

die ihr aus der Ehe mit Nabal zustehenden Rechte verzichtete; jedenfalls erspart dieser Schritt David schließlich doch nicht den Übergang zum Feinde. Gegenüber allen mehr oder weniger berechtigten Vermutungen liegt für den Erzähler der Nachdruck darauf – und das ist keine erbauliche Schönfärberei –, daß David sich auch hier, wenngleich nicht ohne menschliche Hilfe, bewähren konnte. Und diesmal ist die Bewährung in besonderem Maße auch Bewahrung[74].

43–44 Der Abschluß dieser Episode ist der gegebene Platz dazu, einige Angaben über die persönlichen Verhältnisse Davids einzuschalten. Die Eheschließung mit Ahinoam, die die Mutter des Amnon (2 Sam 3,2) wurde, dürfte zeitlich wie räumlich in die gleiche Periode des Lebens Davids gehören (vgl. Anm. b zu V. 43). Sie erscheint zusammen mit Abigail als Gefährtin Davids bis zu seiner Krönung in Hebron (27,3; 30,5; 2 Sam 2,2). Die Bemerkungen über Michal verdienen Zutrauen zu ihrer historischen Zuverlässigkeit insoweit, als sie berichten, daß Michal die Frau des Palti gewesen ist; das erscheint um so glaubwürdiger, als der gleiche Name, wenn auch in verschiedener Form, immer wieder begegnet (vgl. Anm. a zu V. 44); das gilt auch von dem Namen seines Vaters (vgl. Anm. b). Größer sind dagegen die Abweichungen bei der Bestimmung des Herkunftsortes. Während hier ein Platz in der unmittelbaren Nähe Jerusalems genannt wird (vgl. Anm. c), ist 18,19 und auch 2 Sam 21,8 der Wohnsitz אָבֵל מְחֹלָה (?), was allerdings keine unüberwindlichen Schwierigkeiten machte (vgl. zu 2 Sam 3,16). Daß aber Michal vor dieser Ehe mit David verheiratet, dieser also ihr rechtmäßiger Mann war, wird Niederschlag späterer Überlieferung sein, wie sie bereits Kap. 18 vorliegt[75]. Das wird auch nicht davon berührt, daß unter der Voraussetzung einer beena-Ehe die rechtliche Möglichkeit zu einer Wiederverheiratung durch den Vater wohl bestanden hat[76].

74. Vgl. o. S. 432.
75. Stoebe, in: Eißfeldt-Festschrift, S. 224ff.
76. Julius Morgenstern: Additional Notes. ZAW 1931, S. 55.

26,1–25 *Davids letzte Begegnung mit Saul*

1 Die Siphiter[a] kamen nach Gibea zu Saul mit der Botschaft: »Du weißt ja schon[b], David hält sich versteckt[c] in Gibea Hachila[d], das unmittelbar gegenüber[e] der großen Einöde[f] liegt.« 2 Darauf brach Saul (sofort) zum Marsch hinab[a] in die Steppe von Siph auf; bei sich hatte er dreitausend Mann, ausgesuchte Leute aus Israel, um David in der Steppe von Siph aufzuspüren[b]. 3 Saul bezog ein Lager in Gibea Hachila, gerade gegenüber der großen Einöde, am Wege; David aber hielt sich in der Steppe selbst auf. Als er[a] nun erfuhr[b], daß Saul bis in die Steppe hinter ihm her war, 4 schickte David Beobachter vor und erkannte so ganz sicher[a], daß Saul gekommen war. 5 Daraufhin brach David auf[a] und kam zu der Stelle, [b]wo Saul sein Lager hatte, und David konnte den Platz ausmachen[b], wo Saul sich zur Ruhe

hingelegt hatte zusammen mit Abner[c], dem Sohn des Ner, seinem Feldhauptmann; und zwar ruhte Saul mitten im Lagerrund[d], das Kriegsvolk lagerte um ihn herum. 6 Da wandte sich David an Ahimelech, den Hethiter[a], und Abisai[b], den Sohn der Zeruja[c] und Bruder Joabs[d], und fragte sie: »Wer kommt mit mir hinab ins Lager zu Saul?« Abisai sagte: »Ich! Ich komme mit dir.« 7 So kam David mit Abisai zu dem Kriegsvolk[a] bei der Nacht; da lag Saul und schlief[b] mitten im Lagerrund, sein Speer[c] stak ihm zu Häupten[d] in der Erde[e], Abner aber und das Kriegsvolk lagen um ihn herum. 8 Abisai sagte zu David: »Heute hat Gott[a] deinen Feind in deine Hand geliefert. In einem Stoß will ich ⟨ihn mit seinem Speer an den Boden spießen⟩[b]; ein zweites Mal brauche ich nicht für ihn.« 9 Doch David schalt ihn: »Tue ihm ja nichts zuleide, denn wer könnte wohl seine Hand gegen den Gesalbten Jahwes ausstrecken[a] und käme ohne Strafe davon?« 10 Und David setzte hinzu: »So wahr Jahwe lebt, (nicht so)[a]; soll doch Jahwe selbst ihn treffen[b], soll er sterben, wenn seine Stunde da ist, oder soll er hinabziehen in die Schlacht[c] und dort hingerafft werden. 11 Mich aber soll Jahwe davor bewahren, daß ich meine Hand gegen den Gesalbten Jahwes erhebe. Doch jetzt (schnell), nimm den Speer zu seinen Häupten und seine Wasserflasche[a], und dann wollen wir uns davonmachen.« 12 Also nahm David[a] den Speer und die Wasserflasche, die Saul zu Häupten waren[b]; dann stahlen sie sich fort. Und keiner sah es, keiner wurde es gewahr, keiner wachte auf; alle schliefen, denn Jahwes Ohnmachtsschlaf[c] war auf sie gefallen. 13 Als David dann hinüber auf die andere Seite gelangt war, stellte er sich auf dem Gipfel des Berges so weit entfernt auf, daß genug Zwischenraum zwischen ihnen blieb. 14 Alsdann rief David das Volk und Abner, den Sohn Ners[a], an: »Kannst du nicht antworten, Abner?« Abner rief zurück und fragte: »Wer bist du denn, daß du den König[b] anzurufen wagst[c]?« 15 Da höhnte David Abner: »Du bist doch Soldat[a]? Wer käme dir gleich in Israel? Warum hast du da nicht auf[b] deinen Herrn, den König, (besser) achtgegeben? Wahrhaftig, einer aus dem Volk[c] ist gekommen, deinen Herrn, den König, umzubringen. 16 Das war kein Heldenstück, das du da geleistet hast. Beim lebendigen Gott, Kinder des Todes seid ihr ja, weil ihr nicht auf euren Herrn, den Gesalbten Jahwes, achtgegeben habt. Sieh doch nach, wo der Speer des Königs ist [und nach der Wasserflasche][a] zu seinen Häupten.« 17 Darüber erkannte Saul die Stimme Davids und fragte: »Das ist doch deine Stimme, mein Sohn David?« David antwortete: »Ja[a], mein Herr König«. 18 Doch dann fragte er (weiter): »Was hat es denn für einen Sinn, daß mein Herr hinter seinem Knechte herjagt? Was habe ich denn getan, zu welcher Schandtat gebe ich denn meine Hand her? 19 Wie es auch sei[a], der König möge die Worte seines Knechtes anhören. Hat Jahwe selbst dich gegen mich aufgebracht[b], so soll er Opferduft[c] (zu) riechen (bekommen)[d]; waren es aber Menschen, so seien sie verflucht vor Jahwe, denn sie haben mich heute ausgestoßen, daß ich nicht mehr teil[e] am Erbe Jahwes[f] haben kann, (als ob) sie sagen, fort, diene fremden Göttern[g]. 20 Doch ich sage, nicht soll mein Blut fern von Jahwe unbemerkt[a] zu Boden rinnen. Denn der König Israels ist ja ausgezogen, [einen einzelnen Floh zu fangen][b] wie[c] man das Rebhuhn[d] auf den Bergen jagt.« 21 Saul bekannte: »Ich habe schuld[a]. Komm zurück, mein Sohn David, ich will dir forthin nichts Böses mehr antun, weil mein Leben heute in deinen Augen so wertvoll geachtet war. Ich weiß, ich habe wie ein Narr gehandelt[b] und habe große und schwere Fehler gemacht.« 22 David erwiderte: »Da ist dein Speer, mein König[a], einer von den Leuten mag kommen und ihn holen. 23 Jahwe aber wird einem jeden nach seiner Gerechtigkeit und Wahrhaftigkeit[a] vergelten; hat dich doch[b] Jahwe heute ⟨in meine Macht⟩[c] gegeben, ich aber wollte meine Hand nicht an den Gesalbten Jahwes legen. 24 Aber das sollst du nun wissen: Wie dein Leben heute hoch bei mir geachtet war, so wird auch mein Leben bei Jahwe hoch geachtet sein, daß er mich aus aller Drangsal rette[a].« 25 Saul sagte zu David: »Gesegnet bist du[a], mein Sohn David; du wirst (dein Werk) vollenden[b], du wirst die Kraft haben.« Darauf ging David seines Weges, Saul aber kehrte an seinen Ort zurück.

1 a) Vgl. zu 23,19. b) Vgl. 23,19; 𝔊 + *ἰδού* (wie 24,2) ist Übersetzerfreiheit und führt nicht auf ursprüngliches הִנֵּה (so Dhorme). c) 𝔊[B] *μεθ'* (𝔊[A] *παρ'*) *ἡμῶν* ist nach der Ortsangabe unnötig (wird deswegen von Budde auch allein als ursprünglich angesehen) und sekundäre Angleichung an das עִמָּנוּ 23,19. Vielleicht hat schon die Vorlage zwei Rezensionen vereinigt. d) Vgl. 23,19; Ortsname unsicherer Bedeutung (Simons: Texts, § 705), der vielleicht mit der Wz. חכל חַכְלִיל »finster, rötlich« (Borée: Ortsnamen, S. 83) zusammenhängt. Die häufig vorgeschlagene Gleichsetzung mit *ḍaḥret el kōlā* zwischen Zîph und dem Toten Meer (Buhl: Geographie, S. 97; S. R. Driver, de Vaux u. a.) paßt zwar gut in die räumliche Situation, muß aber unsicher bleiben. Charakteristisch ist die Verlesung von 𝔖 *ḥawîlā*. e) Vgl. 23,19 (מִימִין Anm. c); es meint dieselbe Lage. Zu עַל־פְּנֵי in der Bedeutung »gegenüber, in Sichtweite von« vgl. 15,7; Gn 23,19; Lev 10,3; 2 Sam 15,18 u. ö. f) Vgl. Anm. e zu 23,24; hier ist an das im Ostabfall des judäischen Berglandes liegende, absolut unkultivierbare Gebiet gedacht (zur Sache Abel: Géographie I, S. 437).

2 a) Allgemeine Kennzeichnung einer Südrichtung; vgl. zu 23,4. b) Paßte besser zur 𝔊- als zur 𝔐-Rezension von V. 1 (vgl. Anm. c zum V.). Bruno: Epos will deswegen בְּמִדְבַּר זִיף streichen.

3 a) 𝔊 *Δαυείδ* (so auch z. B. Hertzberg). b) Durch mittelbare Wahrnehmung wie Gn 42,1; Jer 33,24.

4 a) Vgl. zu 23,23; wenn dort das adverbiale Verständnis auch besser im Zusammenhang begründet ist als hier (weswegen Ehrlich מְבֹא = Ort statt כִּי בָא lesen möchte), bleibt es doch die wahrscheinlichste Auffassung (𝔗𝔙, Thenius, Greßmann, Rehm), nichts nötigt zu temporalem (Klostermann) oder lokalem Verständnis (z. B. Wellhausen, Driver, Hertzberg, Caird). Ebenso verbietet die Parallele Textänderungen (נְכֹחוֹ Smith, Schulz, Kittel u. v. a.; erst recht כְּנֻנוֹ »zu seinem Zufluchtsort« Wutz: Systematische Wege, S. 430). Dhorme übernimmt 𝔊 *ἕτοιμος ἐκ κεειλά* (𝔊[L] *εἰς σεκελαγ* vgl. Ant VI 310), doch ist das nur eine aus בָּא אֶל geflossene Doppelübersetzung (de Boer: OTS 6. 1949, S. 71), die zugleich die Übersetzungs-

unsicherheit erkennen läßt. Neuerdings sieht R. Thornhill: A Note on אֶל־נָכוֹן 1 Sam XXVI 4. VT 1964, S. 462ff. darin eine einfache Verschreibung für הַחֲכִילָה.

5 a) 𝔊 + λάθρα, vgl. 24,5; eine über 𝔐 hinausgehende Angleichung an Kap. 24, die zu Unrecht von Dhorme übernommen wird. b) Das Fehlen in 𝔊^AB ist weniger als Homoeotel (Wellhausen, Budde), vielmehr als exegetische Beurteilung des Zusammenhanges zu erklären; ähnlich will Tiktin wenigstens von וַיַּרְא ab tilgen. Indessen ist die Breite der Darstellung beabsichtigt. c) Vgl. zu 14,50. d) Die Versionen paraphrasieren vielfach (𝔊 λαμπήνη »Wagen«; Σ 𝔙 »Zelt«); richtiger 'A Θ στρογγυλώσει ('A auch καμπῇ), woran bei מַעְגָּל zu denken sein wird. Schwerlich darf man 𝔐 als Beschreibung einer Wagenburg (Kittel, Koch, Rehm) und damit als Zeichen später Entstehung verstehen. Ganz willkürlich ist die Änderung in מְעִיל (Caspari).

6 a) Sonst nicht näher bekannt; zu הַחִתִּי vgl. 2 Sam 23,39. b) Bedeutung des Namens »der Vater (theophor) existiert« (H. Bauer: Die hebräischen Eigennamen als sprachliche Erkenntnisquelle. ZAW 1930, S. 77; anders NothPers, S. 40); nach 1 Chr 2,16 Davids Neffe. c) Die mit Mastixbalsam Parfümierte (NothPers, S. 227). Daß sie Davids Schwester war (1 Chr 2,16), könnte vielleicht erklären, daß in den Abstammungsangaben ihrer Söhne immer nur ihr Name genannt wird. Die Notiz 2 Sam 2,32 spricht jedenfalls dagegen, daß ihr Mann nicht Israelit war oder daß sie in einer *ṣadiqā*-Ehe lebte (so Smith; zur Sache vgl. W. Plautz: Zur Frage des Mutterrechts im Alten Testament. ZAW 1962, S. 18f.). Auch frühe Witwenschaft könnte diese Erscheinung nicht erklären. d) Bedeutung: »Jahwe ist Vater« (theophor, NothPers, S. 141); er tritt erst 2 Sam deutlich in die Erscheinung.

7 a) Durch die Vers bestätigt, also weder in מַחֲנֶה (Budde) noch in אֲלֵיכֶם (Klostermann, Schulz, Greßmann) zu ändern. b) Asyndese (BroS § 123b); aus dem Fehlen des ו auf einen nachträglichen Zusatz zu schließen (Tiktin), verbietet der Zusammenhang. c) Kurze Lanze mit Eisenspitze. d) Zur Syntax vgl. GK § 118g; zur Form BLe § 29s, 74i'. e) Zum Speer als Symbol königlicher Würde in ugaritischen Texten vgl. J. Gray: The legacy of Canaan. VTS 5. 1957, S. 62 (2. Aufl. 1965, S. 75). Eine ähnliche Bedeutung nehmen de Vaux: Lebensordnungen II, S. 17; Caird, van den Born u.a. auch hier an unter Verweis auf den aus dem Arabischen bezeugten Brauch, daß vor dem Zelt des Anführers der Speer steckt.

8 a) 𝔊 κύριος, Wellhausen אֱלֹהֶיךָ. b) Vgl. 18,11; 19,10, dort allerdings בּוֹ und וּבַקִּיר (Klostermann konjiziert deswegen בַּחֹמֶשׁ וּבָאָרֶץ). Es ist entweder das וְ zu tilgen (Budde; Sievers sogar וּבָאָרֶץ) oder wahrscheinlicher בַּחֲנִיתוֹ בָּאָרֶץ abzuteilen (so die meisten). Wenig überzeugend ist die Annahme einer Kontamination zweier Lesarten (de Boer: OTS 6. 1949, S. 72). Zum Töten mit der eigenen Waffe vgl. 2 Sam 23,21.

9 a) Die Annahme einer Haplogr. und die Auflösung in מִי יִשְׁלַח (Budde, Smith, Dhorme) ist unnötig; vgl. Frank R. Blake: A Resurvey of Hebrew Tenses. Rom 1951, § 10,2; auch GK § 112h. 𝔖 erleichtert durch *lajit*. Für שָׁלַח יַד vgl. zu 24,7.

10 a) Die Verneinung ist bei erregtem Sprechen als selbstverständlich ausgelassen bzw. in der Schwurpartikel enthalten (ähnlich Budde). כִּי אִם ist also adversativ zu verstehen, nicht affirmativ (so z. B. Kittel, Schulz, Caspari mit Unterordnung unter חַי יהוה, z. T. auch mit Tilgung des כִּי). b) Zur Form vgl. BLe § 52t. c) Gedacht ist an die Philisterkriege.

11 a) צַפַּחַת als Wasserbehälter eines Wanderers auch 1 Reg 19,6 (sonst auch 1 Reg 17); zur Form dieser »Feldflasche« vgl. BRL, Sp. 325/26, p 1.2.3. S. auch Anm. a zu V. 16.

12 a) Klostermann, ähnlich Caspari, will es als im Widerspruch zu קַח V. 11 stehend tilgen; ein pedantisches Argument. b) Zur Form GK § 87s; BLe § 63q. Nach 𝔊 ἀπὸ πρὸς κεφαλῆς αὐτοῦ wird oft Haplogr angenommen und מִמְּרַאֲשֹׁתֵי שָׁאוּל oder מִמְּרַאֲשֹׁתָיו gelesen (Wellhausen, S. R. Driver, Dhorme, DelF § 7a, überhaupt die meisten) oder wenigstens אֲשֶׁר ergänzt (Budde). 𝔐 ist wahrscheinlich ungenaue Vokalisierung des מראשתו V. 7; die Annahme einer Alternativlesart zwischen מֵרֹאשׁ שָׁאוּל und מִמְּרַאֲשֹׁתָיו (Boström: Alternative Readings, S. 40) würde auch nichts erklären. c) Gn 2,21; 15,12; auch Jes 29,10. Nicht nur ein ungewöhnlich tiefer Schlaf (D. W. Thomas: Unusual ways of expressing the superlative. VT 1953, S. 211), sondern ein Schlaf, der das Geschehen in die Ebene des Jahwehandelns verweist (zur Sache I. G. S. S. Thomsen: Sleep, an aspect of Jewish anthropology. VT 1955, S. 422f.).

14 a) 𝔊 καὶ τῷ Αβεννὴρ ἐκάλησεν ist wohl nur Verlesung (רבד statt בנ נר), vielleicht aber auch bewußte Erleichterung von der Überzeugung her, daß David sich erst an Abner wenden

konnte, als niemand aus dem Volke antwortete (ähnlich auch Budde, Schulz, Hertzberg); die Leibwache Sauls wird aber als Einheit angesehen. b) Ebenso betrachtet Abner einen an ihn gerichteten Ruf als an den König gerichtet. Das Wort fehlt 𝔊, wird deswegen vielfach (z. B. Smith, Tiktin, de Vaux; anders Budde) als Zusatz gestrichen, ist aber unentbehrlich. Auch die Deutung »wegen des Königs« (unter Änderung von אֶל in עַל Ehrlich, de Groot) reicht nicht aus. Bruno: Epos, versteht הַמֶּלֶךְ gar als Vokativ und liest אֵלַי, was die »humoristische« Situation ergeben soll, daß Abner den Rufenden verkannt habe. c) Zur Konstruktion GK § 138d; 155m; sie ist zwar ungewöhnlich, aber unangreifbar. Nach 𝔊^B τίς εἶ σὺ ὁ καλῶν (𝔊^A + με) wird auch unter Tilgung des מֶלֶךְ (vgl. Anm. b) ein קֹרֵא אֹתִי angenommen (z. B. Tiktin, Greßmann, Caspari).

15 a) GK § 150e. 𝔖 הִנֵּה berechtigt als freie Wiedergabe nicht zur Tilgung des לֹא (Caspari), was den Sinn völlig änderte. b) V. 16 עַל, ein häufig zu beobachtender Wechsel, der weder zu einer Änderung (Sievers, Smith, Schulz) noch zur Annahme zweier verschiedener Lesarten (Boström: Alternative Readings, S. 41) nötigt. c) BroS § 24d. 𝔖 übersetzt הַיּוֹם, was Caspari übernimmt.

16 a) Das Nebeneinander von אֵי und אֶת wird vielfach als Schreibfehler angesehen (zuletzt noch P. P. Saydon: Meanings and Uses of the Particle את. VT 1964, S. 206) und so ausgeglichen, daß in beiden Fällen entweder אֶת (in Anlehnung an 𝔊 Ehrlich, Caspari) oder אֵי (𝔖; GK § 117m; DelF § 124a; S. R. Driver, Dhorme, de Vaux) hergestellt wird. Wenn sich das אֶת zur Not auch als mundartliche Eigenart rechtfertigen läßt (J. Macdonald: The Particle את in Classical Hebrew. VT 1964, S. 271; vgl. zuletzt noch J. Hoftijzer: The Particle 't in Classical Hebrew. OTS 14. 1965, S. 46), so läßt die Inkongruenz hier doch auf eine nachträgliche Ergänzung schließen (Schulz). Daß אֵי regierende Kraft ausüben, darum אֶת nach sich ziehen könne (Budde), ist ebenso unwahrscheinlich wie die Auffassung des אֶת als »nebst« (J. Blau: Zum angeblichen Gebrauch von אֶת vor dem Nominativ. VT 1954, S. 17).

17 a) Zur Ellipse des Subjekts BroS § 29a; 𝔊 δοῦλός σου ist synonyme Übersetzung, die nicht auf קוֹל עַבְדְּךָ (Ehrlich) führt.

19 a) Zu dieser Übersetzung vgl. H. A. Brongers: Weʿattah im Alten Testament. VT 1965, S. 297. b) Zum Worte vgl. 2 Sam 24,1; zur Sache, daß Jahwe selbst das Böse wirkt, Jdc 9,23; 1 Reg 12, 15. c) מִנְחָה bedeutet bei Ezechiel und in der Kultgesetzgebung (Lev 2,6 u. ö.) das vegetabilische Opfer; wenn dieser spezielle Gebrauch auch schon in vorexilischer Zeit besteht (de Vaux: Lebensordnungen II, S. 277), gilt er doch nicht ausschließlich (so H. N. Snaith: Sacrifices in the Old Testament. VT 1957, S. 315f.). Da das Opfer hier eine sühnende Aufgabe hat (R. J. Thompson: Penitence and Sacrifice in Early Israel Outside the Levitical Law. Leiden 1963, S. 113; auch Rendtorff: Studien zur Geschichte des Opfers im Alten Israel. 1967 [WMANT 24], S. 57), ist an ein blutiges Opfer zu denken. Worin es besteht, wird nicht gesagt; schwerlich ist aber an das Leben Davids zu denken (van den Born, aber auch schon Klostermann mit Textänderung). d) Zur Sache Gn 8,21 und das רֵחַ הַנִּיחוֹחַ der Priestergesetzgebung. 𝔖(𝔗) schwächen dogmatisch ab: »wir wollen darbringen«. e) Nach dem Vorgang von Grimme: BZ 1904, S. 46 ändert Caspari in הִסְתּוֹפֵף wie Ps 84,11 und versteht es als »Hyperbel der Genügsamkeit«, womit die Stelle verkannt ist. f) Kanaan als נַחֲלַת יהוה ist für das Deuteronomium charakteristisch; in dieser Form ist es eine frühe, anscheinend aus dem Kanaanäischen stammende Vorstellung, deren Vorliegen hier nicht mit Sicherheit zu erweisen ist (vgl. die Auslegung. Zur Sache sonst Eichrodt: Theologie II, S. 258; zur Weiterentwicklung dieses Gedankens von Rad: Theologie II, S. 355). g) 𝔗 abschwächend: »zu Völkern, die Götzen dienen«. Es ist das erste Vorkommen der sonst in dem Deuteronomium geläufigen Formulierung (vgl. 8,8), woraus Budde auf die Quelle E, Dhorme auf redaktionellen Eingriff schließt, Bruno: Epos, das Recht zu unmöglichen Konjekturen zieht (לַעֲבוֹר אֶל אֲחֵרִים).

20 a) Wörtlich »entfernt aus dem Gegenüber zum Angesichte Jahwes«; es ist nicht als »für unbedeutend ansehen« zu verstehen (so Ehrlich), sondern setzt den Gedanken von V. 19 fort. b) 𝔊 ζητεῖν τὴν ψυχήν μου wird von den meisten in der Form נַפְשִׁי als ursprünglich übernommen, bleibt als Selbstverständlichkeit aber blaß und erklärt nicht die Möglichkeit der Verschreibung. Andererseits paßt auch פַּרְעֹשׁ wohl 24,15, aber nicht hier in den Zusammenhang und wird von daher übernommen sein, weniger als in den Text gekommene Randglosse (Nowack, Hertzberg, u. a.), eher als Ergebnis des häufiger zu beobachtenden Ausgleichs ver-

schiedener Rezensionen (vgl. zu Kap. 17). c) Die Konjektur כְּנֶשֶׁר (Budde, Smith, Caspari) hat keinen Anhalt an den Vers (auch nicht an 𝔊) und verkennt den Charakter des Bildes. d) Zur generellen Bedeutung des Artikels vgl. GK § 126o; die Vokalisierung יִרְדֹּף (Schulz, de Groot) ist möglich, aber nicht nötig. 𝔊 νυκτικόραξ ist grundsätzliches Mißverständnis des Zusammenhanges und nicht aus dem Fehlen der nota accusativi (so Schulz) entstanden. Gemeint ist wohl, daß das Rebhuhn als Vogel der Ebene in den Bergen von seinem Volk getrennt ist und leichte Beute wird. Zum Sterben auf fremdem Boden vgl. auch Am 7,17; Hos 9,6.

21 a) Formelhafte Anerkennung der Berechtigung der gegen den Sprecher erhobenen Vorwürfe (Knierim: Sünde, S. 26). Zum darin mitklingenden Gedanken der Schädigung eines anderen G. Furlani: Di un significato della radice semitica ḤṬ'. Rendiconti di scienze morali della Acad. Nazionale dei Lincei. 8, 1953. Notizi degli Scavi di Antichità. 1953, S. 372–384. b) Auch 13,13; 2 Sam 15,31; 24,10; eine im Gegensatz zu חָכְמָה stehende Fehlentscheidung (vgl. T. Donald: The semantic field of »folly« in Proverbs, Job, Psalms and Ecclesiastes. VT 1963, S. 289), die selbst nicht notwendig schuldhaft ist, durch ihre Folgen aber den Charakter einer Schuld gewinnt.

22 a) So Ketib und wohl als ursprüngliche Absicht beizubehalten (auch Smith, Dhorme), da David sich sowohl V. 22 wie V. 23 direkt an den König wendet. Qere rechnet mit einer Dittogr und wird von den meisten übernommen, doch kann dafür nicht geltend gemacht werden, daß die Anrede in der dritten Person das Höflichere sei (z. B. Budde). GK § 127f, Caspari u. a. nehmen nachträgliche Zufügung des הַמֶּלֶךְ an, doch ließe sich dafür kein Grund einsehen.

23 a) Zu dem in אֱמוּנָה liegenden Gedanken zeitlicher Dauer s. Joüon: MUB 5/10. 1911, S. 407. b) Zur lockeren Anknüpfung eines Nebensatzes durch אֲשֶׁר vgl. BroS § 161a. c) Lies mit BH[3] und allen Auslegern בְּיָדִי.

24 a) 𝔊[B] + καὶ σκεπάσαι με; dagegen fehlt bβ bei 𝔖.

25 a) Vgl. dazu A. Murtonen: The use and meaning of the words *lebārek and berākāh* in the Old Testament. VT 1959, S. 165; Wehmeier: Segen, S. 115ff.; dazu auch Eichrodt: Theologie I, S. 303. b) Zum absoluten Gebrauch vgl. Jes 10, 13; Ps 22,32; 37,5.

26,1–25 *Davids letzte Begegnung mit Saul* bietet eine nach Schauplatz wie nach Umständen selbständige Überlieferung, die zwar mit dem Kap. 24 Berichteten den geschichtlichen Ansatzpunkt gemeinsam hat, sonst aber unabhängig von ihm gebildet ist. Wie dieses hatte sie vor der Einstellung in den jetzigen Zusammenhang eine Eigenexistenz[1]. Die Fragen, die sich daraus wie aus der Stellung im Kontext ergeben, sind bereits o. S. 431 behandelt. Hier kann es nur noch darum gehen, das Besondere und Charakteristische dieser Ausformung zu verfolgen.

1–2 Die Eingangsworte verbinden die Begebenheit mit der bekannten verräterischen Haltung der Siphiter, setzen aber 23,19ff. nicht wirklich voraus. Dafür sind weniger allgemeine Erwägungen (vgl. o. S. 437) oder sprachliche Gesichtspunkte[2] entscheidend als die Tatsache, daß beide Stücke in Tenor und Absicht ganz verschieden voneinander sind. Man muß V. 1 daher bereits als ein sekundäres Verbindungsstück ansehen, wie es bei der Einpassung in einen größeren Zusammenhang nötig wurde[3]. Daraus erklärt sich einmal die lapidare Kürze des Satzes[4], zum andern, daß die Angaben nicht ganz zum Folgenden pas-

1. Vgl. auch Koch: Formgeschichte, S. 155, freilich bei anderer Beurteilung von Kap. 24.
2. Man sollte dann vielleicht statt וַיָּבֹאוּ eher וישובו הזיפים erwarten (so Ehrlich).
3. Dhorme.
4. Es ist nicht in der Sache begründet, wenn Caspari (auch Koch: Formgeschichte, S. 157) aus dem לֵאמֹר auf eine ausgefallene längere Rede schließt, Budde eine Antwort Sauls vermißt.

sen. V. 2 läßt nicht vermuten, daß Saul eine genaue Kenntnis des Aufenthaltes Davids hatte (vgl. Anm. b), und dann ist V. 3 הַחֲכִילָה in dieser Episode der Lagerplatz Sauls. Das kann keine gedankenlose Wiederholung aus V. 1 sein[5], denn dazu scheint die Überlieferung von V. 3 ab zu ausgeprägt. Es ist durchaus denkbar, daß noch in späterer Zeit an einem besonderen Platz der Name מַחֲנֵה שָׁאוּל haftete[6]. Alles spricht dafür, daß V. 1 nach den Angaben von V. 3 gebildet wurde[7].

3–12 Die zahlenmäßige Stärke der Begleitmannschaft, die Saul mitbringt (wie 13,2; 24,3), kennzeichnet auch hier konventionell seine Überlegenheit, wie auf der anderen Seite in der Häufung der Ausdrücke für Wüste (מִדְבָּר V. 2.3; יְשִׁימֹן V. 3) wieder die elende Flüchtlingssituation Davids hervorgekehrt wird. Das auch 24,4 begegnende, da besser zur Situation passende הַדֶּרֶךְ – es könnte von dort hier eingeflossen sein – soll das wohl noch verdeutlichen: Saul beherrscht alle Verkehrswege. Die Begebenheit wird in ihrem Grundbestand in einer Weise geschildert, die folgerichtige, jede Zufälligkeit ausschließende militärische Maßnahmen erkennen läßt. David erfährt von einem Unternehmen Sauls gegen ihn (V. 3), stellt zunächst durch Kundschafter fest, daß die Nachricht zutrifft (vgl. Anm. a zu V. 4), und rückt aus, um den Standort des Gegners ausfindig zu machen (V. 5 aα); er findet Gelegenheit, die Lage genau zu rekognoszieren (5 aβ. b). Verkennung dieser erzählerischen Absicht hat zu Kürzungen in V. 5 geführt (vgl. Anm. b). In dem Unterschied zwischen dem שֹׁכֵב V. 5 und dem שֹׁכֵב יָשֵׁן V. 7 sowie dem לַיְלָה liegt ein Fortschritt, der an einen zeitlichen Abstand zwischen der Rekognition, die bei hereinbrechender Dämmerung stattgefunden haben wird, und dem Gang ins Lager denken läßt[8]. Hier trifft es also tatsächlich zu – was Koch (Formgeschichte, S. 157) zu generell und darum manchmal ungeschützt annimmt –, daß eine Tradition vorliegt, die ihre Ausformung und erste Weitergabe in militärischen Kreisen gehabt hat. Es ist im Ansatz eine ausgesprochene Heldengeschichte, die ihre nächsten Analogien in den Berichten über die Taten von Davids Getreuen hat, sowohl hinsichtlich der Personen, in erster Linie Abisai's (2 Sam 23,18; vgl. auch Anm. a zu V. 6), wie ihrer Handlungen (waghalsiger Einbruch in die Reihen der Feinde: 2 Sam 23,13 ff.; treue Waffengefährtenschaft: 2 Sam 21,15 ff.). Damit wird zugleich die Schilderung des Gegenübers, Sauls und seiner Begleitung, bestimmt. Die Breite der Beschreibung des Lagers, die den Ablauf der Vorgänge plastisch herausarbeitet, kontrastiert auch die beiden Kreise: David wachsam spähend in der Nacht, der Herr über eine zuverlässige Gefolgschaft; Saul in ruhigem Lager, scheinbar geschützt von einem zahlreichen, aber doch unzuverlässigen Kriegsvolk. Wie sehr darauf der Ton liegt, zeigt das הָעָם V. 7 (vgl. Anm. a). Es klingt etwas davon mit – und das charakterisiert den Sitz im Leben –, was man das Überlegenheitsgefühl einer Freischar gegenüber Regierungstruppen nennen könnte[9].

5. Schulz; Bruno: Epos, S. 87; Caspari. 6. So Hertzberg.

7. Greßmann; ob es freilich richtig ist, daß diese eine andere Einleitung verdrängt habe (so Koch: Formgeschichte, S. 154), muß offen bleiben.

8. Ähnliche Überlegungen bei Caspari. 9. Vgl. dazu Stoebe, in: Rost-Festschrift, S. 212 f.

Zu dieser Heldengeschichte tritt aber ergänzend und weiter ausgestaltend ein weiteres Moment hinzu[10], das für die Bildung der frühen Davidsüberlieferung kennzeichnend ist, nämlich, daß das Charismatische seines Auftretens unterstrichen wird. Der Gang ins Lager Sauls mit einem Getreuen hat seine Parallele ebenso im Vorstoß Jonathans zur Schildwache der Philister (14,1 ff.) wie im Einbruch Gideons ins Lager der Midianiter (Jdc 7,9 ff.)[11]. Dazu gehört auch die V. 12 genannte תַּרְדֵּמָה; sie entspricht nicht dem bösen Geist von 16,14 ff., so daß hier eine Auffüllung des Bearbeiters vorläge, der dem Wunder eine entscheidende Stelle einräumen will[12], noch weniger ist sie natürlich eine geheimnisvolle Macht, in deren Bereich Saul in der Fremde geraten ist, ohne es zu ahnen[13]; sondern wie 14,15 die חֲרָדָה das Unternehmen Jonathans ermöglicht, so ist es hier die jahwegewirkte תַּרְדֵּמָה (vgl. Anm. c zu V. 12).

Zum ersten, der Ausmalung des Gegensatzes, könnte die Nennung der Wasserflasche V. 11 gehören; sie ist nicht eigentlich integrierender Bestandteil der Erzählung, sie fehlt V. 7 u. 22 und ist V. 16 mit Sicherheit eingefügt (vgl. Anm. a). Deswegen ist sie aber doch nicht schlechte Variante[14] oder eine Sonderüberlieferung[15], denn das müßte eine Überlieferung in der Art von 2 Sam 23,13 ff. gewesen sein, und dafür bestünde hier kein Anlaß; ebensowenig leuchtet ein, daß damit die militärische Beweglichkeit Sauls eingeschränkt werden sollte[16]. Es handelt sich um eine mit dem Weitererzählen gegebene organische Erweiterung, die den Gegensatz zwischen beiden Kreisen noch mehr zum Ausdruck bringt und das Geschehen steigert[17]. Freilich um den Preis, daß diese Steigerung hinter die geschlossene Eindringlichkeit der Darstellung zurückfällt, denn das Fortnehmen der Wasserflasche hat unter diesen Umständen keine tragende Bedeutung, sondern ist nur ein, freilich mutiger, Schabernack.

Anders beim Speer: Versteht man ihn als ein Zeichen königlicher Würde (vgl. Anm. e zu V. 7), muß man in dem Fortnehmen eine symbolische Handlung sehen, mit der David seine Hand auf die Königswürde legt. Das wäre ein Gedanke, der auch in Kap. 24 erst nachträgliche Ausweitung einer ursprünglich enger begrenzten Aussage war. Eher ist hier daran zu denken, daß der Speer ein Charakteristikum Sauls ist und daß er ihn gerade bei seinen rasenden Ausfällen gegen David zückt (18,10; 19,11; auch gegen Jonathan 20,33). Die Berührungen mit diesen Geschichten gehen darüber hinaus; es ist an die vielleicht doch nicht nur aus der Situation zu erklärende Gleichheit des Ausdruckes אַכֶּנּוּ נָא בַּחֲנִית וּבָאָרֶץ

10. Vgl. dazu Seeligmann: ThZ 1963, S. 385 ff.

11. Es erscheint deswegen grundsätzlich unmöglich, einen Bericht zu konstruieren, der David allein diesen Gang unternehmen läßt (Dhorme).

12. So Nübel: Aufstieg, S. 54. Ähnlich schon Budde: »Es ist mit Nachdruck darauf hinzuweisen, daß unsere Fassung keineswegs einfacher und natürlicher als die von Cap. 24 ist, vielmehr geradezu eines Wunders bedarf, um möglich zu erscheinen.«

13. Caspari.

14. Greßmann; vgl. auch Boström: Readings, S. 41.

15. Hertzberg.

16. So Caspari.

17. Ähnlich Koch: Formgeschichte, S. 159.

mit 19,11 zu denken, und auch daran, daß Abisai versichert, keinen zweiten Stoß zu brauchen, was an 18,11 erinnern könnte (s. auch zu V. 19). Gerade dieser Zug, zusammen mit dem Tenor der Darstellung sonst, weist auf frühe Überlieferungsbildung[18]. Das Argument, Kap. 26 müsse jünger sein als Kap. 24, weil das Fortnehmen der Waffe soldatischer klinge als das Abschneiden eines Gewandzipfels[19], hat ebensowenig Gewicht wie das andere, Kap. 26 müsse dazu bestimmt gewesen sein, die Anstößigkeiten von Kap. 24 zu mildern[20]. Wie Kap. 24 findet sich auch hier die versucherische Einflüsterung, diesmal durch Abisai. Das liegt durchaus in der Linie der sonst von ihm gegebenen Charakteristik (2 Sam 3,30.39) und entspricht auch der Art eines bedenkenlos treuen Landsknechts. Daß er dabei nicht auf eine Gottesverheißung verweist, ist nicht Beweis weiten Abstandes von den Ereignissen, wo man von einer solchen nichts mehr gewußt hätte[21], sondern ist eher ein Merkmal großer Lebensnähe. Jedenfalls ist die Versuchung, hier ausgelöst durch den Speer Sauls, integrierender Bestandteil der Darstellung; erst durch sie wird das Ganze paradigmatisch und eine Weitererzählung gerechtfertigt.

Das Urteil, daß sich V. 12 direkt und unvermittelt an V. 5 anschließen lasse, die Abisai-Affäre also nachträglicher Eintrag sein müsse[22], ist zu formal und übersieht, daß dann der entscheidende Gedanke verlorenginge. Das gilt verstärkt von dem noch weiter gehenden Versuch, in diesem Kapitel zwei Berichte herauszupräparieren und gegeneinander abzusetzen, von denen der eine nur von einem Heldenstück Davids gewußt, der andere die Begleitung durch Abisai gekannt habe[23] (vgl. auch S. 467, Anm. 11). Fraglich ist nur, wie weit die Formulierung ursprünglich ist, mit der David das gut gemeinte Angebot ablehnt. Eine Spannung besteht zwischen V. 10 und V. 11. Neben dem gewichtigen Schwur V. 11 könnte V. 10 unnötig, zum mindesten blaß erscheinen. Während nun allerdings Koch[24] in V. 10 einen Zuwachs sieht, liegt eine solche Erweiterung eher in V. 11a vor, sie ist eine Angleichung an 24,7; dort hatte man David aufgefordert, sich zu rächen, hier nicht[25]. Außerdem passen die Überlegungen von V. 10, die nüchtern feststellen, nicht wir wollen es tun, er wird schon zu seiner Zeit auf andere, natürliche Weise umkommen[26] – also nicht eigentlich von der Vorstellung der Unantastbarkeit des Gesalbten her bestimmt sind[27] –, hier besser in den Zusammenhang. Die uns nicht ganz korrekt klingende Alternative, Jahwe wird ihn schlagen oder

18. Vgl. dafür besonders Smith, Greßmann; unter der Voraussetzung der Aufteilung auf Quellenstränge (s. o. S. 430) ist das Urteil darüber von vornherein präjudiziert.

19. Koch: Formgeschichte, S. 161.

20. Baentsch: David, S. 80.

21. Koch: Formgeschichte, S. 161.

22. Van den Born; ähnlich auch Nübel: Aufstieg, S. 55.

23. Dhorme.

24. Koch: Formgeschichte, S. 159.

25. Schulz.

26. Den Zusammenhang mißverstehend sieht Caspari in יוֹם den Tag einer richterlichen Abrechnung und urteilt, daß das David in den Mund gelegte Wort eher für einen Oberstrichter entworfen sei, der die Macht habe, gegen einzelne auch willkürlich zu verfahren (S. 335).

27. Unmöglich erscheint es, wenn Nübel (Aufstieg, S. 54) V. 9–11 en bloc seinem Bearbeiter zuweist.

er wird in der Schlacht fallen, hat wohl ihre Entsprechung in dem Gegenüber von Anstiftung Jahwes oder Verleumdung der Menschen V. 19. Durch diese Beobachtungen wird mindestens deutlich, daß diese Stelle Erweiterungen erfahren hat, die den Gedanken der Messianität stärker akzentuiert haben. Ob die Nennung des מָשִׁיחַ V. 9 einen ursprünglich einfacheren Wortlaut ersetzt hat, ist nicht zu entscheiden, freilich auch nicht mit Sicherheit auszuschließen[28].

13–22 Nachdem David genügend Zwischenraum zwischen sich und das Lager Sauls gebracht hat, ruft er die Mannschaft und Abner an, beide gemeinsam (vgl. Anm. a zu V. 14), denn sie tragen zusammen die Verantwortung für den Schutz Sauls. Mögen die Worte auch stilisiert sein[29], so läßt der Hohn Davids doch zuerst das Selbstbewußtsein des Bandenführers erkennen, dem so etwas bei seinen Leuten nicht begegnet wäre[30]. Zu gleicher Zeit wird deutlich, daß nur David der Schützer des Königs ist, denn der Feind ist wirklich ins Lager gekommen, und er war der einzige, der ihn zurückgehalten hat. Über diesem Gesprächsgang erwacht Saul. Die Unterredung Davids mit Saul erinnert auch inhaltlich an die Berichte über den Anfang des Konflikts, die nahe Beteiligung, zugleich die notvoll drängende Frage spüren lassen, wie es zu dieser Entwicklung kommen konnte (vgl. dazu o. S. 354f.). So gesehen steht David fast wieder in einer Linie mit den Höflingen von Kap. 16, ist ein ungerecht in Ungnade gefallener Diener, hinter dem man den kommenden König noch nicht ahnen kann. Der Gedanke, daß Jahwe selbst Saul zu seiner Haltung angestiftet habe, in gewisser Weise sich mit der רוּחַ רָעָה מֵאֵת יְהוָה 16,14 berührend, ist im Alten Testament nicht selten (vgl. Anm. b zu V. 19); er ist Ausdruck eines im israelitischen Gottesglauben schon im Ansatz vorhandenen, hier freilich in seiner Konsequenz noch nicht bewußt gewordenen Universalismus. Das Aufstacheln durch Jahwe wird als etwas Unbegreifliches, Drohendes[31], nicht als Bestandteil eines Planes empfunden. Darum kann vorgeschlagen werden, Jahwe durch Opfergabe zu versöhnen (vgl. Anm. c zu V. 19).

Daneben steht die andere Möglichkeit, daß die Ursache Menschen sind, denen Saul sein Ohr geliehen hat. Das war in den Überlieferungsstücken bisher überhaupt nicht in Betracht gezogen, könnte aber tatsächlich einen realen Hintergrund gehabt haben[32]. Wenn man dazu angemerkt hat, das Dritte bliebe unerwähnt, daß es an Saul selbst liegen könne[33], so ist das richtig; doch darf dann nicht übersehen werden, daß das nicht Zeichen einer feinen Diplomatie ist, sondern daß dieser Gedanke dem ganzen Aufriß fremd ist. Als Menschentun wäre es offenkundige Bosheit. Der darüber ausgesprochene Fluch wird an der Praxis der Rechtsge-

28. Caspari hält es jedenfalls für eine Einlage.

29. Koch (Formgeschichte, S. 159) will darin sogar etwas von der Haltung des späteren Jerusalemer Königs erkennen.

30. Auch hier ist die Spannung zwischen dem charismatischen und dem heldischen Element zu beobachten.

31. Zur Sache Paul Volz: Das Dämonische in Jahwe. 1924 (SGV 110).

32. Es könnte in der zumeist stark theologisch geprägten Form der uns vorliegenden Überlieferungen begründet sein, daß das nicht stärker zutage tritt.

33. So etwa Hertzberg.

meinde notorisch, nicht genau feststellbare oder unbekannt gebliebene Verbrechen unter den Fluch zu stellen (Dt 27); in besonderer Weise interessieren hier die Vorschriften, die dem Einzelnen einen guten Namen (Dt 27,24) und seinen Anteil an dem von Jahwe verliehenen Landbesitz sichern sollen (Dt 27,17; 19,14; zur Sache vgl. auch Anm. f zu V. 19). Indessen darf dieser letzte Bezug nicht überlastet werden[34]. Die für solch ein urtümliches Verständnis vielfach angezogenen Parallelen Jdc 11,24; 1 Reg 20,23; 2 Reg 5,17 sprechen aus der Sicht von Fremden. Wahrscheinlich geht es hier nicht zuerst um territoriale Zugehörigkeit[35], sondern um die Aufhebung einer personalen Gemeinschaft[36]. Das bedeutet weiterhin, daß außerhalb des Kultverbandes, wie ihn z. B. die Sippe darstellt, die Jahweverehrung zwar nicht ausgeschlossen, aber sehr erschwert und praktisch unmöglich ist[37]. Die Frage, ob David an die Existenz dieser fremden Götter geglaubt habe, und die Apologien, die daran geknüpft werden[38], sind durch den Text selbst nicht gegeben. In dieser Richtung wurde oben (Anm. d zu V. 20) auch versucht, das Bild vom קֹרֵא zu deuten[39]. Das Wort vom Blut, das nicht unbemerkt von Jahwe zu Boden fließen soll, ist ebenfalls von daher zu verstehen; getrennt von Jahwe ist man vogelfrei. Die nächste Analogie ist hier die Klage Kains Gn 4,14, nicht Gn 4,10 oder Hi 16,18, auf die in diesem Zusammenhang oft hingewiesen wird.

Eine gewisse Unklarheit des Gedankens ist festzustellen; sie hat ihren Grund aber darin, daß die Vorstellungen von Blutrache und dem von der Erde nach Sühnung schreienden Blut, an sich zwei verschiedenen Bereichen angehörend, im Alten Testament zu keiner organischen Einheit gekommen sind. Die eigentliche Schwierigkeit liegt hier an einer anderen Stelle, und Hertzberg hat mit Recht darauf hingewiesen. Wollte David hier nur klagen, daß sein Ende unbemerkt von Jahwe erfolgen könne, dann hätte er Saul indirekt dazu ermuntert, ihn zu verfolgen und zu vertreiben, um einen unbequemen Mann zu beseitigen und durch seinen Tod nicht belastet zu werden[40]. Ich würde freilich nicht annehmen, daß Saul hier bei seiner Verantwortung als Gesalbter angesprochen werden soll (so Hertzberg), eher, daß er auf Konsequenzen seines Tuns hingewiesen wird, die er so nicht gesehen hat[41]. Das הִסְכַּלְתִּי (vgl. Anm. b zu V. 21) scheint das zu bestätigen, ähnlich auch das וָאֶשְׁגֶּה (שְׁגָגָה die Irrtumssünde)[42]. Jedenfalls muß man an-

34. Wie es z. B. Carlson (David, S. 209) tut, der im Begriff נַחֲלָה einen Beweis für die deuteronomistische Komposition sieht.

35. Für die Annahme territorialer Zugehörigkeit vgl. z. B. Gerhard von Rad: Verheißenes Land und Jahwes Land im Hexateuch. ZDPV 1943, S. 193.

36. Friedrich Horst: Zwei Begriffe für Eigentum. In: Rudolph-Festschrift. 1961, S. 142. Vgl. dazu auch schon Johannes Herrmann: ThW III, S. 772, der allerdings diese von ihm für jung gehaltene Stelle davon ausnimmt.

37. Caspari; vgl. auch Albright: Religion, S. 133f.

38. Rehm, Caird u. a.

39. Anders (nämlich ein durch häufiges Vorkommen naheliegender Vergleich ohne besondere Absicht) Riehm: Handwörterbuch des Biblischen Altertums II. 1894, S. 1269.

40. Vgl. dazu auch die unmögliche Auslegung bei Kittel, es wäre David lieb, wenn Saul ihn jetzt tötete, denn dann würde Jahwe ihn rächen.

41. Bruno: Bücher, S. 289, konjiziert zu V. 21 sogar ein לֹא חָטָאתָ.

42. S. etwa von Rad: Theologie I, S. 257.

nehmen, daß mindestens in diesem Zusammenhang der Konflikt als reparabel angesehen wird. Schließlich ist David rehabilitiert und seine Treue ist anerkannt. Die Versicherung Sauls, er werde David nichts Böses mehr antun, und die Aufforderung zur Rückkehr heißen nicht notwendig, daß David wieder an den Hof und in den Königsdienst kommen solle, sondern sie beantworten die Klagen Davids mit der Zusage, er brauche nicht ins Elend zu gehen. Daß David darauf das Zeichen für die Lauterkeit seiner Gesinnung, den Speer, zurückgibt, ist seine Antwort, mit der er unterstellt, daß ihm, im Augenblick wenigstens, von Saul keine Gefahr droht[43]. Daß damit der Konflikt nicht aus der Welt geschafft war, war allen zur Genüge bekannt. Die psychologisierenden Eintragungen[44], David habe seinen Mann gekannt und gewußt, was er von diesem Königswort zu halten hätte, gehen an der Sache vorbei. Es liegt hier also eine Überlieferung vor, die ein in sich geschlossenes, im ganzen altertümliches Bild ergibt, das sich von anderen so weit unterscheidet, daß es von dorther nicht beeinflußt, auch nicht von späteren theologischen Ansätzen her gestaltet sein kann.

Damit stellt sich die Frage, ob dieser Bericht im Blick auf Kap. 27, den Übertritt zu den Philistern, geformt sei oder diesen wenigstens voraussetze[45]. Es ist gewiß so, daß die Tradition von verschiedenen Versuchen, auf fremdem Gebiet Sicherheit zu suchen, wußte (22,3; 25,1, wobei der Nennung von מוֹאָב besonderes Gewicht beizulegen wäre). Da das, was Kap. 26 erzählt wird, in sich folgerichtig ist und mit der Erklärung Sauls, er wolle auf weitere Verfolgung verzichten, als organischem Abschluß endet, liegt es hier näher, den Begriff Fremde allgemein zu verstehen und dabei schon an den Aufenthalt Davids in der Wüste zu denken[46], zumal in der Darstellung darauf immer wieder besonderer Nachdruck gelegt wurde. Ob bei den אֱלֹהִים אֲחֵרִים explicit an die Dämonen der Wüste, die שְׂעִירִים, gedacht ist[47], muß offen bleiben; wahrscheinlich ist es nicht. Der literarische Vorgang wird dann so zu denken sein, daß dieser Bezug auf die Fremde Grund dafür gewesen ist, den Komplex der Erzählungen von Davids Bewährung damit abzuschließen und zu seinem Aufenthalt im Philisterland überzuleiten.

23–25 Man hat den Eindruck, daß die Rückgabe des Speers tatsächlich ein Abschluß gewesen ist, demgegenüber die folgenden Verse wie eine Erweiterung wirken. Es ist zwar richtig, daß hier von einer Verheißung des Königtums an David, wie in Kap. 24, an keiner Stelle die Rede ist[48]. Aber kann man auch die gewichtigen Schlußworte Davids noch als Ausdruck der Gewißheit ansehen, daß er aus allen Bedrängnissen seiner gegenwärtigen Existenz gerettet werden wird, so geht doch die Prophezeiung, die Saul zuletzt in den Mund gelegt wird, über das hinaus, was im Zusammenhang vorbereitet ist. Die Zusicherung: du bist gesegnet, du wirst es vollenden, du wirst die Kraft haben, alles Aussagen, die ab-

43. Die Kapitelüberschrift berücksichtigt die Meinung, die das Stück im Zusammenhang hat, nicht die der ursprünglichen Einzelüberlieferung.
44. Etwa Schulz, Rehm, Hertzberg.
45. So ausdrücklich de Boer: OTS 6. 1949, S. 75; implizit auch v. a.
46. So schon Greßmann, de Vaux, anscheinend auch van den Born.
47. Budde.
48. Was Greßmann nachdrücklich und mit Recht betont.

sichtlich in der Schwebe bleiben, schließt unüberhörbar die Anerkennung des kommenden Mannes in sich ein. Es ist möglich, daß diese Erweiterung in ursächlichem Zusammenhang mit der Einfügung in den jetzigen Kontext entstanden ist und ein verheißungsvolles, tröstliches Licht auf die folgenden Episoden werfen soll.

27,1–28,2 David bei den Philistern

1 David dachte in seinem Herzen: »Eines Tages werde ich nun doch von der Hand Sauls dahingerafft werden; nichts Besseres kann ich tun, als daß[a] ich im Philisterlande Zuflucht suche. Dann muß Saul von mir ablassen, mir im ganzen Gebiet Israels nachzuspüren, und ich bin vor ihm gerettet.« 2 So brach David auf und trat zusammen mit den sechshundert[a] Mann, die er bei sich hatte, zu Achis[b], dem Sohn des Maoch[c], dem König von Gath[b], über. 3 Bei Achis von Gath blieb David, er selbst und seine Männer, ein jeder mit seiner Familie [David mit seinen beiden Frauen, Ahinoam[a], der Jesreelitin, und Abigail, der Witwe Nabals, der Karmelitin[b]][c]. 4 Als Saul zugetragen wurde, daß David sich nach Gath geflüchtet habe, verzichtete er darauf[a], ihm noch weiter nachzuspüren. 5 David aber bat Achis: »Wenn ich eine wohlwollende Beurteilung bei dir gefunden habe[a], dann soll man mir doch[b] einen Platz in einer der Landstädte anweisen, daß ich dort meinen Wohnsitz nehmen kann; warum muß dein Knecht denn bei dir in der Königsstadt bleiben?« 6 Noch am gleichen Tage belehnte ihn Achis mit Ziklag[a]; darum[b] gehörte Ziklag den Königen von Juda (als persönliches Eigentum) bis auf den heutigen Tag. 7 Die Zeit nun, die David sich so im Gebiet der Philister aufhielt, betrug ein Jahr[a] und vier Monate. 8 Und David zog hinauf[a] mit seinen Männern; sie unternahmen Plünderungszüge[a] gegen die Geschuriter[b], gegen die Girsiter[c] und| gegen die Amalekiter[d], denn diese bilden die Bevölkerung[e] des Landes [f]... von alters[f] her in Richtung[g] auf Schur[h] und bis nach Ägypten hin. 9 Dabei schlug David regelmäßig das Land vernichtend; er ließ weder Mann noch Weib am Leben[a], nahm nur Schafe und Rindvieh, Esel und Kamele und sonstige Sachen[b] mit. Kam[c] er dann wieder zu Achis 10 und fragte ihn Achis: »Wohin[a] habt ihr denn heute euren Plünderungszug unternommen?«, antwortete David: »In den tiefsten Süden von Juda, in den tiefsten Süden von Jerachmeel[b], in den tiefsten Süden der Keniter[c].« 11 Dabei ließ David weder Mann noch Weib am Leben, daß er sie nach Gath gebracht hätte, denn er überlegte bei sich: »(Ich muß darauf bedacht sein,) daß sie nicht gegen uns Anzeige erstatten können [...][a].« So verfuhr David, so hielt er es die ganze Zeit über, während er in der Landschaft der Philister seinen Wohnsitz hatte. 12 Achis aber vertraute David (unbedingt)[d], weil er sich

sagte: »Er hat sich bei seinem Volke Israel so zum Abscheu gemacht[b], daß er für alle Zeit mein Dienstmann bleiben muß.«

28,1 Zu jener Zeit zogen die Philister ihre Truppen zum Feldzug zusammen[a], um gegen Israel in den Kampf zu ziehen. Achis sagte (aus diesem Anlaß) zu David: »Du bist dir doch dessen bewußt, daß du mit mir zur Truppe gehen mußt, du selbst und deine Männer auch.« 2 David erwiderte Achis: »Jawohl[a]! Dann kannst du selber[b] sehen, was dein Knecht leistet.« Achis beschied David: »Gut[a]; dann betraue ich dich mit meinem persönlichen Schutz[c].«

1 a) 𝔊 ἐὰν μή; כִּי steht hier für כִּי אִם, das in Gedanken oder auch im Text (Haplogr wegen אִמָּלֵט/הִמָּלֵט?) zu ergänzen ist (Wellhausen, Driver, Budde und die meisten). 𝔖 ermöglicht das כִּי durch willkürliche syntaktische Änderung des Vordersatzes (»wenn ich in die Hände Sauls falle, gibt es keine Rettung«).

2 a) 𝔊^B τετρακόσιοι. b) Vgl. zu 21,11. c) 𝔊^B αμμαχ 𝔊^L αχιμααν; vgl. dazu 1 Reg 2,39 מַעֲכָה (𝔊^B dort αμησα). Zum Vorkommen des Namens im lykischen Bereich G. A. Wainwright: Some early Philistine history. VT 1959, S. 76.

3 a) Vgl. zu 25,43. b) Nach 𝔊 τοῦ καρμηλίου wird von einigen Änderung in הַכַּרְמְלִי vorgeschlagen (z. B. Wellhausen, Smith; vgl. DelF § 98b), indessen spielt Nabal ja keine Rolle mehr. c) Ist nach אִישׁ וּבֵיתוֹ überflüssig; die Nachstellung macht den Eindruck pedantischer Ergänzung (Klostermann, Dhorme, Schulz).

4 a) Ketib יוֹסִף; Qere יָסַף, was zwar nicht die einzig mögliche, aber doch üblichere Form wäre (vgl. DelF § 33c); zu Ketib vgl. Frank R. Blake: Resurvey of Hebrew Tenses. Rom 1951, § 5,d'a".

5 a) Zu diesem Verständnis Stoebe: VT 1952, S. 245. b) Die Verbindung des נָא mit אִם statt mit יִתְּנוּ soll der Bitte wohl besondere Eindringlichkeit verleihen (Driver).

6 a) Stadt Judas Jos 15,31; 19,5 zu Simeon gerechnet. Gegenüber der älteren, auf Namensanklang beruhenden Gleichsetzung mit der *ḫirbet zuḫeilīqa*, südlich von Gaza (Buhl: Geographie, S. 185 und die älteren; vgl. auch W. F. Albright: Egypt and the early history of the Negeb. JPOS 1924, S. 157), wird jetzt nach dem Vorgang von Alt III, S. 430 ziemlich allgemein an den *tell el-ḫuweilfe* gedacht, der etwa 16 km östlich von *tell eš-šerīʿa* (Gerar) in günstiger Lage zwischen zwei Köpfen des *wadi eš-šerīʿa* liegt (Abel: Géographie II, S. 465; Simons: Texts, § 712). Wahrscheinlich war es eine kanaanäische Stadt, die erst zuvor in die Abhängigkeit von den Philistern gekommen war (Alt, a. a. O.). G. A. Wainwright: Caphtor-Cappadocia. VT 1956, S. 205 sieht in den Namen einen Anklang an die *zakal* der Seevölker, scheint also an eine philistäische Gründung zu denken, was aber bei der Zuweisung an David nicht wahrscheinlich ist. Zum nichtsemitischen Charakter des Namens vgl. auch Borée: Ortsnamen, S. 116. b) Seb עַל כֵּן, sachlich besser, wenn auch nicht eigentlich nötig.

7 a) So die meisten; zu יָמִים in der Bedeutung von Jahr vgl. 1,3; Lev 25,29; Jdc 17,10 (𝔖 »ein ganzes Jahr von Jahreszeit zu Jahreszeit«). Nach 𝔊 (𝔙) τέσσαρας μῆνας wird teilweise יָמִים als Dittogr getilgt (z. B. Ehrlich, Smith, Caspari) oder auch ו als explicativum angenommen = »eine Jahreszeit, nämlich vier Monate« (F. S. North: Four-month seasons in the Hebrew Bible. VT 1961, S. 447). Indessen ergäbe das für die geschilderten Ereignisse eine sehr kurze Zeit. Willkürlich ist שְׁתַּיִם שָׁנִים (Klostermann).

8 a) Nach V. 9.11 erwarten Budde, Sievers frequentatives Tempus und ändern in וְעָלָה bzw. וּפָשְׁטוּ, was aber nicht nur graphisch schwierig ist, sondern auch 𝔐 nivelliert. b) Vgl. Jos 13,2 (»stichwortartige Ergänzung«, Noth: Josua. 2. Aufl. 1953 [HAT I/7], S. 75); zu unterscheiden von הַגְּשׁוּרִי Dt 3,14; Jos 12,5; 2 Sam 13,37; ein Stamm im äußersten Süden Kanaans (Abel: Géographie I, S. 271; Simons: Texts, § 295). Textänderungen in גְּדֵרוֹת הַהַגְרִי (Klostermann), הָאֲשׁוּרִי (Franz Hommel: Die altisraelitische Überlieferung in inschriftlicher Beleuchtung. München 1897, S. 242f.; auch Weber: MV[Ä]G 1901, S. 31) oder הַגִּרְגָּשִׁי (Wutz:

Systematische Wege, S. 198) erübrigen sich. Das Fehlen des Wortes bei 𝔊 (bei Ortsangaben sowieso häufig) berechtigt nicht zur Annahme einer Dublette (falscher Text und seine Korrektur?) und zur Tilgung des הַגְּשׁוּרִי (Wellhausen, Löhr, Smith u. v. a.) oder des הַגִּרְזִי (S. R. Driver, de Groot). c) Qere 𝔗𝔊 גִּזְרִי wird von Wellhausen, Nowack, Kittel u. v. a. (vgl. auch DelF § 95 a) übernommen, ist aber unwahrscheinlich, weil es zu weit nördlich ist, als daß David unbeobachtete Streifzüge dorthin hätte unternehmen können (so schon Budde). Am nächsten liegt die Annahme eines sonst unbekannten Stammes. Denkbar wäre auch die ungewöhnliche Schreibung für גִּרְגָּשִׁי (Hertzberg), dagegen hat die Änderung in הַפְּרִזִּי nach Jdc 3,5 (Smith, Dhorme, Schulz) wenig Wahrscheinlichkeit. d) S. zu Kap. 15. e) Zum Fem. statt eines zu erwartetenden הֵמָּה יֹשְׁבִים vgl. Kö § 255 d; BroS § 16f. Auch wenn es als dichterische Sprechform auffällig bleibt (Wellhausen, S. R. Driver), berechtigt das nicht zur Änderung in וְהִנֵּה יַבָּשׁוֹת »trockenes Land« (Bruno: Epos). Dhorme sieht in הֵנָּה verkürzten Ausdruck für ein entsprechendes Substantiv (אֻמּוֹת?; Keil מִשְׁפָּחוֹת). f) Von 𝔗𝔖𝔙 geboten, von 𝔊 bestätigt, denn *ἀπὸ Γελαμψοὺρ τετειχισμένων* (Transkription und Übersetzung von שׁוּר) setzt ebenso עוֹלָם wie שׁוּר voraus. Es besteht kein zwingender Grund zur Annahme einer Verschreibung aus מִטֵּילָם (wie nach 15,4 seit Thenius, Wellhausen bis Hertzberg, van den Born allgemein [anders Bruno: Epos] behauptet wird). Wohl aber besteht die Möglichkeit einer ineinandergeflossenen Doppelrezension, bei der ein (unverständlich gewordener?) Ortsname der ersten (zu dem אשׁר gehört) durch das מֵעֹלָם der zweiten verdrängt wurde. Im Blick auf 15,7 muß man trotz der auch damit verbundenen Schwierigkeiten eher an מֵחֲוִילָה (Löhr) als an מִטֵּילָם denken. Annehmbar wäre auch ein Ortsname עֵילָם (so H. Seebaß: Der Ort Elam in der südlichen Wüste und die Überlieferung von Gen. XIV. VT 1965, S. 389f., obwohl seine Argumentation von Gn 14 her nicht zwingend scheint). g) Damit erübrigt sich ebenfalls die Änderung in מִבֹּאֲךָ (de Boer: OTS 6. 1949, S. 78). Zu בּוֹאֲךָ als parallelem Ausdruck zu עַד vgl. J. Simons: Two notes on the problem of the Pentapolis. OTS 5. 1948, S. 99. h) Vgl. zu 15,7.

9 a) Caspari versucht mit יְאֻחַז eine unnötige Ehrenrettung Davids. b) Zu Kleidern als Beutestücken vgl. Jdc 8,26; 2 Reg 7,8. Caspari denkt an ursprüngliches עֲבָדִים; Sievers will es überhaupt streichen. c) Ehrlich, Greßmann, de Vaux ändern nach V. 11 in וַיָּבֹא; indessen ist 𝔐 durch die Vers gestützt, wird auch durch וַיֵּשֶׁב gefordert. Der Hinweis auf V. 11 kann angesichts des erweiterten Textes (s. die Auslegung) kein Gewicht haben. Natürlich ist aus 𝔐 nicht zu folgern, daß Gath der Ausgangspunkt der Züge gewesen ist (Wellhausen, Tiktin u. a.).

10 a) 𝔊 *ἐπὶ τίνα* scheint auf ursprüngliches אֶל־מִי (bzw. עַל BroS § 108c; Klostermann אֶל־דָּוִד עַל־מִי) zu führen (so z. B. Dhorme, Boström: Alternative Readings, S. 42); 𝔗 לְאָן auf אָן (so die meisten; Ehrlich אֶל־דָּוִד אָנָה). G. R. Driver: Mistranslations in the Old Testament. WO 1947, S. 31 verweist auf akkadisch *āli* und sieht in אַל die dialektische Form einer alten Fragepartikel. b) Auch 30,29 neben den Kenitern genannt; es ist wohl der Name des heros eponymus (dazu NothPers, S. 199), einer Stammesgruppe im äußersten Süden. 1 Ch 2,9 stellt über Chezron Verwandtschaft zu Juda her; sie gehen in dem von David begründeten Reich Juda mit auf (Alt II, S. 293). Vgl. sonst Eduard Meyer: Die Israeliten und ihre Nachbarstämme. Halle 1906, S. 400ff.; jetzt auch Y. Aharoni: The Negeb of Judah. IEJ 1958, S. 26–38. c) S. bei 15,6.

11 a) לֵאמֹר stellt V. b als Inhalt der Anklage hin (so z. B. Kittel, Hertzberg), was im Blick auf bβ schwierig ist. Andererseits macht der parallele Gebrauch von כֹּה es unwahrscheinlich, daß mit וְכֹה מִשְׁפָּטוֹ ein neuer Einsatz des Erzählers beginnt (so 𝔊 mit Einfügung eines *Δαυιδ* nach יָשַׁב, Löhr, Caspari, Rehm u. a.). Tilge also besser לֵאמֹר, das sich nach יַגִּידוּ leicht einstellen konnte (so auch Driver, Smith, Dhorme u. v. a.). לְאָכִישׁ statt לֵאמֹר zu lesen (Klostermann, Budde), ist graphisch zu abliegend.

12 a) Zur Bedeutungsfülle von הֶאֱמִין mit בְּ der Person zuletzt E. Pfeiffer: Glaube im Alten Testament. ZAW 1959, S. 156. b) Vgl. 13,4; 2 Sam 10,6; 16,21. Zur politischen Bedeutung des Wortes P. R. Acroyd: The Hebrew Root באשׁ. JThS 1951, S. 30–36.

28,1 a) Angesichts von Num 31,3 ist es unnötig, mit 𝔊 *ἐξελθεῖν πολεμεῖν* in לָצֵאת (לָבֹא) zu ändern (so Budde, Ehrlich, Dhorme u. a.), zumal לָצֵאת לְהִלָּחֵם (weniger לָבֹא לְהִלָּחֵם Neh 4,2) wohl eine Tautologie wäre; es ist auch nicht völlig gleichbedeutend mit יֹצְאִים לַצָּבָא Num 31,27.

2 a) Einführung (militärisch) knapper Antwort; vgl. Gn 4,15; 30,15; Jdc 8,7. Dazu F. Nötscher: Zum emphatischen Lamed. VT 1953, S. 376. b) Es handelt sich weder um eine Verschreibung aus עַתָּה (so nach 𝔊 Wellhausen, S. R. Driver, Dhorme, Caspari u. v. a.) noch um eine Alternativlesart (Boström: Alternative Readings, S. 42), sondern um ein emphatisches Subjekt. c) Nur für die Dauer des Feldzuges. 𝔊 übernimmt mit *ἀρχισωματοφύλακα* einen Titel des ptolemäischen Königshofes (Adolf Deißmann: Bibelstudien. Marburg 1895, S. 93).

27,1–28,2 DAVID BEI DEN PHILISTERN. Mit dem Übertritt Davids auf philistäischen Boden und seiner Dienstnahme bei Achis, dem König von Gath, ist ein endgültiger Schlußpunkt hinter die Zeit gesetzt, während der er, von Saul geächtet, aber von Sauls leidenschaftlichem Haß nicht aufgegeben, die Gefahren eines Flüchtlingslebens ertragen mußte, in dem er ebenso die Bewahrung Jahwes erfuhr, wie er sich selber bewähren konnte (vgl. o. S. 432). Die unter diesem Gesichtspunkt zusammengefaßten Überlieferungen werden durch das selbständige, aus tendenziösen Gründen die Tatsachen souverän umgestaltende Traditionsstück 21,11–16 eingeleitet, um damit von vornherein zu unterstreichen, daß diese Entwicklung unausweichlich war, daß David aber, solange es möglich war, davor zurückscheute, diesen Schritt zu tun (vgl. ausführlich dazu o. S. 401). Ebenso schließt Kap. 27 diesen Komplex als Ganzes ab. Es ist darum schwer, aber auch überflüssig, einen speziellen Anschluß an eine der Einzelepisoden von Kap. 22–26 zu finden, mag dieser nun bei 23,19–28[1] oder 23,15 a[2] gesucht werden. Aus inhaltlichen Gründen wäre eine Verbindung mit 23,1–13[3] zu rechtfertigen, denn das Auftreten Davids in Kegila im kalten Krieg gegen die Philister mochte es diesen als besonders erfreulich erscheinen lassen, diesen Mann auf ihrer Seite zu haben; zum mindesten schaltet es diese Möglichkeit nicht von vornherein aus. Schlüsse, die über diese allgemeinen Erwägungen hinausgehen, sind aber nicht zu beweisen, und die Feststellung, daß Kap. 26 selbst nach einer Fortsetzung verlange[4] – 26,25 b ist ein konventioneller, nicht in der Sache liegender Abschluß –, hat sicher Gewicht.

Im allgemeinen wird das Stück als literarisch einheitlich und als Niederschlag geschichtlich zuverlässiger Überlieferung angesehen[5]. Bei dem Versuch aber, es einem der früher angenommenen Quellenstränge zuzuweisen[6], ist nicht genügend berücksichtigt, daß es zusammen mit Kap. 29 u. 30 sehr charakteristische Eigenarten zeigt, die es von anderem Erzählungsgut unterscheiden. Auf der anderen Seite hat Nübel[7] es gerade seinem jüngeren Bearbeiter zugewiesen, indessen eben-

1. Smith.
2. Klostermann.
3. Rost: Überlieferung, S. 133: eine lückenlos zusammenhängende Darstellung von Davids Ergehen auf seiner Flucht vor Saul und den Vorgängen, die zu seiner Herrschaft über Juda und Israel und zur Eroberung von Jerusalem geführt haben; ähnlich auch Weiser: Einleitung, S. 151 f.
4. Caspari.
5. Eine Ausnahme bildet hier nur die alle Tatsachen auf den Kopf stellende Auffassung von Winckler: Israel II, S. 181 ff.
6. J (z. B. Cornill: Einleitung; Budde, Dhorme, Hölscher: Geschichtsschreibung); Sa (SteuE, S. 320); K (Kittel).
7. Aufstieg, S. 57; in gewissem Umfang zustimmend auch FohrerE, S. 239.

falls mit unzureichender Begründung; er erkennt, freilich mit sehr begrenztem Recht (vgl. dazu u. S. 480f.), als Hintergrund von V. 8–12 das alte Theologumenon vom Bann, sieht aber darin, daß der Bann literarisch sekundär auf die Täuschung des Achis bezogen ist, die priesterliche Auffassung des Bearbeiters, der im Gesetz eine Gabe Jahwes sieht, durch die David gerettet werden kann. Indessen wäre eine solche Verkehrung des Bannes in sein striktes Gegenteil wohl keiner theologischen Beurteilung und Bearbeitung der Vorgänge zuzutrauen. Auf der anderen Seite hat bereits Wellhausen[8] die Einheitlichkeit des Abschnittes in Frage gestellt und die V. 7–12 als einen in Spannung zu der Gesamtdarstellung stehenden Nachtrag erklärt, weil V. 5–7 von einer Dislozierung nach Ziklag berichten, die folgenden Verse dagegen noch von einem Aufenthalt in Gath her verstanden werden müßten. Andere[9] wollen deswegen wenigstens V. 5–7 hinter V. 12 stellen, um einen glatteren Ablauf zu erzielen. Eißfeldt ist diesen Überlegungen insoweit gefolgt, als er V. 5–7 u. 8–12 verschiedenen Quellensträngen (I und II) zuweist. Wenn damit auch formale Anstöße beseitigt scheinen, ergeben sich doch erhebliche inhaltliche Schwierigkeiten (vgl. u. S. 478).

An sich haben die Beobachtungen Wellhausens ein gewisses Gewicht und sind in der Auslegung zu berücksichtigen; sie reichen aber nicht aus, um die literarische Einheitlichkeit abzustreiten[10]. Die Spannung, die sich feststellen läßt, erklärt sich aus der Verschiedenartigkeit der Fragen, die eine Antwort verlangen. Daß David zeitweilig im Dienst der Philister gestanden, ja daß er seinen »Weg an die Macht« im eigentlichen Sinne von dort aus angetreten hat, ist eine nicht zu bezweifelnde Tatsache; ebensowenig zweifelhaft kann aber sein, daß dieser Aufenthalt beim Landesfeind in den Augen eines jeden Israeliten eine schwere Belastung darstellte. Auch wenn man anerkannte, daß dieser Schritt unter dem Druck der Verhältnisse getan wurde und unausweichlich war, blieb – damals, wie in vergleichbaren Situationen auch noch heute – die Unsicherheit darüber bestehen, ob ein Flüchtling in fremden Diensten nicht zu Handlungen verpflichtet war, die, waren sie auch aus der Situation verständlich, ihm doch den Makel des Landesverräters anhängen mußten. Es genügte also nicht zu wissen, daß David gehen mußte; ebenso mußte man auch wissen, was er in dieser Zeit getan hatte. Aus dieser Zielsetzung erklärt sich die formale Eigenart dieses Überlieferungsstückes. Die Auflösung in Rede und Gegenrede – an anderen Stellen zweifellos stärker als hier – ist nicht Mittel lebendig plastischer Darstellung, sondern Ausdruck von Überlegungen, die auf beiden Seiten angestellt werden und bei denen die Klugheit eine große Rolle spielt; Achis ist gewiß klug als König, aber David ist eben klüger. Während z. B. Kap. 26 in dem von Jahwe gesandten Tiefschlaf noch stark zum Ausdruck kam, daß Jahwe selbst das Geschick Davids in die Hand genommen hatte, ist das Geschehen hier doch ungleich stärker auf die geistige Überlegenheit Davids abgestellt, von einer Führung durch Jahwe explizit nicht die Rede. Das heißt natürlich noch nicht, daß ausschließlich von einer profan

8. Prolegomena, S. 262; Composition, S. 253.
9. Z. B. Greßmann, Tiktin; vgl. auch die Überlegungen von Smith oder von Caird.
10. Gegen diese Konsequenz wendet sich mit Recht schon Budde.

säkularen Auffassung her erzählt wird und die Hörer nichts mehr davon gewußt hätten, daß hinter allem Geschehen Jahwe nach seinem Plan am Werke war. In dem in gewisser Weise verwandten Bericht vom Gegenspiel des klugen Husai, des Parteigängers und Freundes Davids, und des klugen Ahitophel, des Beraters Absaloms, heißt es ausdrücklich, daß Jahwe es so geordnet hatte, daß der gute Rat Ahitophels zunichte wurde (2 Sam 16,14). Aber man darf diesen Gedanken hier eben doch nicht zu stark hineininterpretieren[11]. Im Vordergrund des Interesses steht jedenfalls das Verhalten Davids.

Es liegt nahe, den Wurzelboden dieser Überlieferungsausprägung in Kreisen zu suchen, die Beziehung zum Hofe Davids hatten; näher jedenfalls, als darin eine spätere, volkstümliche Denkweise zu finden, die kein rechtes Verständnis für politische Betrachtung hatte und darum das Politische auf das persönliche Gebiet, den Gegensatz zwischen dem klugen David und dem dummen Achis, hinüberspielte[12]. Freilich wäre es nicht richtig, von propagandistischen Tendenzberichten zu sprechen, denn dafür ist die historische Zuverlässigkeit der Angaben zu groß, auch wenn das Maß dieser Zuverlässigkeit nicht mit voller Genauigkeit zu bestimmen ist; aber sehr weit davon entfernt sind sie eben auch nicht.

1–7 Die redaktionelle Überleitung vom Vorhergehenden her ist locker; die Berechtigung des Entschlusses ist nach dem Ausgang von Kap. 26 nicht gerade einleuchtend. Die Annahme, daß die Überlegung Davids die Zusammenfassung eines volleren, jetzt verlorenen Zusammenhanges darstellt[13], ist wenig wahrscheinlich. Indes ist die Anordnung mit kompositionellen Gründen zureichend erklärt (vgl. o. S. 471). Daß Kap. 21 David als alleinstehender Flüchtling, hier als Führer einer Gefolgschaft vorgestellt wird, eröffnet jeweils den Blick auf die folgende Darstellung. Dagegen, daß David mit einem schlagkräftigen Kontingent zu den Philistern übergeht[14], bestehen keine Bedenken[15], mag die Zahl Sechshundert selbst auch konventionell sein[16]. Die Tatsache, daß dieser Übertritt mit den Familien erfolgt, unterstreicht die Endgültigkeit des Schrittes. Die überraschende Nennung der Frauen Davids könnte u. U. als Hinweis auf die relative Selbständigkeit dieses Überlieferungsstückes verstanden werden[17] (anders Anm. c zu V. 3).

Nach V. 1–4 hat es den Anschein, daß Achis beabsichtigte, David in seiner engeren Umgebung zu behalten, sei es, um ihn unter Kontrolle zu haben, oder aber, um damit eine Fremdenlegion als persönliche Leibgarde anzuwerben[18]. Zweifellos eignen sich Landfremde für eine solche Aufgabe am besten, denn sie sind nicht in Parteiungen und Spannungen hineingezogen, und ihre Existenz ist un-

11. Wie es z. B. Hertzberg tut.
12. So etwa Greßmann.
13. Caspari.
14. Dazu Mazar: VT 1963, S. 310ff.
15. Vgl. dazu auch 1 Chr 12,1–24; es ist allgemein zugestanden, daß das dort Berichtete inhaltlich auf gute alte Tradition zurückgeht.
16. Auch Itthai von Gath befehligt ein Kontingent von sechshundert Landsleuten (2 Sam 15,18).
17. So Caspari, wohl auch Dhorme.
18. Hertzberg, auch van den Born.

trennbar an das Wohlergehen ihres Herren gebunden. Tatsächlich legt 28,2 selbst diesen Gedanken nahe. Auf der anderen Seite wird diese Absicht – wenigstens bei ruhigen Zeitläuften[19] – auch durch die räumliche Entfernung einer solchen Truppe von der Residenz noch nicht unmöglich gemacht. Die hohe Zahl der Familienangehörigen stellt für den Königssitz eine erhebliche Belastung dar, so daß eine Dislozierung, wie viele Ausleger mit Recht betonen, in der Natur der Sache lag; auch um eine Sicherung gegen den Süden zu haben, mochte sie vorgenommen werden, weniger wohl aus Mißtrauen gegen David selbst[20]. Selbst wenn man nicht direkt anzunehmen haben wird, daß die Überlassung eines zusagenden Aufenthaltsortes ein Punkt der Verhandlungen war, die vor dem Übertritt zwischen David und Achis gepflogen wurden[21], kann die höfische Formulierung V. 5 und die Möglichkeit, וְלָמָּה יֵשֵׁב עַבְדְּךָ בְּעִיר הַמַּמְלָכָה עִמָּךְ als Ausdruck demütiger Gesinnung zu verstehen, nicht aufheben, daß hier ein seines Wertes bewußter Dienstmann spricht, nicht ein hilfloser Flüchtling um Gnade bittet[22]. Daß die Forderung im Kontext als Ausdruck der Klugheit Davids verstanden werden soll, mit der Achis überspielt wird (beachte das geflissentliche בַּיּוֹם הַהוּא V. 6), gehört zur Tendenz der Darstellung und gibt keinen tragfähigen Grund für Überlegungen der Art ab, ob David sich damit von dem Kultus der fremden Gottheiten distanzieren wollte[23] – vermutlich blieb er ja auch in Ziklag an die Verehrung der Götter seines Herrn gebunden – oder sich ganz allgemein einer unbequemen Aufsicht zu entziehen suchte[24]. Ebenso hat die Frage, ob die Beutezüge, von denen hier berichtet wird, von Gath oder von Ziklag her angetreten wurden, nicht das Gewicht, das ihr in der Diskussion literarkritischer Fragen beigelegt wird[25]; für eine in Gath selbst garnisonierende Wachttruppe lagen solche Unternehmungen doch wohl von vornherein außerhalb ihres Aufgabenbereiches. Deutlich wird jedenfalls, daß das, was hier berichtet wird, sehr wohl den Herrschaftsstrukturen entspricht, wie sie die Völkerbewegungen der zweiten Hälfte des zweiten Jahrtausends in Palästina ausgebildet haben[26]. David tritt auf Grund der Dienste, die er zu leisten imstande ist, in ein Lehnsverhältnis zu Achis[27], indem er die Lehnspflichten, Gefolgschaft in Kriegsfällen und wohl auch Abgabepflichten, anerkennt, sonst aber verhältnismäßig selbständig bleibt.

Die rückschauende Notiz V. 6 gibt diesen Tatbestand noch richtig wieder. Mit der Nennung der מַלְכֵי יְהוּדָה setzt sie zwar die Verhältnisse des getrennten Reiches voraus; das nötigt aber nicht dazu, an die Zeit Hiskias und Manasses zu

19. Wenn man zu 2 Sam 15,18ff. annehmen muß, daß David den Itthai absichtlich in seiner näheren Umgebung behalten habe, könnte das bedeuten, daß der Aufstand gegen David nicht ganz unerwartet kam.

20. Das betonen, durchaus mit Recht, z. B. Kittel, Greßmann; Auerbach: Wüste I, S. 206.

21. Caspari.

22. Smith, Schulz.

23. Ein Gedanke von Budde, dem Caspari, Hertzberg zustimmen.

24. So die meisten.

25. Vgl. o. S. 476, Anm. 8 u. 9.

26. Alt II, S. 39ff.

27. Eigenartigerweise denkt Greßmann, nach den Anschauungen späteren europäischen Lehnsrechts, an einen Kauf von Ziklag.

denken und darin einen Anspruch auf einen früheren Besitzstand zu sehen[28]; der Besitz scheint viel eher noch unbestritten. Da es sich auf jeden Fall um eine zusätzliche erklärende Notiz handelt, kann sie sowieso nichts über das Alter der Gesamtüberlieferung aussagen[29].

Die Zeitangabe V. 7 versteht mit ihrem בִּשְׂדֵה פְלִשְׁתִּים anscheinend die Gesamtdauer des Aufenthaltes[30], ohne zwischen Gath und Ziklag zu unterscheiden. Obwohl sie nicht unbestritten ist (vgl. Anm. a zu V. 7), erscheint sie angemessen[31] und steht weder im Widerspruch zu 29,3, noch muß sie von daher übernommen sein. Im übrigen ist die Frage, wie lange David wirklich bei den Philistern gewesen sei, von vitalem Interesse; die Streichung dieser Angabe mit dem Einwand, daß man hier eine solche Nennung noch nicht erwarten könne[32], ist nicht zu begründen. Dies um so weniger, als V. 8 im Tempus der Erzählung fortfährt.

8–12 Es liegt im Rahmen seiner relativ selbständigen Stellung, daß David sich und die Seinen aus seinem Gebiet selbst erhalten mußte[33]. Raubzüge von Lehnsträgern wie die hier geschilderten werden durchaus im Interesse der Philister selbst gewesen sein, die damit einen mittelbaren Anspruch auf fremdes Gebiet erheben konnten. Die Plünderung von Kegila durch die Philister (Kap. 23) könnte auf derselben Linie gelegen haben. Die geographischen Angaben, die im einzelnen konkrete Ortskenntnis erkennen lassen und vielleicht gerade darum schon früh nicht mehr ganz verstanden wurden (vgl. Anm. c zu V. 8), weisen in den Raum der südlichen Steppe. Mit besonderem Nachdruck werden dabei natürlich die Amalekiter genannt; am Kampfe gegen sie konnte der Hörer Davids wahre Gesinnung am deutlichsten erkennen. Daß David nichts gegen seine eigenen Landsleute unternahm, braucht nicht in Frage gestellt zu werden. Das war nicht erst die Sache einer klugen, zielstrebigen Politik, die sich die Zukunft nicht verbauen wollte, sondern schon eine einfache Frage menschlichen Gefühls; es wird auch von Achis nie ausdrücklich verlangt. Nicht so sicher erscheint dagegen, daß, geschichtlich geurteilt, dies schon ein Doppelspiel bedeutet[34]. Die Annahme, daß die Stämme im Süden als Gegner Israels notwendig Freunde der Philister gewesen sein müßten[35], ist nicht mehr als eine nicht einmal wahrscheinliche Vermutung. In Wirklichkeit waren nomadische Stämme wohl immer eine Bedrohung seßhaften Lebens; und es leuchtet ein, daß das, was David tat, den Philistern nur dann unbekannt bleiben bzw. sie nicht zum Einschreiten veranlassen konnte, wenn sie uninteressiert waren. Mit dem Übergang zu den frequentativen Tempora V. 9 (וְהִכָּה, וְלֹא יְחַיֶּה, וְלָקַח) wird der Ablauf der Erzählung unterbrochen, um

28. Caspari.
29. Etwa Greßmann: ziemlich spät aufgezeichnet.
30. Anders Caspari: Aufenthalt in Ziklag bis zum Antritt des ersten Zuges.
31. Anders Schulz.
32. Nowack, Dhorme; auch noch Budde: Bücher, S. 231; anders im Kommentar.
33. So schon Alfred Bertholet: Die Stellung der Israeliten und der Juden zu den Fremden. 1896, S. 38.
34. Für die Berechtigung dieser Auffassung treten auch Kittel (Geschichte des Volkes Israel II. 7. Aufl. 1925, S. 96) und Noth (Geschichte, S. 167) ein.
35. So etwa Hertzberg.

ein für diese Requisitionszüge charakteristisches Verhalten Davids einzufügen; er wird dann mit וַיֵּשֶׁב וַיָּבֹא wieder aufgenommen. Schon Budde hat richtig erkannt, daß diese Worte eigentlich den Vordersatz zu V. 10 bilden[36]. Die nicht nur unnötige, sondern unrichtige Konjektur וַיָּבֵא (vgl. Anm. c zu V. 9) hat den Tatbestand verfälscht und dem Gedanken Vorschub geleistet, daß diese Unternehmungen von Gath aus durchgeführt worden sein müßten[37] und daß Achis von seinem Lehnsträger regelmäßige Gewinnbeteiligung an der Beute verlangt habe[38]. Die Abgabepflicht wird aber viel allgemeiner gewesen sein. Auch V. 11 kann nicht von einer Verpflichtung verstanden werden, etwaige Gefangene zum Sklavenmarkt nach Gath zu bringen[39]. Es ist also berechtigt, die Praxis Davids zunächst für sich zu beurteilen.

Daß David um einer schlauen Taktik willen kaltblütig Menschen erschlagen habe, bereitet ja immer wieder einen Anstoß, der weder durch die Entschuldigung, daß David eben ein Kind seiner Zeit gewesen sei[40], noch durch die Feststellung beseitigt werden kann, daß der Verfasser nur referiere, ohne zustimmend Stellung zu nehmen[41]; zumal für diese Lüge ein wirklicher »Notstand« nicht in Anspruch genommen werden kann[42]. Ebensowenig reicht hier der Hinweis darauf aus, daß in vorexilischer Zeit die Ermordung eines Volksfremden nicht als Frevel gegolten habe[43]; so richtig die Feststellung an sich ist, kann sie sich doch nicht auf diese Stelle stützen. Zunächst ist aber zu berücksichtigen, daß im Hintergrund der Darstellung die Welt des Heiligen Krieges steht[44]; David vollstreckt den Bann an den Gegnern Israels, vornehmlich an Amalek (vgl. zu Kap. 30). Auf diese Weise wird der konkrete Anlaß überhöht; aus einem Beutezug ist eine מִלְחֶמֶת יְהוָה geworden. Überhöhungen dieser Art sind auch sonst in der frühen Geschichtsschreibung nichts Ungewöhnliches. Darüber kann natürlich zugleich die Frage gestellt werden, wie weit diese Praxis konsequent durchgeführt worden ist und ob sie überhaupt durchgeführt werden konnte. Caspari hat das ganz richtig empfunden, allerdings die eigentliche Sachfrage sofort wieder verdunkelt mit seiner Textänderung (vgl. Anm. a zu V. 9) und seiner Auffassung, daß zwischen David und Achis Abmachungen bestanden hätten, nach denen er zu nicht mehr als Viehraub verpflichtet war. Zugleich wird aber deutlich, wie stark sich die Darstellung bereits von ihrem Wurzelboden entfernt hat. Die Säkularisierung geht weit über das hinaus, was in dieser Hinsicht etwa zu Kap. 17 (s. o. S. 326f.)

36. So unsere Übersetzung, auch Hertzberg; ähnlich, wenn auch abschwächend, Caspari.

37. Zur inneren Unwahrscheinlichkeit o. S. 478; dagegen auch Ehrlich, wenngleich sein Gedanke, David bringe nur Beute nach Gath, auch noch zu eng gefaßt erscheint.

38. So allerdings die meisten; auch Alfred Bertholet: Die Stellung der Juden und Israeliten zu den Fremden. 1896, S. 38.

39. Hertzberg; ähnlich schon Budde.

40. Van den Born.

41. Rehm.

42. Dazu Klopfenstein: Lüge, S. 343.

43. Klaus Koch: »Sein Blut bleibe auf seinem Haupt«. VT 1963, S. 411.

44. Vgl. dazu Brekelmans: Ḥerem, S. 154 (der allerdings hier sehr zurückhaltend urteilt), auch Hertzberg; zu Nübel s. o. S. 476.

schon festgestellt werden konnte. Dieser Bann wird nur an Menschen vollzogen und nicht auf ihren Besitz ausgedehnt[45], diesen benutzt David vielmehr dazu, um seine eigene Kraft zu stärken. Das hat zunächst einmal seinen Grund in der anderen Situation; es ist eben doch ein auf der Initiative Davids stehendes Unternehmen. Aber weiterhin entspricht es auch gerade der veränderten Kriegsauffassung und Kriegsführung, die als Problem bereits Kap. 14 (o. S. 273) begegnete und die dann von David grundsätzlich praktiziert worden ist (s. besonders zu 30,21–25).

Dieser geschichtlich zuerst einmal aus sich selbst verständliche Bericht erhält mit V. 10ff. eine neue Akzentuierung und findet eine Erklärung aus der besonderen Lage[46]. Er ist offenbar etwas jünger, doch braucht der Abstand nicht als sehr groß angenommen zu werden; jedenfalls hebt er die literarische Einheitlichkeit des Abschnittes nicht auf, denn schon die Zeit Salomos war eine Zeit typischer Aufklärung[47]. Der Schlüssel zum Verständnis liegt in V. 11a, der an und für sich nichts Neues bringt, darum aber ebensowenig als nachträgliche Glosse gestrichen werden darf[48], wie man auf der anderen Seite V. 9b.10 als Erweiterung ansehen kann[49]. Die Aussage ist an dieser Stelle deswegen wichtig, weil durch sie zwei Gedanken in Beziehung zueinander gebracht werden sollen. Nübel hat richtig erkannt, daß der Bann und die Täuschung des Achis sekundär aufeinander bezogen sind. Dahinter steht wohl die für den Hörer dieser Geschichten noch immer nicht beruhigend beantwortete Frage – sie war am beunruhigendsten in der ersten Königszeit –: Wie konnte David, wenn er so konsequent israelitische Interessen vertrat, sich überhaupt in philistäischen Diensten halten[50]? Vielleicht – aber das ist nun ganz hypothetisch – klingt auch ein Zweifel mit: Wie kommt es, daß davon so wenig allgemein bekannt geworden ist[51]? Die Antwort klärt nach allen Seiten. Es ist David gelungen, Achis über das wahre Ziel seiner Expeditionen zu täuschen und ihn im Glauben zu festigen, einen zuverlässigen Parteigänger gegen Israel gefunden zu haben. Das war aber möglich, weil er alle Fragen und Zweifel von vornherein dadurch ausschaltete, daß er jeden Zeugen ausrottete. Die es hörten, haben keinen Anstoß daran genommen, sondern es als Zeichen der Überlegenheit Davids gewertet. Vielleicht sahen sie in dieser Handlungsweise ein kleineres Übel als im Verrat.

28,1–2 Handelte es sich bisher um Maßnahmen eines kalten Krieges, so

45. Hertzberg vermutet, daß deswegen hier das Wort חֵרֶם nicht gebraucht wird. Zur Frage der Beute und ihrer Verwendung vgl. Stoebe, in: Baumgartner-Festschrift, S. 340ff.

46. Erklärung ursprünglich religiös begründeter Gegebenheiten aus ihnen wesensfremden profanen Erwägungen kann man noch heute im Orient beobachten.

47. Von Rad: Krieg, S. 39.

48. Klostermann, Smith, wohl auch Dhorme; dagegen wendet sich mit Recht schon Budde.

49. So Schulz.

50. Wie berechtigt diese Frage war, erhellt aus der fast durchgehenden Bemerkung moderner Kommentatoren, daß dies ein gewagtes Spiel war, das zum guten Glück für David zur rechten Zeit sein Ende fand; so besonders Kittel: Geschichte des Volkes Israel II. 7. Aufl. 1925, S. 96.

51. Indirekt liegt das auch in der lakonischen Feststellung van den Borns, was die Schlachtopfer dazu gesagt hätten, werde einfach übergangen.

wenden sich diese Verse jetzt dem letzten Ernstfall zu, der kriegerischen Auseinandersetzung zwischen Philistern und Israeliten, die schließlich zum Tode Sauls und zum Zusammenbruch seines Werkes führt. Hier muß David seine Gefolgschaft, zu der er verpflichtet ist, vor allen Augen unter Beweis stellen. Die Ernennung zum שֹׁמֵר לְרֹאשׁ ist vermutlich weder ein besonderer Ehrenposten[52] noch Ausdruck eines Mißtrauens[53], sondern soll in erster Linie die Konsequenz aus der Lage herausstellen, in die sich David begeben hat. Wieder ist die trotz militärischen Sprachstils (vgl. Anm. a zu 28,2) psychologische Art der Darstellung zu beachten. Auf der einen Seite der vertrauensvolle Achis, auf der andern Seite David, der eine zustimmende, ja freudig zustimmende Antwort geben kann, die jeden Verdacht ausschließt, und der sich doppeldeutig damit doch die Freiheit seiner Entscheidung vorbehält. Damit bricht die Darstellung vorerst ab.

52. Etwa Budde, Ehrlich, Schulz, Caspari.
53. Etwa Budde, Schulz, Hertzberg.

28,3–25 Saul bei der Hexe zu Endor

3 Samuel war gestorben; ganz Israel hatte ihm die Totenklage gehalten und ihn in Rama [das war nämlich seine Heimatstadt][a] begraben. Saul indessen hatte Totenbefragung[b] und Zauberwesen[c] aus dem Lande ausgerottet. 4 Und nun wurden die Philister aufgeboten; sie rückten vor und bezogen ein Lager in Sunem[a]. So bot auch Saul ganz Israel auf; sie bezogen Lager auf (dem Berge) Gilboa[b]. 5 Als Saul das Heerlager der Philister sah, fürchtete er sich sehr und sein Herz verzagte. 6 Und als Saul sich dann um Weisung an Jahwe wandte, gab Jahwe ihm keine Antwort (mehr), weder durch Traumoffenbarungen[a] noch durch Orakelbescheid[b] noch durch Propheten(mund). 7 So gebot Saul seinen Leuten: »Dann macht mir ein Weib ausfindig, das sich auf Totenbeschwörung versteht[a], daß ich hingehe zu ihr und sie befrage.« Seine Leute gaben ihm zur Antwort: »Solch eine Totenbeschwörerin gibt es doch in Endor[b].« 8 Da vermummte[a] sich Saul, zog andere Kleider an und machte sich mit zwei Männern auf den Weg. Als sie bei dem Weibe anlangten, war es Nacht[b]. Er forderte: »Sage mir wahr[c] mit deiner Totenbeschwörung und schaffe mir den herauf (aus der Unterwelt), den ich dir nennen werde.« 9 Das Weib erwiderte ihm: »Du weißt doch selbst, was Saul gemacht hat, wie er Toten- ⟨und Geisterbefragung⟩[a] aus dem Lande ausgetilgt hat. Warum stellst du mir da eine Falle, mich umzubringen?« 10 Doch Saul schwor ihr bei Jahwe zu: »So wahr Jahwe lebt, dir soll nicht Schuld noch Schade[a] aus der Sache erwachsen[b]«. 11 Da fragte das Weib: »Wen soll ich dir denn heraufrufen?« Er antwortete: »Den Samuel ruf mir empor.« 12 Als das Weib Samuel[a] erblickte, schrie sie laut auf; und das Weib sagte zu Saul: »Warum hast du

mich so betrogen? Du bist ja Saul.« 13 Doch der König beruhigte sie: »Hab doch keine Furcht! Nur zu[a], was siehst du denn?« Das Weib gab Saul zur Antwort: »Einen Geist[b] sehe ich aus der Erde[c] heraufsteigen.« 14 Er drang weiter in sie: »Wie sieht er denn aus[a]?« Sie beschrieb: »Ein alter Mann[b] steigt auf, und in einen Mantel[c] ist er gehüllt«. Da wußte Saul, daß es wirklich Samuel war; er neigte sich tief, das Antlitz zur Erde, und erwies ihm untertänige Ehrerbietung. 15 Samuel aber sprach zu Saul: »Warum hast du mich aus meiner Ruhe aufgestört[a] damit, daß[b] du mich (zur Erde) emporgerufen hast?« Saul gab zur Antwort: »Ich bin in Todesangst; die Philister sind zum Kampf gegen mich angetreten, und Gott steht mir nicht mehr zur Seite[c]; er gibt mir weder durch Prophetenmund noch durch Traumoffenbarung mehr Antwort[d]. So rief ich nach dir[e], daß du mir zu wissen gibst, was ich tun soll.« 16 Samuel erwiderte (nur): »Warum fragst du dann noch mich, wo doch[a] Jahwe sich von dir abgekehrt hat und (selbst) dein Feind[b] geworden ist? 17 Jahwe hat nun endgültig[a] ausgeführt, wie er durch mich angedroht hat[b]; das Königtum hat Jahwe aus deiner Hand gerissen und hat es dem gegeben, der dir zur Seite stand, David[c]. 18 Weil du nicht auf sein Geheiß gehört hast und nicht seinen flammenden Zorn[a] an Amalek vollstrecktest, darum[b] hat Jahwe heute dir dies getan. 19 [Und auch Israel wird Jahwe mit dir in die Hand der Philister geben][a]. Morgen seid (ihr), du und deine Söhne, bei mir[b]; auch Israels Kriegsmacht[c] wird Jahwe in die Hand der Philister geben[a].« 20 Da schlug Saul wie gefällt[a] der Länge nach zu Boden und war zutiefst verstört von den Worten Samuels. Er hatte auch gar keine Kraft mehr in sich, denn er hatte den ganzen Tag und die ganze Nacht keinen Bissen mehr gegessen. 21 Da trat das Weib zu Saul, und als sie sah, daß er ganz vernichtet war[a], sprach sie zu ihm: »Nun sieh doch, deine Magd hat auf dich gehört, und ich habe mein Leben aufs Spiel gesetzt[b] damit, daß ich deinen Worten gehorcht habe, die du mir sagtest. 22 Nun höre (dafür)[a] auch du auf deine Magd; ich will dir einen Bissen Brot vorsetzen[b], den iß, daß du wieder bei Kräften bist, wenn du deinen Weg gehen mußt.« 23 Doch er weigerte sich und sagte: »Ich bringe nichts herunter.« Aber seine Leute und auch das Weib drängten ihn[a], daß er (schließlich) auf sie hörte, von der Erde aufstand und sich aufs Bett[b] setzte. 24 Nun hatte das Weib ein Mastkalb[a] im Haus, das schlachtete sie schnell, nahm Mehl[b], knetete es durch und backte[c] daraus Brotfladen. 25 Das setzte sie Saul und seinen Leute vor; die aßen, standen auf und gingen in selbiger Nacht[a].

3 a) Das explikative וְ (vgl. GK § 154a; Hertzberg; de Boer: OTS 6. 1949, S. 80) ist schon von den Vers nicht mehr verstanden worden (𝔗 Erweiterung וּסְפָדוּ ... בְּקַרְתֵּיהּ; 𝔖 *beqirteh*). Auch wenn man mit 𝔊 וְ einfach tilgt (so die meisten), ließe die ungewöhnliche Stellung statt בעירו

ברמה an eine nachträgliche Ergänzung denken, deren Grund unklar ist, aber in der Absicht liegen könnte, das Begräbnis Samuels und Sauls gegeneinanderzustellen (Smith: Ergänzung nach 25,1 unter Änderung des anstößigen בְּבֵיתוֹ). Sehr weit hergeholt ist die Annahme einer Verschreibung aus בְּעֵר als Variante zu הֵסִיר (Perles I, S. 84; Ehrlich); ebenso die Konjektur בְּעִידוֹ »bei seiner Sippe« (Wutz: Systematische Wege, S. 122). b) Jes 29,4 allein, sonst regelmäßig zusammen mit יִדְּעֹנִי(ם) (Lev 19,31; 20,6.27; Dt 18,11; 2 Reg 21,6; 23,24; Jes 8,19; 19,3!), woraus Jirku auf ein Hendiadyoin schließt (Die Dämonen und ihre Abwehr im Alten Testament. Leipzig 1912, S. 6ff.; zustimmend jetzt auch H. Wohlstein: Zu den altisraelitischen Vorstellungen von Toten- und Ahnengeistern. BZ 1961, S. 33). Friedrich Schwally: Das Leben nach dem Tode nach den Vorstellungen des Alten Israel und des Judentums. Gießen 1892, S. 69 denkt wenigstens an das Verhältnis von Hauptausdruck und Epitheton. Beides wird wohl gerade durch diese Stelle als unrichtig erwiesen. Die Etymologie ist unsicher; viel Wahrscheinlichkeit hat die Verbindung mit arabisch *'āba* (med. w) und die Erklärung als revenant (KöW, auch Eichrodt: Theologie II, S. 146). Ob eine Verbindung von אוב zum ugaritischen *'ib* (2 Ahqt: 1,27. UgMan II, S. 181) besteht (so Albright: Religion, S. 277), ist sehr fraglich; UgLit, S. 86 übersetzt »ancestral gods«. Zur Sache vgl. J. Gray: The Legacy of Canaan. VTS 5. 1957, S. 75f; 2. Aufl. 1965, S. 109; jetzt auch Vattioni: Augustinianum 1963, S. 461ff. Jedenfalls ist die einfache Wiedergabe von אוב durch »Geist« (Edward Langton: Good and evil spirits. London 1946, S. 184f.) zu allgemein. Die Erklärung von אוב als »Schwirrholz« (H. Schmidt: אוב. In: Marti-Festschrift. 1925 [BZAW 41], S. 253ff.) ist trotz gelegentlicher Zustimmung (Hertzberg; in ähnlicher Richtung [»Schale«] auch Wohlstein) ohne Wahrscheinlichkeit. Das muß auch von der Annahme gelten, es handele sich um einen menschlichen Schädel, der für magische Praktiken hergerichtet wurde (Smith). Dazu auch J. Levy: Neuhebräisches Wörterbuch über die Talmudim und Midraschim Bd. I. 1876. 𝔊 ἐγγαστριμύθους, 𝔅 zu V. 7 »mulierem habentem pythonem« denken nicht von vornherein an Betrug, sondern entsprechen den Vorstellungen der griechisch-römischen Welt (Trencsényi-Waldapfel: Acta Orientalia Academiae Scientiarum Hungaricae 1961, S. 201–222). c) Eigentlich »die Wissenden«, es kennzeichnet zunächst wohl nicht die Leute, die sich auf die אבות verstehen (so z. B. Eichrodt, a. a. O; s. auch Anm. b), sondern nach Lev 20,27 besondere Wahrsagegeister (vgl. auch Sigmund Mowinckel: Religion und Kultus. Göttingen 1953, S. 68 »die Seele der Verstorbenen«). Beide Ausdrücke werden dann konkret für Mantik und die Mantiker selbst gebraucht. Einen Bedeutungswandel nimmt auch Wohlstein an. Zur Sache auch Hoffner, H. A.: Second Millenium Antecedents to the Hebrew 'ôb. JBL 1967, S. 385–401.

4 a) 𝔖 שכים; Sunem ist eine schon in den Amarnatafeln genannte (Alt III, S. 169ff.) Ortschaft in Issachar (Jos 19,18), jetzt *sōlem* am Südhang des *nebi daḥi* gegenüber dem Berge Gilboa (Abel: Géographie II, S. 470; Simons: Texts, § 714; vgl. auch A. Alt: PJ 1927, S. 47). b) 𝔖 גלגל. Der die Jesreelebene nach Südosten abschließende Bergzug, heute *ǧebel fuqūʿa* mit dem Dorf *ǧalbūn*, 9 km südwestlich von Beth-Sean. Selbst wenn hier die konkrete Angabe eines Ortes beabsichtigt ist (vgl. zu 29,1), kann er nicht mit diesem Dorf identisch sein (Abel: a. a. O., S. 62; Simons: Texts § 92; BHH I, Sp. 571. Zum ganzen Gebiet A. Alt: PJ 1927, S. 38ff.).

6 a) Wenn es auch nicht ausdrücklich gesagt wird, ist an eigene Träume zu denken (vgl. 1 Reg 3,5; zur Sache sonst Ernst Ludwig Ehrlich: Der Traum im Alten Testament. 1953 (BZAW 73), S. 139ff. b) S. auch zu 14,41; die Etymologie des Wortes ist unerklärt (KBL, S. 23), zur Endung vgl. A. Jirku: Die Mimation in den nordsemitischen Sprachen und einige Bezeichnungen der altisraelitischen Mantik. Bibl 1953, S. 78–80. Als Mittel des Orakelbescheides gehören sie mit dem אֵפוֹד zusammen (s. Exkurs S. 363) und werden zumeist in Verbindung mit den תֻּמִּים genannt (Ex 28,30; Lev 8,8; Dt 33,8; Esr 2,63; Neh 7,65; auch 𝔊 zu 14,41); daß sie hier und Num 27,21 allein erwähnt werden, ist wohl nur abkürzende Redeweise. Die relative Jugend der genannten Stellen rechtfertigt nicht die Skepsis gegen das Alter der Einrichtung (gegen William R. Arnold: Ephod and Ark. Cambridge 1917, S. 134ff.). Im Gegenteil spricht die Tatsache altarabischer Analogien (Julius Wellhausen: Reste arabischen Heidentums. 2. Aufl. Berlin 1927, S. 133f.) eher für hohes Alter (Eichrodt: Theologie I, S. 63f.). Über das Aussehen dieser Lose, ob es sich dabei um Stäbchen (so nach Hos 4,12 z. B. R. Preß: Das Ordal im Alten Testament. ZAW 1933, S. 229) oder um Steinchen (Galling: RGG VI. 3. Aufl. 1962, Sp. 1194) gehandelt habe, ist nicht zu entscheiden. Vermutlich bedeutet ein

Zeichen »Ja«, das andere »Nein«, so daß damit, welches Zeichen beim Schütteln aus dem Ephod heraussprang, Alternativfragen beantwortet werden konnten; es scheint auch möglich gewesen zu sein, daß, wie hier, eine Weisung ausblieb. Daß die Namen mit dem ersten und letzten Buchstaben des Alphabets zusammenhängen (so zuletzt wieder E. Robertson: 'urīm and tummīm; what were they. VT 1964, S. 67–74), ist ebensowenig zu erweisen wie die Annahme, daß אוּרִים das ungünstige Omen sei (Preß) oder daß das Wort von der Wz. ארר abgeleitet werden könne (Julius Wellhausen: Prolegomena zur Geschichte Israels. 3. Aufl. Berlin 1886, S. 412). Diese Stelle spräche wohl eher dagegen. Beachtung verdient auch die Überlegung, daß es sich um verschiedene Orakel handele, von denen אוּרִים zur Erforschung der Zukunft, תֻּמִּים bei Gerichtsfällen verwendet wurde (J. Schoneveld: Urim en Tummim. Orientalia Neerlandica 1948, S. 216–222). Vgl. noch zu der ganzen Frage E. Robertson, a. a. O., obwohl seine eigene Deutung auf die als Zahlen gebrauchten Buchstaben des Alphabets auch nicht befriedigt). Zuletzt Lipinski, E.: 'ŪRIM and TUMMIM. VT 1970, S. 495 f. (Zwei Steine; Antwort: Ja-Nein).

7 a) Zum St. cstr. vor syntaktischer Apposition vgl. BroS § 70d; GK § 130e (GK § 96 scheint dagegen an eine ungewöhnliche Form des St. abs. zu denken). b) Ort in Manasse, Jos 17,11. Gegen die Gleichsetzung mit dem heutigen Dorfe *indūr*, südlich vom Tabor am nördlichen Abhang des *nebi daḥi*, das die Namenstradition fortsetzt (so noch Abel: Géographie II, S. 316), spricht der archäologische Befund (A. Alt: PJ 1927, S. 41 f.). Wahrscheinlich ist es die einen Kilometer nordöstlich von *indūr* gelegene *ḫirbet ṣafṣāfe* (N. Zori: New light on Endor. PEQ 1952, S. 114–117; so jetzt auch Simons: Texts, § 715; BHH I, Sp. 409).

8 a) Vgl. 1 Reg 20,38; 22,30; zum Inhaltlichen auch 1 Reg 14,2. b) Zur zeitlichen Möglichkeit, den Weg hin und zurück in einer Nacht zu machen, siehe A. Alt: PJ 1931, S. 41. c) Ketib wäre Pausaform im Kontext (GK § 46e; BLe § 2w); Qere קָסֳמִי (GK § 10h; BLe § 20j; 41b).

9 a) Die Annahme einer Haplogr (DelF § 8a מ u. die meisten) liegt näher als der Gedanke an eine abgekürzte Pluralschreibung (Perles I, S. 29) oder an eine Mimation (A. Jirku: Die Mimation in den norsemitischen Sprachen und einige Bezeichnungen der altisraelitischen Mantik. Bibl 1953, S. 78–80).

10 a) Knierim: Sünde, S. 191. Den Gedanken der aus der Schuld resultierenden Gefahr betont stärker C. A. Ben-Mordecai: The iniquity of the Sanctuary. JBL 1941, S. 311–314. b) Dagesch dirimens GK § 20h.

12 a) 𝔐 wird durch die Vers gestützt; die aus inhaltlichen Erwägungen vorgenommene Konjektur שָׁאוּל (𝔊4MSS; Perles I, S. 81; Ehrlich, Budde, Nowack, Tiktin) ist ohne die Änderung des ebenfalls gut bezeugten וַתֵּרֶא in וַתִּפֵּר (von Tiktin konsequent vollzogen, von Budde abgelehnt) ebensowenig eine Erleichterung wie die Vokalisation וַתִּירָא (Joüon: MUB 5/2. 1912, S. 470). Hertzbergs Vorschlag וַתִּשְׁמַע אֶת־שֵׁם שְׁמוּאֵל würde den Anstoß beseitigen, bliebe aber graphisch schwierig. Caspari will daraus sogar einen Aufschluß über die Zauberpraktiken gewinnen (»sie zündete an und schrie gellend«).

13 a) כִּי ist weder zu streichen (Ehrlich), noch weist es auf den Ausfall eines Satzes (Tiktin); es ist deiktische Partikel, die die erregte Spannung des Augenblickes wiedergibt. 𝔊 (𝔙𝔖) *εἰπόν* ist sinngemäße Auflösung, die nicht als אִמְרִי in 𝔐 übernommen zu werden braucht (so Budde, Dhorme). b) אֱלֹהִים ist Abstraktplural (GK § 132h). Auch ohne die für diese Stelle nicht überzeugende Annahme, daß es ursprünglich kein Pl. war, sondern die alte Mimation in seinem Konsonantenbestand bewahrt hat und erst später als Plural aufgefaßt wurde (L. M. von Pákodzdy: Theologische Redaktionsarbeit in der Bileamperikope. In: Eißfeldt-Festschrift. 1958 [BZAW 77], S. 166), ist es trotz pluralischen Prädikats עֹלִים kein Hinweis auf mehrere Erscheinungen (so 𝔊, S. R. Driver). Im Hintergrund der Darstellung steht der gemeinsemitische und auch von Israel geteilte Glaube an die reale Existenz der Abgeschiedenen רְפָאִים in der Totenwelt (zur Sache vgl. Eichrodt: Theologie II/III, S. 146); indessen läßt sich schon ein gewisser Abstand von dem Wurzelboden dieser Vorstellungen erkennen. Die Bezeichnung אֱלֹהִים für den Totengeist ist an dieser Stelle im AT einmalig; es wird ihm damit keine Göttlichkeit, wohl aber eine übernatürliche, außerordentliche Fähigkeit zuerkannt, was auch darin zum Ausdruck kommt, daß man von den Worten eines Sterbenden besondere Einsicht und Segenskraft erwartet. Im Ugaritischen

scheinen die רְפָאִים *rpum* stärker göttliche Potenz gehabt zu haben (Ch. Virolleaud: Les Rephaim: fragments de poèmes de Ras Shamra. Syria 1941, S. 1–30; anders, nämlich ursprüngliche Kultbeamte, die erst später mit den Toten als den zu Verehrenden gleichgesetzt wurden, J. Gray: The Rephaim. PEQ 1949, S. 127–139). Jedenfalls werden sie häufig zusammen mit den *elnym* genannt (G. R. Driver: Canaanite Myths and Legends. Edinburgh 1956, S. 66ff.: 3 Rephaim), worin man chthonische Gottheiten zu sehen hat, die in Verbindung mit Fruchtbarkeitsriten stehen (G. R. Driver: a. a. O., S. 9). Dieser Bezug fehlt hier völlig; so ist an die Furcht vor den Ahnen als Wesen zu erinnern, die den Lebenden in mancher Hinsicht überlegen sind (Christoph Barth: Die Errettung vom Tode in den individuellen Klage- und Dankliedern des Alten Testaments. Zollikon 1947, S. 59). Noch eher ist hier aber daran zu denken, daß im AT auch Menschen, die mit besonderer Kraft von Gott begabt sind, אֱלֹהִים genannt werden können (Ex 4,16; 7,1 Mose). So könnte hier der Gedanke mitklingen, daß der aus der Unterwelt zitierte Samuel Saul gegenüber die Stelle Gottes vertritt, mindestens aber die ursprünglichen Vorstellungen überlagert haben. Zur Möglichkeit eines allgemeinen Verständnisses (אֱלֹהִים »überirdisches Wesen«) vgl. noch J. Weingreen: The construct-genitive relation in Hebrew syntax. VT 1954, S. 57. c) Plastische Darstellung der Situation, keine Nötigung, hier אֶרֶץ als Unterwelt (so Vattioni: Augustinianum 1963, S.467) zu verstehen (jetzt wieder Holladay, W. L.: 'Ereṣ-»underworld«: two more suggestions. VT 1969, S. 123f.).

14 a) Ebenfalls situationsbedingt und kein terminus technicus für Vision (Vattioni: Augustianum 1963, S. 468). 𝔊 τί ἔγνως offenbares Mißverständnis. b) 𝔊 ὄρθιον ist wohl nicht einfache Verlesung (זָקֵף bzw. זָקֻף [Ehrlich] statt זָקֵן), die erst die jüdische Spekulation über die Art der Erscheinung ausgelöst hat (so Wellhausen), sondern bereits von diesen Spekulationen her beeinflußt; vgl. die Auslegung. c) Siehe zu 2,19 und vgl. vor allem 15,27.

15 a) Stören der Grabesruhe oder auch der Gebeine ist aus dem phönizischen Raum zu belegen (Inschriften des Tabnit und des Sohnes des *Šipiṭbaʿal*, KAI, Nr. 13,4 und 9A,5); im AT wäre die nächste Parallele Jes 14,9. b) GK § 114o; BroS § 107h. c) Wörtlich »wich von mir«; מֵעַל schließt den Gedanken des Schutzes ein. d) GK § 59f. e) Unklare Form; die Vokalisierung וָאֶקְרָאֶה (Klostermann) kann inhaltlich nicht überzeugen. Die Annahme einer Alternativlesart zwischen קרא und קרה (Eberhard Nestle: Marginalien und Materialien. 1893, S. 15) wird unter Bevorzugung des וָאֶקְרָא von den meisten übernommen (vgl. etwa Boström: Alternative Readings, S. 42), doch schiene קרה »begegnen« hier nicht eigentlich passend. Wenn mit einer Alternativlesart zu rechnen ist, besteht sie eher zwischen וָאֶקְרָאֶה (scl. בַּעֲלַת אוֹב) und וָאֶקְרָא לְךָ. Vielleicht darf man in dem ה den Rest einer indirekten Frage sehen: »ob es dir möglich ist, mir Weisung zu geben«. Aber auch das bleibt unsicher. So kommt ein großes Maß an Wahrscheinlichkeit der Auffassung als Kohortativ als einer Art Selbstermunterung zu (de Boer: OTS 6. 1949, S. 83), wozu Gn 32,6; 41,11; 43,21 verglichen werden könnte. Das καὶ νῦν κέκληκά σε bei 𝔊 würde indirekt dafür sprechen.

16 a) GK § 142d. b) 𝔊 (𝔖) μετὰ τοῦ πλησίον σου, wonach manche (z. B. Löhr, Dhorme, de Vaux) עִם רֵעֶךָ lesen. Von den anderen Vers wird der Gedanke der Feindschaft unüberhörbar betont (ʼΑ Θ κατὰ σοῦ = עָלֶיךָ, Σ ἀντίζηλός σου, 𝔅 »adierit ad aemulum tuum«; ähnlich auch die Paraphrase bei 𝔗), weswegen von den meisten (auch Keil) die Bedeutung Feind angenommen. wird, darüber hinaus von vielen in צָרֶךָ (z. B. Smith, Schulz, de Groot, DelF § 108a, ebenso Klostermann, Budde) geändert wird, weil ער »Feind« ein »nicht zu erwartender Aramaismus wäre« (S. R. Driver). Indessen besteht dieser Einwand nicht zu Recht und die Änderung ist unnötig (vgl. S. Speiser: Bemerkungen zu Amos. VT 1953, S. 309).

17 a) 𝔗𝔖 = 𝔐; 𝔊 σοι, 𝔅 »tibi« ist eine naheliegende Erleichterung und kein Grund zur Änderung in לְךָ (so Wellhausen, S. R. Driver und die meisten) oder zur Streichung (de Groot); לו ist vielmehr als dativus commodi (GK § 119s) aufzufassen (so auch Rehm, Hertzberg), durch den hier wohl das Unabänderliche des Ratschlusses Jahwes unterstrichen werden soll. b) 15,26.27. c) לְדָוִד wird von einigen (z. B. Löhr, Nowack, auch Schulz, Caspari u. a.) als spätere Beischrift getilgt, womit wohl die Problematik des ganzen Abschnittes verkannt ist.

18 a) Vgl. Hos 11,9. b) Die Gegenüberstellung כַּאֲשֶׁר – עַל־כֵּן ist zwar ungewöhnlich, recht-

fertigt aber nicht die Aufgliederung 17+18a; 18b+19 (Budde mit Vokalisierung וַיִּתֵּן). 𝔊B διὰ τοῦτο τὸ ῥῆμα läßt כֵּן aus und verrät damit ebenfalls Unsicherheit.

19 a) V. 19aα und 19b decken sich wenigstens inhaltlich; dabei gehört 19b zum ursprünglichen Erzählungsablauf (so richtig schon Wellhausen) und kann nicht nachträglicher Zuwachs sein (so vor allem Budde, auch Caspari), da 19aα mit גַּם und עִמְּךָ V. 19aβ.b voraussetzen (Löhr). b) 𝔊 μετὰ σοῦ πεσοῦνται, wonach entweder עִמְּךָ נֹפְלִים (Wellhausen, S. R. Driver, Smith u. a.) oder אַתָּה תִפֹּל וּבָנֶיךָ עִמְּךָ (Tiktin, Greßmann) vorgeschlagen wird; Caspari wenigstens אַתָּה וּבָנֶךָ מֵתִים. 𝔐 wird aber von 𝔗𝔖𝔙, auch 𝔊L σὺ καὶ ἰωναθαν ὁ υἱός σου μετ' ἐμοῦ gestützt und ist als der bildhaft stärkere Ausdruck beizubehalten (so schon Budde, Dhorme und alle Neueren). Die Ausweitung von 𝔊 zeigt wohl die Unsicherheit der Überlieferung angesichts des überfüllten Textes. c) מחנה knüpft an V. 4 an.

20 a) 𝔊 ἔσπευσεν; es ist fast ausnahmslos Wiedergabe der Wz. מהר und kann wegen des Vorkommens V. 21 (s. dort) nicht für ursprüngliches וַיִּבָּהֵל (Wellhausen, S. R. Driver, Löhr u. a.) in Anspruch genommen werden; zudem wäre es eine reichliche Plattheit. Der Einwand gegen יְמַהֵר, es setze ein bewußtes Tun voraus, ist konstruiert (vgl. dagegen schon Ehrlich). Die Vokalisation וַיְמָהֵר »da kam es plötzlich über Saul« (nach dem Vorgang von Klostermann auch Budde, Dhorme, Smith, zuletzt de Vaux; vgl. auch DelF § 75a) ist mit dem Hinweis auf Jes 35,4 angesichts Jes 32,4 nicht ausreichend zu begründen. Vielmehr scheint מהר hier den Charakter eines Modalverbs zu haben (KBL). Die Übersetzung ist ein Versuch, die Schnelligkeit des Vorganges wiederzugeben; vgl. auch Hertzberg, Rehm.

21 a) 𝔊 spinnt mit ἔσπευσεν den Gedanken von V. 20 weiter aus, s. dort. b) Vgl. 19,5, ein geläufiges Bild (Jdc 12,3; Ps 119,109; Hi 13,14), das jedoch 𝔖 »in deine Hand« mißversteht.

22 a) H. A. Brongers: Bemerkungen zum Gebrauch des adverbialen We ʿATTĀH im Alten Testament. VT 1965, S. 299. b) Bescheidenheit höflicher Rede. פַּת לֶחֶם als tatsächlich Geringes 2,36; Prv 28,21.

23 a) Wahrscheinlich eine zweite Wz. פרץ mit der Bedeutung פצר; vgl. auch 2 Sam 13,25.27. Eine ausdrückliche Änderung (BH3) ist wohl unnötig; zur Sache vgl. G. R. Driver: The root פרץ in Hebrew. JThS 1924, S. 177f. b) Ein Holzgestell mit einer Bespannung, auf die die Polster gelegt werden konnten (Benzinger: Archaeologie, S. 105; AuS VII, S. 186). Da es in der frühen Zeit wohl nur in Hofkreisen vorauszusetzen ist (19,15; 2 Sam 4,7; 11,2; 13,5; vgl. BRL, Sp. 109), ist die Nennung hier ein Anachronismus.

24 a) מַרְבֵּק kennzeichnet auch Jer 46,21; Am 6,4; Mal 3,20 besonders gutes Fleisch; die eigentliche Bedeutung ist »Anbindung«, arabisch *rabaqa* (vgl. dazu das idiomatische »Anbinder« für ein Kalb, das zu Schlachtzwecken im Stalle gehalten wird. Zur Sache AuS VI, S. 178). b) Wohl Weizenmehl AuS III, S. 292. c) Zur Form GK § 68h; BLe § 59g; vgl. auch DelF § 14a.

25 a) Beachte die lastende Schwere des Rhythmus und vgl. Gn 22,8. Das wird z. T. mißverstanden (Budde: »der Schluß klingt abgebrochen; ›sie gingen‹ – wohin?«).

28,3–25 SAUL BEI DER HEXE ZU ENDOR. 28,2 hat in Kap. 29 seine unmittelbare Fortsetzung; dieser Zusammenhang wird jetzt durch 28,3–25 zerrissen, die als Vorbereitung bereits zur Schilderung der letzten Schlacht Kap. 31 gehören. Diese Eigentümlichkeit der Komposition läßt sich nicht mit dem Ungeschick eines Redaktors erklären. Selbst dann, wenn eine von Kap. 27/29 verschiedene Quelle zu Worte käme[1] (vgl. u.), dürfte der Redaktion nicht ein solches Maß von Verständnislosigkeit zugetraut werden[2]. Das gleiche gilt auch für die Annahme, daß dieser Bericht seine ursprüngliche Stelle vor Kap. 31 gehabt habe, von der deuteronomistischen Redaktion um der theologischen Bedenklichkeit seines Inhalts willen unterdrückt und bei einer späteren Wiederaufnahme dann falsch eingestellt

1. Vgl. dazu die Überlegungen bei Smith.
2. So richtig schon Budde.

worden sei[3]. Ein Grund für eine solche nachträgliche Wiedereinfügung bestand schon deshalb nicht, weil damit, daß dieses Stück ausgelassen wurde, keine fühlbare Lücke entstand. Vielmehr bildet diese Schilderung zusammen mit 16,14–23 den Rahmen für die Geschichte vom Niedergang Sauls und dem Aufkommen Davids. Was sich Kap. 16 in der Geistverlassenheit Sauls im Ansatz abzeichnete, ist jetzt zur Vollendung gekommen[4]. War es durch das Eintreten Davids zunächst noch in der Schwebe gehalten, so steht dieser jetzt auf der anderen Seite (28,1–2). Diese Parallelen gehen bis in die äußere Verumständlichung: Auftrag an die Knechte (בַּקְּשׁוּ לִי V. 7a; רְאוּ־נָא לִי אִישׁ 16,17), und die Antwort: siehe, da ist jemand (V. 7b; 16,18)[5].

Auf der anderen Seite betonte man oft einen Zusammenhang mit Kap. 15[6], der vielfach auf Gemeinsamkeit der Quelle, also E bzw. einer dieser verwandten Schicht[7], zurückgeführt wurde. Dieses Urteil ist aber rein äußerlich und stützt sich auf V. 16–18, deren Ursprünglichkeit im Kontext zweifelhaft sein muß (vgl. u. S. 495). Die Problematik zeigt sich schon darin, daß von anderen Vertretern der Quellenscheidung[8] das Stück J zugewiesen wurde[9]. Das dafür angeführte Argument, daß Samuel hier anders als Kap. 15 nicht Beirat und Schiedsmann, sondern der Seher von 9,1–10,16 sei[10], ist dabei nur bedingt richtig. Die Unterschiede liegen weniger in Einzelzügen als im Gesamttenor der Darstellung, der trotz der aufgewiesenen Berührungspunkte auch von dem in 16,14–23 verschieden ist. Wir haben es hier mit einer selbständigen und ursprünglich für sich allein stehenden Überlieferung zu tun[11]; daß es sich dabei um eine an Endor haftende Lokalsage gehandelt habe[12], ist um so eher möglich, als die Geschichte nicht nur inhaltlich, sondern auch formal ihren engsten Zusammenhang mit Kap. 31 hat[13]. Indessen darf nicht außer acht gelassen werden, daß hier Novellistik im besten Sinne vorliegt, die mit großer Kunst, zugleich mit lebendigem menschlichem Gefühl die letzte Verzweiflung und die Todesverlassenheit Sauls nachzuzeichnen vermag[14]. Darin verrät sich doch ein gewisser Abstand von einer ortsgebundenen Überlieferung im eigentlichen Sinne, der freilich weniger zeitlich[15] als gedanklich ist, also nicht ausschließt, daß »diese Erzählung zum ältesten Bestand der Sage gehört[16]«. Auf keinen Fall handelt es sich um eine sekundäre Überlieferungsneubildung[17].

3. So Budde; danach Hölscher: Geschichtsschreibung, S. 373f.; zuletzt wieder Caird.
4. Zu diesem Kompositionsprinzip vgl. o. S. 401.
5. Worauf bereits in verschiedenen Kommentaren hingewiesen wurde.
6. So vor allem Wellhausen: Composition, S. 254; zuletzt noch de Groot, Goslinga; Beilner: Totenbeschwörung.
7. Z. B. Smith; SteuE, S. 322; Nowack, Kittel; Eißfeldt: Komposition, S. 17 (III).
8. So schon Budde: Bücher, S. 234; auch Cornill: Einleitung, S. 113; Dhorme; Hölscher: Geschichtsschreibung, S. 374.
9. Nübel zählt es ebenfalls zu seiner Grundschrift.
10. Vor allem Budde. 11. So schon Greßmann. 12. Hertzberg.
13. Vgl. dazu die Anordnung bei Budde, Greßmann.
14. Vgl. dazu die Darstellung bei Frazer: Folklore in the Old Testament. II. 1918, S. 520.
15. Vgl. von Rad: Theologie I, S. 61. 16. Greßmann.
17. Wie es Wellhausen: Composition, S. 251f. anzunehmen scheint.

3 Der Vers ist demgemäß weder als Ganzes[18] noch in seinen Teilen[19] eine aus 25,1 bzw. 28,12 geschöpfte redaktionelle Klammer, sondern eine literarisch geschickte und in sich wirksame Einleitung[20], ohne die die Darstellung an Eindrücklichkeit verlöre. Als solche spricht auch sie für die ursprüngliche Selbständigkeit des hier verarbeiteten Traditionsgutes. Die Angaben, die V. b über die Maßnahmen Sauls gemacht werden, dürften historisch zuverlässig sein. Wenn auch Zauberei und Nekromantik praktisch nie völlig aus Israel verschwunden sind[21], wurden sie doch als im Gegensatz zur genuinen Jahweverehrung stehend empfunden und unter Verbot gestellt, da sie mit selbständigen Mächten neben und außer Jahwe rechneten (vgl. Anm. a zu V. 13). Wenn die literarischen Bezeugungen auch verhältnismäßig jung sind, hindert doch nichts die Annahme, daß diese Anschauungen schon im alten Israel lebendig waren. Daß Saul ein solches Zauberwesen nachdrücklich verfolgte, es nicht nur aus dem Lande entfernte (V. 3), sondern seine Vertreter auch ausrottete (הִכְרִית V. 9), liegt durchaus in der Linie seiner konservativen Haltung[22]; es ist um so weniger zu bezweifeln, als schon Gudea von Lagasch um 2100 v. Chr. sich in seinen Inschriften rühmt, alle Zauberer und Hexen aus dem Lande getrieben zu haben[23]. Damit, daß diese Bemerkung am Anfang steht, wird sogleich auf die Tragik der Begebenheit hingewiesen; in der letzten Verzweiflung handelt Saul gegen eigenes Wissen und Gewissen. Es ist darum auch verfehlt, wenn man, wie etwa Ketter[24], religiöse Beweggründe abstreitet und nur politische anerkennen will, daß Saul die in diesen Kreisen bestehende Unzufriedenheit mit seiner Regierung ausschalten wollte[25]. Unberührt davon bleibt die Frage, ob Saul solche Maßnahmen auch konsequent in einem Gebiet durchführen konnte, das vermutlich nicht unbeschränkt seiner Aufsicht unterstand[26]. Offenbar liegt sie bereits außerhalb des Gesichtspunktes der Darstellung.

4 Auch die Angaben zur militärischen Situation erscheinen zuverlässig und unerfindbar; um so mehr, als hier und 29,1 zwei im Grunde gleiche, nur in Einzelheiten voneinander abweichende Darstellungen gegeben werden. Die großen Städte der Jesreelebene und auch des südlich daran anschließenden Berglandes, die nach Jdc 1,27 von Manasse nicht sofort erobert werden konnten, waren zur Zeit Sauls in der Hand der Philister oder boten ihnen wenigstens einen starken Rückhalt[27], was auch daraus hervorgeht, welche Rolle Beth-Schean 31,10 spielt.

18. Budde, Dhorme. 19. V. 3a: Smith, Caspari, van den Born; V. 3b: Nowack.

20. Hertzberg spricht von einer »Regieanweisung«; schon bei unbefangenem Lesen drängt sich für das וּשְׁמוּאֵל מֵת der Anfang des Christmas Carol von Dickens auf: »Marley was dead« (so übrigens auch Schulz).

21. Vgl. Anm. b zu V. 3; sonst zur Sache etwa Eichrodt: Theologie II, S. 145ff.

22. Vgl. ebenso zu 14,24ff. wie zu 2 Sam 21,2.

23. Zylinder A 13,14ff. Thureau Dangin: Die sumerischen und akkadischen Königsinschriften. 1907 (VAB I), S. 102ff.

24. Zu den Vorgängern dieses Gedankens in der jüdischen Literatur vgl. Beilner: Totenbeschwörung, S. 63.

25. So Eißfeldt: Komposition, S. 18; ähnlich (unbequeme Richtungen) auch Caspari.

26. Eine Frage, die Caspari durchaus mit Recht stellt.

27. Vgl. etwa J. Simons: Caesurae in the History of Megiddo. OTS 1. 1942, S. 17ff. (42).

Anzumerken wäre übrigens, daß Sunem in dieser Aufzählung nicht erwähnt wird[28]. Mit der Festigung des Königtums Sauls und der damit zusammenhängenden Stärkung des israelitischen Einheitsbewußtseins entstand zwangsläufig in diesem Raum eine Konfliktsituation, weil das Siedlungsgebiet der israelitischen Stämme durch die ungebrochene Existenz kanaanäisch-philistäischer Stadtstaaten hier noch nicht zu Abrundung und Sicherheit hatte kommen können. Saul mußte nach Lage der Dinge darauf bedacht sein, einen ungehinderten Zugang zu den Stämmen in Galiläa zu gewinnen[29], was wiederum eine Beeinträchtigung der Macht der Philister darstellte, denn das von ihnen beherrschte oder doch kontrollierte Gebiet wurde damit zerschnitten[30]. Es konnte also nicht ausbleiben, daß es hier zu einer militärischen Auseinandersetzung von grundsätzlicher Bedeutung kam. Einem mit zusammengefaßter Kraft (vgl. 29,1) vorgetragenen Angriff, der nicht auf das Episodenhafte einzelner Plünderungszüge beschränkt blieb, war Saul von vornherein unterlegen. Anscheinend sucht er, mindestens nach diesem Bericht, diesen Nachteil durch eine Stellung auf dem Berge Gilboa oder doch wenigstens in enger Anlehnung an ihn (vgl. Anm. b zu V. 4) auszugleichen, was für eine kräftemäßig unterlegene Truppe sicherlich eine geschickte Ausgangsposition war, zumal wenn sie vom Süden her aufmarschieren mußte.

5–6 Aber Saul kann sich nicht zu einer Ausnutzung dieser Situation oder zu einer entscheidenden Tat aufraffen. Die von profangeschichtlichen Erwägungen ausgehenden Versuche, dieses Versagen aus dem Wesen Sauls zu erklären – etwa so, er sei ein Haudegen, nicht eigentlich ein Truppenführer gewesen, der auch schwierige Situationen meistern konnte[31] –, treffen nicht den Kern der Sache. Wir bekommen hier tatsächlich das Negativ eines charismatischen Führertums vorgestellt, das entsteht, wenn einer, der auf unmittelbare Weisung angewiesen ist, keine Initiation mehr erhält. Die Art, in der das Schweigen Gottes dargestellt wird, mag in dem Nebeneinander der konventionellen Offenbarungsmittel die Systematik einer späteren Zeit widerspiegeln[32]; die Möglichkeit, durch den Orakelephod Weisung einzuholen, war durch die Flucht Abjathars zu David (23,6) ja sowieso genommen[33]. Die Nennung der Propheten in diesem Zusammenhang könnte aber doch eine zuverlässige Erinnerung daran enthalten, daß prophetische und charismatische Elemente in enger Verbindung standen, wie die Saulgeschichte ja auch sonst erkennen läßt[34].

28. Zu den mutmaßlichen Gründen dafür und den geschichtlichen Konsequenzen vgl. Alt III, S. 173.

29. Noth: Geschichte, S. 164. Vgl. jetzt auch dazu Hauer, Chr. E.: The shape of Saulide Strategy. CBQ 1969, S. 153–167.

30. Auerbach: Wüste I, S. 203; in Sunem hatten die Philister tatsächlich die Verbindungslinien Israels blockiert.

31. So Kittel: Geschichte des Volkes Israel. II. 7. Aufl. 1925, S. 101.

32. Zur Sache vgl. etwa Budde.

33. An dem Gewicht dieses Arguments kann man natürlich zweifeln. Aber die Erklärung, daß ein neuer Ephod angefertigt wurde (so Keil), ist jedenfalls eine unzulässige Hilfskonstruktion.

34. Vgl. zum Grundsätzlichen Rolf Rendtorff: Erwägungen zur Frühgeschichte des Prophetentums in Israel. ZThK 1962, S. 145ff. Übrigens verweist Tsevat, in: Sepher Segal, S. 86ff. für diese Dreiheit auf eine hethitische Parallele; doch dürfen solche Analogien nicht überlastet werden.

7–14 In dieser Not sucht Saul die Unterstützung, die Jahwe ihm verweigert, durch Zauberkunst zu erzwingen. Ob die Überlieferung vom Besuch Sauls bei der Hexe zu Endor einen geschichtlichen Kern enthält, ist unbeschadet ihres Alters nicht mit Sicherheit zu erweisen; immerhin bleibt es wahrscheinlich. Zum mindesten ist sie mit den topographischen Gegebenheiten gut vertraut. Der Weg nach Endor war zwar ein verzweifeltes Wagnis, das man nur unternimmt, wenn nichts anderes mehr bleibt, denn dabei mußte Saul die Postenreihen der Philister durchqueren oder sie zu umgehen suchen; aber es konnte gelingen, die Entfernung, etwa in jeder Richtung 10 km, war zwischen Abend und Morgen auch zu bewältigen (vgl. Anm. b zu V. 8). Abgesehen davon ist zu bedenken, daß dieser Bericht viel Sympathie mit Saul oder doch wenigstens Mitgefühl mit dem tragischen Ausgang seines Heldenlebens zeigt. Damit scheidet aber der Gedanke an eine spätere Tendenzbildung aus, die die Absicht gehabt hätte, die Verworfenheit Sauls klar ans Licht zu stellen. Gewiß weiß man auch hier, daß dieser letzte Ausweg Sauls ein Unrecht war — daß er in seiner guten Zeit selbst gegen diese Mißstände eingeschritten war, unterstreicht das noch –, aber die Darstellung bleibt ebenso davon entfernt, die Überlegenheit Samuels einseitig zu betonen[35], wie sie auf eine Verurteilung in der Art von 1 Chr 10,13 verzichtet, obwohl diese Linien sich hier bereits abzuzeichnen beginnen (s. zu V. 16–18). Mit Recht unterscheidet Hertzberg zwischen den Gedanken der eigentlichen Erzählung und dem Ton der Gesamtdarstellung. Damit beginnt nun aber schon die novellistische Ausformung der Episode, die man sich vor Augen halten muß, um nicht die einzelnen Angaben zu überlasten und so ein falsches Bild zu bekommen.

Nicht ganz vorbereitet ist es schon, daß die Knechte sofort von der Zauberin zu Endor wissen. Es darf nicht dahin interpretiert werden, daß die Maßnahmen Sauls nicht allzu ernst gemeint oder nicht allzu wirksam gewesen seien, daß diese Dinge bis in die Kreise des Hofes hinein offenes Geheimnis waren[36], daß diese Frau besonders berühmt gewesen sei[37] oder irgendwie sonst Protektion genoß[38]. Wie ihre Weigerung, ihre Furcht vor dem Gebot des Königs zeigt, wird sie als eine Frau vorgestellt, die noch einmal davongekommen ist und die sich seitdem still und unauffällig gehalten hat. Mag das Verkleiden und Verstellen vielleicht ursprünglich tatsächlich zum Ritual der Befragung eines Totengeistes gehört haben, obwohl die Beispiele dafür doch recht weit hergeholt erscheinen[39], so erklärt es sich hier vollauf aus der Situation. Saul darf weder von den Philistern noch von der Frau selbst erkannt werden. Das gilt wohl auch davon, daß die Befragung bei Nacht geschieht. An sich unabdingbar zur mantischen Praktik gehörend, unterstreicht es hier die lastende Hoffnungslosigkeit der Lage. Damit scheiden auch alle Fragen danach aus, wie man sich das Geschehen denn vorzustellen habe.

35. Wie es Sir 46,20 geschieht.
36. Hertzberg.
37. Ketter.
38. Beilner: Totenbeschwörung, S. 68, erinnert an jüdische Spekulationen, wonach die Frau die Mutter Abners gewesen sei.
39. Trencsényi-Waldapfel: Hexe, S. 211 f.

Israel teilt mit seiner Umwelt nicht nur die Vorstellungen von der Unterwelt überhaupt, wie die Beschreibung der Erscheinung V. 13 (vgl. Anm. b) deutlich macht, sondern auch die Überzeugung, daß es möglich sei, mit den Abgeschiedenen in Berührung zu kommen[40]. Das begegnet im ägyptischen Raum[41] in den kultischen Totenmahlzeiten – ein solches Totenopfer heißt »Herauskommen auf die Stimme«, weil es ja die Stimme des Hinterbliebenen ist, die den Toten aus der Gruft emporruft[42]. Ist es auch nicht unbekannt, daß durch dämonische Totengeister Krankheitsgefahren drohen, die durch Sprüche oder Amulette gebrochen werden müssen[43], so ist das Denken doch in erster Linie darauf gerichtet, selbst nach dem Tode die Bewegungsfreiheit zu sichern, die auch dem Abgeschiedenen Glück und Zufriedenheit gewährleisten[44]. Dementsprechend findet sich eine Totenbeschwörung im eigentlichen Sinne dort nicht. In Babylon, das durch sein Zauberwesen sowieso bekannt war[45], ist dagegen im Blick auf die Totengeister ein umfangreiches Ritual ausgebildet. Mag es sich dabei auch z. T. darum handeln, Schäden zu bannen, die von den Totengeistern drohen[46], so liegt es doch im Wesen alten Denkens in seiner Polarität[47], daß dieselben Kräfte auch für das Wahrsagewesen Bedeutung gewinnen, wofür es besondere Priester, die *mušēlû eṭimmê*, Heraufführer der Totengeister, gab[48]. Das bekannteste literarische Beispiel ist die Beschwörung des toten Engidu durch Gilgamesch, der Kunde von den Satzungen der Unterwelt erhalten will[49]. Charakteristisch für diese Darstellung ist, daß Nergal den Totengeist Engidus wie einen Windhauch aus der Erde herauffahren läßt (vgl. V. 13), nachdem er zuvor in ihr ein Loch geöffnet hat. Auf gleicher Linie liegt die Beschwörung des Sehers Teiresias durch Odysseus[50]; auch er gräbt mit dem Schwert eine Grube und schlachtet dann ein Opfer, dessen Blut er in die Grube fließen läßt, weil Blutgenuß die unerläßliche Voraussetzung für die Offenbarung der Zukunft ist (vgl. dazu u. zu V. 24)[51].

Ebensowenig wie die Frau, die er vorführt, hat der Verfasser selbst an der Möglichkeit solcher Totenorakel gezweifelt, wenn er sie auch ablehnt. Es ist nicht einmal notwendig, hier eine schillernde Doppeldeutigkeit anzunehmen, die aus dem Gesamttenor heraus etwas als Tatsache hinstellt, obwohl der Erzähler es gar nicht für eine Tatsache hält[52]. Die Frage nach der Verstehbarkeit des Vorganges bleibt damit also außerhalb des Ansatzes. Sie hat vor allem, aber nicht ausschließlich, die alte Kirche beschäftigt, die, an der wirklichen Erscheinung Samuels festhaltend, diese entweder für eine besondere Wirkung Gottes erklärte[53] – das hat

40. Vgl. darüber hinaus Edouard Dhorme: L'idée de l'Au Dela dans la Religion Hébraique. RHR 1941, S. 113ff.; Othmar Schilling: Der Jenseitsgedanke im Alten Testament. 1951; älter Adolphe Lods: La croyance à la vie future et le culte des morts dans l'antiquité israélite. 1906; dazu im Ganzen HAOG, S. 456; Pedersen: Israel I/II, S. 181

41. Jes 19,3.

42. Adolf Erman: Die Religion der Ägypter. 1934, S. 245.

43. Günther Roeder: Urkunden zur Religion des Alten Ägypten. 1923, S. 116.119.

44. Roeder: a. a. O., S. 208; vgl. etwa auch Hermann Kees: Totenglaube und Jenseitsvorstellungen der Alten Ägypter. 1956, S. 200ff.

45. Jes 47,12ff.

46. Vgl. Erich Ebeling: Tod und Leben nach den Vorstellungen der Babylonier. 1931, S. 122ff. (Beschwörungen und Riten gegen den Totengeist).

47. Etwa Albright: Religion, S. 40.

48. Bruno Meißner: Babylonien und Assyrien. II. 1925, S. 66. 264.

49. Tafel XII; AOT, S. 185; ANET, S. 98. 50. Odyssee XI, 13ff.

51. Dazu und zu weiteren Parallelen aus dem hellenistischen Raum: Trencsényi-Waldapfel: Hexe, S. 214ff.; auch ATAO, S. 497.

52. So Meir Weiss: Die Bauformen des Erzählens. VT 1963, S. 461f.

53. Etwa Origenes (Erich Klostermann: Origenes, Eusthatius von Antiochien und Gregor von Nyssa über die Hexe von Endor. 1912. Kleine Texte für Vorlesungen und Übungen 83). Vgl. hierzu und zum Folgenden auch Beilner: Totenbeschwörung, S. 85ff.

noch Vertreter in der neueren, vor allen Dingen katholischen Literatur[54] – oder aber darin ein dämonisches Blendwerk sah[55]. Von der Aufklärung an findet sich dann die Linie, die die Geschichtlichkeit des Berichtes durch die Annahme zu halten sucht, daß die Frau eine Betrügerin gewesen sei, zum mindesten sich selbst betrogen habe, und ihre Vorhersage sich aus gesundem Menschenverstand und nüchterner Beurteilung der Lage begreifen lasse[56]. Dabei bleibt freilich die besondere Form dieser Vorhersage unberücksichtigt, auch, daß man von dieser Voraussetzung her eher einen ermunternden Zuspruch hätte erwarten dürfen. Nicht wesentlich verschieden davon sind die letzten Versuche, den Vorgang parapsychologisch als Materialisation von Gedanken, Selbstvorwürfen und Befürchtungen Sauls zu begreifen, die die Frau erspürt hätte[57].

Abgesehen davon ist nun aber für das Verständnis der literarische Gesamtcharakter der Darstellung wichtig. Zunächst muß angemerkt werden, daß manche Einzelheiten, die für das Gesamtbild durchaus Bedeutung hätten, ungesagt bleiben; z. B. ist die Frage offen, woher die Zitation erfolgt, aus dem Grab oder aus der Unterwelt[58]. Das erste ist ausgeschlossen, denn das Grab Samuels war nicht in Endor; gegen das zweite aber würde sprechen, daß die Zitation, wie der Zusammenhang zeigt, im Hause erfolgt. Man hat zwar nach einem Fund in Gezer[59] an eine für die Zwecke der Mantik geeignete Höhle oder Doppelhöhle gedacht, was natürlich auch betrügerische Manipulationen erleichtert hätte. Aber so bedeutsam ein »Loch in der Erde« für die Zauberhandlung wäre[60], so ist eben hier nicht davon die Rede, und es ist auch durch das וַתָּבֹא V. 21[61] nicht zu erweisen. Ebenso unanschaulich bleibt aber auch der eigentliche Vorgang der Totenbeschwörung[62], woraus Schulz schloß, daß zwischen V. 11 u. 12 genauere Angaben darüber aus dogmatischen Gründen unterdrückt worden seien (vgl. auch Caspari zu V. 12, Anm. a Ende)[63]. Abgesehen davon, daß solche Ergänzungen immer etwas Mißliches bleiben, wäre damit nicht einmal viel gewonnen, denn damit verbindet sich die weitere Frage, woher die Frau V. 12 erkennt, daß Saul selbst ihr Auftraggeber ist. Hier liegt ein Problem vor, das nicht mit der Erläuterung aus der Welt geschafft ist, daß die Frau ihren Besucher längst erkannt, aber in kluger Berechnung durch ihren Schrei erst in diesem Augenblick gleichsam ihr übernatürliches Können unter Beweis gestellt habe. Das bestätigt auch

54. Z. B. Keil, Schlögl, Ketter, Leimbach.

55. Z. B. Eusthatius von Antiochien; so übrigens auch die Reformatoren.

56. Thenius, Budde; Kittel: Geschichte des Volkes Israel. II. 7. Aufl. 1925, S. 99; Frazer: Folklore in the Old Testament. II. 1918, S. 523f.; zuletzt noch Rehm.

57. So Beilner: Totenbeschwörung, S. 105ff.; ähnlich Goslinga; in gewisser Weise haben sie einen Vorgänger in Abraham Ibn Esra mit seiner Annahme einer durch psychologische Mittel hervorgerufenen Halluzination Sauls (nach Weiss: VT 1963, S. 463).

58. Hartmut Schmökel: Kulturgeschichte des Alten Orients. 1961, S. 493.

59. R. A. Stewart Macalister: Bible Side-Lights from the mound of Gezer. London 1907, S. 70.

60. Vgl. etwa Gilgameschepos Tafel XII, 61ff.

61. Dazu u. S. 496.

62. Was Beilner mit Recht betont; anders z. B. Budde.

63. So vor ihm schon Keil, Thenius; zuletzt Langton (V. 3, Anm. b), S. 155.

die jüdische Auslegung mit ihrer an sich abstrusen Konstruktion, daß Samuel im Gegensatz zum sonst Üblichen mit Rücksicht auf Saul aufrecht stehend erschienen sei (vgl. Anm. b zu V. 14)[64]. Diese Eigentümlichkeit hat, abgesehen von textkritischen Maßnahmen (vgl. Anm. a zu V. 12), zu dem Vorschlag geführt, V. 12b als eine an falscher Stelle in den Text gekommene Beischrift zu tilgen[65], was ebensowenig befriedigt wie die vom Inhaltlichen herkommenden Versuche, die Frau habe es an dem drohenden Aussehen der Erscheinung erkannt[66] oder sei auf Grund einer Ideenassoziation, die die Nennung des Namens Samuel in ihr ausgelöst hätte, darauf gekommen[67]. Zu einer solchen wäre in dem Augenblick, wo die Erscheinung schon begonnen hatte[68], freilich kaum noch Raum gewesen[69].

Diese aus dem Text selbst nicht zu erhellenden Schwierigkeiten erkären sich aus dessen literarischer Form und Absicht. Man muß zwischen dem אוֹב und der Erscheinung Samuels unterscheiden; die Totenbeschwörung ist hier durchbrochen[70], der in der Hütte von Endor stehende Geist Samuels ist kein אוֹב mehr. Die Darstellung drängt auf die letzte dramatische Begegnung Saul–Samuel hin. Wie Samuel am Anfang des Königtums Sauls stand, so steht er jetzt auch an seinem Ende. Die im Texte feststellbaren Unglattheiten, die auch Reinach gesehen[71], z. T. freilich auch formalistisch konstruiert hat, weisen nicht, wie er annimmt, auf die Kontamination zweiter Rezensionen desselben Begebnisses, sondern auf die literarische Eigenart der hier gebotenen Überlieferungsform. Dem entspricht eine weitere Beobachtung. Hat bisher Saul die Erscheinung nicht gesehen, muß er sie sich von der Frau beschreiben lassen und hört nur mittelbar etwas[72] – selbst seine Ehrfurchtsgeste ließe sich noch so erklären –, so geht das Gespräch jetzt ganz auf Saul und Samuel über, die Frau tritt völlig in den Hintergrund, könnte bei der Dramatik des Augenblicks auch nur störend wirken. Es ist eine petitio principii, wenn in der Auslegung immer wieder betont wird, daß Saul, wie bisher, auch jetzt nichts sehe und weiter auf die durch die Frau vermittelte Stimme der Erscheinung angewiesen bleibe[73]. Diese Verschiebung wirkt sich rücklaufend schon auf die Beschreibung dessen aus, was zunächst die Frau sieht. Das gilt in erster Linie für das אֱלֹהִים (vgl. Anm. b zu V. 14), worin das ganze Verhältnis Saul–Samuel zusammengefaßt erscheint, vielleicht auch von dem מְעִיל, denn an sich wäre das keine ausreichende Charakterisierung (Anm. c zu V. 14).

64. Raschi und David Qimchi.
65. Schulz, van den Born.
66. So Frankenberg: GGA 1901, S. 183 (Besprechung).
67. Dhorme, de Groot; in dieser Richtung auch Beilner: Totenbeschwörung, S. 108.
68. So richtig Schulz.
69. Konsequent läßt dann Budde die Erscheinung auch erst mit V. 13 beginnen.
70. Soweit ich sehe, hat diese Tatsache als erster Carl Grüneisen: Der Ahnenkultus und die Urreligion Israels. 1900, S. 156 richtig erkannt, wenn er bestreitet, daß der Erzähler eine typische Totenbeschwörung schildern wollte; er hat dann freilich falsche Folgerungen daraus gezogen und viel, wenn auch im Grunde nicht gerechtfertigten Widerspruch erfahren.
71. RHR 1923, S. 45ff.
72. Zu dem מַה־תָּאֳרוֹ vgl. Anm. a zu V. 14.
73. So z. B. Budde; Frazer: Folklore in the Old Testament. II. 1918, S. 523; Greßmann und die meisten anderen, auch noch Beilner: Totenbeschwörung, S. 82.

15–19 Auf die unwillige Frage Samuels klagt Saul seine Not und bittet um eine Weisung; der Wortlaut erinnert an 13,7, doch brauchen daraus keine weiteren Schlüsse gezogen zu werden. Samuels Antwort erklärt in schneidender Kürze diese Not als ausweglos: Was fragst du mich, wo Jahwe selbst dein Feind geworden ist? Diese Formulierung, Ausdruck einer konsequent theozentrischen Haltung, begegnet im Alten Testament erst relativ spät (Jes 63,10; Thr 2,5), ist darum hier aber nicht nachträgliche Ausgestaltung; vielmehr ordnet sich der Gedanke folgerichtig in den Ablauf der Handlung ein. In dieser entscheidenden Auseinandersetzung mit den Philistern befindet sich Saul im Heiligen Krieg, für den er die Hilfe Jahwes gegen die Feinde Israels erhofft; umsonst, denn nicht mehr die Philister, Jahwe selbst ist Sauls Feind geworden (zum Wortlaut vgl. Anm. b zu V. 16). Hier beginnen sich Vorstellungen späterer prophetischer Verkündigung abzuzeichnen, die von einem Heiligen Krieg Jahwes gegen sein eigenes sündiges Volk zu wissen scheinen[74]. Die unmittelbare Fortsetzung der Antwort Samuels liegt in V. 19a*β*. b vor, ebenso was den Inhalt wie die Prägnanz des Ausdrucks anlangt. Die Textänderungen, die in verschiedener Weise zu V. 19 vorgeschlagen werden (vgl. Anm. a), verschieben den Sinn, denn sie enthielten nichts weiter als eine in diesem Augenblick recht billige Zukunftsweissagung[75], über der das lastend Drohende der Stunde verlorenginge. Auch hier wird sehr deutlich, wie weit diese Szene über ein Totenorakel hinausgeht. In dem Schauer vor der Tragik eines unausweichlichen Todesschicksals erinnert der knappe Ausdruck mich immer an die in den Pestzeiten des Mittelalters aufkommende Darstellung, wo in voller Lebenskraft stehende Ritter durch den Anblick von Leichen in den verschiedenen Stadien der Verwesung verstört die Erklärung bekommen: »Was ihr seid, waren wir; was wir sind, werdet ihr sein«. Die zweite Hälfte des Verses führt mit ihrem אֶת־מַחֲנֵה יִשְׂרָאֵל יִתֵּן יְהוָה בְּיַד־פְּלִשְׁתִּים wieder zur Vorstellung des Heiligen Krieges zurück[76], wendet sie aber gegen Saul und Israel. V. 17–19a*α* enthalten nicht nur eine unnötige Wiederholung (vgl. Anm. b zu V. 19), sondern wirken darüber hinaus mit ihrer für die Notlage gegebenen Erklärung merkwürdig blaß und lehrhaft; während man früher darin oft einen Beweis dafür sah, daß Kap. 15 und 28 quellenmäßig zusammengehören müßten (vgl. o. S. 488), werden sie jetzt allgemein und durchaus mit Recht als Erweiterung[77], Niederschlag der Nachgeschichte des Textes[78], angesehen, die einen Ausgleich hergestellt hat[79].

20–25 Die Wirkung ist ein panischer Schrecken Sauls, wiederum sehr knapp, aber doch sehr plastisch geschildert (vgl. Anm. a zu V. 20); es ist so, als habe er

74. J. Alberto Soggin: Der prophetische Gedanke über den Heiligen Krieg als Gericht gegen Israel. VT 1960, S. 79ff.

75. Sie würden die Auffassung bestätigen, daß die Frau nur auf Grund eines gesunden Urteils über die Verhältnisse eine Antwort fingiert.

76. Von Rad: Krieg, S. 8.

77. So Budde: Bücher, S. 235; vgl. SteuE, S. 321; Nowack, Budde, Caspari, mittelbar van den Born, auch Beilner, dieser freilich mit unmöglichen Konsequenzen.

78. Hertzberg.

79. Noch einen Schritt weiter als 𝔐 geht hier die Rezension, der 𝔊 folgt (vgl. Anm. b zu V. 16).

in diesem Augenblick den Todesstreich empfangen. Der völlige Zusammenbruch wird auch damit erklärt, daß er schon fast vierundzwanzig Stunden nichts mehr gegessen hatte. Dieser besondere Zug könnte wohl einmal seinen Grund in einem Ritual gehabt haben, das als Vorbereitung für eine Totenbefragung ein Fasten erforderte[80]. Aber hier dient er nur noch zur Charakterisierung der Verfassung Sauls. Er hat in seiner großen Spannung nichts mehr essen können[81]; er lehnt auch jetzt Speise ab. Daß die Frau herantritt (וַתָּבֹא), heißt nicht, daß sie sich in einem anderen Raum (einer zweiten Höhle) aufgehalten hat (vgl. o. S. 493), erweckt aber doch den Eindruck, daß das Gespräch ganz allein zwischen Saul und Samuel geführt wurde und sie nicht mehr an ihm teilhatte. Gewiß mag es auffallen, daß sie ein עֵגֶל מַרְבֵּק im Hause hatte, was einen gewissen Wohlstand erkennen läßt und nicht eigentlich zum Bilde der armen Zauberin paßt; das gilt auch von der Ausstattung ihres Hauses (zu מִטָּה vgl. Anm. b zu V. 23); es berechtigt aber nicht zu der Annahme, daß diese Frau ein blühendes Wahrsagegeschäft betrieb und deswegen auf die anschließende Bewirtung ihrer Besucher gerüstet sein mußte[82]. Es bleibt ja auch die Frage offen, wie die Bewirtung, angefangen mit dem Schlachten des Tieres, in dem kurzen Zeitraum dieser Nacht unterzubringen ist. Die Erklärung, daß es sich hierbei in Wirklichkeit um das Opfer gehandelt habe, das für das Herbeirufen eines Totengeistes unerläßlich gewesen sei[83], ist zwar in sich plausibel[84], hier aber doch ein ungerechtfertigter Eintrag. Die Absicht der Darstellung ist indes so sehr auf diesen einen Punkt gerichtet, in dem lastenden Dunkel das Licht einer menschlichen Anteilnahme aufleuchten zu lassen, daß dahinter die Unanschaulichkeiten, die sich ergeben, zurücktreten. Die Frau, die eben noch vor dem König für ihr Leben zitterte, ist nun, da sie ihn zerschlagen, ungefährlich am Boden sieht – das verlangt nicht, daß sie das Gespräch gehört hat –, nur noch voll Teilnahme, die Saul wie einem Kinde zuredet: Du mußt etwas essen, daß du wieder Kraft bekommst. Mit Recht ist in der neueren Auslegung dieser Zug der Menschlichkeit immer wieder betont worden[85]; er darf aber nicht sentimentalisiert, auch das Verhalten der Frau nicht als Abschattung der Liebe Gottes erklärt werden[86]. Die beiden Offiziere bemühen sich ebenfalls um ihren König, der gar nicht mehr königlich ist und von dem sie ahnen können, daß er ihnen kein Glück mehr bringen wird. Die Schilderung bleibt ganz herb. In jeder vergleichbaren Situation, wo einer einen Weg gehen muß, den ihm keiner abnehmen kann, bleibt in aller Hilflosigkeit das das Letzte: Du mußt essen[87]. Es handelt sich wohl um ein Urphänomen des Menschseins

80. So ausdrücklich Reinach; aber auch Budde, Schulz, van den Born u. a. weisen wenigstens auf die Möglichkeit hin.

81. Literarische Hinweise: Caspari, S. 363; vgl. auch Gutbrod.

82. So Reinach.

83. Caspari.

84. Bei der Beschwörung des Teiresias muß er sich erst am Opferblute laben, ehe er Auskunft geben kann; die anderen Schatten hält Odysseus davon zurück.

85. Ausdrücklich Schulz, Hertzberg.

86. Etwa Ketter.

87. Gutbrod erinnert an die Henkersmahlzeit, übersieht aber, daß auch das die letzte Menschlichkeit ist, die einem zum Tode Verurteilten erwiesen wird.

überhaupt, nicht eine dichterische Fiktion. Mit der gleichen knappen Eindrücklichkeit wird der hoffnungslose Rückweg geschildert (vgl. Anm. a zu V. 25). Und ein neuer Morgen kommt unausweichlich herauf, und die verlorene Schlacht beginnt.

29,1–11 David im Heere der Philister

1 Die Philister also zogen ihre Streitkräfte nach Aphek[a] zusammen; Israel indes lagerte an der Quelle[b] bei Jesreel[c]. 2 Die Fürsten[a] der Philister veranstalteten einen Vorbeimarsch nach Hundertschaften und Tausendschaften[b]. Als da David mit seinen Leuten am Ende bei (dem Aufgebot des) Achis vorbeimarschierte, 3 verwunderten die Feldobersten[a] der Philister sich: »Was wollen denn die Hebräer[b] hier?« Darauf erklärte Achis den Feldobersten der Philister: »Das ist doch[c] David, (einst) der Gefolgsmann des Königs von Israel, der jetzt seit Jahr und Tag[d] in meinen Diensten steht. Ich habe an ihm noch nichts auszusetzen gehabt von dem Tage an, da er überlief[e], bis heute.« 4 Trotzdem regten sich die Obersten[a] der Philister sehr über ihn[b] auf; darum forderten die Obersten der Philister[c] von ihm: »Schick den Mann zurück! Er soll wieder zu dem Platz umkehren, wo du ihn eingewiesen hast. An die Front darf er nicht mit uns gehen[d], damit er sich nicht mitten in der Schlacht[e] gegen uns stellen[f] kann. Wie könnte sich denn so einer seinem Herrn besser empfehlen als mit den Köpfen unserer[g] Männer? 5 Das ist doch dieser David, von dem man im Reigentanz sang:

»Seine Tausende hat Saul erschlagen,
David aber seine Zehntausende[a].«

6 Darauf berief Achis den David zu sich und eröffnete ihm: »So wahr Jahwe[a] lebt, du bist natürlich vertrauenswürdig, und mir wäre es schon sehr recht, wenn du im Feldlager mit mir ausziehen und wieder einrücken könntest[b], denn ich habe nichts Unrechtes an dir gefunden, von dem Tage an, da du zu mir kamst bis heute ... aber (leider) bist du den Fürsten nicht[c] genehm. 7 Darum kehre getrost wieder heim, damit[a] du ja nicht etwas tust[b], was den Fürsten der Philister übel gedeutet werden könnte.« 8 Darauf sagte David zu Achis: »Also[a], was habe ich denn getan oder was hast du an deinem Knechte auszusetzen gehabt, von dem Tage an[b], an dem ich in deinen Dienst trat, daß ich jetzt nicht mit hinziehen und gegen die Feinde meines königlichen Herrn kämpfen darf?« 9 Achis antwortete und beruhigte David: »Ich weiß es doch[a], mir bist du lieb wie ein Engel Gottes[b]; doch haben die Feldobersten[c] der Philister nun einmal gesagt: er darf nicht mit uns an die Front gehen. 10 Also nun, mach dich früh am Morgen fertig, [a](natürlich) auch die Leute deines (ehemaligen) Herrn[b a],

die mit dir gekommen sind[c]; also macht euch früh fertig und rückt ab, wenn es hell wird[d].« 11 Also machte sich David in aller Frühe bereit, um bei Tagesanbruch mit seinen Leuten den Rückmarsch ins Philisterland anzutreten[a]. Die Philister aber rückten nach Jesreel vor[b].

1 a) Vgl. Anm. d zu 4,1. b) 𝔊[B] *Αεδδών*. 𝔊[A] *Αενδώρ*, eine naheliegende Angleichung an Kap. 28 und kein Grund für eine Textänderung (etwa Budde). עַיִן ohne nähere Bezeichnung ist durchaus sinnvoll, der Einwand, es müßte dann עַל heißen (so Ehrlich), schon durch Jdc 7,1 entkräftet (עַל bedeutet das Lagern in unmittelbarer Nähe der Quelle, Gn 16,7). Da יִזְרְעֶאל die Ortschaft meint (so richtig schon Smith, Kittel, Hertzberg u. a., vgl. auch Alt III, S. 260), ist an die Quelle *ʿain el-mīyite* zu denken (A. Alt: PJ 1927, S. 48). Unter der Voraussetzung, daß hier von der Ebene geredet wird (Anm. c), verweisen andere (z. B. S. R. Driver, Dhorme, de Vaux) auf die aus Jdc 7,1 bekannte עֵין־חֲרֹד, wobei חֲרֹד z. T. ausdrücklich ergänzt wird (z. B. Greßmann), heute *ʿain ǧālūd*, eine halbe Stunde östlich vom jetzigen Dorf *zerʿīn*, was auch eine durchaus mögliche Lage wäre (zur Sache vgl. noch C. Weidenkaff: Ist ʿēn dschalūd die alttestamentliche Harodquelle? PJ 1921, S. 19–31). G. Dalman: PJ 1923, S. 41 dachte, freilich wenig wahrscheinlich, an עֵין גַּנִּים = *genīn*, ähnlich jetzt M. Naor-Z. Kallai: Fountain which is in Jezreel (hebr.). BIES 1961, S. 251–256. c) Die am Ostrand der Ebene gelegene Stadt, Jos 19,18 zu Issachar gerechnet, heute *zerʿīn* in den nordwestlichen Ausläufern des Gilboagebirges (vgl. 28,4). Wäre die Ebene gemeint (Anm. b), sollte man wie Jos 17,16; Jdc 6,33; Hos 1,5 עֵמֶק יִזְרְעֶאל erwarten, außerdem bliebe die Angabe dann reichlich unbestimmt (zur Sache noch Abel: Géographie II, S. 364f.; Simons: Texts, § 716; E. Jenni: BHH II, Sp. 858).

2 a) Diese aus 5,8.11 (zur Sache s. dort); 6,4.12 u. ö. geläufige Benennung findet sich hier nur noch V. 6 und 7; sonst werden neben ihnen die שָׂרִים genannt. Die auffallende Tatsache, daß diese, obwohl sie nach üblichem Sprachgebrauch im Range unter jenen stehen, hier Befehlsgewalt zu haben scheinen (vgl. aber die Auslegung), berechtigt noch nicht zu der Annahme, das Wort bedeute lediglich Truppenkörper, die die einzelnen Landschaften vertreten (Ehrlich, Tiktin, Greßmann); ebenso willkürlich ist die einfache Streichung von סַרְנֵי (Caspari) oder der Vorschlag Buddes, מַעֲבִרִים statt עֹבְרִים zu lesen. b) Zur Syntax vgl. BroS § 107iα; zur Sache Num 31,14; Ex 18,21; auch 𝔊 zu 1 Sam 8,12.

3 a) שָׂרִים ist nicht Synonymum zu סְרָנִים (so E. C. B. Maclaurin: Anak/*Αναξ*. VT 1965, S. 472; auch van den Born); während alle anderen Vers in der Übersetzung differenzieren, gibt 𝔊 hier wie V. 2 *σατράπαι*, was aber nur Übersetzerfreiheit ist, nicht auf einen anderen Text führt (vgl. Anm. a zu V. 4). Verständlicherweise verbindet 𝔊 keine klare Vorstellung mit dem Sinn dieser Titel. b) Vgl. zu 13,3.19; 14,11. c) GK § 150e; BroS § 54c. d) Zu זֶה in unbestimmter Bedeutung statt מִן BroS § 111e. Nach 𝔊 *τοῦτο δεύτερον ἔτος* (𝔏[Lag] »per biennium«) wird seit Klostermann von den meisten (anders Dhorme, Schulz, Hertzberg, Rehm) in שְׁנָתַיִם geändert, wogegen indessen sprachliche Bedenken bestehen, da יָמִים in der Bedeutung »Jahr« eine allgemeine Zeitangabe und deswegen neben einem detaillierten שְׁנָתַיִם unwahrscheinlich ist. Formal richtiger, wenngleich graphisch unwahrscheinlicher, wäre dann wohl זֶה שְׁנָתַיִם יָמִים (Tiktin). Da Achis doch auf einen längeren, nicht mehr genau zu bestimmenden Zeitraum hinweisen will, ist »Jahr und Tag« wohl kein »hübscher Germanismus« (so Caspari, der שָׁנִים als Beifügung streicht), zumal es 𝔗 übernommen hat, während G auch sonst den Text nicht gut verstand (*διαπορευόμενοι* statt עֹבְרִים). Der Vorschlag von North (s. zu 27,2) »for some seasons, or (in fact) for some years« bietet keine Erleichterung. e) 𝔊 *πρός με, Σ μοι*, wonach fast ausnahmslos אֵלַי ergänzt wird, was sinngemäß, aber nicht nötig und bei der Prägnanz des Ausdrucks נָפְלוֹ nicht einmal wahrscheinlich ist (vgl. unser »einer ist umgefallen«; ähnlich Hertzberg).

4 a) 𝔊 hier *στρατηγοί*. b) Es bleibt unklar, ob David oder Achis gemeint ist, das letztere ist aber wahrscheinlicher. c) Wird von 𝔊𝔖𝔙 glättend ausgelassen, steht hier aber wohl um des besonderen Nachdrucks willen. d) ירד unreflektiert vom Standpunkt des Israeliten (Wellhausen) und nicht von der Annahme eines Feldherrnhügels (Hertzberg) formuliert;

vgl. indessen auch V. 9. e) 𝔊 τῆς παρεμβολῆς, wonach Budde, Dhorme, Smith in מַחֲנֶה ändern, ist sicher schlechter. f) Wie 2 Sam 19,23; 1 Reg 5,18; 11,14 ist es hier vom Widersacher in profanem Sinn gebraucht. Zur Bedeutung des Wortes und zu seiner Herkunft aus dem höfischen Rechtsleben vgl. A. Lods: Les origines de la figure de Satan. Mélanges Syriens 1939, S. 649–660; auch Rosa Riwkah Schärf: Zur Gestalt des Satans im Alten Testament. Zürich 1948 (Diss.), S. 41ff. g) Wörtlich »jener Männer«.

5 a) Vgl. zu 18,7; auch 21,12.

6 a) Vom Standpunkt des Israeliten aus gesagt. b) Die Charakterisierung verlegenen Sprechens wird von 𝔊 anscheinend nicht recht verstanden und darum anders, inhaltlich verflachend, aufgelöst; jedenfalls besteht von daher kein Grund zur Änderung, Umstellung der Glieder oder Wiederholung des בְּעֵינַי nach יָשָׁר אַתָּה (z. B. Dhorme, Smith, Nowack; in ähnlicher Richtung Caspari). c) Das Fehlen eines οὐ in 𝔊[B] erklärt sich, wenn es nicht nur ein Versehen ist, vielleicht daher, daß 𝔐 hier סְרָנִים bietet; auf jeden Fall ist es sinnentstellend und wurde zu Unrecht von Caspari übernommen.

7 a) GK § 109g. b) Ehrlich אֶעֱשֶׂה.

8 a) Deiktische Interjektion, hier als Entgegnung auf eine als Beleidigung empfundene Zumutung gebraucht. b) St. cstr. bei אֲשֶׁר GK § 130c; BroS § 162; Änderungen in מִיּוֹם הֱיוֹת oder מֵהַיּוֹם erübrigen sich.

9 a) Die häufig vorgeschlagene Änderung in יָדַעְתָּ (von Budde, Dhorme bis de Groot, de Vaux) kann sich weder auf die Vers stützen, noch ist sie wirklich eine Erleichterung, da darüber der Ton verlegener Beschwichtigung verlorengeht. b) Vgl. 2 Sam 14,17; 19,28. Damit, daß 𝔊 es, vielleicht aus dogmatischen Gründen, ausläßt, geht eine beabsichtigte Feinheit der Darstellung verloren. c) 𝔊 hat hier wieder σατράπαι.

10 a) 𝔊[BL] (nicht 𝔊[A]) ausdrücklich σύ, ebenso 𝔅𝔏[Lg], wonach seit Thenius, Wellhausen von den meisten in 𝔐 ein אַתָּה ergänzt wird, was dem Sinne nach richtig, aber doch sehr pedantisch ist; erst damit wird das וְהִשְׁכַּמְתֶּם unmotiviert. b) Natürlich können nicht die Leute des Achis gemeint sein (Caspari); es zeigt sich eine gewisse Sorglosigkeit der Sprache, doch ist deswegen nicht in נְעָרֶיךָ (so Smith) zu ändern. c) 𝔊 + *καὶ πορεύεσθε εἰς τὸν τόπον, οὗ κατέστησα ὑμᾶς ἐκεῖ, καὶ λόγον λοιμὸν μὴ θῇς ἐν καρδίᾳ σου, ὅτι ἀγαθὸς σὺ ἐνώπιόν μου*, dann weiter *καὶ ὀρθρίσατε ἐν τῇ ὁδῷ καὶ φωτισάτω ὑμῖν*; es ist sicher keine reine Auffüllung des Übersetzers, sondern folgt einer hebräischen, wenn auch schlechteren Vorlage; es ist eine weitläufige und schleppende midraschische Erweiterung (de Boer: OTS 6. 1949, S. 87), die zum Verständnis nichts Wesentliches beiträgt, dennoch von den meisten (auch Hertzberg, de Vaux, Caird) übernommen wird (ausdrücklich anders de Groot, Rehm, Schulz, van den Born). 𝔐 erklärt sich ausreichend als Anakoluth zur Charakterisierung lebendigen Sprechens; es ist auch nicht nötig, eine der beiden Aussagen als Wahllesart zu streichen (nach 𝔖 Schulz, Greßmann). Die Änderung in שֵׁב עַד הַבֹּקֶר (Ehrlich) hat keinen Anhalt in den Vers. d) GK § 144c; BroS § 35a.

11 a) 𝔊 + *καὶ φυλάσσειν τὴν γῆν τῶν ἀλλοφύλων* Erweiterung in der Art wie zu V. 10. Klostermann, Dhorme schließen daraus auf zu לִשְׁמֹר verschriebenes לְאַשְׁמֹרֶת. b) 𝔊 + *πολεμεῖν ἐπὶ Ἰσραήλ*.

29,1–11 DAVID IM HEERE DER PHILISTER ist die direkte Weiterführung von Kap. 27,1–28,2, setzt sich andererseits, wenigstens nach der jetzigen Anordnung der Komposition, in Kap. 30 fort. Nachdem aus den oben angedeuteten Gründen der Ablauf der Ereignisse durch den Bericht vom Besuch Sauls bei der Hexe von Endor unterbrochen wurde, kann die Darstellung sich wieder ganz David zuwenden. Wenn er auch in der entscheidenden Stunde nicht mehr Saul zur Seite war, so stand er auch nicht in den Reihen der Philister, im Gegenteil, zu jener Zeit führte er bereits den Kampf gegen die Widersacher Jahwes und Israels. Kap. 29 zeigt dieselben Überlieferungsmerkmale wie Kap. 27, die Auflösung in bewegte Rede, die dazu dient, die Überlegenheit Davids auch in dieser schwierigen

Situation ins gehörige Licht zu stellen. Auch daraus, daß diese Tradition mit den geschichtlichen Gegebenheiten leidlich vertraut ist, läßt sich, wie zu Kap. 27 von anderen Gesichtspunkten her ausgeführt wurde, auf Entstehung in Kreisen schließen, die dem Hofe nahestanden.

Die Sammlung und die Musterung der philistäischen Kontingente bei Aphek in der Saronebene ist aus dem besonderen Charakter dieses Unternehmens gegen die Israeliten wohl verständlich, auch wenn das eigentliche Aufmarschgebiet die Jesreelebene war. Es besteht jedenfalls kein Grund zu der Annahme, das hier genannte Aphek müsse bereits am Westrand der Ebene in größerer Nähe zum eigentlichen Schlachtort gelegen haben[1]. Gewiß gab es von Aphek einen guten und leidlich bequemen Zugang zum ephraemitischen Bergland[2]; aber ein Vorstoß gegen Israel in der hier geschilderten Weise setzte eine so starke Kräftekonzentration voraus[3], daß auch für sie der Vormarsch in der Küstenebene das Gegebene war, um dann, wahrscheinlich auf der alten Schicksalsstraße durch das *wādi ʿara*, die schon Thutmosis III. benutzt hatte[4], nach Nordwesten einzuschwenken[5]. Die in der zweiten Hälfte des Verses genannte Stellung Sauls bei Jesreel (vgl. Anm. b zu V. 1) greift vielleicht, nicht einmal mit Sicherheit, der Situation von V. 1a voraus[6], ist deswegen aber keineswegs spätere Auffüllung (Budde), da die Ereignisse ja sowieso aus der Rückschau berichtet werden. Die Angabe weicht zwar etwas, aber – besonders, wenn man die verschiedene Überlieferung bedenkt – nicht wesentlich von 28,4 ab; wobei noch zu bedenken ist, daß Kap. 28; 31 und auch 2 Sam 1 die durch den unglücklichen Ausgang der Schlacht geschaffene Lage vor Augen haben[7]. Auf jeden Fall sucht die Stellung Sauls die durch das Gilboagebirge gebotenen taktischen Vorteile auszunützen (vgl. zu 28,4). Auf der anderen Seite wird aber auch deutlich, wie bewußt, zugleich unreflektiert die Ereignisse vom israelitischen Standpunkt aus wiedergegeben werden (vgl. Anm. d zu V. 4 u. Anm. a zu V. 6). Gerade der Schwur des Achis beim Namen Jahwes ist mit Sicherheit nicht daher zu erklären, daß bei einem Vertragsverhältnis zwischen Partnern verschiedenen Bekenntnisses der Eid bei dem Gott des anderen selbstverständliche politische Gepflogenheit war[8]. Ebenso ist der Vergleich Davids mit dem מַלְאַךְ אֱלֹהִים V. 9 (vgl. Anm. b) eben doch mehr als nur eine übertriebene Höflichkeitsformel[9]; er soll eher als eine unbewußte Anerkennung dessen, was David wirklich war, verstanden werden.

1. So Smith. 2. Alt III, S. 247.

3. Die Angaben über רֶכֶב und בַּעֲלֵי הַפָּרָשִׁים 2 Sam 1,6 lassen, wiewohl schlecht in den gegenwärtigen Kontext passend, doch alten Überlieferungshintergrund erkennen.

4. Erster Feldzug: 23. Jahr, 16. Tag des 9. Monats; vgl. AOT, S. 83; ANET, S. 235; auch Kurt Galling: Textbuch zur Geschichte Israels. Tübingen 1950, S. 13; 2. Aufl. 1968, S. 15.

5. Vgl. zur Sache etwa Noth: Geschichte, S. 163.

6. Kittel: Geschichte des Volkes Israel. II. 7. Aufl. 1925, S. 98f. folgert allerdings, daß die Philister die Ebene bereits bis Sunem erobert hatten, ehe Saul seinen schwerfälligen Heerbann überhaupt erst aufgeboten hatte.

7. Stade: Geschichte I, S. 257 spricht richtig davon, daß das israelitische Heer auf den Berg Gilboa zurückgeworfen sei.

8. Smith, Caspari. 9. Hertzberg.

Auf der gleichen Ebene liegt es, daß das in der Regierungszeit Davids entstandene Sieges- und Triumphlied auf ihn[10] hier den שָׂרִים in den Mund gelegt wird, freilich, um vor ihm zu warnen, nicht wie 21,12, um ihn zu empfehlen; in beiden Fällen aber doch, um ihn davor zu bewahren, seiner Berufung untreu zu werden. Und im Zusammenhang damit wird es wiederum stehen, wie uneingeschränkt David als עֶבֶד שָׁאוּל vorgestellt wird, was zwar als Hinweis auf das vorhergehende Dienstverhältnis aufgefaßt werden muß (so auch die Übersetzung), zugleich aber charakterisiert, wohin David eigentlich gehört. Der Vorschlag Grimmes[11], das עֶבֶד שָׁאוּל מֶלֶךְ יִשְׂרָאֵל zu tilgen, beruht auf einem richtigen Gefühl dafür, wenn er auch unmöglich ist. Auffallend ist vor allem der Wechsel zwischen den beiden in ihrer Bedeutung so klar gegeneinander abgesetzten Begriffen סְרָנִים und שָׂרִים (vgl. Anm. a zu V. 2)[12]. Daß darin nur die Gedankenlosigkeit einer Darstellung vorliegt, die sich in philistäischen Verhältnissen nicht auskannte[13], ist im Blick darauf nicht wahrscheinlich, daß sie sonst mit den Gegebenheiten gut vertraut zu sein scheint. Es könnte auch gerade das Gegenteil der Fall sein. David ist als Lehnsträger dem Achis zur Heerfolge verpflichtet; er wird aber nicht der einzige gewesen sein, der zu den Philistern in einem solchen Lehnsverhältnis gestanden hat. Wenn also die סְרָנִים ihre Kräfte zu einem Großeinsatz mobilisieren, werden sie auf alle Kontingente zurückgegriffen haben, die ihnen aus solchen Verhältnissen zur Verfügung standen und die sich nun mit ihren mehr oder weniger großen Einheiten[14] sammeln[15]. Dann ist es aber nicht fernliegend, daß diese Führer, ohne damit Vorgesetzte der Fürsten zu werden, ein gewisses Mitspracherecht hatten, zumal da, wo sie für ihre eigenen Leute verantwortlich waren (vgl. Anm. g zu V. 4). Andererseits ist es auch durchaus verständlich, wenn V. 6 Achis zu David sagt, daß die סְרָנִים sich gegen eine Teilnahme am Kriegszug ausgesprochen hätten, denn er kann nicht zugeben, daß er sich den Einsprüchen derer gefügt habe, die ihm im Range nachgeordnet waren. Das scheint noch durchaus in der Linie literarischer Gestaltung zu liegen, die sich auch sonst feststellen läßt; und wenn das dann V. 9 durchbrochen wird (vgl. Anm. c: 𝔊), könnte selbst das noch Absicht sein (s. dazu u.). Jedenfalls wird man sicherlich nicht sagen dürfen, daß es bei den Philistern so etwas wie eine Gewaltentrennung zwischen militärischem und zivilem Sektor gegeben habe[16], auch nicht, daß die Philister als Kriegeradel ihre entscheidenden Kriege als ein »national geschlossenes Aufgebot von Freien geführt hätten[17]«, was dann wohl doch schlecht zum Wesen dieser Herrschaftsstrukturen gepaßt hätte.

Vor allen Dingen muß man sich aber auch vergegenwärtigen, wie stark hier

10. V. 5, vgl. o. S. 349.
11. BZ 1904, S. 47.
12. Wenn Achis von David als אֲדֹנִי הַמֶּלֶךְ bezeichnet wird (vgl. 21,11; 27,2), so ist das Stil und bedeutet nicht, daß Achis unter den anderen eine gehobene Stellung inne gehabt hätte.
13. Etwa Hertzberg; anders liegt es natürlich bei den Versionen (𝔊, vgl. Anm. a zu V. 3).
14. Die Formulierung לְמֵאוֹת וְלַאֲלָפִים (vgl. Anm. b zu V. 2) ist ja sowieso Stilisierung.
15. Eine allerdings in großem zeitlichen Abstand stehende Analogie zeigt Jes 10,18.
16. Caird.
17. Otto Eißfeldt: Philister und Phönizier. AO 34/3. 1936, S. 29.

das theologische Moment der Schilderung zum Ausdruck kommt, mindestens sich ohne Bruch mit einer Darstellung verbinden kann, die in der Wiedergabe des großen Rahmens zuverlässig ist. Wie in Kap. 27 wird auch hier nicht explizit gesagt, daß Jahwe hinter allem Geschehen steht (es sei denn, daß man es in dem חַי־יְהוָה im Munde des Philisterfürsten finden will); dennoch wird diese Überzeugung stärker faßbar als dort, denn seine Befreiung aus einer ausweglosen Situation verdankt David nicht mehr seiner Klugheit. Achis hat ihn durch eine Vertrauensstellung geehrt und zugleich gebunden; David hat, entsprechend der Rolle, die er spielt, äußerlich einwilligen müssen. Verrat bliebe ihm auf keinen Fall erspart. Nun kommt die Hilfe von einer Seite, von der man sie eigentlich nicht erwartet hatte, nämlich von der Ablehnung und Eifersucht der Feldhauptleute, die doch nur ein bedingtes Mitspracherecht haben konnten. Ob eine Intervention in dieser Form stattgefunden hat, kann man natürlich fragen, man kann es aber sicher nicht von vornherein abstreiten. Daß sie die Situation richtig beurteilt hätte, steht außer Frage und braucht nicht erst durch einen Rückverweis auf die Erfahrungen von 14,21 erhärtet zu werden[18], wo die Dinge doch wesentlich anders lagen. Aber es ist ja wohl eine meist geübte Taktik gewesen, Überläufer nicht direkt gegen ihre ehemaligen Waffengefährten einzusetzen. Die Erklärung, das Aufgebot Sauls könne keine engeren Stammesgenossen Davids enthalten haben[19], sieht das Problem wohl, ist aber ad hoc konstruiert. Jedenfalls sind die Angaben, die hier gemacht werden, so stilisiert, daß alle ins Detail gehenden Schlußfolgerungen sich erübrigen, etwa der Art, David habe in einem rein persönlichen Abhängigkeitsverhältnis zu Achis gestanden, das sich allgemeinerer Kenntnis entzog[20], oder, durch ungewöhnliche Bewaffnung der Leute Davids und sonstige Merkmale seien die שָׂרִים darauf gekommen, daß da etwas nicht stimmen könne[21]. Eine Rolle könnte auch eine so banale Sache wie die Beteiligung an der Beute und die daraus herrührende Eifersucht gespielt haben, was Caspari mit Recht in Betracht zieht[22].

Damit ist also die Gefahr von David abgewendet. Die Frage, was geschehen wäre, wenn David doch hätte mit an die Front gehen müssen[23], ist ziemlich müßig. Die Voraussetzung der ganzen Erzählung ist es ja, daß das David erspart geblieben ist. Dennoch spürt man dem Folgenden sehr deutlich das Gefühl einer Befreiung ab, und der zweite Teil ist nun tatsächlich durch den Gegensatz zwischen dem reichlich weltfremden Achis und dem auch jetzt überlegenen David bestimmt. Die Situation der Entspannung wird gleichsam als Komik ausgekostet. Schon das Formale, die Stilisierung in Anakoluthen (vgl. Anm. a zu V. 6 u. Anm. c zu V. 10), bringt die Verlegenheit des Achis unüberhörbar zum Ausdruck, wie er

18. So etwa Smith, van den Born, Caird.

19. Caspari.

20. Z. B. Löhr, Schulz.

21. Z. B. Budde, Smith, Hertzberg.

22. Wenngleich seine Überlegung, es könnte besser sein, wenn das, was den Israeliten verloren geht, wenigstens teilweise wieder in die Hände von Israeliten fällt, recht gesucht anmutet.

23. Vgl. für vieles Hertzberg; s. auch Kittel: Geschichte des Volkes Israel. II. 7. Aufl. 1925, S. 97f.

sich windet, um David eine Nachricht schonend beizubringen, die diesem doch nur hochwillkommen war[24]. Es könnte sein, bleibt freilich eine unbeweisbare Vermutung, daß der Wechsel von סְרָנִים V. 6 und שָׂרִים V. 9 ein Versprechen ist, das auf das Konto dieser Unsicherheit geht. Man kann sich wohl vorstellen, wie das in der Darstellung, einem risus paschalis vergleichbar, herausgearbeitet, vielleicht sogar mimisch unterstrichen wurde. Ihm gegenüber steht David, der das auskostet, der seine Loyalität versichern, den in seinen Treuegefühlen Gekränkten, um Ehre und Lohn Betrogenen spielen kann, weil es ihn zu nichts mehr verpflichtet[25]. De Vaux hat darauf hingewiesen, daß ganz allgemein ein humoristischer Zug die Philisterberichte charakterisiere. Aber hier ist mehr als Humor, und sei er noch so überlegen. Es ist ein Aufatmen; hinter ihm darf man aber auch hören: da seht ihr, so war David und so sah seine Loyalität gegenüber den Philistern aus, deren man ihn verdächtigt hat.

Das Kapitel schließt damit, daß beide, die Philister und David, sich auf den Weg machen, ihren Zielen zu. Das יִזְרְעֶאל von V. 11 kann ebenso die Stadt (so V. 1) wie auch die Ebene bedeuten. Das letztere ist wohl hier anzunehmen.

24. Caspari hat das verkannt, wenn er es mit der »Höflichkeit eines blauen Briefes« vergleicht.
25. Es ist ein völliges Mißverständnis, wenn Ehrlich das so versteht, David habe wirklich mitziehen wollen, um sich in der Anonymität der Schlacht an Saul zu rächen. Die Unmöglichkeit dieser Anschauung hat bereits Schulz erwiesen.

30,1–31 Davids Sieg über die Amalekiter

1 Als David mit seinen Leuten am dritten Tage (wieder) in Ziklag[a] anlangte, waren (in der Zwischenzeit) ⟨die Amalekiter⟩[b] plündernd ⟨in das Südland⟩[c] und in Ziklag eingefallen und hatten Ziklag verheert und niedergebrannt. 2 Die Frauen ⟨und⟩[a] was sonst darin war, jung und alt, hatten sie gefangengenommen[b], ohne[c] indessen jemanden[d] zu töten[e], sie hatten sie einfach mitgeschleppt und waren wieder ihres Weges gezogen. 3 Als David mit seiner Mannschaft also zur Stadt kam, fand er sie[a] niedergebrannt und ihre Frauen, Söhne und Töchter in Gefangenschaft. 4 Da hob David und das Kriegsvolk, das bei ihm war, laut zu klagen an, und sie weinten, bis sie keine Tränen[a] mehr hatten. 5 [Auch die beiden Frauen Davids waren mit in Gefangenschaft geraten, Ahinoam, die Jesreelitin[a], und Abigail, die Witwe des Karmeliters Nabal][b]. 6 Darüber geriet David in schwere Bedrängnis[a], weil das Volk (offen) davon sprach, man solle ihn steinigen; denn das ganze Volk war aufs äußerste erbittert[b], jeder einzelne wegen seiner Söhne[c] und Töchter. David aber fand Kraft in Jahwe, seinem Gott[d]. 7 So wies David den Priester Abjathar, den Sohn des Ahimelech[a], an: »Bring mir den Ephod her.« [b]Darauf brachte Abjathar den Ephod zu David[b]. 8 David fragte bei Jahwe an: »Wenn[a] ich diesem Räuberpack[b] nachsetze, kann ich sie einholen?« Er gab zur Antwort: »Setz nach. Ja, du

wirst einholen; ja, du wirst retten[c].« 9 Daraufhin zog David mit den[a] sechshundert Mann[b], die er bei sich hatte, los; sie gelangten bis an das Bachtal Besor[c]; [die Nachhut machte dort Halt][d]. 10 (Von da aus) setzte David mit vierhundert Mann die Verfolgung fort[a]; zweihundert Mann machten dort Halt[b], die zu erschöpft waren[c], um den Bach Besor zu überschreiten. 11 In der Gegend dort fanden sie einen Ägypter[a] und brachten ihn zu David; man gab ihm Brot, daß er essen konnte, auch gab man ihm reichlich Wasser zu trinken. 12 Dazu schenkte man ihm eine Scheibe[a] Feigenbrot[b] und zwei Rosinenkuchen[c]; als er die gegessen hatte, kam er wieder zu sich[d], denn er hatte seit drei Tagen und drei Nächten keinen Bissen Brot mehr zu essen und keinen Schluck Wasser mehr zu trinken gehabt. 13 Als David ihn dann fragte: »Zu wem gehörst du, und wo kommst du her?« gab er zur Antwort: »Ein ägyptischer[a] Bursch bin ich; (jetzt) Sklave eines Amalekiters; aber mein Herr hat mich im Stich gelassen, weil ich heute vor drei Tagen[b] krank geworden bin. 14 Wir haben nämlich einen Einfall ⟨in⟩[a] das Südland der Kreter[b] [...][c] und in das Südland von Kaleb[d] gemacht; dabei haben wir auch Ziklag niedergebrannt.« 15 Da fragte David ihn: »Kannst du mich zu dieser Räuberbande hinführen?« Er antwortete: »Schwöre mir bei Gott[a], daß du mich weder umbringen noch meinem Herrn ausliefern willst, dann will ich dich wohl hinbringen zu dieser Räuberbande[b].« 16 Als er ihn hinbrachte[a], da waren da Menschen[b], die sich über dar ganze Gelände[c] zerstreut hatten, schmausten, zechten und ausgelassen feierten[d] bei der reichen Beute, die sie im Philisterland [...][e] gemacht hatten. 17 David[a] schlug sie vom Morgengrauen[b] bis zur Abenddämmerung [...][c], so daß keiner von ihnen zu entfliehen vermochte, außer vierhundert Jungmannen, die sich auf die Kamele schwangen und so entkamen. 18 Auf diese Weise konnte David alles retten, was Amalek weggenommen hatte [auch seine beiden Frauen befreite David][a]. 19 Nichts fehlte daran[a], aber auch gar nichts, nicht Söhne, nicht Töchter; die Beute, ja alles, was ihnen[a] (die Amalekiter) abgenommen hatten[b], alles holte David wieder zurück. 20 David[a] nahm alle Schafe und Rinder[b] [...][c], und man sagte: »Das ist Davids Beute.« 21 Als David zu den zweihundert Mann gelangte, die zu erschöpft gewesen waren, um David zu folgen und die ⟨er⟩[a] deswegen im Bachtal Besor zurückgelassen hatte, gingen sie David und seiner Kampfmannschaft, die er bei sich hatte, entgegen. Wie David mit seiner Mannschaft[b] nahe herankam, grüßte er sie freundlich[c]. 22 Allerlei übles, nichtsnutziges Volk bei der Abteilung, die mit David weitermarschiert war, erhob indes Einspruch und sagte: »Weil sie nicht mit uns[a] marschiert sind, brauchen wir ihnen auch nichts von der Beute abzugeben, die wir gemacht haben, außer natürlich jedem sein Weib und seine Kinder; die sollen sie mitnehmen, doch dann auch gehen.« 23 Aber David entschied: »So könnt ihr es nicht machen, meine Brüder! Bei dem[a], was Jahwe uns gegeben hat… er war es doch, der uns behütet und diese Räuberbande, die uns überfiel, in unsere Hand gegeben hat. 24 Und wer[a] würde euch in dieser Sache beistimmen[b]? Vielmehr:

Wie[c] des Mannes Teil, der zu Kampfe zog,
So[c] des Mannes Teil, der beim Trosse blieb.

Miteinander[d] sollen sie (die Beute) teilen[e].« 25 So wurde es gehalten[a] von jenem Tage an und immerfort; er machte[b] es zur festen Satzung und Ordnung für Israel, (die gilt) bis auf den heutigen Tag.

26 Als David wieder nach Ziklag heimgekehrt war, sandte er von der Beute an die Ältesten Judas, [die also, die seine Nächsten waren][a] und ließ ihnen dazu sagen: »Da habt auch ihr einen Segen[b] von der Beute, (die wir) bei den Feinden Jahwes (gemacht haben).«

27 (Nämlich) denen zu Bethul[a] und zu Ramoth-Negeb[b] und denen zu Jattir[c]; 28 denen zu ⟨Arara⟩[a] und zu Siphmoth[b] und denen zu Eschtemoa[c]; 29[a] denen zu Rakal[b], denen in den Städten der Jerachmeeliter[c] und denen in den Städten der Keniter[d]; 30 denen zu Horma[a] und zu Bor-Aschan[b] und denen zu Athach[c]; 31 und denen zu Hebron und (überhaupt) an alle Orte, an denen David sich (einst) mit seinen Leuten umherziehend aufgehalten hatte.

1 a) 𝔊^B *κεειλά*, Angleichung an 23,1–3. b) Vgl. zu 15,6. Mit Rücksicht auf die sonst sauber durchgeführte Unterscheidung (V. 13; V. 18) ist hier ein mechanisches Versehen (Angleichung an das vorhergehende הַשְּׁלִישִׁי) anzunehmen und עֲמָלֵק zu lesen (S. R. Driver, Budde, DelF § 38b u. v. a., Caspari nimmt an, daß 𝔐 ein Handeln Gesamtamaleks ausschließen will; dafür könnte man zwar das גְּדוּד V. 8 anführen, doch widerspricht es dem Gesamttenor des Kapitels. c) נֶגֶב wird absolut sonst nur im allgemeinen Sinn einer Himmelsrichtung gebraucht, was aber noch nicht die Einfügung eines Genitivs rechtfertigt (Ehrlich כָּלֵב; Nowack, van den Born כְּרֵתִי). Allerdings wäre der Artikel erwünscht und ist wohl auch zu ergänzen (S. R. Driver, Budde, Dhorme).

2 a) 𝔊 + *καὶ πάντα*, wonach, wohl mit Recht, fast ausnahmslos וְכֹל oder wenigstens וְ vor אֲשֶׁר (Hertzberg) ergänzt wird. b) 𝔊 läßt es aus, wodurch הַנָּשִׁים Objekt zu לֹא הֵמִיתוּ wird, wohl nur, um den überladenen Text zu straffen. Auch van den Born rechnet mit Überfüllung und nimmt an, daß ursprünglich nur die Fortführung der Frauen berichtet gewesen sei. Caspari macht daraus יֹשְׁבִים. c) Fehlt 𝔖, die so den an sich naheliegenden, aber nicht beabsichtigten Sinn gewinnt, daß man die Männer erschlagen habe. d) 𝔊 + *καὶ γυναῖκα*, eine Korrektur, die durch Mißverständnis von אִישׁ als notwendig empfunden wurde. e) Verbaler Umstandssatz GK § 156f.

3 a) הֵנָּה ohne Suffix wie V. 16.

4 a) 𝔊 + *ἔτι*, eine sinngemäße Erleichterung, indes kein Grund zur Einfügung eines עוֹד (z. B. Sievers).

5 a) Vgl. 25,43. b) Paßt an dieser Stelle nicht in den Zusammenhang und ist auch sachlich überflüssig; vermutlich ist es die Beischrift eines am Gemütvollen interessierten Lesers (ähnlich Budde, Dhorme, de Vaux und die meisten).

6 a) GK § 144b. b) 𝔖 *d^emîtat* ist kaum eine einfache Verlesung (de Boer: OTS 6. 1949, S. 89), sondern eher nachdrückliche Übersetzung; zur Sache vgl. D. W. Thomas: Unusual ways of expressing the superlative. VT 1953, S. 222. c) Ketib בָּנוֹ, wohl eine aus dem folgenden וְ verständliche Haplogr, jedenfalls kein Hinweis auf die Kontamination einer singularischen

und einer pluralischen Lesart (de Boer, a. a. O.). d) Vgl. 23,16; auch 12,19; 25,29; eine Streichung deswegen, weil dadurch ein zu großer Abstand zwischen David und dem Volke entstünde (so Caspari, ähnlich Budde, Smith), ist unbegründet.

7 a) Wie 22,20; 23,6; ein Grund zur Streichung (Caspari) liegt nicht vor. b) Fehlt $\mathfrak{G}^{B}$; Fortfall durch Homoeotel?

8 a) 𝔐 ist jedenfalls in der überlieferten Textform konditional zu verstehen (zur Syntax GK § 159b; BroS § 164a; die Ergänzung eines אִם [Klostermann, Schlögl] ist unnötig). Die Auffassung als einer im Ton liegenden Frage (GK § 150a.b) ist angesichts des folgenden interrogativen הַאַשִּׂיגֶנּוּ unwahrscheinlich. Die Konjektur הַאֶרְדֹּף (Wellhausen, S. R. Driver, Budde, überhaupt die meisten) wäre zwar möglich, würde aber der besonderen Situation, in der David auf jeden Fall handeln muß (Caspari richtiger אֶרְדְּפָה), nicht gerecht. Der Nachdruck der Frage liegt auf dem zweiten Glied, das in der Antwort auch allein durch כִּי aufgenommen wird; das erste Glied ist konditional untergeordnet. b) Etwas anders nuanciert als 2 Sam 3,22; 4,2, wo es sich um feste militärische Größen handelt. c) Beachte die Nachahmung des Orakelstils.

9 a) Die Determination liegt im Relativsatz. b) $\mathfrak{G}^{B}$ *τετρακόσιοι* nicht eine Vorwegnahme, die auch zur Darstellung von $\mathfrak{G}^{B}$ nicht passen würde, sondern andere Vorlage wie 27,2. c) Lage unbekannt; vgl. Abel: Géographie I, S. 405. Gegen die Gleichsetzung mit dem *wādi eš-šarīʿa* (Buhl: Geographie, S. 88; de Groot) spricht wohl, daß man hier eine südlichere Lage erwartet (Simons: Texts, § 718). d) Daß diese Angabe, weil sie unvorbereitet ist und V. 10 vorwegnimmt, eine nachträgliche Erweiterung ist, wird allgemein und mit Recht angenommen. Doch ist mit der Streichung des הַנּוֹתָרִים עָמְדוּ (so die meisten) oder wenigstens des עָמְדוּ (so Dhorme, der וְהַנּוֹתָרִים zu V. 10a zieht) noch kein Grund für ihre Entstehung angegeben, zumal sie inhaltlich zu V. 10a gehören sollte. Die Annahme einer an falscher Stelle in den Zusammenhang geratenen Glosse (Greßmann, Schulz, Caspari u. a.) bleibt immer etwas Unsicheres und eine Umstellung (9a.10b.10a.9b, so Hertzberg) etwas Willkürliches. Es scheint vielmehr, daß dieser glossierende Zusatz einen neuen Gedanken einführt oder wenigstens einen vorhandenen Gedanken stärker akzentuiert (vgl. die Auslegung) und daß נוֹתָרִים hier die spezielle militärische Bedeutung von »Nachhut, Reserve« hat, die u. U. auch in den Kampf einzugreifen hat; zur Sache vgl. de Vaux: Lebensordnungen II, S. 62, auch Mazar: VT 1963, S. 314f.

10 a) Die von Wellhausen vorgeschlagene und den meisten übernommene Umstellung von V. a u. V. b (vgl. Anm. d zu V. 9) macht aus der Erzählung ein Rechenexempel; zum Tenor der Darstellung vgl. Jdc 7,6. b) $\mathfrak{G}^{L}$ + *τοῦ φυλάσσειν*, den gleichen Gedanken gewinnt 𝔖 durch eine längere Paraphrase. Es handelt sich um ein aus dem Zusammenhang gewonnenes Verständnis, das in der Linie von הַנּוֹתָרִים V. 10 liegt, aber nicht für ursprünglichen Text (so Budde) gehalten werden darf. c) Nur hier, doch ist die Bedeutung durch das Jüdisch-Aramäische und Syrische, auch durch das Nomen, aureichend gesichert (KBL, S. 751). Die Auffassung »Wache halten bei« (Grimme: BZ 1904, S. 48 unter Änderung von מִלֶּכֶת in הַכֵּלִי und Streichung von אַחֲרֵי דָוִד) ist willkürlicher Eintrag, obwohl auch 𝔗 abschwächend דְּאִתְמְנַעוּ, 𝔊 *οἵτινες ἐκάθισαν* übersetzen (vgl. Anm. b). Die Konjektur גָּרוּ (Klostermann, Caspari) ist dagegen eine unnötige Vergröberung nach der anderen Seite.

11 a) Die Vorwegnahme ist für den Stil des Kapitels charakteristisch; מִצְרִי ist darum weder als Glosse (so Budde, Hertzberg u. a.) zu streichen noch in רָעֵב (Klostermann) zu ändern.

12 a) Cant 4,3; 6,7. Zur Kreisform Jdc 9,53 (Mühlstein). b) Vgl. 25,18; die ganze Angabe fehlt in 𝔖. c) 25,18 im umgekehrten Größenverhältnis ($\mathfrak{G}^{A}$ *διακοσίους* in direkter Angleichung); danach muß es sich um Rosinenbrote oder wenigstens zusammengepreßte Trauben handeln, nicht um einzelne Rosinen (so z. B. Hertzberg), obwohl für שְׁנֵי in der Bedeutung »einige« auf 1 Reg 17,12 verwiesen werden könnte und im Späthebräischen צִמּוּקִים immer von den einzelnen Trauben gebraucht wird. *Σ καὶ δύο ἐνδεσμοὺς σταφίδων*, $\mathfrak{G}^{O}$ *'A καὶ δύο σταφίδας*; $\mathfrak{G}^{B}$ fehlt es überhaupt, nach Wellhausen, Budde, Smith u. a. mit Recht. In der Tat ist der Text hier sehr breit (van den Born), so daß Sievers Parallellesarten annahm. Vgl. aber die Auslegung. d) Vgl. Jdc 15,19.

13 a) Statt an Ägypten denken KAT^{3}, S. 147; ATAO, S. 513 an das nordarabische *Muṣri*, aber damit wäre die Erwähnung uninteressant. b) Die von vielen (S. R. Driver, Budde,

Smith, de Vaux u. a.) vorgeschlagene Ergänzung eines יָמִים ist sachlich richtig, aber unnötig, da es schon implicit in der Angabe enthalten ist (Dhorme, vgl. auch GK § 134o).

14 a) Da in dieser Bedeutung das Wort sonst mit אֶל (Jdc 20,37; 1 Sam 27,8; 30,1; 27,10?) oder עַל (Jdc 9,33; 1 Sam 23, 27) gebraucht wird, wobei zwischen beiden Präpositionen kein inhaltlicher Unterscheid besteht, wird allgemein auch hier עַל ergänzt (DelF § 92), mit Recht, obwohl der Verlust in 𝔐 auch nicht leicht zu erklären ist. b) Kommt allein nur hier und Ez 25, 16; Zeph 2,5, sonst zusammen mit פְּלֵתִי (vgl. zu 2 Sam 8,18; 15,18) vor; es wird als Synonym für die Philister gebraucht, was dem historischen Tatbestand insoweit entspricht, als die כְּרֵתִי, wenn auch nicht mit den Philistern identisch, doch nahe Verwandte gewesen sind (vgl. Abel: Géographie I, S. 419; Simons: Texts, § 194; H. Schmöckel: HO II/3. 1957, S. 237; Anton Jirku: Geschichte Palästina-Syriens im orientalischen Altertum. Aalen 1963, S. 134). Um eine genauere Bestimmung des Verhältnisses bemüht sich J. Prignaud: Caftorim et Kerétim. RB 1964, S. 215ff. An autochthone phönizisch-kanaanäische Urbevölkerung dachte R. Dussaud: Les Phéniciens au Negeb et en Arabie d'après un texte de Ras Shamra. RHR 108, 1933, S. 21. KAT³, S. 229 sah darin die gens Davids. c) »Und in das, was Juda gehört« ist neben der Nennung von Kaleb störend und durch die abweichende Einführung mit עַל אֲשֶׁר auffallend; mit ziemlicher Sicherheit handelt es sich um eine nachträgliche Erweiterung (auch Smith, Dhorme, Kittel u. a.), die den Bericht stärker profilieren soll. d) Vgl. zu Kap. 25; Bruno: Epos, S. 89 hält auch dies für Einschub, was aber nicht zu erweisen ist.

15 a) 𝔗𝔖 יהוה. b) 𝔊^L + καὶ ὤμοσεν αὐτῷ (so Schlögl, Sievers) ist nur pedantische Erweiterung; ungerechtfertigt ist es dagegen, wenn Bruno: Epos, S. 89 den Schluß des Verses schon von אוֹרִדְךָ ab tilgt.

16 a) 𝔊 + ἐκεῖ (שָׁם Thenius; שָׁמָּה Klostermann) ist pedantisch und unnötig. b) 𝔊 + οὗτοι, was auf ursprüngliches הֵמָּה führen könnte, dessen Fortfall nach הִנֵּה als Haplogr leicht erklärbar wäre (so z. B. Dhorme, Hertzberg; Caspari הִנָּם). Doch scheint 𝔐 das Moment des Unwachsamen, Unvorbereiteten stärker zu betonen. c) Merkwürdig weitreichender Ausdruck; Caspari zieht mit לִפְנֵי הָרוּחַ »sie waren vor dem Winde abgestiegen« eine unmögliche Folgerung aus einer an sich richtigen Beobachtung. d) Ob hier die Bedeutung »tanzen« (etwa Smith, Greßmann, Schulz, Hertzberg), die wohl auf Qimchi zurückgeht (S. R. Driver), gefunden werden kann, ist fraglich. Es widerspräche der vorausgesetzten Situation einer weitreichenden Zerstreuung. e) »Und aus dem Lande Juda«, vgl. Anm. c zu V. 14.

17 a) 𝔊 + καὶ ἦλθεν ἐπ' αὐτούς, zwar von manchen (z. B. Thenius) übernommen, aber doch wie die in Anm. b zu V. 15 und Anm. a zu V. 16 besprochenen Erweiterungen zu beurteilen. b) Allgemein die am Rande des Tageslichtes stehende Dämmerung; es kann also auch die Abenddämmerung bedeuten (so 'Α Σ 𝔙; auch Klostermann, Smith, Schulz u. a). Indes ist hier wohl nicht an die unglaubliche Schnelligkeit des Sieges gedacht, die ohnedies schlecht zur Situation eines weit zerstreuten Gegners passen würde, sondern an eine konsequente Vernichtung; es wird also die Morgendämmerung gemeint sein (so 𝔊𝔖; zur Sache vgl. AuS I, S. 630, auch Hertzberg). c) »Des darauffolgenden Tages« ist eine schwierige Form, die als doppelte Adverbialendung (GK § 100c.g) mit der Präposition לְ verstanden werden müßte (Hertzberg »des ihnen folgenden Tages«). Die Schwierigkeit der Form rechtfertigt aber nicht die seit Wellhausen bis Rehm, de Vaux, van den Born fast ausnahmslos vorgenommene Konjektur לְהַחֲרִימָם (Ehrlich וַיַּחֲרִימֵם), die einmal einen nicht notwendig zu erwartenden neuen Gedanken einträgt (so auch Hertzberg; Dt 2,35, worauf Rehm verweist, liegt doch anders), zum anderen gegen die einstimmige Auffassung der Vers steht. Auch Dhorme bleibt mit seinem Vorschlag לְמָחֳרַת הַיּוֹם beim Verständnis von 𝔐 (vgl. dazu aber den Einwand von Joüon: MUB 5/2. 1912, S. 470, dessen לְפִי חֶרֶב freilich auch sehr farblos bleibt). Es handelt sich mit großer Wahrscheinlichkeit um einen Zusatz, der den Gedanken noch unterstreichen soll (so auch Schulz). Die Konjektur Klostermanns בְּכָל־מַחֲנֵיהֶם steht im Widerspruch zum Kontext. Caspari: תַּמּוּ vor וְלֹא נִמְלַט.

18 a) Angesichts V. 19 überflüssig und Beischrift eines gefühlsmäßig orientierten Lesers (so schon Budde, Smith, Dhorme u. v. a.).

19 a) Die verschiedene Beziehung von לָהֶם in so engem Zusammenhang ist nur scheinbar und rechtfertigt nicht die Änderung in לָעָם (Klostermann). b) Der Text ist deutlich überfüllt. Das Fehlen von מִן־הַקָּטֹן bis לָקְחוּ לָהֶם in 𝔖 wird nicht als Homoeotel zu erklären sein (so

Schwartz: Übersetzung, S. 89), sondern ist ebenso bewußte Erleichterung wie das *ἀπὸ τῶν σκύλων καὶ ἕως υἱῶν* bei 𝔊ᴮ, das de Boer: OTS 6. 1949, S. 93 ebenfalls für einen Irrtum hält. Die danach von Wellhausen, S. R. Driver, Budde, Dhorme u. v. a. vorgenommene Umstellung des וּמִשָּׁלָל hilft ebensowenig wie die Streichung (Bruno: Epos) oder die Tilgung des וְעַד vor "כָּל־א (Ehrlich, Greßmann). Die Überfüllung der Aussage erklärt sich als nachdrückliche Unterstreichung der immerhin überraschenden Tatsache, daß wirklich nichts verlorenging.

20 a) Das Fehlen des דָּוִד bei 𝔙𝔊ᴹˢˢ, dessen Nennung stilistisch nicht einmal unbedingt nötig wäre, berechtigt nicht dazu, ein ursprüngliches וַיִּקְחוּ anzunehmen, wie es seit Wellhausen bis de Vaux, Hertzberg, van den Born fast ausnahmslos geschieht. b) Gemeint ist der Viehbestand der Amalekiter, wie schon Qimchi richtig erkannt hat; die Angabe soll erklären, warum David von der Beute Teile an die Ältesten senden konnte. Die willkürliche Annahme einer durch Homoeotel entstandenen größeren Lücke »welche die Amalekiter aus Ziklag gestohlen hatten, und vereinigten sie zu einer Herde; die übrigen Schafe und Rinder aber . . .« (so Greßmann, Tiktin) verdunkelt nur die Überlieferungsverhältnisse. c) »Man führte sie vor jenem Viehbesitz her«. Die nächstliegende Erklärung für diese syntaktisch nicht in den Kontext passende Konstruktion ist die Annahme einer nachträglichen Einfügung. Die hier von den meisten (vgl. Anm. a) vorgenommene Änderung in וַיִּנְהֲגוּ leuchtet graphisch ebensowenig ein wie die auf 𝔙 »ante faciem suam« zurückgehende Lesung לְפָנָיו statt לִפְנֵי הַמִּקְנֶה הַהוּא, zumal die Vers sonst dieses הַמִּקְנֶה voraussetzen (𝔖 sogar trotz ihrer Auffassung des לִפְנֵי als לְפִי). Die Einfügung will unterstreichen, daß sehr wohl ein Unterschied zwischen dem wiedergewonnenen Eigentum und der eigentlichen Beute gemacht werden konnte (vgl. auch Rehm); sie kennzeichnet eine viel tiefer im ganzen Bericht liegende Spannung. Vgl. dazu die Auslegung. Weniger wahrscheinlich denkt Klostermann, auch Schlögl. an Beute, die die Amalekiter vor diesem Raubzug gemacht hätten. Zu erwähnen wäre noch Dhormes Auffassung, der zwar der Änderung in לְפָנָיו zustimmt, das Athnach aber bei צֹאן setzt und בָּקָר als Objekt zu נָהֲגוּ zieht.

21 a) 𝔐 »die man zurückgelassen hatte«; vokalisiere mit den Vers und den meisten Auslegern וַיֹּשִׁיבֵם; Boström: Alternative Readings, S. 43, denkt auch hier an eine Alternativlesart. b) 𝔊 *ἕως*, 𝔙 »ad« beziehen הָעָם auf die zurückgelassenen Gruppe, und so wird es z. B. auch von Schulz verstanden, was sprachlich ohne Änderung des אֶת (so Budde) möglich wäre (vgl. zu 9,18). Da aber keine Notwendigkeit zu einer Korrektur des überlieferten וַיִּגַּשׁ besteht (vgl. Anm. c), scheitert diese Auffassung schon inhaltlich daran,daß dann עַם eng nebeneinander ganz verschiedene Bedeutungen hätte. Dhorme will es deswegen gänzlich tilgen. Die gleiche Überlegung spricht auch gegen die Vokalisierung וַיִּגַּשׁ und die Ableitung von einer Wz. גשה »er kauerte sich bei dem Volke nieder« (A. Guillaume: Langue et traditions Arabes et Ancien Testament. Orientalia et Biblica Lovaniensia 1957, S. 113). c) Nach 𝔊 *καὶ ἠρώτησαν αὐτόν* wird seit Wellhausen mit wenigen Ausnahmen (Dhorme, Hertzberg, Rehm) der überlieferte Text in וַיִּשְׁאֲלוּ לוֹ, ebenso das vorhergehende וַיִּגַּשׁ דָּוִד in וַיִּגְּשׁוּ אֶל־דָּוִד geändert, wofür man sich jedenfalls nicht auf den doppelten Pl. bei 𝔖 berufen darf. 𝔐 ist zweifellos in Ordnung; der Gruß des siegreichen Anführers stellt die Zurückgebliebenen den Kämpfern gleich.

22 a) Die Diskrepanz im Numerus ist gut hebräische Redeweise (Wellhausen, BroS § 17), die natürlich von 𝔊 (*μεθ' ἡμῶν*) 𝔙 (nobiscum) aufgelöst werden muß, was weder zur Änderung in עִמּוֹ (Caspari, de Groot) oder עִמָּנוּ (z. B. Smith, Greßmann) noch zur Annahme einer Kontamination zweier Lesarten (Boström: Alternative Readings, S. 43) nötigt.

23 a) Der Text ist nicht zu ändern. Es wäre wohl möglich, אֵת אֲשֶׁר als Objekt zu לֹא תַעֲשׂוּ zu ziehen und durch »mit dem, was« wiederzugeben (𝔗𝔙; Keil, jetzt Hertzberg), doch wäre das bei עָשָׂה hart. So liegt es näher, einen selbständigen Einsatz und den Anakoluth bewegter Rede anzunehmen. Gegen die Auffassung als Ellipse (Unterdrückung eines זִכְרוּ oder נִזְכֹּר; so van den Born, vgl. auch J. Blau: Gibt es ein emphatisches ʾEṮ im Bibelhebräisch? VT 1956, S. 212) spricht wohl, daß man dann עָשָׂה statt נָתַן erwarten sollte, was Smith sowieso konjiziert. Da ein Anakoluth von 𝔊 nicht übersetzt werden konnte, ist ihr *μετὰ τὸ παραδοῦναι* kein Grund zu dem von Wellhausen bis de Groot, Rehm, de Vaux fast ausnahmslos gemachten Vorschlag, אַחֲרֵי אֲשֶׁר zu lesen; das wäre nicht nur graphisch schwierig, ergäbe auch wegen

des fehlenden Objekts nur eine neue Ellipse, die konsequent zur Streichung des נָתַן לָנוּ (Nowack) oder zur Einfügung eines הַיְשׁוּעָה (Ehrlich, Tiktin, Greßmann) führen muß. Interessant, wenn auch abwegig, ist der Vorschlag, זֹאת statt אֵת zu lesen und אִתָּנוּ statt אֹתָנוּ zu vokalisieren (Klostermann: = »was Jahwe uns gegeben und was er bei uns erhalten hat«), weil er auf eine gedankliche Spannung im Text hinweist.

24 a) מִי statt וּמִי (de Groot) verkennt die Lebendigkeit der Rede. b) 𝔊 + ὅτι οὐχ ἧττον ὑμῶν εἰσιν (von Thenius, Dhorme, Schlögl übernommen) ist blaß und wie die in Anm. b zu V. 15, Anm. b zu V. 16 und Anm. a zu V. 17 besprochenen Erweiterungen zu beurteilen. c) GK § 161c. d) Zum Worte vgl. I. C. de Moor: Lexical Remarks Concerning Yaḥad and Yaḥdaw. VT 1957, S. 350ff. e) Die letzten beiden Worte sprengen das Metrum und sind wieder Prosa, was indessen nicht zur Streichung (Caspari) berechtigt.

25 a) Klostermann וַיְהִי sieht in dem Satz noch Rede Davids, was durch keine Vers gestützt, auch inhaltlich unwahrscheinlich ist. b) 𝔗𝔊𝔙 konstruieren unpersönlich, vielleicht im Ausgleich mit der Angabe Num 31,27 (de Boer: OTS 6. 1949, S. 95).

26 a) Zur defektiven Schreibung des Pluralsuffixes vgl. BLe § 28v, 67f, doch ist die Annahme eines kollektiven Sg. (GK § 91k) wahrscheinlicher. Gegen die Auffassung als einer einfachen Apposition spricht wohl die Wiederholung der Präposition (Budde, auch S. R. Driver); es läge näher und wäre auch möglich, ein וְ zu ergänzen (Schulz; vgl. 𝔊𝔖), das explikativ verstanden werden könnte (GK § 154a). Jedenfalls besteht weder Grund zur Tilgung als Dittogr zu לֵאמֹר (Ehrlich) noch zu der seit Klostermann, Budde von den meisten, auch Hertzberg, Rehm, de Vaux, vorgenommenen Änderung in עָרֵיהֶם, womit nur eine überflüssige Selbstverständlichkeit gesagt wäre. Mit großer Wahrscheinlichkeit handelt es sich überhaupt um einen nachträglichen erläuternden Zusatz zu זִקְנֵי יְהוּדָה. Wutz; Bruno: Epos, S. 90 versuchen unnötig, daraus eine Verbalform (synkopierte Hiphilform zu רעע II »um in freundschaftliche Beziehungen zu kommen«) zu gewinnen. b) Vgl. zu 25,27.

27 a) 𝔐 בֵּית־אֵל 𝔊B *Βαιθσούρ*; lies nach Jos 19,4 בְּתוּל (dort 𝔊B *Βουλα*). Zur Unsicherheit der Namensüberlieferung vgl. A. Alt: ZDPV 1953, S. 87. Heute *qaryetein*, etwa 30 km nordöstlich von Beerseba (Abel: Géographie II, S. 283; Simons: Texts, § 321). b) Jos 19,8 רָאמַת נֶגֶב; Lage unbekannt. c) Jos 15,48; 21,14. Heute *ḫirbet ʿattīr* etwa 25 km nordöstlich von Beerseba (Abel: Géographie II, S. 356; Simons: Texts, § 722; vgl. Alt: PJ 1932, S. 15).

28 a) 𝔊B *Ἀροήρ*; da aber das ostjordanische עֲרֹעֵר hierfür nicht in Frage kommt, lies (nach Jos 15,22 (עַדְעָדָה) עַרְעָרָה, wofür auch die doppelte Wiedergabe bei 𝔊B *Ἀροὴρ καὶ τοῖς Ἀμμαδει* sprechen könnte (so schon Wellhausen); heute wohl *ḫirbet ʿarʿara* am Südrande der Bucht des *wādi el-milḥ*, 21 km südöstlich von Beerseba (Abel: Géographie II, S. 250; Simons: Texts, § 723; vgl. auch Alt III, S. 402). b) Lage unbekannt. c) Jos 15,50; 21,14; das heutige *es-semūʿa*, etwa 15 km südlich von Hebron (Alt: PJ 1932, S. 15; Abel: Géographie II, S. 321; Simons: Texts, § 725).

29 a) 𝔊B + *καῖ τοῖς ἐν Γὲθ καὶ τοῖς ἐν Κειμὰθ καὶ τοῖς ἐν Σαφὲκ καὶ τοῖς ἐν Θειμάθ* dazu am Ende des Verses statt יְרַחְמְאֵלִי *τοῦ Ἰσραήλ*; eine aus der bestehenden Liste herausgesponnene Erweiterung ohne Überlieferungswert (Wellhausen, Budde), die eine Angleichung an die Biographie Davids herstellen soll (zur Sache vgl. Caspari: OLZ 1916, S. 173ff). b) 𝔊 *Καρμήλῳ*, wonach von allen (zuletzt de Vaux, Hertzberg, van den Born; vgl. auch Simons: Texts, § 685) in בְּכַרְמֶל geändert wird. Aber warum sollte gerade ein so bekannter Name verschrieben sein (ähnlich de Groot)? Außerdem stand die Bindung Davids an die Leute dort sowieso außer Zweifel. Die Lage dieses רָכָל ist freilich unbekannt. בְּעָרֵי כָלֵב (Klostermann, Schlögl) paßt nicht in den Rahmen. c) Vgl. zu 27,10. d) Vgl. zu 15,6.

30 a) 𝔊B *Ἰερειμούθ*. Jos 19,4, auch Jdc 1,17, zum Stammgebiet von Simeon, Jos 15,30 zu Juda gerechnet; der frühere Name war צְפַת (Jdc 1,17); es wird auch Num 14,45; Dt 1,44 u. ö. genannt. Zur Frage der Lokalisierung vgl. Alt III, S. 432ff., es ist mit dem *tell es-sebaʿ* oder auch *tell el-mšaš*, 5 km östlich von Beerseba, gleichzusetzen (Abel: Géographie II, S. 350; Simons: Texts § 727; BHH II, Sp. 749). b) 𝔊B *Βηρσάβεε*; unter der Namensform עָשָׁן Jos 19,7 zu Simeon, Jos 15,42 zu Juda gehörig. Heute *ḫirbet ʿasan* bei Beerseba (Alois Musil: Arabia Petraea II/2. Wien 1908, S. 66; Alt III, S. 426). c) 𝔊B *Νοό*, 𝔊A *Αθαγ*; Jos 14,52; 19,7 (vgl. Anm. b) עֶתֶר (𝔊B zu 15,42 *Ἴθακ*; zu 19,7 *Ἰεθερ*); indessen ist עֲתָךְ als das Wahrscheinlichere vorzuziehen (Noth: Josua. 2. Aufl. 1953 [HAT I/7] zu 19,7). Die Lage ist unbekannt.

30,1–31 DAVIDS SIEG ÜBER DIE AMALEKITER bildet, wie allgemein zugestanden ist, eine direkte Fortsetzung zu Kap. 29. Während David mit seinem Kontingent an der Truppenbesichtigung zu Aphek teilnimmt, haben die Amalekiter die Gelegenheit benutzt, Ziklag zu erobern und niederzubrennen. Es wird in der Auslegung mehr oder weniger als eine verständliche Repressalie angesehen, daß die Amalekiter, wo die Möglichkeit dazu sich bot, sich für das rächten, was David im Laufe der Zeit ihnen angetan hatte[1] – der Wortlaut des Textes scheint zunächst selber in diese Richtung zu weisen. Aber doch ist das nicht die Absicht der Darstellung; dies um so weniger, als 27,8 ganz allgemein von Unternehmungen Davids gegen die Südstämme, unter denen natürlich die Amalekiter waren, geredet hatte. Kap. 30 ist nicht Folge, sondern Parallele zu 27,8–12 und stellt eine Episode zur weiteren Illustrierung des dort Berichteten dar[2]. Kap. 27; 29; 30, wiewohl vom literarischen Standpunkt eine Einheit, sind in sich bereits das Ergebnis einer Komposition, die in gewisser Weise sogar das Prinzip der Steigerung noch erkennen lassen könnte. Doch ist das, wohl durch die Situation bedingt, so verwischt, daß man hier auf ein sicheres Urteil verzichten muß. Wenn sich nun Kap. 27 schon Spannungen feststellen ließen, die sich aus der Notwendigkeit ergaben, auf verschiedene Fragestellungen eine Antwort zu finden (vgl. o. S. 476), so gilt das hier in verstärktem Maße; so sehr, daß man mit der Möglichkeit rechnen muß, daß eine in sich selbständige Geschichte mit eigener Fragestellung – freilich auch dies eine Fragestellung, die für den Jerusalemer Hof von entscheidender Bedeutung war – in einen neuen Zusammenhang hineinkonstruiert worden ist. Die Entscheidung darüber hängt nicht so sehr von dem Urteil über die Historizität von Kap. 29 ab, die wohl in Frage gestellt, nicht aber sicher verneint werden kann (vgl. o. S. 502), sondern eher von der Beobachtung, daß man im Grunde hier nicht von *einer* Episode[3], sondern von verschiedenen Episoden, mindestens aber von verschiedenen Motiven reden muß, die zwar zu einer durchaus organisch wirkenden Einheit zusammengewachsen sind – das Urteil, daß dieses Stück zusammen mit Kap. 25 zu den ursprünglichsten, schönsten und reichsten des ganzen Buches gehöre[4], soll keineswegs in Frage gestellt werden –, bei denen indessen allerorten Spannungen bestehen bleiben, die die Eigenständigkeit dieser Motive noch erkennen lassen.

1–8 V. 1a stellt eine Überleitung zum Vorhergehenden dar, die in V. 3 wieder aufgenommen wird. Dazwischen ist in einem Zustandssatz vorwegnehmend das beschrieben, was sich nachher genauer aus den Angaben des ägyptischen Sklaven ergibt, den man unterwegs gefunden hat. Die drei Tage sind wohl von dem Abmarsch Davids aus Aphek an gerechnet und meinen nicht die Dauer seiner Abwesenheit von Ziklag. Da die Entfernung etwa 100 km beträgt, ist das keineswegs eine ungewöhnliche Marschleistung[5], eher das Gegenteil. Es steht in einer nicht

1. Z. B. Schulz, Rehm, de Vaux.
2. So auch van den Born.
3. Hertzberg.
4. Budde.
5. Budde.

ausgeglichenen Spannung zu den Aussagen des Sklaven, daß sein Herr ihn vor drei Tagen zurückgelassen hätte. Manche[6] schließen daraus auf nur einen Tagesmarsch bis zur Heimkehr; dann wäre die Zeit sehr kurz. Vermutlich handelt es sich um eine konventionelle Zahl, deren historisches Gewicht mit einer solchen Nachrechnung überlastet ist. Die Absicht des jetzigen Zusammenhanges ist es jedenfalls zu zeigen, wie David, aus der Gefahr, gegen sein eigenes Volk kämpfen zu müssen, befreit, vor eine Aufgabe gestellt wird, die ihm gemäßer ist. Der Zwischenbericht erweckt den Anschein, als sei nur Ziklag beraubt und niedergebrannt worden, obwohl bereits das allerdings recht allgemeine אֶל־נֶגֶב (vgl. Anm. c zu V. 1) darüber hinaus weist. Er hat dem oben erwähnten Mißverständnis Vorschub geleistet. Indessen ist diese Beschränkung auf Ziklag, wenn hier auch vordergründig, um der Durchführung des einen Motivs willen notwendig, ebenso die andere Feststellung, daß nur die Frauen und Kinder weggeschleppt wurden, entweder um sie als Sklaven für den eigenen Gebrauch zu haben, oder um damit die Sklavenmärkte Ägyptens zu beschicken[7]. Auch wenn das nicht recht einsichtig ist[8], so darf es deswegen nicht literarkritisch eliminiert werden[9]. Andererseits kann es aber auch nicht damit erklärt werden, daß die Amalekiter keinen Widerstand fanden, weil keine Männer mehr da waren, darum also auch nichts zu töten hatten[10]. Denn David war ja mit einem schon bestehenden Gemeinwesen belehnt worden, auch wenn es keine philistäische Gründung war. Davon nun, daß er auch die Fellachen zum Kriegszug rekrutiert habe, ist ausdrücklich nichts gesagt[11]; es ist immer seine persönliche Schar, mit der zusammen er auftritt. Das sind freilich Fragen, die für die Darstellung außerhalb des Ansatzes bleiben, weil eben nur so die Größe der Rettungstat ins rechte Licht gerückt werden kann.

Dasselbe Problem tritt nun auch im Folgenden auf. Der Schmerz Davids und seiner Leute wird sehr plastisch geschildert, und wenn man dazu auf die Art des antiken Menschen, vor allem des Orientalen verweist[12], so mag das richtig sein, darf aber auch nicht sentimentalisiert werden[13]. Dann aber schlägt die Stimmung um und wendet sich gegen den Führer, obwohl er ja vom gleichen Verlust betroffen ist. Es ist dabei zu bedenken, daß die Leute, die mit in Aphek gewesen waren und dort als עִבְרִים bezeichnet wurden, die auf David persönlich eingeschworene Kampfgenossenschaft bildeten. Daß aber die, die auf Gedeih und Verderb mit ihrem Herrn verbunden waren, sich so gegen ihn stellen, ist zum mindesten überraschend, selbst wenn man sich vergegenwärtigt, daß sie nun einmal zum unruhigen Teil der Bevölkerung gehört hatten (22,2)[14]. Die psychologischen

6. Schlögl, auch wohl Caspari.
7. So die meisten, ausdrücklich Smith, Budde.
8. Vgl. die Auffassung von 𝔖, Anm. c zu V. 2.
9. Schlögl, van den Born, vgl. Anm. b zu V. 2.
10. De Groot.
11. Eine Überlegung, die Nübel mit Recht anstellt; vor ihm schon Baentsch: David, S. 82.
12. Caird weiß sogar, daß die Erschöpfung des langen Marsches die Männer seelisch labil gemacht habe.
13. »Rauhe Männer weinen wie Kinder«: Schulz.
14. So Dhorme.

Erklärungsversuche, die hier gemacht werden und die z. T. einander diametral widersprechen – die Leute hätten von vornherein einem Kriegszug mit den Philistern gegen Israel ablehnend gegenübergestanden[15], sie machten David den Vorwurf, die Stadt nicht ausreichend gesichert zu haben[16], seien in ihrer Hoffnung auf reiche Beute schon sowieso enttäuscht gewesen[17] –, sind an den Text herangetragen und nicht durch ihn gefordert. Der Wechsel zwischen אֲנָשָׁיו (V. 1.3) bzw. הָעָם אֲשֶׁר אִתּוֹ (V. 4) und dem כָּל־הָעָם (V. 6) läßt nun aber an die Möglichkeit denken, daß hier noch etwas von Spannungen greifbar wird, die zwischen David und der autochthonen Bevölkerung aufbrechen konnten und mußten, wenn seine Oberhoheit zu schweren Belastungen und Verlusten führte[18]. Daß David wieder Kraft fand בַּיהוָה אֱלוֹהָיו (vgl. Anm. d zu V. 6), könnte in dieselbe Richtung weisen und der darin ausgesprochene Abstand zwischen David und Volk beabsichtigt sein, denn die Parallelen sonst (mit אֱלֹהֶיךָ) haben keinen Gegensatz zum Inhalt, sondern sind Ausdruck höflicher Sprache. Die Absicht, David zu steinigen, ist aus dem Lebensbereich der israelitischen Rechtsgemeinde heraus formuliert.

In diesen Vorstellungskreis weist es auch, wenn David sich den Ephod bringen läßt (V. 7). Denn es ist mindestens auffällig, daß Abjathar mit dem Ephod selbst in das philistäische Gebiet geht[19], zumal er dann wie ein »Feldprediger[20]« mit nach Aphek gezogen sein müßte, was ein Widerspruch in sich selber wäre. Jedenfalls aus seiner Nennung hier darf man keine Schlüsse auf seine von manchen angenommene[21] Verfasserschaft eines Geschichtswerkes über David ziehen. Die Absicht dieses Punktes der Darstellung ist es natürlich, zu zeigen, daß auch in dieser Not David der bleibt, der unter Gott steht[22]. Übrigens zeigt sich auch hier nach dem eindeutigen Wortlaut des Textes (vgl. Anm. a zu V. 8) ein kleiner Unterschied zum Gebrauch sonst, der nicht zufällig sein wird. David fragt nur nach den Erfolgschancen des Unternehmens, das er vorhat, macht dieses selbst aber nicht mehr vom Ephodbescheid abhängig. Wenn diese Folgerung vielleicht auch zu weitreichend erscheint, muß man doch eine gewisse Freiheit im Gebrauch alter Vorstellungen anerkennen; sie erlaubt es nicht, hier von der ausführlichsten Fassung des Befehls zum Orakel und seiner Ausführung[23] zu reden. In der Antwort Jahwes ist das נָצַל zu beachten; es ist gegenüber seinem Bedeutungsumfang in den Richtergeschichten[24] doch eingeschränkt. Gerade wenn dieses Unternehmen damit etwas vom Charakter des Heiligen Krieges bekommen soll, verrät sich zugleich ein großer Abstand von diesen Vorstellungen.

15. Etwa Keil, Budde, Caspari.
16. Nowack, Greßmann, Hertzberg u. a.
17. Schulz.
18. Wobei die Frage, ob auch diese Bevölkerung zum Kriegszug mit aufgeboten wurde, weil nicht beantwortbar, offen bleiben muß.
19. Eine Frage, die auch van den Born stellt.
20. Schulz.
21. So wieder Auerbach: Wüste I, S. 32f.
22. Was Hertzberg mit Recht unterstreicht.
23. So Budde.
24. Etwa Jdc 6,9; 8,34; 9,17; 1 Sam 7,3.14.

9–19 Die verfolgende Mannschaft gelangt an das Bachtal הַבְּשׂוֹר. Hertzberg vermutet, daß dieser Name, weil immer mit dem Artikel versehen, als Tal der frohen Botschaft verstanden worden ist. Aber dafür ist das, was dort geschieht, wohl doch nicht ausgeprägt genug. An dieser Stelle tritt nun eine Teilung der Truppe ein. Eine solche Gliederung in Angriffstruppe und rückwärtige Dienste ist gutes militärisches Brauchtum (vgl. Anm. d zu V. 9); auch das Kräfteverhältnis 1:2 ist üblich (25,13) und günstig. Es ist weiter sicher zu allen Zeiten so gewesen, daß man zu diesen Versorgungsaufgaben nicht gerade die besten Leute genommen hat. Freilich, militärisch geurteilt wird diese Maßnahme erst dann vorgenommen, wenn man den Standort des Gegners und den Weg dorthin kennt und weiß, daß man unmittelbar vor dem Zusammentreffen steht. Diese in sich verständliche Überlegung wird hier von einem ganz neuen Zug durchkreuzt. Die Leute sind zu erschöpft und bleiben zurück. Nun ist das nach einem Gewaltmarsch von Aphek nach Ziklag und dann weiter zum Bachtal הַבְּשׂוֹר nicht eigentlich verwunderlich[25], aber es wird so erzählt, daß es fast wie eine Meuterei wirkt. Auffallend bleibt auch immer noch, daß es gerade zweihundert Mann waren, also genau eine taktische Einheit, die nicht weiter konnten. Die Erweiterungen zum Text (vgl. Anm. d zu V. 9 u. Anm. b zu V. 10), Umstellungen und anderen Versuche (vgl. Anm. a u. c zu V. 10) zeigen, wie sehr man diese Spannung empfand und beseitigen wollte. Nun ist diese Angabe die Voraussetzung für das Murren der übelwollenden Kameraden bei der Beuteverteilung V. 22, dieses wiederum die Grundlage, auf der die verbindliche Ordnung V. 24 mitgeteilt werden kann. Es liegt also eine ätiologische Sage vor, die in der Art des Mythus die Entstehung einer Einrichtung und eines Brauches auf ihren Anfangspunkt zurückverfolgt, diesen freilich, historisch geurteilt, nicht zutreffend beschreibt. Damals, als Leute zu müde waren, um weiterzuziehen, hat man die Troßwache erfunden, damals hat David ihre Beuterechte festgesetzt. Damit erweist das Stück sich als selbständig; seine Verbindung mit dem Vorhergehenden ist nur literarisch[26], sie hat auch weiter unausgeglichene Spannungen in der Darstellung zur Folge.

Im Zusammenhang damit wird V. 11 das Aufbringen des ägyptischen Sklaven verstanden werden müssen; jedenfalls hat diese Episode keinen literarischen Eigenwert. Caspari hat das im Prinzip richtig gesehen, diese Erkenntnis freilich dann damit überlastet, daß er den Ägypter zusammen mit den הַנּוֹתָרִים im Bachtal nach Wasser suchen läßt. Daß ein Ägypter sich als untergeordneter Sklave bei den Amalekitern befindet, ist an sich auffallend, doch nicht unmöglich. Abgesehen von modernen Berichten[27], wonach ägyptische Kinder in der Wüste als Sklaven begehrt werden, kann auch, was hier näher liegt, an den Kampf und Sieg Benajas über einen riesigen Ägypter erinnert werden (2 Sam 23,21). Die Überlegungen, daß dieser Ägypter als Sohn des Niltals das rauhe Nomadenleben und die Hitze nicht gewohnt war[28], sind also ziemlich aus der Luft gegriffen. Natürlich wird in

25. Mitfühlend weiß Caspari sogar, daß es ihnen schließlich doch zu heiß wurde.
26. Was auch van den Born sieht.
27. Alois Musil: Arabia Petraea III. Wien 1908, S. 224ff.
28. Caspari, de Groot.

dieser Geschichte auch der Gedanke mit enthalten sein, daß darin, wie dieser verhungerte Sklave den Israeliten in die Hände fällt, eine besondere Gottesführung liegt[29], doch darf das nicht vordergründig dahin überbetont werden, daß sich auf diese Weise Davids Wege ebnen, ohne daß er selber einen Finger dazu zu rühren braucht[30]. Dies um so weniger, als David die Amalekiter hernach über die ganze Ebene verstreut und nicht in einen Schlupfwinkel zurückgezogen antrifft, wofür es eines besonderen Führers nicht bedurft hätte. Der Zug muß vielmehr zuerst im Zusammenhang mit dem Vorhergehenden gesehen werden. Auch dieser Ägypter war erschöpft; aber so sehr unterschieden sich David und seine Leute von den Amalekitern, daß sie ihn nicht seinem Schicksal überlassen wie sein Herr, sondern sich »wie um einen von ihren Kameraden um den Kranken bemühen[31]«. Das kommt weiter in den Angaben über die Verpflegung zum Ausdruck, die man ihm bietet. Auch wenn in dem פֶּלַח דְּבֵלָה und שְׁנֵי צִמֻּקִים eine Exemplifizierung des vorher genannten לֶחֶם gesehen werden muß[32] – was nicht einmal sicher zu sein scheint –, so ist es doch trotz der damit gegebenen Breite keine bloße Erweiterung[33], auf die ohne Beeinträchtigung des Gesamtverständnisses verzichtet werden könnte (vgl. Anm. c zu V. 12); die Gewährung dieser Verpflegung stellt den Schwachen der Truppe gleich. Feigenbrot und Rosinenkuchen sind nicht Leckerbissen schlechthin – das natürlich auch –, sondern eben gerade Truppenration[34], die, ohne durch lange Zubereitungszeit in ihrer Verwendungsmöglichkeit eingeschränkt zu sein, schnell verbrauchte Kräfte ersetzen konnte. Wenn der wieder zu Kräften Gekommene sich bereit erklärt, David unter der Bedingung zu führen, daß er ihn nicht tötet, aber auch nicht seinem Herrn ausliefert, so meint er damit nicht, daß er von einem doch höchstens papierenen Recht, sich jemandem anzubieten, Gebrauch machen wolle[35], sondern wählt David als seinen Herrn. Daß er in Unklarheit über die Art des Unternehmens Davids war und glauben konnte, die neue Schar habe seine bisherigen Leute unterstützen wollen und sie nur verfehlt[36], ist eine unnötige Erfindung. Insofern kann man nun, freilich in anderem, aber vielleicht vertieftem Sinne von der besonderen Gnade und Fürsorge Gottes sprechen und bekommt zugleich den zweifellos historischen Hintergrund auch dieses Zuges besser in den Griff. Aus den Aufklärungen, die der Ägypter gibt, wird übrigens deutlich, daß es sich bei dem Amalekiterunternehmen nicht um eine Repressalie gegen David und Ziklag, sondern um eine Operation auf breiterer Ebene gehandelt hat. Besondere Beachtung verdient die Nennung des נֶגֶב הַכְּרֵתִי (vgl. Anm. b zu V. 14); sie läßt selbständige alte Überlieferung vermuten, die noch geographische Besonderheiten kennt (zu dem עַל־אֲשֶׁר לִיהוּדָה siehe Anm. c).

29. So auch Greßmann.
30. Asmussen, S. 171; es wird von Hertzberg übernommen.
31. Wenn es auch gefühlvoll klingt, hat Ketter das doch richtig erkannt.
32. So etwa Keil, Smith, Dhorme.
33. Van den Born.
34. Vgl. dazu Malamat, in: Mélanges Bibliques (Festschrift für A. Robert). 1957, S. 119.
35. Caspari, der sogar den dritten Tag als den Verfallstag von Rechtsansprüchen konstruiert.
36. Caspari.

Die Art, wie die Amalekiter jede Vorsicht außer acht gelassen haben, erinnert an die Sorglosigkeit der Midianiter Jdc 8,11, überbietet sie aber noch, denn diese waren wenigstens in ihrem Lager, jene sind über das ganze Land verstreut und vergnügen sich mit der Beute. Dies und dazu die zeitliche Ausdehnung des Strafgerichts (vgl. Anm. b zu V. 17) erhellen, daß es sich hier nicht um das begrenzte Unternehmen der Abnahme gemachter Beute handelt, sondern von einer entscheidenden Niederlage Amaleks berichtet werden soll. Das wird zwar dadurch etwas verdunkelt, daß es der Elite, nämlich vierhundert Kamelreitern[37], gelingt, zu entkommen; doch soll bei der Höhe dieser Zahl damit die Endgültigkeit der Vernichtung noch unterstrichen werden. V. 18 nimmt mit וַיַּצֵּל den Orakelspruch wieder auf, zeigt durch das אֵת כָּל־אֲשֶׁר לָקְחוּ עֲמָלֵק aber noch stärker die Verengung, die eingetreten ist. Nun wird indes die durchlaufende Spannung sehr greifbar, die daher rührt, daß die in sich selbständige ätiologische Sage in einen anderen Rahmen eingespannt wurde. V. 19 liegt noch ganz in der Linie dieses Rahmens. David bringt alles, was aus Ziklag geraubt wurde, zurück. Das ist an sich nicht selbstverständlich, jedenfalls nur dann vorstellbar, wenn David den Raubzug noch auf dem Heimweg einholen und überfallen konnte. Da aber die Amalekiter schon ein Siegesfest begonnen hatten, schlachteten sie natürlich von den erbeuteten Tieren. Und hatten sie sehr geeilt, um wieder in ihr eigenes Gebiet zurückzukommen[38], so pflegten solche Gewaltmärsche nicht ohne Verluste an Leben bei den Gefangenen vor sich zu gehen[39]. Man darf diese Überlegungen nicht mit dem Einwand bagatellisieren, diese Angaben könnten nicht minutiös verstanden werden[40], denn gerade das wollen sie. Es geht tatsächlich um eine restitutio ad integrum, also um vollen שָׁלוֹם.

20–25 Mit V. 20 ist diese Linie nun verlassen, und das Thema Beute bzw. Verteilung der Beute tritt in den Vordergrund; es wird an der Frage der Gewinnbeteiligung der beiden Gruppen exemplifiziert (V. 22). Wenn dabei die Leute, die eine gleichmäßige Belohnung aller am Geschehenen, freilich in sehr unterschiedlichen Funktionen, Beteiligten ablehnen, רָע und בְּלִיַּעַל genannt werden, so hebt das die grundsätzliche Berechtigung ihrer Ausstellungen nicht auf, die so oder ähnlich zu allen Zeiten gemacht worden sind[41]. Die Voraussetzung muß aber dabei sein, daß es sich wirklich um Beute handelt, nicht um etwas, was schon Eigentum gewesen ist. Die Erklärung, es kennzeichne das Kriegsrecht, daß bei Erobertem die alten Besitztitel verfallen waren[42], scheint konstruiert zu sein und kann nicht ausreichen, wo es sich wenn nicht um Sippenangehörige, so doch um רֵעִים handelt wie hier. Sicherung des Besitzstandes des Nächsten ist als von Jahwe sanktionierte Ordnung im Gesetz kodifiziert[43], und das gibt doch sicher alte Anschauungen wieder. Der Satz V. 22b, daß die, die zurückgeblieben waren,

37. Natürlich nicht die Troßknechte, die das ausnützten, was für sie am wenigsten bestimmt war (so Caspari; ähnlich de Groot).

38. Worin Hertzberg auch den Grund dafür sieht, daß sie den erkrankten Ägypter zurückgelassen hatten.

39. Jdc 8,18 ist in dieser Hinsicht den realen Verhältnissen näherstehend.

40. So Schulz.

41. So auch Hertzberg.

42. Hertzberg.

43. Ex 23,4; Dt 22,1ff.

doch wenigstens ihre Frauen und Kinder bekommen und dann gehen sollen – das וְיִנְהֲגוּ וְיֵלֵכוּ klingt betont unfreundlich –, hängt merkwürdig nach und dürfte seine Entstehung bereits einer Reflexion verdanken, die den Gedanken an den schwersten Verstoß gegen gute Sitte ausschließen will. Es wirkt wohl auch recht konstruiert, denn die Folge wäre Ausschluß aus der Gemeinschaft, also eine viel härtere und auch lebensbedrohendere Strafe als beabsichtigt sein kann. Das ändert sich auch dann nicht wesentlich, wenn es sich bei dem zu verteilenden Gut um die Beute handelte, die die Amalekiter auf ihrer גְּדוּד gemacht hätten, bevor sie nach Ziklag kamen[44]. Ganz abgesehen davon, wie man sich einen solchen Plünderungszug vorstellen soll, bei dem das schon geraubte Vieh immer weiter mitgetrieben wird, bliebe es eigentümlich, daß das als Beute bezeichnet werden konnte, was eben noch dem Nachbarn gehört hatte[45]. Es wäre doch ein Zynismus, wenn V. 27–31 Zuwendungen von dem, was vor kurzem noch eigener Besitz war, als בְּרָכָה bezeichnet würden[46]. Gerade wenn man die politische Absicht betont, die in diesen Geschenken liegt (vgl. u.), muß man sich klarmachen, daß so nur das Gegenteil erreicht werden konnte.

Es handelt sich also bei צֹאן und בָּקָר V. 20 um die Herden der Amalekiter und sie allein. Der Wortlaut bei 𝔐 zeigt ebenso wie die Abweichungen der Versionen (vgl. Anm. b u. c zu V. 20), daß man die hier vorliegende Spannung früh empfand und durch die Unterscheidung zwischen eigenem und erbeutetem Gut aufzuheben suchte. War das aber die Absicht des ursprünglichen Textes, so hätte es klarer gesagt werden können und müssen. Dem widerspricht weiterhin, daß David es ist, der die Beute nimmt, was nicht in eine enthusiastische Anerkennung des erfolgreichen Führers durch seine Gefolgschaft (vgl. Anm. a zu V. 20) geändert werden darf. Es ist auch weder eine Verunglimpfung Davids[47], noch darf es damit hinweginterpretiert werden, daß der Name des Häuptlings als Name der Gemeinschaft gilt[48]. David legt seine Hand auf die Beute, und seine Leute erkennen das an. Natürlich kann kein Anführer das, was erobert wurde, allein für sich beanspruchen, er müßte sonst seine Gefolgschaft bald verlieren. Großzügigkeit ist nicht nur eine Herrschertugend, sondern ein Gebot der Klugheit. In welcher Weise er aber die Verteilung vornahm, lag in seinem Ermessen, ebenso auch, was er für sich forderte.[49].

Wenn also die Vorstellungen des Heiligen Krieges noch nachwirken, so liegen das Begebnis wie seine Darstellung doch auf einer anderen Ebene. Die Beute ist der Verfügungsgewalt Jahwes entzogen; der Sieger entscheidet darüber. Das sind Fragen, die noch ungelöst und drängend im Hintergrund von Kap. 14 und stärker Kap. 15 gestanden hatten. Hier ist der Gedanke an einen Bann vom Ansatz her ausgeschlossen (vgl. Anm. c zu V. 17). Das Andersartige, zugleich die Neufüllung

44. So schon Klostermann.
45. Was mit Recht auch Caspari zu bedenken gibt.
46. Anders Hertzberg, der aber doch dasselbe Problem sieht.
47. Caird.
48. Caspari.
49. Kittel: Dem Führer gebührte der Hauptteil.

alter Begriffe, kommt in der in sich widerspruchsvollen Formulierung הַשָּׁלָל אֲשֶׁר הִצַּלְנוּ deutlich zum Ausdruck. Eine Möglichkeit, die Ansprüche des Trosses auf Beteiligung am Kriegsgewinn zu begründen, wäre der Hinweis auf die Bedeutung eines Dienstes, der in seiner Wichtigkeit oft bestritten, doch unentbehrlich ist. Eine ähnliche Überlegung findet sich auch tatsächlich bei 𝔊 (vgl. Anm. b zu V. 24). Bezeichnenderweise stellt David aber seine Ermahnungen darauf ab, daß man um seiner Großtat willen Jahwe Dank schulde, der die גְּדוּד der Amalekiter den Verfolgern in die Hand gegeben hat. Formal liegt die Nennung der גְּדוּד in der Linie des Rahmens, das וַיִּתֵּן בְּיָדֵנוּ in der des Heiligen Krieges, hat aber diese Linie bereits verlassen. Die Art des Dankens bestimmt der Mensch, hier durch eine Maßnahme der Gerechtigkeit. Was David tut, ist im Grunde dasselbe, was Saul 1 Sam 15 getan hatte, als er die Beute schonte, um von den besten Stücken ein Opfer zu bringen, doch da wurde es zum status confessionis. Die gleiche Beobachtung läßt sich machen, wenn man Jos 6,21 und die jüngere Stelle Jos 22,8 miteinander vergleicht. Dieser wenigstens als Klammer zum deuteronomistischen Abschluß der Landnahmeüberlieferung gehörende Vers hat seine gedankliche Grundlage in der Kriegsbestimmung Dt 20,13 ff. Die Erweichung der kompromißlosen Bannideologie trägt den mit dem Königtum gegebenen Entwicklungen und Notwendigkeiten Rechnung[50]. Indes wird den alten Idealen noch insoweit Rechnung getragen, als die strengen Bestimmungen ohne Einschränkung gegenüber den Städten festgehalten werden, die Jahwe Israel zur נַחֲלָה gegeben hat (V. 16), die also im eigentlichen Sinne Gabe Jahwes sind.

Die Ordnung als solche (V. 24) verrät sich durch ihre metrisch gebundene Form[51] als selbständiger Rechtssatz. Wenn dieser mit der Würde Davids legitimiert wird, so mag das insofern den historischen Tatsachen nahekommen, als diese Fragen in vollem Umfang erst mit der Zeit Davids entstanden. Eine analoge Bestimmung wird Num 31,25 ff. in der Erzählung vom Midianitersieg Israels mit der Würde des Namens des Moses begründet. Sie ist, wenn sie auch eine jüngere Form darstellt[52], insoweit charakteristisch, als sie das Motiv des Dankes gegen Gott damit konkretisiert, daß sie in priesterlicher Kasuistik von den Beuteanteilen einen מֶכֶס für Jahwe festsetzt.

Die bisherige Darstellung blickte auf den engeren Kreis der Gefährten Davids; das galt unabhängig davon, ob nachgewiesen werden sollte, daß die Politik Davids, auch sein Übergang zu den Philistern, niemandem Schaden gebracht hatte[53] oder die Gültigkeit eines militärischen Brauches sichergestellt werden sollte. V. 26–31 führen mit der Aufzählung aller derer, die sonst Anteil an der Beute erhielten, darüber hinaus. Von den beiden im vorhergehenden zusammen-

50. Vgl. von Rad: Krieg, S. 39.
51. Worauf Smith als erster hingewiesen hat.
52. Der Unterschied liegt darin, daß hier die Masse des Volkes den Kriegern gegenübergestellt, ein Unterschied zwischen ihnen und den Troßknechten nicht gemacht wird. Da die Kämpfer ja im Volke nur eine Minderheit bilden, hier aber mit der Hälfte der Beute bedacht werden, werden doch Unterschiede gemacht.
53. Vgl. dazu auch Stoebe, in: Baumgartner-Festschrift, S. 341 f.

gefaßten Gedanken wird damit die Linie des entscheidenden Sieges und der großen Rettertat fortgesetzt. Das kommt in der Bezeichnung der Amalekiter als אֹיְבֵי יְהוָה V. 26 zum Ausdruck. Diese Aussage darf also nicht dahin interpretiert werden, daß David sicher glauben könne, einen Krieg Jahwes geführt zu haben[54], oder daß es sich um eine geläufige Form orientalischer Übertreibungen handele, die außer acht läßt, daß die Amalekiter zuvor die Nachstellungen Davids selber hatten erdulden müssen[55]. V. 26 ist eine verbindende Klammer – ihrerseits bereits erweitert (vgl. Anm. a) – zur folgenden Liste, die aber eine Größe eigener Art ist[56]. Bei der hohen Zahl derer, die als Empfänger einer בְּרָכָה genannt werden, würde das Gut nicht ausreichen, das aus einem Beutezug herrührt, und wäre er noch so erfolgreich gewesen. Es geht also um eine Art Zeitraffung von Maßnahmen, die auf breiterer Ebene zu verstehen sind, zugleich darum, ihnen einen geschichtlichen Haftpunkt zuzuweisen. Man hat immer wieder auf das politische Geschick und den Weitblick Davids hingewiesen, die in seinem Verhalten zum Ausdruck kommen. »Es war sicher sein Verdienst, daß die Stämme des Südens so fest mit Juda zusammenwuchsen[57]«. Das ist im Grunde richtig, auch wenn man natürlich fragen kann, ob so kleine Geschenke eine so große Freundschaft begründeten. Dann ist aber die Benennung זִקְנֵי יְהוּדָה eine zusammenfassende Vorwegnahme des Ergebnisses[58] und darf nicht als Beweis dafür ins Feld geführt werden, daß der Stamm Simeon schon zur Zeit Sauls in Juda aufgegangen sein müsse[59] oder daß die Einheit Großjuda bereits bestand, als David König in Hebron wurde[60]. Mindestens ist es noch ein Gebiet, um das man sich sehr ernsthaft zu bemühen hat, auch wenn es schon in Auflösung begriffen ist. Daß die Liste zwar עָרֵי הַיְּרַחְמְאֵלִי und עָרֵי הַקֵּינִי, nicht aber שִׁמְעוֹן nennt, könnte einen zureichenden Grund darin haben, daß jene beiden, deren Wohngebiet die südlichen Teile des westjordanischen Berglandes waren, noch nicht oder doch erst sehr beschränkt zu einer seßhaften Lebensweise übergegangen waren[61]. Daß V. 31a Hebron ausdrücklich hervorgehoben wird, ist wohl ebenfalls nachträglich aus der Schau des Königtums Davids in Hebron gestaltet, wie seine enge Verklammerung mit V. 31b vermuten läßt, dessen הַמְּקֹמוֹת schwerlich als Freibrief zu beliebiger Ergänzung der Liste[62] zu verstehen ist.

Dieser abschließende V. 31 stellt die Sache so dar, als seien diese Gaben Zeichen des Dankes für gewährtes Entgegenkommen in schwerer Zeit[63] und Ausfluß einer freundschaftlichen Verbundenheit[64]. Doch muß dabei auffallen, daß die

54. Schulz.
55. Van den Born.
56. Was van den Born wenigstens als Möglichkeit erwägt.
57. Budde.
58. Ähnlich wohl Kittel: die Gebiete werden alle schon als unter den Ältesten Judas stehend angesehen.
59. Zechariah Kallai-Kleinmann: The town lists of Judah, Simeon, Benjamin and Dan. VT 1958, S. 158f.
60. Noth: System, S. 107.
61. Noth: Geschichte, S. 57f.
62. Budde.
63. Etwa de Vaux: eine Art, für empfangene Gastfreundschaft zu danken.
64. So etwa Schulz.

Stätten, an denen die Davidüberlieferung in besonderem Maße haftete, nicht genannt werden, ja daß sie alle etwas außerhalb seines Wirkungsbereiches als Flüchtling liegen. Das mag bei זִיף nicht weiter verwunderlich sein, muß aber bei בֵּית־לֶחֶם[65], מָעוֹן, יִזְרְעֶאל unter dieser Voraussetzung überraschen[66], denn aus dem einen Orte stammt David, zu den anderen war er verwandtschaftliche Beziehungen eingegangen[67]. Das grundsätzliche Fehlen aller dieser Bezüge spricht wohl entscheidend gegen die Änderung von רָכָל in כַּרְמֶל (vgl. Anm. b zu V. 29), zumal 𝔊, deren Text die Grundlage dafür bildet, hier auch sonst erheblich abweicht (vgl. Anm. a). Es läßt sich nur damit erklären, daß die Liste nicht so in das Leben Davids einzuordnen ist, daß sie auf die Stationen seines Flüchtlingslebens zurückblickt, wie V. 31b es darstellen will. Caspari[68] hat den Versuch unternommen, das alte Verzeichnis einer Dodekapolis herauszupräparieren, das seinerseits ebenso Erweiterungen erfahren wie Verluste erlitten hat und nachträglich als eine Art Kommentierung zu הַמְּקֹמוֹת gesetzt wurde, ohne daß jemals eine greifbare Beziehung zum Leben Davids bestanden hätte. Ein geschichtlicher Wert könne nur für eine nicht näher zu bestimmende nachdavidische Zeit angenommen werden. Abgesehen davon, daß die kritischen Maßnahmen, die hier notwendig werden, sehr weit gehen und nicht überzeugen, spricht dagegen, daß es sich bei dieser Liste nicht um eine Ergänzung zu dem Worte הַמְּקֹמוֹת handeln kann, sondern daß sie bereits von diesem vorausgesetzt wird. Ebenso bleibt es schwierig, ihre Aufnahme in einen so markanten Zusammenhang zu erklären, wenn sie mit ihm schlechterdings nichts zu tun hat. Wohl aber gewinnt eine Vermutung an Gewicht, die einmal von Stade ausgesprochen worden ist[69] und die viel Widerspruch erfahren hat[70], nämlich, daß es sich hier um Geschenke und Zuwendungen handelte, die nach dem Tode Sauls gemacht wurden – nun, das wäre dem Zusammenhang nach sowieso wahrscheinlich. Der Gedanke ließe sich aber dahin präzisieren, daß diese Geschenke und Aufwendungen eine Rolle bei der Anerkennung des Königtums Davids in Hebron gespielt haben, etwa in der Form von Gaben, die die Verhandlungen begleiteten. Jedenfalls ließen sich die auffallenden Eigentümlichkeiten dieser topographischen Aufzählung so am leichtesten verstehen.

65. Johannes de Groot: Zwei Fragen aus der Geschichte des Alten Jerusalem. 1936 (BZAW 66), S. 193 folgert daraus, daß auch Bethlehem zu dieser Zeit in philistäischem Besitz gewesen sei, was indessen auch durch einen Hinweis auf 2 Sam 23,14 nicht zu erweisen ist.

66. So schon de Groot, zuletzt van den Born.

67. Daß Bethlehem nicht genannt wird, kann auch nicht gegen Davids Herkunft von dort (KAT[3], S. 229) ins Feld geführt werden.

68. OLZ 1916, Sp. 173ff. 200ff.

69. Geschichte I, S. 260.

70. Z. B. Budde.

31,1–13 Sauls letzter Kampf, Tod und Begräbnis

1 Die Philister standen im Kampf[a] mit Israel; die Männer[b] Israels wichen[c] vor den Philistern, erschlagen[d] lagen sie auf dem Gebirge Gilboa. 2 Die Philister hängten[a] sich an Saul und seine Söhne, und also erschlugen die Philister Jonathan, Abinadab[b] und Malkischua[c], die Söhne Sauls. 3 Das Gewicht des Kampfes lastete auf Saul; ⟨die Bogenschützen⟩[a] machten ihn aus, und er geriet in lähmende Furcht[b] vor den Schützen. 4 Darum gebot Saul seinem Waffenträger: »Zieh dein Schwert und gib mir damit den Todesstoß, daß nicht diese Unbeschnittenen kommen und (sie es sind, die) mir den Todesstoß versetzen[a] und frechen Spott mit mir treiben.« Der Waffenträger wollte (es) aber nicht (tun), denn er fürchtete sich sehr. Da nahm Saul selber sein Schwert und stürzte sich hinein. 5 Als der Waffenträger sah, daß Saul tot war, stürzte auch er sich in sein Schwert und fand mit ihm zusammen[a] den Tod. 6 Also starben Saul und seine drei Söhne, sein Waffenträger, auch alle seine Männer[a] gemeinsam an einem Tag. 7 Als nun die israelitische Bevölkerung[a], die in der Gegend der Ebene und die am Jordan wohnte[b], des inne wurde, daß die Mannschaft Isarels geflohen[c] war und daß Saul mit seinen Söhnen den Tod gefunden hatte, gaben sie ihre Städte auf und gingen auf die Flucht; und die Philister kamen und setzten sich darin[d] fest. 8 Als die Philister am nächsten Morgen hingingen, die Gefallenen auszuplündern, fanden sie Saul und seine drei Söhne, gefallen auf dem Gebirge Gilboa (liegen). 9 Sie schnitten ihm den Kopf ab und zogen ihm seine Rüstung aus. Die sandten[a] sie landauf landab bei den Philistern umher, um ⟨Göttern⟩[b] und Volk die Siegesbotschaft zu künden. 10 Dann stellten sie sie im Tempel der Astarte[a] auf; seinen Leichnam[b] dagegen hefteten sie[c] an die Mauern von Beth-Schean[d]. 11 Als nun die Bewohner von Jabesch in Gilead[a] [...][b] erfuhren, wie die Philister mit Saul verfahren waren, 12 machten sich alle wehrfähigen Männer auf, marschierten die ganze Nacht hindurch, holten die Leichen Sauls und seiner Söhne[a] von der Mauer von Beth-Schean, kamen[b] (damit) wieder nach Jabesch und verbrannten[c] sie dort. 13 Dann nahmen sie die Gebeine und bestatteten sie[a] unter der Tamariske[b] in Jabesch[c], und sieben Tage hielten sie Fastenruhe[d].

1 a) Nach 1 Chr 10,1 נִלְחֲמוּ wird auch hier fast ausnahmslos geändert (Wellhausen: für einen Zustandssatz ist die Sache zu wichtig); die Annahme, daß eine Zeit- (וַיְהִי בַבֹּקֶר Budde) oder Ortsbestimmung (בְּהַר הַגִּלְבֹּעַ Sievers) ausgefallen sei, ist dann nur konsequent. Im Unterschied zu 1 Chr 10 ist das Part., das direkt auf 28,15 zurückweisen könnte, indessen im Blick auf die Einschaltung Kap. 29 u. 30 gut begründet (so auch Caspari, Hertzberg; vgl. GK § 141e). b) 1 Chr 10,1 אִישׁ יִשְׂרָאֵל; der Pl. hier entspricht besser dem Zusammenhang (anders Budde). c) Hat hier wohl weniger die spezielle Bedeutung des Fliehens als Handlung, sondern die allgemeinere des Nicht-Standhalten-Könnens. d) Dann besteht auch kein Widerspruch zu

dem וַיִּפְּלוּ חֲלָלִים; חֲלָלִים ist Prädikatsnomen zu אַנְשֵׁי יִשְׂרָאֵל. Die Einfügung eines רַבִּים (Budde, Hertzberg) oder eines zweiten חֲלָלִים in steigernder Bedeutung (GK § 123e, Greßmann, Tiktin) schwächt ab und ist ebenso unnötig wie die Tilgung (Caspari, der seltsamerweise נפל als »zurückfallen auf« versteht). Zum Charakter der Aussage als einer einleitenden Zusammenfassung vgl. P. A. H. de Boer: Genesis XXXII, 23–32; Composition and Charakter of the Story. NedThT 1947, S. 152f.

2 a) Zur Form BLe § 46 c'; GK § 53n; de Boer: OTS 6. 1949, S. 97 sieht unnötig darin die Kontamination zweier Lesarten. 14,22, auch 1 Chr 10,2, hat אַחֲרֵי, doch verbindet sich mit אֶת wohl stärker die Vorstellung des Einholens und des Unentrinnbaren (Gn 31,23; Jdc 18,22). b) Vgl. 1 Chr 8,33. 39. 𝔖 ישוי wie 14,49. אָב ist theophores Element (𝔊^{B} Ἰωναδάβ) »die Gottheit hat sich freigebig gezeigt« (NothPers, S. 70.193; S. 77 zu 𝔊^{A} Ἀμιναδαβ). c) Vgl. zu 14,49.

3 a) 𝔐 ist in der überlieferten Form unmöglich (die auf Menschen mit dem Bogen schossen?); auch Umstellung אֲנָשִׁים הַמּוֹרִים בַּקֶּשֶׁת (Löhr, Driver, Budde) hilft angesichts des Artikels vor מוֹרִים nicht viel. Einfache Tilgung des אֲנָשִׁים (nach 1 Chr 10,3 הַמּוֹרִים בַּקֶּשֶׁת, Wellhausen, Rehm, de Vaux u. a.) erleichtert wohl, erklärt aber nicht die Entstehung von 𝔐. Entweder liegt eine Wahllesart vor, dann aber nicht zwischen אֲנָשִׁים und הַמּוֹרִים בַּקֶּשֶׁת (de Boer: OTS 6. 1949, S. 97f.), denn daß Saul geflohen und dabei entdeckt worden sei, liegt nicht im Tenor der Darstellung, sondern zwischen הַמּוֹרִים und אֲנָשִׁים מוֹרִים, wobei in jedem Fall בַּקֶּשֶׁת vorauszusetzen wäre (Hertzberg); das ist das Wahrscheinlichste, die Streichung des בַּקֶּשֶׁת (Caspari) ebenso verfehlt wie alle Versuche, den Begriff Bogenschützen überhaupt zu eliminieren (Klostermann konjiziert sogar Wurfmaschinen); oder man versteht אֲנָשִׁים בַּקֶּשֶׁת als explikative Glosse zu הַמּוֹרִים (so mit 𝔗𝔊 Smith, Dhorme, Schulz, van den Born u. a.), freilich bliebe der Ausdruck ungewöhnlich. Die Vokalisierung אֱנָשׁוּם »gefährlich« (Ehrlich) trifft eine unzulässige textkritische Vorentscheidung. b) Wie 𝔐 auch 𝔗𝔖, 1 Chr 10,3 (ohne מְאֹד); 𝔊 *ἐτραυματίσθη εἰς τὰ ὑποχόνδρια*, 𝔙 wenigstens »et vulneratus est vehementer a sagittariis«; das wird zumeist als ursprünglich angesehen und danach in וַיֵּחַל oder וַיָּחַל (Klostermann וַיַּהַלְמוּ אתו) geändert (Ausnahmen Wellhausen, Löhr, van den Born). Die Umvokalisierung machte natürlich keine Schwierigkeiten, zu fragen bliebe aber, ob dazu מְאֹד paßt und ob וַיֵּחַל מֵהַמּוֹרִים »er wurde von den Schützen verwundet« heißen kann (so z. B. Hertzberg nach 𝔙) und man nicht בְּיַד erwarten müßte. Von dem *ἐτραυματίσθη* der 𝔊 ist *εἰς τὰ ὑποχόνδρια* nicht zu trennen; und בֵּין־הַמָּתְנַיִם (Dhorme, Schulz), בַּחֹמֶשׁ (Budde) בֵּין־הַיְרֵכַיִם (Klostermann) statt מֵהַמּוֹרִים sind gewagte, dann aber notwendige Änderungen. Doch hat gerade das מֵהַמּוֹרִים hier entscheidende Bedeutung; der Text von 𝔐 ist also beizubehalten (vgl. auch die Auslegung).

4 a) Fehlt 1 Chr 10,4, wird aber von den Vers sonst geboten. Ein Grund für die allgemein vorgenommene Tilgung als Alternativlesart ist nicht einzusehen.

5 a) Fehlt 1 Chr 10,5.

6 a) Fehlt 𝔊^{B} und wird darum vielfach (Wellhausen, Budde und die meisten; Ausnahme S. R. Driver, de Groot, Hertzberg, van den Born) gestrichen. Das וְכָל־בֵּיתוֹ 1 Chr 10,6 läßt jedoch vermuten, daß ein weiteres Objekt vorhanden war und dort dem Verständnis angepaßt wurde. Lies aber besser וְגַם (Haplogr); völlig verfehlt ist dagegen die Konjektur כָּל־אֲנָשָׁיו וַיָּנֻסוּ גַם (Klostermann).

7 a) 1 Chr 10,7 כָּל־אִישׁ יִשְׂרָאֵל scheint inhaltlich besser; allerdings fehlt dort das Subjekt zu כִּי נָסוּ, was eine Unklarheit ergibt, so daß der Sam-Text vorzuziehen bleibt. b) Zu dieser Bedeutung vgl. B. Gemser: Beʿēber hajjardēn: in Jordans borderland. VT 1952, S. 353ff.; auch E. Vogt: ʿēber hajjardēn = regio finitima Jordani. Bibl 1953, S. 119. Einen Hinweis auf äthiopische Parallelen zu diesem Gebrauch bietet M. A. Oudenrijn: Eber hayyarden. Bibl 1954, S. 138. Anscheinend ist er aber schon von 1 Chr 10,7 nicht mehr verstanden worden, deren בָּעֵמֶק (בְּעֵבֶר הַיַּרְדֵּן fehlt überhaupt) offenbar Erleichterung ist. Jedenfalls entfallen damit alle Schwierigkeiten, und die verschiedenen Konjekturen (בְּעָרֵי 1°, Dhorme; 1° 2°, Klostermann, Budde, Smith u. a.; בְּכִכַּר, Greßmann) erübrigen sich ebenso wie die gezwungene Erklärung des בְּעֵבֶר הַיַּרְדֵּן als einer erklärenden Glosse (de Boer: OTS 6. 1949, S. 99; de Vaux, van den Born u. a.) c) נוס hat hier eine von V. 1 abweichende Bedeutung. d) GK § 103g; Ble § 81f'.

9 a) Natürlich sind die erbeuteten Waffen, wohl auch das Haupt gemeint (so auch S. R. Driver, Ehrlich, de Vaux, Hertzberg); das Objekt kann, da es sich aus dem Vorhergehenden als selbstverständlich ergibt, weggelassen werden (GK § 117f; BroS § 137). Die Vokalisierung וַיְשַׁלְּחוּ, wozu das Objekt Boten sein müßte (so z. B. Wellhausen, Löhr, Schulz, van den Born; vgl. DelF § 76), ist ebenso unnötig wie die Annahme einer Alternativlesart (Boström: Alternative Readings, S. 43). b) Das בֵּית von 𝔐 (so auch 𝔗𝔖𝔙) müßte pluralisch verstanden werden (Keil, Hertzberg; vgl. GK § 124r). Indessen scheint 1 Chr 10,9 (auch 𝔊) mit אֶת hier den ursprünglicheren Text zu haben. 𝔐 könnte durch Einwirkung von V. 10a entstanden oder bewußte Korrektur sein. Caspari denkt an Kontamination von בְּ und אֶת (ähnlich Boström: Alternative Readings, S. 44). Vielleicht ist schon עֲצַבֵּיהֶם tendenziös aus אֱלֹהֵיהֶם geändert (C. R. North: The essence of idolatry. In: Eißfeldt-Festschrift. 1958 [BZAW 77], S. 154; vor ihm schon Smith u. a.).

10 a) 1 Chr אֱלֹהֵיהֶם (7,3 אֱלֹהֵי הַנֵּכָר וְהָעַשְׁתָּרוֹת); עַשְׁתָּרוֹת (𝔊 'Ἀσταρτεῖον) ist entweder ein in gleicher Weise gebildeter Majestätsplural (Löhr, de Groot) oder fehlerhafte Schreibung des Sg. (S. R. Driver, Budde, Dhorme u. v. a.). Sie hat für den palästinischen Raum die Funktionen der ענת angenommen und ist nicht nur Fruchtbarkeits-, sondern auch Kriegsgöttin (J. Gray: The Legacy of Canaan. VTS 5. 1957, S. 130; 2. Aufl. 1965, S. 176; vgl. auch Helmer Ringgren: Israelitische Religion. Stuttgart 1963, S. 138). Zur Maskulinform des Namens und zur Sache sonst vgl. auch J. Gray: The Desert God 'Attr. JNES 1949, S. 72–83. b) 1 Chr 10,10 וְאֶת־גֻּלְגָּלְתּוֹ תָקְעוּ בֵּית דָּגוֹן; die schon von Bertheau: Die Bücher der Chronik. 1873 (KeH) zu 1 Chr 10,10 geäußerte Vermutung, daß in einem ursprünglichen Text beide Aussagen nebeneinander bestanden hätten (vgl. auch Wilhelm Rudolph: Chronikbücher. 1955 [HAT I/21], S. 92), scheitert noch nicht daran, daß in Beth-Sean kein Dagontempel war (G. P. Headley: The »Temple of Dagon« at Beth Shan. AJA 1929, S. 34–36); indessen sollte man in diesem Fall ראש und nicht גֻּלְגֹּלֶת erwarten (so schon Wellhausen, vgl. auch S. R. Driver). Andererseits können beide Berichte nicht einfach identisch und גֻּלְגָּלְתּוֹ aus גְּוִיָּתוֹ verschrieben sein (gegen die Identifizierung beider Berichte wendet sich auch Frank J. Montalbano: Dagon. CBQ 1951, S. 392). Die Divergenz charakterisiert die Ausgestaltung einer Überlieferung nach verschiedenen Richtungen. c) Die viel verhandelte Frage, ob hier הֹקִעוּ zu lesen sei (so Wellhausen und die meisten nach Paul de Lagarde: Anmerkungen zur griechischen Übersetzung der Proverbien. 1863, S. IV), ist schwer zu entscheiden, da der Sinn nicht wesentlich variiert; indessen hat יקע strenggenommen nicht die hier zu erwartende Bedeutung (vgl. Ehrlich z. St.), so daß תָּקְעוּ wohl doch näher liegt (so auch z. B. Rehm, de Vaux, van den Born). d) Sonst בֵּית־שְׁאָן (vgl. auch 2 Sam 21,12); der ursprünglich selbständige Stadtstaat war dann ein wichtiger Militärstützpunkt der Ägypter, die zu Sauls Zeit durch eine zu den Seevölkern gehörende Gruppe abgelöst waren (vgl. vor allem Alt I, S. 246–255). Heute *tell el-ḥöṣn*, nördlich des Dorfes *beisān* am *nahr ǧalūd;* Grabungen dort wurden 1921–23, 1925–28 und 1930–33 durchgeführt (BRL, Sp. 103; RGG I, Sp. 1099, dort weitere Literaturhinweise).

11 a) S. Anm. d zu 11,1. b) Fehlt 1 Chr 10,11 𝔊𝔙𝔖 (𝔗 עֲלָהִי); es ist auf jeden Fall unschön und wohl zu streichen (anders Hertzberg). Wenig wahrscheinlich ist die Annahme einer vertikalen Dittogr aus כֵּלָיו (Ehrlich); könnte es aber aus כל (1 Chr כֹּל יָבֵשׁ) verschrieben sein?

12 a) 𝔊 'Ἰωναθὰν τοῦ υἱοῦ αὐτοῦ. b) 𝔗𝔙 = 𝔐; 𝔊𝔖 Hiphil; danach wird mit wenigen Ausnahmen (z. B. Kittel, de Groot) in וַיָּבֹאוּ geändert, was wohl glatter ist. Dennoch bleibt 𝔐 vorzuziehen, weil es das Unaufhaltsame und die Entschlossenheit stärker zum Ausdruck bringt. c) Kein Widerspruch zu V. 13 (vgl. die Auslegung). Das Fehlen 1 Chr 10,12 ist im Blick auf Lev 20,14; 21,9; Jos 7,25; Am 2,1 verständlich und rechtfertigt nicht die bisweilen (z. B. von Nowack, Budde, Rehm u. a.) vorgeschlagene Änderung in וַיִּסְפְּדוּ לָהֶם, die nicht nur inhaltlich nichtssagend, sondern auch graphisch schwierig ist. Es müßte sich dabei um einen Hörfehler gehandelt haben, aber dann bliebe eine solche Sinnentstellung unerklärlich. Die Deutung des שרף auf eine Art des Einbalsamierens (G. R. Driver: Hebrew burial custom. ZAW 1954, S. 314f.) scheitert wohl daran, daß dieses nur bei gerade Verstorbenen durchgeführt werden konnte, außerdem nicht zu עַצְמוֹתֵיהֶם V. 13 paßt. Interessant ist die Bemühung von 𝔗, die Sache durch eine auf Jer 34,5; 2 Chr 16,14; 21,19 gründende Paraphrase unanstößig zu machen (sie verbrannten über ihnen, wie man über Königen ver-

brennt). Auf keinen Fall ist der Satz Zufügung eines Glossators, der Saul einen besonderen Schimpf antun wollte (Budde), oder gar die spätere Abmilderung einer ursprünglich dargestellten Luftbestattung (Caspari).

13 a) Zur Ellipse BroS § 137. b) 1 Chr 10,12 הָאֵלָּה. c) GK § 90e. d) 1 Chr 10,13 f. fügt erweiternd das Urteil hinzu, daß Saul um seines Ungehorsams willen habe sterben müssen.

31,1–13 SAULS LETZTER KAMPF. Der Bericht vom Schlachtentod Sauls auf dem Berge Gilboa schließt in der Form, wie er 31,1–6. (13) vorliegt, eng an 28,4 ff., den Gang zur Hexe von Endor, an[1]. Dementsprechend wird er auch derselben Quelle zugeschrieben[2]. Wo diese Verbindung in Frage gestellt und eine direkte Fortsetzung von Kap. 29 her angenommen wird[3], sind dafür inhaltliche Erwägungen maßgebend[4], bei denen freilich übersehen wird, daß die Berührungspunkte zwischen Kap. 28 u. 31 noch stärker als im zeitlichen Rahmen im Gesamttenor der Darstellung liegen. Auch hier wird nicht eigentlich ein bloßes Faktum berichtet, sondern mit tiefem Ernst und wirklicher Ergriffenheit von der letzten Einsamkeit Sauls und der Tragik seines Todesschicksals erzählt[5] in einer Weise, die mit einem de mortuis nihil nisi bene[6] nicht ausreichend charakterisiert ist. Die Schilderung ist frei von der paränetischen Lehrhaftigkeit, die wie ein drohend und nicht ohne Befriedigung aufgehobener Zeigefinger am Ende von 1 Chr 10 steht (s. Anm. d zu 31,13) und die bereits in dem Zusatz 28,18.19[7] anklingt. Das Überlieferungsstück hier ist in der Zeichnung eines heldenhaften Untergangs[8] einerseits sehr deutlich von 2 Sam 1 getrennt, andererseits unübersehbar der Art verwandt, in der das Ende Ahabs in seiner letzten Schlacht gegen die Aramäer erzählt wird[9]. Es ist eine Verkennung seiner ursprünglichen Absicht, wenn man hier den Ton strafender Abrechnung mit Sauls Versündigung hört[10], obschon nicht in Abrede gestellt werden soll, daß durch die Stellung im jetzigen Gesamtzusammenhang dieser Eindruck entstehen mußte und wohl auch sollte[11].

Eine weitere Gemeinsamkeit zwischen Kap. 28 u. 31 liegt auch darin, daß das Grauen des Zusammenbruches durch ein aufgesetztes Licht menschlicher Wärme gemildert wird. Der Waffenträger kann zwar nicht helfen, aber er bleibt bei seinem Herrn und hält ihm die Treue bis in den Tod; die Männer von Jabesch sogar über den Tod hinaus, damit, daß sie wenigstens dem Leichnam des Königs

1. So auch die Mehrzahl der Ausleger.
2. Vgl. o. S. 488.
3. So z. B. Kittel; Eißfeldt: Komposition; auch Auerbach: Wüste I, S. 237 (28,4 und 29,1 gehörten zusammen und standen ursprünglich vor 31,1).
4. So bei Wellhausen: Composition, S. 252 die grundsätzliche Überzeugung vom späten Charakter der Kap. 15 und 28.
5. Vgl. dazu vor allem Hertzberg, aber auch Caird.
6. So Hertzberg.
7. Vgl. dazu o. S. 495.
8. Gerade diesen Charakter der Heldengeschichte betont Greßmann, vgl. aber auch Schulz.
9. 1 Reg 22,34–36.
10. So etwa Keil, Ketter, Gutbrod; besonders nachdrücklich jetzt wieder Schelhaas: GThT 1958, S. 150 ff.
11. Die Interpretation der Chronik ist also an sich richtig und beweist, daß ihr die Samuelisbücher im wesentlichen in der heutigen Gestalt vorgelegen haben.

die letzte Ehre erweisen[12] (V. 11–13; vgl. 28,21–24). Dennoch wird man hier aber nicht von einer direkten Fortsetzung im Sinne eines lückenlosen Ablaufs sprechen dürfen; es handelt sich eher um ein für sich entstandenes Erzählungsstück, das in relativer Selbständigkeit eine Einzelepisode herausarbeitet[13] und dessen Formung durch die Anschauung der gleichen Kreise bestimmt ist, die hinter Kap. 28 standen. Jedenfalls bestehen auch einige kleine Abweichungen, die allein nicht allzuviel, zusammen doch einiges besagen. 28,4 heißt es בַּגִּלְבֹּעַ, 31,1 בְּהַר הַגִּלְבֹּעַ[14]; Kap. 28 berichtet von Saul, während hier die Söhne, mindestens aber Jonathan im gleichen Maße im Blickpunkt stehen. Der Einsatz durch das Verbum נלחם wirkt abrupt[15], selbst dann, wenn die grammatische Form sich noch aus dem Kontext erklären läßt (vgl. Anm. c zu V. 1); man wird an 2 Sam 21,15.19.20 erinnert. Das Interesse liegt hier ganz bei dem Ende Sauls – in gewisser Weise auch bei dem seiner Söhne, insoweit es seine Not vermehren muß, wenn er seine Söhne fallen sieht[16] –, der militärische Rahmen, in dem das alles geschieht, bleibt im Schatten[17].

1–6 Es ist zwar verständlich, wird aber dem Tenor der Darstellung nicht gerecht, wenn man hier einen einleitenden Kampfbericht postuliert, der ausgefallen sein soll[18] (vgl. auch Anm. a zu V. 1), oder ihn wenigstens derart in Gedanken ergänzt, daß die Israeliten sich aus der Ebene auf das Gebirge zurückziehen mußten und nun dort letzten Widerstand leisteten[19]. Caspari gewinnt sogar aus dem Text selbst das Bild eines Ablaufes der Schlacht, was schon im Ansatz verfehlt ist, abgesehen davon, daß der Preis dafür willkürliche Wortdeutungen (zu נפל vgl. Anm. c) und die Überlastung allgemeiner Aussagen ist. Der Schauplatz dieser Überlieferung ist allein der Berg Gilboa[20]; hier kommt es zur völligen Niederlage, bei der alle Männer Sauls (vgl. Anm. b u. c zu V. 1) und auch seine Söhne, voran Jonathan, fallen. Die Entfremdung zwischen ihm und seinem Vater kann also nicht so schwer gewesen sein, wie man bisweilen aus seinem Freundschaftsverhältnis zu David gefolgert hat (vgl. o. S. 428)[21]. Schließlich bleibt Saul allein übrig, einst Vorkämpfer und nun Schicksalsgenosse der Seinen, auf dem die Last des Kampfes liegt. Eine solche Verbundenheit kann ebenso dadurch ausgedrückt werden, daß der Held den Seinen im Tode vorangeht, wie damit, daß er den anderen auf diesem Wege folgt. Das zweite ist hier gewählt, weil alles darauf ausgerichtet ist, die letzte Einsamkeit Sauls miterleben zu lassen.

12. Hertzberg, Ketter; aber auch schon Jirku: Geschichte, S. 127; zu Unrecht sieht Gutbrod in V. 11–13 nur eine vorwurfsvolle Anknüpfung an die Anfänge des Königtums Sauls.

13. So auch FohrerE, S. 238; ähnlich Weiser: Einleitung, S. 147.

14. Worauf Eißfeld: Komposition, S. 22 hinweist, wenngleich diese Beobachtung nicht dazu ausreicht, wie er, gänzlich verschiedene Quellen zu statuieren.

15. Was schon Smith richtig empfunden hat.

16. Vgl. 2 Reg 25,7.

17. Dazu besonders van den Born.

18. Klostermann.

19. Schon Keil, aber auch viele andere.

20. Das betont Greßmann mit Recht; ähnlich schon Budde.

21. Zur Sache Kapelrud: ZAW 1955, S. 200.

Diese Erkenntnis darf nicht dadurch abgeschwächt werden, daß man aus dem Berichteten Folgerungen zieht, die es selber nicht beabsichtigt hat, etwa derart, daß Saul nicht mehr habe entkommen können[22] oder daß er erst dann das Ziel für die philistäischen Bogenschützen wurde, als niemand mehr da war, der ihn deckte, mindestens die Reihen um ihn sich stark gelichtet hatten[23]. Gerade die Nennung der Bogenschützen bringt einen besonderen Zug in die Darstellung, der mit der Erklärung nicht ausreichend verstanden ist, die Philister hätten sich nicht an den mächtigen Mann herangewagt, ihn darum aus der Ferne bekämpft[24]; um so weniger, als damit das Bild wieder verschoben, der Ton auf einen unwesentlichen Nebenzug gelegt würde, nämlich die Meinung der Philister über Saul: Die Wichtigkeit, die dieses besondere Motiv hier hat, wird vielleicht daran am deutlichsten, daß seinetwegen einige Unanschaulichkeiten in Kauf genommen wurden. Einmal ist zu bedenken, daß Bogenschützen vom Streitwagen aus kämpften[25], diese aber auf dem Gebirge Gilboa schwerlich erfolgreich sein konnten; die Schilderung liegt also in derselben Linie wie 2 Sam 1. Dann hatte Saul doch offensichtlich in einem Nahkampf gestanden, so daß, wenn er in den Beschuß der Bogenschützen geriet, der Feind wieder weiter von ihm entfernt sein mußte und die Lebensbedrohung für ihn – er war doch bereit, in der Schlacht zu fallen[26] – nicht größer geworden sein konnte. Es muß sich also darum handeln, daß die Israeliten hier einer Bewaffnung und Kampfesweise gegenüberstanden, die ihnen neu oder doch nicht vertraut, darum eine ungeheure Bedrohung war[27] und dieselbe psychologische Wirkung hatte wie die Eisenwagen der Kanaanäer (Jdc 4,3). Damit wird übrigens der Unterschied dieser Schlacht von den bisherigen Unternehmungen Sauls gegen die Philister sehr klar charakterisiert. Diese Auffassung kann auch nicht durch einen Hinweis darauf in Frage gestellt werden, daß Jonathan – übrigens im Gegensatz zu Saul, dem Mann mit dem Speer – als der erscheint, der den Bogen gebraucht (18,4; 20,20.21.22.36–38); im Gegenteil könnte auch dies an seinem Teil bestätigen, wie sehr er den Erfordernissen einer neuen Zeit aufgeschlossen war. Im Zusammenhang damit möchte ich es auch sehen, daß das Lied Davids auf den Tod Sauls und Jonathans 2 Sam 1,19–27 in V. 18 die Überschrift לְלַמֵּד בְּנֵי יְהוּדָה קָשֶׁת (vgl. auch im Dankpsalm Davids 2 Sam 22,35) trägt; auch das scheint eine Erinnerung daran, daß bei dieser schicksalsschweren Niederlage Sauls die Israeliten den Philistern in dieser Bewaffnung unterlegen waren (vgl. z. Stelle dort)[28]. Mit der Betonung dieser besonderen Situation wird wohl die grammatisch nicht aufzulösende Häufung der Ausdrücke

22. So Hertzberg, der von einer zu engen Fassung von נוּם ausgeht (vgl. Anm. c zu V. 1).

23. So im Ansatz Dhorme, Budde (sie entdeckten ihn unter den anderen), Goslinga (sie erkannten ihn an seiner hohen Gestalt).

24. Hertzberg; ähnlich auch Ketter.

25. Ein wichtiger Hinweis bei van den Born; zur Sache vgl. de Vaux: Lebensordnungen II, S. 51.

26. Vgl. hierzu die sehr richtigen Überlegungen von Caird.

27. Das klingt schon bei Wellhausen: Geschichte. 1907, S. 89 an; es wird vor allem von Caspari aufgenommen.

28. Dazu Eißfeldt: VT 1955, S. 232ff.

bei ihrer Beschreibung zusammenhängen (vgl. Anm. a zu V. 3). Sie erklärt auch ausreichend, daß 𝔐 von einem panischen Schrecken Sauls[29] spricht, was keineswegs zu modern empfunden ist[30] und weder dem Wesen der Heldenerzählung als Ganzem[31] noch dem widerspricht, daß Saul sich selbst den Tod gibt.

Saul erfährt in dem Gegenüber dieser Bogenschützen ebenso die Grenze seines Vermögens wie in dem Nein Jahwes durch den Mund Samuels in Endor. Freilich scheint 𝔊 bzw. die Rezension, der sie folgt, diese Gedanken nicht mehr verstanden zu haben und spricht deswegen, den Vorgang deutend, von einer Verwundung Sauls (vgl. Anm. b zu V. 3), doch wird auch 2 Sam 1 im Parallelbericht Saul als unverwundet, indessen zu einer kämpferischen Reaktion nicht mehr fähig hingestellt. Gerade das *εἰς τὰ ὑποχόνδρια*, auf das viele Ausleger wie gebannt starren, könnte seinem Tenor nach in der Linie der Vergröberung, zugleich der Verflachung liegen, die die Überlieferung von der Schonung Sauls durch David erfahren hat (vgl. o. S. 438 zu Kap. 24). Aber das muß eine unbeweisbare Vermutung bleiben. Mindestens weist die Bitte an den Waffenträger nicht auf eine schwere Verwundung, die es Saul unmöglich gemacht hätte, sich selbst den Tod zu geben[32]. Der hier zur Erklärung herangezogene Bericht vom Tode des Abimelech (Jdc 9,54) ist nur deswegen aufschlußreich, weil er zeigt, daß es schimpflich war, durch die Hand eines verächtlichen Gegners zu fallen; dort war es ein Weib, hier sind es die Unbeschnittenen. Die am religiösen Gegensatz orientierte Bezeichnung der Philister als עֲרֵלִים ist in den Sam.-Büchern auf wenige Stellen beschränkt; von ihnen sind hilfreich 17,26.36, die עֲרֵלִים im Zusammenhang mit der Wz. חרף nennen. Von daher scheinen דְקָרֻנִי und הִתְעַלְּלוּ־בִי an unserer Stelle als parallele Begriffe gedacht zu sein und sich nicht auszuschließen (vgl. Anm. a zu V. 4), zumal ein solches Töten mit Folter, Qual und Hohn verbunden sein mochte. Interessant ist, daß der Gedanke an die Bogenschützen und das Ende durch einen Pfeilschuß wieder aufgegeben ist. Mit der Furcht Sauls vor Gefangenschaft ist dem Texte nach weniger zu rechnen. Nübel findet in dem Triumph der Unbeschnittenen ein Kennzeichen seines Bearbeiters und sieht in den Worten von פֶּן bis וְהִתְעַלְּלוּ־בִי eine Erweiterung im Blick auf die Liedstrophe 2 Sam 1,20. Man könnte von den Anklängen an charismatische Vorstellungen her auch umgekehrt argumentieren. Jedenfalls hinge die Forderung Sauls ohne eine Begründung in der Luft.

Die Weigerung des Waffenträgers wird üblicherweise mit der Scheu vor der sakralen Dignität des gesalbten Königs wie in Kap. 24 oder 26 begründet. Das ist möglich, aber nicht mit Sicherheit zu erweisen[33]; jedenfalls wird es nicht explizit gesagt[34], wie hier der Gedanke an die Salbung überhaupt stark hinter dem Heldenhaften zurücktritt. So kann das כִּי יָרֵא auch allgemein den lastenden Schrecken

29. So noch Löhr, Nowack.
30. Schulz.
31. Aus dieser Überlegung übernimmt Greßmann die Textform von 𝔊.
32. Schulz.
33. So schon Smith, obwohl er dann doch dieser Möglichkeit den Vorzug gibt.
34. Was van den Born mit Recht hervorhebt.

der Stunde kennzeichnen und dazu dienen, eine letzte Überlegenheit Sauls in der ausweglosen Not des Sterbens und Unterliegens herauszustellen. Zu erinnern wäre daran, wie David von einem Kriegstod Sauls 26,9 spricht, eine Erwartung, die auch dort in einem Spannungsverhältnis zu der vorhergehenden Berufung darauf steht, daß keiner, der die Hand an den מָשִׁיחַ legt, ungestraft bleiben kann (vgl. o. S. 468). Das Fallen durch eigene Hand befreit Saul von der Schmach und könnte auch die, die an ihn dachten, etwas befriedigt haben, wie vergleichbare geschichtliche Erfahrungen lehren. Das Ganze darf nicht nach von außen herangetragenen ethischen Kategorien beurteilt werden[35], denn die Vorstellung von einem Selbstmord in modernem Sinne fehlt[36]. Saul entzieht sich nicht einfach einer schwierigen Lage, der er sich nicht mehr gewachsen fühlt[37]; der Hinweis auf Hi 2,9[38] ist irreführend. Die Tat Sauls ist nur die Anerkennung eines Schicksals, das bereits entschieden ist[39]. Die Frage, ob er sich in sein eigenes Schwert oder das des Waffenträgers[40] stürzt, d. h. ob der נֹשֵׂא כֵלָיו tatsächlich nur der Waffenträger war, ist akademisch; wichtig allein ist die Gefolgschaftstreue des Mannes, die nun doch ein freundliches Licht auch auf Saul wirft. Der Gedanke übrigens, daß er das Schwert nimmt, in das sich eben sein König gestürzt hat, hat tatsächlich etwas Befremdendes[41].

Mit V. 6 ist der Abschluß der Szene erreicht, zugleich ihr Ergebnis in der Beschreibung des ganzen Umfangs der Katastrophe zusammengefaßt. Dabei werden, von Saul als Mittelpunkt ausgehend, die Gefallenen in einer absteigenden Klimax genannt. Die gesonderte Erwähnung der כָּל־אֲנָשָׁיו kann nicht dahin interpretiert werden, daß auch nach dem Tode Sauls der Kampf noch weiterging, bis auch der letzte Widerstand gebrochen war[42]. Natürlich ist das eine Stilform, denn mindestens Abner, und vermutlich nicht er allein, muß dem Verderben entgangen sein. Aber die Allgemeinheit dieser Aussage ist beabsichtigt, so daß weder textkritische Maßnahmen (vgl. Anm. a zu V. 6) noch die Einengung des כָּל־אֲנָשָׁיו auf die Männer der Familie Sauls[43] berechtigt sind, obwohl bereits 1 Chr 10,6 mit seinem וְכָל־בֵּיתוֹ dieses Verständnis gehabt hat.

7 Verglichen mit dem Vorhergehenden unterscheidet sich V. 7 durch ein anderes Verständnis einzelner Ausdrücke; in der Schilderung der Folgen, die die Niederlage hatte, nimmt er zwar Begriffe auf, die schon eingeführt waren, doch

35. Vgl. z. B. Keil, Ketter, Gutbrod; aber auch Schlögl (es ist verständlich, jedoch nicht zu billigen), de Groot (bereits in Gn 9,6 ist eingeschlossen, daß der Selbstmord Sünde ist, die als etwas Verwerfliches gilt).

36. Zur Sache vgl. zuletzt *Ηλια Β. Οικονομου: Περιστατικὰ αὐτοκτονιῶν ἐν τῇ Π. Διαθήκῃ*. Parnassos 1964, S. 607–612 (Bericht ZAW 1965, S. 230).

37. Caird.

38. Gutbrod.

39. Caspari findet hier eine »Rücksicht auf anwesende Anhänger, die, wenn sie das Leben des Führers nicht erhalten, selbst nicht lebend nach Hause kommen dürfen« (S. 388); das ist freilich schwer zu verstehen.

40. Schulz, Caspari.

41. So richtig Goslinga.

42. Etwa Hertzberg.

43. So Goslinga.

ist ihre Bedeutung fließend geworden. אַנְשֵׁי יִשְׂרָאֵל meint einmal die Männer, die im Aufgebot Sauls gekämpft hatten, dann die israelitische Bevölkerung überhaupt[44], נוס ebenso die in der Vernichtung endende Niederlage wie Flucht als Maßnahme zur Rettung aus einer unhaltbar gewordenen Situation. V. 7 kann also nicht ein Erzählungselement sein, das von vornherein zum Überlieferungsstück gehörte, sondern stellt eine Zusammenfassung von anderer Hand dar. Das ist freilich nicht so zu verstehen, daß es sich dabei um eine spätere Ergänzung handelt, die V. 10ff. vorbereiten und erklären sollte[45]. Dieser Abschnitt ist in sich selber so klar, daß es einer solchen Einführung überhaupt nicht bedurfte. Gegen eine solche Spätansetzung spräche auch, daß der, der hier redet, mit den Verhältnissen gut vertraut zu sein und zu einer Zeit geschrieben zu haben scheint, in der die Erinnerung an die Folgen der Niederlage noch ganz lebendig war[46]. Bei der Nennung der Städte[47] braucht keineswegs übersehen zu sein, daß sie damals zu einem guten Teil noch den Kanaanäern gehörten[48], denn das gilt nur für die großen Städte; Jesreel z. B., das ja in den Berichten vom letzten Kampf Sauls durchaus eine Rolle spielt (29,1), wird eine israelitische Siedlung ohne kanaanäische Vergangenheit gewesen sein[49]. Die Angaben in V. 7 gehen einerseits über das hinaus, was man als bloßes Stilelement ansehen könnte (vgl. 13,7; 14,11)[50], bleiben andererseits wieder so im Allgemeinen, daß man den Eindruck hat, es werde hier mit Selbstverständlichkeiten gerechnet. So wird nichts darüber gesagt, in welcher Richtung der Fluchtweg lag. Eine gewisse Wahrscheinlichkeit spricht jedenfalls dafür, daß er, mindestens zum Teil, über den Jordan geführt hat (13,11), wo Israel auch später zu Zeiten der Bedrohung einen Rückhalt fand, wohl weniger deswegen, weil sich dort schon seit alters ein starkes israelitisches Machtzentrum gebildet hatte[51], als darum, weil man dort von Westen kommenden Angriffen nicht so unmittelbar ausgesetzt war.

Das Urteil darüber, wie weit die Auswirkungen des philistäischen Sieges reichten, hängt nicht zuletzt von dem Verständnis von בְּעֵבֶר הָעֵמֶק und בְּעֵבֶר הַיַּרְדֵּן ab (vgl. dazu Anm. b zu V. 7). Daß die Philister danach ihre Vorherrschaft auch über Galiläa ausgedehnt haben[52], wäre immerhin möglich, wenn es auch nicht

44. Eine Schwierigkeit, die anscheinend Caspari dazu veranlaßt hat, aus diesen אַנְשֵׁי יִשׂ׳ einen Truppenteil Sauls zu machen, der noch in der Ebene stand und erst nach entschiedener Schlacht abrückte.

45. So Budde, dagegen schon Dhorme.

46. Auch Nübel (Aufstieg, S. 64) nimmt diesen Vers für seine Grundschrift in Anspruch.

47. Es ist übrigens zu beachten, daß 1 Chr 10,7 hier עָרֵיהֶם statt הֶעָרִים hat, was doch eine kleine Verschiebung des Sinnes bedeutet.

48. Einwand von Budde.

49. Vgl. dazu Alt III, S. 260.

50. Wobei wohl auch zu beachten ist, daß die Gegebenheiten des Raumes ein Verbergen in Klüften und Höhlen nicht erlaubten.

51. So John Briggs Curtis: East is east. JBL 1961, S. 356.

52. So Noth: Geschichte, S. 164; ähnlich schon Kittel: Geschichte des Volkes Israel. II. 7. Aufl. 1925, S. 102.

53. Auch Hertzberg rechnet damit, daß בְּעֵבֶר הָעֵמֶק die nördlichen Teile der Jesreelebene mit Einschluß des Südrandes des galiläischen Berglandes bedeuten kann.

eigentlich durch den Text gefordert ist; daß sie auch über den Jordan hinübergriffen[53], ist dagegen unwahrscheinlich[54], denn weder lag dort ihr eigentliches Interessengebiet, noch waren sie dort verletzlich. Gerade bei dem בְּעֵבֶר הַיַּרְדֵּן wird wohl besonders deutlich, daß das (vornehmlich westliche) Gebiet und die Jordanfurten gemeint sein müssen[55]; damit entfällt natürlich auch eine Deutung von בְּעֵבֶר הָעֵמֶק auf die Bucht von Beth-Schean[56]. Auf der anderen Seite fällt auf, daß das südlich der Jesreelebene liegende Bergland keine Erwähnung findet[57]; der Blick liegt also ganz und gar auf den Erfolgen in der Jesreelebene[58]. Man wird allgemein annehmen dürfen, daß die Philister die Verhältnisse wiederherstellten, wie sie vor dem Auftreten Sauls bestanden hatten, ohne eine wesentliche Machterweiterung zu suchen[59]. Hertzberg wird mit der Überlegung recht haben, daß man, geschichtlich geurteilt – anders verhält es sich natürlich mit einer theologischen, glaubenden Betrachtung der Dinge –, die Auswirkungen des Sieges nicht allzu groß anzunehmen haben wird, denn es blieb die Möglichkeit, die Dynastie Sauls fortzusetzen; daß es nur noch ein Schattenkönigtum sein konnte, lag an seiner inneren Schwäche.

8–10 Die Verse zeichnen das מִמָּחֳרָת einer jeden Schlacht; die übliche Auszahlung der Rendite eines Sieges in der kleinen Münze der Plünderung. Die Züge der Darstellung sind hier eher konventionell, so daß man aus ihr keine Einzelheiten über Dauer und Verlauf des Kampfes entnehmen kann[60]. Es hat den Anschein, als fände man die Leiche Sauls zufällig, könnte ihn dann aber in der Schlacht eigentlich nicht erkannt haben, was freilich nicht recht zu V. 3 passen will; so wird auch von hier aus die Besonderheit der Überlieferung von V. 1–6 deutlich. Schändung eines gefallenen Gegners ist bis in die jüngste Gegenwart nicht unbekannt. Sie ist zunächst wohl als Lösung einer Spannung und Spontanhandlung zu verstehen, mit der man, gleichsam befreit, dem Gefühl seiner Überlegenheit über einen Gegner Ausdruck gibt, der, eben noch gefährlich, nun tot ist. Auch David schneidet dem Goliath den Kopf ab, ein Zug, der vermutlich von der Saulüberlieferung her bestimmt ist (17,51). Der dahinter liegende Grund mag zuletzt der sein, daß man so seinem Widersacher auch in der Unterwelt Schande machen will[61]. Daran, daß sich die Philister noch vor dem toten Saul gefürchtet hätten[62], ist weniger zu denken, am allerwenigsten aber daran, daß sie so das Auftreten falscher Saule verhindern wollten[63]. Darüber hinaus ist der Kopf neben den erbeuteten Waffen das sicherste und unverwechselbarste Zeichen für einen Triumph[64], und als solches werden die Trophäen im ganzen Land umher-

54. Zur Sache vgl. auch Simons (o. S. 489, Anm. 27).
55. So auch Hertzberg. 56. Schulz.
57. Zur Struktur dieses Gebietes in vorisraelitischer Zeit s. Alt I, S. 109.
58. Auch Auerbach: Wüste I, S. 196 rechnet nur mit der Besetzung der Ebene.
59. So auch Bright: Geschichte, S. 182.
60. Wie es Caspari, aber auch Schulz u. a. tun.
61. Vgl. dazu Erwin Merz: Die Blutrache bei den Semiten. 1916, S. 53.
62. De Groot.
63. Dies eine etwas befremdende Überlegung von Caspari.
64. Vgl. dazu die Philistervorhäute 18,25.

gesandt (vgl. Anm. a zu V. 9). Mit הָעָם wird deswegen die den genannten Gottheiten korrespondierende (Anm. b) philistäische Gesamtbevölkerung gemeint sein und keineswegs die Bewohner in und um Beth-Schean, »die durch die Ereignisse dazu gezwungen worden wären, ihrerseits zu den Fragen Stellung zu nehmen, die zwischen den Israeliten und Philistern durch Waffen entschieden waren[65]«. Ebenso wird bei בֵּית עַשְׁתָּרוֹת nicht an eine Tempelanlage in Beth-Schean zu denken sein[66]. Manche finden hier einen Hinweis auf das Heiligtum der Aphrodite zu Askalon, das nach Herodot[67] ein besonderes Ansehen genossen hat[68]. Aber die Angaben sind eben doch so allgemein, daß ein sicheres Urteil nicht möglich ist[69]. Sie werden sofort deutlich und greifbar, wo es um das Schicksal des Leichnams Sauls geht (zu גְּוִיָּתוֹ vgl. Anm. b zu V. 10). Die Frage, ob nur der Rumpf oder auch der Kopf an die Mauer von Beth-Schean genagelt wurde, muß offenbleiben. An sich ist das Letztere doch recht wahrscheinlich, natürlich nicht deswegen, weil V. 10 nur von einer Deponierung der Waffen in einem philistäischen Heiligtum spricht[70], wohl aber darum, weil nur so die Tat der Jabeschiten ihre volle Bedeutung erhält. Darüber hinaus, daß das, was so erzählt wird, an sich eigentlich schon unerfindbar ist und durch die Handlung der Jabeschiten, die es auslöst, auch sonst gut bezeugt erscheint, paßt es glatt in den geschichtlichen Kontext. Die Bevölkerung von Beth-Schean war durch eine Kräftigung der israelitischen Macht in diesem Raum wenn auch zunächst noch nicht direkt gefährdet, so doch in ihrem Lebensbereich eingeschränkt. Ein Sieg der Philister hatte also auch für sie eine unmittelbare Bedeutung, und man kann eben nicht sagen, daß die Kanaanäer hier kurzsichtig gewesen seien und nur ihren Herrn getauscht hätten[71]. Alt nimmt sogar an (vgl. Anm. d zu V. 10), daß ein Kontingent von ihnen auf seiten der Philister mitgekämpft habe. Dazu kommt, daß die Lage von Beth-Schean an wichtigen Straßen garantierte, daß die Kunde vom Ausgang der Schlacht und dem Ende Sauls baldmöglichst verbreitet wurde. Das מְרְחֹב statt מְחוֹמַת 2 Sam 21,12 ist von daher zu verstehen und kein Zeichen abweichender Überlieferung; Mauer und freier Platz am Stadttor bilden eine organische Einheit[72]; sie war durch ihre Würde als Versammlungsplatz und Verhandlungsort[73] für solche politischen Demonstrationen besonders geeignet. Da das Aufhängen an der Stadtmauer ebenso wie Pfählen und Kreuzigen später als ausgesprochene Strafrechtsmaßnahme gegen Abtrünnige erscheint[74], dürfte

65. So Caspari.
66. So Jirku: Geschichte, S. 127.
67. Historien I/105.
68. So z. B. Nowack, Dhorme, Goslinga.
69. Ebenso ist ja das, was 17,54 über den Verbleib des Hauptes und der Rüstung Goliaths gesagt wird, merkwürdig in der Schwebe.
70. Vgl. dazu besonders Hertzberg.
71. Auerbach: Wüste I, S. 205.
72. So auch van den Born.
73. Zur Sache vgl. de Vaux: Lebensordnungen I, S. 116. 245 u. ö.
74. Man denke an die Bestrafung der Statthalter und Großen von Ekron durch Sanherib, Prismainschrift Kol III/3 (ATAO, S. 353; ANET, S. 288).

schon hier etwas davon mit anklingen und daran sichtbar werden, wie die Philister das Auftreten Sauls im Grunde beurteilten. So endet das Leben Sauls in tiefer Erniedrigung. Und doch ist auch dieser Zug der Überlieferung, obwohl das leicht möglich gewesen wäre, nicht unterdrückt worden; keinesfalls deswegen, weil man darin eine verdiente, gerechte Strafe sah, sondern weil es der Anknüpfungspunkt dafür war, von einer Treue zu berichten, die den Plan der Philister durchkreuzt und dem schuldigen, aber auch unglücklichen ersten König Israels zuletzt doch Ehre erweist[75].

11–13 Es ist einsichtig, daß hier eine Rückbeziehung auf Ereignisse vorliegt, die in Kap. 11 geschildert sind; sie gründet in der Sache selbst und geht über eine bloß redaktionelle Absicht hinaus. Aber gerade darum kann es auffallen, daß nicht explizit an die Rettertat Sauls erinnert wird, der die Jabeschiten ihre Unabhängigkeit verdanken. Das wäre durchaus möglich und auch geeignet gewesen, ihre Treue ins rechte Licht zu rücken. Diese Beobachtung läßt sich in gewissem Maße auch 2 Sam 2,5 machen[76], wo David von einem חֶסֶד-Erweis der Jabeschiten an ihrem אֲדוֹן Saul spricht. Das könnte die bereits zu Kap. 11 ausgesprochene Vermutung stützen, daß das Gefühl einer Zusammengehörigkeit mit Benjamin schon vor dem Eintreten Sauls lebendig war (vgl. o. S. 226). Wie weit man freilich Kap. 11 u. 31 von einer Jabesch-Überlieferung im eigentlichen Sinne sprechen kann[77], ist schwer zu entscheiden, obwohl zugestanden werden muß, daß beide Stücke mit den topographischen Voraussetzungen ihrer Berichte gut vertraut sind. Mindestens muß man sich dessen bewußt bleiben, daß beide im Tenor ihrer Darstellung recht verschieden sind. Hier handelt es sich um den knappen Bericht einer Heldentat, dort um eine bereits theologisch geformte Überlieferung.

Daß die Kunde von allem, was geschehen war, bald in das abgelegene Jabesch gelangt, ist nicht zu verwundern, schnelle Verbreitung dieser Nachricht lag auch im Interesse des Siegers. Wie lange es aber dazu brauchte, wird nicht gesagt; die Annahme, daß es noch am Abend desselben Tages geschah, ist nicht nötig. Sicher ist indes die Schilderung dann so zu verstehen, daß die Botschaft an einem Nachmittag ankam. Das וַיָּקוּמוּ כָּל־אִישׁ חַיִל וַיֵּלְכוּ כָּל־הַלַּיְלָה zeichnet die Spontaneität eines Entschlusses, dessen Durchführung durch nichts gehindert werden kann (vgl. auch Anm. a zu V. 12). Daß sie noch in derselben Nacht zurückkehrten, ist durch die Angaben nicht gefordert und nicht einmal wahrscheinlich[78]; es genügt durchaus, wenn sie bei Morgengrauen nicht mehr in unmittelbarer Umgebung der Stadt waren. Mit der Nennung der Söhne wird eine Anpassung an den Schlachtbericht V. 2 u. 8 vorgenommen; V. 10 hatte nur von der Leiche Sauls gesprochen. Eine schwierige Frage bleibt noch das Verbrennen des Leichnams (vgl. Anm. c zu V. 12). Da danach die Bestattung der Gebeine erfolgt, kann nicht

75. Es ist eben doch nicht ganz so, daß »die Sonne Sauls blutigrot über eben jenem Ort versinkt, von dem aus einst der junge, gefeierte Held unter dem Königsjubel des ganzen Volkes seine verheißungsvolle Laufbahn begonnen hatte« (Greßmann).

76. Anders Glueck: Ḥesed, S. 19.

77. So Schunck: Benjamin, S. 107: eine Jabesüberlieferung, die mit einer Gilgalüberlieferung zusammen die Gilgal-Jabes-Quelle gebildet hätte.

78. Vgl. zur Sache Martin Noth: Jabes-Gilead. ZDPV 1953, S. 32.

an Vernichtung gedacht sein, besteht also keine Analogie zu dem Verbrennen der Knochen des Königs von Edom zu Kalk, das Am 2,1 den Moabitern zum Vorwurf gemacht wird; da es mit einer solennen Trauerfeier verbunden war, scheidet jeder Gedanke an eine Verunehrung des Verstorbenen aus[79]. Die verschiedenen Vorschläge zur Erklärung, die hier versucht worden sind – es handele sich um einen im Ostjordanland geübten Brauch[80], die Leiche sei so verwest gewesen, daß sie nach israelitischem Brauch nicht mehr bestattet werden konnte[81], sie sollte vor der Gefahr weiterer Profanierung geschützt werden[82] –, sind entweder an sich unmöglich (Ostjordanland) oder bieten keine wirkliche Erklärung. Sicher scheint nur die Überlegung zu sein, daß Saul nicht in einem Familienbegräbnis in Jabesch beigesetzt werden konnte, daß andererseits seine sterblichen Überreste sichergestellt werden sollten, um sie, wenn möglich, einmal in das Grab seiner Väter zu überführen[83] (2 Sam 21,14). Daß ein von den Weichteilen befreites Knochengerüst dem Verfall nicht so ausgesetzt war wie ein ganzer Leichnam, ist einzusehen. Ob es sich um eine aus Erfahrungen geschöpfte und in vergleichbaren Fällen angewandte Maßnahme handelte oder ob die spätere Überführung, von der man wußte, bereits auf die Ausbildung der Überlieferung in der uns vorliegenden Form gewirkt hat, ist nicht zu entscheiden. Ebensowenig läßt sich etwas Bestimmtes über die Art des Begräbnisses unter der Terebinthe sagen.

79. Gegen Budde; im Gegensatz dazu ist es wohl zu verstehen, wenn Caspari von einer besonderen Reinigung spricht.

80. Schulz, de Groot.

81. Von den neueren Keil, Ketter, Leimbach.

82. Etwa Keil, Goslinga.

83. Vgl. dazu Bernhardus Alfrink: L'expression shâkab 'im abôtâw. OTS 2. 1943, S. 106–118.

Das Königtum Sauls und seine geschichtliche Bedeutung

Wenn auch das, was von Saul berichtet wird, vielschichtig ist und nicht einfach auf einen Nenner gebracht werden kann, so lassen sich doch Grundlinien herausstellen, an denen deutlich wird, wie diese Überlieferungen sich in der Auseinandersetzung mit geschichtlichen Fakten bildeten. So ist es gerechtfertigt, hinter diese zurück nach Voraussetzung, Wurzel und Wesen des Königtums Sauls, damit zugleich nach seiner Schwäche zu fragen. Die Antwort, die versucht werden muß, hängt aber solange in der Luft, wie sie nicht ständig die Beurteilung mit in Ansatz bringt, die das Königtum in der frühen Überlieferung, das heißt, durch die gefunden hat, die in engerem oder weiterem Sinne Zeitgenossen waren[1]. Je jünger und weiter entfernt von den Ereignissen und Zeitproblemen eine Überlieferungsbildung ist, um so doktrinärer und wirklichkeitsfremder wird sie sein.

Es handelt sich im Folgenden natürlich in erster Linie darum, die Ergebnisse der jeweiligen Einzelexegese zu einem kurzen Gesamtbild zusammenzufassen. Doch wird hier in einem methodisch anderen Ansatz von prinzipiellen Erwägungen ausgegangen. An ihnen soll das Einzelergebnis noch einmal gemessen werden, in der Erwartung, daß es damit auf seine Zuverlässigkeit geprüft und zugleich das Besondere vom Allgemeinen her ergänzt werden kann.

Es ist unbezweifelbar, dennoch keineswegs selbstverständlich, daß die Erinnerung an die glückhaften Anfänge Sauls nicht dadurch überdeckt und in der Breite des Volkes schließlich ausgelöscht wurden, daß man von ihrem katastrophalen Ausgang wußte. Ja, sie hat sogar – wenn man von sicher späteren Überlieferungsbildungen absieht[2] – eine Darstellung gefunden, die Saul nicht ohne Sympathie[3], mindestens aber mit einem Gefühl für die Tragik seines Lebens[4] gegenübersteht. Wenn David auf seinem Wege zur Königswürde über ganz Israel die Ehe mit der Tochter Sauls anstrebt (2 Sam 3,13ff.)[5], so wird man auch darin mehr zu sehen haben als die politisch geschickte Rücksichtnahme auf Ressentiments des Nordens, um sich dessen Sympathien zu sichern. Angesichts der besonderen Begleitumstände dieser Heirat durfte David von daher überhaupt nicht zu stark auf freundliche Zustimmung rechnen. Es ist eher die Anknüpfung an etwas, das, auch wenn es nicht mehr oder nur noch in schwacher Form bestand, doch ein Neues gewesen und damit Grundlage eines Neuen geworden war. Es ist in diesem Zusammenhang auch auf die Beobachtung hinzuweisen, daß das, was man von der Jugendgeschichte Davids zu erzählen wußte (1 Sam 16–26)[6], sich zu einem guten Teil auf dem Hintergrund der Geschichte Sauls abspielt. Das hat natürlich auch historische Gründe, denn an einem zuverlässigen Kern der Berichte von einer Stellung Davids in der Umgebung Sauls ist nicht zu zweifeln[7],

1. Vgl. dazu Stoebe, in: Rost-Festschrift, S. 210.
2. S. o. S. 483.
3. S o. S. 275. 280.
4. S. 488. 496.
5. Vgl. dazu auch S. 352f.
6. Vgl. dazu S. 296f.
7. S. 297.

unbeschadet aller Ausschmückungen und Erweiterungen, die sich im einzelnen hierzu feststellen lassen[8]. Doch ist damit der besondere Tenor der Darstellung noch nicht ausreichend erklärt, die immer wieder allen Nachdruck darauf legt, daß David die Gestalt und den Auftrag seines Vorgängers achtet[9] und daß er selbst als vollmächtiger Fortführer sowohl von Saul[10] wie von seinem Sohn[11] wie schließlich vom Priester[12] anerkannt wird. Daß das Königtum Sauls und Davids irgendwie als eine Einheit angesehen wurden, kann das Preislied der Frauen auf David zeigen[13]; der Eindruck drängt sich aber auch sonst auf[14]. Das ist nun aber nicht nur deswegen bemerkenswert, weil beide hinsichtlich der Auswirkungen und der Dauer ihrer Erfolge klar voneinander getrennt sind; entscheidender ist noch, daß beider Herrschaften vom Ansatz her eine verschiedene Struktur haben, was schon aus der Stellung und der Bedeutung hervorgeht, die die Geistesbegabung im Gefälle der einzelnen Berufungsgeschichten hat[15]. Es lassen sich also ebenso Gemeinsamkeiten wie Verschiedenheiten feststellen; ihre rechte Bestimmung hilft zum Verständnis der Gestalt Sauls und seines Werkes.

Innerhalb der Saulüberlieferung haben die Geschichten ein eigenes Profil, die ihn als Charismatiker in der Art der alten Rettergestalten[16], Samuel in den Funktionen eines Propheten zeigen. Darauf liegt für die älteste Überlieferung, besser für den Grundbestand der Saulüberlieferung, das Hauptgewicht. Das muß festgehalten werden, auch wenn etwa das Moment des Prophetischen unter den verschiedenen Möglichkeiten seiner Erscheinungsform dargestellt wird[17] und darüber hinaus die Gestalt Samuels auch sonst komplexe Züge trägt[18]. Dieses Ergebnis wird durch zwei Beobachtungen gestützt. Der Niedergang Sauls wird ebenfalls in den Kategorien des Charismatischen gesehen und abgehandelt. Er hat seinen Grund im Verlust des Geistes (16,14; ohne daß der Geist ausdrücklich genannt wird, ist das auch der Tenor der Goliathgeschichte) und weiter darin, daß ein böser Geist (אֱלֹהִם 16,5.23; 18,10; יְהוָה (מֵאֵת) 16,14; 19,9) ihn ergreift (וַתִּצְלַח 18,10). Eine eigenartige, nicht klar profilierte Verquickung mit prophetischen Geistvorstellungen zeigt 19,23ff. Anscheinend war mit der Darstellung nun auch des Unglücks Sauls eine ebenso theologisch wie erzählerisch neue Aufgabe gestellt, die zunächst die Überlieferung zu bewältigen hatte. Zum rechten Verständnis dessen ist es lehrreich, auf Jdc 9,22f. zu verweisen, ist aber auch die Frage zu stellen, warum solche Mißerfolge, deren es auch vorher manche gegeben haben

8. Vgl. dazu im einzelnen Kap. 17; 18; 19.
9. 24,11; 26,9.
10. 24,21; 26,25.
11. 20,16; 23,17.
12. 21,7; dazu S. 396.
13. 18,7; vgl. dazu S. 349.
14. S. 277.
15. Zu 9,1–10,16 S. 201; zu 16,1–13 S. 305f.
16. 10,1–12 (13,3?); 11; auch der Überlieferungskern von Kap. 15.
17. Prophet mit örtlicher Geltung 9,6f.; Prophet mit politischem Einfluß 9,1–25; 10,17–27; 15; Haupt einer Prophetengenossenschaft 19,18ff.
18. S. 84f.

mag, von denen wir aber nichts wissen, bei Saul eben nicht der Vergessenheit anheimfielen.

Weiterhin muß hier beachtet werden, daß die Dimension, in der sich das Wirken Sauls wenigstens im Anfang zeigt, nicht über die Erfolge eines charismatischen Retters hinausgegangen ist. Denn was ausführlich[19] von Schlacht und Sieg erzählt wird, ist auf das Stammesgebiet Benjamins im eigentlichen Sinne (13.14) bzw. auf Jabesch Gilead beschränkt (11), das aber aus Gründen, die uns freilich nicht mehr durchschaubar sind, eine besonders enge Beziehung zu Benjamin gehabt haben muß[20]. Es liegt in der Natur der Sache, daß damit zunächst eine Führerstellung im eigenen Stammesgebiet begründet werden mußte. Wie oben wahrscheinlich zu machen versucht wurde, ist das die geschichtliche Grundlage der Rezension, die die Anfänge des Königtums mit dem Gilgal verband[21]. Dabei liegt aller Nachdruck darauf, daß das Gilgal eben ein benjaminitisches Heiligtum war. Die Erfolge waren aber doch so groß und eindrucksvoll, daß die Stämme des Nordens, die vorher anscheinend durch die Mißerfolge ephraimitischer Gruppen resigniert, vielleicht zum Teil auch gerade durch den Verlust der Lade gelähmt waren[22], sich dazu bereit fanden, Sauls in Benjamin erworbene Führerstellung auch für sich anzuerkennen. Man wird vielleicht aber auch sagen dürfen, daß die Zeit für diese Entwicklung reif war[23]. An sich geschah damit etwas, was noch nicht notwendig über den Vorstellungskreis des Charismatischen hinausgehen mußte, denn auf Freiwilligkeit[24] gründete sich ja auch die Gefolgschaft, die der Charismatiker fand[25], was irgendwie auch noch 1 Sam 10,26 nachzuklingen scheint. Das aber, was dieses Ereignis aus allen anderen vergleichbaren heraushob, war, daß dieser Anschluß nun auf ungleich breiterer Basis erfolgte und ein Gefühl für die Kraft einer politischen Zusammengehörigkeit unter einer Spitze vermittelte, wie es vorher kaum vorhanden gewesen sein wird. Das wurde gewiß durch die Katastrophe Sauls noch einmal stark in Frage gestellt, war aber auch dann noch stark genug, um den Versuch einer Weiterführung dieser Herrschaft zu machen; dieser mußte freilich scheitern, weil er mit einer unzureichenden Person und aus sehr menschlichem Machtstreben unternommen war. Aber auch so noch konnte David daran anknüpfen. Man muß sich ja wohl immer wieder vor Augen halten, daß die Saulüberlieferung frühestens in der Zeit Davids geformt und gesammelt worden ist. Sie wäre vermutlich untergegangen, wenn das, was Saul begann, nicht in den Erfolgen Davids Vollendung und Rechtfertigung gefunden hätte[26]. Auch von diesen Erwägungen aus scheint mir Licht auf die zur Zeit diskutierte Frage

19. Vgl. dazu o. S. 286.
20. S. 226.
21. S. 178.
22. S. 166. 254.
23. Vgl. dazu etwa Jdc 8,22ff., wo es eben noch nicht zu einer konstituierten Herrschaft kommt.
24. Vgl. dazu Samuel Nyström: Beduinentum und Jahwismus. 1946, S. 45f.
25. Jdc 5,2; vgl. dazu auch Stoebe, in: Baumgärtel-Festschrift, S. 186.
26. In ähnliche Richtung weisen die Gedanken von Wolfgang Richter: Zu den Richtern Israels. ZAW 1965, S. 55.

zu fallen, ob das Königtum Sauls die Fortsetzung eines schon institutionell gefestigten amphiktyonischen Richteramtes, damit also, wenn auch in manchem verändert, nichts absolut Neues gewesen sei[27]. Die Frage danach, wie weit man mit einer Amphiktyonie rechnen kann, ist im Zusammenhang schon einmal kurz gestreift worden[28]. Eine Beantwortung übersteigt den hier gesteckten Rahmen und gehört in die Auslegung des zweiten Buches. Doch mag noch einmal darauf hingewiesen werden, daß Mizpa, der Ort, der als Schauplatz der erweiterten Königsbeauftragung angesehen werden muß[29], nur einem Prinzip zuliebe als amphiktyonisches Heiligtum postuliert werden kann. Wenn Saul aber in irgendeiner Weise der militärische Exponent eines solchen Richteramtes gewesen wäre, bliebe die positive Würdigung seiner Anfangserfolge unverständlich, denn dann wäre er zuletzt doch nicht mehr als ein aufs Ganze gesehen glückloser General gewesen, und der wird bald vergessen. Die Überlieferung hätte dann auch wohl nicht David als den hingestellt, der diese Anfänge weiterführte und zur Erfüllung brachte[30], sondern hätte ihn ungleich stärker, als das jetzt geschieht (vgl. dazu das zum Alter von 16,1–13 oder 19,18–23 Ausgeführte), in den Bahnen Samuels gezeigt. Daß diese Folgerung keine aus der Luft gegriffene Konstruktion ist, zeigt die vom Deuteronomisten konzipierte Samuelgeschichte 7,2–17, deren Tenor unüberhörbar ist, daß das ganze Königtum Sauls ebenso verderblich wie unnötig, also von vornherein sündig war, weil ja Samuel in der Kraft des Herrn die Sache viel besser gekonnt hatte[31]. In Wirklichkeit wissen die Überlieferungen aber nichts von einer Institution, sondern empfinden das Königtum als etwas Neues, schon darin, wie sie sich bemühen, dieses Neue glaubend als die Fortsetzung der alten Linien zu verstehen[32]. Auch darin wird David eng an Saul herangerückt, daß man ebenfalls in seinem Leben das charismatische Element zu finden sucht. Bei der ganz anderen Struktur seines Werdeganges kann das natürlich nur ungleich schwächer in Erscheinung treten als bei Saul. In dessen Leben besteht da eine nicht völlig ausgeglichene Spannung. Von seinen Anfängen als charismatischer Führer her ist er im eigentlichen Sinne an Benjamin gewiesen, dem er in Denken und Fühlen verbunden bleibt[33]. In dem Gegensatz zu seinem weiteren Aufgabenkreis, der hierin besteht, liegt eine Schwäche, die gewiß nicht der einzige, aber einer der Gründe seines Scheiterns geworden ist[34]. Aber auch hier wird die ganze Situation durch den Ernst gekennzeichnet, mit dem man sich darum bemüht, dieses Scheitern eines Mannes, der viel versprach und von dem man viel erwartete, wie überhaupt die ganze Entwicklung glaubend zu verstehen[35]. Dabei ist festzustellen, daß, wohl aus

27. S. o. S. 180 und jetzt noch Schunck: VTS 15. 1965, S. 261.
28. S. o. S. 166.
29. S. o. S. 215.
30. 13,14; 15,28; 28,17.
31. S. 173. 175.
32. S. 201.
33. S. 412.
34. S. 293f.
35. S. 262. 275. 292.

einer Hilflosigkeit heraus, eine gewisse Verzeichnung der Tatsachen eingetreten ist. Saul ist nicht, wie es etwa Kap. 15 erscheinen möchte, der unbedachte Neuerer, der sich gedankenlos über die Forderungen alter Frömmigkeit hinwegsetzt. Viel eher ist er der, der, altväterlichem Leben fest verbunden, sich den Erfordernissen einer neuen Lage nicht recht zu erschließen weiß. Es mag nicht Zufall sein, daß das Thema Beute und ihre rechte Verwendung da eine nicht geringe Rolle spielt, wo man sich bemüht, den Anfängen seines Niederganges nachzusinnen[36].

36. S. 273.

Register

1. Hebräische Wörter

2. Personennamen

6. *Theologische Begriffe*

7. *Bibelstellen*